TASCABILI
BOMPIANI

SAGGI

31

Bruno Migliorini
Storia della lingua italiana

Introduzione di Ghino Ghinassi

 TASCABILI
BOMPIANI

ISBN 88-452-4961-1

X edizione Tascabili Bompiani novembre 2002

INTRODUZIONE

BRUNO MIGLIORINI
E LA SUA «*STORIA DELLA LINGUA ITALIANA*»

a Bruno Migliorini, maestro e uomo

Quando, cinquant'anni fa, al momento di insediarsi nella cattedra di Storia della lingua italiana alla Facoltà di Lettere di Firenze (la prima, istituita, si può dire, *ad personam*, per valorizzare a pieno le sue originali ricerche, e per permettergli di ritornare in patria dall'«esilio» svizzero), dette inizio ai corsi della nuova disciplina accademica, Bruno Migliorini, da quell'uomo retto e corretto che era, oltre che strenuamente impegnato nei suoi studi, s'impose subito il dovere di giustificare questo provvedimento eccezionale, dando l'avvio ai lavori preparatori per un'opera che mancava ancora all'Italia: una storia della lingua italiana. Lo attesta Migliorini stesso nelle prime righe della *Premessa* del libro che viene ora ristampato, dopo quasi un trentennio dalla prima edizione (che uscì nel 1960)[1].

Che una storia della lingua mancasse veramente all'Italia potrebbe essere messo in dubbio da chi si ricordasse che fin dal Settecento (per omettere episodi precedenti, frammentari e occasionali) personaggi illustri avevano affrontato un tema simile, o almeno avevano apposto un'etichetta simile ad alcune loro opere. Ma si trattava di opere diverse e nate in un clima lontano: o volte a ribadire, di fronte a un pubblico straniero, le glorie passate della lingua e letteratura italiana (non senza qualche preoccupazione per la sua sorte futura), come la *History of the Italian Tongue* (1757) di G. Baretti; oppure a integrare, sulle tracce del Muratori, l'elemento «lingua» nelle origini medievali della

---

[1] Per le vicende che portarono Migliorini alla cattedra fiorentina si veda in particolare Fr. Mazzoni, *Bruno Migliorini*. Commemorazione tenuta a cura della Società Dantesca Casentinese pro cultura e pubblicata negli Atti della «Accademia Petrarca di Lettere, Arti e Scienze» di Arezzo, Arezzo 1981, spec. p. 11 e segg.: l'insegnamento miglioriniano a Firenze cominciò il 5.11.1938. L'anno dopo la Facoltà di Lettere dell'Università di Roma chiamava Alfredo Schiaffini a ricoprire una cattedra analoga: cfr. A. Schiaffini, *Italiano moderno e antico*, a c. di T. De Mauro e P. Mazzantini, Milano-Napoli 1975, p. 343; e per diversi anni queste due rimasero le sole cattedre di Storia della lingua italiana esistenti nelle Università italiane. I modi e i motivi che portarono in quel periodo all'attivazione di una tale disciplina universitaria meriterebbero un'indagine specifica: chi scrive ricorda che Migliorini attribuiva una parte importante in questa vicenda al vivo interessamento dell'allora ministro dell'Educazione nazionale Giuseppe Bottai.

civiltà italiana, preparando così, di lontano, materiali e argomentazioni per quella che sarà la tesi del suo «primato» in Europa: tale appare, per esempio, il capitolo «Lingua» nel *Risorgimento d'Italia* (parte II, capo I) di S. Bettinelli (1775). Gli incunaboli settecenteschi della storia della lingua italiana trovano insomma il loro baricentro in motivazioni assai distanti dal nostro tempo: in particolare nel desiderio di una piena legittimazione del nostro idioma di fronte al temibile dilagare del francese, che pareva ormai travolgere ogni difesa frapposta dalla nostra lingua, la «langue douce, sonore, harmonieuse» (Rousseau) di Petrarca, Ariosto e Tasso. Naturalmente in quest'epoca dire «lingua» significava ancora, in larga parte, dire «letteratura»; e per chi risiedeva e studiava o insegnava all'estero «letteratura italiana» significava inevitabilmente «letteratura in lingua italiana». È così che una settantina d'anni dopo la *History* del Baretti, il Foscolo compilò, ancora per un pubblico inglese, le sue lezioni, notevolmente più ampie, sulle *Epoche della lingua italiana* (1823-1825). L'animo nel frattempo era mutato: dalla difesa di fronte al francese si era passati alla sicura affermazione della lingua come contrassegno ineludibile di identità nazionale: «Ogni nazione ha una lingua», affermava il Foscolo in una lezione pavese del 1809, «Ogni letterato deve parlare alla sua nazione con la lingua patria»[2]. E a lungo si sognò, nel rifiorimento romantico della medievistica, di una storia che, seguendo a ritroso il sentiero della lingua comune, superando le angustie regionali e municipali, attingesse le origini della nazione e della civiltà nazionale: si accinsero a questo compito, negli anni attorno al 1830, prima Giuseppe Grassi, e poi, dietro il suo esempio, Cesare Balbo, senza peraltro giungere, né l'uno né l'altro, a compiere i loro lavori[3]. Frattanto arrivavano in Italia i primi echi dei nuovi indirizzi presi dalla linguistica storica in ambiente germanico, e sul loro stimolo prendeva l'avvio, particolarmente a

[2] Cfr. U. Foscolo, *Lezioni, articoli di critica e di polemica (1809-1811)*, ediz. crit. a c. di E. Santini (vol. VII della Ediz. naz. delle *Opere*), Firenze 1933, p. 65.

[3] In generale sulla viva e rinnovata aspirazione a una «Storia d'Italia» nella prima metà dell'Ottocento cfr. B. Croce, *Storia della storiografia italiana nel secolo decimonono*, Bari 1930², cap. V. Della incompiuta storia della lingua italiana del Grassi solo ora si è ritrovato il manoscritto: cfr. Cl. Marazzini, *La linguistica di Manzoni*, in Liceo linguistico «Cadorna» – Facoltà di Lettere – Cattedra di Letteratura italiana A dell'Università di Torino, *Manzoni e l'idea di letteratura*, Torino 1987, pp. 59-66, a p. 63; su essa cfr. C. Balbo, *Pensieri ed esempi con l'aggiunta dei Dialoghi di un maestro di scuola*, Firenze 1854, p. 226 e segg., che al ricordo del Grassi e della sua opera fa seguire un suo interrotto abbozzo di storia della lingua italiana (rifluito poi e ampliato in alcune sezioni del *Sommario della Storia d'Italia* del 1846).
Si ricordino anche le parti dedicate alla lingua in opere quali la *Storia della Toscana* di Lamberto Pignotti (1813-1814), in bilico tra storia regionale e storia nazionale. Riflessioni più aperte e penetranti proponeva qualche anno dopo Gino Capponi nelle *Lezioni sulla lingua italiana* (1827-1835: la quarta e ultima è peraltro perduta), che preparavano da lontano gli *excursus* linguistici della sua tarda *Storia della Repubblica di Firenze* (1875).

Milano, per opera precipua di B. Biondelli e di C. Cattaneo, in quel vivacissimo laboratorio scientifico che fu la rivista «Il Politecnico», diretta dal Cattaneo stesso, quell'indagine rigorosa sull'origine e gli sviluppi degli idiomi dialettali italiani e sul loro complesso rapporto con la lingua comune, che portò alla formazione di studiosi quali G. I. Ascoli e al costituirsi di una scuola italiana di glottologia[4].

Suggestioni letterarie, polemica antifrancese, aspirazioni nazionali, nuovi metodi glottologici: tutto un complesso di fermenti culturali, che accompagna le vicende risorgimentali nel fervido clima sette-ottocentesco, e che sembrò più volte sul punto di dare all'Italia, accanto a una storia politica e civile e a una storia letteraria, anche una storia della lingua. Ma non si riuscì che a produrre, per allora, se non frammenti, abbozzi, ricerche d'occasione o di dettaglio. Del resto il panorama italiano non si diversificava molto, per questo aspetto, da quello europeo: la storia della lingua non trovava ancora una sua sicura ubicazione, divisa com'era tra le descrizioni della storia letteraria e i nuovi schemi metodici della linguistica storica[5].

Negli ultimi decenni del secolo, fondata l'Italia e fattosi più pacato il clima dell'indagine storica, ci si rendeva ben conto che una storia della lingua italiana restava ancora nel limbo delle aspirazioni. «Chi pensi gl'importanti lavori fatti da parecchie nazioni sulle lingue e i dialetti», scriveva il De Sanctis nel 1869, recensendo le prime *Lezioni di letteratura italiana* del Settembrini, «maraviglierà come in Italia, dove questi studi ebbero origine, stiamo ancora disputando se la lingua dee prendersi da' vivi o da' morti, e quale sia una forma di scrivere italiana, e niente ancora abbiamo che rassomigli ad una storia della nostra lingua e de' dialetti, dove siano rappresentate le varie forme, che la lingua e il periodo ha prese nelle diverse epoche»[6]. Le aspirazioni peraltro non venivano meno; ma non veniva meno neanche la coscienza delle grandi difficoltà da superare. Scriveva il romanista Pio Rajna, verso la fine del secolo, al collega glottologo Carlo Salvioni: «Tra i disegni che vagheggio ci sarebbe poi anche una storia della lingua

---

[4] Su ciò si veda compendiosamente *B. Biondelli e la linguistica preascoliana* di D. Santamaria (Roma 1981), di cui è stato pubblicato finora soltanto il primo volume. Contributi fondamentali sull'argomento si trovano peraltro in S. Timpanaro, *Classicismo e Illuminismo nell'Ottocento italiano*, Pisa 1969, spec. nella sezione su «Carlo Cattaneo e Graziadio Ascoli» (p. 229 e segg.).

[5] Per questa posizione ancora incerta della storia della lingua nel corso dell'Ottocento si vedano i primi paragrafi del saggio di Alberto Varvaro, *Storia della lingua: passato e prospettive di una categoria controversa* (ora nel libro dello stesso Varvaro, *La parola nel tempo. Lingua, società e storia*, Bologna 1984, pp. 9-77): al saggio del Varvaro, uscito la prima volta in *Romance Philology* nel 1972-73 e fondamentale per il nostro tema, avrò occasione di rinviare ancora nel corso di queste pagine.

[6] *Verso il realismo. Prolusioni e lezioni zurighesi sulla poesia cavalleresca, frammenti di estetica, saggi di metodo critico*, a c. di N. Borsellino, Torino 1965, pp. 316-317.

italiana; ma Dio sa se sarà mai eseguito!»[7]. Per l'immediato il disegno di una storia della lingua italiana non ebbe in effetti pratica attuazione. Dominava nel settore degli studi filologico-linguistici, l'idea, portata dal comparativismo, che la storia della lingua coincidesse sostanzialmente con la storia delle sue origini. In particolare, la storia dell'italiano si inseriva, per una parte, in quella largamente congetturale delle origini romanze (e il comparativismo romanzo ci dette allora la prima grammatica storica specifica dell'italiano: quella del Meyer-Lübke del 1890); d'altra parte, appena spuntavano i primi notevoli monumenti letterari, la storia della lingua sfociava nella storia letteraria e s'intrecciava inestricabilmente con essa. La stessa *Storia della letteratura italiana* del De Sanctis si apriva su queste premesse (cfr. il cap. I), ribadite qualche tempo dopo, autorevolmente, da B. Croce, per il quale «la *Storia delle lingue* nella loro realtà vivente, cioè la storia dei prodotti letterari concreti» era «sostanzialmente identica con la *Storia della letteratura*»[8].

Fuori d'Italia tuttavia, particolarmente in Francia, paese che da sempre intratteneva legami culturali strettissimi con l'Italia, stavano venendo alla luce orientamenti diversi, che dovevano giungere a indicare strade nuove e più praticabili per costruire una vera storia della lingua e delineare compiutamente gli spazi ad essa pertinenti. Secondo questi orientamenti (ispirati a correnti sociologiche come quella di É. Durkheim, di cui sono noti i contemporanei influssi sul Saussure) la storia della lingua non era, o non era soltanto, storia più o meno congetturale delle origini e della preistoria, non storia letteraria, ma la storia, vista da un particolare angolo visuale, della società stessa che di quella lingua si serviva per esprimersi e comunicare. «Le langage», affermava nel 1906 il più rappresentativo dei nuovi maestri francesi, Antoine Meillet, «est éminemment un fait social» e «du fait que le langage est une institution sociale, il résulte que la linguistique est une science sociale, et le seul élément variable auquel on puisse recourir pour rendre compte du changement linguistique est le changement social dont les variations du langage ne sont que les conséquences parfois immédiates et directes, et le plus souvent médiates et indirectes»[9]. Una concezione dunque dagli orizzonti vasti come quelli della società cui la lingua è inscindibilmente integrata. Il Meillet dava subito un esempio memorabile di questa sua concezione nell'*Aperçu d'une histoire de la langue grecque* (1913): e intanto un suo connazionale, Ferdinand Brunot, aveva inaugurato nel 1905 una monumentale

[7] *Carteggio Rajna – Salvioni*, a c. di C. Sanfilippo, Pisa 1979, p. 69: la lettera del Rajna è del 31 maggio 1891.

[8] *Estetica come scienza dell'espressione e linguistica generale*, Bari 1958[10], p. 162 (la prima ediz. dell'*Estetica* è, com'è noto, del 1902).

[9] *Linguistique historique et linguistique générale*, Paris, vol. I, 1975 (1ª ediz. 1921), pp. 16-17.

Histoire de la langue française, che, nel periodo pluridecennale della sua elaborazione, doveva orientarsi sempre più verso lo studio del nesso tra lingua e società, ricostruendo ampiamente e dettagliatamente (dodici tomi in venti volumi fino al 1815!) la storia linguistica di un paese moderno, che era stato e continuava ad essere il perno della civiltà europea[10].

Emancipandosi la storia della lingua e sviluppandosi il grandioso progetto di Brunot, si faceva ancora più acuta in Italia l'esigenza di una storia della lingua nazionale. Lo stesso Migliorini, già in anni giovanili, dava voce a questa esigenza. Ha ricordato recentemente G. Folena, che, segnalando «nel '23 il volume del Sorrento sulla diffusione della lingua italiana in Sicilia e quello della Schileo sul Bembo e le sorti della lingua nazionale nel Veneto..., [Migliorini] apriva il discorso con queste parole...: "Una storia della lingua italiana analoga a quella che hanno dato per il francese il Brunot e il Vossler sembra destinata a rimanere per un pezzo un pio desiderio; ma intanto in questi ultimi anni non sono mancate le ricerche che ne costituiranno l'indispensabile sostrato"»[11]. Col senso di realismo, che lo caratterizzerà per tutta la vita e che lo manterrà ugualmente distante dagli orientamenti idealistici crociano-vossleriani e dai vari schematismi del tardo comparativismo (il suo primo cospicuo approdo scientifico, il trattato *Dal nome proprio al nome comune*, del 1927, studiava l'origine di parole usuali nate dalla generalizzazione di singoli e concretissimi fatti biografici), il giovane studioso misurava le enormi difficoltà dell'impresa e si

---

[10] L'*Histoire* di Brunot fu continuata da Ch. Bruneau, con un altro tomo (il XIII), che la condusse fino al 1880 circa; recentemente è uscito il primo di tre tomi che dovranno portare la trattazione fino ai giorni nostri: cfr. *Hist. de la Langue franç. 1880-1914*, sous la direction de G. Antoine et R. Martin, Paris 1985.

È da notare che i due volumi del tomo XI, lasciati inediti da Brunot, sono stati pubblicati a cura di J. Godechot il primo e di G. Antoine il secondo, in epoca relativamente recente, rispettivamente nel 1969 e nel 1979 (Brunot era morto nel 1938). Particolarmente interessanti sono le riflessioni metodiche riportate in appendice al secondo di questi due volumi postumi (p. 349), in cui Brunot ripercorre il lungo itinerario seguito nel comporre l'*Histoire*: dagli inizi in cui la storia della lingua gli appariva «telle qu'elle était apparue à *ses* maîtres, c'est-à-dire composée de l'histoire des sons, des mots, des formes et des tours, de leur formation, de leur évolution, de leur disparition» fino all'intuizione finale che essa dovesse penetrare «dans l'histoire tout court», poiché, «maniée avec critique, l'étude du langage peut apporter à l'histoire des documents partiels, mais innombrables, et quelquefois de précieux éclaircissements».

[11] *L'opera di Bruno Migliorini nel ricordo degli allievi con una bibliografia dei suoi scritti* a cura di M.L. Fanfani, Firenze 1979, p. 10. Questo volume, che si riallaccia all'altro: B. Migliorini, *Saggi linguistici*, Firenze 1957 (provvisto pure di una bibliografia degli scritti miglioriniani fino al '56 curata da G. Folena), è uno strumento indispensabile per ripercorrere le tappe della carriera scientifica di Migliorini. Il brano citato sopra è tratto dal primo dei saggi commemorativi, scritto da G. Folena, *La vocazione di B. Migliorini: dal nome proprio al nome comune*, pp. 1-16, a p. 10: ad esso avremo occasione di attingere anche nelle pagine seguenti.

affidava, per allora, a ricerche preparatorie di raggio limitato. Eppure, osserva ancora Folena, queste parole «dovevano valere per lui già come un programma personale», sia pure «troppo vasto e ambizioso per essere proclamato» apertamente[12]. In effetti da allora comincia, se non era già cominciata prima, quella schedatura di fenomeni della lingua italiana contemporanea, che, attraverso una riflessione sempre più consapevole e approfondita (concretatasi nei saggi raccolti poi, per gran parte, nei volumetti *Lingua contemporanea*, 1938, e *Saggi sulla lingua del Novecento*, 1941), doveva costituire il punto d'avvio per ripercorrere, a ritroso, le vie seguite dalla nostra lingua dalle origini fino alle sue forme moderne.

Che, dopo l'accenno del '23, Migliorini non avesse interrotto, ma avesse anzi intensificato e approfondito i suoi interessi per una storia complessiva della lingua italiana, lo dimostrano, oltre le numerose recensioni pubblicate in quegli anni (per lo più sulla «Cultura» di De Lollis), diversi importanti contributi successivi. Intanto il saggio del '32 su *Storia della lingua e storia della cultura*[13], primo schematico approccio alla grande opera. In esso Migliorini, dichiarando di voler «considerare più davvicino il problema della formazione della lingua comune italiana», nota che i «sussidi» che «la linguistica ha dato nell'ultimo cinquantennio alla sua soluzione... sono piuttosto scarsi»; e aggiunge: «Se non si vuol torcere arbitrariamente il significato delle parole, è difficile trovare un problema che sia più schiettamente *linguistico* di questo: eppure i linguisti ortodossi, i puri glottologi se ne lavano volentieri le mani, asserendo che questo è un problema storico o un problema letterario o un problema culturale e non un problema linguistico» (p. 11). Comincia quindi, per suo conto, a indicare alcuni di quelli che dovranno essere i fondamenti essenziali per impostare correttamente tale problema, primo fra tutti la denuncia dell'inadeguatezza del mito, romantico e preromantico, «che solo il periodo delle origini abbia importanza»: se tale importanza va indubbiamente riconosciuta, osserva Migliorini, «non è detto che i fenomeni di età più recente, sino a quelli che si svolgono sotto i nostri occhi, debbano perciò essere trascurati» (p. 16). Già in queste prese di posizione, lucide e decise, è *in nuce* l'opera futura; ed è sintomatico che, dopo altri notevoli interventi (fra cui è da ricordare quello su *Dialetto e lingua nazionale a Roma*, che delinea in abbozzo, partendo da un caso tipico, il ruolo del toscano letterario nel processo di formazione della lingua comune[14]), a lui fosse affidata la rassegna sulla «Storia della lingua

[12] *L'opera di B. Migliorini* cit., *ibidem*.

[13] Apparso prima nella citata «Cultura», XI, 1932, pp. 48-60, e poi ristampato nella raccolta di scritti miglioriniani *Lingua e cultura*, Roma 1948, pp. 9-26: le mie citazioni provengono da questa ristampa.

[14] Apparso dapprima in «Capitolium» nel 1932, poi, l'anno dopo, in redazione ampliata, nella «Revue de linguistique romane», IX, 1933, pp. 370-38; quindi ristampato anch'esso in *Lingua e cultura* cit., pp. 109-123.

italiana» nel volume *Un cinquantennio di studi sulla letteratura italiana. 1886-1936*, pubblicato nel 1937 a cura della Società filologica romana e dedicato a Vittorio Rossi.

Si era ormai al momento della sua chiamata alla cattedra fiorentina, e, con l'inizio del suo insegnamento di Storia della lingua italiana nella Facoltà di Lettere di Firenze, dal novembre del 1938, cominciava a maturare più concretamente il disegno dell'opera che vedrà la luce oltre vent'anni più tardi. Quasi contemporaneamente, dal gennaio 1939, prendeva l'avvio (condiretta con G. Devoto, che stava pubblicando la sua *Storia della lingua di Roma*) la rivista «Lingua nostra», che accompagnerà da vicino la lunga elaborazione della *Storia*. Già l'articolo d'apertura della rivista, dello stesso Migliorini, *Correnti dotte e correnti popolari nella lingua italiana*[15], riprendeva e allargava i temi, affacciati nel '32, sulle condizioni dello sviluppo storico dell'italiano: segno evidente che l'intelaiatura della *Storia della lingua italiana* andava precisando le sue linee essenziali.

L'articolo ora citato si apriva su una presa di posizione che traduceva in termini più ampi ed espliciti alcune affermazioni del '32 contrarie all'appiattimento della ricerca storico-linguistica su schemi naturalistici arbitrariamente identificati con un mitico livello popolare e primitivo della lingua (frutto di quella parte di eredità che l'età positivistica aveva filtrato attraverso il romanticismo). Non solo i «fattori culturali» non dovevano considerarsi elementi di disturbo nel funzionamento e nell'evoluzione delle lingue (cfr. *Storia della lingua e storia della cultura* cit., p. 17), ma era anzi venuto il momento (scriveva Migliorini) di affermare con chiarezza che dalla «linguistica a due dimensioni» si era passati «a una linguistica a tre dimensioni, in cui si tien conto, oltre che dello spazio e del tempo, della stratificazione sociale», cioè della società nel suo complesso: perché, se è legittimo e importante ripercorrere gli sviluppi di voci e forme di livello popolare e ereditario, «si fa tuttavia chiara ogni giorno di più la necessità di non trascurare le altre, le cui vicende non presentano minore interesse per il fatto che non il volgo, ma gli uomini di cultura le hanno conservate e reinstallate nella lingua. Se la linguistica tien conto in primo luogo dello strato popolare o addirittura plebeo, la storia della lingua deve tener conto di tutti gli strati sociali» (p. 29). Con quest'ultima contrapposizione (in cui per «linguistica» intendeva evidentemente, come aveva già indicato nel '32, le riduttive dimensioni ad essa imposte dalle correnti dialettologico-naturalistiche) Migliorini apriva la storia della lingua a quella prospettiva in cui l'avevano immessa Meillet e Brunot, rivendicando per essa un dominio che la integrasse nella storia della società globalmente considerata, senza esclusioni di sorta.

---

[15] I 1939, pp. 1-8; poi ripubblicato in *Lingua e cultura* cit., pp. 27-46; anche in questo caso i miei rinvii sono alla raccolta del '48.

Più si leggono e si meditano queste pagine, più ci si convince che l'opera pubblicata vent'anni dopo, nel 1960, affonda le sue radici proprio in questi anni, nel decennio '30-'40, che fu forse il più fecondo, intenso e raccolto dell'attività miglioriniana. Dopo quest'epoca verranno ancora dichiarazioni di principio e pronunciamenti vari sui problemi di fondo che man mano affioravano nella costruzione, lenta e paziente, della *Storia*. Se ne trovano, per esempio, nel lungo saggio sintetico «Storia della lingua italiana», uscito una decina d'anni dopo, nel 1948, nel volume miscellaneo *Tecnica e teoria letteraria* della Collana «Problemi ed orientamenti critici di lingua e letteratura italiana», pubblicata dall'editore milanese Marzorati (pp. 177-229). Ma la fatica del raccogliere prima e dell'organizzare poi l'enorme massa di dati, predisposti per un lavoro di questa mole, prevalse nelle ultime fasi dell'elaborazione; e prevalse il timore di non riuscire a condurre a termine un'opera che si rivelava sempre più sterminata, e di non riuscire a concluderla e renderla pubblica per la data che Migliorini si era prefissa e che aveva assunto per lui come un valore simbolico: il 1960, l'anno in cui cadeva quello che lui, e altri con lui, considerarono e chiamarono il «millenario» della lingua italiana (essendo stata redatta nel 960 la «carta capuana», considerata il primo documento sicuro in un volgare italiano: cfr. *Storia*, X, 8).

Quando le considerazioni di fondo sulla struttura dell'opera riemergono, nella «Premessa» della *Storia* stessa, sono divenute assai più schematiche e strumentali: a volte colorite anche di un lieve scetticismo, come di chi abbia superato una prova durissima, che ha scosso, se non le convinzioni fondamentali, un po' della fiducia iniziale nelle dichiarazioni di principio e nella loro utilità. Si sa del resto che, all'inizio, Migliorini aveva in mente un'opera più ampia, sull'esempio dell'*Histoire* di Brunot, anche se non della stessa mole, e che solo la constatazione che, per compiere una tale impresa, non gli sarebbe bastata la vita, lo indusse a ridurre il disegno primitivo entro uno spazio più limitato e, quindi, più denso e contratto. La breve «Premessa» si apre comunque sul tema iniziale dell'articolo del '39, anche se nel frattempo le vicende e gli orientamenti della linguistica italiana ne hanno fatto spostare un po' i termini. La storia della lingua deve ora difendere i suoi spazi d'indagine in primo luogo da una reincarnazione del vecchio idealismo crocianeggiante, cioè da quella che si chiamò a quel tempo «critica stilistica» ed ebbe il suo più noto portabandiera nel critico e linguista Leo Spitzer, le cui idee, per questo aspetto, si diffusero in Italia prevalentemente nei primi dieci-quindici anni del secondo dopoguerra[16]. Ritornava, sotto altra forma, quella commistione tra lingua e letteratura, tra creazione poetica e innovazione

---

[16] Sulla critica stilistica di matrice spitzeriana e sulla sua fortuna in Italia si può vedere, compendiosamente, il volume antologico L. Spitzer, *Critica stilistica e storia del linguaggio*, Bari 1954, curato da A. Schiaffini, che vi premise anche una illuminante e informatissima «Presentazione».

linguistica, che (come abbiamo visto) ha una tradizione molto antica e, particolarmente in Italia, assai fortunata. Per questo, presumibilmente, buona parte della *Premessa* miglioriniana è dedicata a riprendere il vecchio tema della distinzione tra storia della lingua e storia della letteratura, e, più in generale, tra lingua e letteratura, tra lingua e stile. Del resto fin dal 1923, dissociandosi dai crociani d'allora, Migliorini dichiarava: «L'effetto e il metodo dell'indagine letteraria e dell'indagine linguistica, se non sono opposti, sono certo distinti...»[17]. Su questo abbrivio Migliorini riprende gli argomenti già affacciati nel '32 e nel '39, per riaffermare che, se è vero, da un certo punto di vista, che la realtà sono i «singoli atti di linguaggio concreto» e che «La lingua... non altro è che un'astrazione», è anche vero che gli «istituti» della lingua presentano obiettivamente una continuità, di cui si può e si deve fare storia; e che, se non va sottovalutata «l'importanza che hanno sempre avuto gli individui nell'evoluzione della lingua», sarebbe d'altra parte errato «mettere al centro della trattazione i singoli letterati nella loro concreta personalità»: vero protagonista è l'insieme della società nella sua variata composizione e nelle sue molteplici esigenze espressive; vero protagonista è il «popolo» nel suo aspetto di entità complessiva, anonima, interindividuale (pp. 3-4). Ritorna qui, vista da un'altra prospettiva, la «terza dimensione» del saggio del '39, e si conferma che il punto di riferimento essenziale, sul quale Migliorini ritiene si debba fondare l'identità e l'autonomia di una storia della lingua, è la società intera che la parla, o comunque se ne serve, senza limitazioni di sorta; e senza, d'altra parte, divagazioni verso finalità e obiettivi che non siano suoi propri.

Principalmente per queste ragioni, quando comparve, nei primi mesi del 1960, la *Storia della lingua italiana* di Migliorini fu subito avvertita come una novità in assoluto nel panorama scientifico italiano: quell'aver individuato originalmente l'ambito proprio di una disciplina a lungo vagheggiata, ma ancora, si può dire, nuova, quell'averlo riempito di una quantità di dati enorme e, nella maggior parte, di prima mano rivelavano un aspetto della storia italiana fin allora non descritto se non incidentalmente o per frammenti; apportavano alla storia d'Italia come un fascio di luce nuova che serviva a metterne più chiaramente a fuoco momenti ed episodi rilevanti e a ridiscuterne la stessa linea complessiva di sviluppo. Era davvero, e tale fu giudicata da tutti, un'opera che veniva a colmare una lacuna tra le più vistose e sofferte. «Dopo il *Profilo di storia linguistica italiana* di G. Devoto [uscito nel '53], che, come il titolo stesso indica, non è proprio la stessa cosa...», affermava uno dei più impegnati recensori, C. Dionisot-

---

[17] Cfr. «La cultura», II, 15.7.1923, p. 419: la frase si riferisce alle posizioni di G. Bertoni, che aveva appena pubblicato il suo *Programma di filologia romanza come scienza idealistica* (Genève 1923).

ti, «quella di Migliorini è la prima storia della lingua italiana su cui si siano posati i nostri occhi increduli»[18].

I rendiconti e le segnalazioni apparsi all'indomani della prima edizione dell'opera, in Italia e all'estero (Migliorini era considerato da tempo anche fuori d'Italia il più accreditato studioso della nostra lingua) furono numerosi e ne misero in rilievo adeguatamente l'importanza fondamentale[19]. Presto il libro si diffuse e fu ampiamente conosciuto anche in molti paesi stranieri attraverso le traduzioni che ne fecero T.G. Griffith in inglese (1966 e edizz. successive) e Fr. P. de Alcántara Martinez, in spagnolo (1969). La *Storia* di Migliorini diventò un punto di riferimento essenziale per storici e linguisti italiani e stranieri. In Italia la sua influenza non si limitò agli strati elevati della cultura scientifica, ma, attraverso edizioni divulgative, ebbe una circolazione al livello del lettore medio, e s'affacciò anche nell'insegnamento scolastico con l'edizione ridotta preparata in collaborazione con I. Baldelli e pubblicata nel 1964[20], ben prima cioè che la riforma del '77 introducesse ufficialmente la storia della lingua italiana nella scuola media.

La *Storia* di Migliorini divenne subito quindi, nella sua imponente struttura, opera di consultazione indispensabile e di indiscutibile prestigio. Tuttavia, fra le righe delle recensioni e degli interventi vari, si avvertivano a volte, fin d'allora, appena velati, atteggiamenti di riservata o recalcitrante ammirazione, da mettere in conto alla novità, a suo modo non conformista, di questo libro tutto tramato di fatti, e di fatti non addomesticati in alcun modo. In un momento in cui tornavano a dominare le ideologie un'opera di questo genere in una certa misura disturbava. Forse sono queste le ragioni per cui, paradossalmente, se nei quasi trent'anni che ormai ci dividono dalla sua prima apparizione la *Storia* di Migliorini ha avuto la fortuna e la diffusione che meritava, non sembra avere avuto ancora una fecondità che sia pari al potenziale scientifico in essa contenuto. Da una parte la «istintiva» e crescente «ritrosia del Migliorini a impelagarsi in discussioni teoriche» (sottolineata da uno dei più attenti recensori, P. Fiorelli[21]) la ha estraniata dalle prestigiosissime correnti di linguistica teorica che hanno ripreso quota vigorosamente in Italia in questi ultimi venti anni[22]. Il clima in

---

[18] La recensione di Dionisotti uscì dapprima in «Romance Philology», XVI, 1962-63, pp. 41-58; poi fu ripubblicata in C. Dionisotti, *Geografia e storia della letteratura italiana*, Torino 1967, pp. 75-102, donde si cita (il passo riportato è in apertura, a p. 75).

[19] Se ne può vedere un elenco molto ampio nella preziosa bibliografia di M. Fanfani contenuta nel volume cit. *L'opera di B. Migliorini*, a pp. 198-200.

[20] B. Migliorini e I. Baldelli, *Breve storia della lingua italiana*, Firenze 1964.

[21] «Studi linguistici italiani» I, 1960, pp. 71-84, a p. 73.

[22] A titolo solo approssimativamente indicativo si può ricordare che sono del 1967 la traduzione del *Cours de linguistique générale* di F. de Saussure con ampio commento a cura di T. De Mauro, e la traduzione degli *Éléments de linguistique générale* di A. Martinet curata e adattata all'italiano da G.C. Lepschy (ambedue

cui la *Storia* era nata e aveva messo le sue prime radici era tutt'altro, come abbiamo già osservato: in un periodo in cui risorgeva il culto della lingua come struttura in sé conclusa e anche diacronicamente autosufficiente (basti pensare alle cautele di un linguista di scuola francese come A. Martinet[23]), era pressoché inevitabile che un'opera di questo genere, pervasa d'un sano e generoso empirismo, restasse, se non emarginata, non adeguatamente utilizzata e compresa. D'altra parte è vero che, parallelamente, altre correnti di linguistica, che, seppure in forme rinnovate, risalivano alle stesse fonti cui aveva attinto a suo tempo Migliorini, in particolare la ed. «sociolinguistica», riportavano in primo piano il nesso tra lingua e società, il loro reciproco condizionamento, i loro paralleli sviluppi[24]; proprio da queste correnti derivava anzi nell'Italia di quegli anni un contributo di prim'ordine sulle ragioni e i problemi della storia della lingua quale è l'ampio saggio di A. Varvaro, *Storia della lingua: passato e prospettive di una categoria controversa*, pubblicato la prima volta nel 1972-73[25]. Ma la storia della lingua italiana, nelle sue manifestazioni più appariscenti, aveva ormai preso indirizzi che solo parzialmente si riallacciavano al gran testo miglioriniano e privilegiavano piuttosto questioni collegate al lungo travaglio della società italiana per realizzare anche linguisticamente un amalgama reale fra le sue varie componenti: la resistenza dei dialetti di fronte all'espansione dell'italiano e i modi della diffusione di questo negli ambienti dialettofoni; la presenza di un tipo di italiano parlato e popolare, spesso trascurato dagli studiosi e avversato dai grammatici; l'esistenza sul territorio politico italiano di minoranze alloglotte. Erano tutti temi in cui la ricerca linguistica si ricollegava scopertamente a motivazioni sociali, e anzi rischiava, a

per i tipi dell'editore Laterza di Bari). Nel 1966 a Torino (ed. Einaudi) il Lepschy aveva intanto pubblicato il fortunato volumetto *Linguistica strutturale*.

[23] Per es. *Économie des changements phonétiques. Traité de phonologie diachronique* (Bern 1955), 6. 26: «... Les linguistes auront intérêt à distinguer, parmi les facteurs dits externes qu'on peut invoquer au moment où l'économie de la langue ne suffit plus, entre les facteurs linguistiques et les facteurs non-linguistiques. Ces derniers sont ceux pour lesquels les amateurs manifestent une prédilection qui devrait les rendre suspects aux yeux des linguistes sérieux...»; *Éléments de linguistique générale* (Paris 1960), 6. 4: «... il est très difficile de marquer exactement la causalité des changements linguistiques à partir des réorganisations de la structure sociale et des modifications des besoins communicatifs qui en résultent... L'objet véritable de la recherche linguistique sera donc, ici, l'étude des conflits qui existent à l'intérieur de la langue dans le cadre des besoins permanents des êtres humains qui communiquent entre eux au moyen du langage», ecc.

[24] Per la diffusione della «sociolinguistica» in Italia è significativa la testimonianza di M. Cortelazzo, *Avviamento critico allo studio della dialettologia italiana. I problemi e metodi*, Pisa 1969, p. 139 e segg. Una ricostruzione *a posteriori* offre, fra gli altri, A.M. Mioni, *Per una sociolingustica italiana. Note di un non sociologo*, «saggio introduttivo» premesso a J.A. Fishman, *La sociologia del linguaggio*, Roma 1975, pp. 9-56, spec. a p. 12-14.

[25] Già citato sopra alla nota 5.

volte, di esserne addirittura travolta: il che giustifica la loro fortuna in questi ultimi due-tre decenni, che hanno visto verificarsi in Italia (come in gran parte del mondo) rivolgimenti sociali profondi. Alla nascita di questa problematica di storia, per così dire, «militante» dell'italiano la *Storia* di Migliorini ha partecipato, dobbiamo dire, solo marginalmente. Il libro che prima e più direttamente ne ha ispirato gli orientamenti e i contenuti è stata la *Storia linguistica dell'Italia unita* di Tullio De Mauro, uscita la prima volta nel 1963, e nata originariamente nel 1961, nel quadro delle celebrazioni per il centenario dell'unità politica d'Italia (lontana quindi, anche in ciò, dalla *Storia* di Migliorini, che aveva avuto, come s'è visto, fra i suoi stimoli quello di celebrare la ricorrenza di una data ben più remota: il «millenario» della lingua italiana[26]). Per trovare uno studioso che si accinga a ripercorrere sistematicamente a ritroso la storia dell'italiano fino alle sue origini, a riprendere cioè il tema miglioriniano in tutta la sua ampiezza e con tutte le sue implicazioni (riproponendone, al tempo stesso, tutti i problemi e le difficoltà), bisogna aspettare fino al 1981, quando Marcello Durante nel suo volume *Dal latino all'italiano moderno. Saggio di storia linguistica e culturale*[27] ridisegnò, entro lo stesso quadro geografico e temporale miglioriniano, ma con più stretta sintesi, una sua linea interpretativa delle origini e degli sviluppi della lingua italiana[28].

A quasi trent'anni di distanza da quel 1960 in cui vide la luce, dopoché le varie e, a volte, tumultuose vicende che abbiamo appena schizzato qui sopra si sono susseguite entro l'orizzonte scientifico e culturale d'Italia, vediamo ora di riaprire questo libro di Bruno Migliorini, che proprio per la sua inattaccabile consistenza e solidità non appare affatto invecchiato e risulta ancor oggi il testo di storia della nostra lingua più ampio e affidabile cui professionisti e «amatori»

---

[26] Dopo la prima edizione (Bari 1963) la *Storia* di De Mauro ne ha conosciute una seconda, «riveduta, aggiornata e ampliata» (Bari 1970), e una terza, pressoché immutata (Bari 1972); quasi identica a quest'ultima, salvo una breve «Avvertenza» (pp. xv-xviii), è l'ultima edizione pubblicata, sempre dall'editore Laterza di Bari, nel 1983.

[27] Pubblicato a Bologna dalla casa editrice Zanichelli.

[28] Tralascio qui, per brevità, di indicare altre «storie della lingua italiana» uscite nel frattempo, anche pregevoli e importanti per certi aspetti (penso, per es., al volume di F. Bruni, *L'Italiano. Elementi di storia della lingua e della cultura*, UTET, Torino 1984), ma sostanzialmente riportabili al panorama sopra descritto. Implicito è sempre il rinvio alle principali bibliografie di studi sulla lingua italiana uscite dopo il '60, in particolare il primo (Firenze 1969) e secondo (Pisa 1980) supplemento alla *Bibliografia della linguistica italiana* di R. A Hall jr., l'*Introduzione allo studio della lingua italiana* di Ž. Muljačić (Torino 1971), i *Dieci anni di linguistica italiana (1965-1975)*, a. c. della Società di linguistica italiana (Roma 1977), ciascuna delle quali contiene una o più sezioni dedicate alla storia della lingua.

possano riferirsi in caso di bisogno o di curiosità e cerchiamo di far affiorare da esso, sia pure per cenni necessariamente rapidi, quelle potenzialità nascostevi dalla discrezione dello studioso; cerchiamo insomma di offrire al lettore degli anni 80 e 90 una chiave di lettura per penetrare in questo libro dall'accesso ingannevolmente facile e dalla ricchezza inesausta e, a volte, inapparente.

Per introdurre il lettore contemporaneo dentro le pieghe del libro di Migliorini, in modo che ne penetri i segreti e ne comprenda a pieno le linee costruttive, si deve innanzitutto esortarlo a dirigere la propria attenzione verso gli schemi in cui l'autore ha racchiuso la sua materia; schemi che appaiono spesso non dei più adatti a facilitare il cammino lungo il sentiero storico che nell'opera miglioriniana attraversa una ventina di secoli. Anzitutto gli schemi di quella «che gli storiografi chiamano col termine un po' macchinoso di *periodizzazione*» (come scriveva Migliorini nel '37, segnalando il neologismo). L'autore nella *Premessa* dichiara di aver optato per la «divisione convenzionale per secoli», senza peraltro dare «alla data secolare altra importanza che quella di una divisione comoda», che offre, nonostante gli inconvenienti, notevoli «vantaggi pratici» (pp. 5-6). In altre parole, l'urgenza di stringere in una sintesi conclusiva gli sterminati materiali raccolti lo ha indotto a optare per una periodizzazione «esterna», per «epoche cronologiche», piuttosto che ricercare, all'interno della materia, una periodizzazione, per così dire, immanente ad essa, «per epoche storiche» (come avrebbe detto B. Croce). Ciò fa sì che la descrizione dello sviluppo di singoli fenomeni o di singole vicende, il cui *iter* dura non di rado per secoli, sia continuamente interrotto e resti affidato al lettore il compito di riannodare i fili rimasti pendenti.

Per offrire un esempio, si può partire dal nome stesso della lingua, che solitamente non è una semplice etichetta esterna, ma riflette aspetti salienti della realtà sociolinguistica, come ha mostrato esemplarmente A. Alonso nel suo *Castellano, español, idioma nacional*[29]. Per ciò che riguarda l'Italia e l'italiano, si parte da una situazione medievale, in cui, nonché la denominazione linguistica, neanche quella geografica è ben fissa (cap. IV, 3, p. 115); si attraversa poi un periodo in cui dominavano ancora i nomi dei molteplici volgari, e soprattutto del più prestigioso di essi, il «toscano» o «fiorentino» (cap. VI, 10, p. 196 e segg.; le eccezioni sono poche: fra esse spicca, singolarissima e anticipatrice, quella di Dante col suo *«vulgare latium»* o «italico

---

[29] Buenos Aires 1938 (2ª ed., «con adiciones y enmiendas», *ibidem*, 1943). Osserva opportunamente N. Denison: «Language planners may care to note that there seems to be an inbuilt psychological advantage in using for the language variety selected as the basis for a national standard a designation based on the name of the area or group over which its spread or consolidation is desired...», in «Sociolinguistic Aspects of Plurilingualism», negli *Atti del Convegno «International Days of Sociolinguistics» (Roma, 15-17 settembre 1969)*, Roma, Istituto «Luigi Sturzo», s.d., pp. 255-278, a p. 274 n. 15.

volgare» o simili, cfr. cap. V, 2, p. 169 e segg.); e si arriva, alla fine del Quattrocento, a un momento in cui ormai «si adoperano promiscuamente e quasi indifferentemente i termini di *volgare, fiorentino, toscano, italiano*», anche se *italiano* appare solitamente riservato a contesti in cui si introduce «il confronto con altre lingue vive» (cap. VII, 6, p. 244)[30]. La vera disputa sul nome della lingua, come tutte le altre più sostanziali di cui essa è il riflesso, si apre nel Cinquecento, quando il nome più frequente rimane ancora «quello di *volgare, lingua volgare...*», ma parecchi «parlano di *toscano, lingua toscana...*: e si tratta sia di Toscani sia di non Toscani fautori della lingua trecentesca»; raro è «*lingua fiorentina...*; e anche piuttosto raro *lingua italiana...*» (cap. VIII, 8, p. 328). La tendenza continua nel Seicento, quando, «benché le designazioni di 'fiorentino', 'toscano', 'italiano' appaiano tutte e tre, la seconda è di gran lunga predominante, adoperata qualche volta anche da chi non accetta la disciplina della Crusca» (cap. IX, 9, p. 414). Evidentemente un fatto politico, la costituzione del Granducato mediceo, e un fatto linguistico sopraregionale, la consacrazione e la codificazione del toscano trecentesco come lingua letteraria di dimensione panitaliana, hanno favorito la denominazione *toscano* (che, fatte le debite proporzioni, ha un valore simile a quella di *castellano* in Spagna). Nei secoli successivi, e soprattutto nel corso dell'Ottocento, l'insofferenza per la vecchia disputa sulla lingua si fa sempre più acuta, man mano che all'idea di una lingua letteraria attinta ai maestri toscani del Trecento si va sostituendo l'idea di una lingua che rifletta l'unità nazionale italiana. È il periodo, ha osservato recentemente G. Bollati, in cui «'italiano' cessa di essere unicamente un vocabolo della tradizione culturale, o la denominazione generica di ciò che era compreso nei confini della penisola, per completare e inverare il suo significato includendovi l'appartenenza a una collettività etnica con personalità politica autonoma»[31]. Da allora in poi la denominazione *lingua italiana* prende decisamente il sopravvento: «Giacché il destino dopo la caduta dell'imperio di Roma non ha mai conceduto all'Italia di risurgere in una sola nazione...», dichiarava Alessandro Verri nel 1806, «sia almeno congiunta nella lingua letteraria. Per la qual cosa spregiando quelle controversie puerili se le convenga il nome di Fiorentina, di Toscana, o d'Italiana, riserbiamole quest'ultima denominazione»[32]. Fra gli stessi puristi, ancora asserragliati in genere nella

[30] Un ampio panorama sull'origine delle denominazioni dei vari idiomi romanzi ed europei traccia G. Folena, «Textus testis: caso e necessità nelle origini romanze», in AA.VV., *Concetti, storia, miti e immagini del Medio Evo*, a c. di V. Branca, Firenze 1973, pp. 483-507.

[31] Nel saggio «L'Italiano», raccolto ora nel volumetto di Bollati, *L'Italiano. Il carattere nazionale come storia e come invenzione*, Torino 1983, pp. 34-123, a p. 43 (ma si ricordi che originariamente questo saggio era stato pubblicato nel vol. 1 della *Storia d'Italia*, Einaudi, Torino 1972, pp. 949-1022, di cui diremo fra poco).

[32] *I quattro libri di Senofonte dei Detti memorabili di Socrate*. Nuova traduzio-

trincea delle vecchie denominazioni («Da' Toscani...» osserva il Cesari nel 1808 «si derivò e distese per tutta Italia il buon linguaggio, che cupidamente ci fu ricevuto: di che conseguita, che questa lingua non può, altro che impropriamente, chiamarsi italiana»), comincia man mano a insinuarsi il dubbio («... innanzi dovrebbe essere sufficientemente conosciuto il toscano o italiano che voglia chiamarsi...», scrive F. Ranalli una quarantina d'anni dopo), e, nei più impegnati politicamente, come l'Angeloni, s'impone addirittura fin dall'inizio la preferenza per *italiano* (o, più ricercatamente, *italico*)[33]. Basta scorrere i capp. XI e XII della *Storia* di Migliorini (in particolare ai paragrafi, rispettivamente, 6, 7, 9 e 8, 9) per rendersi conto dei decisivi progressi della denominazione oggi esclusiva. Da quando poi dalla frammentazione politica si passa all'unità d'Italia (cap. XII della *Storia*) il vecchio termine diventa del tutto obsoleto (assai più di quanto non sia accaduto a *castellano*, per continuare il paragone iberico) e all'inizio del nostro secolo non si ritrova che, del tutto sporadicamente, in qualche ritardatario o in qualche scrittore periferico (per es. Italo Svevo nella *Coscienza di Zeno*: «Egli parlava il toscano con grande naturalezza», «Con ogni nostra parola toscana noi mentiamo!», ecc.[34]). Al di là della suddivisione in capitoli «secolari», si possono seguire bene, come si vede, le varie fasi di un fenomeno storico-linguistico non secondario: dal periodo del plurilinguismo volgare tardomedievale a quello del «toscano» rinascimentale, fino a quello dell'italiano, che contraddistingue l'epoca contemporanea.

Altrove basta scorrere appena i titoli dei paragrafi, per capire che qualcosa di nuovo sta accadendo nel quadro sociale e culturale che condiziona lo sviluppo dell'italiano. La struttura di quei capitoli che costituiscono la parte più organica e propria della *Storia*, dal IV-VI in poi, ripete solitamente un *cliché* in larga misura prevedibile. Osservare in esso una variazione, vale a dire un paragrafo o una titolatura nuova, è indizio che qualcosa di importante si è mosso nelle vicende della lingua.

ne dal greco di Michel Angelo Giacomelli con note e variazioni di A.V., Brescia 1806, pp. XXII-XXIII.

[33] Per il Cesari cfr. al cap. IX della sua *Dissertazione sopra lo stato presente della lingua italiana*, scritta nel 1808, «coronata» nel 1809 e pubblicata a Verona nel 1810 (la mia cit. è tratta da *Opuscoli linguistici e letterari di A.C.*, raccolti, ordinati e illustrati ora per la prima volta da G. Guidetti, Reggio d'Emilia 1907, p. 173): per il Ranalli. *Del riordinamento d'Italia*, Firenze 1859, p. 157; per l'Angeloni si può vedere, per esempio, *Dell'Italia uscente il settembre del 1818. Ragionamenti IV*, Parigi 1818, vol. II, p. 300. I dubbi avevano finito del resto per insinuarsi anche nella mente del Cesari, come risulta dalla nota del Guidetti al passo citato sopra: cfr. anche, su ciò, S. Timpanaro, *Aspetti e figure della cultura ottocentesca*, Pisa 1980, p. 159 e n. 18. Sulle discussioni che formano il sostrato di questa disputa sul nome della lingua informa esaurientemente M. Vitale, *La questione della lingua*, Palermo 1984, *passim*, e in particolare per l'Ottocento, p. 345 e segg.

[34] Cito dalla quattordicesima ediz., Milano, s.d., pp. 131 e 445; la prima ediz. è (com'è noto) del 1923.

Fino al Quattrocento, per esempio, si parla di volgari, e il toscano è uno fra essi, il più prestigioso. Dal Cinquecento l'etichetta cambia: si parla (cap. VIII, 7) di «Uso letterario dei vernacoli»; ed è questa una formula di transizione a quelle che figurano nei capitoli sul Seicento (IX, 7): «Uso effettivo e uso riflesso dei dialetti», e sul Settecento (X, 9): «Uso scritto dei dialetti». È questo il periodo in cui la lingua comune si è anche grammaticalmente consolidata, e si può configurare per la prima volta in modo netto un'opposizione tra essa e i vecchi volgari ormai divenuti dialetti[35]: dialetti, si deve subito aggiungere, dotati ancora di una vitalità e di un prestigio letterario e, talora, sociale per niente trascurabile, in un'Italia che appariva (secondo le parole del Goldoni) un «amabile paese», la cui «bellezza» e la cui «bontà trovasi sparsa e divisa in mille parti» (di fronte a una Francia, dove tutto «il bello, tutto il buono... è a Parigi»)[36]. Scorrendo la *Storia* di Migliorini non ci si deve insomma adagiare sulla troppo palese ripetitività dei *clichés*; quando una novità vera insorge, Migliorini è sempre pronto a segnalarla in forma estremamente semplice, senza preamboli o «cicalamenti», secondo il suo stile, magari con un piccolo, quasi impercettibile mutamento di schema. A un certo punto, per fare un altro esempio, precisamente dal Settecento (cap. X) in poi, si osserva che nello schema usuale si inserisce un paragrafo dal titolo nuovo, che si mantiene poi fino alla fine del libro: il paragrafo dedicato alla «lingua parlata» (cap.

---

[35] È d'obbligo il rinvio al saggio crociano del '26 *La letteratura dialettale riflessa, la sua origine e il suo ufficio storico*, citato anche da Migliorini (pp. 293 n. 75, 391 n. 55). Ultimamente due studiosi, M. Alinei, *Dialetto: un concetto rinascimentale fiorentino. Storia e analisi* in «Quaderni di semantica», II, 1981, pp. 147-173 (poi in Id., *Lingua e dialetti: struttura, storia e geografia*, Bologna 1984, pp. 169-199) e P. Trovato, *«Dialetto» e sinonimi («idioma», «proprietà», «lingua») nella terminologia linguistica quattro-cinquecentesca*, in «Rivista di letteratura italiana», II, 1984, pp. 205-236, ricostruendo la storia moderna del termine «dialetto» hanno portato interessanti precisazioni su questo momento di passaggio dal volgare medievale al dialetto moderno.

[36] Il brano di Goldoni è tratto da una sua lettera al conte A. Paradisi del 28.3.1763 da Parigi: cfr. C. Goldoni, *Opere*, a c. di G. Folena con la collaborazione di N. Mangini, Milano 1975[4], pp. 1503-1504, a p. 1504. Osservazioni analoghe del Bettinelli, che magnificano il policentrismo italiano (con sottintesa polemica verso l'accentramento francese) sono citate dal Migliorini stesso a p. 435 n. 2. Sulla vitalità dei dialetti e sul loro fecondo rapporto con la lingua nell'Italia di questo periodo mancano ancora studi d'assieme sufficientemente approfonditi: si possono citare, esemplarmente, l'ediz. Isella del *Teatro milanese* di C.M. Maggi (Torino 1964), e i saggi attinenti nella silloge di G.P. Clivio, *Storia linguistica e dialettologia piemontese*, Torino 1976. Sulle prese di posizione antagonistiche di vari idiomi regionali di fronte alla supremazia del «toscano» si veda intanto il panorama di M. Vitale, *Di alcune rivendicazioni secentesche della «eccellenza» dei dialetti*, in AA.VV., *Letteratura e società. Scritti di italianistica e di critica letteraria per il XXV anniversario dell'insegnamento universitario di G. Petronio*, Palermo 1980, pp. 209-222, ricordando peraltro che questo atteggiamento continua a lungo, e raggiunge forse il suo momento di maggior prestigio sociale nel corso del Settecento.

X, 4, capp. XI, 5 e XII, 5). È il segnale, inviato discretamente al lettore, che da quell'epoca in poi cominciano a farsi consistenti le testimonianze di una diffusione della lingua comune a livello parlato (prima d'ora non erano affiorati che indizi sparsi: cfr., per es., p. 300 n. 61): una diffusione che si attua per gradi, attraverso quelle varietà idiomatiche ibride, fatte di lingua mescidata a dialetto, che il Foscolo chiamerà italiano «mercantile» e «itinerario» e il Manzoni «parlar finito», e che rappresentano gli antecedenti di quelle che oggi si chiamano solitamente «varietà regionali d'italiano» e rappresentano un punto di passaggio quasi obbligato per giungere all'uso parlato e colloquiale dell'italiano. È questo, così sobriamente segnalato dal Migliorini, uno dei processi fondamentali della lingua italiana moderna e contemporanea: il processo attraverso il quale una lingua, nata come una lingua degli scrittori, soppianta a poco a poco gli idiomi dialettali nel loro ruolo di lingua materna, e diventa quella che il Manzoni chiamava una lingua «vera» e «intera». E tutto porta a supporre che i dati esibiti dal Migliorini non siano casuali: che cioè veramente nel secolo XVIII, per molte ragioni concomitanti, questo processo abbia conosciuto, se non proprio i suoi primi incunaboli, una accelerazione decisiva che ha condotto alla situazione odierna[37].

Già da queste poche e sparse osservazioni, tendenti a riannodare fili ripetutamente interrotti nel corso della *Storia* e a farne percepire al lettore la mobile continuità, ci si può rendere conto non solo della molteplicità di linee interpretative latenti negli schemi della trattazione migliriniana, ma anche della possibilità di inquadrare l'enorme quantitativo di materiali sistemati entro quegli schemi in una vera periodizzazione storica che renda più trasparente e agile la lettura. Proposte di periodizzazione della storia della lingua italiana erano già state avanzate per la verità anche prima del 1960, ed era forse aperta a Migliorini la possibilità di saggiarne, almeno parzialmente, la praticabilità[38]. Se si decise a ripiegare sulla periodizzazione cronologica, lo si

[37] Sulle varietà regionali d'italiano e sulla loro importanza per l'accesso alla lingua comune un contributo decisivo fu quello di G.B. Pellegrini, *Tra lingua e dialetto in Italia*, in «Studi mediolatini e volgari», VIII, 1960, pp. 137-153 (ora leggibile anche, con un'«Appendice», nella raccolta di scritti di Pellegrini, *Saggi di linguistica italiana. Storia, struttura, società*, Torino 1975, pp. 11-54), Di lì a poco T. De Mauro nella *Storia linguistica dell'Italia unita* cit. riprese e svolse molto più ampiamente il tema, dando l'avvio a innumerevoli interventi sull'argomento. Sulle dimensioni assunte dalla progressiva acculturazione dei dialettofoni all'italiano dall'Unità in poi, in particolare in questi ultimi decenni, cfr. ora, riassuntivamente, il saggio di L. Còveri, *Lingua nazionale, dialetti e lingue minoritarie in Italia alla luce dei dati quantitativi* in «Linguaggi», II, 1985, fasc. 3, pp. 5-13.

[38] Spunti preziosi in tal senso si trovavano, per es., in P. Fiorelli, *Storia giuridica e storia linguistica*, in «Annali della storia del diritto», I, 1957, pp. 261-291; e in G. Folena, *L'esperienza linguistica di C. Goldoni*, in «Lettere italiane», X, 1958, pp. 21-54, a pp. 21(-23) n. 1 (ora in Id., *L'italiano in Europa. Esperienze linguistiche del Settecento*, Torino 1983, pp. 89-132, a pp. 113-115), che rinvia al saggio del Fiorelli: si osservi peraltro che ambedue gli articoli si situano in un'epoca in cui la *Storia*

deve probabilmente, oltre che all'urgenza dell'elaborazione, alla volontà, tipicamente migloriniana, di non dissimulare al lettore alcuna delle sue schede, di non barare con lui in alcun modo, di non nascondergli alcun dato obiettivo in suo possesso, sacrificandolo a visioni soggettive, che potevano rivelarsi anche illusorie e fallaci.

Si deve poi aggiungere che il problema della periodizzazione, se è sempre delicato per qualsiasi storico, diviene particolarmente arduo per lo storico della lingua, la cui materia si presenta per lo più percorsa e come divisa da una bipartizione in storia «esterna» e storia «interna» (o come, forse più propriamente, si potrebbe chiamarle: storia socioculturale e storia strutturale): due aspetti, ciascuno dei quali appare regolato da ritmi propri, spesso non riconducibili, almeno a prima vista, gli uni agli altri[39]. Migliorini si era posto questo difficile problema prima di cominciare a organizzare e a stendere il suo testo, negli anni dell'immediato dopoguerra (si ricordi che, per sua stessa testimonianza, la redazione vera e propria della *Storia* cominciò nel 1949: cfr. *Premessa*, p. 3), e lo aveva risolto col suo solito sereno buon senso, riconoscendo con onestà e acutezza che una tale bipartizione «è veramente un po' arbitraria»: «un ideale ordinamento spingerebbe piuttosto a far sparire questa dicotomia, e a cercare le cause dei mutamenti che man mano avvengono nelle vicende a cui la lingua soggiace»; ma, aggiungeva subito, «se una certa corrispondenza tra vicende esterne ed aspetti della lingua indubbiamente esiste, non è così immediata e perspicua da potersi stabilire in ogni caso»; e per questo decideva di mantenere la distinzione e lo schema dicotomico sia nella sua trattazione sommaria del '48 (cui abbiamo già fatto riferimento e da cui abbiamo tratto queste affermazioni[40]), sia in quella, ampissima e distesa, della *Storia*. In quest'ultima, nella parte più nuova e originale cui accennavamo poco fa, dal Duecento in poi, è possibile osservare senza sforzo entro ciascun capitolo la forma dicotomica della trattazione. Dopo una serie di paragrafi dedicati alla vita dei volgari, al loro prestigio, al crescere della lingua comune, ai suoi contrastati rapporti

doveva essere ormai in uno stadio di avanzata elaborazione. Ulteriori indicazioni bibliografiche in proposito per il periodo posteriore al 1960 offre Ž. Muljačić nella *Introduzione allo studio della lingua italiana* cit., 2. 221 (pp. 299-300).

[39] Su questo particolare problema di storiografia linguistica si veda, a titolo indicativo, A. Varvaro, *La storia della lingua: passato e prospettive di una categoria controversa* cit., pp. 26-27; e inoltre il commento di T. De Mauro alla sua ediz. italiana pure cit. del *Cours de linguistique générale* di F. de Saussure, n. 94. La distinzione s'intreccia con l'altra tra fattori esterni e fattori interni nell'evoluzione della lingua, cui accennava Martinet nei passi cit. alla n. 23 (cfr. anche Varvaro, *La storia della lingua*, p. 38 e segg.). L'opportunità rilevata sopra di una diversa e più specifica coppia di termini è rafforzata dal fatto che i due termini oggi più in uso ricorrono negli storiografi (e nei teorici della storiografia) con tutt'altri significati: cfr. per es., B. Croce, *Il carattere della filosofia moderna*, Bari 1963[3], pp. 186-194.

[40] *Storia della lingua italiana*, in AA.VV., *Tecnica e teoria letteraria* cit., pp. 177-178.

con i dialetti e col latino e alle dispute cui tutto ciò dà luogo, vale a dire dopo una serie di paragrafi dedicati all'aspetto socioculturale o esterno della lingua, si passa, di solito verso l'undicesimo-dodicesimo paragrafo (a volte un po' più in là: dal quattordicesimo nei capp. VI e VIII), a descrivere i «fatti grammaticali e lessicali», cioè alla storia strutturale della lingua, secondo un metodo che potrebbe richiamare quello wartburghiano di «évolution et structure», se le sincronie strutturali fossero fondate su ragioni proprie e non trovassero il loro punto di riferimento approssimativo nei precostituiti ed «esterni» schemi secolari. Qui veramente, anche perché la documentazione diventa relativamente meno ricca e organica (e non certamente per colpa di Migliorini) una guida a leggere nel modo giusto questa *Storia* diventa ancora più indispensabile. La trattazione miglioriniana, ricchissima e profondamente convincente e istruttiva per la parte che riguarda il lessico (gli ultimi paragrafi di ogni capitolo), la più facilmente riportabile all'altra parte del dittico e anche quella in cui lo studioso si sentiva maggiormente a suo agio[41], trasceglie, per le sezioni riservate ai «fatti grammaticali» (grafia, fonetica, morfologia e sintassi), alcuni fenomeni suggeriti solitamente dalle grammatiche storiche, rinunciando spesso (malgrado i propositi iniziali: cfr. *Premessa*, p. 6) a sfruttare la possibilità che la storia della lingua offre di approfondire e ampliare le dimensioni dell'indagine su tali fenomeni. In queste sezioni i fili rimasti interrotti e pendenti da un capitolo all'altro si fanno più numerosi, e la necessità di guidare il lettore a riannodarli e ricostruirli si fa di conseguenza più urgente.

Prendiamo, per semplicità, un esempio tipico e ben noto (già schizzato da Migliorini nel saggio del '48), tratto dal settore sintattico: la posizione dei pronomi e avverbi atoni rispetto al verbo. Dai «primordi» dei volgari fino al Trecento Migliorini segnala, quasi a ogni capitolo, che tale posizione è regolata dalla cd. «legge Tobler-Mussafia», cioè, con ogni probabilità, da fattori prosodici (cap. III, 11, p. 97;

---

[41] La vocazione miglioriniana a un'indagine lessicale, che lo portasse a stretto contatto con la storia della cultura nel suo significato più ampio, da quello «materiale» e etnografico (secondo l'indirizzo cd. «Wörter und Sachen», che segnò profondamente la ricerca linguistica nei primi decenni del nostro secolo) a quello ideologico e intellettuale, fu fin dal principio vivissima. È appena il caso di ricordare che il suo trattato giovanile *Dal nome proprio al nome comune* (cfr. sopra, p. IX) nasce da essa. Ma tutta l'attività di Migliorini ne è permeata: dai lucidi e nutriti «stelloncini» su *vandalismo, cruciale, cosmopolita, emergenza, grattacielo* e altre innumerevoli parole legate a vicende e momenti particolari della nostra storia fino ai grandi «medaglioni» su *mots-témoins* come *ambiente* o *barocco*. Parte di questa vastissima produzione fu raccolta in vari volumi dall'autore stesso (cfr., per es., *Profili di parole*, Firenze 1968, e *Parole e storia*, Milano 1975); ma per lo più si trova ancora sparsa nelle riviste e nei periodici in cui fece la sua prima apparizione (cfr., per ciò, la *Bibliografia degli scritti di B. Migliorini* a c. di M. Fanfani nel volume commemorativo più volte cit.). Sottolinea questo aspetto della attività miglioriniana Y. Malkiel in «Romance Philology», XXXIX, 1975-76, pp. 398-408, a p. 401 e segg.

cap. IV, 16, p. 151; cap. VI, 18, p. 212; e cfr. già cap. II, 9, p. 66). Questa condizione, tipica delle origini dei volgari italiani e romanzi, comincia a incrinarsi nel periodo umanistico-rinascimentale, tra Quattro e Cinquecento (cap. VII 15, p. 267; cap. VIII, 17, p. 357), quando appare la «galassia Gutenberg» e lo scritto tende non solo ad accentuare i suoi aspetti di distacco e di autonomia dal parlato, ma quasi a sostituirlo e a imporgli le sue leggi. Seguono due secoli, il Seicento e il Settecento, nei quali la *Storia* non fa più riferimento al fenomeno. Eppure sono probabilmente questi i secoli in cui si andavano preparando le condizioni per una norma nuova nell'uso quotidiano, mentre nei testi scritti in genere, e in particolare in quelli letterari, si seguiva un uso misto, libero e polimorfico, per cui, almeno nei modi finiti del verbo, enclisi e proclisi erano ugualmente possibili in ogni posizione della frase: *Pàrtomi, Andiànne, dàtemi, t'ingegna*, per es., nella *Gerusalemme* del Tasso, ma anche (contro l'antica norma) *L'onorò, Si prepara, T'essorteranno*, ecc. La descrizione del fenomeno riaffiora nel cap. XI sul *Primo Ottocento* (15, p. 571), cioè quando ci si avvicina al trionfo della nuova norma, già palese peraltro in quest'epoca in testi importanti come la quarantana dei *Promessi sposi*, e non solo in essa. Nel primo cinquantennio dell'Italia unita (cap. XII), tra Ottocento e Novecento, la nuova norma, a fondamento morfologico o morfosintattico, va verso la sua sicura stabilizzazione ed è ormai divenuta ineccepibile nell'italiano odierno: Migliorini può descriverne, insieme, le condizioni e il rapido affermarsi attraverso la citazione di un passo, particolarmente illuminante, tratto dall'antologia *Fior da fiore* di Giovanni Pascoli (15, p. 637)[42].

Basterà questo esempio per mostrare qual è la via che il lettore deve seguire per costruirsi, attraverso i capitoli miglioriniani, una visione prospettica dello sviluppo dei singoli aspetti della struttura della lingua: uno sviluppo i cui andamenti sono da riferire a varie circostanze (non di rado rintracciabili nell'altro versante, socioculturale, della trattazione), e che trascende comunque il più delle volte la partizione «secolare», configurandosi in periodi e ritmi evolutivi propri e diversi.

Sulla riservatezza di Migliorini nell'affrontare con decisione il problema della periodizzazione potrebbe aver anche influito la convinzione, espressa fin dal saggio *Storia della lingua e storia della cultura*, che «per l'italiano si possono distinguere più periodi, ma non si scorge tra la lingua antica e la moderna un taglio così deciso come quello che divide il francese antico e lo spagnolo antico dalle lingue odierne, e, in modo non identico ma pur simile, il tedesco, l'inglese, ecc.» (p. 9): un'idea, che era, in realtà, un luogo comune della romanistica e

---

[42] Una recente e compendiosa trattazione del fenomeno (sia pure centrata su un aspetto particolare di esso) si ha in G. Patota, *Ricerche sull'imperativo con pronome atono*, in «Studi linguistici italiani», X, 1984, pp. 173-246.

affondava le sue radici nelle dispute settecentesche, quando l'italiano era considerato come una lingua rimasta doviziosa, libera, poetica, di fronte a un francese, amputatosi della sua ricchezza originaria per farsi strumento di *clarté* e di *raison*[43]. Una visione di questo tipo, che percorre ancora la *Storia* miglioriniana, ha portato probabilmente, in modo inavvertito, ad arretrare le origini della lingua italiana ancora più in là di Dante (considerato anche da Migliorini «padre della lingua», e titolare, eccezionalmente, di un capitolo apposito, il V), fino ai placiti cassinesi del 960-963 (donde l'idea del «millenario» della lingua italiana), trascurando o sottovalutando la distinzione essenziale tra l'epoca delle prime attestazioni scritte in volgare italiano e l'epoca posteriore a Dante e al crescere del prestigio del volgare toscano: distinzione ineludibile, perché è solo con questi ultimi eventi che nasce il primo germe di quella che sarà la lingua comune italiana. Prima d'allora in Italia, a livello volgare, esisteva solo una quantità di idiomi distinti fra loro, descritti nella loro invincibile molteplicità da Dante stesso nel *De vulgari eloquentia* (cfr. *Storia*, cap. V, 2, pp. 169-70), che devono essere esaminati e studiati in un quadro storico sostanzialmente diverso da quello in cui si formerà la lingua italiana: essi costituiscono una premessa o, meglio, un antefatto di essa, e non di più. Qualche abbozzo di *koinè* volgare d'epoca predantesca, per es. il volgare poetico siciliano (tanto diffuso nel Duecento, sempre al dire di Dante, che «quicquid poetantur Ytali sicilianum vocatur», *De vulg. eloq.* I, XII, 2), è, oltre che fuggevole, orientato in direzione del tutto differente da quella verso la quale procederà in seguito la lingua italiana. Ma anche oltrepassando il periodo dei molteplici volgari e rimanendo all'interno del periodo propriamente occupato dalla lingua comune e dalla sua elaborazione, tra Dante o il Trecento e i giorni nostri, un'accentuazione troppo spinta della tesi della continuità dell'italiano di fronte alla discontinuità del francese e delle altre lingue, spinta fino al punto di porre a proprio fondamento il criterio della più o meno facile intercomprensione da fase a fase della stessa lingua (l'articolo di Migliorini citato continuava: «Un italiano, anche incolto, che legga Dante non intenderà qualche locuzione, ma sa e sente che quella è la sua lingua; mentre un francese che legga la *Chanson de Roland*», se vuole intenderne la lingua, «deve studiarla come una lingua morta»), non è priva di pericoli. Può infatti ingenerare il sospetto che, in fondo, in tutto quel periodo plurisecolare, dal Trecento al Novecento, non sia accaduto niente, o quasi, nella nostra lingua, comunque niente di veramente rilevante e degno di attirare l'attenzione dello storico; che ci si trovi di fronte a un periodo scolorito e uniforme, o, tutt'al più, a periodi distinti fra di loro solo per piccoli e trascurabili assestamenti interni; può

---

[43] Per i giudizi sull'italiano, soprattutto in confronto col francese, si veda ora il suggestivo libro di G. Folena, *L'italiano in Europa* cit., in particolare le parti III e IV.

ingenerare cioè l'equivoco che la vera e apprezzabile evoluzione linguistica coincida con il «cambio di lingua», e che, di conseguenza, la storia della lingua coincida, nei suoi aspetti essenziali, con la grammatica storica, sottovalutandone o, al limite, negandone l'originalità e la fecondità dei metodi e delle funzioni. Ora, proprio la gran messe di fatti, e di fatti spesso assai importanti, condensata nel libro di Migliorini, mostra che le cose non stanno così; e per questo dicevo poco fa che la *Storia* miglioriniana racchiude dentro di sé una quantità di vie nascoste e di sentieri inesplorati che possono condurre il lettore a recuperi del tutto imprevisti, al di là degli schemi stessi che l'autore si è imposto. «La circostanza, fausta nel risultato..., anche se non sempre nelle cause», osservava qualche tempo fa Gianfranco Contini *in limine* a una sua antologia della letteratura italiana, «che in Italia alla lingua moderna non se ne opponga una medievale di tutt'altra struttura, da apprendere oggi come una lingua straniera, diversamente da quanto accade per la maggioranza delle lingue europee, francese, tedesco, inglese, spagnolo, ecc. ecc..., non esonera dal distinguere, meglio forse di quanto la scuola non abbia fatto fin qui, ciò che è moderno e ciò che più sottilmente è antico, acuendo sulla pagina lo spirito d'osservazione»[44]. Lo storico dell'italiano è chiamato quindi ad un'operazione delicata che richiede strumenti di elevata sensibilità linguistica. La grande opera di Migliorini, proprio per la sua eccezionale e obiettiva apertura documentaria, può costituire un viatico istituzionale tra i più inesauribili a tale scopo e una guida insostituibile per ricostruire col dovuto dettaglio le meno accessibili profondità storiche della nostra lingua[45].

Si è ripetutamente accennato che più si legge questa *Storia*, più essa sembra affondare le sue radici ideali negli anni dell'immediato anteguerra, che è poi l'epoca in cui l'impresa miglioriniana mosse i primi passi. L'affermazione stessa che l'«Italia, che di sé ha primamente acquistato coscienza attraverso la lingua, conoscendo più a fondo la storia della sua lingua conoscerà meglio se stessa» (*Storia della lingua e storia della cultura* cit., p. 26), risente di quel clima, in cui l'identità romantico-risorgimentale di lingua e nazione aveva ancora la forza potente di un'idea-mito, capace di cementare la solidarietà e di mobilitare largamente le energie di un popolo. Ora, non è fuori luogo osservare che tutto ciò avveniva proprio nel momento in cui si cominciavano a rimettere in discussione le basi stesse e la possibilità di una storia d'Italia che risalisse lungo il corso dei secoli, oltre l'epoca unitaria, fino al Medioevo. È nota la polemica che ebbe come primi

[44] *Letteratura italiana delle origini*, Firenze 1970, p. IX.
[45] Per la «presunta immobilità dell'italiano», le circostanze particolari che hanno alimentato tale idea e le insidie che essa presenta ancor oggi per lo storico della nostra lingua si veda M. Durante, *Dal latino all'italiano moderno* cit., 16 (p. 171 e segg.).

importanti protagonisti, attorno al 1930, Arrigo Solmi e Benedetto Croce, e si allargò negli anni successivi fino a coinvolgere alcuni tra gli storici italiani più preparati e consapevoli[46]. La lingua in questa disputa poteva costituire un argomento di non trascurabile importanza (lo rilevava esplicitamente L. Salvatorelli in un intervento tardivo e, per molti aspetti, rievocativo del 1954[47]), perché, come ritenevano gli uomini del Risorgimento, «quando un popolo ha perso patria e libertà e va disperso per il mondo, la lingua gli tiene luogo di patria e di tutto» (Settembrini), e agli strati colti e medio-colti dei decenni che prepararono l'Unità la lingua comune appariva generalmente come «il solo legame d'unione» (Monti), «la men incerta e più nobile eredità lasciataci da' nostri avi» (Foscolo). Ripercorrere le vicende della lingua, indagarne le origini, saggiarne la diffusione poteva offrire (lo abbiamo già rilevato all'inizio di queste pagine) indizi preziosi per ritrovare le ragioni profonde dell'unità del popolo italiano, della sua coscienza nazionale. La lingua diventava un rivelatore sensibilissimo dell'unità plurisecolare della storia d'Italia, così come la coesione del popolo italiano fin dai tempi più remoti poteva diventare presagio di unità linguistica. Non è affatto escluso che tali dispute, prolungatesi fino alla vigilia della seconda guerra mondiale (e poi a tratti riemerse in seguito) agissero in qualche modo sulla decisione miglioriniana di dar corpo a una grande storia della lingua italiana: la quale nasce (si noti) proprio come una «storia della lingua italiana», e non come una «storia linguistica d'Italia», che, come già notavano Dionisotti e Fiorelli (confrontando la *Storia* di Migliorini col *Profilo* di Devoto), era, ed è, una cosa diversa.

Il tema dell'unità «italiana» percorre in effetti tutto il trattato miglioriniano: raramente però (come al solito) affiora esplicitamente alla superficie nella sua forma problematica. Affermava Walter von Wartburg nel 1936 (in uno scritto subito recensito da Migliorini): «oggi, dopo tanti decenni di linguistica storica si suole prendere la delimitazione dell'italiano quasi come un dato, una cosa naturale che non abbia bisogno di spiegazione. Eppure è evidente a chi cerchi di scrutare il passato dello spazio linguistico italiano, che nessun altro paese romanzo è stato meno predestinato a diventare un'unità linguistica»[48]. Ci fu dunque alle origini dell'italiano un travaglio, e un

[46] Per un rapido riepilogo di questa discussione si veda G. Candeloro, *Storia dell'Italia moderna*, Milano, vol. I, 1975[6], pp. 391-393; interessanti osservazioni in proposito offre, più recentemente, P.G. Zunino, *L'ideologia del fascismo. Miti, credenze e valori nella stabilizzazione del regime*, Bologna 1985, p. 70 e segg. Sui precedenti della discussione cfr. G. Galasso, *L'Italia come problema storiografico*, Torino 1979, pp. 166-167 (libro sul quale torneremo più avanti).

[47] Lo si veda riprodotto in L. Salvatorelli, *Spiriti e figure del Risorgimento*, Firenze 1961, pp. 30-35, spec. a pp. 34-35.

[48] *La posizione della lingua italiana*, Firenze 1940, p. 8; il volumetto riproduce alcune conferenze tenute a Roma nel 1936 e pubblicate già nello stesso anno dall'editore Keller di Lipsia e dalla Biblioteca Hertziana di Roma, congiuntamen-

travaglio presumibilmente lungo e faticoso; ma questo rimane, per lo più fra le pieghe del discorso di Migliorini, non già assente, ma tutto oggettivato nei fatti. Il punto in cui forse il problema affiora più esplicitamente è un brevissimo paragrafetto, all'inizio del cap. III, sui *Primordi* (III, 2). Migliorini si domanda a questo punto se sia «lecito, già in questo periodo [960-1225], trattare le varie espressioni in volgare come varianti di una medesima lingua», cioè se sia già il caso, a questa altezza cronologica, di parlare di lingua italiana, e non si debba invece parlare solo di molteplici e vari volgari. La risposta è assai contratta ed elusiva: pur riconoscendo che di «manifestazioni linguistiche» veramente italiane si può parlare solo a cominciare da Dante, Migliorini si appiglia anche qui a uno schema «esterno», quello dei «limiti geografici», e, inoltre, a «quei primi caratteri superdialettali, che sia pure molto alla lontana prepararono la futura unità»; e con ciò supera rapidamente lo scrupolo metodico. Abbiamo già accennato alla debolezza di questa tesi, che oggi siamo forse in grado di valutare in modo più netto di quanto non si potesse all'epoca della elaborazione della *Storia*. Nei tre o quattro decenni che ci separano da quell'epoca gli studi sulle prime *scriptae* volgari si sono infatti, anche in Italia, notevolmente intensificati e raffinati (si pensi, per fare un esempio, a Gianfranco Contini e alla sua scuola) e ci permettono di disegnare oggi con molto maggior dettaglio un panorama dei volgari medievali che si conferma estremamente variegato e franto: quello stesso, del resto, che appariva, già all'inizio del Trecento, a un testimone d'eccezione quale era Dante (cfr. *De vul. eloq.* I, X e segg.).

Ma, lasciando da parte la questione dei «primordi», lo storico deve obiettivamente rilevare che, anche quando, nel Cinquecento, la lingua italiana (o «toscana») aveva raggiunto una sua prima piena maturazione (attraverso due secoli di crescita e d'espansione del toscano e di vario e diseguale formarsi di larghe *koinè*: cfr. *Storia*, capp. VI, 9-13, VII, 8-10), la sua consistenza rimaneva sempre soggetta a limiti e condizionamenti notevoli, più ristretti e comunque diversi da quelli odierni. Lo spazio stesso occupato da questa lingua coincideva certo assai meno di ora con quel territorio che i geografi di oggi e di ieri chiamano e chiamavano «Italia». Le discordanze erano rilevanti, a volte perfino imprevedibili.

Basterà ricordare che una regione come il Piemonte, decisiva per l'unificazione politica d'Italia, è rimasta per lungo tempo con un piede fuori e un piede dentro l'area della lingua italiana. Considerata da Dante così vicina alle «mete Ytalie» da possedere un tipo di volgare di transizione verso i volgari d'Oltralpe, rimaneva ancora, dopo la svolta impressagli da Emanuele Filiberto, attorno al 1560 (*Storia*, cap. VIII, 10), un «paese anfibio», come lo chiamava Alfieri (*Vita*, Epoca III, cap. I; e

te; è appunto su questa edizione che Migliorini si fondò per la sua recensione uscita nella rivista «Roma», 1937, 9, pp. 341-342.

cfr. *Storia*, capp. IX, 2; X, 3 e 10), e, dopo la calda esortazione del Napione a volgersi decisamente verso l'Italia e l'italiano (*Dell'uso e dei pregi della lingua italiana*, 1791), poteva di nuovo aspirare, qualche anno dopo, sotto il dominio napoleonico, a una drastica annessione al territorio linguistico, oltre che politico, francese (si ricordi l'opuscolo di Denina, *Dell'uso della lingua francese* del 1803: cfr. *Storia*, cap. XI, 10), e rimanere comunque in bilico tra italiano e francese fino alla vigilia dell'Unità, al punto che nello *Statuto* albertino del 1848 (rimasto in vigore, come si sa, per tutta la durata del Regno d'Italia, fin quasi ai giorni nostri), accanto all'italiano, «lingua officiale delle Camere», era ammesso facoltativamente il francese (art. 62); e pochi anni prima (1835) uno dei «padri della patria», il Cavour, spronato e rampognato da Cesare Balbo, doveva fare «l'humiliant aveu que la langue italienne *lui était* jusqu'*alors* tout à fait étrangère»[49]. Il dominio della lingua comune era dunque ben più lontano di oggi dall'identificarsi con l'Italia delle carte geografiche e geopolitiche. Per non parlare del livello colloquiale e quotidiano, in cui ancora a lungo, fino all'Ottocento inoltrato e ai primi decenni del Novecento, dominarono gli idiomi dialettali (e Migliorini osserva puntualmente il fatto nei vari paragrafi sulla lingua parlata e sull'uso dei dialetti) e per non parlare delle scritture meno formali, in cui pure le antiche *scriptae* volgari si andarono estenuando nell'italiano con molta maggiore lentezza di quanto solitamente non si creda, anche ai livelli più elevati e ufficiali ci furono brani di territorio oggi italiano, che conobbero solo assai tardi la lingua comune. Osserva Migliorini che nel Cinquecento «la Sardegna, direttamente soggetta alla Spagna, ha scarsi contatti con la Penisola» (cap. VIII, 2) e nel Seicento «la vita culturale si svolgeva quasi esclusivamente in spagnolo» (cap. IX, 11, p. 416 n. 84); solo dopo l'annessione allo stato Sabaudo (che diventava così Regno di Sardegna, 1720) «la vita amministrativa e culturale dell'isola... si venne orientando... verso la lingua italiana» (cap. X, 2), ma «lentissimamente», sicché «solo nel 1764 l'italiano diventa lingua ufficiale nei tribunali e nell'insegnamento» (cap. X, 10)[50].

[49] Sulle varie fasi della penetrazione dell'italiano in Piemonte si dispone ora dell'ottimo studio d'assieme di Cl. Marazzini, *Piemonte e Italia. Storia di un confronto linguistico*, Torino 1984. Sull'atteggiamento del Napione e dell'ambiente in cui viveva si veda da ultimo G.L. Beccaria, «Italiano al bivio: lingua e cultura in Piemonte tra Sette e Ottocento», negli *Atti del Convegno «Piemonte e letteratura. 1789-1870» (San Salvatore Monferrato, 15-17 ottobre 1981)*, a. c. di G. Ioli, s.l. né d. di st., vol. I, pp. 15-55; e sul Denina la silloge di suoi scritti d'interesse linguistico (fra cui anche *Dell'uso della lingua francese*) apprestata dal Marazzini in C. Denina, *Storia delle lingue e polemiche linguistiche. Dai saggi berlinesi 1783-1804*, a c. di Cl. M., Alessandria 1985. Tutti i documenti della vicenda Balbo-Cavour accennata sopra possono leggersi ora in C. Cavour, *Epistolario*, Bologna, vol. I, 1962, pp. 185-190 (e cfr. anche R. Romeo, *Cavour e il suo tempo*, Bari, vol. I, 1977³, pp. 445-446).

[50] Oltre il libro classico di M.L. Wagner, *La lingua sarda. Storia, spirito e forma* (Berna 1951), che naturalmente Migliorini conosceva e utilizzava, si possono consultare oggi, sulla diffusione dell'italiano in Sardegna, molti altri contributi, pubblicati parallelamente all'accrescersi delle rivendicazioni sarde di

Accenni simili si colgono qua e là a proposito di altre regioni italiane, specialmente le più periferiche rispetto al nucleo centrale tosco-romano: il che conferma quanto sia stata lunga, incerta e faticosa nei fatti la costruzione di quella Italia linguistica, che spesso è stata assunta, disinvoltamente, come punto di forza per affermare l'esistenza già in tempi remoti di una compatta e formata «nazione» italiana, scambiando le aspirazioni di un Dante o di qualche suo più tardo e meno noto rieccheggiatore, per es. un Muzio[51], con la «cosa salda» di una lingua comune completamente identificantesi con una nazione di popolo quale la concepiamo noi moderni.

Queste indicazioni miglioriniane, che possono spiegare tante vicende dell'Italia di oggi (per es. la non perfetta identificazione di varie regioni con lo stato nazionale italiano e la sua lingua), pur non sbandierate, ma tutte assorbite e concentrate nella esposizione dei fatti, hanno avuto una loro parte quando, dopo alcuni decenni dal suo primo apparire, la questione, cui accennavamo poco fa, dell'unitarietà e della plausibilità stessa di una storia d'Italia avanti il 1861 è tornata alla ribalta, soprattutto in occasione dell'avvio di alcune grandi imprese editoriali: la *Storia d'Italia* Einaudi, il cui primo volume (con una «Presentazione dell'editore» centrata su questo tema) uscì nel 1972, e la *Storia d'Italia* UTET, che si inaugurò nel 1979 col libro introduttivo di G. Galasso, *L'Italia come problema storiografico*. Ambedue le pubblicazioni rinoscevano in sostanza che, se troppo severa è la tesi del Croce di una impraticabilità di una storia d'Italia prima del 1861, è pur vero che le storie di ispirazione troppo scopertamente risorgimentale, che privilegiano e quasi isolano fin dall'Alto Medioevo il filone unitario e «nazionale», non risultano meno fuorvianti e unilaterali: ché in realtà la storia linguistico-letteraria così come la storia socio-politica dell'Italia preunitaria, anche se percorse dal filo continuamente interrotto o disperso delle aspirazioni unitarie e soffuse di un sentore di affinità e di rapporti privilegiati fra i vari territori «italiani», restano, al loro fondo, storie di una variegata molteplicità di tradizioni, istituzioni e idiomi diversi. «La lezione del *De vulgari eloquentia*», affermava G. Einaudi, citando esemplarmente C. Dionisotti, «è in breve questa: un'esigenza unitaria, di una ideale unità linguistica e letteraria, proposta e richiesta a una reale, frazionata varietà, un'unità insomma che supera, ma nel tempo stesso implica

autonomia anche linguistica; compendiosamente si può rinviare al libro diseguale, ma ampio, intelligente e appassionato di M. Pira, *La rivolta dell'oggetto. Antropologia della Sardegna*, Milano 1978; si veda inoltre da ultimo la *Storia linguistica della Sardegna* di E. Blasco Ferrer (Tübingen 1984).

[51] Dell'«italianismo» linguistico-politico di Gerolamo Muzio, letterato e cortigiano della seconda metà del Cinquecento, ha proposto una rivalutazione (opportuna, quando se ne precisi la sostanziale eccentricità nel panorama del tempo) G. Salvemini, «Il Risorgimento», in *Scritti sul Risorgimento*, a. c. di P. Pieri e C. Pischedda, Milano 1973, p. 473 e segg., a pp. 505-507.

questa varietà»[52]. E Galasso: «La storia italiana pre-unitaria è... una molteplicità di storie cittadine, regionali ed interregionali, parallele ed interferenti fra loro», dove gli aggettivi «parallelo» e «interferente» alludono a una prima forma, più blanda e sfumata, di quella che sarà poi la vita pienamente unitaria della società italiana; una storia nazionale dal «carattere (se così si può dire) multinazionale»[53]. Ora, è da rilevare che tutte e due queste pubblicazioni, che hanno avuto il merito di riproporre come cruciale il problema della storia d'Italia come storia unitaria e di rilanciare, in relazione ad essa, quella visione feconda di «unità nella varietà», che costituì già un filone interpretativo forse meno fortunato, ma tutt'altro che trascurabile della storiografia ottocentesca, hanno fatto riferimento, in vari modi e misure, nel loro articolato discorrere, alla *Storia* di Migliorini (la *Storia* Einaudi dedica anzi agli aspetti linguistici del tema un contributo apposito: «Lingua, dialetto e letteratura» di A. Stussi[54]): segno che l'opera del Migliorini ha avuto un suo peso nel suggerire certi obiettivi agli storici del nostro paese e nell'integrare alla loro ricerca un bagaglio di materiali documentari, rimasti fino a quel momento ai margini della loro attenzione.

È così che, fondata su una *humus* affatto diversa, in cui trovavano ancora eco passioni e miti risorgimentali, quest'opera, per molti aspetti eccezionale, si offre allo storiografo di oggi con interesse vivo e attuale. Vi si trovano rispecchiati, a leggere attentamente, le disarmonie, le resistenze, le contraddizioni, i contrasti, che hanno accompagnato nei secoli il formarsi della società e della lingua italiana, e la sua lunga fatica di aprirsi un varco verso uno spazio geografico, o geografico-sociale, via via più esteso e praticabile. Lo stesso potrebbe dirsi (anche se il discorso si fa qui più delicato) di un tema che accompagna questi sviluppi: il formarsi di una coscienza nazionale italiana, connesso com'è, oltre che col valore simbolico della lingua comune, col mobile sfaccettarsi del termine-chiave «nazione», lungo il corso dei secoli, in modi che gli studi di Kohn, Hayes, Weill, Chabod, Godechot, Sestan, Romeo, Renzi e tanti altri hanno cercato di chiarire in questi ultimi decenni. Migliorini osserva gli sviluppi dell'importante fenomeno da storico del lessico e della semantica. «Persiste ancora», avverte nel

---

[52] «Presentazione dell'editore» alla *Storia d'Italia*, Torino, vol. 1, 1972, pp. XIX-XXXVI, a p. XXX: il brano di Dionisotti deriva dal suo libro cit. *Geografia e storia della letteratura italiana*, p. 31.

[53] *L'Italia come problema storiografico* cit., pp. 177-178.

[54] Vol. 1 cit., pp. 677-728. Va ricordato che lo Stussi incentrò poco dopo su questo nuovo motivo una sua assai utile antologia, *Letteratura italiana e culture regionali* (Bologna 1979), il cui contenuto, nonostante il titolo, dà largo spazio alle vicende linguistiche italiane. È doveroso segnalare peraltro che il motivo aveva ricevuto, già attorno al 1950, un notevole rilancio dagli originali studi di C. Dionisotti (raccolti, per la maggior parte, nel volume più volte citato), cui si riferiscono infatti ripetutamente sia Einaudi (come s'è visto), sia Stussi, sia Galasso.

capitolo sul Settecento (X, 16), «il vecchio significato di *patria* e *nazione* riferito alla città o al piccolo stato a cui uno appartiene; ma sempre più frequente è il riferimento all'Italia intera». È un indizio importante della crisi profonda che si stava aprendo in quei decenni e alla quale abbiamo già accennato di sfuggita poco fa (p. xx): una crisi che doveva portare in questi termini il significato che hanno conservato fino ad oggi, permeato di connotazioni politiche (lo notava, per *nazione*, alla fine del Settecento il «giacobino» compilatore di una lista di vocaboli «o nuovamente arrivati in Italia, o di nuova significazione, o d'un'antica, ma cambiata e travisata»: cap. XI, 16[55]), e respingere lontano i vecchi significati, in una dimensione che stentiamo ancor oggi, talvolta, a comprendere e definire con esattezza. Il rapporto tra lingua e nazione, così stretto e vibrante in epoca risorgimentale («La Patria è *una* e indivisibile», dichiarava Mazzini nei *Doveri degli uomini*, esortando: «Come i membri d'una famiglia non hanno gioia della mensa comune se un d'essi è lontano, rapito all'affetto fraterno, così voi non abbiate gioia e riposo finché una frazione del vostro territorio sul quale si parla la vostra lingua è divelta dalla Nazione...»), non passava ancora, prima del Sette-Ottocento, attraverso un terreno così incandescente. La lingua comune codificata e diffusa nel Cinquecento, come quella vagheggiata da Dante, era, malgrado l'apparente continuità, qualcosa di diverso, e non aveva certo, salvo in casi isolati (come quello del Muzio citato sopra), questi sottintesi politici. Era una lingua letteraria, fatta in primo luogo per l'eleganza e la correttezza dello scrivere, e anche strutturalmente caratterizzata come tale (si pensi, per es., alla sua ricca e invincibile polimorfia di palese matrice retorica: Migliorini vi accenna al cap. VIII, 22, e, qua e là, altrove): una lingua offerta certamente soprattutto agli scrittori italiani (con le esclusioni e le limitazioni già indicate), ma proprio per la sua eleganza (che non ha confini) dilagante anche fuori d'Italia, e nota, nella sua epoca d'oro, e anche largamente praticata dalle persone colte di tutta l'Europa, come si può facilmente constatare scorrendo i paragrafi della *Storia* di Migliorini dedicati, tra Cinquecento e Settecento, ai «Rapporti» e «Contatti con altre lingue» (capp. VIII, 5 e 13; IX, 11; X, 10). Era, e rimarrà a lungo, una delle lingue europee più prestigiose; dopo le lingue classiche, anzi assieme ad esse, forse, per un lungo periodo, la più prestigiosa. È questo il momento, fra il Cinquecento e il Settecento, in cui essa diventa, secondo la felice espressione di Braudel, «un elemento persistente della cultura europea» e un modello di densa e armoniosa espressività[56]. Il Manzoni stesso lo avvertiva, a metà

---

[55] Per l'autore di questa lista cfr. *Giacobini italiani*, Bari, vol. I, a c. di D. Cantimori, 1956, pp. 422-423; e *I giornali giacobini italiani*, a c. di R. De Felice, Milano 1962, p. 476 e segg.

[56] La frase di Braudel si trova nel saggio *L'Italia fuori d'Italia*, in *Storia d'Italia* Einaudi, vol. II, 1974, p. 2089 e segg., a p. 2098. Ancora nel Settecento, quando le sue fortune stavano ormai declinando, l'italiano figurava nel concerto

dell'Ottocento, quando cancellava drasticamente quella lingua dalle sue speranze per un futuro che già si profilava distintamente, e la considerava come «una collezione parziale», «un mescuglio di vocaboli», un fantasma di lingua piuttosto che una lingua vera[57]. E intanto affioravano, gravissimi, problemi pressoché ignoti al vecchio italiano, come quello di saldare, attraverso un'opera complessa di acculturazione (che non si è del tutto conclusa neanche oggi) i «due gradi di italianità», che erano convissuti fin allora parallelamente nel suo seno: «quello unicamente qualificato delle classi alte e quello soltanto oggettuale e vegetativo delle classi popolari», immerse nei loro dialetti[58].

Come si vede, al di sotto di parole o istituzioni che apparentemente sembrano identiche o poco differenti, si nascondono di fatto realtà profondamente diverse e perfino divergenti. È questa la lezione che la moderna storiografia sull'Italia e sulla coscienza nazionale italiana, in cui la lingua ha certamente una parte non trascurabile, ci offre. Sarebbe pericoloso, e perfino impossibile, ricostruire una storia d'Italia e una storia della lingua italiana «a una sola arcata», come, nella sua impalcatura esterna, appare costruita quella di Migliorini, dai placiti cassinesi o da Dante ai tempi nostri, secondo uno schema prospettico che appiattisce sul presente un passato secolare, poggiando magari sul presupposto, pure miglioriniano, che la nazione e la coscienza nazionale italiana sia nata già, miracolosamente compiuta, al tempo di Dante,

delle principali lingue europee, apprezzato universalmente come «la plus douce des langues» (Rivarol), con un «genio» specifico che la rendeva particolarmente adatta per la musica e per la poesia: cfr. ancora G. Folena, *L'italiano in Europa* cit., spec. pp. 217 e segg., e 397 e segg.

[57] *Sulla lingua italiana. Lettera al sig. cavalier consigliere Giacinto Carena*, in A. Manzoni, *Opere Varie*, a c. di M. Barbi e M. Ghisalberti, Milano 1943, p. 751 e segg., a pp. 765-766 (la lettera, inviata al Carena nel '47, fu poi pubblicata dal Manzoni, con ritocchi e ampliamenti, nel 1850 nel volume delle *Opere varie* in stampa presso il milanese Redaelli dal 1845).

[58] La frase citata è tratta da G. Bollati, *L'Italiano* cit., p. 45. Il problema dell'integrazione delle classi popolari alla cultura e alle istituzioni nazionali fu, com'è noto, uno dei temi più ricorrenti nelle meditazioni di A. Gramsci: cfr. *Quaderni dal carcere*, ediz. dell'Istituto Gramsci a c. di V. Gerratana, Torino 1975, vol. III, pp. 1914-1915, 2113-2120, ecc.; e per gli aspetti propriamente linguistici F. Lo Piparo, *Lingua, intellettuali, egemonia in Gramsci*, Bari 1979. In pratica l'acculturazione linguistica dei dialettofoni all'italiano, vivamente sollecitata da ragioni politiche e civili, percorse dapprima le vie dell'alfabetizzazione: cfr., compendiosamente, M. Raicich, *Scuola e politica da De Sanctis a Gentile*, Pisa 1981; e Cl. Marazzini, *Per lo studio dell'educazione linguistica nella scuola italiana prima dell'Unità*, in «Rivista italiana di dialettologia», IX, 1985, pp. 69-88. In tempi più vicini a noi entrarono in gioco altri fattori come i movimenti migratori connessi con l'industrializzazione e con l'urbanesimo, la sempre più larga diffusione dei *mass-media* in lingua parlata, ecc. Per tutta questa materia resta ovviamente sottinteso il rinvio a T. De Mauro, *Storia linguistica dell'Italia unita* cit.

anzi sia stata creata da Dante stesso (cap. V, 1)[59]. In realtà la stragrande e controllatissima quantità di dati documentari offertici da questo «libro onesto, sano, utile, e, grazie a Dio, non problematico» (Dionisotti) ci stimola in altre direzioni: a non dare per scontato nulla di quello che deve ancora avvenire, perché a ogni angolo, a ogni svolta della storia possono presentarsi fatti nuovi, che distruggono in un attimo ciò che pareva già acquisito; e a interpretare quindi le vicende della lingua per quello che furono, nella loro originale complessità, fase per fase, pacatamente, senza che la soluzione finale pregiudichi la obiettiva valutazione di ciascuna di quelle fasi; a non appiattire il presente sul passato né il passato sul presente, ma a lasciare spazio, tra passato e presente, a tutta la folla degli accadimenti che ci hanno fatti così come siamo oggi. Anche un organismo come la lingua si trova profondamente immerso, com'è ovvio, nella storia umana, e ne condivide e ne segue progressi, scarti e disarmonie, prestandosi a ricostruire sempre, ma ogni volta in condizioni diverse, e quindi diversamente, a seguito di questi contraccolpi, il suo delicato e duttile sistema di comunicazione interpersonale. Per ripercorrere questi itinerari, impervi e imprevedibili, nelle vicende plurisecolari di quell'organismo, che fu ed è la lingua italiana, la *Storia* di Migliorini, pur fondata in anni ormai lontani e, per certi aspetti, distaccati dal nostro attuale sentire, si offre a noi ancor oggi come la guida più competente e sicura di cui disponiamo. Dopo ventisette anni, un libro come questo non è, in tal senso, invecchiato, proprio perché (credo) non si presenta come un'opera storiografica semplice e rettilinea, rigidamente preordinata a una determinata tesi; ma come un'opera, nel suo genere, aperta, che, seguendo sempre da vicino il suo oggetto, ne estrae tante e tante cose,

---

[59] È questo un altro dei rarissimi momenti in cui Migliorini esce allo scoperto e prende posizione su modelli interpretativi di carattere generale: «Si pensi», scrive Migliorini, «alle miserevoli condizioni d'Italia ai primi del Trecento... Non certo questo stato di cose autorizzava a sperare: ma Dante credeva, e credendo operò il miracolo. L'Italia non era, in quanto essa non aveva coscienza della sua sostanziale unità culturale, che le avrebbe permesso di accogliere una comune lingua letteraria e civile, più adatta che il latino ad accomunare tutti gli Italiani. Dante sentì e la rivelò questa coscienza: così l'Italia fu» (p. 168). Si avverte qui, nella prosa miglioriniana, un tono insolitamente trionfale e sostenuto: c'è forse ancora un'eco di quelle agiografie risorgimentali, per cui Dante era il padre non solo della lingua, ma della nazione intera, «l'italiano più italiano che sia stato mai», secondo la nota definizione del Balbo (cfr. anche Migliorini, *Lingua d'oggi e di ieri*, Caltanissetta-Roma 1973, pp. 65-74, spec. a pp. 73-74). In realtà a questo punto, all'inizio del Trecento, l'Italia linguistica (l'abbiamo già osservato) era tutt'altro che fondata in modo stabile e irreversibile. Opportunamente M. Durante faceva rilevare di recente che in quest'epoca nell'Italia «volgare» «la situazione linguistica rimaneva estremamente frammentaria», e mancava «e mancherà ancora a lungo un embrione di coscienza nazionale» nel senso moderno della parola (*Dal latino all'italiano moderno* cit., 12. 2). Quello di Dante fu un primo acutissimo segno profetico proiettato su un futuro che rimaneva tutto da costruire.

ignote prima o trascurate, o non accostate fra loro, a volte apparentemente disparate, ma ognuna delle quali occupa pure, obiettivamente, un suo posto e ha avuto un suo peso nella formazione della nostra lingua. È questa in fondo la lezione più vera di un libro come la *Storia* di Migliorini, costruito passo passo, con fatica e pazienza da certosino e con estremo rispetto per chi fosse destinato a servirsene: un atteggiamento esattamente contrario a quello riflesso nel noto aforisma di Voltaire, per cui la storia è come «un vaste magazin, où vous prendrez ce qui est à votre usage».

Una postilla finale. La *Storia* di Migliorini termina con l'ingresso dell'Italia nella prima guerra mondiale, nel 1915. A chi non è al corrente dell'intero *cursus* dell'attività miglioriniana, ciò potrà sembrare una singolarità o un rifiuto a confrontarsi col presente. In realtà, col presente, con la «lingua contemporanea», Migliorini si era misurato (come s'è visto) prima che col passato; aveva anzi probabilmente tratto proprio dal presente gli stimoli a ripercorrerne a ritroso le ragioni, a ricercarne le origini. Nella quarta edizione «rifatta» del suo volumetto *Lingua contemporanea* (1963) avvertiva nella «Premessa» (p. VI) di essersi proposto, con questa riedizione, «di presentare nelle loro linee generali le condizioni e i fenomeni più notevoli della lingua dell'ultimo mezzo secolo, e così in certo modo completare la *sua Storia della lingua italiana*, in cui *aveva* condotto l'indagine fino al 1915» (e cfr. ancora a p. 4 dello stesso volume). Questo originale e fortunatissimo libretto, assieme all'altro che l'aveva seguito dopo pochi anni, *Saggi sulla lingua del Novecento* (ripubblicato anch'esso nel 1963, dopo la comparsa della *Storia*, in terza edizione «riveduta e aumentata»), rappresenta in realtà la vera continuazione della *Storia*; le due operette conducono infatti la trattazione fino agli inizi degli anni 60, cioè fin quasi ai giorni nostri. Saremmo anzi tentati di dire: fin proprio ai giorni nostri, considerando la ricchezza di stimoli e la acutezza interpretativa sono cosparse a piene mani in questi due piccoli classici di linguistica «militante». I tempi sono certo cambiati anche per la nostra lingua, che sembra vivere l'avvio di un'epoca del tutto nuova, la cui «svolta decisiva», secondo la verosimile ipotesi di M. Durante, si è determinata «a partire dal *miracolo economico* degli anni cinquanta», e appare già tale «da caratterizzare il secondo Novecento come un punto cardinale della storia linguistica italiana»[60]. Eppure i due libretti miglioriniani, nati negli anni 30, non appaiono ancora in complesso «datati»; viceversa sono ancora in grado di gettare fasci di luce vivissima su fenomeni che si stanno svolgendo sotto i nostri occhi, in questo presente così nuovo e dinamico. Per queste ragioni non sarebbe forse inopportuno restituire alla *Storia* di Migliorini il compimento che l'autore le aveva predisposto, e riproporre ancora editorialmente,

---

[60] *Dal latino all'italiano moderno* cit., 28. 1.

accanto alla *Storia*, i due volumetti citati sopra, magari riunendoli in un tomo unico. Uno dei nostri linguisti più attenti, Gaetano Berruto, auspicava già, al momento dell'ultima riedizione, corretta e aggiornata, della *Storia*, nel 1978, una «integrazione» editoriale di questo genere[61]: non credo di cedere a una retorica d'occasione affermando che riportare alla luce il Migliorini «contemporaneista» significherebbe rimettere nelle mani dei lettori un filo d'Arianna preziosissimo, per renderli capaci di percorrere sicuramente, in lungo e in largo, quell'opera grande e complessa che è la sua *Storia della lingua italiana*.

Ghino Ghinassi

---

[61] Cfr. la sua breve recensione comparsa sul «Corriere della sera» del 1 ottobre 1978.

STORIA DELLA LINGUA ITALIANA

Volume I

PREMESSA

Quando nel 1938 cominciai a stendere i primissimi abbozzi di questa Storia e nel 1942 a redigerne il primo capitolo, pur rendendomi ben conto della scarsezza delle mie forze di fronte all'immane vastità del lavoro, movevo da un ambizioso proposito: quello di dare all'Italia un'opera che fino allora le mancava. Abbondano nel nostro paese le storie della letteratura, delle belle arti, del diritto, della medicina, ecc.: come mai invece mancano le storie della lingua? e come mai, per altre lingue, antiche e moderne, le storie non mancano, e per il francese abbiamo quel monumento che è il Brunot, per lo spagnolo quei poderosi frammenti che ce ne ha dati il Menéndez Pidal? La causa l'ha esposta ineccepibilmente il Dionisotti: «nella secolare considerazione retorica della lingua, invalsa più che altrove in Italia, è la giustificazione per l'appunto del fatto, che manchino a noi opere come quella del Brunot o del Menéndez Pidal» (Giorn. stor. lett. it., CXI, p. 139).

L'attenzione quasi esclusiva accordata alla lingua quale strumento letterario ha fatto sì che nel passato parlando di storia della lingua ci si riferisse principalmente allo stile degli scrittori e si tendesse piuttosto a tracciare delle storie dello stile, trascurando invece tanti altri aspetti, sia pur più modesti, che appaiono nella complessa realtà dell'uso linguistico quotidiano. Così le pagine dedicate alla «storia della lingua» dal Parini, dal Baretti, dal Foscolo, dal Giordani, dal Capponi e gli spunti talora felici che esse contengono concernono piuttosto la storia della letteratura che quella della lingua.

Certo, la lingua quale la riceve dai suoi contemporanei chi partecipa a una data comunità non altro è che un'astrazione, fondata su miriadi di singoli atti di linguaggio concreto. E come media la studia il linguista: tuttavia non è trattar l'ombre come cosa salda studiare i singoli istituti della lingua (il condizionale nelle sue forme e nei suoi significati; i valori che ha avuti ed ha la parola virtù) nella loro continuità, considerando essi istituti e non gli individui parlanti o scriventi come il filone principale della trattazione.

Ciò non significa in alcun modo sottovalutare l'importanza che hanno sempre avuto gli individui nell'evoluzione della lingua: la loro efficacia demiurgica si riconosce a ogni momento nella storia di innumerevoli parole, e, se pur meno visibile, è fondatamente congetturabile nella storia di molte innovazioni grammaticali.

Ma altra cosa è riconoscere questa incontrovertibile verità, e altra cosa mettere al centro della trattazione i singoli letterati nella loro concreta personalità: per chi consideri la lingua nel suo insieme, essi non sono che uno dei tanti fattori che agiscono sulla lingua nel perpetuo suo evolversi: giuristi, economisti, artisti, tecnici, scienziati agiscono anch'essi sulla lingua. Inoltre v'è il popolo: senza lasciarci irretire nel mito romantico del Popolo con la p maiuscola, ecco a ogni momento il singolo popolano il quale conia una parola o lancia un frizzo che saranno ripetuti domani da un'intera città o magari da tutta l'Italia.

Inoltre, è opera del popolo (inteso come totalità della nazione) quella spinta generale, quel muto consenso nell'accettare o nel respingere un'innovazione che dà consistenza all'uso.

Alcuni amici, che benevolmente si sono interessati a questa mia opera senza conoscerne il disegno, mi hanno domandato quante pagine avessi dedicate a Michelangelo o come avessi trattato Daniello Bartoli. È stato tante volte osservato che quello che importa è il trattare seriamente i problemi, e che è invece secondario l'incasellarli nell'una o nell'altra «materia»: può sembrare dunque ozioso discutere se il tracciare un profilo linguistico e stilistico di Michelangelo o del Bartoli appartenga piuttosto alla storia della letteratura o alla storia della lingua. Tuttavia, se si volesse accettare il quesito, si dovrebbe rispondere, mi pare, che chi considera in primo piano la personalità artistica degli scrittori e analizza le loro opere e le ricolloca ciascuna nel suo tempo col fine di individuare queste personalità, fa storia letteraria, l'interesse per la storia della lingua comincia quando si commisura il linguaggio individuale d'uno scrittore con l'uso dei suoi contemporanei.

Ricerche fondate su un perpetuo confronto fra il linguaggio di singoli scrittori e l'uso del loro tempo (penso alle luminose pagine del De Lollis sul lessico dei poeti dell'Ottocento o alla solida monografia del Folena sull'Arcadia del Sannazzaro) sono per questo riguardo preziose. E, per venire ad esempi spiccioli, non è possibile giudicare se un certo scrittore per li campi è o no un arcaismo, se io gli dissi per «io le dissi» è o no un toscanismo se non a patto di conoscere se l'uso comune della sua età consentiva o no una scelta, quali erano i pareri dei grammatici, quale era l'uso individuale di quello scrittore.

Mi si consenta tuttavia di affermare che una trattazione che si limitasse a profili stilistici, anche numerosi, anche eccellenti, non sarebbe che un lacerto di una storia integrale della lingua, perché lascerebbe da parte alcuni fra i problemi più importanti che a questa storia tocca risolvere.

Uno dei compiti più affascinanti è per esempio quello di vedere come si formino (o come si attingano ad altre lingue) le parole più tipiche (quelle che furono chiamate le «parole-medaglie» o le «parole-testimoni»): è ovvio che la spiegazione dei fenomeni linguistici va cercata nel momento e nell'ambiente in cui essi cominciano ad apparire. Si ricordi la storia dell'assunzione di Accademia in italiano e i significati che la parola prese nel Quattrocento e nel Cinquecento, diventando parola europea. Oppure si pensi alle parole che indicano nel Cinquecento il contegno, le quali in parte esprimono concetti dominanti in Italia (attitudine), in parte riproducono forme di pensare spagnole (sussiego).

Il mutamento di significato di setificio, lanificio *da «lavorazione della seta, della lana» a «luogo dove si lavorano la seta, la lana» e poi il moltiplicarsi dei nomi in* -ficio, *non può trovar luce che nello studio delle origini e negli sviluppi dell'industria lombarda.*

La storia di ambiente e la svolta che la parola subisce per influenza del concetto tainiano di milieu *è una pagina di storia della cultura dell'Ottocento che ha larga ripercussione sulla lingua.*

Certo, i riflessi della storia culturale d'Italia sulla lingua sono molto più evidenti nel lessico che nella grammatica, ma anche in molti capitoli di questa sono chiaramente percettibili: valga come esempio la storia del suffisso -iere, *che sessant'anni fa si cercava di spiegare con artificiose combinazioni fonetiche, e ora si spiega senza esitazione con l'influenza della civiltà cavalleresca francese.*

Quando ho dovuto risolvere i problemi che la struttura di questo libro mi poneva, ho creduto di dovermi soffermare su scrittori singoli solo in funzione della continuità evolutiva della lingua, e non della loro personalità artistica. Ho invece cercato di dare la massima importanza alla storia delle principali correnti d'idee e dei più notevoli fatti grammaticali e lessicali.

Altri problemi numerosi e gravi mi si sono presentati, e il lettore giudicherà come io abbia saputo affrontarli.

Una delle questioni più difficili, per la scarsezza di testimonianze, è quella pur capitale dei rapporti fra lingua parlata e lingua scritta, dall'età imperiale (come mostrano le interminabili discussioni sul termine «latino volgare») fino a oggi.

In parte collegato con questo è il problema della coesistenza delle parlate locali e regionali con il progressivo enuclearsi di una lingua comune a tutta la nazione su basi toscane.

Un altro punto importante su cui ho dovuto in parecchi capitoli soffermarmi, è quello dell'importanza che il latino per molti secoli ha avuto al di sopra del volgare o accanto ad esso, come lingua colta.

Mi ha dato molto da pensare la divisione in periodi. Ho finito con l'adottare all'ingrosso, dal Duecento in poi, la divisione convenzionale per secoli, conscio che la divisione più razionale per generazioni avrebbe dato, allo stato attuale degli studi, difficoltà insuperabili; e poco meno grandi quella, già preconizzata dal Borghini, per cinquantenni. Senza dare alla data secolare altra importanza che quella d'una divisione comoda, non ho mancato tuttavia di sostituirla qualche volta con una data vicina, storicamente più importante. Non ho creduto di poter dar retta alla divisione del Salfi, che (nel Ristretto della storia della letteratura italiana, Firenze 1848) *manteneva la divisione per secoli, ma collocandola al 1275, 1375, 1475, ecc.*

Suscitano molte difficoltà pratiche, nella divisione per secoli, gli autori a cavalcioni fra un secolo e l'altro: Dante stesso, il Prodenzani,

Leonardo, il Sannazzaro, il Chiabrera, il Magalotti, il Monti e tanti altri: accadrà così qualche volta che le citazioni di uno stesso autore si trovino sparse in due capitoli successivi.

Così pure, mi è accaduto non di rado di dover trattare più volte di una medesima parola da più punti di vista, sia nell'àmbito di un singolo capitolo, sia in più capitoli successivi. Per non rendere troppo numerosi e macchinosi i rinvii, li ho limitati al minimo, ritenendo che la consultazione dell'indice dei vocaboli me ne potesse dispensare.

Nel cercare quando appaia la prima volta un singolo fenomeno grammaticale o lessicale, alla principale difficoltà, quella della scarsezza di documentazione, se ne aggiunge un'altra, di cui dobbiamo qui far menzione, quella del luogo in cui se ne deve trattare. Si sa ad esempio, che credenza *nel significato di «armadio» risale alla locuzione* far la credenza *«assaggiare i cibi destinati a uno, per dimostrare che non sono avvelenati». Orbene, trovando che nei lessici italiani* credenza *non è documentato in quel significato prima del sec. XVI, ne tratteremo dunque in quel secolo? No certo, non appena avremo constatato che in un inventario (in latino) delle suppellettili di un albergo di Modena nel 1347 si trova «*dischum unum a credentia*», cioè avremo visto che la semantica già si stava modificando. E chi può essere certo che la parola non abbia preso quel significato già prima? Per quanto grave sia questo inconveniente, non ho creduto di dover rinunziare ai vantaggi pratici che in complesso presenta la divisione per secoli.*

I paragrafi grammaticali riferiti alle età più antiche contengono solo alcuni fra i dati contenuti nelle grammatiche storiche correnti, invece nei paragrafi riferiti ai secoli seguenti si troverà in nuce quello che desidereremmo trovare svolto in una grammatica storica la quale non si limitasse alle origini, ma tenesse largamente conto dei mutamenti avvenuti dal Trecento in poi.

Nei paragrafi lessicali, fra le tante cose che meritavano di essere ricordate, quella a cui ho dato la massima attenzione è la coniazione oppure l'accettazione da altre lingue di vocaboli non precedentemente attestati. Ma anche qui scarseggiano ancora i lavori preparatorii.

Quando nel 1953 è uscito il Profilo di storia linguistica italiana *di Giacomo Devoto, mio sodale in tante altre imprese, mi sono domandato se quello scritto, così intelligente e così suggestivo, rendesse inutile il mio: ma sia la maggiore ampiezza del mio lavoro, sia la diversa impostazione di parecchi problemi e la diversa distribuzione della materia mi hanno indotto a perseverare.*

Certo, mi rendo ben conto che le indagini da compiere sono ancora innumerevoli: e io non posso che augurare che molti altri studiosi se ne occupino, in ricerche singole e in quadri di più vasto insieme: con larghezza di erudizione, con vigoria di sintesi, e soprattutto con amore.

Firenze, novembre 1958.

Nota bibliografica

Si dà qui l'elenco non delle molte opere a cui si rinvia durante la trattazione, ma di quegli scritti più frequentemente citati di cui nel testo si dà il titolo in forma compendiosa.

A I S	(Atlante Italo-Svizzero): K. Jaberg - J. Jud, *Sprach- und Sachatlas Italiens und der Südschweiz*, Zofingen 1928-40.
Bartoli, *Saggi*	M. Bartoli, *Saggi di linguistica spaziale*, Torino 1945.
Bezzola, *Abbozzo*	R. R. Bezzola, *Abbozzo di una storia dei gallicismi italiani nei primi secoli (750-1300)*, Zurigo 1924.
Castellani, *Nuovi testi*	A. Castellani, *Nuovi testi fiorentini del Dugento*, Firenze 1952.
Crescini, *Manuale provenzale*	V. Crescini, *Manuale per l'avviamento agli studi provenzali*, Milano 1926.
D E I	C. Battisti-G. Alessio, *Dizionario etimologico italiano*, Firenze 1950-57.
De Lollis, *Saggi forma poet.*	C. de Lollis, *Saggi sulla forma poetica dell'Ottocento*, Bari 1929.
Devoto, *Profilo*	G. Devoto, *Profilo di storia linguistica italiana*, Firenze 1953.
Devoto, *Storia*	G. Devoto, *Storia della lingua di Roma*, Bologna 1940.
D'Ovidio, *Correzioni*	F. D'Ovidio, *Le correzioni ai Promessi Sposi e la questione della lingua*, 4ª ed., Napoli 1895.
D'Ovidio, *Varietà*	F. D'Ovidio, *Varietà filologiche*, Napoli s. a. (*Opere*, vol. X).
Fanfani, *Bibliobiogr.*	*La Bibliobiografia di P. Fanfani*, Firenze-Roma 1874.
Folena, *Crisi*	G. Folena, *La crisi linguistica del Quattrocento e l'«Arcadia» di I. Sannazzaro*, Firenze 1952.
Folena, *Piov. Arl.*	*Motti e facezie del Piovano Arlotto* a cura di G. Folena, Milano-Napoli 1953.
Gamillscheg, *Rom. Germ.*	E. Gamillscheg, *Romania Germanica*, Berlino-Lipsia 1934-36.
Gamillscheg, *Tempuslehre*	E. Gamillscheg, «Studien zur Vorgeschichte einer romanischen Tempuslehre», in *Sitzungsber. Ak. Wien*, CLXXII, Vienna 1913.

Hall, *Bibliogr.* R. A. Hall, *Bibliografia della linguistica italiana*, Firenze 1958.

Hoppeler, *Cellini* C. Hoppeler, *Appunti sulla lingua della «Vita» di B. Cellini*, Trento 1921.

Kukenheim, *Contributions* L. Kukenheim, *Contributions à l'histoire de la grammaire italienne*, Amsterdam 1932.

Labande-Jeanroy, *Question, I, II* Th. Labande-Jeanroy, *La question de la langue en Italie*, Strasburgo 1925; *La question de la langue en Italie de Baretti à Manzoni*, Parigi 1925.

Lazzeri, *Antologia* G. Lazzeri, *Antologia dei primi secoli della letteratura italiana*, Milano 1942.

Lokotsch, *Etym. Wört.* K. Lokotsch, *Etymologisches Wörterbuch der europäischen (germanischen, romanischen und slavischen) Wörter orientalischen Ursprungs*, Heidelberg 1927.

Meyer-Lübke, *Einführung* W. Meyer-Lübke, *Einführung in das Studium der romanischen Sprachwissenschaft*, 3ᵃ ed., Heidelberg 1920.

Meyer-Lübke, *Gramm.* W. Meyer-Lübke, *Grammatik der romanischen Sprachen*, Lipsia 1890-1902.

Migliorini, *Dal nome proprio* B. Migliorini, *Dal nome proprio al nome comune*, Ginevra 1927.

Migliorini, *Lingua contemporanea* B. Migliorini, *Lingua contemporanea*, 3ᵃ ed., Firenze 1943.

Migliorini, *Lingua e cultura* B. Migliorini, *Lingua e cultura*, Roma 1948.

Migliorini, *Saggi ling.* B. Migliorini, *Saggi linguistici*, Firenze 1957.

Migliorini, *Saggi Novecento* B. Migliorini, *Saggi sulla lingua del Novecento*, 2ᵃ ed., Firenze 1942.

Migliorini-Folena, *Testi Trecento* B. Migliorini-G. Folena, *Testi non toscani del Trecento*, Modena 1952.

Migliorini-Folena, *Testi Quattrocento* B. Migliorini-G. Folena, *Testi non toscani del Quattrocento*, Modena 1953.

Monaci, *Crestomazia* E. Monaci, *Crestomazia italiana dei primi secoli*; nuova ed. per cura di F. Arese, Roma-Napoli-Città di Castello 1955.

Monteverdi, *Saggi* A. Monteverdi, *Saggi neolatini*, Roma 1945.

Monteverdi, *Studi e saggi* A. Monteverdi, *Studi e saggi sulla letteratura italiana dei primi secoli*, Milano-Napoli 1954.

Monteverdi, *Testi* A. Monteverdi, *Testi volgari italiani dei primi tempi*, 2ᵃ ed., Modena 1948.

Nencioni, *Fra grammatica e retorica* G. Nencioni, «Fra grammatica e retorica: un caso di polimorfia della lingua letteraria dal sec. XIII al XVI», in *Atti Acc. Tosc.*, XVIII (1953) e XIX (1954).

Olschki, *Gesch. wiss. Lit.* L. Olschki, *Geschichte der neusprachlichen wissenschaftlichen Literatur*, I-III Heidelberg 1919, Lipsia-Ginevra 1922, Halle 1927.

Parodi, *Lingua e lett.*   E. G. Parodi, *Lingua e letteratura: Studi di teoria linguistica e di storia dell'italiano antico*, Venezia 1957.

Prati, *Voc. etim.*   A. Prati, *Vocabolario etimologico italiano*, Milano 1951.

Problemi e orient.   *Problemi e orientamenti critici di lingua e letteratura italiana*: collana diretta da A. Momigliano, voll. 4, Milano 1948-49.

R E W   W. Meyer-Lübke, *Romanisches etymologisches Wörterbuch*, 3ª ed., Heidelberg 1935.

Rezasco   G. Rezasco, *Dizionario del linguaggio italiano storico ed amministrativo*, Firenze 1881.

Rohlfs, *Hist. Gramm.*   G. Rohlfs, *Historische Grammatik der italienischen Sprache*, Berna 1949-54.

Schiaffini, *Momenti*   A. Schiaffini, *Momenti di storia della lingua italiana*, 2ª ed., Roma 1953.

Schiaffini, *Testi*   A. Schiaffini, *Testi fiorentini del Dugento e dei primi del Trecento*, Firenze 1926.

Schiaffini, *Tradizione*   A. Schiaffini, *Tradizione e poesia nella prosa d'arte italiana dalla latinità medievale a G. Boccaccio*, Genova 1934 (rist. Roma 1943: le citazioni sono fatte sull'ed. 1934).

Segre, *Sintassi del per.*   C. Segre, «La sintassi del periodo nei primi prosatori italiani (Guittone, Brunetto, Dante)», in *Mem. Acc. Lincei*, s. 8ª, vol. IV, fasc. 2, Roma 1952.

Solmi, *Storia dir.*   A. Solmi, *Storia del diritto italiano*, 3ª ed., Milano 1930.

Sorrento, *Diffusione*   L. Sorrento, *La diffusione della lingua italiana nel Cinquecento in Sicilia*, Firenze 1921.

Sorrento, *Sintassi romanza*   L. Sorrento, *Sintassi romanza: ricerche e prospettive*, Milano 1950.

Sozzi, *Aspetti*   B. T. Sozzi, *Aspetti e momenti della questione linguistica*, Padova 1955.

Terracini, *Pagine*   B. Terracini, *Pagine e appunti di linguistica storica*, Firenze 1957.

Trabalza, *Storia gramm.*   C. Trabalza, *Storia della grammatica italiana*, Milano 1908.

Ugolini, *Testi*   F. A. Ugolini, *Testi antichi italiani*, Torino 1942.

Vidossi, *Italia dial.*   G. Vidossi, «L'Italia dialettale fino a Dante», in *Le Origini*, a cura di A. Viscardi, B. e T. Nardi, G. Vidossi, F. Arese, Milano-Napoli 1956.

Vitale, *Cancelleria*   M. Vitale, *La lingua volgare della Cancelleria visconteo-sforzesca nel Quattrocento*, Varese-Milano 1953.

Vivaldi, *Controversie*   V. Vivaldi, *Le controversie intorno alla nostra lingua dal 1500 ai nostri giorni*, 3 voll., Catanzaro 1894-1898; 2ª ed., *Storia delle controversie linguistiche in Italia da Dante ai nostri giorni*, 1° vol., Catanzaro 1925.

Wartburg, *Ausgliederung*   W. von Wartburg, *Die Ausgliederung der romanischen Sprachräume*, Berna 1950.

Wartburg, *Entstehung*   W. von Wartburg, *Die Entstehung der romanischen Völker*, Halle 1939.

Wartburg, *Raccolta*   W. von Wartburg, *Raccolta di testi antichi italiani*, Berna 1946.

Wiese, *Elementarbuch*   B. Wiese, *Altitalienisches Elementarbuch*, 2ª ed., Heidelberg 1928.

Zaccaria, *Elem. iberico*   E. Zaccaria, *L'elemento iberico nella lingua italiana*, Bologna 1927.

Zaccaria, *Raccolta*   E. Zaccaria, *Raccolta di voci affatto sconosciute o mal note ai lessicografi ed ai filologi*, Marradi 1919.

CAPITOLO I
LA LATINITÀ D'ITALIA IN ETÀ IMPERIALE

1. Da Augusto a Odoacre

Nel lungo periodo che va da Augusto a Odoacre il latino parlato subisce notevoli modificazioni. Benché non si abbia ancora minimamente coscienza di un sistema linguistico nuovo contrapposto a quello antico, molti fra gli elementi che costituiranno il sistema italiano sono già nati o nascono in questi secoli.

Non ci sarà necessario fermarci troppo a lungo a giustificare né il limite iniziale di questo periodo, né quello finale, consci come siamo che tali confini non hanno che un valore approssimativamente indicativo. Ma per il momento iniziale vorremmo ricordare la modificazione di struttura sociale a cui dà la spinta il regime personale instaurato da Augusto, e il messaggio cristiano che tra breve agirà come irresistibile lievito. L'inclinazione di Augusto ai volgarismi[1], ove si vada al di là del carattere aneddotico delle testimonianze, sarà pur essa sintomatica. La data finale (476), pur non dimenticando che già parecchi stanziamenti di barbari erano avvenuti in Italia per concessione imperiale[2], segna il momento in cui l'Italia cessa di essere sorgente autonoma di autorità imperiale, e l'inizio di stanziamenti barbarici assai più massicci.

Si sarebbe tentati di dividere ulteriormente questo lungo periodo di cinque secoli, distinguendo il periodo pagano da quello cristiano. I mutamenti sociali e linguistici sono così importanti che giustificherebbero ampiamente una suddivisione, convenzionalmente databile con l'editto di Milano (313): dico convenzionalmente perché la libertà e poi i privilegi concessi ai Cristiani segnano solo il libero espandersi di peculiarità prima represse.

Ma siccome per tanti e tanti fenomeni le datazioni sono molto incerte, e del resto ai nostri fini importa soltanto segnare le linee

---

[1] V. Pisani, «Augusto e il latino», in *Ann. Sc. norm. Pisa*, s. 2ª, VII, 1938, pp. 221-236.

[2] Tribù di Taifali, popolo gotico, erano state stanziate dall'imperatore Graziano (383) nell'Emilia (e così poi tribù di Alamanni furono accolte da Teodorico sulle rive del Po, ecc.).

fondamentali, di solito sarà meglio considerare nel suo insieme tutta l'età imperiale.

2. *Lingua parlata e lingua scritta*

Tra l'inizio e la fine di questo periodo, il principale mutamento è nel rapporto tra la lingua parlata e la lingua scritta: la differenza, che all'inizio è lieve, è molto forte alla fine.

Non possiamo qui dispensarci, benché se ne sia ormai parlato anche troppo, dall'accennare alla questione che fa capo all'infelicissimo termine di latino volgare.

Ma, invece che mettere insieme e ridiscutere i passi degli antichi e le teorie dei moderni, vorremmo anzitutto esporre nelle grandi linee i rapporti fra la lingua parlata e la lingua scritta durante questi secoli. La situazione del linguista è assai difficile, in quanto ciò che gli preme conoscere, il flusso ininterrotto della lingua parlata dall'età preistorica a quella augustea, e via via fino a oggi, può essere solo parzialmente conosciuto o ricostruito: e soltanto attraverso testimonianze scritte, cioè attraverso una stesura che è solo in parte una registrazione fedele, quasi sempre è una stilizzazione. La regola che «si deve scrivere come si parla» è stata seguita solo dai moderni, e solo parzialmente, e per brevi stagioni; gli antichi hanno sempre concepito lo scrivere, anche il più familiare, come soggetto a determinate regole e schemi.

Distinti idealmente i due filoni, quello della lingua parlata, di gran lunga più variegato (secondo i tempi, i luoghi, le classi sociali, le spinte affettive), e quello più meditato e regolato della lingua scritta, anch'esso tuttavia più vario che di solito non si creda, non dobbiamo lasciarci andare a considerarli come due unità separate. Dobbiamo tener conto che la lingua parlata, persino quella degli analfabeti, risente molto dell'influenza della lingua scritta e viceversa. Abbiamo insomma due sistemi più o meno differenziati tra loro, secondo i tempi, i luoghi, gli strati, i toni, ma con coincidenze e interferenze numerosissime.

Le nostre limitazioni nella conoscenza del latino letterario sono prodotte dalle dispersioni e dalle corruttele che i testi hanno subite nei secoli; invece quel che sappiamo del latino parlato si fonda quasi tutto su una serie di ipotesi, alcune altamente verosimili, altre molto più incerte. Non è lecito dubitare della sostanziale vicinanza fra latino parlato e latino scritto a Roma negli ultimi due secoli della Repubblica, quando appunto la lingua letteraria si costituì attraverso una stilizzazione del parlato. Le differenze che potevano correre allora tra la lingua scritta e la lingua parlata in città dalla maggioranza dobbiamo credere fossero non maggiori di quelle che possono esserci ora, e la frase tanto discussa della lettera di Cicerone (*ad fam.*, IX, 21) «verumtamen quid tibi ego videor in epistolis? Nonne *plebeio sermone* agere tecum?» va certo intesa come «alla buona» e non «in latino volgare».

Ma è indubbio che già allora al di sotto degli strati più colti, a

Roma, e con molto maggiore abbondanza altrove, si avevano nella lingua parlata varianti notevoli. Con intensità sempre crescente queste peculiarità della lingua parlata più incolta si manifestano nell'età imperiale; se si deve presumere che non ne sia stata impedita la comprensione reciproca tra popolazioni delle varie regioni dell'Impero, tuttavia dobbiamo concepire in modo ben diverso la forte unità della lingua scritta e le libertà largamente concesse alla lingua parlata. La prima rimane sempre legata dalla tradizione scolastica a norme severe, che i grammatici si sforzano di mantenere con un certo rigore anche nelle province, e anche quando con la crisi politico-sociale del III secolo l'ignoranza dilaga. Il rispetto per le norme grammaticali e l'amore per una forma ornata, elegante, riesce ad imporsi anche dopo il trionfo del cristianesimo, che pur rappresenta l'emergere di nuovi strati plebei e un sensibile distacco dalla tradizione.

Ma, nella lingua parlata, dobbiamo immaginare molto più attive le forze innovatrici, che tenderebbero a portare a una disgregazione. Fin quando durano vivaci gli scambi di persone e di cose fra i territori dell'Impero, sono aperte le possibilità di penetrazione linguistica fra luogo e luogo; e fin che Roma mantiene una superiorità di prestigio, circolano di preferenza le innovazioni che Roma stessa ha create oppure accolte.

3. Fonti per la conoscenza del latino parlato

I nostri tentativi per raffigurarci quella che poteva essere la lingua parlata nei vari luoghi e tempi e strati della popolazione si fondano su due ordini diversi di testimonianze: quelle che riusciamo a ricavare dalle fonti scritte e quelle date dal riscontro con i risultati neolatini, cioè la persistenza di espressioni linguistiche (suoni, forme, costrutti, vocaboli) in determinate aree, più o meno vaste.

Anzitutto è il tono di uno scritto letterario (o di qualche passo di esso) che ci permette di riconoscere che lo scrittore s'accosta all'uso parlato. Tipico, a questo riguardo, è il modo in cui Petronio stilizza la lingua di alcuni personaggi del *Satiricon*, specialmente dei lîberti di origine orientale che fanno corona a Trimalcione.

Utili indizi ci danno i testi di quelle scienze che per il loro carattere pratico non possono troppo discostarsi dal lessico popolare: agronomia, agrimensura, medicina, veterinaria.

Le iscrizioni nella loro forma più illustre (quella per es. delle solenni dediche degli archi trionfali) si attengono alla buona lingua scritta; ma nelle forme meno curate traspaiono ignoranze di lapicidi che palesano quel che i parlanti ignoravano della lingua scritta; e le forme infime, le sconcezze scritte sui muri delle caserme o dei lupanari, o le formule di esecrazione, scritte su lamine di piombo con lo scopo di nuocere a un rivale inviso, mostrano curiose mescolanze di parlata plebea e di eleganze letterarie male rimasticate.

Quando leggiamo a Pompei, graffita sul rotolo di papiro raffigurato in una pittura[3], l'iscrizione seguente:

> Quisquis ama valia, peria qui nosci ama[re]
> bis [t]anti peria, quisquis amare vota

in luogo delle forme consuete della lingua scritta:

> Quisquis amat valeat, pereat qui nescit amare;
> bis tanti pereat, quisquis amare vetat,

vediamo bene alcune peculiarità plebee di pronunzia (scomparsa della *t*, *i* semivocale per *e*, *votare* per *vetare*) trasparire attraverso gli errori dell'ignoto scribacchiatore.

E così in iscrizioni in cui leggiamo *iscaelesta, iscola, Ismyrnae, Ismaragdus, Isspes, ispeclararie, isperabi, ispeculator, ispose*, ecc.[4] vediamo senz'altro affiorare l'abitudine fonetica della prostesi di *i* davanti a *s* impura; invece quando, in un'iscrizione del tempo di Traiano, troviamo scritto *Spania* per *Hispania*, il medesimo fenomeno s'intravede attraverso una «grafia inversa» cioè lo sforzo di ipercorrezione di chi scrive.

Testimonianze analoghe, dirette o inverse, si possono ricavare anche dai manoscritti antichi.

Molto più precise, ma anche molto più limitate, sono le testimonianze dirette di particolarità grammaticali o lessicali. Così, per citare solo qualche esempio, sappiamo che Augusto tolse dall'ufficio un legato consolare che aveva scritto di sua mano *ixi* per *ipsi*[5]. Festo (II sec.) compendiando Verrio Flacco ci dice «*Orata* genus piscis appellatur a colore auri quod rustici *orum* dicebant ut *auriculas, oriculas*...» (196 Lindsay). Servio ci attesta per il suo tempo (princ. sec. V) la pronunzia assibilata di *ti* e *di* davanti a vocale: «Iotacismi sunt, quotiens post *ti* aut *di* syllabam sequitur vocalis, et plerumque supradictae syllabae in sibilum transeunt, tunc scilicet quando medium locum tenent, ut in *meridies*» (*in Don.*, IV 445 K.); «*Media: di* sine sibilo proferenda est: Graecum enim nomen est, et Media provincia est» (*in Verg. Georg.* II 126 Thilo). Altrettanto utili ci sono indicazioni lessicali come quelli dello stesso Servio: «latine *asilus*, vulgo *tabanus* vocatur» (*in Verg. Georg.* III 148), o il passo di S. Agostino sull'uso di *ossum*: «*Non est absconditum os meum a te, quod fecisti in abscondito*. Os suum dicit: quod vulgo dicitur *ossum*, Latine *os* dicitur. Habeo in abscondito quodam *ossum*. Sic enim potius loquamur: melius est reprehendant nos grammatici, quam non intelligant populi» (*Enarr. in Psalmum* CXXXVIII, 20).

---

[3] *Corpus Inscr. Lat.*, IV, n. 1173, E. Diehl, *Pompejanische Wandinschriften*, Bonn 1910, n. 594.

[4] Diehl, *Vulgärlat. Inschriften*, Bonn 1910, nn. 208-219.

[5] Suet., *Aug.*, 88. A riscontro troviamo in iscrizioni pompeiane *Paris isse* (Diehl, *Pompejanische Wandinschriften* nn. 309-311; V. Väänänen, *Le latin vulgaire des inscr. pompéiennes*, Helsinki 1937, pp. 113-114).

Tra queste testimonianze di scrittori e di grammatici, va ricordata per la sua eccezionale importanza l'*Appendix Probi*, una raccolta di 227 avvertenze formulate secondo lo schema *vetulus non veclus*, messe insieme da un maestro di scuola del terzo secolo o poco dopo, probabilmente a Roma. Vi troviamo testimonianze dirette come appunto *vetulus non veclus*, *viridis non virdis*, correzioni di grafie inverse come *miles non milex*, ecc.

Queste notizie, di vario carattere e valore, benché evidentemente poco numerose in confronto con tutto quello che ci piacerebbe sapere sulle varietà della lingua parlata sotto l'Impero, ci permettono di intravedere differenze notevoli, che pure in complesso non impedivano l'intelligibilità reciproca.

Tra le innovazioni, alcune finirono con l'abortire, altre col persistere in tutte le lingue neolatine, altre con l'affermarsi soltanto in una parte del territorio. La vitalità dei singoli fenomeni, la direzione in cui essi si verranno svolgendo e accentuando, si possono scorgere solo collocandosi da un punto di vista neolatino, cioè fondandosi sui risultati che essi hanno finito col dare negli idiomi romanzi.

Sotto questo profilo, possiamo appunto distinguere il latino parlato, che include in teoria tutte le varietà del parlato, dalle più colte alle più rozze, dal latino volgare o plebeo che considera le particolarità della lingua parlata dalla plebe proprio in quanto esse prevalgono nel parlato e si ritrovano poi nelle lingue neolatine. Quanto al termine di preromanzo, o protoromanzo o romanzo comune, esso accentua ancora di più il carattere ricostruttivo dell'indagine: ma il termine in qualche modo suggerisce una compatta uniformità, anziché un gioco libero e vario di spinte e controspinte provocate da centri di maggior prestigio, nell'àmbito di una intelligibilità che alle volte doveva essere assai approssimativa.

4. *Lingue prelatine*

L'espansione del latino si fonda principalmente sull'espansione territoriale dei Romani e sulla colonizzazione conseguente. Mentre la colonizzazione greca era stata, come quella fenicia, di tipo prevalentemente commerciale, e perciò limitata alle città costiere, quella romana è in prima linea agricola, cioè porta allo stanziamento di colonie di soldati-coltivatori nell'interno dei paesi; e da queste il latino si espande sugli alloglotti. Il servizio militare è un fattore di latinizzazione in quanto anche i soldati che avevano una lingua materna diversa dal latino si trovano immersi per lunghi anni in un ambiente di lingua latina plebea. Quando poi torneranno ai loro paesi d'origine, la loro qualità di veterani, di centurioni ecc. assicurerà loro nella vita municipale una certa preminenza, e contribuirà ad accelerare il progresso della latinizzazione.

Questa spinta dal basso viene a convergere con quelle esercitate dalla scuola e dalla sempre crescente organizzazione burocratica. Per compendiare il progrediente inserirsi di nuove popolazioni nella compagine sociale dell'Impero e nella compagine linguistica latina si suol citare l'eloquente apostrofe che un oriundo della Gallia meridionale, Rutilio Namaziano, rivolgeva a Roma nel 416:

> Fecisti *patriam* diversis gentibus *unam*:
> profuit invitis, te dominante, capi;
> dumque offers victis proprii consortia iuris,
> urbem fecisti quod prius orbis erat[6].

Ma già nel primo secolo Plinio il Vecchio aveva detto non molto diversamente, anche più insistendo sul fattore linguistico: «tot populorum ferasque linguas sermonis commercio contraheret ad conloquia et humanitatem homini daret, breviterque *una* cunctarum gentium in toto orbe *patria* fieret» (*Nat. hist.*, III 29).

Le altre lingue, che ancor nel III o nel II secolo avanti Cristo si dividevano con il latino la penisola, erano, già al tempo di Augusto, scomparse ovvero ridotte a vernacoli di scarsa importanza.

Cominciando dalle lingue preindoeuropee, sappiamo che il ligure era stato assai fortemente intaccato dal celtico (le iscrizioni leponzie rappresentano un ligure gallicizzato), e il latino completa l'opera di dissoluzione.

Dell'etrusco, pare che nessuna iscrizione sia posteriore all'era cristiana; ma per i suoi studi sull'etrusco l'imperatore Claudio dev'essersi ancora valso di persone che lo conoscevano, ed è probabile che almeno fino al sec. IV dopo Cristo l'etrusco sia persistito come lingua sacrale dell'aruspicina: gli «Etrusci haruspices» degli eserciti di Giuliano compulsavano i loro libri rituali, che dobbiamo credere fossero tuttora scritti in etrusco[7].

I Reti, sottomessi da Druso e Tiberio, sembra che almeno in parte conservassero l'uso della loro lingua fino ad Adriano[8].

L'assorbimento degli Euganei, degli Adriatici (o Piceni), dei Sicani era certo avanzatissimo all'inizio della nostra era.

Del paleosardo, come è noto, non si ha nemmeno un'iscrizione, ma è ipotesi non temeraria ritenere che si riferiscano anche alla lingua le condizioni arretrate di civiltà dei Barbaricini, i quali ancora ai tempi di Gregorio Magno vivevano «ut insensata animalia» (*Ep.*, III, 23). Nel culto la lingua punica si mantenne assai a lungo in Sardegna: si ha ancora in un santuario un'iscrizione in lingua punica del tempo degli Antonini.

---

[6] *De reditu*, I, vv. 63-66. «Di popoli stranieri – parafrasava V. Crescini – facesti, Roma, una sola nazione, e ben giovò a' reluttanti essere da te assoggettati, affratellando tu i vinti nella unità del tuo diritto, *urbe* facesti ciò che prima era *orbe*; del mondo facesti una sola città, e furono i popoli più avversi e disformi, mercé tua, cittadini di un solo comune».

[7] Ammiano Marc., XXIII, 5, 10-14.

[8] Arriano, *Tact.*, 44.

Quanto alle lingue indoeuropee, il celtico dev'essere sopravvissuto in qualche luogo della Gallia, e soprattutto nelle Alpi elvetiche, fino al V secolo e forse anche oltre[9].

Non vi sono iscrizioni né venetiche né messapiche posteriori al I secolo a. C. Né l'umbro né l'osco sono più usati come lingue ufficiali dopo la guerra sociale (88 a. C.). La data in cui furono incise le tavole iguvine è incerta, ma non si accetta più, come troppo bassa, l'età augustea a cui aveva pensato il Bréal. L'osco sopravvive più a lungo: le iscrizioni pompeiane dipinte su muri a stucco e i graffiti probabilmente sono di non molto anteriori alla catastrofe del 79 d. C.

Questione non ancora definitivamente risolta è quella della persistenza del greco anche in età imperiale in qualche territorio della Calabria e della Puglia. Se il greco aveva tenui appoggi territoriali, l'enorme forza culturale e politica che gli veniva dal suo prestigio di lingua dotta e di lingua ufficiale delle regioni orientali dell'Impero era un importantissimo fattore di conservazione[10].

5. *Condizioni sociali. Il Cristianesimo*

L'espansione del latino a spese delle lingue precedenti non è opera di propaganda conscia dei Romani (una politica della lingua si avrà solo in età moderna), ma del prestigio di cui gode la lingua come veicolo di civiltà.

Nell'età augustea, e durante tutto il I secolo, la posizione di Roma è di assoluto privilegio, e di conseguenza le innovazioni linguistiche che irradiano dall'Urbe hanno alte probabilità di essere accolte in tutta quella parte dell'Impero dove la lingua culturale è il latino e non il greco. Il fitto sistema stradale, l'organizzazione già assai burocratica portano a frequenti scambi di persone e di parole.

Ma quella *nova provincialium superbia* di cui si lagnava ai tempi di Nerone il senatore Trasea Peto (Tacito, *Ann.*, XV, 20) guadagna terreno di generazione in generazione. Se è ancora un episodio isolato quello di Galba eletto imperatore dalle legioni di Spagna, ricordiamo che Traiano e Adriano erano cittadini romani di Spagna, Antonino Pio e Marco Aurelio erano oriundi gallici. La posizione di privilegio di Roma recede irremissibilmente nell'età degli Antonini, e le province sono

---

[9] J. U. Hubschmied, *Vox Romanica*, III, 1938, pp. 48-155. Ma non è credibile ammettere (sul solo fondamento della corrispondenza fra il gallico *oskilo* e l'alto tedesco *osk* «frassino», rispettata nell'adattamento di *Oscela* in *Eschental*) che nella val d'Ossola vi fossero ancora nel sec. XII abitanti che parlavano gallico e Alamanni che li comprendevano (p. 50).

[10] Le due tesi opposte, della continuità fino ad oggi (Rohlfs, Caratzas) e della interruzione (Morosi, Battisti) sono tuttavia meno discoste che non sembri, giacché anche il Rohlfs deve riconoscere che la grecità doveva essere ormai ridotta a ben tenue cosa quando sopravvenne a rinsanguarla e riplasmarla la nuova corrente bizantina.

parificate all'Italia. Settimio Severo dà all'esercito carattere decisamente provinciale; e la famosa «constitutio Antoniniana» del suo figlio maggiore e successore Caracalla (212), con la quale la cittadinanza romana è concessa a tutti i «peregrini», è un sintomo importantissimo, anche se la sua portata pratica non fu molto grande[11].

La crisi del III secolo porterà alla decadenza estrema il prestigio di Roma. Così già dall'età degli Antonini l'Italia è disposta ad accettare innovazioni linguistiche provenienti dalla Gallia[12] e si dà l'esempio di innovazioni del III secolo che possono essere accolte a Lione e a Narbona, ma non raggiungono, nonché l'Iberia e la Dacia, nemmeno l'Etruria e l'Umbria[13]. Quando, dopo gli anni atroci dell'anarchia militare, l'autorità è ristabilita da Diocleziano, gli inceppi prodotti dal nuovo regime amministrativo e fiscale limitano grandemente la mobilità dei cittadini e contribuiscono a ridurre anche gli scambi linguistici. La partizione tetrarchica per un verso rispecchia, per altro verso favorisce correnti di traffico piuttosto trasversali che longitudinali[14], e quindi diminuisce ancora l'efficacia delle innovazioni provenienti da Roma.

La fondazione di Costantinopoli, che mirava a diminuire le differenze nell'amministrazione dell'Impero, contribuisce invece a consolidarle. D'altro lato il fatto che l'imperatore di regola non risieda più a Roma viene ad accrescere l'autorità dei pontefici.

Nella seconda metà del secolo IV, mentre Milano è la residenza abituale dell'imperatore di Occidente e la sede di S. Ambrogio, Roma, con il papa Damaso, è alla testa della cristianità (ed è in grado di esercitare una certa influenza linguistica su tutta la cristianità occidentale). E alla metà del secolo V, il papa Leone I si vanta che la sede di Pietro eserciti maggiore influenza che non esercitasse la sede di Cesare: «ut... per sacram Beati Petri sedem caput orbis effecta, latius praesideres religione divina quam dominatione terrena» (*Sermo* LXXX).

L'espansione del cristianesimo nel mondo antico ha effetti linguistici di grande rilievo; sia direttamente sul lessico, per il rivolgimento prodotto nei concetti e nei sentimenti, sia indirettamente per la lievitazione causata nelle classi sociali. Nei primi secoli il cristianesimo si rivolge soprattutto alle classi inferiori della società, e il suo trionfo sociale e linguistico nel IV secolo significa il trionfo di un filone recente e in complesso popolareggiante sopra una tradizione pagana tenacemente mantenuta per secoli da ceti conservatori.

---

[11] M. Rostovzev, *Storia economica e sociale dell'Impero Romano*, trad. G. Sanna, Firenze 1933, pp. 483-484.

[12] Bartoli, *Saggi*, p. 112.

[13] Jud, *Revue de ling. romane*, III, 1927, pp. 234-236 (lotta fra *extutare*, voce sorta nel latino parlato della capitale, ed *extinguere*).

[14] L'importanza della partizione dioclezianea nella geografia linguistica dell'età imperiale è stata sostenuta specialmente da M. Bartoli (*Saggi*, p. 119) e da G. Devoto (*Storia*, pp. 302-305).

Nell'àmbito della latinità di questo periodo, la latinità cristiana costituisce una «lingua speciale», la lingua di un gruppo particolare, stretto da legami sociali e religiosi. Sullo sfondo della latinità imperiale, si vengono svolgendo particolarità linguistiche (in primo luogo lessicali e sintattiche) le quali autorizzano a parlare di latinità cristiana e di singoli «cristianismi»[15].

Non va dimenticato che la lingua delle prime comunità ebraiche ed ellenistiche a Roma è il greco, e che greca è inizialmente la liturgia della Chiesa. Solo più tardi (ai tempi di papa Vittore, cioè alla fine del II secolo), con l'entrata di importanti nuclei latinofoni, il latino diventa la lingua usuale della comunità cristiana dell'Urbe. Roma è in ritardo rispetto all'Africa, dove già la vita, la letteratura, la liturgia si svolgevano da tempo in latino. La successiva fase, cioè l'uso del latino come lingua ufficiale della Chiesa si avrà solo più tardi, al tempo di papa Damaso; e ancora in età posteriore la latinizzazione completa della liturgia.

6. Fattori di differenziazione

Quali fattori portarono a differenziarsi in direzioni diverse gli idiomi neolatini, e, nell'ambito italiano, i vari dialetti? Uno dei fattori che furono addotti, la diversa data della colonizzazione[16], è stato ormai riconosciuto di non grande importanza[17]. Per fare solo un esempio, non è possibile ritenere che i caratteri arcaici del sardo siano dovuti alla colonizzazione di antica data (la conquista dell'isola è del 238 a. C.): se no la Sicilia (conquistata già anteriormente, in seguito alla 2ª guerra punica) dovrebbe presumibilmente avere una lingua anche più arcaica, o almeno serbarne tracce.

Il fattore del sostrato, cioè l'influenza esercitata sul latino dalle lingue alle quali esso si sovrappose e finì col sostituirsi, è indubbiamente un motivo assai forte, benché sulla misura e il modo di questa azione del sostrato i linguisti non siano affatto concordi.

Dopo la conquista, le popolazioni alloglotte, quantunque, s'intende, in tempi e circostanze assai diverse, passano attraverso fasi successive di assimilazione: l'apprendimento del latino, il bilinguismo, l'abbandono della lingua natìa. In tale tirocinio, esse certo introdussero nel latino che andavano imparando, alcune particolarità di pronunzia, e un certo

---

[15] Nella sconfinata bibliografia sull'argomento, vanno particolarmente ricordate le ricerche di J. Schrijnen e della sua scuola: la collezione «Latinitas Christianorum Primaeva», inaugurata dalla *Charakteristik des Altchristl. Lateins* dello stesso Schrijnen, Nimega 1932, la rivista *Vigiliae Christianae*, diretta da Chr. Mohrmann, la raccolta di saggi della medesima autrice *Études sur le latin des Chrétiens*, Roma 1958.

[16] Ne fu principale fautore G. Gröber, in *Arch. Lat. Lex. und Gramm.*, I, 1884, pp. 210-213.

[17] Meyer-Lübke, *Einführung*, pp. 18-19.

numero di vocaboli, specie quelli che esprimevano nozioni più strettamente locali (nomi di animali, di piante, di forme del suolo). Ed è
possibile, anzi probabile, che alcune peculiarità fonetiche represse, nei
tempi in in cui le rèmore sociali prevalevano, dal buon uso e dalla
scuola (nei limiti in cui questa poteva allora agire), siano riemerse poi
con l'inselvatichimento della decadenza[18].

Importa molto, per giudicare della maniera in cui il sostrato può
aver agito, rendersi conto del modo della conquista e della colonizzazione. Uno dei problemi più interessanti è quello delle tracce scarsissi-
me lasciate nel latino dall'etrusco, in confronto con quelle più notevoli
lasciate dal celtico e dall'osco-umbro. Già avvertiva Bianco Bianchi nel
1869[19] che sul latino d'Etruria la lingua etrusca «se non giovò, poco gli
nocque, perché essendo lingua troppo diversa non poteva assimilarsi
al latino; mentre nella bassa Italia, dove si parlarono linguaggi
prossimi al latino, vivono oggi dialetti nel sistema fonetico più corrotti
del toscano». La tesi che il toscano sia meglio conservato perché
l'etrusco era impermeabile al latino fu poi svolta dal Mohl, grande
fautore dell'azione dei sostrati[20]. La radicale diversità delle due lingue
impediva, fuorché nell'onomastica, la formazione di miscele etrusco-
latine (diversamente da quel che accadeva con lingue più simili a
Preneste, a Falerii, a Spoleto, a Lucera), e ciò che si mantenne fu il
latino quasi intatto delle numerose colonie latine, mentre la vecchia
tradizione delle famiglie etrusche si chiuse in un'orgogliosa solitudine
e così si estinse[21]. Questo ci spiega come la Toscana abbia conservato il
latino con minori alterazioni che Roma stessa, la cui parlata invece
subì forti modificazioni di tipo osco-umbro: ND diventato *nn*, MB
diventato *mm*, ecc.[22]. Che le alterazioni del latino nell'Italia meridionale siano in parte dovute a fenomeni di sostrato, non par dubbio[23]: più
difficile è decidere se esse dipendano da influenze esercitatesi già al
tempo dell'accettazione del latino, o se siano piuttosto dovute a
espansioni dialettali accadute nell'alto Medioevo. Quello che ora ci
preme constatare è la eccellente conservazione della latinità in

[18] In genere gli studiosi italiani, anche di scuole opposte (basti citare il Bartoli
e il Merlo), sono inclini a seguire la tradizione dell'Ascoli, dando grande
importanza al sostrato; invece altri studiosi (ricordo specialmente Rohlfs e Hall)
sono molto più scettici. Orientano bene sul problema Terracini, *Pagine*, pp. 41-79 e
V. Bertoldi, *La parola quale testimone della storia*, Napoli 1945, pp. 121-177.

[19] In un articolo nella *Rivista Urbinate* di quell'anno, largamente citato dal p.
F. Sarri per illustrare il carteggio inedito Ascoli-Bianchi, in *Mem. Acc. Lincei*, s. 6ª,
VIII, 1939, p. 157.

[20] G. F. Mohl, *Introduction à la chronologie du latin vulgaire*, Parigi 1899, p. 13.

[21] G. Devoto, *Storia*, pp. 198-199.

[22] C. Merlo, «Lazio Sannita ed Etruria Latina?», in *Italia dialettale*, III, 1927,
pp. 84-93.

[23] «A costituire il legame tra l'antica situazione osca e l'odierna situazione
campana basta anche il solo *bennere* 'vendere' attestato per l'anno 826 dal *Codex
Cavensis*»: Bertoldi, *La parola quale testimone*, cit., p. 126.

territorio etrusco. Assai probabile ci sembra anche l'origine etrusca dell'aspirazione intervocalica toscana[24].

Già nell'esaminare il sostrato come fattore di modificazione linguistica, abbiamo visto come non si possa prescindere dalla struttura sociale dei popoli che hanno accolto il latino. Proprio su questo fattore sociale-culturale si è fondata la discussione sulla persistenza della -*s* finale nelle lingue romanze occidentali. Questo tratto conservativo fu spiegato come dovuto al modo in cui il latino fu appreso in Gallia, da un'aristocrazia molto incline ad assimilare la cultura romana, e attraverso un insegnamento scolastico: insomma una penetrazione «dall'alto» e non «dal basso» della scala sociale. Generalmente accolta per ciò che concerne la Gallia, questa spiegazione suscitò invece forti dubbi negli studiosi di sardo, per il fatto che la latinizzazione della Sardegna avvenne in condizioni radicalmente dissimili, eppure presenta la conservazione della -*s*[25]. Il fattore della circolazione linguistica dovuto a qualunque specie di scambio, pratico o intellettuale, fra vari paesi, è indiscutibilmente importante; e tale che si è potuto persino tentare di rinunziare a ogni altro fattore per spiegare solo per mezzo della circolazione più o meno intensa, messa in moto da centri di più alto prestigio, tutta la distribuzione delle particolarità linguistiche nei paesi neolatini.

Fin che la circolazione linguistica si mantiene attiva, le innovazioni che appaiono in tutti i territori in cui si parla latino tendono a diffondersi liberamente, tutt'al più trovando ostacoli nell'influenza della lingua scritta, e nello spirito conservatore di particolari tradizioni regionali dovute al sostrato o storicamente consolidatesi. Ma, svanita l'influenza di Roma come centro principale, rallentata quella circolazione che manteneva vivi gli scambi tra le province, le peculiarità locali si vengono moltiplicando in direzioni diverse.

Quanto profonde potevano essere al principio (oppure alla fine) del secolo III quelle divisioni fra Romania occidentale e Romania orientale che troviamo segnate nelle note cartine del Wartburg?[26] Che differenze percettibili fra regione e regione esistessero non c'è dubbio[27]; ma che

---

[24] Merlo, art. cit., con l'indicazione degli autori precedenti; Battisti, in *Studi etruschi*, IV, 1930, pp. 249-254. Le opinioni negative del Rohlfs (nell'art. della *Germ.-rom. Monatsschr.*, XVIII, 1930, rist. in *An den Quellen der rom. Sprachen*, Halle 1952, pp. 71-75) e del Hall (*Italica*, XXVI, 1949, pp. 64-71) non mi pare che intacchino la probabilità che un suono così tipico sia da attribuire al sostrato (Wagner, *Rom. Forsch.*, LXI, 1948, p. 14).

[25] Wagner, *Rom. Forsch.*, LXI, 1948, p. 17; cfr. ancora Wartburg, *Ausgliederung*, pp. 24-26, Wagner, *Rom. Forsch.*, LXIV, 1951, pp. 416-420.

[26] Nelle due edizioni dell'opuscolo su *La posizione della lingua italiana* (Lipsia 1936, Firenze 1940), e nel saggio «Die Ausgliederung der romanischen Sprachräume», in *Zeitschr. rom. Phil.*, LVI, 1936, e poi in volume, Berna 1950.

[27] Si senta quello che S. Agostino scriveva alla madre (*De ordine*, II, 17, 45), testimonianza interessante sulle differenze della latinità d'Africa da quella

esistessero già grandi aree compatte, con netti confini, difficilmente si può credere (né ritengo che lo pensi il Wartburg stesso)[28]. Il Bartoli preferiva, secondo i casi, opporre aree occidentali (o pireneo-alpine) e aree orientali (o appennino-balcaniche); aree continentali e aree mediterranee; aree intermedie e aree laterali[29].

Non v'è dubbio che i vari fattori che siamo venuti enumerando (il sostrato, la diversa età della colonizzazione, il modo di essa, la circolazione linguistica) e l'altro fattore che studieremo nel capitolo seguente (l'influenza delle lingue dei popoli invasori) si sono variamente assommati, anche se singoli studiosi tendano a mettere in rilievo piuttosto l'uno che l'altro fattore, secondo il loro atteggiamento scientifico e il tipo delle loro ricerche. Di qui la grande diversità delle ricostruzioni che sono state tentate, per le condizioni linguistiche dell'intera Romània o specificamente per l'Italia, alla fine dell'Impero. Il Merlo ritiene che «la classificazione dei dialetti italiani è soprattutto un problema etnico», e sottolinea la coincidenza dei limiti odierni con i limiti preistorici; lo Schürr attribuisce invece ai Longobardi l'origine di ü ed ö. Il Muller (che si fonda esclusivamente sui documenti e non tien conto della continuità *in loco*) ritiene «falliti tutti i tentativi di dimostrare un'antica dialettalizzazione»[30], mentre il Lausberg arriva a ricostruire una paleogeografia dei dialetti italiani alla fine del sec. IV, con una ripartizione in cinque gruppi: uno neoromanzo (romanzo occidentale), che comprende l'Italia a nord dell'Appennino, e quattro gruppi paleoromanzi: l'Italia mediana, specialmente occidentale, estesa fino a Napoli; l'Italia adriatica; i territori arcaici (Lucania, Sardegna, Corsica); i territori grecizzanti (Puglia meridionale, Calabria, Sicilia)[31].

7. Distacco della lingua letteraria

La lingua scritta, nei suoi filoni letterari e nei suoi filoni tecnici, conduceva una vita sempre più artificiale, e staccata da quella della lingua parlata. L'ideale retorico dell'età aurea sopravvive negli scrittori pagani, impoverito, puntellato alla meglio dai grammatici; più si procede nel tempo, più si sente l'imbarazzata pedanteria degli scrittori che si sforzano di imitare le antiche eleganze, e non ci riescono. Tra gli

d'Italia, e sulla discordanza di ambedue da una lingua ideale esente da difetti: «si enim dicam te facile ad eum sermonem perventuram, qui locutionis et linguae vitio careat, profecto mentiar. Me enim ipsum, cui magna fuit necessitas ipsa perdiscere, adhuc in multis verborum sonis Itali exagitant; et a me vicissim, quod ad ipsum sonum attinet, reprehenduntur».

[28] Cfr. H. Meier, *Die Entstehung der roman. Sprachen und Nationen*, Francoforte 1941, passim, M. Pei, *Rom. Rev.*, XXXIV, 1943, pp. 235-247, M. L. Wagner, *Rom. Forsch.*, LXI, 1948, pp. 1-20.

[29] M. Bartoli, «Caratteri fondamentali della lingua nazionale italiana e delle lingue sorelle», in *Misc. Fac. Lett. e Fil.*, I, Torino, 1936, pp. 79-81.

[30] H. F. Muller, *A Chronology of Vulgar Latin*, Halle 1929, cap. X.

[31] *Rom. Forsch.*, LXI, 1948, pp. 322-323.

scrittori cristiani c'è un continuo sovrapporsi di due tendenze: quella che porta a rispettare le norme della retorica classica, e quella che porta a piegarsi fraternamente al livello delle masse. In san Girolamo prevale la prima tendenza[32], in sant'Agostino la seconda[33].

Tutto codesto non c'interessa che di scorcio, e andrebbe interamente lasciato agli studiosi della letteratura e della lingua argentea e cristiana se non ci premesse di rilevare due cose. In primo luogo che una certa influenza fu sempre esercitata sulla lingua parlata da questa latinità letteraria, e non solo per una continuazione di prestigio, ma per motivi religiosi: fra le opere c'è nientemeno che la Bibbia nelle sue versioni latine. In secondo luogo perché continua sempre nella letteratura cristiana e nell'uso liturgico la coniazione di vocaboli nuovi. La terminologia teologica, elaborata dapprima in Africa, poi in Italia, costituisce un ampio nucleo di termini dotti, che fin dai primordi delle lingue neolatine verrà ad arricchire il lessico (*glorificare*, *incarnatio*, *refrigerium* e mille altri); inoltre fin da questo periodo parecchi neologismi penetrano profondamente attraverso il culto nella lingua parlata e sopravviveranno per via ereditaria: e non solo termini più o meno legati alla vita religiosa, come DOMINICA (*domenica*), FERIA (*fiera*), MISSA (*messa*), ma addirittura voci come ANGUSTIARE (*angosciare*), CREDENTIA (*credenza*), PARABOLARE (*parlare*), ecc.

8. Principali fenomeni grammaticali

Non possiamo né vogliamo fermarci a discutere minutamente su quei fenomeni grammaticali del latino parlato che si sono affermati in questo periodo e che affioreranno poi in tutta la Romania o in aree italiane: vi si soffermano *ex professo* i manuali di «latino volgare» e di linguistica romanza, e numerose monografie ne studiano l'area e la cronologia e ne cercano con maggiore o minore successo le cause.

Tuttavia non possiamo dispensarci dall'indicare sommariamente i principalissimi tra i mutamenti prodotti nel latino parlato in Italia durante il primo mezzo millennio della nostra era.

Anzitutto l'accento. Il ritmo del latino parlato in età classica si fondava sull'alternanza tra vocali lunghe e brevi, e con ogni probabilità quello fra i caratteri dell'accento che aveva valore distintivo era l'altezza musicale. Ambedue queste particolarità ora mutano: si perde la distinzione fondata sulla quantità, e l'accento diviene prevalentemente intensivo. Di regola la posizione dell'accento rimane la medesi-

---

[32] «Ciceronianus es, non Christianus», gli dice l'eterno Giudice nel sogno che Girolamo riferisce nella lettera a Eustochio (*Ep.*, XXII, 30).

[33] «Melius est reprehendant nos Grammatici, quam non intelligat populus» (*Enarr. in Ps.* CXXXVIII, 20). Il confronto tra le opere di sant'Agostino scritte prima e dopo la conversione è molto istruttivo: nelle seconde le costruzioni analitiche sono più frequenti che nelle prime.

ma, fuorché nel tipo MULĬĔREM, FILĬŎLUM (in cui la *i* perde insieme l'accento e il carattere vocalico e si passa a *muljérem, filjólum*); nel tipo FECĔRUNT, DIXĔRUNT non si ha un vero e proprio spostamento di accento, ma la sopravvivenza nella lingua parlata d'una desinenza -*ĕrunt* (che in età classica era stata sopraffatta da un -*ērunt* sorto dall'incrocio dei due tipi -*ēre* ed -*ĕrunt*).

Con la perdita della quantità, il riassestamento che avviene nel sistema delle vocali porta alla formazione di nuovi sistemi: quello di gran lunga predominante nella Romània presenta un solo fonema in luogo di ō e di ŭ (cosicché *vóce* da VŌCEM suona come *cróce* da CRŬCEM), un altro fonema in luogo di Ē ed Ĭ (*réte* come *féde*). Ma la Sardegna e una notevole area dell'Italia meridionale (e, per la ŭ, anche la Dacia) mantengono la distinzione.

Quanto ai dittonghi, giungono a termine, nel I secolo dell'era volgare, quelle tendenze di origine italica che spingevano già da tempo al monottongo: AE si confonde con Ē, OE con Ē. Più complicate sono le vicende di *au*, che in una prima fase, ancora in età repubblicana, tendeva a ridursi a o e come tale si trova in una serie di voci plebee (p. es. *cauda* diventato *cōda*, donde il nostro *códa* con ó), mentre l'*au* mantenuto intatto dagli ambienti latini conservatori resterà a lungo[34].

La sincope delle vocali atone secondo i diversi incontri consonantici e secondo le diverse aree poté avvenire in tempi diversi. Si sa che in complesso l'italiano centrale e meridionale è, insieme col romeno, meno soggetto alla sincope che lo spagnolo, e questo a sua volta meno che il francese. Nei dialetti gallo-italici la sincope antica e moderna è assai estesa. Rimangono ancora aperti molti problemi, che sembra difficile risolvere solo con la diversa età della sincope: si pensi, tanto per fondarsi su esempi concreti, al doppio esito di *tegghia* (*teglia*) e *tegola* da TEGŬLA, del triplice esito di *fola, fiaba, favola* da FABŬLA. Siamo inclini a credere che possano essere convissute l'una accanto all'altra per lungo tempo, forse per secoli, una tradizione plebea più incline alla sincope, e una più conservatrice.

Passando al consonantismo, è noto che il trattamento delle finali T, M, S ha avuto grande importanza, per il valore morfologico che quelle consonanti avevano in latino come desinenze flessionali. La -M, così debole anche in età classica da permettere l'elisione metrica, non sopravvive né in Italia né altrove, fuorché con poche tracce nei monosillabi: SUM che dà *son* e poi *sono*. *Speme, spene* da SPEM è dubbio, potendo anche essere un rifacimento flessionale o una voce semidotta. La debolezza della -T nel I secolo d. C. appare chiara nell'iscrizione pompeiana già ricordata:

> Quisquis ama, valia; peria qui nosci amat[re];

---

[34] Se il toscano e l'italiano letterario hanno ò (*òro*, ecc.), in qualche dialetto settentrionale arcaico e nei dialetti meridionali le parole popolari presentano tuttora *au* (Rohlfs, *Hist. Gramm.*, §§ 41-43).

bis Itlanti peria, quisquis amare vota.

La sola traccia lasciata dalla -T in italiano è nel rafforzamento prodotto dai monosillabi *e* (da ET) e *o* (da AUT); ma qualche dialetto lucano e calabrese ha ancora *-ti* con valore flessionale: *mi piàciti*, ecc.[35]. La -S aveva avuto nel latino repubblicano fasi alterne, di indebolimento e di ricupero. Nell'Italia settentrionale, a giudicare dalle numerose tracce, sopravvisse certo assai a lungo[36]. In Toscana si ha qualche traccia di -S nei monosillabi (-*i* in *noi, voi, poi, crai* ecc., ovvero rafforzamento: *più fforte, tre llibri*), ma non è necessario perciò credere che sia sopravvissuto sotto la forma di -*s* sino al Medioevo. La stessa zona lucano-calabra che mantiene -*t* mantiene anche -*s*[37].

Nel periodo che stiamo studiando si è svolta in Italia la palatalizzazione per cui CE, CI, GE, GI, che in età repubblicana sonavano *ke, ki, ghe, ghi*, dapprima si differenziano nella pronunzia dalla *c* e dalla *g* in altre posizioni, senza tuttavia che i parlanti si accorgano di questa variazione (si hanno suoni diversi, condizionati da quelli seguenti, ma un unico fonema), e più tardi si giunge (nell'Italia centrale e meridionale e in Romenia) alla pronunzia ancor oggi vigente. Una minuta verifica dei dati finora addotti per risolvere il problema[38], pur senza giungere a conclusioni certe, permette d'intravedere che l'innovazione, forse dovuta a una spinta umbra, non si diffuse molto celermente, tardò a giungere nell'Italia meridionale e nella Sicilia, e non arrivò che parzialmente e assai tardi in Sardegna e in Dalmazia.

Dati più sicuri sulla pronunzia di TI e DI dobbiamo a grammatici del IV secolo: «*iustitia* cum scribitur, tertia syllaba sic sonat, quasi constet ex tribus litteris *t, z* et *i*» (Papirio, ap. Keil, *Gramm. Lat.*, VII, 216); sulla pronunzia di *Media* v. il passo di Servio cit. a p. 14.

La sparizione dell'aspirata H rispondeva a tendenze rustiche: la troviamo già scomparsa in parole rurali come *olus* e *anser* in luogo di *holus* e *hanser* che si aspetterebbero; all'interno di parola appare già anticamente indebolita (cfr. *prehendo* - *prendo, nihil* - *nil*). I grammatici per secoli tentarono di tenerla in vita: questa lotta ci è testimoniata – oltre che da omissioni e grafie inverse nelle iscrizioni e da due avvertenze dell'*Appendix Probi* – dal noto passo di sant'Agostino: «si quis contra disciplinam grammaticam sine adspiratione primae syllabae *ominem* dixerit, displiceat magis *hominibus* quam si contra tua praecepta hominem oderit, quum sit homo» (*Confess.*, I, 18).

L'assimilazione di -PT-, -PS- a *-tt-, -ss-* e di -CT-, -CS- (x) a *-tt-, -ss-* ha già origini antiche: sembra si debba leggere *issula* (dimin. di *ipsa*) nella

[35] Rohlfs, *Hist. Gramm.*, § 309. Per il sardo, v. Wagner, *Hist. Lautl. des Sardischen*, Halle 1941, § 351.

[36] Wartburg, *Ausgliederung*, pp. 20-31.

[37] Rohlfs, *Hist. Gramm.*, § 308. In sardo e in ladino la -*s* mantiene il suo valore flessivo.

[38] Migliorini, in *Silloge... Ascoli*, Torino 1929, pp. 271-301.

Cistellaria di Plauto, v. 450, *ixe* per *ipse* ci è attestato da Svetonio per il tempo di Augusto (vedi p. 14), *isse* si legge in iscrizioni pompeiane, *lattuca* si ha nell'editto di Diocleziano (301): il fenomeno, che sembra di origine italica, viene a distinguere il trattamento italo-romanzo da quello gallo-romanzo (*-it-*, *-is-*).

Alcune ammonizioni dell'*Appendix*, come *camera non cammara*, *aqua non acqua*, mostrano già in atto tendenze che hanno largo sviluppo in italiano: il rafforzamento della consonante postonica nei proparossittoni, il rafforzamento dovuto a *u* semiconsonante.

La prostesi vocalica davanti a *s* impura dové soggiacere a vicende alterne: la prima iscrizione in cui si trova è il nome *Ismurna* a Pompei[39]; altre ne cita il Diehl (cfr. p. 14); ma il fenomeno non appare mai nell'*Appendix Probi*. L'italiano occupa una posizione intermedia tra le lingue romanze occidentali, le quali presentano sempre la prostesi (spagn. *espada*, fr. *épée*, ecc.), e il romeno che non l'ha mai: esso possiede o almeno possedeva ambedue le forme e le faceva alternare regolarmente (*la strada*, *in istrada*)[40].

Nel campo morfologico-sintattico si tende decisamente in quest'età a semplificare la flessione nominale e verbale, sia lasciando cadere alcune peculiarità, sia sostituendole con morfemi nuovi, di tipo analitico. Del neutro spariscono le forme (fuorché un certo numero di quelle in *-a* e poche di quelle in *-ora*) e sparisce la categoria. Nella declinazione, guadagnano rapidamente terreno a spese del genitivo e del dativo i costrutti con *de* e *ad*, che in età classica si potevano adoperare soltanto per significati strettamente delimitati (*templum de marmore*: Verg., *Georg.*, III, v. 13 ecc.).

Spariscono i comparativi sintetici (fuorché pochi adoperati molto frequentemente), e sono sostituiti da quelli formati con *plus*. Ai moltiplicativi (*bis*, *ter*, ecc.) sottentrano forme analitiche (*duas aut tres vecis*, nell'Oribasio latino).

Ille e *ipse* s'indeboliscono nel significato; e a ciò contribuì certo lo sforzo per tradurre gli articoli greci nei testi sacri, p. es. *Dixit illis duodecim discipulis* nell'*Itala* (*Ioh.*, 6, 67).

La categoria del deponente sparisce, mentre quella del passivo è rinnovata nella forma (la coniugazione sintetica è sostituita da una coniugazione analitica per mezzo dell'ausiliare *esse*). Anche *habere* progredisce sensibilmente in funzione di ausiliare: i costrutti del tipo *cognitum habeo* «tengo come cosa nota» diventano più frequenti e man mano scolorendosi nel significato forniscono un sostituto alle forme dei tempi storici, sotto forma di «tempi composti» (*ho conosciuto*, ecc.).

Accanto alle forme normali del futuro, non nitidamente caratterizzate dalle desinenze e scialbe nel significato, puramente obiettivo, si

---

[39] *Notizie degli scavi*, 1911, n. 458, n. 21 (cit. da Väänänen, *Inscr. Pomp.*, p. 81).
[40] Accolgono questa alternanza anche le parole che avevano IS + cons. (o HIS + cons.) in latino: p. es. *storia*, *Spagna*.

affermano altre forme che esprimono più coloritamente ciò che deve essere, ciò che si vuol fare: «Tempestas illa *tollere habet* totam paleam de area» (S. Agostino, *Tract. in Ioh.*, 4, 1, 2).

Crescono gli scambi fra le forme della seconda coniugazione e quelle della terza, specialmente all'infinito (da *cadĕre* si passa a *cadēre*, ecc.).

La paratassi, com'era da attendersi in un periodo di civiltà più elementare, prevale sull'ipotassi. Anche questa si semplifica, e i suoi ordigni si riducono di numero: *quia* guadagna terreno («dixit *quia* mustella comedit»: Petronio, *Sat.*, 46, corrispondente a un greco δίότι) e preannunzia il nostro *che*; nelle interrogative indirette, forse per modello umbro[41], entra nell'uso *si*, ecc. Questo nuovo spirito che si manifesta nella sintassi (e nell'ordine delle parole) del latino parlato è ormai lontanissimo da quello dell'età classica, e preannunzia decisamente le lingue nuove.

9. *Il lessico:* voci che sopravviveranno

Nel passare rapidamente in rassegna gli elementi che costituiscono il lessico del latino parlato in Italia dal secolo I al V, bisogna anzitutto tener conto di quella notevole parte che rimane uguale o pressappoco uguale al latino parlato dell'età repubblicana, quale lo conosciamo nella sua stilizzazione letteraria classica.

Molte centinaia di parole italiane sono tuttora uguali – salvo, talora, qualche mutamento fonetico e morfologico e non grandi variazioni di significato – a quelle del latino classico: dunque erano tali anche nel latino parlato. Si ha, per. es.: HOMO *uomo* (è vero che *vir* è scomparso, e di conseguenza il significato di *uomo* è più ampio di quello di HOMO), PATER *padre*, MATER *madre*, FILIUS *figlio*; ASINUS *asino*, BOS *bue*, CANIS *cane*, CERVUS *cervo*, PORCUS *porco*, VACCA *vacca*; AQUA *acqua*, ARBOR *albero*, CAELUM *cielo*, TERRA *terra*; MANUS *mano*, DIGITUS *dito*, PES *piede*, PORTA *porta*, PUTEUS *pozzo*, ROTA *ruota*; ALTUS *alto*, BONUS *buono*, CALIDUS *caldo*, FRIGIDUS *freddo*, SICCUS *secco*, RUSSUS *rosso*, NIGER *nero*, NOVUS *nuovo*, HABERE *avere*, TENERE *tenere*, DICERE *dire*, FACERE *fare*, BIBERE *bere*, CURRERE *correre*, DORMIRE *dormire*; BENE *bene*, MALE *male*; QUANDO *quando*, SI *se*; IN *in*, PER *per* ecc.

Accanto a voci come queste, sopravvissute in tutta o quasi tutta la Romània, ve ne sono molte altre che sopravvivono soltanto in area italiana o italiciana[42].

---

[41] Devoto, *Storia*, p. 240.
[42] Considero, negli esempi che seguono, insieme con l'area linguistica più strettamente italiana, anche l'area sarda e quella ladina. Senza entrare in minute discussioni di parentele più o meno strette, di aree più o meno precisamente delimitate, ma a scopo pratico, parlo in questo caso di area *italiciana*, di parole *italiciane*, riferendomi alla «diocesi italiciana» (dalla fine del III al V secolo) che comprendeva anche la Sardegna e la Rezia (L. Cantarelli, *La diocesi italiciana da Diocleziano alla fine dell'Impero occidentale*, Roma 1903).

Ecco un breve elenco, puramente esemplificatorio, di tali parole:
AEGYPTIUS «scuro»: tosc. *ghezzo* ecc. (*REW* 235);
AGRESTIS «selvatico»: sic. *arestu* ecc. (*REW* 295), tosc. *agresto* «uva immatura»; anche *gnaresta* da VINEA AGRESTIS;
CALIGARIUS «calzolaio»: tosc. ant. *galigaio*, it. sett. *calegaro* ecc. (*REW* 1515);
CAMPSARE: (*s*)*cansare* ecc. (*REW* 1562);
CATULUS: tosc. *cacchio* ecc. (*REW* 1771);
CONGIUS: ant. tosc. *cogno* ecc. (*REW* 2146);
CUNULAE: *culla*, abr. *cunëlë* ecc. (*REW* 2400);
IACULUM: *giacchio* ecc. (*REW* 4570);
LENTIGO: *lentiggine* ecc. (*REW* 4981);
LIBELLUS: *livello* (enfiteutico) (*REW* 5010);
MENTULA: it. mer. *minchia*, it. *minchione* (*REW* 5513);
MICINA: *fare a miccino* (*REW* 5561);
NOTARIUS: *notaio* (*REW* 5964): si sa che quella del notaio è istituzione italiana (Solmi, *Storia dir.*, pp. 157-158);
SIDUS: ant. tosc. *sido* «gelo» (*REW* 7902);
SORORCULA: ant. tosc. *sirocchia* (*REW* 8103);
SPACUS (di cui si hanno attestazioni in Cassio Felice e nell'Oribasio latino): *spago*; ecc.

Alcune di queste parole, sopravvissute solo in una più o meno ristretta area toscana, sono entrate nella corrente della lingua letteraria, e per questa via si sono di nuovo diffuse. Ma altre sono tuttora limitate ad aree ristrette. Eccone una listerella, anche questa solo esemplificativa:
BUCCELLATUM: lucch. *buccellato*, veneto *buzzolà*, sic. *vucciddatu* (*REW* 1361);
FICULNEA (Vulgata, Ven. Fort.): ant. orviet. *ficuna*;
HASTULA: bologn. *astla* (*REW* 4073);
ILLINC: emil. *lenka* (*REW* 4269);
LIBITINA: ven. *la* (*siora*) *Betina* (Migliorini, *Dal nome proprio*, p. 314);
NEX: aret. *nece*, *niece*, ecc. (*REW* 5901);
NOTA: lomb. alp., engad., ampezz. *nòda* «marchio di animali» (capre, pecore);
NOTARE: *nodà*, *nudèr* (*REW* 5962, 5963);
PANDERE: ven. *pàndar*, friul. *pandi* «divulgare», ecc. (*REW* 6189);
PANSUS: ant. it. *paso* «aperto», casent. ecc. *paso* «tesa» (misura) (*REW* 6205);
RUDUS: lomb. *rüd*, emil. *rud* «concime» (*REW* 7422);
VERENDUS agg., VERENDA plur. neutro: moden. *brend*, lucch. *merenda* ecc. (*REW* 9227);
VETUSTUS: piem. *viosk*, emil., logudor. (*REW* 9293).

Qualche vocabolo latino sopravvive solamente nella toponomastica italiana, come:
AGELLUS: *Agelli* (Ascoli Piceno), *Agello* (Perugia), *Gello* (Pistoia Arezzo ecc.), *Aielli* (Aquila), *Aiello* (Cosenza ecc.);

CENTURIA: *Centoia, Cintoia* (Pistoia, Firenze, ecc.);

CONFLUENTIA: *Confienza* (Pavia) (cfr. i nomi tratti da CONFLUENTES in Italia e fuori, *REW* 2136 a);

DECUMANUS: *Dicomano* (Firenze);

FLUVIUS: *Fiobbio* (Bergamo), *Fiuggi* (Frosinone);

NEMUS: *Nembro* (Bergamo) da *in nemore* (Salvioni, in *Boll. Svizz. It.*, IV, p. 11).

PRATULA: *Pracchia* (Pistoia), *Pracchiola* (Massa);

PRAEDIUM: *Preggio* (Perugia), *Prezza* (Aquila);

VIC(U)LUS: *Vicchio* (Firenze)[43].

Altri si trovano addirittura solo nella toponomastica urbana: a Roma (dove è anche sopravvissuta sotto la forma di *rione* la voce REGIO -ONIS, scomparsa altrove nella penisola), si hanno *Termini* da THERMAE e *Satiri* da THEATRUM: questa parola sopravvisse a lungo anche a Brescia, a Padova e a Pola, in luoghi vicini agli antichi teatri[44].

A queste voci latine giunte fino ad oggi per via ereditaria bisogna aggiungerne ancora un certo numero: sono quelle di cui non ci rimane alcuna antica testimonianza scritta, ma che possiamo congetturare che esistessero già nell'antichità, per un doppio ordine di considerazioni: l'esistenza di voci moderne, e l'impossibilità o l'improbabilità che queste voci siano state foggiate modernamente. Si abbiano, ad esempio, le voci italiane *bigoncio* e *rozzo*: *bigoncio* e le varianti toscane (*bigongio*) e d'altre regioni fanno pensare a un *BICONGIUS, il quale non è testimoniato, ma possiamo ben dire casualmente, se troviamo che un certo Novellio Torquato era stato soprannominato *Tricongius* perché era stato capace di bere tre *congii* l'uno dietro l'altro (Plin., *Nat. hist.*, 14, 22, 144); *rozzo*, conforme alle consuete norme fonetiche, corrisponde bene a un *RUDIUS, comparativo neutro di *rudis*. Ora, formazioni simili sarebbero state impossibili già nell'alto Medioevo: quanto a *bicongius sia per la scomparsa del *congius* dall'uso, sia per l'impossibilità di formare composti di questo tipo, quanto a *rudius per l'isterilirsi dei comparativi organici.

Questa ricostruzione di parole antiche ha avuto, nella linguistica dei passati decenni, i suoi fasti e i suoi nefasti. In qualche caso, forme congetturate da un linguista hanno avuto la riprova dell'esperienza, cioè sono state documentate. Il Gröber, nel primo di una serie di articoli che ebbero importanza notevole per questo tipo di ricostruzioni[45], aveva supposto l'esistenza di un latino *anxia*: e il Rossberg lo documentò poi nel tardo poeta Draconzio. Il Förster[46] spiegò la voce *ruvido* come nata da un ipotetico *rugidus «rugoso» derivato da *ruga*;

---

[43] V. l'assai più ricca lista di G. Rohlfs, *Arch. St. n. Spr.*, 184, 1944, pp. 122-123 (= *An der Quelle*, cit., pp. 171-172).

[44] Migliorini, *Saggi ling.*, pp. 239-241.

[45] G. Gröber, in *Arch. Lat. Lexik. Gr.*, I, 1884, p. 242.

[46] *Zeitschr. rom. Phil.*, III, 1879, p. 259.

contestato dal Paris, l'ètimo ebbe invece conferma in un'iscrizione su un recipiente di terracotta trovato in Bosnia e conservato a Saraievo[47].

Ma se in qualche caso le basi ipotetiche hanno trovato una brillante riprova, bisogna riconoscere che dell'asterisco si è abusato, e che in moltissimi altri casi l'aver trasformato l'incertezza di un etimo nella pseudo-certezza dell'esistenza d'un vocabolo nel latino parlato ha prodotto più danno che vantaggio.

Ecco alcuni esempi di basi ipotetiche proposte per spiegare vocaboli italiani, le quali sembrano abbastanza consistenti:

*CARIOLUS (dim. di *caries*) «tarlo»: it. sett. *car(i)ol(o)*;

*CASICARE (der. di *casus*): *cascare*;

*CINNUS: *cenno*;

*COMPTIARE (der. di *comptus*, part. di *comĕre* «riunire; pettinare, ornare»): *conciare*;

*INAFFLARE: *innaffiare*;

*LUCINARE: rappresentato nei dialetti sett. dal tipo *«lusnare»*, in Toscana da *baluginare* (*REW* 5142);

*ORDINIUM (der. di *ordo*, *-inis*): *ordigno*;

*PENDICULARE (der. di *pendere*): *pencolare*;

*RUBICULUS: tosc. ant. *rubecchio* «rossastro», ecc.

10. Relitti e imprestiti

Il lessico latino ha incorporato in larga misura, come è noto, elementi alloglotti: sia dalle lingue di tipo «mediterraneo» parlate in Italia prima della venuta degli Indoeuropei (in primo luogo dall'etrusco e dal ligure), sia dalle altre lingue indoeuropee d'Italia (in primo luogo dalle lingue del gruppo osco-umbro, poi dal celtico, oltre a minime tracce venetiche, messapiche, sicule). Si tratta di azioni e reazioni numerose e complicate, che vanno riconnesse con le vicende preistoriche (arrivo dei Protolatini alle loro sedi) e storiche (sinecismo con Sabini ed Etruschi in Roma stessa, espansione del latino nella penisola e assorbimento delle altre lingue, ecc.): è compito dei latinisti studiare nei particolari le cause e gli effetti.

C'è tuttavia un certo numero di parole che sfuggono ai latinisti, e invece interessano i neolatinisti: accanto alle voci documentate già per l'antichità nell'uso degli scrittori o per via di glosse o altrimenti, vi sono alcune parole che non affiorano nella scrittura, eppure debbono essere penetrate nel latino parlato, tant'è vero che sono arrivate a sopravvivere attraverso i secoli fino alle parlate odierne.

Si tratta quasi soltanto di parole connesse alla configurazione del suolo, alla flora, alla fauna: cioè di quel tipo di vocaboli così strettamente legati al suolo che i terrigeni continuano a servirsene persino se mutano lingua, in quanto la lingua nuovamente accolta non avrebbe

---

[47] Schuchardt, *Zeitschr. rom. Phil.*, XXII, 1898, p. 532.

termini adeguati per esprimere quelle nozioni. Si sa che in questo caso i linguisti piuttosto che di imprestiti parlano di relitti.

Il latino ha attinto all'etrusco qualche centinaio di parole, di cui parecchie penetrate profondamente nel lessico e sopravvissute (*populus*, *persona*, *catena*, *taberna*, ecc.), altre scomparse nell'uso parlato e, se mai, rientrate in italiano come latinismi (*spurius*, *atrium*, *idus*, *histrio*, *mantisa*, ecc.).

Probabili relitti etruschi sono alcuni nomi toscani di piante (*brenti*, *gigaro*, *ilatro*, *nepa*). Un caso a sé è quello di *chiana*, rimasto vivo in Toscana perché sempre collegato con la ben nota acqua stagnante, la *Chiana* (ant. *Clanis*, probabilmente voce tirrenica, cioè mediterranea).

Lo studio delle parole lasciate dai Liguri, dai Reti e da minori popolazioni alpine[48] ha ravvisato come tali alcune parole già note ai Romani (*genista*, *larix*, *ligustrum*; *camox*, *segusius*; *peltrum*) e molte altre di cui si hanno testimonianze sia nella topomastica, sia nei dialetti alpini moderni i tipi *balma*, *barga*, *grava*, *malga*, *rugia*, ecc.).

Anche per il fatto che il ligure fu assorbito, prima che dal latino, dal celtico, non sempre riesce facile distinguere, nell'area ligure, tra le voci preindoeuropee e quelle celtiche, cioè indoeuropee.

La conquista delle Gallie, e i rapporti strettissimi instauratisi con l'Italia, ci spiegano la penetrazione di vocaboli gallici in latino; penetrazione assai larga e, per alcuni, così antica da non distinguersi dalla sorte delle altre parole latine. Sono voci come *betulla* (Plin.), *verna* «ontano» (Gloss.), *alauda* (Suet.), *beccus* («gallinacei rostrum», Suet.), *salmo* (Plin.), *lancea* (Verg.), *carrus* (Sisenna), *benna* (Fest.), *braca* (Ovid.), che tuttora vivono nei loro continuatori. Qualche altra voce è testimoniata solo più tardi: *cambiare* (Apul.), *geusiae* (da cui il derivato *trangugiare*: Marcell. Empir., IV sec.).

Il confronto degli esiti neolatini permette di ricostruire altre voci «con asterisco» che, data l'area in cui appaiono e i riscontri con vocaboli di lingue celtiche tuttora viventi, possono essere riconosciute come celtiche: **bracum* «palude» (da cui *braco*, *brago*), **pettia* (da cui *pezza* e *pezzo*), **camminum* «via» (da cui *cammino*), **comboros* «trinceramento d'alberi» (da cui *ingombro*, *sgomberare*, ecc.), **multo*, *-onis* (da cui *montone*), **garra* (da cui *garretto*), **pariolum* (da cui *paiolo*), ecc.[49].

Mentre queste parole celtiche presumibilmente circolavano nel latino dell'età imperiale, altre hanno avuto fortuna più limitata, ristretta alla sopravvivenza nelle Gallie (transalpina e cisalpina). Ci limitiamo a citare qualche esempio di basi che hanno dato origine a vocaboli tuttora vivi nei dialetti settentrionali: *cumba* «valle», *lausiae* (*lapides*) «lastre di pietra», *cavannus* «gufo», *glastum* «erba guada»,

---

[48] Studio a cui hanno dato i più notevoli contributi J. Jud e la sua scuola, e in Italia V. Bertoldi, C. Battisti, C. Tagliavini, G. Alessio.

[49] Oltre ai noti lavori del Dottin e del Weisgerber, e ai lemmi celtici del *REW*, v. T. Bolelli, «Le voci di origine gallica nel *REW*», in *It. dial.*, XVII-XVIII.

brogilus «brolo», *attegia*, **tegia* «capanna», **tamisio* «staccio», **grenno* «barba», **crodi-* «duro, compatto», ecc.

Qualche altro vocabolo celtico è penetrato in italiano più tardi, per via francese o provenzale: *veltro, vassallo, cervogia, lega* (misura).

La presenza di numerosi elementi osco-umbri nel lessico latino è stata molto bene studiata dai latinisti[50]; a noi interessano, più che i termini già entrati nell'uso classico (*bos, bufalus, lupus, scrofa, ursus, anas, turdus, casa, lingua, lacrima, consilium*, ecc.) quelli testimoniati poco e tardi (*ēlex*, da cui *élce*, per *īlex*; *pōmex*, da cui *pómice*, per *pūmex*; *terrae tufer*, da cui *tartufo*, per *tuber*) o quelli ricostruiti tenendo conto delle corrispondenze fonetiche tra latino e tosco-umbro: **stēva* per *stīva* (it. *stégola*), **bufulcus* per *bubulcus* (it. *bifolco*), **tafanus* per *tabanus* (it. *tafano*), **mētius* per *mītius* (it. *mézzo* «troppo maturo»), **octufer* per *october* (lucano *attrufu*), **glefa* per *gleba* (tarant. *gliefa, gliofa*).

Dovremmo anche dare un cenno sui vocaboli germanici penetrati nel latino parlato prima della caduta dell'Impero, attraverso i contatti militari e commerciali, gli schiavi germanici, gli stanziamenti concessi dagli imperatori. Ma poiché è impossibile sceverare nettamente i germanismi di questa serie da quelli penetrati in età barbarica, ne tratteremo più oltre, insieme con essi (v. cap. II, § 18).

11. Grecismi

Nessuno ignora che cosa rappresenti per la cultura e la lingua di Roma il contributo della cultura e della lingua greca: tracciarne, sia pure brevissimamente, il quadro esorbiterebbe dai nostri scopi. Ricordiamo solo che nel grandioso processo di simbiosi tra la parte orientale e quella occidentale dell'Impero gli scambi si esercitano con grande intensità per l'appartenenza al medesimo Stato, la creazione di un solo ambiente culturale, gli intensi movimenti e scambi di persone; e il latino ne risente dall'alto e dal basso.

Dall'alto c'è una larga e consapevole accettazione di concetti e di parole, grazie alla quale le migliori conquiste del pensiero greco, e innumerevoli parole, sono accolte nel lessico[51].

Dal basso, attraverso colonie di varie popolazioni orientali, più o meno ellenizzate, che a Roma e in molte altre città dell'Italia meridionale contavano numerosissime persone, si mantengono contatti orali molto stretti, i quali portano all'adozione di centinaia di vocaboli nel latino parlato.

Già forti ondate di grecismi erano giunte in latino per via orale nel

---

[50] Specialmente nel classico volume di A. Ernout, *Les éléments dialectaux du vocabulaire latin*, Parigi 1909.

[51] Non frequenti sono i casi in cui si manifestano scrupoli nell'accogliere vocaboli greci: l'imperatore Tiberio «*monopolium* nominaturus, prius veniam postulavit, quod sibi peregrino verbo utendum esset» (Svetonio, *Tib.*, 71).

IV e nel III secolo a. C., e si erano fortemente acclimatate, con adattamenti fonetici, morfologici, paretimologici talora assai forti. Per citare solo un paio di esempi, il nome Πύρρος era stato dapprima imitato come *Burrus* e solo più tardi si trascrisse *Pyrrhus*; *purpura* riproduce il greco πορφύρα con la perdita dell'aspirazione; *ampora* e *amphora* debbono avere oscillato secondo gli strati della popolazione (e dalla forma popolare *ampora* è sorto il diminutivo *ampulla*). Poi i sempre più stretti contatti, e una certa affettazione di cultura nel riprodurre con esattezza i suoni greci, portano all'uso costante di *y*, *ph*, *th*, *ch* nei grecismi.

Delle migliaia di parole greche entrate nel lessico latino, quali si possono trovare registrate negli appositi repertori (quello del Weise o quello del Saalfeld) c'interessano in questa sede solo le voci penetrate così profondamente nella lingua parlata da poter sopravvivere nei secoli: e sono alcune centinaia.

Ecco, tanto per dare un rapido e non esauriente elenco, nomi di piante e di frutta: *melo* (-*a*), *ciliegio*, *olivo*, *dattero*, *giuggiolo*, *mandorlo*, *riso*, *fagiolo*, *sedano*, *prezzemolo*, *anice*, *garofano*, *pepe*, *senape*, *liquirizia*, *bosso*, ecc. Anche *cima* appartiene a questo gruppo, se ricordiamo che in latino *cyma* è attestato solo come «germoglio».

Gli animali che portano nomi greci ereditati attraverso il latino sono, fuorché pochi (come *fagiano*, *scoiattolo*), animali marini: *balena*, *delfino*, *tonno*, *cefalo*, *grongo*, *acciuga*, *polpo*, *seppia*, *gambero*, *chiocciola*, *ostrica*, *spugna*.

Termini originariamente marittimi sono *governare*, *pelago* (che nel significato di «mare» è voce dotta, ma è anche vissuto popolarmente nel senso di «avvallamento»), *scalmo*, *nolo*, ecc.

Si riferiscono a forme del suolo *poggio* e *grotta*, forse anche *spelonca*. Sopravvivono numerosissimi nomi di oggetti domestici, o usati nelle arti e nei mestieri: *ampolla*, *borsa*, *bossolo*, *canestro*, *càntaro*, *cofano*, *lampada*, *lucignolo*, *madia*, *organo*, *tappeto*; *pietra*, *calce*, *malta*, *palanca*, *scheggia*, *doga*, *torn*(*i*)*o*, *trapano*, *colla*, *inchiostro*, *gesso*, *carta*, *corda*, *matassa*, *morchia*, *porpora*, ecc.

Ecco qualche termine di cucina: *olio*, *butirro* (*burro*), *massa* (dapprima col significato di «pasta», poi con vasti sviluppi semantici: cfr. p. 46 e *REW* 5396). La simbiosi greco-latina in questo campo è dimostrata dall'accento di *fégato*, che è dovuto a un incrocio tra il gr. συκωτόν e il lat. FICATUM «fegato di animale ingrassato coi fichi» (*REW* 8494, e bibl. ivi).

Alcuni vocaboli si riferiscono alla città e alle sue parti: *camera*, *bagno*, *piazza*, *bottega*. Si hanno nomi d'armi: *balestra*, *spada*.

Parecchi vocaboli concernono il corpo umano: *braccio*, *stomaco*, *nervo*, *flemma*. *Gamba* e *spalla* si riferivano prima agli animali e sono stati trasportati all'uomo. Malattie e cure sono pure largamente rappresentate: *cancrena*, *spasimo*, *empiastro*, *teriaca*, *cerusico*.

La *cetra* e la *zampogna* attestano l'influenza sulla musica.

Tra le voci generali ricordiamo *aria*, *calare*, *colpo*, *orfano*, *gobbo* (attraverso *GUBBUS da χυφός). Importante anche l'adozione del *cata* distributivo di *catuno, caduno* (cfr., nella *Vulg., Ezech.*, XLVI, 14: «faciet sacrificium super eo *cata mane mane*»).

Questo rapido elenco vuole soltanto mostrare quanto profonda è stata la penetrazione degli elementi greci nel lessico latino, se ancora in tanta abbondanza appaiono nel patrimonio ereditario dell'italiano. Può darsi che qualcuno dei vocaboli ricordati sia sopravvissuto durante i secoli soltanto in parte del territorio italiano, e che sia passato solo più tardi ad altre regioni: tale è per esempio, il caso di *acciuga*, che è propriamente voce del dialetto ligure. In altri numerosi casi troviamo voci latine di origine greca sopravvissute in aree dialettali italiane (e talora in altre aree romanze) e non accolte dalla lingua normale. Tanto per esemplificare abbiamo:

CATHEDRA, volg. CATECRA «seggio d'onore di avventori beoni» (*Notizie degli scavi*, IX, 1933, p. 277): it. sett. *cadrèga, carèga*, ecc. (*REW* 1768);

PHLEBOTOMUM «lancetta del flebotomo»: calabr. *hiètamu*, sicil. *cittimari* «salassare» (*REW* 6467);

PESSULUS, PESSULUM, volg. PESCULUM (gloss.): sen. *pèschio*, calabr. *pièssulu* (*REW* 6441);

TRAPETUM: it. mer. *trappitu* «frantoio» (*REW* 8862).

La serie di calchi latini su parole greche conta numerosissime parole colte, non sopravvissute nel lessico ereditario; ma anche parecchie parole penetrate nell'uso popolare e perpetuatesi: p. es. *ars* e *ratio*, nei significati di τέχνη e di λόγος, *lingua* applicato alla «favella» con metonimia ricalcata su quella analoga di γλῶττα, *medietas* coniato secondo l'esempio di μεσότης, *cordolium* modellato su χαρδιαλγία, *cortina* su αὐλαία, ecc. Anche nella grammatica troviamo p. es. *ipsimus* (Petron.) calcato su αὐτότατος: è la forma che, rinforzata con il *-met* di *egomet* ecc., darà *medesimo*. E probabilmente sia l'articolo determinativo sia quello indeterminativo sono sorti sotto l'influenza dell'analoga evoluzione prodottasi in greco.

Merita un cenno a sé la grande serie di grecismi penetrati in latino nell'espandersi del cristianesimo. La lingua parlata e liturgica dei primi gruppi cristiani in occidente era ovvio che esercitasse una forte influenza sul latino nei primi secoli. Limitandoci a ricordare alcune fra le più importanti voci ereditarie, ecco *chierico, monaco, prete, vescovo, basilica, chiesa*[52], *limòsina*[53], *battesimo, battezzare, cresima* (lat. *chrisma*), *befana, bestemmiare*, ecc.

Parecchi vocaboli che oggi non appartengono più alla sfera religiosa sono pure grecismi: *parola* e *parlare* (dalle parabole di Gesù, la «parola» divina per eccellenza), *ermo* (gr. ἔρημος, da cui anche le forme dottrinali *eremo, eremita*), *geloso, incignare* (encaeniare, da

---

[52] Della lotta fra i due termini *basilica* e *ecclesia* si è occupato a più riprese il Bartoli: v. i rinvii nell'Indice dei suoi *Saggi*.

[53] Nei dialetti settentrionali il tipo *musìna* è pa~sato al significato di «salvadanaio» (*REW* 2839).

encaenia -orum «festa di dedicazione»), ecc.; persino *tartaruga* (dal gr. tardo ταρταροῦχος, nome di uno spirito immondo, perché nel simbolismo cristiano primitivo la tartaruga rappresentava lo spirito del male).

Alcuni dei termini ricordati si sono imposti senz'alcuna resistenza nel latino cristiano; per altri si è fatto il tentativo di sostituirli con vocaboli latini: *tingere* ha lottato contro *baptizare*, *lavacrum* contro *baptismus*, *testis* contro *martyr*: ma in questi casi il vocabolo greco ha finito col trionfare, avendo ormai assunto un preciso valore terminologico.

Alcune voci greche cristiane sono dovute a calchi sull'ebraico: per citarne solo un paio, *angelo* è ἄγγελος, che dal significato antico di «messaggero» è passato nel greco cristiano a quello di «messaggero di Dio, angelo» per calco dall'ebraico *mal'âk*; *Cristo*, gr. Χριστός, ricalca l'ebraico *mashī'ah*, aram. *mĕshiha* «unto (del Signore)», «messia».

Un gruppetto di parole ebraiche (*pasqua*, *sabato*, *osanna*) è pure arrivato a insediarsi, attraverso il cristianesimo, tra le voci ereditarie.

12. Nuove formazioni

Pullulano nel latino parlato dell'età imperiale, le formazioni nuove. Sono, in genere, forme concrete e colorite, e di una consistenza e trasparenza che spesso arriverà a farle trionfare sulle forme tradizionali, logorate nei suoni e rese astratte e vaghe nei significati. Vedremo nel paragrafo seguente qualche esempio di concorrenza tra i vocaboli nuovi e i vecchi, ma intanto vogliamo accennare ad alcune delle formazioni che hanno avuto maggiore fortuna. Considereremo anche qui soltanto voci sopravvissute in Italia.

Vediamo anzitutto qualche tipo frequente nella formazione di nuovi sostantivi. Si hanno numerosi nomi di mestiere e in genere d'agente in *-arius*: *clavarius*, ecc. Tra le formazioni in *-io* ricordo *companio -onis*, che veramente è documentato solo in un passo incerto della legge Salica (63,1), ed è considerato di solito un calco sul germanico[54], ma può essere benissimo una formazione indigena[55].

Appaiono in questo periodo i primi esempi di nomi propri femminili in *-itta* (*Iulitta*, *Bonitta*, *Suavitta* ecc.), da cui prende le mosse il fortunato suffisso diminutivo *-ittus* (*-etto* ecc.)[56].

[54] «*ga-hlaiba* 'Genosse' von *hlaibs* 'Brot' in *companio* geradezu übersetzt erscheint»: Meyer-Lübke, *Einführung*, p. 49.

[55] Cfr. il *coarmio* (nomin. ?) di un'iscrizione palermitana, purtroppo ora irreperibile e non databile (*Corpus Inscr. Lat.*, X, 7297): ...SYRUS HUI — DELICATUS COARMIO MERENTI — FECIT. Quanto alle semplici formazioni in *-io*, esse sono numerose specialmente nella latinità tarda: *litterio* «grammaticastro» (Ammiano), *tabellio*, ecc. (e qui andrà anche *campio*, il quale pure si ritiene coniato per influenza germanica, perché appare solo in leggi barbariche).

[56] L'origine è tuttora incerta, ma più probabilmente celtica: v. da ultimo B. Hasselrot, *Études sur la formation diminutive dans les langues romanes*, Upsala 1957, cap. I.

Pure attraverso nomi propri (della grecità cristiana) è giunto il suffisso *-issa* (it. *-essa* di *contessa*, ecc.).

Sarà di quest'età anche qualche formazione di pseudo-antroponimo come **Rufianus*, da cui *ruffiano*[57].

Frequentissime, per i nomi di cosa, le formazioni collettive: AERAMEN *rame*, *CARONIA *carogna*, *MONTANIA *montagna*[58], SEMENTIA *semenza*, VICTUALIA *vettovaglia*.

I numerosi vezzeggiativi che già esistevano (*masculus, auricula, ungula, porcellus, vitellus, anellus, cultellus, scalpellum, novellus*, ecc.) tendono a perdere ogni valore diminutivo, e molte altre nuove formazioni (**genuculum, *nuceola, *fratellus, *av(i)cellus*) seguono la medesima via[59].

Frequente è la sostantivazione di aggettivi per indicare cose, sia attraverso un neutro, sia per ellissi: HIBERNUM [TEMPUS] *inverno*, DIURNUM *giorno*, MATUTINUM *mattino*, INFERNUM *inferno*, [DIES] NATALIS [CHRISTI] *Natale*, [DIES] DOMINICA *domenica*, [AQUA] FONTANA *fontana*, [VIA] CARRARIA *carraia*, [FABA] BAIANA *baggiana*, ecc.

Frequenti sono pure gli astratti ricavati da participi: *collecta, defensa, *perdita, *vendita*, ecc.

Per derivazione immediata nascono sostantivi come *lucta* (Lucan.), *proba* (Amm.), **monstra, *retina* e come *dolus* (it. *duolo*) (Commod. e inscr.). La locuzione *prode est*, nata da *prodest*[60], ha dato origine al sostantivo *prode, pro'* e all'aggettivo *prode*.

Cominciano ad apparire i composti imperativali (*labamanos*, sec. IV) che avranno così ampia fortuna.

Nei verbi si moltiplicano le formazioni da nomi: *mensurare, pectinare, ruinare, morsicare, carricare, bullicare, *nevicare, *furicare* (it. *frugare* ven. *furegàr*), ecc. Accanto alle formazioni già antiche in *-icare*, si moltiplicano in età cristiana quelle in *-izare* (da cui, per via popolare, il suffisso *-eggiare*).

Come *adiutare, cantare, iactare, saltare* e tanti altri verbi[61] già da secoli esistevano accanto a *adiuvare, canere, iacere, salire*, con significato più intenso e tono più popolare, altri derivati nascono in questo periodo: *pistare, tostare, *tonsare* (it. *tosare*), ecc.

---

[57] Simile a *ebriacus* (foggiato come pseudo-nome, *Ebriacus*: Schulze, *Zur Gesch. Lat. Eigennamen*, Berlino 1904, p. 284). Cfr. il *gelasianus* di Sidonio Apollinare, *Carm.*, XXIII, v. 301. Per riscontri moderni, v. Migliorini, *Dal nome proprio*, p. 215, e *Saggi linguistici*, p. 94.

[58] L'agg. *montaniosus* è documentato negli agrimensori.

[59] In qualche caso il diminutivo è adibito a designare un oggetto diverso da quello indicato dal nome base: CULTELLUS è il *coltello*, CULTER una forma di vomere (tosc. *cóltro*), ASINUS rimane il nome dell'*asino*, mentre ASELLUS per designare un insetto (*asello*) o un pesce (*nasello*), ecc.

[60] Rönsch, *Itala und Vulgata*, Marburgo 1875, p. 468, Löfstedt, *Philologischer Kommentar zur Peregrinatio Aetheriae*, Upsala 1911, pp. 184-187.

[61] *Sternutare* non è documentato prima di Petronio, ma doveva esistere già in età classica (Cicerone usa *sternutamentum*).

I verbi semplici sono alcune volte sostituiti da composti: *initiare* da
*com-initiare (it. *cominciare*), *noscere* da *cognoscere* ecc. (v. p. 38).

Preposizioni e avverbi, specialmente quelli con significato locale,
appaiono rinforzati con altre preposizioni: *abante, de abante* (da cui
avanti, davanti), *incontra, de post* (da cui *dipoi* e *dopo*), *de ubi, de unde*
(it. *dove, donde*), ecc.

Crescono di numero nel lessico latino, in questo periodo, e s'installano fortemente nell'uso parlato, voci onomatopeiche: *tata, pappa* (che,
sotto la forma *papa*, avrà grande fortuna nel latino cristiano), *babbus,*
nonnus, mammare, ecc.

13. Lotta fra parole vecchie e parole nuove

Qualche volta l'apparizione dei neologismi è dovuta alla necessità
onomasiologica di dare espressione a nozioni nuove: basti pensare alle
coniazioni di nuove parole per esprimere i nuovi concetti cristiani:
salvare, dominica, papa, ecc. Ma per lo più il nascere delle nuove parole
e il prosperare di voci che prima erano rimaste confinate agli strati
plebei avvengono a spese delle parole tradizionali. Ciò sarà dovuto
piuttosto alla «energia» delle parole nuove o alla «debolezza» di quelle
vecchie? Sarebbe futile discorrerne in generale: se mai si potrebbe
giudicarne caso per caso. In primo luogo va tenuto conto dei fattori
sociali e politici: il controllo della lingua non è più nelle mani di una
ristretta aristocrazia urbana: i gruppi colti si vengono sempre più
assottigliando e restringendo; emergono nelle province, e giungono a
imporsi persino a Roma, uomini originariamente alloglotti, i quali
hanno imparato molto superficialmente la lingua tradizionale. E le
remore opposte dai grammatici non bastano a mantenere intatto il
latino in questa trasmissione a ceti nuovi e rozzi. D'altra parte
predicatori e scrittori cristiani reputano doveroso accostarsi all'uso del
popolo.

Un fattore di debolezza per molte parole è il presentarsi isolate
anziché in famiglie o in serie compatte. Abbiamo già visto (p. 26) come
bis, ter ecc. tendano ad essere sostituiti da *duae vices, tres vices* ecc.: il
procedimento «analitico» è psicologicamente più facile per la memoria
che quello «sintetico». Così una parola come *hirudo* non s'appoggia a
nulla, non suggerisce nulla, è un nome «immotivato», più difficile a
imparare e a ricordare di un composto «motivato» come *sanguisuga*,
«la succhiasangue», che appunto compare e s'impone al tempo di
Plinio: «Hausta hirudine, quam *sanguisugam* vulgo coepisse appellari
animadverto» (*Nat. hist.*, VIII, 10). In un ambiente placido e compatto,
hirudo avrebbe potuto perpetuarsi per secoli e secoli: invece, in
condizioni tumultuarie, poco favorevoli al mantenersi della tradizione,
sanguisuga è preferito[62].

---

[62] Per quale caso poi *hirudo* abbia potuto sopravvivere fino a oggi in qualche
luogo della Provenza (*REW* 4144), non è possibile dire.

Così *pera* è vinto da *bisaccium* «il doppio sacco», *nihil* da *nulla*, *procul* da *longe*, ecc. Così i verbi semplici, che di solito hanno una coniugazione piuttosto difficile, sono spesso abbandonati a vantaggio di intensivi o di denominali o di composti: i verbi citati *adiutare*, *cantare*, *iactare*, già esistenti da tempo accanto a *adiuvare*, *canere*, *iacere*, li soppiantano del tutto; *mensurare*, *pectinare*, **nivicare* vincono *metiri*, *pectere*, *ninguere*; e così *cognoscere*, *conducere*, *consuere*, *occidere*, *remanere*, *sufflare* e innumerevoli altri sono preferiti ai semplici *noscere*, *ducere*, *suere*, *caedere*, *manere*, *flare*, ecc.

In genere stentano a sopravvivere i monosillabi, troppo brevi e male discernibili nella catena del discorso: accanto ad *aes*, *aeris* appare e poi trionfa *aeramen*, it. *rame*.

Al trionfo di *ossum* sopra *os*, *ossis* conferisce anche un altro fattore, l'intenzione di evitare l'omonimia. In età classica, non c'era pericolo di confondere ŏs «osso» con ōs «bocca», ma con lo sparire delle distinzioni di quantità ŏs tende a essere sostituito da *ossum*, che troviamo già in Tertulliano, e ōs da *bucca*, che prima significava «gota». S. Agostino leggendo nella versione pregeronimiana dei Salmi (138,15) «Non est absconditum a te *ossum* meum» (in quegli stessi anni S. Girolamo traduceva «Non est occultatum *os* meum a te»), difendeva la forma popolare: «Mallem quippe cum barbarismo dici *Non est absconditum a te ossum meum* quam ut ideo esset minus apertum quia magis Latinum est» (*De Doctr. christ.*, III, 3), e più oltre anche più chiaramente spiegava la necessità di farsi capire dagli indotti: «Cur pietatis doctorem pigeat imperitis loquentem, *ossum* potius quam *os* dicere?» (IV, 3)[63].

Pure a causa dell'omonimia che era venuta a crearsi tra *avena* e *habena* per la sparizione dell'*h* e lo spirantizzarsi della *b* tra vocali, è da credere che **retina* (it. *redine*) abbia preso il sopravvento su *habena*.

Di fronte a queste parole tradizionali, con le loro debolezze strutturali e il loro scolorimento semantico, vigoreggiano altre parole più solide nella struttura e più energiche nel significato. Accanto al delicato *edere*, irregolare nella coniugazione, appare dapprima *comedere*, che riesce a prendere piede nella penisola Iberica (sp., port. *comer*). Poi ha fortuna *manducare*, più immaginoso e plebeo: il nuovo verbo, derivato da *mandere* attraverso il nome di *Manducus*, un tipo di buffone da farsa, voleva dire «dimenar le mascelle» come faceva lui. Invece di *fur*, che dové a un certo momento sembrare troppo scialbo, si cominciò a dire *latro*, che propriamente significava «brigante, grassatore», ma poi prese semplicemente il significato di *ladro*. Accanto a *caput* (che tuttora sopravvive nel suo significato proprio e in parecchi significati figurati) si cominciò ad usare in età imperiale *testa*, cioè «recipiente di terracotta», con lo stesso scherzo che si ha in *coccia* da *coccio*[64].

---

[63] Cfr. il passo cit. a p. 14.
[64] Tuttavia è stata fatta l'ipotesi che si tratti originariamente di un'allusione

Caballus «grosso cavallo castrato, da lavoro», parola proveniente dalla penisola Balcanica[65] e considerata per un pezzo come più umile[66], vince poi, come forma più plebea *equus*.[67]

Oltre alle parole energiche, che s'impongono con la loro colorita volgarità, ne emergono altre affettive, familiarmente carezzevoli. A questa tendenza va attribuito il progresso delle voci diminutive e delle voci onomatopeiche su cui già ci siamo soffermati. Una voce come *uber* sparisce quasi dappertutto, sostituita da *mamma, mamilla, puppa, titta*[68].

Talvolta l'affermarsi di una voce in luogo di un'altra è dovuto a un mutamento della nozione, particolarmente di un oggetto. Il largo prevalere di *encaustum* su *atramentum* nel significato di «inchiostro» non va spiegato come una mera sostituzione di vocaboli, ma come una ripercussione di un progresso tecnico: la sostituzione dell'inchiostro fatto di nerofumo o di nero di seppia con l'inchiostro di galla preparato al fuoco[69].

14. *Geografia areale. Caratteri delle innovazioni italiane*

La concorrenza fra sinonimi che fin qui abbiamo considerata tenendo conto dei pregi e dei difetti strutturali delle parole, delle cariche affettive, del sostituirsi di un oggetto all'altro in analoga funzione, si svolgeva, nell'àmbito dell'Impero, secondo le correnti di traffico materiale e culturale che in esso dominavano.

Matteo Bartoli ha tentato, con la sua «linguistica spaziale»[70], una ricostruzione delle grandi aree della latinità in età imperiale. Attraverso alcune norme euristiche da lui fissate, fra cui particolarmente importante quella delle «aree laterali», il compianto maestro ha cercato di tracciare le grandi linee dell'espansione dei fenomeni linguistici in quell'età.

Valga come esempio l'aggettivo che significa «bello». In portoghese si ha *formoso*, in spagnolo anticamente *fermoso*, oggi *hermoso*; in

---

all'uso barbarico di crani come recipienti da bere (per le singole fasi del mutamento di significato, v. Stolz-Schmalz-Leumann-Hofmann, *Lateinische Grammatik*, Monaco 1926, p. 193).

[65] Cocco, in *Mem. Acc. d'Italia*, s. VII^a, III, pp. 793-833 e in *Biblos*, XX, 1944, pp. 71-120.

[66] Lo scoliasta a Persio, *Prol.*, 1, nota: «*caballino* autem dicit non *equino*, quod satirae humiliora conveniant».

[67] Il femminile *equa* resiste più a lungo, tant'è vero che se ne trovano tracce in qualche dialetto italiano, e resti anche più forti in altri territori neolatini (*REW* 2883).

[68] Quest'ultima forse è di origine germanica (ma non sicuramente: cfr. la riconnessione con *titillo* suggerita dall'Ernout-Meillet, s.v.).

[69] E. Müller-Graupa, *Phil. Wochenschr.*, LIV, 1934, coll. 1356-60.

[70] Principalmente con l'*Introduzione alla neolinguistica*, Ginevra 1925, e con numerosi articoli, di cui i più notevoli sono raccolti nei *Saggi* più volte citati.

Oriente il romeno ha *frumos*; invece l'italiano e il francese hanno *bello*, *beau*. Il Bartoli prescinde dalle sfumature di significato che poterono esistere nella lingua letteraria tra *formosus* e *bellus*, ritenendo che nel latino parlato dei singoli luoghi e tempi dové predominare l'una oppure l'altra di queste parole; prescinde da *pulcher*, il quale non conta perché negli idiomi neolatini è scomparso: fondandosi soltanto sulla distribuzione geografica, ne trae un'argomentazione che si può enucleare come segue. Quando l'Iberia e più tardi la Dacia furono colonizzate, la parola che ricevettero dall'Italia, nel significato di «bello», fu *formosus*: dunque anche in Italia questa doveva essere la parola prevalente nell'età repubblicana e nei primi tempi dell'impero. Più tardi in Italia prevalse l'innovazione *bellus*: già la parola esisteva in età classica nel senso di «carino», ma ora diventa il vocabolo normale che significa «bello». La Gallia, che ancora in quest'età (II-III secolo d. C.) è in strettissimo contatto con l'Italia, accoglie anch'essa l'innovazione *bellus*, mentre l'Iberia e la Dacia non accettano la nuova ondata linguistica, e continuano ad attenersi a *formosus*. Se invece si ammettesse che *formosus* e *bellus* e magari *pulcher* sono giunti tutti quanti nei vari territori dell'Impero, e alla fine nelle singole aree ha finito col prevalere l'uno ovvero l'altro, non si spiegherebbe la «figura» che la distribuzione geografica presenta: due aree laterali conservative che affiancano un'area centrale innovativa.

Volendo un altro esempio della stessa «figura», si possono citare le voci per «dimenticare»: ma in questo caso non solo la Penisola Iberica e la Dacia mantengono *oblitare* (sp. e port. *olvidar*, rom. *uità*), ma anche la Gallia (franc. *oublier*, prov. *oblidar*): invece l'Italia ha l'innovazione *dimenticare* (*dementicastis* è spiegato in un glossario con *oblivioni tradidistis*)[71].

Un po' meno ovvie sono le conclusioni che si possono trarre dalla giacitura geografica quando ci si deve accontentare del confronto fra due tipi che sopravvivono in aree diverse. Ma indizi vari ci rendono certi che *patella* (it. *padella*) è di più recente espansione rispetto a *sartago* (che tuttora sopravvive nella penisola Iberica, in Sardegna e nei dialetti dell'Italia centrale e meridionale), e così *granarium* (it. *granaio*) rispetto a *horreum* (che sopravvive in Sardegna e in Provenza); *sapère* (poi *sapère*) prendendo sempre più decisamente valore transitivo e significato di «sapere», ha vinto *scire* (che sussiste in Romenia e in Sardegna). *Clusum* (it. *chiuso*), estratto dai composti del tipo *conclusum*, *inclusum*, si è divulgato dopo che già la Gallia aveva ricevuto *clausum* (fr. *clos*), ecc.

Non è scarso il numero delle parole latine che non hanno lasciato alcuna traccia in Italia, mentre sopravvivono qua e là in altri territori neolatini più o meno vasti: per citare solo qualche esempio, *verrere* vive

---

[71] *Obliare* non entra in questo ragionamento, perché è un francesismo medievale.

tuttora nella penisola iberica (spagn. *barrer*), mentre è stato sopraffatto in Italia da *scopare*; *fimus* e derivati (*fumier*, ecc.) persistono in Gallia, sostituiti in Italia da *laetamen*; *forum* vive in Iberia (*fuero*, ecc.) e in Gallia (nella locuzione *au fur*) mentre solo la toponomastica ne serba ricordo in Italia.

Molti vocaboli persistono solo in Sardegna (*discere*, *sus*, ecc.) o solo in Romenia (*lingula*, *noverca*, *venetus*, *aucupare*, ecc.), parecchi solo in Sardegna e in Romenia (*haedus*, *vitricus*, ecc.).

Non breve sarebbe l'elenco di parole latine di cui non rimane alcun continuatore nelle lingue e nei dialetti neolatini. E non solo di parole che indicavano nozioni piuttosto astratte, non solo di parole indicanti oggetti poi spariti (sarebbe assurdo pensare che potessero persistere attraverso i secoli la nozione e il nome di *apalare* «cucchiaio per mangiare le uova bazzotte», che è attestato in Ausonio)[72]. Ma sono scomparse anche parole come AMNIS (sostituita da *flumen*), CLUNES e NATES (*naticae*), IGNIS (*focus*), OS (*bucca*); ATER (*niger*); ALERE (*nutrire*), AMITTERE (*perdere*), INTERFICERE (*occidere*)[73], LINQUERE (*laxare*), LUDERE (*iocare*), MEMINISSE (*memorare*, *recordare*), NERE (*filare*), POTARE (*bibere*), ecc.

Alle volte si vede o s'intravede la successiva espansione di diverse parole. Di *loqui* non resta più alcuna traccia; in luogo di esso ebbero dapprima fortuna *fabulare* (sp. *hablar*, port. *falar*) e *fabellare* (che sussiste nel sardo e nel ladino, ed era vivo nel dalmatico); poi s'affermò il neologismo cristiano *parabolare* arrivando a predominare in Gallia e in Italia: ci rendiamo conto del suo lento, progressivo espandersi da nord a sud se pensiamo quanto ancora era vivo *favellare* nei più antichi testi italiani, specialmente centrali e meridionali[74].

È ovvio insomma che, dovunque sia possibile, la testimonianza che si ricava dalla distribuzione odierna delle aree vada integrata con i dati che si ricavano dai testi scritti dei secoli intermedi: se oggi non si ha più nessuna traccia di *uxor*, e continuatori di **uxorare* si hanno solo nei dialetti dell'Italia meridionale, il francese e il provenzale antico avevano ancora forme popolari risalenti a *uxor*, tracce di **uxorare* sono documentate anche per l'Italia mediana «ke lu voleva puro *exorare*»: *Ritmo di S. Alessio*, v. 108), e (o)*scioreccio* (da **uxoricium*) si ricava da documenti di Lucca e di Pistoia del s. XIII (Serra, *Arch. glott. it.*, XXXIII, 1941, p. 123).

Valendoci del metodo areale, opportunamente integrato dalle testimonianze dei testi, vediamo che in molti casi l'area italiana concorda con quella dell'Iberia e della Gallia, in altri casi con quella della Dacia; in un numero grandissimo di casi la coincidenza si ha solo fra Gallia e

---

[72] H. F. Muller, *Époque mérovingienne*, New York 1945, p. 225.

[73] La scarsa vitalità di *interficere* rispetto a *occidere* nella lingua parlata postclassica è mostrato dal fatto che in Petronio *interficere* è usato una sola volta, *occidere* sedici.

[74] Si ricordi il *fabellare* che appare tre volte nel Ritmo cassinese.

Italia. Ciò trova corrispondenza con le conclusioni degli storici, che fino a tutto il III secolo la circolazione entro l'àmbito imperiale fu assai intensa; e se più tardi fu molto minore, i rapporti fra Gallia e Italia non s'interruppero mai.

Le innovazioni sorte in Italia nella tarda età imperiale arrivano molto più difficilmente nelle province, cosicché l'Iberia e la Dacia (e anche la Sardegna) conservano una latinità in complesso più arcaica di quella della penisola italiana. Nell'àmbito italiano l'Italia meridionale mantiene un maggior numero di fenomeni e di voci arcaiche, in confronto specialmente con l'Italia settentrionale, che va più spesso d'accordo con la Gallia: l'Italia centrale mantiene quella sua posizione intermedia che nei secoli venturi le agevolerà la sua funzione mediatrice.

15. Mutamenti di significato

I mutamenti di significato avvenuti nel latino parlato dell'età imperiale sono assai numerosi. In parte essi si presentano in modo tale che potremmo trovarli in qualsiasi altro tempo e luogo. Che ACER dal significato di «acuto» sia passato a quello di «agro», che COLLOCARE, COLLOCARE SE si sia ristretto a quel significato «coricare, coricarsi» che in età classica non aveva che occasionalmente (*collocate puellulam* è già in Catullo, *Carm.*, 61, v. 188), che BUCCA «gota» sia passato a indicare la vicina *bocca*, per rimediare all'inopportuna omonimia in cui era venuto a trovarsi *os* (p. 38): tutto ciò rientra nei fenomeni più generali della semantica.

Ma da altri mutamenti ricaviamo indizi interessanti sulle condizioni sociali e sulla psicologia collettiva dell'ambiente in cui quei fenomeni hanno avuto origine e, in genere, della loro età. Per indicare la «tavola per i pasti familiari», il *desco*, si diffonde DISCUS: prova che essa era per lo più rotonda. Il BUSTUM era il luogo dove si bruciavano i cadaveri, quindi il sepolcro: l'uso di adornare i sepolcri con le immagini scolpite dei defunti ha dato origine al significato italiano di *busto*. Il grecismo ORGANUM voleva dire in generale «strumento»: lo specificarsi del significato al particolare strumento musicale chiamato *organo* mostra la voga che esso ebbe in età imperiale.

Spessissimo vediamo – ed è un indizio che ci palesa le condizioni in cui la latinità parlata si perpetuò – che quando si avevano in età classica parole di duplice significato, uno concreto e uno astratto, solo quello concreto sopravvive nell'uso parlato (l'altro, se mai, sarà restaurato più tardi come latinismo). Ecco qualche esempio: GRADUS: sopravvive nel senso di «gradino», muore in quello di «grado» (*grado* è voce dotta); PAGINA «pergolato» e «pagina» : vive nella voce *pania* (*pagina* è voce dotta); PUTARE «tagliare» e «ritenere»: persiste come *potare*; STIRPS vive solo nel significato di «sterpo» e non in quello figurato di «stirpe, discendenza»; STIMULUS «pungolo» e «stimolo»: persiste in molti dialetti nel primo significato, sotto la forma *stómbolo* che risale a una variante *STUMULUS.

E se FISCUS è scomparso dalla lingua parlata, sia nel significato di «cesto» che in quello di «cassa dello Stato (o dell'imperatore)», i diminutivi *fiscolo, fiscola, fiscina, fiscella* dei dialetti meridionali si ricollegano al significato più concreto.

Rarissimo è il caso che il concreto e l'astratto si continuino ambedue, come INGENIUM nel senso d'«ingegno» e in quello di «congegno» (*l'ingegno della chiave*; cfr. il derivato *ingegnere*).

Molti fra i mutamenti di significato ci mostrano questa tendenza all'espressione concreta, eppur vivacemente colorita, e quindi ci fanno intravedere l'influenza predominante degli strati plebei in queste innovazioni.

Il lat. EXEMPLUM vive nell'italiano *scempio* (propr. «una strage tale da servire di esempio»); FUGA si continua in *foga*; FURIA in *foia*, TESTA «recipiente di terracotta; guscio» è adoperato, dapprima scherzosamente, in luogo dell'ormai troppo scialbo *caput* (cfr. p. 38); e similmente il diminutivo *TESTULUM, da cui *teschio*; GRANDIS arriva a prevalere su *magnus* perché ha una stretta associazione formale con le voci *grossus* e *grassus*, più calde e concrete.

Per esprimere il dolore, non basta più PLORARE, ma si dice che ci si graffiano le guance, ci si picchia il petto: questo significavano LANIARE SE, PLANGERE, che poi passano semplicemente a *lagnarsi* e *piangere*.

E, fra le tante espressioni per «morire», nasce ora quella, così evidentemente plebea, di CREPARE «scoppiare» («praecipitaveruntque eos de summo in praeceps, qui universi crepuerunt»: *Vulg.*, II *Paral.*, XXV, 12).

Una larga serie di parole mostra mutamenti di significato tali che di per sé testimoniano di un ambiente rustico: con lo spopolarsi delle città negli ultimi secoli dell'Impero, la vita più attiva si svolse nelle campagne, e molte parole ne serbano traccia, *hodieque manent vestigia ruris* (Hor., *Ep.*, II, I, v. 160).

La sopravvivenza di PATRONUS nel significato che ha *padrone* sembra riferirsi a quell'istituto del patrocinio per cui moltissimi preferirono rinunziare alla libertà e ai gravami fiscali diventando affittuari di ricchi proprietari, loro patroni[75].

La sparizione del vocabolo DOMUS[76] e il prevalere di CASA, che in età classica significava «capanna, casetta rustica» è indizio di ruralizzazione.

La macchina per eccellenza è la mola del mugnaio (lat. MACHINA, it. *macina*).

PULLUS non è più il piccolo di qualsiasi animale, ma specificamente il *pollo*: e quanto importante sia la pollicoltura si vede anche da INDEX

---

[75] Il fenomeno già appare nel sec. II (Rostovzev, *Storia*, cit., p. 240) e poi si aggrava sempre più («dediticios se divitum faciunt»: Salviano, *De gubernat. Dei*, V, 38).

[76] Fuorché in Sardegna; e nella voce *duomo*, ellittica per *domus ecclesiae*, la casa dei canonici annessa alla chiesa.

passato a *éndice*, da CUBARE che prende il significato specifico di *covare*. Il verbo PONERE assume in qualche area (Arezzo *pónere*, Bologna, Modena p*'ander*) il significato di «mettere a covare» (mentre nel Friuli, in Francia, in Catalogna assume quello di «far le uova»).

Invece CATULUS, che pure significava il nato di un animale, prende ora, con la forma *cacchio*, il significato di «primo tralcio» o, all'accrescitivo (*cacchione*), quello di «penna che sta spuntando» o di «larva d'insetto».

L'HORTUS, che presso i Romani era insieme «orto» e «giardino», si riduce al solo significato utilitario (*orto*). Lo STILUS si limita al valore di *stelo*; THYRSUS non sopravvive nel significato mitologico e letterario di «tirso» delle Menadi, ma come un assai prosaico *tórso* o *tórsolo*.

La META vive solo in qualche luogo nel senso di «meta (di giochi fanciulleschi)», p. es. nel venez. *mèa* (l'it. *mèta* non è, ben s'intende, voce ereditaria): vivissimi invece sono i significati rustici di *méta* «catasta», «mucchio di fieno», «pezzo di sterco».

Da MINARI «minacciare» si passa a *menare* «condurre» attraverso l'accezione di «condurre animali minacciandoli o percotendoli» che risulta chiara nella glossa di Festo: «Agasones: equos agentes id est *minantes*» (p. 23 Lindsay).

Il significato astratto di *volta* (da un lat. *VOLVITA) si spiega bene partendo dal voltarsi dei buoi giunti all'estremità del campo (cfr. anche *tornata* e *tornatura*).

E, per citare un ultimo esempio, il Rajna (*Speculum*, III, p. 301) spiegava così la coniazione del termine ALBA: «che nei parlanti latino si sia sentito il bisogno di una parola che esprimesse la fase intermedia fra il crepuscolo e l'aurora, ben si capisce. Sentirlo dovettero specialmente, e provvedere, i campagnuoli, sempre mattinieri».

Fortissima era già stata l'impronta della vita rustica nel latino preclassico[77]; prevalentemente rustico il latino apparve di nuovo, mentre stava per trasformarsi in neolatino.

In molti altri casi i mutamenti semantici si sono prodotti in ambienti speciali, più o meno tecnici. È una metafora militare PAPILIO nel senso di «tenda», per confronto con le ali aperte di una farfalla («tentoria, quos etiam papiliones vocant»: S. Agostino, *Locutiones de Genesi*, I, 114): di qui l'italiano *padiglione*, il fr. *pavillon*, ecc. Anche ORDINARE nel senso di «comandare» proverrà dalla lingua militare.

Fra i mutamenti semantici che si possono attribuire al diritto ricordiamo il passaggio da LIBELLUS «libretto» a *livello*, attraverso l'«atto scritto» che regola questa concessione fondiaria. Le parole APPRENDERE, *IMPARARE «procacciarsi una nozione» e INSIGNARE «incidere» quindi «ficcare in testa»[78], da cui *apprendere, imparare, insegnare* si

---

[77] J. Marouzeau, «Le latin langue de paysans», in *Mél. Vendryes*, Parigi 1925, pp. 251-264.
[78] La parola è documentata solo nel primo significato nella glossa «ἐγχαράσσω insigno, inciso» (*Corpus gloss. Lat.*, II, 284, 17).

direbbero nate nel gergo studentesco, in un periodo in cui a scuola si andava sempre meno.

Fegato e *cervello* sono originariamente termini di cucina: FICATUM era propriamente *iecur ficatum* «fegato d'animale ingrassato coi fichi»; in cucina prevale su CEREBRUM il diminutivo CEREBELLUM: di lì poi i due vocaboli passano alla lingua comune.

È probabile che abbia seguito la stessa via anche *spalla* da SPATULA («spatula porcina»: Apicio) e forse anche *gamba*, originariamente termine di veterinaria (CAMBA, GAMBA), trasportato poi all'uomo.

La terminologia delle arti e dei mestieri si arricchisce di metafore dalle fonti consuete (specialmente nomi di animali e di piante): CANTHERIUS *cantiere*, CYC(I)NUS it. mer. *cécënë* «un recipiente», CICONIA, CICONIOLA, sopravvissuto nei dial. sett. per designare vari strumenti, ANATICULA it. mer. *naticchia* «chiavistello», VITIS *vite* (di legno o di metallo), ecc. E la lingua popolare ricorre per metafore a nomi di strumenti noti: così è nato da TORNARE «far girare sul tornio» il significato romanzo di *tornare*.

Senza confronto più rare, in questo periodo, sono le ondate semantiche che scendono dall'alto: valga come esempio il nuovo significato che COMES assume al tempo di Costantino, quello di «alto funzionario imperiale» (poi *conte*).

I significati costituiscono un sistema, sia pure non molto rigido, sono cioè tutti concatenati fra loro; e se una parola muta di significato è assai probabile che il mutamento si ripercuota su altre parole. Se BUCCA prende il significato di «bocca», occorre un'altra parola per esprimere il concetto di «guancia» e sarà GABĂTA «ciotola», adoperato metaforicamente: di qui l'it. *gota*. Se MITTERE passa dal significato di «mandare» a quello di «mettere» («et nemo *mittit* vinum novum in utres veteres»: *Vulg.*, *Luc.*, V, 37), occorre un nuovo verbo per esprimere quella prima nozione, e sarà *mandare*. Il verbo FERIRE passa dal significato di «colpire» a quello nuovo di «ferire», ed è sostituito da PERCUTERE. In quelle aree in cui MULIER prende il significato di «moglie», occorre esprimere con un'altra parola il concetto di «femmina»; e così via.

16. Semantica cristiana

Moltissime parole mutano di significato in conseguenza della rivoluzione spirituale portata dal Cristianesimo, e penetrata in pochi secoli in tutti gli strati della popolazione. La massima parte dei vocaboli che si riferiscono alla vita dello spirito ricevono nuovi significati o almeno nuove connotazioni; i concetti morali e religiosi collegati con il pensiero pagano vengono travolti o sconvolti dalla concezione cristiana e dai nuovi rapporti che essa proclama fra il divino e l'umano.

Si pensi al significato di parole come FIDES, SPES, CARITAS, VIRTUS,

PASSIO, MUNDUS, SAECULUM, PIUS, SACER, PECCARE, COMMUNICARE nella lingua del tempo di Augusto e in quella del tempo di Teodosio.

Della lotta fra i due diversi significati della parola SALUS, intesa dai pagani come «sanità» e dai cristiani come «salvezza» abbiamo una curiosa testimonianza in un sermone di S. Agostino[79].

Come la semenza evangelica sia sbocciata nei nuovi concetti, è stato studiato in saggi innumerevoli di teologia, filosofia, liturgia: a noi importa qui soltanto segnalare la grandiosa trasmutazione[80].

Talvolta il mutamento di significato ha origine da un preciso riferimento a un passo evangelico.

L'estensione di MASSA da «pasta fermentata che serve per fare il pane» a gruppi di persone è un'allusione a un passo di S. Paolo (*Rom.*, IX, 21: il vasaio che trae come vuole i suoi vasi dalla *massa luti*) frequente nelle controversie religiose del IV secolo: S. Ottato di Milevi considera *massa poenitentium* i Cattolici soggetti ai Donatisti, l'Ambrosiastro e S. Agostino raffigurano l'umanità peccatrice come una *massa peccati* in conseguenza del fallo di Adamo.

Il verbo TRADERE prende il significato di *tradire* per riferimento a Giuda che «consegnò» Gesù («Iudas qui *tradidit* eum»; *Matth.*, XXVI, 25) e a quei vescovi *traditores* che al tempo della persecuzione di Diocleziano consegnarono alle autorità i testi sacri.

Anche il passaggio di significato dal lat. CAPTIVUS all'it. *cattivo* «malvagio» (e al fr. *chétif* «miserabile») è dovuto al latino cristiano, e cioè all'uso in locuzioni come *captivus diaboli* e simili («prigioniero del diavolo, ossesso»), le quali l'inquadrano nella teoria agostiniana della predestinazione[81].

La voce del tardo latino MALIFATIUS, da *malum fatum*, forse è stata suggerita anch'essa dalla dottrina della predestinazione: da essa proviene *malvagio*[82].

Ancor oggi si discute come PAGANUS abbia assunto il significato opposto a CHRISTIANUS[83].

Voci generiche, associate a modi particolari di vita, prendono significato più ristretto: VESPER sopravvive applicato alle preghiere

---

[79] «Attendebat enim forte Christianus pauper humilis in Pagano forte divite ac potenti, attendebat florem foeni et eligebat eum fortasse patronum habere magis quam Deum. Hunc alloquitur Psalmus (CXLV, 3): 'Nolite fidere in principes et in filios hominum quibus non est salus'. Ille continuo respondet: 'Numquid de isto dicit, cui non est *salus*? Ecce sanus est: hodie illum vegetum video'»: Migne, *Patrol. Lat.*, XLVI, 917.

[80] Fra la sterminata bibliografia ci limitiamo a ricordare: H. Rönsch, *Itala und Vulgata*, cit., H. Rheinfelder, *Kultsprache und Profansprache in den rom. Ländern*, Firenze 1933, H. Jansen, *Kultur und Sprache*, Nimega 1938.

[81] Ma va ricordato che già in Seneca si trovano locuzioni come *irae captivus*. Cfr. von Wartburg, *Franz. etym. Wört.*, s. v. *captivus*, e Ph. Haerle, *Captivus-cattivo-chétif*, Berna 1955.

[82] Schuchardt, *Zeitschr. rom. Phil.*, XXX, 1906, p. 327.

[83] V. da ultimo S. Boscherini, in *Lingua nostra*, XVII, 1956, pp. 101-107.

dette a una data ora della sera, i *vespri*, IEIUNIUM è il *digiuno* secondo le prescrizioni della Chiesa, PLEBS si restringe a indicare la *pieve*, cioè la parrocchia rurale. La TUNICA romana sopravvive trasformata nella *tonaca* ecclesiastica.

Quanto alle parole più strettamente associate al culto pagano esse o spariscono, come p. es. ARA, sostituita sempre più frequentemente da ALTARE, finché questa voce trionfa con S. Girolamo che l'adotta nella *Vulgata*; o si laicizzano, come p. es. LUSTRARE che dal significato di «espiare con sacrifici» passa a quello di «lucidare»; o assumono colorito spregiativo: è la sorte toccata a parecchi nomi di divinità, ridotti a nomi di esseri malefici: DIANA sopravvive in molti dialetti romanzi col significato di «fata, ninfa, strega», ORCUS come *orco*, ecc.[84].

Parecchi tra i mutamenti semantici del latino cristiano sono dovuti, com'è noto, a calchi sul greco; e alcuni a calchi che già il greco aveva fatti sull'ebraico. Basterà ricordare un paio di esempi: *passio* che ricalca πάθος, *salvare* e *salvator* con i significati di σώωζω e σωτήρ, *Dominus* equivalente a Κύριος, *testamentum* calcato su διαϑήκη, che a sua volta ha il significato dell'ebr. *berith* «alleanza» ecc. (qualche altro esempio alle pp. 34-35).

Se si aggiungono i mutamenti semantici or ora esemplificati alla penetrazione dei grecismi e alla coniazione di vocaboli nuovi, ci si renderà conto dello sconvolgimento operato nel lessico dal cristianesimo.

17. Tarde coniazioni dotte

In questi ultimi paragrafi (§§ 12-16) ci siamo occupati soltanto delle parole che avendo messo radici nel latino parlato d'Italia sono riuscite a sopravvivere attraverso i secoli per via ereditaria. Senza confronto più numerose sono quelle che entrano nella tradizione scritta cominciando da testi di età imperiale. Sono voci giuridiche, amministrative, filosofiche, teologiche, ecc.: voci come *parentela*; *inventarium*, *secretarius*, *primicerius*, *limitrophus*; *brephotrophium*, *nosocomium*; *intimare*, *ultimare*; *scibilis*, *scientificus*, *multiplicitas*; *vivificare*, *mortificare*, *glorificare*, *beatificare*; *confortare*; *incorruptibilis*; ecc. Ne dovremo tener conto nei capitoli successivi, quando vedremo in ogni secolo l'italiano attingere alla latinità scritta: non a quella classica soltanto ma anche a quella tarda e a quella medievale.

---

[84] Migliorini, *Dal nome proprio*, pp. 310-318.

CAPITOLO II
TRA IL LATINO E L'ITALIANO
(476-960)

1. Limiti

Con il 476 comincia la soggezione politica dell'Italia a stirpi straniere, che durerà per molti secoli: fatto anche linguisticamente importante. E nel 960 appare il primo documento in cui si scrive consapevolmente in una nuova lingua: siamo ormai intorno al Mille, quando le sparse membra dell'Italia cominciano a ricomporsi in un barlume d'unità.

2. Romani e Germani. I Goti

L'instaurarsi di una serie di regni barbarici fa sì che si affievolisca o addirittura si perda il sentimento d'appartenenza allo stato imperiale romano e di una relativa preminenza rispetto alle province. Né le pretese di Bisanzio all'universalità dell'Impero, né la restaurazione carolingia mutano questa situazione: non è più Roma, non è più l'Italia che porta l'aquila. Ma se l'unità politica del mondo romano è rotta, persiste, sia pure in tono minore, una comune civiltà, e i rapporti ecclesiastici si mantengono forti; o addirittura crescono, nell'àmbito della *civitas christiana*.

Il vivere secondo la «legge romana», il partecipare, sia pure in modo vago e lontano, del primato ecclesiastico rivendicato da Roma, rendono in Italia molto più difficile che altrove il distacco dall'universalismo imperiale. Perché sul concetto geografico dell'Italia s'innesti il concetto d'una particolare nazione italiana bisognerà che gli altri particolarismi nazionali siano già arrivati a vigoreggiare. E bisognerà d'altro lato che il concetto di nazione vinca i particolarismi locali, che proprio in questo mezzo millennio si vengono più che mai approfondendo.

Il dominio degli Eruli, dei Goti, dei Longobardi ha anzitutto la forma d'una colonizzazione militare.

I Goti, già vissuti per un paio di secoli a contatto con i Romani nelle loro sedi danubiane, ne avevano certo subìto un forte influsso. La tendenza a romanizzarsi, sia dei Visigoti che si stanziano nell'Iberia e nella Gallia meridionale, sia degli Ostrogoti discesi in Italia con Teodorico (489), è evidente; e si riconosce proprio dagli sforzi fatti dai loro sovrani per evitare che con la romanizzazione andasse perduta l'individualità etnica e la virtù guerriera del loro popolo: essi miravano a ottenere che i Goti assimilassero la saggezza romana e conservassero il valore barbarico (*Romanorum prudentiam caperent et virtutem gentium possiderent*: Cassiodoro, *Variar.*, III, 23).

Dev'essere di poco posteriore al tempo della conquista l'epigramma conservatoci dall'*Anthologia Latina*, di un Romano che non sapeva più che versi comporre, nel frastuono delle parole gotiche che risonavano intorno a lui:

> Inter *eils* goticum, *scapia, matzia, ia, drincan,*
> non audet quisquam dignos edicere versus[1].

Ma il fatto stesso di prender la penna in mano per scrivere fa inclinare verso il latino: le sottoscrizioni di sacerdoti ariani nei papiri ravennati sono più spesso in latino che in gotico.

Specie nei luoghi dove avvennero più forti stanziamenti, le professioni di legge gotica si mantengono a lungo[2]; ma le testimonianze che si ricavano dalle parole gotiche sopravvissute sembrano rivelare un inabissarsi nella romanità circostante, collegato ad una decadenza sociale. «Che differenza dalle abbondanti serie di nozioni, in cui si manifesta l'influenza della cultura franca nella Francia settentrionale! Negli imprestiti gotici in italiano si rispecchia tutta la miseria della popolazione straniera restata in Italia, che fino all'arrivo dei nuovi signori germanici, i Longobardi, condusse una vita da paria»[3].

Con la capitolazione degli ultimi Goti (555) si concludeva la conquista o riconquista dell'Italia da parte di Bisanzio. Quando vediamo Aligerno, fratello di Teia, che comandava le truppe di Cuma, arrendersi a Narsete consegnandogli la città e il tesoro, lo vediamo in qualche modo perdere la sua individualità di capo barbarico, diventar suddito e quindi mescolarsi alla vita dei sudditi romani[4].

Se questa riconquista abbia contribuito a portare in Italia qualche influenza greca, ci è difficile dire: ciò che più importa tener presente è la nuova divisione geografico-politica dell'Italia che viene ad instaurarsi dopo l'entrata dei Longobardi in Italia (568) e le loro conquiste.

3. I Longobardi

I Longobardi non erano molto numerosi: benché si siano tentate valutazioni molto varie, gli storici più autorevoli ritengono che i

---

[1] *Anthologia Latina*, ed. Riese, I, n. 285; cfr. W. Streitberg, *Got. Elementarbuch*, Heidelberg 1920, pp. 37-38.

[2] A Goito (*fundus Godi, campus Godi, vico Godi*) in un documento del 1045 vi sono persone che professano «legem vivere Gothorum» (Tamassia, *Atti Ist. Ven.*, LXI, 1901, p. 131 ss., D. Olivieri, *Dizionario di toponomastica lombarda*, Milano 1931, p. 273).

[3] E. Gamillscheg, *Rom. Germ.*, II, p. 29.

[4] Dobbiamo la notizia allo storico bizantino Agatìa (Agathias, *Histor.*, I, 20).

combattenti non fossero più di 15.000[5]. Quantunque i contatti che essi avevano già avuti con i popoli civili li avessero un po' dirozzati e cristianizzati (erano di religione ariana), essi entravano in Italia non più come ospiti o aspirando a una qualche investitura di potere da parte dell'Impero, ma come un esercito di conquistatori, liberi di imporre ai vinti le condizioni che volessero. Stanziandosi, di preferenza, nei grandi latifondi, e occupandone le parti migliori, non disdegnarono tuttavia le città, fatte sedi dei loro duchi. Con la fondazione di castelli organizzano le sparse *fare* in un inquadramento di tipo militare, e sottraggono alle città parte del loro raggio di influenza. I loro stanziamenti più fitti furono nell'Italia settentrionale e nella Tuscia, come risulta, oltre che dalle fonti storiche, dalle tracce toponomastiche; meno fitti dovevano essere nei ducati di Spoleto e di Benevento: ma ciò non toglie che il carattere longobardo di Benevento (sia nelle imprese militari, sia nell'attaccamento alle credenze religiose) fosse assai forte.

Il carattere di classe militare dominante fa sì che i Longobardi oscillino rispetto ai loro sudditi, decaduti dalla loro potenza eppure detentori di una cultura superiore alla loro, fra il disprezzo e l'invidia: si mescolano in loro un complesso di superiorità e un complesso d'inferiorità.

Le relazioni fra le due stirpi dovettero lentamente mutare durante la lunga convivenza: dure al tempo di Alboino e di Clefi, meno dure al tempo di Liutprando e degli ultimi re, benché si veda o s'intraveda sempre la spinta di gruppi particolarmente intransigenti.

Quale fosse lo stato dei sudditi viventi secondo la legge romana, fino a che punto fosse progredita la fusione quando nel 773 sopravvenne l'invasione franca, gli storici hanno a lungo discusso, e tutti ricordano il contributo portato a questi studi dal Muratori e dal Manzoni. In questo lento processo quel che importerebbe a noi sapere è il progredire della romanizzazione linguistica: sapere cioè in che misura i Longobardi divennero bilingui e poi abbandonarono la loro lingua nazionale; e con quale rapidità il processo avvenne nei vari tempi e luoghi. Purtroppo non è lecito, per scarsezza di documentazione, sperare che si possa precisar molto.

Il nostro problema è parallelo a quello che si pongono i giuristi, ma altra cosa è la persistenza degli istituti giuridici, altra quella della lingua: il diritto longobardo passato da legge personale[6] a diritto consuetudinario locale, solo nel sec. XIV sarà sopraffatto nell'Italia meridionale, dove più tenacemente era sopravvissuto.

Lombardi si chiameranno anche a lungo i piccoli nobili del contado

---

[5] È la valutazione di H. Delbrück, accolta da W. Goetz, *Italien im Mittelalter*, I, Lipsia, 1942, p. 13.

[6] Nel 998, a Roma, Ugo abate di Farfa chiede di essere giudicato secondo la legge longobarda, e l'imperatore Ottone III acconsente. E le leggi personali persisteranno a lungo.

avversi ai comuni: probabilmente discendenti e eredi dei conquistatori.
Viceversa, anche in Italia appare qualche accenno di quella che fu la
sorte del nome di *Romano* presso i Latini d'Oriente, presso i quali
rumîn finì col significare «servo della gleba»: in un documento di
Pistoia del 767 *romani* ha il senso di «coltivatori» per antonomasia:
«omnes romani qui modo sunt vel eorum heredibus» (*Codice diplomatico Longobardo*, II, p. 219).

Per la lingua abbiamo un interessante aneddoto riferito al principio
dell'ottavo secolo e tramandatoci da Paolo Diacono, il dotto longobardo fattosi storico del suo popolo: il duca Ferdulfo rimprovera allo
sculdascio Argait di non aver catturati certi ladri: «quando tu aliquid
fortiter facere poteras qui Argait ab *arga* nomen deductum habes»
(*Hist. Lang.*, IV, 24), e da questa accusa di «viltà» nasce fra i due una
gara che porta a una vittoria degli Slavi. Paolo Diacono qualifica
questo scambio d'insolenze «vulgaria verba», cioè «parole triviali» – e
non mi sembra si possa dedurne, come faceva il Hartmann[7], che i
Longobardi più distinti parlassero già latino fra loro. Un passo del
Chronicon Salernitanum (c. 38) composto nel 978 circa ci attesta:
«lingua todesca quod olim Longobardi loquebantur» (*Mon. Germ. hist.*,
Script., III, p. 489) che mostra come nel X secolo il longobardo non fosse
più parlato nell'Italia meridionale (benché il cronista sia tuttora in
grado di spiegare qualche voce).

Mentre il Bluhme[8] pensava che già il «romaneggiante» re Liutprando avesse ormai solo una scarsa conoscenza della lingua longobarda, il
Bruckner sosteneva addirittura che gruppi di persone che parlavano il
longobardo persistessero, almeno in alcuni territori, all'alba del secondo millennio[9]. Ma gli argomenti su cui egli si fonda si sbriciolano se li
guardiamo davvicino; l'*ih* di un documento dell'872 non è un *ich* ma un
hic, i pretesi soprannomi germanici del 919 e del 1003 non sono affatto
verosimili[10].

Il Hartmann, come abbiamo accennato, propende a credere a
un'assimilazione relativamente rapida (e più rapida presso le classi
dominanti). Insomma è probabile che al tempo della conquista franca,
ci fossero ormai solo alcuni nuclei che continuassero l'uso del longobardo, pur essendo anch'essi diventati bilingui[11].

[7] L. M. Hartmann, *Geschichte Italiens im Mittelalter*, II, 2, Gotha 1903, p. 58.

[8] F. Bluhme, *Die Gens Longobardorum*, II, Bonn 1874, p. 3.

[9] W. Bruckner, *Die Sprache der Langobarden*, Strasburgo 1895, p. 13.

[10] L'esempio del 919 (*Joh. Zanvidi filii quondam Petri Zanvidi*) è di Chioggia,
cioè di un'area dove l'onomastica greco-latina ha una predominanza schiacciante, e non si può intendere altro che «Gian-Vito» (così lo interpreta anche l'Olivieri,
in *Onomastica*, Ginevra 1923, p. 140, senza conoscere l'ipotesi del Bruckner);
l'esempio del 1003 (il soprannome *Scarnafol*) potrebbe essere uno «scher,nisci-
pazzo», ed è comunque tanto isolato che non può essere tenuto in conto.

[11] Purtroppo nulla possiamo dedurre per il grado di bilinguismo dei Longobardi dall'episodio che ci narra Paolo Diacono (*Hist. Lang.*, V, 29) di quel capo di
Bulgari di nome Alzeco, che al tempo di re Grimoaldo ottenne per sé e i suoi

La conquista franca indubbiamente accelerò i tempi della romanizzazione linguistica. I Longobardi dei ceti meno alti entrarono in rapporti sempre più stretti coi Romani con cui convivevano; quelli dei ceti più alti si trovarono sì a dividere i «servi» e gli «armenti» con i Franchi che erano sopravvenuti, in numero non grande ma favoriti dalla protezione regia: ma la romanizzazione dei Franchi era già così avanzata che è da presumere che abbiano trovato più comodo per intendersi adoperare una specie di latino intriso di volgarismi romanzi, piuttosto che di quel poco che ormai dovevano possedere delle loro rispettive lingue germaniche[12].

Nell'845, in un placito tenuto a Trento a proposito dei possessi di un monastero in val Lagarina[13] si parla dei vassalli «tam Teutisci quam et Langobardi», e uno di questi, nativo di Tierno, portava il soprannome di *Suplainpunio*, *Supplainpunio* «Soffia-in-pugno», cioè era ormai un «Lombardo» e non un «Longobardo».

Poco c'insegnano per quel che concerne il procedere del bilinguismo le glosse e i glossari. Già nei testi degli editti qualche termine più difficile, longobardo o no, è spiegato con un sinonimo[14].

Evidentemente il moltiplicarsi delle glosse e la compilazione di veri e propri glossari (specialmente nel territorio beneventano, nel sec. IX)[15] palesa l'ignoranza non sappiamo se progrediente o ormai completa del longobardo; ma bisogna anche tener conto dell'estendersi dell'uso delle leggi longobarde a luoghi dove non c'era mai stata colonizzazione longobarda.

Opinioni molto diverse si sono avute e si hanno tuttora anche intorno al modo di vita degli Italiani sotto il dominio longobardo. Certo si ebbero momenti terribili (stragi di proprietari al tempo di Clefi) ma in complesso una vita e una cultura urbana persistettero: sia ecclesiastica[16] che laica. Si pensi al persistere di tradizioni agiografiche, scolastiche, giuridiche (con l'ininterrotta vitalità della scuola di Pavia)[17], si pensi alle tradizioni agrimensorie attestateci dalle *Casae litterarum*, alle tradizioni metallurgiche di cui danno prova le *Compositiones Lucenses*: testi ambedue di età longobarda.

---

uomini terre a Sepino, Boviano, Isernia, «qui usque hodie in his ut dicimus locis habitantes, quamquam et Latine loquantur, linguae tamen propriae usum minime amiserunt».

[12] Tanto più che dopo la seconda mutazione consonantica subita dal longobardo la differenza tra longobardo e franco era ormai piuttosto forte.

[13] Cipolla, *Arch. storico per Trieste* ecc., I, 1882, pp. 274-300; Id., *Rend. Acc. Lincei*, s. 5ª IX, p. 415.

[14] «De *hairaub* (rairaub), hoc est *qui hominem mortuum invenerit*» (*Ed. Rothari*, § 16) e simili; ma anche all'infuori dei termini germanici si hanno sinonimie come «De *palo quod est carracio*» (ivi, § 293) e simili.

[15] *Mon. Germ. hist.*, *Leges*, IV, pp. 652-657.

[16] Ci dice Paolo Diacono (IV, 42) che al tempo di Rotari in quasi tutte le città del regno c'erano due vescovi, uno cattolico e uno ariano.

[17] Viscardi, *Le origini*, 2ª ediz., Milano 1950, passim.

Se in origine i Longobardi non avevano desiderato la proprietà fondiaria di per sé, ma in quanto potevano ottenerne i frutti senza coltivarla, più tardi molti degli stessi arimanni si erano trasformati in agricoltori, e già l'editto di Rotari (643) ci mostra i legami che i Longobardi ormai hanno con la terra.

Si svolge in questo periodo nell'Italia longobarda (e solo in essa, poiché sembra non se ne abbia traccia in quella bizantina) la *curtis*, con la sua economia autosufficiente o quasi, accentrata intorno a un monastero, oppure intorno a una villa tenuta da un signore longobardo (più tardi franco).

Le condizioni politiche ed economiche ci fanno pensare a una scarsa circolazione e perciò a un isolamento crescente di piccole unità quasi autosufficienti, parrocchiali o diocesane.

Tuttavia non manca una certa circolazione. Anzitutto vanno ricordati i *magistri com(m)acini*, nominati dall'editto di Rotari, dal *Memoratorium de mercedibus magistrorum commacinorum* e anche, non di rado, dai documenti (p. es. in un documento di Toscanella del 739: *Cod. dipl. Long.*, I, p. 216)[18].

Poi non mancavano i mercanti[19]: e artigiani e mercanti saranno stati quei *Transpadani* o *Transpadini* che troviamo in Toscana e nel Lazio in età longobarda (Arezzo 715, Pistoia 742, Marta 765, Lucca 772).

I patti di Liutprando con Comacchio, e i diritti di dazio che allora si fissano, ci mostrano la regolarità dei traffici fluviali con gli empori adriatici.

4. *La circolazione linguistica al tempo dei Longobardi*

La divisione d'Italia che la conquista longobarda segnò e che intorno al 680 si consolidò con una pace o una tregua che implicava da parte dei Bizantini una tacita rinunzia alla riconquista, ebbe, come si sa, una influenza politica enorme, perché solo il Risorgimento cancellò politicamente quei confini. Non dobbiamo tuttavia credere che la circolazione linguistica fosse del tutto interrotta. Si sa che Roma era congiunta all'Esarcato da quel «corridoio» bizantino (e più tardi

---

[18] Con molta probabilità il loro nome, come già sostenne il Muratori, non è altro che l'etnico di Como (v. spec. P. G. Goidànich, in *Lingua nostra*, II, 1940, pp. 26-29). La proposta del Bognetti e del De Capitani (nel volume su *Santa Maria di Castelseprio*, Milano 1948, pp. 290, 469, 710-711) di trarne il nome dalla Commagene, provincia della Siria, benché assai ingegnoso (per il tentativo di inserire l'opera dei *com(m)acini* nel quadro delle influenze orientali sull'arte italiana) non arriva a convincerci. Ci sembra che, se fosse vera l'ipotesi, dovremmo trovare almeno qualche volta il nome ben più comune di *Siri* o *Sirici*. Fanno riscontro ai *Comacini* «comaschi» gli *Antelami* «carpentieri, poi muratori e lapicidi della Val d'Intelvi» (Bognetti, ivi, p. 282).

[19] F. Carli, *Il Mercato nell'alto Medio Evo*, Padova 1934, *passim*.

papale) che seguiva la via Flaminia; Venezia, Bari, Amalfi, Napoli comunicavano fra di loro e con l'Oriente soprattutto per via di mare.

Se, nella geografia dialettale, qualche traccia di quel «corridoio» si può ancora notare, non scorgiamo affatto quella differenza che a priori ci si potrebbe aspettare, poniamo, tra Bologna e Ravenna da una parte, Parma, Piacenza, Pavia dall'altra. Ma purtroppo è impossibile dire se questo si debba a una ininterrotta continuità di traffico, ovvero a un conguagliamento più tardo[20].

Importanti, nella geografia culturale dell'età longobarda, sono i rapporti fra la Lombardia e la Toscana, e anche quelli con i Longobardi dei ducati meridionali.

In linea d'ipotesi, se ai germi di disunione che già il latino parlato d'Italia presentava negli ultimi tempi dell'Impero (substrati diversi, linee di traffico orizzontali più importanti di quelle verticali) si fosse venuta ad aggiungere una diversità di dominio, se cioè, poniamo, la Toscana fosse rimasta bizantina, la differenziazione fra essa e il Nord sarebbe stata anche più grande, e quindi difficilmente la Toscana sarebbe stata in grado di svolgere quella che fu più tardi la sua funzione storica, di mediatrice fra Italia settentrionale e meridionale. Ma fra il riconoscere questo e il farne un merito ai Longobardi, ci corre molta differenza: ci accontenteremo di dire che fortunatamente quelli che distrussero l'unità politica d'Italia non ne separarono le parti in tal modo da compromettere la riedificazione di una lingua comune a tutta la penisola anche prima che si potesse giungere alla riedificazione dell'unità politica.

Non mancano argomenti per negare che i Longobardi venissero a ricostruire una circolazione linguistica che era sul punto di spezzarsi. Anzitutto si hanno alcune voci con ogni probabilità gotiche la cui area si estende al settentrione e al centro: per es. *rócca* (da filare) e *lésina*. Poi la persistenza di esiti fonetici diversi nell'Italia settentrionale e in Toscana, che la circolazione dei tempi longobardi non valse a distruggere né ad attenuare: alludo soprattutto al diverso esito di CE, CI (sibilante nell'Italia settentrionale, palatale del resto d'Italia). Infine la frequenza di risultati diversi dati nelle diverse regioni dalle medesime voci longobarde (ne daremo qualche esempio più oltre): ciò mostra che si tratta di più ricezioni avvenute in luoghi diversi, e conferma che la circolazione delle voci longobarde non fu tanto intensa.

Due sono i modi in cui le peculiarità germaniche poterono entrare nel lessico delle parlate romaniche d'Italia: o i futuri Italiani le sentirono dai loro signori mentre ancora essi parlavano germanico, e le ripeterono per farsi capire da quelli; oppure esse rimasero come peculiarità idiomatiche nella parlata di quei (Goti o) Longobardi che,

---

[20] Che potrebbe, diciamo, essere accaduto in quel periodo (s. XI) in cui i giuristi notano sempre più intensi rapporti fra la regione lombardo-toscana e la romano-ravennate (P. S. Leicht, *Il diritto privato preirneriano*, Bologna 1933, pp. 5-6), o anche più tardi.

avendo imparato a parlare romanico, dopo aver perduto l'uso della loro lingua nazionale si fusero linguisticamente con la popolazione rimanente: relitti linguistici, insomma. Solo nel primo caso si tratta propriamente di un effetto del prestigio linguistico, di un'azione del superstrato.

Il bilancio fra i germanismi dei due tipi è molto difficile a farsi. Se l'influenza longobarda fu più forte e più lunga di quella gotica, non può essere confrontata nemmeno da lontano con quella esercitata dai Franchi nella Francia settentrionale. In complesso l'influenza dovuta al prestigio sembra scarsa, mentre la penetrazione dei relitti fu, relativamente, piuttosto copiosa.

5. *I Franchi*

I conquistatori franchi estesero la loro dominazione solo sul settentrione e il centro della penisola, mentre i ducati longobardi meridionali finirono col rendersi pressappoco indipendenti. Ma le buone relazioni instaurate col papato certo conferirono a intensificare le relazioni tra i territori soggetti ai Franchi, il patrimonio di S. Pietro e quegli altri ducati in cui ormai la soggezione all'impero d'Oriente era sempre più vaga. Le relazioni commerciali si fanno più intense[21], e così pure l'affluire dei pellegrini[22].

A differenza dei Goti e dei Longobardi, non abbiamo più un popolo che si muove a cercare nuove sedi, ma, dopo gli scontri per la conquista, un piccolo numero di capi che vanno a occupare posti di comando e di guadagno. La loro influenza di «prestigio» è stata assai notevole, mentre l'influenza eventualmente esercitata dai relitti linguistici di qualche loro stanziamento dev'essere considerata pressoché nulla.

E ormai la romanizzazione dei Franchi di Francia è così avanzata, che dobbiamo considerare anche i germanismi introdotti da loro nell'italiano in formazione a una stregua del tutto diversa da quella delle voci gotiche e longobarde; infatti esse sono ormai voci accolte nel patrimonio romanico di Francia, voci paleofrancesi, ed entrano in Italia, da Carlomagno in poi, allo stesso titolo a cui entrano voci di origine latina foneticamente o semanticamente rielaborate in Francia. Ciò non toglie che talvolta gli indizi fonetici non ci aiutino per nulla e quelli geografici poco (in quanto ci dicono solo che la parola esiste sia in Francia sia in Italia). Può esser utile, in qualche caso, l'indizio

---

[21] Benché anche prima non mancassero: pur senza sapere esattamente che cosa siano le dieci «cumaras et alias *franciscatas*» donate con altri fornimenti per letti da Warnefredo, castaldo di Siena, a una chiesa nel 730 (*Cod. dipl. Long.*, I, p. 169), dobbiamo supporre che si tratti di oggetti designati secondo il luogo di provenienza.

[22] Si veda i capitoli introduttivi dell'importante monografia del Bezzola, *Abbozzo*.

sociale: una parola che si riferisce a usi dei ceti più elevati ha maggior probabilità di essere franca che gotica o longobarda.

La più grave difficoltà in cui c'imbattiamo nello studio degli elementi franchi e paleofrancesi è quella di stabilire la cronologia della loro penetrazione in Italia. A prescindere dal poco che poteva già esser giunto in Italia per influenza merovingia, sia la grande espansione politica e culturale dell'Impero carolingio (VIII-IX s.), sia i contatti religiosi, commerciali, culturali che si hanno nell'età delle Crociate, delle conquiste normanne, della civiltà cavalleresca (XI-XIII s.), si sono svolti prima che l'italiano appaia interamente formato: cosicché in molti casi ci è impossibile dire se una parola sia penetrata in italiano nel tempo di Carlomagno o in quello degli Altavilla o anche più tardi. Solo nel caso, purtroppo non molto frequente, in cui la parola compare nei documenti medievali di età carolingia, possiamo giungere a conclusioni sicure; invece il fatto che un vocabolo non è attestato non permette conclusioni *ex silentio*.

Non si dimentichi che con i Franchi si estende all'Italia il sistema feudale, con le sue divisioni, e quindi, possiamo presumere, con un'accentuazione del frazionamento dialettale.

6. Bizantini e Musulmani

Con il passaggio dell'Esarcato e della Pentapoli al Patrimonio di S. Pietro, il dominio bizantino è ormai definitivamente ridotto all'Italia meridionale. Ma, fra l'età carolingia e quella degli Ottoni, i Bizantini hanno una notevole ripresa politica e culturale, ed è quello il periodo in cui alcune zone dell'Italia meridionale sono colonizzate o ricolonizzate da ellenofoni. Nel X secolo al «regno d'Italia», che comprende l'Italia settentrionale e centrale, si contrappone il «tema bizantino d'Italia», che comprende i ducati campani, i principati longobardi, la Puglia e la Calabria.

Naturalmente oltre che del fattore politico dobbiamo tener conto di quello religioso e di quello commerciale. A Roma sbarcavano sulla *ripa Graeca*, cioè nel quartiere intorno a S. Maria in Cosmedin, le navi che venivano dall'Oriente, e nel sec. X, durante la festa della Cornomannia vi si cantavano versi greci, ed erano largamente intesi[23].

In complesso l'influenza linguistica bizantina in questo mezzo millennio è stata meno forte di quella germanica; tuttavia mentre non si hanno, per quanto addietro si vada nella storia, notizie di isole linguistiche germaniche che risalgano all'età delle invasioni, le isole linguistiche greche di Calabria e di Terra d'Otranto (appartengano

---

[23] Sulla conoscenza del greco a Roma, a Ravenna, a Napoli, in Puglia, in Calabria abbiamo notizie sparse e non molto copiose. V. specialmente Steina-ker, «Die röm. Kirche und die griech. Sprachkenntnisse des Frühmittelalters», in *Festschr. Gomperz*, Vienna 1902, pp. 324-341.

esse ad età bizantina o rappresentino un nuovo innesto bizantino su un ceppo anteriore) sopravvivono tuttora.

La conquista musulmana della Sicilia (sec. IX) portò nell'isola nuclei importanti di Arabi; ma la separazione fra le due stirpi dovuta alla religione, e un certo rispetto dei conquistatori per le usanze e la lingua dei loro sudditi fecero sì che le parlate di Sicilia si svolgessero senz'altra alterazione che l'accoglimento d'un certo numero di vocaboli arabi. Che gruppi notevoli di Siciliani siano stati arabizzati e dopo la cessazione del dominio musulmano rilatinizzati, è da escludere in modo assoluto.

7. La latinità medievale. Alcuni esempi tipici

Se il nome di latino volgare si presta a grandissimi equivoci, poco minori inconvenienti presenta quello di latino medievale[24].

È passato il tempo in cui era necessario rivendicare l'importanza di questo studio, e si sa ora valutare la latinità dei diversi periodi del Medioevo con la loro stessa norma, e non con quella ciceroniana. Quando Gregorio Magno († 604) dice, a proposito della grammatica dei retori, che egli ben conosce, di sprezzarla, per non sottomettere la parola di Dio alle regole di Donato[25], egli vagheggia in modo consapevole un suo proprio ideale di latinità.

E altri, di secolo in secolo, perseguiranno altre norme: non si può dire, p. es., che Benedetto Crispo o Paolo Diacono o Agnello Ravennate non raggiungano una loro efficacia. Resta vero tuttavia che, all'infuori di un sottilissimo strato di persone colte, che mantengono come possono una rispettabile tradizione scolastica, agiografica, giuridica, la conoscenza della lingua scritta è decaduta in modo pauroso.

Si legga qualche passo del rendiconto di un'inchiesta che il notaio regio Guntheram è andato a fare nel 715 nella corte regia di Siena per l'annosa questione della pertinenza a Siena o ad Arezzo di alcune chiese e monasteri nel territorio senese.

Item dixit nobis suprascriptus Aufrit presbiter [de monasterio Sancti Petri ad Absol: 'Homines fuerunt Senensis, ambulabant ad Sancto Felice diocea Clusina; posteas quod Wilerat subtraxit eos de plebe Clusina, illi vero fecerunt sibi

---

[24] Si vedano i capitoli VIII e IX delle *Origini* di A. Viscardi (importantissimi, anche se non tutti i punti mi trovino consenziente). Sulla latinità medievale v. K. Strecker, *Einführung in das Mittellatein*, 2ª ed., Berlino 1939 (anche in trad. francese e inglese), G. Cremaschi, *Guida allo studio del latino medievale*, Padova 1959.

[25] «Et ipsam loquendi artem quam magistri disciplinae exterioris insinuant *servare despexi. Nam sicut huius quoque epistolae tenor denuntiat, non metacismi collisionem fugio, non barbarismi confusionem devito, situs motusque et praepositionum casus servare contemno*, quia indignum vehementer existimo ut verba coelestis oraculi *restringam sub regulis Donati*» (*Exp. in lib. Job*, in Migne, *Patrol. Lat.*, LXXVI, col. 514.

baselica in onore Sancti Ampsani. Dedicavit ea episcopus de Sena per rogo sacerdotum Aretine ecclesiae, eo quod in eorum diocea erat; nam ipsa baselica usque in anno isto semper sub presbiteros de Sancto Vito fuit, qui est diocia Sancti Donati; ...in isto anno infra quadragensima fecit ibi Deodatus episcopus de Sena fontis, et per nocte eas sagravit, et presbiterum suum posuit unum infantulo de annos duodecim; antea, ut dixi, semper ipse tedolus [= titulus] de sub ecclesia Sancti [Donati] fuit...' Item Romanus clericus de castro Policiano dixit: 'Warnefrit gastaldius mihi dicebat: Ecce missus venit inquirere causa ista, et tu, si interrogatus fueris, quomodo *dicere habes*? Ego respondi ei: Cave ut non interroget, nam si interrogatus fuero, veritatem *dicere habeo*. Sic respondit mihi: Ergo *taci*. Tu viro, qui est missus domni regi modo me invenisti, *et non te posso contendere*, Deo teste, quod veritatem scio. Tibi dico quia diocias istas...'[26].

Oppure si leggano documenti privati del secolo VIII: p. es. la carta di vendita di un certo Rodoin stesa dal notaio Ansolf (Pisa 730):

venondavi tivi Dondoni aliquanta terrula in locum qui dicitor ad stabla Marcucci: uno capite tenente in terra Chisoni et alium capite tenente in terra Ciulloni, de uno latere corre via publica...[27].

Oppure il «libello» (redatto dal notaio Teutperto, Lucca 804) con cui Astruda, badessa di S. Maria Ursimanni, dà a Gudolo casa e poderi a Montemagno, e questi si obbliga a corrispondere una parte dei prodotti:

...per singulos annos reddere debeamus medietate vino puro da tertia vices uba bene calcata, et indi vinata, nam non pondum inibi nobis uvandum; quidem et vobis reddere debeamus per singulos annos medietatem aulivas, quas de ipsa res Dominus donare dignatus fuerit; et per omnes vendemia reddere debeamus medio porco valente dinari sex, et tres pani boni mundi, et duo casii mediogrii; seu et duo fila fica sicche bone, et inter cici, farro et linticle sistario uno, et per singulos annos vobis reddere debeamus tres pulli cum quindecim ovas[28].

Persino in testi redatti certamente da uomini fra i più colti del regno affiorano, specie nelle citazioni da dialoghi, curiosi volgarismi. Leggiamo nelle leggi di Liutprando:

Hoc autem rei veritas pervenit ad nos, quod quidam homo diabolum instigantem dixissit ad servum alienum: 'Veni et occide dominum tuum, et ego tibi *facere habeo* bonitatem quam volueris'. Ille autem puer, suasus ab ipso, intravit in causam ipsam malam, et hisdem qui eum suaserat in tantam malitiam perductus est, ut aetiam praesentialiter dicerit eidem puero: 'Feri ipsum dominum tuum', et ipse ei pro peccatis feritam fecit, et iterum dixit ei: 'Feri eum adhuc, nam si non eum feriveris, ego te *ferire habeo*'. Ipse autem puer conversus fecit eidem domino suo alteram feritam, et mortuos est[29].

[26] Schiaparelli, *Cod. dipl. Long.*, I, p. 70 e 74.
[27] Schiaparelli, cit., I, p. 153.
[28] *Memorie e doc. per la storia di Lucca*, V, II, p. 189.
[29] Liutprando, *Leges*, § 138 (in *Mon. Germ. Hist.*, *Leges*, IV, p. 168).

Per prendere un testo d'altro genere, si veda il trattatello intitolato dai filologi *Compositiones ad tingenda musiva* o *Compositiones Lucenses*: è una raccolta di ricette metallurgiche e vetrarie conservata nel cod. 490 della Biblioteca Capitolare di Lucca, la cui stesura si colloca intorno al 600, mentre il codice è dell'800 circa. Ecco le istruzioni che si danno per trasformare l'oro in fili:

Quomodo petalum fiet ad fila aurea. Auro bonum sicut metrum; batte lammina longa et gracile. Quomodo per longum battis, plica eam unum super unum et sic eas battes, sed plecaturas non battis. Et postea aperis aurum per medium et amba capita non battuta in medio veniant; et batte et cum ala eum divide; et post debeas aplanare cum matiola lignea. Et de solum unum debeas facere III petalas. Et post tolles forfices bonas, subtilissima, longas et graciles et circina illum usque ad sanum; et plica unum cata unum petalum; et contine illà cum tenalclla ferrea; et tota sic similiter fieri debet. Et tolle carbones minutos, adprehende illos in focario; et debeas mittere tota petala intro modico et scalda equaliter, ut tota scallldata fiat. Et habes aquam paratam et bersa super, ut adluminentur se ipsa petala...[30].

Non c'è sforzo dialettico che possa spingerci ad ammettere che in Italia nei secoli VII e VIII si parlasse così. Ognuno di questi testi rappresenta una peculiare miscela, dovuta al sovrapporsi nella mente dell'estensore di due norme: da un lato quella della lingua parlata, che è una norma ancora non bene enucleata e fissa, e vige solo come consuetudine inconscia, nata dalla trasmissione ininterrotta e dalla lenta alterazione del latino parlato, e in cerca di un suo nuovo equilibrio; dall'altro la norma della latinità scritta, quale poteva essere sentita e insegnata in quei secoli. Ma se questa norma operava ancora con qualche forza nelle scuole retoriche e giuridiche o nelle officine agiografiche di pochi centri importanti, all'infuori di essi giungeva in forma pallida e larvale.

Dobbiamo immaginare un pover'uomo che abbia imparato alla meglio pochi rudimenti di latino per poter officiare, o quattro formulette per fare il notaio; nel parlare non adopera più né *s*, né *m*, né *t* finali,

---

[30] L, 15-28. Cito dell'edizione Hedfors, Uppsala 1932 (tenendo presente anche lo studio di J. Svennung, in *Uppsala Universitets Årsskrift*, 1941). Ecco una traduzione: «Come la foglia si trasforma in fili d'oro. Prendi oro buono nella quantità occorrente, batti lamina lunga e sottile. Nel batterla per lungo, piegala in tre soprammettendo (le due parti laterali alla parte centrale) e così battile, ma non battere le piegature. E poi apri l'oro per mezzo e le due estremità non battute verranno in mezzo. E batti, e dividi il foglio con una lesina (?); e poi devi appianare con un mazzuolo di legno. E di una sola devi fare tre foglie, e poi prendi forbici buone sottilissime, lunghe, e taglialo (l'oro) sino in fondo; e piega cadauna foglia; e tienla con una tenaglia di ferro; e ciascuna dev'essere trattata così. E prendi carboni minuti, accendili sul focolare; e devi mettere dentro per un po' tutte le foglie e scalda uniformemente, in modo che siano tutte scaldate. E abbi dell'acqua preparata e versala sopra, in modo che esse foglie s'arroventino», ecc.

ma sa che scrivendo bisognerebbe adoperarli, in certi modi, secondo schemi (p. es. l'accusativo), che non sente più e non ha mai imparato ad applicare: quindi scrivendo mette le terminazioni come la memoria gli suggerisce, e perciò non di rado, poiché la memoria non gli suggerisce nulla, come gli capita.

Il peso della tradizione scolastica si manifesta soprattutto con quest'obbligo incombente, a cui nessuno può nemmeno pensare per un istante di potersi sottrarre, l'obbligo di scrivere in latino. Perciò ci appaiono fuori d'ogni realtà quei bizzarri esperimenti che A. Gloria aveva fatti mettendo insieme diversi volgarismi rintracciati nelle carte, p. esempio ricostruendo una lettera che avrebbe potuto essere scritta verso il 750 a Lucca: «A lo domno Gualprando episcopo. Possedeo hodie, patre meo, a Castagnulo in Monticello una casa cum castello, torre, sala, panario, porticale, canava, orticello, curticella e altere adiacentie e pertinentie, uvi soleo abitare cum Racculo meo fratello», ecc.[31].

Ma bisogna tenere assolutamente per fermo che una tradizione popolare ininterrotta sia esistita: che non sia un mito romantico, si può vedere dal riscontro con le parlate romene, che in ambiente culturale unicamente slavo e greco, e quindi prive per molti secoli di ogni contatto con la tradizione culturale scritta del mondo latino, si svolsero tuttavia mantenendo un carattere sostanzialmente romanico.

Se la tradizione orale ininterrotta nei vari centri abitati è un fatto indiscutibile, possiamo solo in via ipotetica (ma è ipotesi teorica e contrastante alla storia effettuale) immaginarla scevra dagli effetti di quell'altra tradizione che fu anch'essa viva, in ceti ristretti ma pieni di prestigio: la tradizione colta, fondata sulla latinità scritta.

Le testimonianze di singole parole o forme adoperate dall'uso parlato popolare appaiono qua e là, da Varrone in poi, indicate dalla formula *vulgo*[32], e naturalmente abbondano nel periodo che stiamo studiando.

Non molto diverso è il valore di un passo rilevato dal Novati[33]: san Columba (o Colombano), il fondatore del monastero di Bobbio, in una lettera del 613 a Bonifacio IV (e alla Curia) osserva che quel nome di Columba che egli portava in latino esisteva anche nell'*idioma*, cioè nella parlata volgare d'Italia («Columba latine, potius tamen vestrae idiomate linguae»). Altre espressioni attestanti l'uso plebeo troviamo in Agnello Ravennate (s. IX): «quod *rustici* nescientes vocant eum ad Pinum» (p. 363 Holder-Egger), «quae *rustico more* Galiata dicitur» (p.

[31] A. Gloria, *Del volgare illustre dal secolo VII fino a Dante*, Venezia 1880, pp. 38-39.

[32] J. Sofer, «Vulgo: ein Beitrag zur Kennzeichnung der lat. Umgangs- und Volkssprache», in *Glotta*, XXV, 1936, pp. 222-229.

[33] F. Novati, «Due vetustissime testimonianze dell'esistenza del volgare. II. L'epistola di S. Columba a Bonifacio IV (613)», in *Rend. Ist. Lomb.*, s. 2ª, XXXIII, 1900, pp. 980-983.

379). Un altro episodio che Agnello ci narra (p. 383), della frase detta dall'arcivescovo Grazioso a Carlomagno convitato a pranzo: «Pappa, domine mi rex, pappa», serve piuttosto a mostrare la «gran semplicità» del dignitario, che non per nulla i suoi confratelli avevano ammonito a non parlare.

Una vasta esplorazione metodica dei frammenti di volgare che appaiono nelle carte di questi secoli non è stata ancora fatta, benché non manchino numerose ed utili ricerche, a cominciare da quelle del Muratori[34]: chi ha compiuto spogli o studi su singole raccolte[35], chi ha compilato spogli grammaticali o lessicali, di carattere regionale o nazionale, che includono più o meno compiutamente anche le carte dell'alto medioevo (Parodi, Trauzzi, Nigra, Sella, Bosshard, Arnaldi); chi in monografie su singoli fenomeni o vocaboli si è fondato largamente su spogli di quelle carte (Aebischer, Castellani).

L'utilizzazione dei dati che si possono ricavare dalla grafia dei documenti ben di rado può essere immediata: ma tale sarà, ad esempio, per grafie nuove come il nesso *tz*: *uno petztzo*, *uno petztziolo*, Lucca 740 (*Cod. dipl. Long.*, I, p. 222).

Per lo più si dovrà tentare di giungere a quello che poteva essere l'uso parlato rendendosi conto dell'immagine grafica che si presentava alla mente di chi scriveva e in cui trasponeva ciò che voleva esprimere. Se troviamo *ligibus*, *heridibus*, *mercide*, non dobbiamo pensare che si pronunziasse così, ma che uno abituato a dire *prometto* e a scrivere *promitto* ricorresse allo stesso metodo anche quando voleva esprimere il suono di *mercede* senza che la memoria gli fornisse un'immagine visiva della parola. In qualche caso si poté addirittura costituire una tradizione scritta medievale (*curtis*, *octubris*, ecc.).

8. *L'apparire del volgare*

È noto quale forte stacco si manifesta in Francia tra l'età merovingia e la carolingia, principalmente per effetto della politica culturale e scolastica di Carlomagno: né possiamo entrar qui nella controversa questione su quella che è stata la parte dei dotti italiani in quel primo movimento umanistico.

In Italia si ha un distacco meno sensibile e un po' più tardivo: si ricordi l'istituzione delle otto scuole regie col capitolare di Lotario dell'825 (Torino, Ivrea – affidata al vescovo –, Pavia, Cremona, Vicenza, Cividale, Firenze, Fermo) e le prescrizioni del concilio romano

---

[34] A. Monteverdi, «L. A. Muratori e gli studi intorno alle origini della lingua italiana», in *Arcadia: Atti e mem.*, s. 3ª, I, 1948, pp. 81-83.

[35] V. De Bartholomaeis, «Spoglio del *Cod. dipl. Cavensis*», in *Arch. glott. it.*, XV; W. Funcke, *Sprachliche Untersuchungen zum Codice Dipl. Long.*, Bochum 1938; R. L. Politzer, *A Study of the Language of Eighth Century Lombardic Documents*, New York 1949.

dell'826, ratificate da Eugenio II, sulla necessità di scuole vescovili e parrocchiali[36].

Il miglioramento della latinità porta come necessaria conseguenza la separazione dal volgare. Fin che si scrive approssimativamente, senza districare la norma latina da quella del volgare parlato, si hanno risultati come quelli di cui s'è visto qualche esempio: ma quando la grammatica e il lessico latini s'imparano più a fondo, secondo canoni ben determinati, le confusioni diventano meno frequenti, e di rimbalzo il volgare si manifesta come un modo diverso di espressione, sentito, sia pure ancora embrionalmente, come autonomo.

Solo nel decimo secolo abbiamo indizi certi dell'uso pubblico del volgare; siamo vicini a quella data che abbiamo fissata come terminale, il 960.

Il Novati[37] enumerava questi indizi così: «un'allusione del panegirista di Berengario ai canti che il popolo romano mescolava nel 915, *voce nativa*, alle sapienti melodie greche e latine durante l'incoronazione del suo signore; il passo famoso dell'epistola scritta nel 965, in cui Gonzone rammenta l'*usus nostrae vulgaris linguae quae latinitati vicina est*; l'accenno non meno noto che Widukindo ha lasciato della perizia d'Ottone I nel favellare in *lingua romana*; infine le lodi che l'autor del metrico epitaffio di Gregorio V († 999) prodiga all'estinto pontefice, perché era solito esporre in tre diversi idiomi alle plebi la parola divina:

> Usus francisca, *vulgari* et vuce latina
> instituit populos eloquio triplici».

A queste testimonianze non saprei aggiungere che quella data da un penitenziale cassinese del sec. X (cod. Cassin. 451), il quale avverte «fiat confessio peccatorum *rusticis verbis*»[38].

9. *L'indovinello veronese*

Come primo uso scritto del volgare, risaliremmo al sec. IX se potessimo senz'altro considerare come tale l'indovinello veronese, che da qualche decennio, cioè da quando lo Schiaparelli lo scoperse e lo pubblicò[39], e più ancora da quando il Rajna ne sottolineò i caratteri volgari[40], ha preso cronologicamente il primo luogo fra i monumenti della lingua e della letteratura italiana.

In un libro liturgico scritto nei primi anni dell'ottavo secolo a Toledo

[36] G. Manacorda, *Storia della scuola in Italia*, I, i, Palermo 1913, pp. 60-62.
[37] *Rend. Ist. Lomb.*, s. 2ª, XXXIII, 1900, p. 980.
[38] Schmitz, *Die Bussbücher und die Bussdisciplin der Kirche*, 1883, I, p. 745, cit. in *Civiltà Cattolica*, 4 genn. 1936, p. 34.
[39] *Arch. stor. ital.*, s. 7ª, I, 1924, p. 113.
[40] *Speculum*, III, 1928, pp. 291-313.

(forse ancor prima che gli Arabi nel 711 occupassero la città), varie mani successive lasciarono tracce che permisero allo Schiaparelli di ricostruirne le peregrinazioni. Il codice passò dapprima a Cagliari, poi probabilmente a Pisa, dove un certo Maurizio canevario vi si dichiarava fideiussore per l'anfora di vino di un certo Bonello[41]. Negli ultimi anni del secolo ottavo o nei primi del secolo nono una mano con ogni probabilità veronese vi scrisse come prova di penna le parole seguenti:

+ separeba boues alba pratalia araba & albo uersorio teneba & negro semen seminaba.

Componeva, di deliberato proposito, dei versi in volgare o, traendo dalla memoria esametri ritmici latini, vi introduceva, senza rendersene ben conto, numerosi volgarismi? La risposta è difficile, e in parte dipende dall'interpretazione di alcune parole.

Ma anzitutto, di che si tratta? Dopo un breve sviamento che portava a ritenere il testo un frammento d'un canto di bifolchi, si vide chiaramente[42] che si tratta di un indovinello fondato su di una metafora antichissima, il confronto fra l'aratura e la scrittura[43]: i buoi sono le dita, l'aratro è la penna, il prato è la pergamena[44].

L'indovinello, ancor oggi vivo in molti dialetti («Il campo bianco – nera la semente – tre buoi lavorano – e due non fanno niente»; e simili) era diffusissimo nella letteratura latina medievale. Il Monteverdi cita fra i molti riscontri uno di Paolo Diacono, che è particolarmente notevole perché degli stessi tempi e degli stessi luoghi in cui fu scritto l'indovinello veronese:

Candidolum bifido proscissum uomere campum
visu et restrictas adii lustrante per occas.

L'indovinello veronese ha un andamento molto più popolareggiante, ma fu certo composto da un chierico che non ignorava qualcuno di questi precedenti.

La chiave di volta della discussione linguistica è il *se pareba*, per cui furono date parecchie interpretazioni. Quella che più tenta a prima vista è che si tratti di una forma di *parare* nel senso di «spingere

[41] Leggo *Maurezo canevarius fidiiosor* (mentre altri legge, secondo me a torto *fidilocor, ridi iocos, fidi iocor*) de *anfora vino de Bonello*.

[42] De Bartholomaeis, *Giorn. stor. lett. it.*, XC, 1927, pp. 197-204, De Bartholomaeis-Monteverdi ivi, XCI, 1928, pp. 67-76.

[43] Cfr. il nome di *scrittura bustrofedica*, il verbo *exarare*, ecc.

[44] Comunemente si dà come soluzione dell'indovinello «la mano che scrive»; G. Presa (*Aevum*, XXXI, 1957, pp. 241-252) intende «la penna»: comunque, la serie d'immagini è la medesima.

innanzi» (buoi, pecore ecc.): e tenta sia perché si parla di buoi, sia perché nel Veneto questo significato di *parar* è ancor oggi vivissimo[45].

Se essa fosse certa, se ne dedurrebbero due tratti caratteristicamente volgari dell'indovinello, un imperfetto in *-eba* da un verbo della prima coniugazione e un *se* con valore di dativo di vantaggio. Il Rajna fece di *-eba* addirittura il fulcro della sua ricostruzione, rimodellando su quella forma i due imperfetti in *-aba*:

> Boves se pareba
> e albo versorio teneba
> alba pratalia areba
> e negro semen semineba.

Ma le difficoltà non mancano: la discordanza fra questo *-eba* e gli altri *-aba*, la precocità di *se* con valore di dativo di vantaggio, il mancato parallelismo fra la prima proposizione, in cui bisognerebbe ammettere un soggetto sottinteso «il bifolco», e le altre tre che meglio sottintendono come soggetto «i buoi».

Benché a qualcuna di queste obiezioni si sia cercato di rispondere ingegnosamente, credo convenga sfuggire alla seduzione di quel *pareba* da *parare*, e ricorrere al verbo *parere*, *parersi* nel senso di «apparire»: negli indovinelli e nelle filastrocche l'oggetto da indovinare è talvolta presentato con «c'è», «ecco», «si vede», «salta fuori» e simili. Intenderei perciò: «i buoi apparivano»: quanto al *se*, è ovvio il riscontro con l'uso antico italiano di *parersi* attestato in poesia (*qui si parrà la tua nobilitate*: Dante, *Inf.*, II, 9; *sì, che l'effetto convien che si paia*: *Par.*, XXVI, 98; *sicché si pare all'acqua*: Iac. Alighieri, *Dottr.*, XXI, v. 41) e anche in prosa (Boccaccio, ecc.)[46].

Se *pareba* non è da *parare*, le altre particolarità lessicali e morfologiche sono molto più scialbe: *pratalia* (non *pradalia*, si noti, anche se ormai a Verona si deve supporre che verso l'800 si avesse *-d-*) e *versorio* si possono supporre adoperati anche in versi latini di andamento volgareggiante; e anche il trattamento che fa di *-lia* e *-rio* due monottonghi è normale nella poesia ritmica latina del Medioevo. I fenomeni fonetici, cioè la caduta di *-nt* finale nei quattro verbi di significato plurale, la desinenza *-o* per *-um* in *albo*, *versorio*, *negro*, e quello che si presenta come il fenomeno più «moderno» del nostro testo, cioè *negro* per *nigrum*, sono tali che nessuno di essi appartiene

[45] In altre regioni (e anche in parte della Toscana) *parare i bovi* invece significa «vigilarli al pascolo».

[46] 2 G. Contini, che ha pensato anche lui a *parere* (*Revue des langues rom.*, LXVII, 1934, p. 162) intende invece «(la cosa da indovinare) assomigliava»: ma con questa interpretazione restano un po' più difficili da spiegare l'uso dell'imperfetto e il *se* (malgrado il riscontro con «s'assomigliava»). Non mi par possibile interpretare il *se* come congiunzione ipotetica (con C. A. Mastrelli, *Arch. glott. it.*, XXXVIII, 1953, pp. 190-209).

necessariamente a chi compose e non semplicemente a chi vergò l'indovinello.

Mancano poi altri tratti (e può anche darsi che il volgare non li avesse ancora acquistati): gli articoli, il divieto della proclitica iniziale (legge Tobler-Mussafia: il testo dice *se pareba boves*, non *boves se pareba*). E altre caratteristiche del nostro testo sono ancora nettamente latine: la *-s* finale di *boves* (non è escluso che questa si sentisse ancora a Verona negli anni di Carlomagno, ma vorremmo esserne più certi), la *-t-* di *pratalia*, la *-n-* finale di *semen*, l'uso di *albo*, *alba* nel significato di «bianco».

Insomma il nuovo idioma già si sente, già sta per prorompere: ma non si può ancora asserire con sicurezza che chi compose e chi vergò l'indovinello – sia che fossero, come mi pare più probabile[47], due persone diverse, sia che si tratti di una sola persona – si rendesse conto di scrivere in una lingua diversa dal latinuccio che usava scrivere.

Non si dimentichi che l'indovinello è degli anni di Carlomagno. Ora, pur non consentendo con la tesi estremista che vuol fare persistere il «latino volgare» fino all'età di Carlomagno, bisogna riconoscere che tra la lingua parlata (la quale ha già accolto le più notevoli innovazioni che saranno tipiche della lingua nuova) e la lingua scritta (in cui i chierici incoltissimi introducono sporadicamente i loro volgarismi) la differenza è difficile a stabilire; mentre sarà molto più sensibile dopo che la riforma letteraria carolingia avrà fatto sentire i propri effetti.

Anche perciò preferiamo attenerci nella lettura dell'indovinello a un testo il più possibile conservatore, quale è quello che il Monteverdi ha dato[48] espungendo semplicemente le due &:

> Se pareba boves, alba pratalia araba,
> albo versorio teneba, negro semen seminaba.

10. Influenza linguistica dei dominatori e suo carattere

Fin dai tempi dell'Umanesimo, si è posto il problema della parte che hanno avuto le popolazioni germaniche nell'alterazione del latino e nella formazione delle lingue nuove; in nuove forme, adeguate ai più maturi strumenti d'indagine, il problema è ancora aperto: ma le opinioni sono tutt'altro che unanimi.

Non ci soffermeremo qui a fare la storia delle discussioni e a soppesare gli argomenti portati per dimostrare o negare l'influenza germanica nel prodursi delle innovazioni. Ci accontenteremo di dire che mentre le innovazioni lessicali sono abbastanza esattamente misurabili, e, in complesso, importanti (anche se meno forti che nelle

---

[47] Il testo del codice veronese «forse riproduce l'indovinello come correva nelle scuole»: Ruggieri, in *St. Romanzi*, XXXI, 1947 p. 95.

[48] *Studi mediev.*, n. s., X, 1937 pp. 214-224 (rist. in *Saggi* pp. 39-58).

altre parlate della Romània occidentale), nelle innovazioni del sistema fonologico e morfologico, molto più che la diretta influenza delle lingue degli invasori, dobbiamo considerare l'influenza indiretta esercitata dallo sconvolgimento sociale[49]: le stragi operate nelle classi superiori, lo stato di anarchia o di disordine durante assai lunghi periodi, la circolazione delle persone, delle idee, degli oggetti molto ridotta fanno sì che si approfondisca il distacco fra le due tradizioni, quella scritta e quella parlata. L'anemica lingua della cultura quasi cessa di esercitare la sua efficacia di rèmora sulla lingua parlata, e questa perde gran parte della sua forza coesiva, non conserva altro freno che quello indispensabile per mantenere i legami tra generazione e generazione e tra luoghi vicini. Senza negare che una certa influenza da parte dei dominatori ci sia stata, riteniamo senza confronto più importante questo «inselvatichirsi» della lingua parlata nelle varie regioni e nei singoli centri minori. Anche se non possiamo conoscere con una certa precisione quale potesse essere la lingua parlata a Torino o a Firenze, a Melegnano o a Milazzo nell'anno 500 e nell'anno 800, dobbiamo figurarci un lento divergere dalla latinità parlata, in direzione di quelli che saranno gli odierni dialetti, ma con un lessico piuttosto ristretto e adeguato a uno stato culturale assai modesto.

Delle singole innovazioni fonologiche e morfologiche, meglio che cercare «il» modello saranno da cercare uno o più germi che, inseriti in un sistema in equilibrio instabile per i motivi ora detti, hanno dato origine a nuove forme e nuovi equilibri.

11. *Mutamenti fonologici*

A rigore dovremmo occuparci dei principali mutamenti fonologici avvenuti in tutto il territorio: ma, senza perdere di vista il quadro complessivo, di solito ci limiteremo a vedere che cosa accadde in Toscana.

La caduta di vocali atone (originariamente connessa con l'intensità dell'accento) è assai forte nel Settentrione d'Italia e molto più debole nel Mezzogiorno. Che essa sia ben viva nel nostro periodo, si vede dall'applicazione a vocaboli germanici: il gotico *haribergo* ha dato *albergo*. Poiché una delle condizioni della sincope è l'aspetto fonologico del gruppo consonantico che ne risulterebbe, la Toscana, che ha sempre avuto ripugnanza per molti gruppi consonantici, anche perciò è piuttosto parca (e anzi addirittura dove si hanno gruppi con *s* + consonante è incline all'epentesi: *cristianesimo, fantasima*).

Un'osservazione assai interessante e che, come vedremo più oltre, trova riscontro in altri campi, è quella che possiamo fare a proposito di *favola* e *tegola*. L'elaborazione di suono e di significato che indubbia-

---

[49] Le considerazioni qui svolte collimano con quelle del Meyer-Lübke, *Das Katalanische*, Heidelberg 1925, p. 188.

mente i vocaboli hanno subito ci obbligano a considerarli di tradizione ininterrotta; ma d'altra parte il riscontro con *fiaba* e *tegghia* (poi *teglia*) mostra che si sono avute anche forme popolari sincopate. La spiegazione più probabile è che si siano avute due tradizioni parallele, una «superiore», più strettamente governata dalla tradizione latina e perciò più aliena dalla sincope, e l'altra «inferiore», più incline ad accogliere innovazioni provenienti dalla Francia e dall'Italia settentrionale[50]. Mentre in Toscana non sono percettibili tracce sicure di metafonia, il fenomeno è largamente rappresentato nel resto d'Italia, ed è probabile che abbia avuto la sua parte nelle origini del dittongamento.

Il dittongamento di ẹ in *ie* e di ọ in *uo* in sillaba libera appare nel sec. VIII: anche se è incerto un *quocho* in una carta lucchese del 761 (*Cod. dipl. Long.*, II, p. 75), che potrebbe essere una semplice metatesi grafica individuale, abbiamo nello stesso testo il toponimo *Quosa*. Più tardo e indubbio è l'*aqua buona* di un documento lucchese del 983[51].

Varie e contrastanti spiegazioni sono state date per l'origine del dittongamento, e per la formazione delle vocali miste *ü* ed *ö* nei dialetti dal Piemonte all'Emilia: fenomeni che si svolgono in un quadro storico e geografico così vasto (non si può evidentemente prescindere da ciò che è avvenuto in Francia e negli altri territori romanzi) possono sì essere dovuti ad influenze di sostrato o di superstrato, ma non esercitatesi immediatamente, bensì attraverso alterazioni e successivi riassestamenti di tutto il sistema vocalico[52].

Nel vocalismo atono, ricordiamo la tendenza al passaggio di *e* protonica a *i*, a cui si deve la nascita della preposizione *di*: *di una parte... et di alia parte*, Chiusi 746-747 (*Cod. dipl. Long.*, I, p. 266); *Wilip(er) di Lunata*, Lucca 752 (*Cod. dipl. Long.*, I, p. 304).

Nel consonantismo, l'intacco di CE, CI, GE, GI, probabilmente già assai avanzato agli inizi del nostro periodo, dà origine ad affricate sibilanti nell'Italia settentrionale, ad affricate palatali in Toscana e nell'Italia centro-meridionale.

La sonorizzazione delle consonanti intervocaliche si manifesta proprio nel periodo che stiamo studiando, in pieno nell'Italia settentrionale, limitatamente ad alcune parole in Toscana. L'idea parziale che ce ne formiamo attraverso i documenti[53], integrata dall'odierna distribuzione geografica, permette di vedere il rapido espandersi del fenomeno

---

[50] Anche *tavola* sarà di strato superiore. Cfr. anche la coppia *persica / pesca*. *Conte* sarà forma indigena o sarà stato promosso dalla sincope francese? (cfr. *còmito* nelle città marittime: es. nel Rezasco, s. v.).

[51] Castellani, in *St. filol. it.*, XII, 1954, pp. 12-16.

[52] Sul problema del dittongamento, che è uno dei più importanti e dibattuti della linguistica romanza, v. da ultimo F. Schürr, «La diphtongaison romane», in *Revue ling. rom.*, XX, 1956, pp. 107-144 e 161-248.

[53] P. es. troviamo nel *Cod. dipl. Long.*: *constitudus*, *habidare*, Treviso 710 (I, p. 36, p. 38); *Aredino* ecc. nel più volte citato *Breve de inquisitione*, Siena 715 (I, p. 69); *eglesia*, *sagrosancto*, Lucca 700 (I, pp. 31-32); *segreta*, Lucca 713 (I, p. 44), ecc.

nell'Italia settentrionale, e le forti infiltrazioni in Toscana, poi in parte riassorbite. Fattori di geografia politica (Lucca centro longobardo in stretti rapporti con Pavia)[54] e di geografia del traffico (influenza dei Comacini e dei Transpadini)[55] spiegano questa spinta dal settentrione sulla Toscana: l'equilibrio raggiunto tra il filone conservativo e quello innovativo ci fa di nuovo pensare alla possibilità di una doppia tradizione, in due strati socialmente sovrapposti.

I gruppi con L (PL, BL, TL, CL, GL) subiscono nella parlata italiana un'alterazione più forte che nelle altre parlate neolatine. Gli inizi dell'alterazione per l'Italia centrale debbono risalire assai indietro[56], certo molto più che nei documenti[57].

Nei gruppi con I consonante (NJ, RJ ecc.) l'alterazione è pure assai antica: troviamo *vigna* presso Lucca nel 773, e la differenziazione del tipo toscano e umbro *-aio*, *-oio* dal settentrionale e meridionale *-aro*, *-oro* si ha almeno fin dall'ottavo secolo[58].

12. Mutamenti morfologici

Soffermiamoci un momento sui principali fenomeni morfologici. Abbiamo visto che l'affievolimento e la scomparsa della categoria del neutro nella lingua parlata sono da collocarsi in età imperiale: la lingua parlata e la lingua cancelleresca applicano poi secondo varie spinte analogiche le desinenze rimaste disponibili. Mentre nel singolare non si hanno ripercussioni apprezzabili[59], al plurale le desinenze *-a* e *-ora* (con la variante *-oras*, certo puramente grafica) si estendono molto: come si sa, il tipo *le mura* è tuttora vivo in un buon numero di vocaboli, mentre il tipo *domora*, *ortora*, *tectora*[60] è quasi morto[61].

Per i plurali dei maschili e dei femminili, il toscano si orienta verso le forme nominativali *-i* ed *-e*; ma nel Settentrione le tracce di plurali in *-s* persistono a lungo[62].

[54] P. Fiorelli, in *Convivium*, 1951, pp. 575-576.

[55] G. Serra in *Riv. di studi liguri*, XVII, 1951, pp. 226-228.

[56] I gruppi CL e GL subiscono l'intacco anche in romeno: *chiae*, *cheie* da CLAVE, *ghindă* da GLANDE.

[57] Una glossa *colum conoclea*, che accenna a palatalizzazione, è nel *Cod. Cassin.* 90, del sec. X (*C. Gloss. Lat.*, V, 565, 57). Troviamo *Santa Maria inter piano*, anno 799, nel *Cod. dipl. cavense*; *Trespiano* a Firenze nel 967, ecc. Cfr. Castellani, in *St. fil. it.*, XII, 1954, p. 19. Nell'Italia settentrionale il fenomeno è certamente assai più tardo.

[58] Si ha *Satoiano* in una carta lucchese del 761, ecc. (Castellani, in *St. filol. it.*, XII, 1954, p. 18).

[59] Non importava che *os* diventasse *ossum* oppure *ossus* (come si legge nell'editto di Rotari, § 47).

[60] Aebischer, in *Arch. lat. m. aevi*, VIII, 1933, pp. 5-76, IX, 1934, pp. 26-36; su *cibora* in Anthimus (*De observ. ciborum* 23) e *rivora* nelle *Casae litterarum*, v. A. Josephson, *Casae litterarum*, Upsala 1950, pp. 151-153.

[61] Rohlfs, *Hist. Gramm.*, II, pp. 57-61.

[62] W. v. Wartburg, *Ausgliederung*, pp. 26-31.

L'influenza della declinazione debole germanica è sensibile nell'antroponimia: si ha non solo *Gudoloni, Gaidoni*, ecc., ma *Ursoni, Loponi, Iustoni, Petroni(s)*, ecc. All'infuori dell'onomastica l'influenza è ben scarsa, e va a confondersi con quella del tipo latino *glutto -onis*.

Influenze germaniche e latine convergono pure nella formazione del tipo *-a -ane*, in nomi maschili (per es. *scrivane(s)* nell'Editto di Rotari, c. 8, da cui *scrivano*) e femminili (p. es. *mammana*, ecc.)[63].

L'indebolimento del dimostrativo e del numerale *uno* ad articoli si svolge attraverso un lungo processo, il quale s'inizia negli scrittori cristiani e continua per più secoli.

Per il determinativo, l'area settentrionale e centrale ha *ille* (*illa aeterna vita quod nobis Dominus preparare poteest*, Gricciano di Lucca 755; *illu ortu ad illo ficu subtus casa mea*, Chiusi 774; e ormai in forma moderna *rio qui dicitur la Cercle*, Lucca 779), mentre nell'Italia meridionale, dalle Marche alla Sicilia, si ha un'area di *ipse*, che però non arriva a vere e proprie funzioni di articolo, e finisce con l'essere sopraffatto da *ille*[64].

Pure nel secolo VIII è pienamente formato l'articolo indeterminativo (*presbiterum suum posuit unum infantulo*, Siena 715: *Cod. dipl. Long.*, I, p. 70; *et infra ipsa terrula est uno pero*, Pisa 730: *Cod. dipl. Long.*, I, p. 150).

Appaiono ora anche *lui, lei, loro*; mentre il caos di forme (*qui, quem, quod, quid, que*) che troviamo nelle scritture per il pronome relativo mostra che ormai *che* serve nell'uso parlato per tutti i generi e numeri.

Anche la flessione verbale procede in questi secoli rapidamente verso il tipo moderno. Ecco forme come *somo* (Lucca 700) ed *essere* (Lucca 822), *offertum* (Lucca 685) e *vinduta* (Lucca 754). L'estendersi analogico di *dedi* per la formazione del passato remoto può essere esemplificato con *battederit* (Liutprando, *Leg.*, § 123). Lo spostamento di significato dei tempi storici (il piucchepperfetto *fuissem* che diventa *fosse*, con valore d'imperfetto), può essere esemplificato da «*si aberet credentes homines, qui causa ipsa scirent, et ausi fuisserunt iurare a Dei evangelie, quod ita sic fuisset veritas, ad non?*» (Lucca 892: *Mem. e doc.*, IV, II, p. 63)[65].

Stentano ad apparire nella scrittura le nuove forme del futuro (formate, come nelle altre lingue romanze occidentali, dall'infinito seguito da *habeo*) e del condizionale (infinito + *habui*, *hebui nell'Italia settentrionale, infinito + *habebam* nell'Italia meridionale), ma un passo come quello citato (p. 59) delle leggi di Liutprando, *si non eum feriveris ego te ferire habeo*, è trasparente.

La formazione dei tempi composti per mezzo di *avere* ridotto a semplice ausiliare, è ormai normale: *a quo tempore ex quo auditum*

---

[63] Rohlfs, *Hist. Gramm.*, II, pp. 36-38; sul plurale, pp. 61-62.
[64] Aebischer, *Cult. neol.*, VIII, 1948, pp. 181-203.
[65] Cfr. anche la discussione di Gamillscheg, *Tempuslehre*, pp. 217-219.

habetis, S. Genesio 715 (*Cod. dipl. Long.*, I, p. 83); *si neglectum non habuisset* (Liutpr., legge del 733); *si quis Langobardus habet comparatas terras in Liburia*, 780 (Bluhme, *Leges*, p. 181); *lumina oculorum amissa habeo* (Agnello Ravennate, p. 371); *non adimpletum abetis*, Lucca 871 (*Mem. e doc.*, IV, II, p. 53), ecc.

E anche la formazione del passivo analitico con *esse* è diventata normale: *iram Dei incurrat et in Tartarum sit consumptus*, Pistoia 767 (*Cod. dipl. Long.*, II, p. 211).

Nel sistema delle preposizioni italiane, ha acquistato una propria fisionomia *da*, che nel suo principale significato, quello di provenienza, risale a *de ab*[66]. Il primo esempio nei documenti è (per ora) un passo di una carta lucchese dell'anno 700: «neque subtragendum *da* vos hoc ipse ecclesie» (*Cod. dipl. Long.*, I, p. 31)[67].

I problemi sintattici meriterebbero ampio esame: dobbiamo qui limitarci a ricordare che la costruzione dell'accusativo con l'infinito, la quale già nella Vulgata e negli scrittori cristiani tende largamente a far posto a costruzioni con *quia, quod, quomodo*, si riduce a pochi tipi (il tipo *far fare*, i verbi di percezione: *vedo fare, odo dire*).

13. La derivazione

Nel campo della derivazione ricordiamo la fortuna di alcuni tipi. Per la mozione, specialmente dei nomi che hanno funzione di titoli, si adopera *-issa*: *abbatissa, comitissa, ducissa*, italiano *badessa*, ecc.

Vengono a formare nuovi aggettivi i suffissi *-esco* e *-ingo* (*-engo*). Il primo risale principalmente a *-isk* germanico, e lo troviamo applicato a nomi comuni, a nomi di persona, a nomi di luogo, a nomi etnici: *warcinisca facere* «fare delle giornate di lavoro obbligatorio» in un documento amiatino di Toscanella del 736 (*Cod. dipl. Long.*, I, p. 180), *caballi Maurisci* in un'epistola di papa Leone III, *utiles et optimos Mauriscos* in una di Giovanni VIII (Ducange), *fine Bulgarisca* in documenti ravennati del sec. VIII (Fantuzzi), *fontana Warcinisca* in Val di Susa nell'814, *prehensa Gardonesca* a Verona nell'844 (*Cod. dipl. Veron.*, p. 251), ecc.[68].

La terminazione *-ingo -engo* ha lasciato forti tracce nella toponomastica settentrionale, e la documentazione è antica e vastissima[69]; per la Toscana, benché la documentazione cominci un po' tardi, è frequente il

---

[66] Le forme *de ab* e *dab* sono attestate non di rado: citiamo solo *de ab unam partem* delle *Casae litterarum*, V. 5, cod. C: cfr. Josephson, cit., pp. 206-208.

[67] Altri esempi, dal 710 in poi, cita P. Aebischer, *Cult. neol.*, XI, 1951, pp. 5-23 Sull'etimo di *da* da *de ab* v. da ultimo De Felice, *St. fil. it.*, XII, 1954, pp. 248-255.

[68] W. Bruckner, *Die Sprache der Langobarden*, cit., p. 333, G. Serra, *Contributo toponomastico alla teoria della continuità nel Medioevo delle comunità rurali*, Cluj 1931, p. 39 e 244-247.

[69] J. Jud in *Donum natalicium Jaberg*, Zurigo 1937, pp. 162-192.

tipo *terra Rolandinga* (Lucca 999, *Mem.*, V, II, pp. 612-613)[70]. Anche *wardingus*, *gardingus* «capo del presidio militare» in varie città sarà gotico, benché il primo documento in cui la parola è attestata sia del 1133[71].

Il suffisso *-ardo*, che appare più tardi, è certo dovuto all'influenza francese.

Si diffondono i composti imperativali del tipo *portabandiera*: abbiamo già visto il soprannome *Suplainpunio* di un vassallo di Val Lagarina (anno 845)[72].

Accanto a questi procedimenti derivativi e compositivi, si continuano a coniare vocaboli con i mezzi già in uso nella latinità parlata dell'età imperiale: formazioni di sostantivi da participi (p. es. *ferita*, nelle leggi di Liutprando; *offerta*, Lucca 892, ecc.), di verbi da sostantivi ecc.

Si continuano a coniare diminutivi, che poi non di rado sono arrivati a imporsi soppiantando i loro primitivi: *avo*, *frate*, *suora*, *vetere* sussistono in aree ristrette, o in significati speciali, mentre i rispettivi diminutivi *avolo*, *fratello*, *sorella*, *vecchio* (da VETULUS, VECLUS) hanno la meglio[73].

14. Mutamenti semantici

Tra gli innumerevoli mutamenti avvenuti nei significati delle parole ereditarie in questo mezzo millennio, alcuni sono ovvii, cioè tali che potrebbero accadere in qualsiasi tempo e luogo (p. es. *testimonium* che passa dal significato di «testimonianza» a quello di «teste»).

Maggiore attenzione meritano quelli che avvengono in correlazione con la vita di questi secoli. Ecco alcuni mutamenti dovuti alla vita religiosa: *cella* che viene ad indicare «cella monastica» e «convento», *caritas* che prende il significato di «opera di carità», «elemosina» (come già *elemosina*, *eleemosyne* l'aveva preso precedentemente: Tertulliano ecc.; *elemosinae opera caritatis sunt*: Leone Magno). Il nuovo significato di «pellegrino» preso da *peregrinus* «straniero» mostra il frequente passaggio di stranieri in qualità di pellegrini. *Cappella* è in origine, com'è noto, una voce della latinità franca (l'oratorio del palazzo dei re

---

[70] Aebischer, *Zeitschr. rom. Phil.*, LXI, pp. 114-121; Rohlfs, *Arch. St. n. Spr.*, CLXXXI, p. 67.

[71] Davidsohn, *Geschichte von Florenz*, I, Berlino 1896, p. 68 e 866; cfr. Pisani, in *Studi... Monteverdi*, II, Roma 1959, pp. 610-611.

[72] Invece il *Garibaldus qui dicitur Tosabarba* di un documento cremonese del 723 non serve, perché il documento è falsificato (Schiaparelli, *Cod. dipl. Long.*, I, p. 116).

[73] *Avolus* si ha già in Venanzio Fortunato come *cognomen* gallico (*Thes.*, s. v.); *fratellus* fa la sua apparizione anzitutto come nome proprio o come soprannome, nel sec. VIII (Aebischer, in *Zeitschr. rom. Phil.*, LVII, p. 257).

franchi dove si conserva la *cappa* di S. Martino), poi estesasi per influenza cancelleresca.

La vita sociale nelle sue forme politiche, amministrative, giuridiche, ha pure ampi riflessi. Si pensi, p. es., alla storia del titolo di *dux* (nella forma ereditaria *doge* e in quella grecizzante *duca*), in cui si riassumono secolari vicende del potere civile e militare. *Curtis* e *massa* prendono il nuovo significato di «grande possesso terriero» (da cui *massarius*, *massaricia*). *Angaria* diviene uno dei nomi delle prestazioni d'opera dovute non più allo stato, ma a signori privati. *Sclavus*, che aveva il significato etnico di «Slavo», prende anche quello di «schiavo» in conseguenza delle campagne degli Ottoni contro gli Slavi (sec. X), le quali ne trassero parecchi in servitù.

Fra le parole che si riferiscono alla casa e alla città ricordiamo *pensile*, che dové in origine indicare il pavimento sotto cui erano gli appositi impianti di riscaldamento (*balneae pensiles*, Valerio Mass., Macrobio; Seneca parla di *suspensurae balneorum*): la parola è documentata nelle leggi longobarde nel significato di «gineceo» («ipsam in curte ducere et in *pisele* inter ancillas statuere»: *Ed. Rothari*, 221); la troviamo in forma longobardizzata nella toponomastica urbana di Lucca[74], e tuttora sopravvive in alcuni dialetti dell'Italia centrale (oltre che nel francese *poèle*): abruzz. *pesëlë*, ecc. (*REW* 6392).

Il latino *classis* «sezione» prende il significato di «vicolo»: in un documento di Lucca del 769 leggiamo «qui capu tene et lato in classo, alio capu in via» (*Cod. dipl. Long.*, II, p. 276), e nel toscano sopravvivono *chiasso* e *chiassuolo*.

A un costume non bene chiarito nei suoi particolari si riferisce la voce settentrionale *toso*, *tosa* «ragazzo, ragazza», da *tonsus*, *tonsa* «coi capelli tagliati»[75].

15. *Influenza del latino medievale*

Numerose, come già abbiamo accennato (§ 7), sono le interferenze fra la trasmissione orale e la latinità scritta del Medioevo.

Non è questo il luogo per parlare dei caratteri del lessico di questa latinità, tanto varia, del resto, secondo i vari scrittori. Alla componente classica e a quella cristiana s'aggiungono numerosi vocaboli d'origine germanica, specialmente per istituti giuridici. Ma, col mutare delle istituzioni, anche termini abbondantemente attestati nei documenti (per es. *aldius* o *aldio*, *aldia* o *aldiana*, *aldiaricius*, ecc.) spariscono del tutto.

La penetrazione nella lingua scritta di voci della lingua parlata è quasi sempre legata alla maggiore o minore cultura dei singoli individui: quanto meno profonda è l'istruzione ricevuta, più è facile che

[74] F. Schneider, *Die Reichsverwaltung in der Toscana*, I, Roma, 1914, p. 222.
[75] J. Pauli, *Enfant, garçon, fille*, Lund 1919, pp. 260-268.

i volgarismi penetrino. E anche a scrittori discreti può capitare di tanto in tanto di usare un vocabolo volgare: quando Agnello Ravennate scrive «aereum vasculum, quod vulgo *siclum* vocamus» (330, 20) possiamo solo dire che egli ignorava il latino *situla* (o non si rendeva conto dell'identità delle due parole).

Viceversa per parecchie voci dobbiamo pensare che esse siano penetrate nella lingua parlata dopo essere state accolte nella lingua scritta e per influenza di questa. La storia di parole come *papa*, riferito prevalentemente, a partire dal VI secolo, al pontefice romano, o di *cappella*, o di *forestis* non si spiegherebbe se accanto alla tradizione orale non fosse esistito un filone scritto, saldamente appoggiato alle cancellerie e ai notai.

16. Gli elementi germanici

A chi si accinga ad esaminare, con l'aiuto delle indagini già compiute in questo campo[76], gli elementi germanici entrati in questi secoli nel lessico italiano, il primo problema che si pone è a quale strato attribuirli, fra i quattro che si possono fissare: se ai contatti tra Romani e Germani prima della caduta dell'Impero (strato paleogermanico), o allo strato gotico (ed eventualmente èrulo), o allo strato longobardo, o a quello franco.

I criteri che possono essere utilizzati sono raramente diretti (la testimonianza d'uno scrittore), per lo più indiretti (la cronologia dell'apparizione del vocabolo; l'area in cui la voce si adoperava anticamente o si adopera oggi; peculiarità fonologiche o morfologiche attribuibili a una lingua piuttosto che a un'altra; indizi di carattere semantico).

17. Distinzione dei vari strati germanici

Il criterio dell'area (possibilmente dell'area antica, o anche, se mancano notizie antiche, di quella moderna) è particolarmente utile per le voci gotiche e per quelle longobarde.

Quando si ha un'espansione panromanza, non sempre è facile dire se si tratti di voci paleogermaniche, o di voci gotiche penetrate in latino

[76] Si consulterà specialmente la *Romania Germanica* del Gamillscheg, Berlino-Lipsia 1934-36, che, malgrado qualche grossa svista, è ormai l'opera fondamentale in questo campo. In parte sorpassati, ma tuttora utili, sono gli studi del Bruckner, *Die Sprache der Longobarden*, cit., Id., *Charakteristik der germ. Elemente im Italienischen*, Basilea 1899, e il repertorio del Bertoni (*L'elemento germanico nella lingua italiana*, Genova 1914, da integrarsi con la bella recensione del Bartoli, *Giorn. stor.*, LXVI, 1915, pp. 165-182, e le numerose correzioni del Salvioni, *Rend. Ist. Lomb.*, XLIX, 1916, pp. 1011-1067). Utili anche gli articoli del Gamillscheg, «Zur Geschichte der german. Lehnwörter des Italienischen», in *Zeitschr. für Volkskunde*, X, 1939, pp. 89-120, e del Rohlfs, «Germanisches Spracherbe in der Romania», nei *Sitzungsber. der Bayer. Ak. der Wiss.*, 1944-46, n. 8.

volgare al principio del quinto secolo, oppure di voci diffusesi posteriormente da un paese all'altro, specie per influenza della civiltà franca. Mentre il Brüch (*Der Einfluss der germ. Sprachen auf das Vulgärlatein*, Heildelberg 1913) attribuiva a influenza paleogermanica un centinaio di voci, il Bartoli (*Giorn. stor.*, LXVI, p. 169) tendeva a ridurle di molto, e sì e no una ventina pensa che fossero il Gamillscheg. Il principale argomento per negare la loro alta antichità è la mancanza di esse nel sardo e nel romeno.

È probabile che siano gotiche quelle voci che si trovano, oltre che in Italia, nella Francia meridionale e nella penisola Iberica: il Gamillscheg cerca di distinguere il gruppo di voci diffuse dai Visigoti, i quali si erano già molto romanizzati al tempo della loro espansione in Occidente (sec. V), quando ancora esisteva nell'Impero una notevole circolazione linguistica, dal gruppo di voci ostrogote, di area soltanto italiana.

Le voci importate dai Longobardi sono pur esse di area soltanto italiana, ma le figure areali che esse presentano sono molto varie.

Alcune, come *schiena* (v. la cartina in Gamillscheg, *Rom. Germ.*, II, p. 176), *gramo*, *spaccare* hanno un'area assai vasta; ma le più hanno un'area ristretta: o sono penetrate solo nei dialetti settentrionali (per es. *braida*, *brera* «prato», *bro(v)ar* «scottare», *godazzo* «padrino», *stoa* «cavalla» ecc.), o hanno un'area limitata alla Toscana o a qualche parte di essa (*bica*, *chiazzare*, *chionzo*, *federa*, *gruccia*, *lonzo*, *russare*, *sornacare*, *strozza*, *tónfano*), oppure si trovano in aree più o meno vaste dell'Italia settentrionale e nella Toscana (*tuffare*, ecc.), o ancora vivono in territori più o meno ampi dell'Italia mediana o meridionale (*lèfa*, *lecca* «femmina del cinghiale», *luffo*, *uffo* «fianco», *sinaita*, *finaita* «confine», *gafio* «pianerottolo», ecc.).

Tuttavia non bisogna dimenticare che la distribuzione areale odierna può essere dovuta a rimaneggiamenti avvenuti nell'ultimo millennio. Può darsi il caso che l'area antica si sia ristretta (si sa p. es. che *sinaita* si trova in antichi documenti lombardi e emiliani, mentre oggi non se ne hanno tracce che nei dialetti meridionali), o che la parola rimanga solo in qualche toponimo, o sia addirittura sparita. Viceversa altre parole hanno guadagnato terreno, o per espansione in territori contigui (sono dovute a tale fenomeno piuttosto che a influenza germanica immediata, le parole di origine germanica che troviamo nei dialetti liguri e romagnoli, cioè in territori che non appartennero mai ai Longobardi) o per il prestigio che ha loro conferito l'esser entrate nella lingua letteraria. Purtroppo solo in un ristretto numero di casi il restringersi o l'espandersi delle aree si può individuare con qualche esattezza: sappiamo p. es. che la voce *béga*, di origine gotica, si espande in Toscana e a Roma (sotto la forma *bèga*) dall'Italia settentrionale o dall'Umbria, solo relativamente tardi (si ha sì un esempio trecentesco nelle *Memorie* di Ser Naddo da Montecatini, ma poi non troviamo la parola fino al Seicento).

Alcune volte l'appartenenza all'uno o all'altro strato germanico si può stabilire per mezzo di indizi tratti dalla fonologia o dalla morfologia dei singoli vocaboli[77].

Così, per il vocalismo, *bara* e *strale* si riconoscono come voci probabilmente longobarde, perché, se fossero gotiche, non avrebbero *a* ma *e*; viceversa *bega* è voce gotica; *federa* e *snello* debbono essere voci longobarde per la loro vocale aperta, e *schermo, scherno, stormo* per la loro vocale chiusa.

Per il consonantismo, non possono essere che voci longobarde (o eventualmente voci alto-tedesche, di più recente importazione) le parole che presentano la seconda mutazione consonantica: *panca, palla* (di contro a *banca, balla*), *zazzera, zolla* (di contro a *tattera, tolla*).

Altre volte l'attribuzione ad una piuttosto che ad un'altra lingua germanica può trovare un appoggio in criteri semantici: mentre *trescare* nel senso rustico di «trebbiare» è di origine gotica, nel senso di «ballare» (cfr. *trescone*) proviene dal franco. E così *sala* è voce longobarda nel significato di «casa di campagna con stalla» che troviamo nella toponomastica lombarda, veneta e toscana, mentre nel significato di «stanza» è stato importato al tempo dei Franchi. *Stormo* «moltitudine, mischia» è talmente staccato da *stormire* «far rumore» che si può pensare a due vie diverse di penetrazione.

Non c'è ragione, tuttavia, che si debba cercare esclusivamente in una lingua la provenienza di un dato vocabolo: può darsi benissimo che la penetrazione cominciasse sotto la spinta di una delle lingue germaniche, e continuasse poi per l'influenza d'un'altra: così probabilmente è avvenuto per *ricco, spiedo, tregua*, per cui si distinguono fasi successive di penetrazione.

Se ci domandiamo per quale motivo si sentisse l'opportunità di ricorrere a vocaboli germanici, accogliendoli nel lessico, vedremo che spesso si è ricorsi alle parole barbariche per esprimere nozioni nuove (o che per qualche aspetto sembravano nuove). Così l'uso di recipienti rivestiti di vimini o di sala, recipienti indicati con il nome germanico di **flasko, *flaska* (della stessa famiglia del ted. *flechten* «intrecciare») è la causa dell'importazione di *fiasco, fiasca*. L'usanza germanica di fissare dei sedili tutt'intorno alle stanze d'abitazione spinge ad accogliere *banca, panca*. La *lesina* germanica probabilmente era di forma un po' diversa dalla *subula* latina. L'uso della *staffa* è introdotto dai Germani. Le insegne di guerra mutano radicalmente nei secoli, e quelle che i popoli germanici adoperavano per indicare il luogo della raccolta di una «banda» e vincolarne l'onore spiegano l'introduzione di nuovi vocaboli: «vexillum quod *bandum* appellant», Paolo Diac., *Hist. Lang.*, I, 20 (poi in forma franc. ant. *bandiera*; cfr. p. 159).

Altra volta l'introduzione di nuovi vocaboli germanici è dovuta principalmente a qualche motivo che rendeva insufficiente, o in qualche modo disadatta, la voce latina: la parola di origine longobarda

---

[77] Si veda principalmente la *Charakteristik* cit. del Bruckner.

spaccare s'impone a spese di *findere*, che era irregolare nelle forme e troppo astratto e scolorito nel significato. *Dos, dotis*, astratto, muore, sopraffatto da *corredo* e *scherpa* più concreti.

Molte parole germaniche tuttavia, dopo esser riuscite a penetrare più o meno largamente nell'uso, vennero più tardi eliminate. Avviene sempre che, quando un popolo che aveva avuto il predominio lo perde, molte delle parole che esso aveva imposte tramontino: così molti degli arabismi penetrati nello spagnolo durante il Medioevo spariscono dopo cessato il dominio arabo, gli «austriacismi» ottocenteschi del Lombardo-Veneto sono quasi tutti dimenticati, ecc.

I nomi delle istituzioni giuridiche quasi tutti scompaiono: che *faida* o *guidrigildo* appartengano tuttora al nostro lessico storico non implica sopravvivenza nell'uso, má soltanto conoscenza storica da parte dei giuristi. Alcuni nomi di cariche mal sopravvivono, degradati, in qualche dialetto[78].

C'è poi da tener conto di quella particolare forma di sopravvivenza che è la toponomastica: il nome degli *sculdasci* e dei territori loro sottoposti, le *sculdasce*, è sparito nell'uso, ma sopravvivono toponimi come *Casale di Scodosia* (Padova) e, alterato dall'etimologia popolare, *Scaldasole* (Pavia)[79].

18. *Voci germaniche di età imperiale*

Passiamo rapidamente in rassegna le principali voci germaniche appartenenti ai vari strati successivi[80].

Abbiamo già detto che le indagini recenti tendono a ridurre di molto la lista delle voci germaniche che si possono credere entrate nel lessico dal latino parlato prima della caduta dell'Impero. Quelle che gli scrittori classici e tardi attestano, *alces, urus, taxo, ganta, glesum, framea*, ecc.[81] sono in gran parte voci adoperate per descrivere gli animali, le cose, i costumi dei paesi nordici, cioè a scopo di color locale.

Le pochissime parole che hanno preso radice nella tradizione sono *martora, tasso, vanga, bragia, sapone* (*sapo -onis* è voce mutuata al germanico attraverso la Gallia; in origine indicava la sostanza che dava un color rosso ai capelli; più tardi «sapone»); *tufazzolo* (derivato di un *tufa* che Vegezio ci attesta nel significato di «ciuffo, ornamento dell'elmo»); *arpa* (strumento musicale dei Germani, secondo la testimonianza di Venanzio Fortunato: «Romanus lyra plaudat tibi, Barbarus harpa»).

---

[78] Migliorini, *Lingua e cultura*, p. 24 (su *gastaldius, duddus, scafardus*).

[79] D. Olivieri, *Saggio di una illustrazione gen. della topon. veneta*, Città di Castello 1914, pp. 344-345; Id., *Dizion. di topon. lombarda*, Milano 1931, p. 497.

[80] Lasciamo di solito da parte quelle che vivono solo in aree ristrette, e non hanno riscontro nella lingua nazionale. Chi cerchi notizie particolari sulle singole parole, dovrà ricorrere anzitutto al Gamillscheg.

[81] Brüch, *Einfluss*, cit., pp. 14-18.

Meno certo è che risalgano al periodo più antico *stalla, roba* e *rubare, fresco, lesina, smarrire*. Anche più dubbio è il caso di *borgo*, perché il *burgus* «castellum parvulum» di Vegezio non è probabilmente voce germanica, ma il greco πύργος[82].

Né sappiamo se appartenga a questo primo strato (o se sia una più tarda espansione di età carolingia) la voce *werra (guerra)* invece di *bellum*. La sostituzione ci mostra il prevalere del disordinato modo di combattere dei Germani sull'ordinato *bellum* dei Romani: *werra* si connette con l'ant. alto ted. *(fir)-wërran* «avviluppare»; e quindi significa etimologicamente «mischia»[83].

19. Voci gotiche

Fra le voci gotiche[84] ricordiamo anzitutto quelle che, sopravvissute oltre che in Italia, nelle Gallie e nella penisola Iberica, sono probabilmente dovute ai Visigoti, e hanno avuto ancora il tempo di diffondersi nella tarda latinità prima che la Romània si spezzasse (ma potrebbero anche essere state possedute in comune da Visigoti e Ostrogoti, e trasmesse dagli uni e dagli altri alle rispettive popolazioni conviventi).

Abbiamo alcune voci militari come *bando* (e *banda), guardia* (e *guardiano), elmo;* anche *arredare, corredare, albergo* (da *hari-bergo* «rifugio dell'esercito») appartengono a questa serie.

Agli attrezzi domestici si riferiscono *(n)aspo, rocca, spola*.

Il termine di *schiatta* è un segno dell'importanza del vincolo di parentela fra i Germani. La presenza di verbi e di aggettivi mostra quanto stretti fossero i contatti fra Germani e Romani: *recare, smagare*[85]; *ranco* (da cui *arrancare), guercio, schietto*.

Veniamo poi alle voci di origine gotica, ma di area soltanto italiana, e quindi portate presumibilmente dagli Ostrogoti. Non parola di guerra, ma segno di convivenza difficile è *bega*. Alla vita sociale si riferisce *arenga* «luogo di adunanza».

Per l'abitazione e gli attrezzi abbiamo *lobbia, stia; fiasco (fiasca),*

---

[82] Brüch, *Einfluss*, cit. p. 17; Gamillscheg, *Rom. Germ.*, I, p. 35.

[83] F. Kluge (*Urgermanisch*, Strasburgo 1913, p. 13) aveva ritenuto di età paleogermanica i numerosi aggettivi di colore entrati nelle lingue romanze (*biavo, biondo, bruno, falbo, grigio*), riferendosi al passo di Tacito (*Germania*, 6): «scuta lectissimis coloribus distinguunt». Il Wartburg (*Entstehung*, p. 83) pensa (per *bianco, bruno, grigio, falbo*) all'importanza dei Germani nella cavalleria imperiale. Altri riportano questi aggettivi a età più recenti, talvolta persino troppo: il Rohlfs (*Germ. Spracherbe*, cit., pp. 15-16) ritiene *bianco* di provenienza franca, ma non va dimenticato che già in età longobarda troviamo un «*Blanco* cum filio suo Ursicino» in Garfagnana (Campori 716, in *Cod. dipl. Long.*, II, p. 64).

[84] Oltre agli scrittori citati nella nota di p. 74, v. Battisti, «L'elemento gotico nella toponomastica e nel lessico italiano», nel vol. *I Goti in Occidente*, Spoleto 1956, pp. 621-649.

[85] Anche l'applicazione di prefissi latini a verbi germanici, quale si vede appunto in *smagare, arredare, corredare* è prova di stretta simbiosi linguistica.

nastro, stanga (che potrebbe anche essere voce longobarda), *stecca, rebbio*. Si riferisce al corpo umano, considerato senza benevolenza, *grinta*. Riguardano le forme del suolo *forra* e (forse) *greto*.

Non molti i verbi (citiamo *astiare* «litigare» e *smaltire* «lasciare scorrere», «digerire») e gli aggettivi (*sghembo*).

20. Voci longobarde

Le voci di origine longobarda costituiscono una serie notevolmente più numerosa e importante delle altre due che abbiamo esaminate fin qui.

Ricordiamo anzitutto alcune voci di carattere militare: *strale, briccola, spalto*. Di alcune voci (come non di rado accade) si è perduto il significato militare antico: lo *spiedo* non è più un'arma, ma un arnese di cucina, il *guattero* o *sguattero* non più una «guardia» (*wahtari*, ted. *Wächter*) ma un «lavapiatti».

Un termine che pure in origine aveva designato presso i Longobardi un progresso tecnico, *stainberga*, casa di pietre, o su base di pietre (contrapposta alla primitiva casa di legno), è più tardi decaduto a *stamberga*.

Alla struttura della casa si riferiscono pure il *balco* o *palco* (in origine una «trave»), la *banca* o *panca*, la *scranna*, la *scaffa* (col derivato *scaffale*), la *rosta*, all'arte stessa del costruire lo *stucco*.

Arnesi e utensili per varie attività domestiche e tecniche sono la *gruccia*, la *spranga*, la *greppia*, il *trogolo*, lo *zipolo*, lo *zaffo* («tappo»), la *trappola*, la *palla*. All'operazione del bucato allude la voce *ranno*.

Parecchi termini longobardi troviamo per designare parti del corpo umano: *guancia, schiena, nocca, milza, anca* (e *sciancato*), *stinco*; e parecchi altri ne troviamo più o meno diffusi nei dialetti: *magone, (l)uffo* «anca», *zinna, zizza*. Un certo numero implicano una connotazione più o meno spregiativa: *ciuffo, zazzera, nappa* «naso», *sberleffo* (genovese *lerfo* «labbro» ecc.), *grinza, zanna, strozza, grinfia*. Probabilmente longobardo è *spanna*.

Qualche nome di animale: lo *stambecco*, la *taccola* - e la *zecca*. L'uso del cavallo ha portato all'introduzione dei termini *staffa, predella* «redine», *guidalesco*. E dal longobardo viene la caccia *all'abborrita*.

Qualche termine si riferisce alle forme del suolo: *tónfano, melma, zana*; molti di più all'agricoltura: *grumereccio, sterzo* (dell'aratro), *bica, stóllo, trogolo, bara*, forse anche *riga*; molti altri ai boschi e all'utilizzazione della legna: *gualdo, cafaggio* (e *gaggio*), *stecco, sprocco, zincone* «pollone», *spaccare*.

Sintomatico per farci conoscere le condizioni di vita dei Longobardi prima di giungere in Italia è il termine *schifo*, che nelle altre lingue germaniche indica la «nave», presso i Longobardi invece la «barchetta» fluviale.

Ricordiamo due materie coloranti, la *biacca* e il *guado* (o *erba guada*); e probabilmente longobardo è il color *bianco* (v. p. 78).

Dei non pochi vocaboli longobardi indicanti cariche o professioni ben pochi sono sopravvissuti, e per lo più decaduti: oltre allo *sguattero*, ricordiamo il *castaldo*, lo *scalco*, lo *sgherro*, il *manigoldo* (risalga esso a un antroponimo ovvero a una degradazione di *mundualdo*).

I verbi penetrati in italiano in piccola parte designano azioni concrete, tecniche: *(im)bastire*, *gualcare* (più vago è il corradicale *gualcire*), *riddare*, *spaccare*, *strofinare*, *spruzzare*. Altri invece indicano più o meno affettivamente azioni quotidiane: *baruffare*, *guernire*, *graffiare*, *(ar)raffare*, *sbreccare*, *scherzare*, *tuffare*, ecc. Oltre che *russare*, abbiamo anche, in parte della Toscana, il sinonimo *sornacare*.

Non molto numerosi gli astratti: *smacco*, *scherno*, *tanfo*, *tonfo*. E così pure gli aggettivi: *gramo*, *ricco*, *stracco*.

Non si dimentichi che in questa rapida elencazione abbiamo considerato quasi esclusivamente le voci che sono penetrate (per lo più dall'uso toscano) nel lessico normale e che tuttora sopravvivono: se avessimo considerato anche le voci dialettali e le voci uscite dall'uso la lista sarebbe stata assai più lunga.

21. *Voci franche*

Abbiamo già accennato alle principali difficoltà a cui si va incontro nell'identificare i vocaboli franchi penetrati in Italia prima del Mille. Anzitutto la scarsezza di indizi fonetici che ci permettano di distinguere le voci franche da quelle paleogermaniche o gotiche: così è molto probabile, ma non sicuro, che *guerra* sia un vocabolo franco. Poi, data la forte romanizzazione dei Franchi giunti in Italia già in età carolingia (così che linguisticamente si deve trattare ormai quasi sempre non di Franchi di lingua germanica, ma di Franchi paleofrancesi), rimane l'incertezza sul periodo in cui molti vocaboli sono penetrati: età carolingia o età cavalleresca. Infine per il fatto che l'influenza linguistica franca e paleofrancese è dovuta molto più al prestigio politico-culturale che a immigrazione di persone, parecchie volte bisognerà tener conto (sia per le parole di origine germanica che per quelle di origine romanza) del tramite della lingua scritta, il latino medievale.

Alcune volte, si può risalire con la documentazione delle carte medievali al nono o al decimo secolo: così si può seguire abbastanza bene l'espansione di *bosco* e di *foresta*, a spese di *selva* e del longobardo *cafaggio* o *gaggio*: *bosco* è probabilmente voce franca, su *foresta* permangono molti dubbi (forse il lat. cancelleresco *forestis* è un derivato di *foris*).

Ci piacerebbe poter dar qui una lista di francesismi giunti in Italia prima del Mille, sceverandoli tra quelli che elencheremo nel capitolo IV, ma poiché una tal lista conterrebbe troppi punti interrogativi, preferiamo restringere il nostro elenco a quelle voci di origine germanica per le quali l'antica importazione sia più probabile.

Ecco alcune voci militari: *baratta* «lite», *battifredo*, *dardo*, *galoppare*, *gonfalone*, *guaita* e *gua(i)tare*, *guarnire*, *guardare*, *schiera* e *tregua* (probabilmente penetrato sotto la forma cancelleresca), *usbergo*.

Per ciò che concerne l'abbigliamento abbiamo *cotta* e *guanto*, pure penetrati in forma latinizzata: *guanto* è già testimoniato da Iona di Bobbio (*Vita Columbani*, c. 14) come parola franca: «tegumenta manuum, quos Galli *wantos*, i. e. chirothecas, vocant, quos ad operis laborem solitus erat habere», ma la parola si impone come termine giuridico, perché il guanto è uno dei simboli del passaggio di proprietà.

Alle attività commerciali si riferiscono *bargagnare* «contrattare» e *sparagnare* «risparmiare»; e anche *guadagnare* (che in origine significava «pascolare»).

Giunge in Italia con i Franchi tutta la terminologia feudale, di origine assai composita e parzialmente incerta: *feudo*, *barone*, *ligio* (tre termini di cui ancora si discute se siano o no di origine germanica), *vassallo* (di origine celtica), ecc. Altri termini riferentisi alla vita politica e sociale sono *marca*, *scabino*, *guarento* e *guarentire* (molto più tardi, con due alterazioni fonetiche dovute a ulteriore influenza francese, *garantire*), *guiderdone*, e anche *abbandonare* (che propriamente vuol dire «lasciare *in bando*, alla mercé»).

Qualche altro verbo e alcuni astratti: *grattare*, *guarire*, *trescare* («ballare»); *ardire*, *schifare* e *schivare*; *orgoglio* e *rigoglio*, *senno*.

Se non si può escludere che qualcuno di questi ultimi vocaboli possa esser giunto più tardi, nell'età cavalleresca, sono certo antichi gli avverbi *troppo* e *guari*.

22. *Voci bizantine*

Per le voci di provenienza greca, è spesso difficile dire se siano penetrate nelle parlate italiane in questo periodo o nei secoli seguenti.

A distinguerle da quelle già accolte nella tarda latinità, spesso servono criteri fonetici. Anzitutto l'accento: p. es. il tipo merid. *pudìa* di contro a *poggia* «cavo per tirare l'antenna», i nomi *Tòdero*, *Firpo*, *Elmo* di contro a *Teodoro*, *Filippo*, *Erasmo*, ecc. Poi l'itacismo di η, p. es. in *bottiga*, *pontica* da ἀποϑήκη, it. mer. *canzirru* «mulo» da κανϑήλιος: la sonorizzazione dell'esplosiva nei gruppi ντ, μπ, diventati *nd*, *mb*, p. es. in *gondola*, *indivia*, sardo *condaghe*, ecc.

Le vie di penetrazione, come si è detto (§ 6), sono varie; e a identificarle spesso servono indizi geografici; parecchi vocaboli vivono tuttora soltanto in territori un tempo bizantini (Esarcato; aree meridionali, talvolta a contatto con quelle colonizzate da popolazioni greche).

Diamo un rapido elenco di quei grecismi che probabilmente risalgono al periodo bizantino più remoto, senza escludere che qualcuno possa essere penetrato in Italia nei secoli seguenti. Lasciamo di solito da parte i vocaboli che si hanno soltanto in dialetti meridionali[86].

---

[86] Per essi si troveranno informazioni nell'*Etym. Wört. der unterital. Gräzität* del Rohlfs. Anche per le voci seguenti sottintendiamo per le voci che non hanno altri richiami un rinvio al *REW*, al Rohlfs, al *DEI*.

Per l'abitazione troviamo *androne* (it. sett. *androna*), *lastrico* (propr. «terrazzo fatto con cocci», gr. τὰ (ὄ)στρακα).

Fra gli oggetti domestici, ricordiamo *mastra*, *màttera* (nome della «madia»), *mastello*[87]. Citiamo anche il nome della «nicchia con immagine sacra», che presenta nell'Italia settentrionale il tipo *ancona*, in quella meridionale il tipo *cona*.

Numerosissime sono le voci marinaresche: nomi di navi, come *galea* e *gondola*[88], di attrezzi, operazioni, installazioni marittime: *argano*, *sartie*, *calumare*, *ormeggiare*[89], *falò*, *molo*, *mandracchio*, *squero*, *scala* «luogo di sbarco»[90].

Tra le voci militari ricordiamo *turcasso* (dal bizant. ταπκάσιον, di provenienza orientale).

Il commercio promosso dai mediatori (it. sett. *messeta*, gr. μεσίτης) si estende a merci diversissime: importante quello della *bambagia* e dei tessuti (*sciàmito*, ecc.). Sopravvive ancora, specie nell'Italia nord-orientale, il tipo *metro* come nome di misura. E troviamo termini artigiani come *paragone*, che deve essere originariamente vocabolo degli orafi (l'assaggio dell'oro sulla «pietra di paragone»), *smeriglio*, ecc.

I nomi delle autorità civili e militari bizantine lasciano parecchie tracce: *duca* è la forma grecizzata di *dux*; *catapano* e *straticò* sono sopravvissuti a lungo; il genov. *centraco*, *cintraco* «banditore» è un continuatore del biz. κένταρχος (decaduto nel significato). Voce di amministrazione è anche il *condaghe* sardo.

Si divulga la conoscenza di alcune piante: l'*anguria*, l'*indivia* (e anche il *basilico*, almeno in quelle aree che presentano il tipo *basilicò*)[91].

Di quest'età è anche *ganascia* (*ganathos* in una glossa del sec. X, da γνάθος femminile)[92].

Una forte influenza bizantina si vede anche nella fortuna di alcuni suffissi: -*ia* con *i* tonica (in formazioni come *abbatìa*, it. *abbazìa*), -*itano*, -*oto* (che è andato a confluire con -*otto*).

Per le voci arabe, riesce così difficile sceverare le voci penetrate attraverso la dominazione araba di Sicilia da quelle giunte più tardi per altre vie che preferiamo farne cenno più oltre.

---

[87] Sia che la parola si riconnetta con *mastra*, sia che risalga, come propone l'Alessio (in *Lingua nostra*, XI, p. 47; *DEI*, s v.), a una metafora da μαστός «mammella».

[88] Kahane, in *Romance Phil.*, V, 1951-52, pp. 174-176.

[89] *Diz. di marina*, s. v.

[90] Voce originariamente latina, ma che ha preso il nuovo significato marittimo a Costantinopoli (Kahane, in *Italica*, XXVIII, p. 290).

[91] Bertoldi, in *Arch. glott. it.*, sez. B, XXI, pp. 140-142.

[92] *Corpus Gloss. Lat.*, III, p. 564. v. Meyer-Lübke, *Wörter u. Sachen*, XII, 1929, p. 9, Bonfante, *Biblos*, XXVII, 1951, pp. 369-377.

CAPITOLO III
I PRIMORDI
(960-1225)

1. Limiti

Studieremo in questo capitolo le prime manifestazioni del volgare in Italia, cominciando dai placiti cassinesi, in cui la prima volta appare in un testo una nitida coscienza della distinzione fra latino e volgare, e giungendo fino a una data, il 1225, che pressappoco segna una nuova fase della lingua: il suo uso per un inno d'alta ispirazione religiosa, cioè il cantico di Frate Sole (1225 o 1226), e il suo uso per liriche d'intenzione decisamente letteraria, in gara col provenzale, cioè l'inizio della poesia nella corte siciliana.

2. Si può già parlare di testi italiani?

Liminarmente, ci si pone il quesito che ha assillato e assilla i cultori della storia politica e i cultori dei vari aspetti della storia culturale italiana: è lecito, già in questo periodo, trattare le varie espressioni in volgare come varianti di una medesima lingua? Gli storici si domandano, se in difetto di una unità politica che l'Italia raggiungerà solo nell'Ottocento, si può almeno parlare, e da quando, di un'«Italia morale», che giunge in qualche modo a toccare i confini dell'Italia geografica. Quanto alle manifestazioni linguistiche, esse possono essere considerate di pieno diritto tutte insieme solo quando chi parla o chi scrive ha come uditorio ideale tutti gli abitanti della penisola: ciò che è ancor dubbio per i poeti della Scuola siciliana, ma è ormai certo per Dante. Se tuttavia già in questo capitolo trattiamo insieme dei vari testi dei primordi, lo facciamo tenendo conto dei limiti geografici e di quei primi caratteri superdialettali che sia pur molto alla lontana prepararono la futura unità.

3. Eventi storici

Anche l'apparire dei primi testi è in certo modo una testimonianza di quel risveglio, di quel rinnovamento che si nota nella penisola verso il Mille. Le repubbliche marinare mostrano un'energica attività politica e commerciale: Genova, Pisa, Amalfi nel Tirreno e sulle coste africane, Venezia nell'Adriatico.

Il grande moto di riforma religiosa che s'incentra in Gregorio VII rafforza l'unità morale del mondo cattolico, e dà un'energica spinta alle Crociate, mosse tuttavia anche da un prorompente spirito d'avventura e di conquista.

Per l'Italia la più importante delle Crociate è la quarta, che porta Venezia a una grande espansione politica e commerciale, e insedia numerosi signori italiani nei feudi dell'impero latino d'Oriente.

Quel contrasto fra Settentrione e Mezzogiorno, che è uno dei caratteri immanenti della storia italiana – e sarà proprio in questo contrasto che si incuneerà più tardi la Toscana diventando la mediatrice linguistica – viene ad accentuarsi tra il secolo XI e il XII. Nel Nord e nel Centro si afferma quella tipica istituzione italiana che è il Comune, per cui numerosi centri urbani assumono le funzioni di altrettante città-stati, organizzate ad opera della piccola nobiltà e della borghesia. La loro vita operosa e tumultuosa le spinge anzitutto a combattere fra loro; poi la lotta contro Federico Barbarossa le porta ad acquistare coscienza di sé: ma questo sentimento antiimperiale e antitedesco è ancora negativo più che positivo, e le loro unioni sono poco più che consorzi in difesa di interessi particolari. Che anche poi, nello spartirsi fra Guelfi e Ghibellini, i comuni obbediscano piuttosto a interessi municipali che a ideali politici generali, si vede dalla loro distribuzione geografica, quasi «a scacchiera».

Quanto all'Italia meridionale, le condizioni mutano radicalmente in poco più di un secolo, in seguito alla conquista normanna. Intorno all'anno 1000 la parte meridionale della penisola è divisa fra Bizantini, principati longobardi, invasori musulmani in lotta fra loro: nel secolo seguente Ruggero II duca di Puglia e re di Sicilia (1130) ha ormai in pugno le sorti di quasi tutta l'Italia meridionale e della Sicilia, e ha inizio con lui una tradizione unitaria, che diventerà anche più forte con un accentratore come Federico II, e che durerà per molti secoli, dando una particolare fisionomia a quella parte d'Italia.

4. *Movimenti culturali*

I principali movimenti culturali di questo periodo vanno considerati nell'àmbito dell'Occidente cristiano, e per lo più vediamo che la Francia vi ha una posizione preminente. Verso la metà del sec. XI si diffonde quel modo di vivere e di pensare che va sotto il nome di ideale cavalleresco.

Importanti riforme monastiche irradiano da Cluny, da Cistercio (Citeaux), dalla Certosa; in Italia, da Camaldoli. Nell'Italia meridionale, si esercita largamente l'influsso della cultura cassinese[1]. Al principio del '200, sorgono l'ordine domenicano e quello francescano.

---

[1] «Cassino ci appare sempre più come una capitale anche linguistica, oltre che un grande deposito e una roccaforte della cultura occidentale all'incrocio di molte correnti, latine e greche e longobarde» (Folena, *Rassegna*, LXII, 1958, p. 247).

Nell'architettura assistiamo al principio del Cento alla fioritura del romanico (con le grandi cattedrali di Modena, 1106, Cremona, 1107, Piacenza, 1122, ecc.), poi a quella del gotico.

Nella matematica, nell'astronomia, nella medicina si fa molto sentire l'influsso arabo, che anche nella filosofia si manifesterà con la larga fortuna delle idee averroistiche.

La preminenza italiana è invece assai notevole nel campo del diritto: le scuole di Pavia e di Ravenna preparano la grande fioritura di quella di Bologna: la rinascita del diritto romano e l'elaborazione del diritto canonico sono altissime manifestazioni di questa età.

Una ininterrotta tradizione scolastica si mantiene nelle scuole monastiche ed episcopali: l'insegnamento, quasi sempre fatto da ecclesiastici, mira anzitutto a dare una conoscenza grammaticale e retorica del latino, attraverso la quale si ascende per gradi a ogni specie di scienza, fino al diritto, fino alla teologia. Gli stranieri si meravigliavano, nel sec. XI, che in Italia anche i laici studiassero, e che dessero tanta importanza all'insegnamento grammaticale-retorico: Vippone di Borgogna nel *Tetralogus* fa questo confronto:

> Hoc servant Itali post prima crepundia cuncti,
> et sudare scholis mandatur tota iuventus:
> Solis Teutonicis vacuum vel turpe videtur,
> ut doceant aliquem, nisi clericus accipiatur[2].

E Radolfo Glabro narra di un certo Vilgardo di Ravenna, «studio artis grammaticae magis assiduus quam frequens, sicut Italis mos semper fuit artes negligere caeteras, illam sectari», al quale apparvero dei demoni in apparenza di Virgilio, di Orazio, di Giovenale[3].

5. *Tardo affermarsi del volgare*

Porta d'ogni specie di cultura è dunque la *grammatica*, cioè la conoscenza del latino. E all'infuori di pochi testi (pochissimi fra i quali si sono salvati), tutto quello che è stato scritto in questi secoli in Italia, è stato scritto in latino: carte pubbliche e private, epigrafi, decreti e bolle, commenti giuridici, trattati teologici e morali, vite di santi, cronache, poemi di argomento storico o moraleggiante, e tutto il resto.

Le innumerevoli varietà dialettali che si parlavano nei vari luoghi[4] erano sentite come manifestazioni di carattere inferiore, prive affatto di quella formalità, di quella regolarità, di quella dignità che erano

---

[2] *Tetralogus*, vv. 197-200 (cit. da F. Novati, *L'influsso del pensiero latino sopra la civiltà ital. nel Medio Evo*, Milano 1899, p. 212).

[3] *Historiarum sui temporis*, l. II, in *Patrol. Lat.*, CXLIII, col. 644.

[4] Si veda la nitida trattazione di G. Vidossi, in «L'Italia dialettale fino a Dante», nel volume di A. Viscardi, B. e T. Nardi, ecc., *Le Origini*, Milano-Napoli 1956, pp. XXXIII-LXXI.

reputate necessarie per mettere in iscritto qualsiasi cosa, anche la meno importante; tanto meno si poteva concepire d'accostarsi all'altezza della poesia se non obbedendo alle regole di Donato.

Occorre una lunga serie di tentativi e di sforzi perché anche in Italia i volgari superino questo sentimento d'inferiorità, e accanto e di fronte al latino si senta il desiderio e la necessità di fissare la fuggevole parlata, dandole valore al di là del suo spazio e del suo tempo: occorre soprattutto che si conosca e si apprezzi il risultato vittorioso ottenuto dalle letterature d'oc e d'oil.

A lungo fu dibattuta, nei decenni passati, la questione delle tarde origini della lingua e della letteratura italiana; e con risultati assai scarsi, per la ragione incisivamente enunziata dal Parodi: «in verità noi non dovremmo chiederci mai perché una letteratura non nasce, ma perché nasce»[5].

È legittimo insomma studiare come mai gli anni intorno al 1100 offrano in Francia il clima opportuno per la fioritura della *Chanson de Roland* e delle liriche di Guglielmo IX, purché non si dimentichi che quelle opere non sono il prodotto di quel clima, ma opere di scrittori che in esso hanno semplicemente trovato opportune condizioni. Ora invece il chiederci come mai in Italia non siano sorte opere in volgare vuol dire proprio considerare le opere d'arte come necessario prodotto di un certo clima.

La risposta che comunemente si dà a questo quesito: «una letteratura in volgare non è sorta perché il latino godeva troppo prestigio», ha un nucleo di verità, ma non è sufficiente a spiegare le tarde origini della letteratura: basti osservare che se è vero che il secolo XII non ha quasi alcun poeta in volgare, è vero altresì che ha pochissimo anche in latino. Se fosse sorto un vero, un grande poeta, avrebbe pur scritto in una lingua o in un'altra, in latino o in volgare. Invece questo secolo rivolse la sua poiesi all'azione: creò il Comune, fondò colonie oltre mare, tra le arti belle predilesse la più pratica, l'architettura. Ai giuristi bolognesi che fondarono il nuovo diritto, non poteva nemmeno passare per il capo di servirsi del volgare, sia per la continuità che essi andavano restaurando con il diritto romano, sia perché il loro orizzonte non era locale o nazionale, ma si apriva su tutta l'Europa civile.

Il prestigio di cui il latino godeva in Italia, la tenace consuetudine che faceva di esso l'unica lingua che si potesse scrivere, perché fermata da salde regole e capace di ornato, la sua diffusione relativa-

---

[5] Nel discorso su «L'eredità romana e l'alba della nostra poesia», rist. in *Poesia e storia nella Divina Commedia*, Napoli 1921, p. 43. V. anche Novati-Monteverdi, *Le Origini*, cap. I; K. Vossler, in *Zeitschr. für vergl. Literaturgesch.*, XV, 1903, pp. 21-32; Id., *Die Göttliche Komödie*, II, i, Heidelberg 1908, pp. 582-586 (2ª ed., II, Heidelberg 1925, pp. 394-397); E. Gorra, «Di alcune questioni di origini» (1912), in *Misc. Crescini*, Cividale 1927, pp. 463-499; N. Zingarelli, in *Nuova Antologia*, 16 genn. 1923, rist. in *Scritti di varia letteratura*, Milano 1935, pp. 428-449; A. Roncaglia, in *Problemi e orientamenti*, III, pp. 88-92.

mente larga, la sua differenza non grandissima dalla lingua parlata, la rispondenza che esso presentava, nella fase medievale, alle molteplici esigenze della vita pratica: tutto questo servì a ritardare l'avvento del volgare.

Ma se andiamo cercando opere letterarie troveremo ben poco, e dovremo concludere che questi secoli ebbero i poeti dell'azione, i creatori del Comune, e i cultori delle discipline più legate all'attività pratica (retorica, diritto, medicina): non ebbero invece ancora i poeti e i cultori del verbo, né in latino, né in volgare.

I singoli testi in volgare che ci rimangono per questi primi secoli rappresentano sporadiche eccezioni alla regola generale che per scrivere bisognava scrivere in latino; e ci si potrà caso per caso domandare, e non sempre trovare, il perché.

La coscienza della separazione tra volgare e latino è nettissima nei quattro placiti cassinesi; e solo qua e là potremo ritrovare, in scribi di eccezionale ignoranza, confusione fra i due sistemi[6].

Che si parlasse quotidianamente nei diversi volgari, è ovvio. Ma ne abbiamo anche testimonianze precise, per usi ecclesiastici, giuridici, mercantili. Il papa Gregorio V (Bruno, figlio di Ottone margravio di Verona), morto nel 999, fu sepolto in S. Pietro, e sul sarcofago, che si vede tuttora nelle Grotte vaticane, si leggono, come abbiamo già ricordato, i seguenti versi:

> Usus francisca, vulgari et voce latina
> instituit populos eloquio triplici.

Angerio vescovo di Catania (sec. XII) dispose che il catecumeno adulto, se non era in grado di rispondere in latino alle domande che gli si facevano per l'amministrazione del battesimo, potesse rispondere anche in volgare: «si nescit litteras, haec vulgariter dicat»[7].

Nel 1133, re Ruggero fa che si legga un memoratorio contenente privilegi concessi dall'abate Ambrogio agli abitanti di Patti, e che poi si esponga in volgare. «Audita tandem memoratorii continentia, et vulgariter exposita, Pactenses...»[8].

Nel 1189, come risulta da una carta di quell'anno, il patriarca di Aquileia fece una predica in latino nella chiesa delle Carceri, villaggio padovano, e il vescovo di Padova Gherardo la spiegò al popolo in

---

[6] Più di una volta notiamo confusioni ed esitazioni nei Sardi: citiamo solo una frase del chierico Nicita, in un atto di donazione di un giudice di Torres a Montecassino: «Nicita lebita iscribanus in palaczio regis iscrisi...» (cit. da Monteverdi, «L. A. Muratori, ecc.», cit., p. 93).

[7] L. Vigo, *Canti popolari siciliani*, Catania 1857, p. 22; Id., *Raccolta amplissima*, Catania 1870-74, p. 27. Non ho potuto appurare donde il Vigo abbia attinto la notizia.

[8] V. il testo in G. G. Sciacca, *Patti e l'ammministrazione del comune nel medio evo*, Palermo 1907, p. 217.

volgare: «cum predictus patriarcha litteraliter sapienter predicasset et... predictus Gherardus Paduanus episcopus maternaliter eius predicationem explanasset...»[9].

Boncompagno nella sua *Rhetorica antiqua* ci fa anche conoscere l'uso scritto che i mercanti facevano del volgare: «Mercatores in suis epistolis verborum ornatum non requirunt, quia fere omnes et singuli per idiomata propria seu vulgaria vel corruptum latinum ad invicem sibi scribunt et rescribunt...»[10]. Ma siamo ormai nel 1215.

6. Circolazione di persone

Mentre il latino adempie la sua funzione di lingua comune per tutta l'Europa occidentale, i singoli dialetti servono ai singoli luoghi, o poco più: il perpetuo contrasto fra spirito di circolazione e spirito particolaristico trova espressione in questi due mezzi distinti.

Fra le categorie di persone che più si muovono da un luogo all'altro sono i religiosi, i quali bene o male adoperavano il latino, almeno con i loro confratelli. Ma i mercanti, meno colti e maggiormente spinti dalla necessità di farsi intendere, avranno dovuto adattarsi al volgare dei luoghi in cui trafficavano, particolarmente delle sedi delle fiere.

Altra occasione di scambi di persone e di parlate fu l'istituzione dei podestà forestieri. Prendiamo per esempio le notizie che abbiamo del giudice e poeta bolognese Rambertino Buvalelli[11]: forse podestà di Brescia nel 1201, podestà di Milano nel 1208, console di giustizia a Bologna nel 1209, ambasciatore a Modena nel 1212, podestà di Parma nel 1213, console di Bologna nel 1214, podestà di Mantova nel 1215-16, podestà di Modena nel 1217, podestà di Genova nel 1218-20, podestà di Verona nel 1221, dove morì. Possiamo immaginare agevolmente quali effetti dovesse avere una vita pubblica di tal genere sulla lingua di quelli che la esercitavano: ne doveva risultare un parlare fortemente mescidato.

Un altro gruppo su cui dobbiamo un momento soffermarci è quello dei giullari. Il loro mestiere è quello di divertire con la parola per trarne guadagno[12]: tutte le loro attività, sia quella di una recitazione integrata con i gesti e talora con le vesti, sia il fare da corifeo di una danza accompagnata dal canto, sia i giochi di prestigio o il mostrare orsi o

[9] A. Gloria, *Del volgare illustre dal sec. VII fino a Dante*, cit., p. 61.

[10] L. Rockinger, *Briefsteller und Formelbücher des XI. bis XIV. Jh.*, Monaco 1863, p. 173.

[11] G. Bertoni, *Rambertino Buvalelli trovatore bolognese*, Dresda 1908, pp. 12-14.

[12]   Acci gente di corte
       che sono use ed acorte
       a sollazzar la gente,
       ma domandan sovente
       danari e vestimenti
dirà Brunetto Latini nel *Tesoretto* (vv. 1495-1499).

scimmie, esigono stretto contatto verbale con il pubblico che si vuol divertire. Ora si tratterà del pubblico di un solenne convito signorile o episcopale, in cui ci sarà da recitare in latino la *Cena Cypriani*, ora invece bisognerà intrattenere i villani accorsi a una fiera per spillar loro un po' di denaro: e per farsi capire da loro occorrerà un volgare raccostato il più possibile a quello del luogo. Naturalmente vi saranno stati giullari d'una certa cultura, ecclesiastici mancati diventati *clerici vagantes*, e giullari appena infarinati dal contatto con persone colte; ma è chiaro da tutta la produzione giullaresca che un po' di dottrina bene o male digerita non manca mai.

7. *Conoscenza delle lingue e letterature d'oc e d'oil*

Contatti pratici e contatti culturali contribuivano a diffondere una certa conoscenza delle lingue d'Oltralpe in Italia. Si pensi alle continue correnti di pellegrinaggio, alle Crociate, alle fondazioni cluniacensi e cisterciensi. La rigogliosa fioritura degli studi teologici e filosofici in Francia nei secoli XI e XII dà grande prestigio alle scuole transalpine, ma l'influenza s'esercita rimanendo nell'àmbito della lingua delle scuole, il latino medievale; poi il fatto che, a partire dal 1100 circa, siano sorte due fiorenti letterature in volgare costituisce un esempio talmente cospicuo da invogliare a seguirlo (per ora quasi soltanto ponendosi sulla via di quegli scrittori, con le loro stesse lingue).

Per l'Italia meridionale, è notevole l'influenza esercitata dagli insediamenti normanni e dalla loro corte; si hanno molte notizie delle relazioni dei Normanni d'Italia con quelli di Francia e d'Inghilterra, e si sa che la conoscenza del francese era indispensabile alla Corte; Arrigo conte di Montescaglioso rifiutò la carica di reggente durante la minorità di Guglielmo II, scusandosi col fatto di non sapere il francese: «Francorum se linguam ignorare, quae maxime necessaria esset in curia». Giunsero per questa via leggende carolinge e arturiane (e così si spiega che il nome della fata Morgana, sorella di Artù, arrivasse in Sicilia).

Nell'Italia settentrionale, alla fine del Cento e nei primi decenni del Duecento, dapprima le Corti (specie nel Monferrato, in Lunigiana, presso gli Estensi, nella Marca Trivigiana), poi anche le città s'interessano alla poesia provenzale; numerosi trovatori vengono in Italia e trovano imitatori. Non ci resta che il soprannome *Cossezen* (cioè «bellino») del più antico trovatore d'Italia, quel «vecchietto lombardo» che secondo la caricatura di Pietro d'Alvernia avrebbe chiamato codardi i suoi vicini[13]; mentre ci resta il serventese di Peire de la Cavarana, composto nel 1196 o poco dopo, che esprime i sentimenti d'odio dei Lombardi contro «la gent d'Alemaigna». Vedremo più oltre (§

---

[13] Crescini, *Manuale prov.*, p. 185.

21) in qual modo Rambaldo di Vaqueiras abbia applicato il suo talento poetico a scrivere in un dialetto italiano.

Un po' più tarda, ma popolare e duratura, sarà nell'Italia settentrionale l'influenza della letteratura in lingua d'oil.

8. I placiti cassinesi

I documenti in cui per la prima volta il volgare appare in piena luce, coscientemente contrapposto al latino, sono i quattro placiti cassinesi. Si tratta di un gruppetto compatto di quattro pergamene di analogo argomento (quattro placiti o più esattamente tre placiti e un «memoratorio» sull'appartenenza di certe terre, nei quali la base per la decisione è fornita da testimonianze giurate), appartenenti allo stesso tempo (il breve periodo dal 960 al 963) e agli stessi luoghi[14]. I placiti concernono beni di tre monasteri dipendenti da Montecassino, e sono stati pronunziati a Capua, a Sessa e a Teano: tutto cioè si è svolto nell'àmbito dei principati longobardi di Capua e di Benevento (per essere più precisi, in quello di Capua, riunito in quegli anni al principato di Benevento, in una delle periodiche fusioni e scissioni dei due territori).

Fuorché nella prima delle carte di Teano (il «memoratorio»), il tipo è costante: in un primo tempo il giudice comunica alle parti il testo della formola, in un secondo tempo testimoni presentandosi separatamente, la pronunziano: cosicché in tre dei documenti la formola è ripetuta quattro volte.

I quattro passi in volgare sono i seguenti:

> (Capua, marzo 960):
> Sao ko kelle terre, per kelle fini que ki contene, trenta anni le possette parte sancti Benedicti.

> (Sessa, marzo 963):
> Sao cco kelle terre, per kelle fini que tebe monstrai, Pergoaldi foro, que ki contene, et trenta anni le possette.

> (Teano, luglio 963):
> Kella terra, per kelle fini que bobe mostrai, sancte Marie è, et trenta anni la posset parte sancte Marie.

[14] V. il testo completo delle quattro carte in M. Inguanez, *I placiti cassinesi del sec. X con periodi in volgare*, 4ª ed., Montecassino 1942. Un'ottima collazione della prima carta dà P. Fiorelli, *Il placito di Capua del 960*, Trieste 1960 (al quale dobbiamo anche un'acuta esposizione di tutti i problemi del placito: *Lingua nostra*, XXI, 1960, pp. 1-16). Cfr. ora A. Schiaffini, *I mille anni della lingua italiana*, 2ª ed., Milano 1962.

Per i testi citati in questo paragrafo e nei seguenti si potrà comodamente ricorrere alla *Crestomazia* del Monaci (nella riedizione dell'Arese) o alle raccolte del Monteverdi, dell'Ugolini, del Lazzeri, di Dionisotti e Grayson, che ci dispensiamo perciò dal citare volta per volta.

(Teano, ottobre 963):

    Sao cco kelle terre, per kelle fini que tebe mostrai, trenta anni le possette parte sancte Marie.

Le formule corrispondono ad altre simili, ma in latino, che sono state additate altrove (Lucca 822); e anche per territori vicini al nostro pochi anni prima (S. Vincenzo al Volturno, 936, 954; e poi anche 976).

Poiché i testimoni, tutti chierici e notai, sarebbero certo stati in grado di pronunziare in latino la formola testimoniale, si deve essere ritenuto opportuno di farne conoscere il tenore a tutti quelli che erano presenti al giudizio, come era avvenuto in modo più solenne a Strasburgo nell'842, quando Lodovico il Germanico aveva giurato *romana lingua* per farsi capire dai soldati francesi, e Carlo il Calvo *teudisca lingua* per farsi capire da quelli tedeschi. Alcuni pensano che questa desiderata pubblicità mirasse ad assicurare per mezzo di un giudizio, promosso non da un avversario autentico, ma da uno che agiva d'accordo col monastero, la proprietà di beni che si pensava potessero venir contestati[15].

Il giudice nei tre casi preannunzia le parole che i testimoni dovranno giurare e che saranno state probabilmente da lui stesso preparate, e il notaio poi sottolinea la perfetta conformità (*toti tres quasi ex uno ore*; *quasi uno ore*) delle dichiarazioni[16]: siamo dunque certi che questi documenti non sono la riduzione scritta di frasi pronunziate ex abrupto, ma rappresentano i primi documenti di un linguaggio cancelleresco.

Così ci spieghiamo la struttura sintattica piuttosto complessa delle formule[17]. Quanto ai genitivi di nomi propri, contenuti nei documenti, è facile spiegare *parte Sancti Benedicti* e *parte sancte Marie*, che appartengono a quel filone che sbocca nel tipo moderno *Piazza San Giovanni, Via Garibaldi*. Più difficili a spiegare in testi volgari sono i genitivi di appartenenza dipendenti dal verbo «essere»: *Pergoaldi foro, sancte Marie è*. Giacché l'uso del volgare è nella mente dei partecipanti così nettamente separato dall'uso del latino, mi sembra che per spiegare la presenza di questi genitivi nelle formule si debba ammettere che l'uso cancelleresco di tali forme fosse stato trasportato dal dibattito orale in latino al dibattito in volgare, e che perciò i giudici ritenessero di poterle adoperare anche in formule scritte intenzionalmente in volgare[18].

[15] S. Pellegrini, *Lingua nostra*, VIII, 1947, pp. 33-35.

[16] Due lievi discordanze nel placito di Sessa sono spiegate dal Debenedetti, *St. mediev.*, n. s., I, 1928, pp. 141-143.

[17] Un po' imbrogliata per l'accumularsi delle proposizioni dipendenti è la formola del placito di Sessa: «So che quelle terre, per quei confini che ti mostrai, furono di Pergoaldo – ciò che qui si contiene (= *que ki contene*) – e trenta anni le possedette».

[18] Si confronti la lunghissima persistenza del genitivo in Toscana per influenza cancelleresca, quale risulta dalle ricerche del Bianchi, *Arch. glott. it.*, IX, pp. 365-436, X, pp. 305-412.

Invece le forme *tebe* e *bobe* sono importanti reliquie di dativi latini nell'uso popolare meridionale[19].

Un notevole problema è quello della forma *sao*. Di per sé, essa non meraviglia affatto: si può spiegare benissimo come una formazione analogica promossa da un lato dalle forme di 2ª e 3ª persona, *sai* (lat. SAPIS) e *sae* (lat. SAPIT), e dall'altra da presenti come *ao, dao, stao* che possiamo supporre posseduti dai dialetti campani intorno all'anno 1000, giacché li troviamo in testi non molto discosti: testi semi-latini del *Codice diplomatico Cavense* hanno *abo* per «ho» e *dabo* per «do»[20].

Quello che fa sorgere qualche dubbio, è il fatto che i dialetti meridionali odierni presentano invece uniformemente il tipo *saccio* o meglio *saccë*[21], continuatore del lat. SAPIO. Un testo di questa stessa zona, di circa due secoli posteriore ai placiti, ha già *sactio* (*Ritmo cassin.*, v. 14). D'altra parte non è lecito mettere in dubbio questa testimonianza dei placiti: ogni errore è escluso per il fatto che si tratta di carte originali e che la forma è adoperata dodici volte.

Non ci si presentano che due soluzioni. L'una è che a Capua e nei dintorni si fosse lasciato cadere nell'uso parlato il continuatore di *sapio*, mettendo al suo posto la forma analogica *sao*; e che solo successivamente, per influenza di altri centri, si sia accettata anche là la forma meridionale *saccio* o *sazzo*. L'altra ipotesi, prospettata dal compianto Bartoli[22], è che il *sao* provenga da un'area settentrionale, e rappresenti nei nostri testi un indizio di superamento del dialetto. «Le formule cassinesi rispecchiano un linguaggio regionale, della Campania, quale era parlato abitualmente dai giureconsulti e dagli ecclesiastici campani nella seconda metà del sec. X. Ma quel linguaggio regionale conteneva anche elementi interregionali e di due specie diverse: latinismi e italianismi. O meglio e più semplicemente: elementi latini e italiani. Il più sicuro di tali elementi è *sao*, onde *so*». Dobbiamo confessare che tra le due ipotesi, la prima[23] ci appare senz'altro la più probabile.

[19] Ritroveremo ancora nel Ritmo cassinese *tebe* e *sebe* e l'analogico *mebe*; nel contrasto di Cielo sopravvivono le forme *meve, teve, seve*, senza ormai significato di dativo; e non tarderanno a sparire. Vedi D'Ovidio, in *Arch. glott. it.*, IX, pp. 55-59; Id., in *Zeitschr. rom. Philol.*, XX, 1906, pp. 523-525; Id., in *St. rom.*, VIII, 1912, pp. 112, 118 ecc.

[20] De Bartholomaeis, *Arch. glott. it.*, XV, p. 268. Cfr. anche lo *stao* del contrasto di Cielo, v. 54 (l'altro *stao*, v. 84, è di terza persona, e va probabilmente corretto in *staci*).

[21] *A I S*, carta 1693. L'unica eccezione è Guardia Piemontese (Cosenza), che probabilmente è una colonia dovuta a una migrazione settentrionale del sec. XIV.

[22] Prima in un rapido accenno, in *Arch. glott. it.*, XXVII, 1935, p. 102, poi nell'ultimo articolo da lui scritto, in *Lingua nostra*, VI, 1944-45, pp. 1-6.

[23] Difesa da G. Folena, in *Paragone*, febbraio 1954, p. 31 e da A. Castellani, in *Lingua nostra*, XVII, 1956, pp. 3-4.

Un'altra forma interessante dei placiti è *ko* (Capua), con la variante *cco* (*Sao cco*, Sessa, Teano II). Si tratta certo di una sopravvivenza del lat. QUOD, che è più tardi confluita, insieme con *ca* (continuatore di QUAM e forse di QUIA) e con *che* o *ched* (lat. QUID) nell'unica forma *che*[24].

I primi che si trovarono a scrivere i suoni dell'italiano con l'alfabeto tradizionale latino ebbero a lottare contro la difficoltà di rappresentare quei suoni che il latino pronunziato secondo l'uso medievale non possedeva: anzitutto la *c* e la *g* velare davanti a *e* ed *i*. Dove l'affinità con il vocabolo latino era ancora fortemente sentita, era ovvio che si tendesse a rimanere alla grafia latina: il *che* con significato di pronome relativo è reso con *que*. Invece per *kelle* e *ki* i notai ricorrono al segno *k*, raro nel latino (salvo che nell'uso cristallizzato di *kal.*), ma che aveva il vantaggio di non prestarsi ad alcuna ambiguità. La regolarità con cui essi se ne servono, che a noi moderni può sembrare scarsa[25], è invece così grande, se la confrontiamo con le oscillazioni nell'uso medievale, che conferma nell'impressione di un uso notarile incipiente[26].

9. *Testi del secolo XI. Carte sarde. Postilla amiatina*

Dopo i quattro placiti, per un secolo intero non appaiono altri documenti volgari: nell'immensa congerie di documenti latini, nelle iscrizioni relativamente numerose appare solo qua e là qualche briciola di volgare sfuggita agli estensori, ma nessun testo continuato.

Bisogna aspettare gli ultimi decenni del sec. XI per trovare due carte sarde e tre testi dell'Italia centrale.

Le due carte sarde sono di grandissimo interesse, perché manifestano un precoce affermarsi del volgare anche in quegli usi che più a lungo nella penisola rimasero riserbati al latino. Ma poiché quei documenti (come le carte e i condaghi del secolo seguente) rappresentano una tradizione a sé, formatasi su un ceppo dialettale che ha tanti caratteri peculiari, la loro storia presenta problemi che vanno affrontati separatamente. E qui basti l'avervi accennato.

In calce a una carta del 1087, con la quale un certo Miciarello e sua moglie Gualdrada facevano dono di tutti i loro beni all'Abbadia di S. Salvatore (sul Monte Amiata), il rogatario, notaio Rainerio, aggiungeva questa postilla:

---

[24] QUOD sopravvive ancora, sotto la forma *ku*, nell'Appennino campano, *A I S*, 1143, punto 712 (Rohlfs, *Arch. St. n. Spr.*, 173, p. 143). La geminazione in *cco* è possibile risalga, secondo la congettura del Rajna, all'analogia di forme come *cca* (dal latino *eccu-hac*), benché i nostri testi non presentino ancora *cca*, ma invece *ki*.

[25] Per le due oscillazioni già notate: *ko = cco*; *que* e non *ke*.

[26] Sorvoliamo su numerosi altri particolari che meriterebbero di essere precisati: è ovvio che nella discussione di documenti, di opere, di autori singoli dobbiamo vincere la tentazione di discuterli in sé e per sé anziché limitarci a cogliere quegli elementi che si ricolleghino a un filo continuo.

> Ista car*tula* est de caput coctu
> ille adiuvet de ill*u* rebottu
> qui mal consiliu li mise in corpu.

L'assonanza di *coctu*, *rebottu* e *corpu* fa pensare che si tratti di versi, endecasillabi se si leggono senz'alcuna elisione, novenari se si suppone che il notaio rivestisse di sembianze latine altrettante parole volgari, pressappoco le seguenti:

> Esta carta è de Capucottu
> e ll'aiuti dellu rebottu
> che mal consigliu i mise in corpu[27].

L'interpretazione non manca di difficoltà, fra cui la principale è il significato di *rebottu*[28]: io spiegherei pressappoco in questo modo: «Questa carta è di Capocotto (soprannome di Miciarello, probabilmente da intendere come «Testadura») e gli dia aiuto contro il Maligno, che un mal consiglio gli mise in corpo».

S'intenda così o altrimenti, il nostro testo ci mostra una fase di concretamento della lingua molto meno avanzata che non nei placiti cassinesi. Il notaio Rainerio non sa scrivere che in latino, e ogni parola del suo volgare che deve scrivere non sa scriverla altrimenti che riferendosi al latino. Pronunziando *capucottu*, scrive *caputcoctu*. Diceva *è*, e scrive *est*. E forse dietro l'*adiuvet* (che egli certo pronunziava, secondo l'uso medievale, *adiùvet*) sta nascosto un *aiuti*.

Tuttavia attraverso questo velo tralucono alcune caratteristiche notevoli (l'articolo *illu*, le terminazioni in *-u*).

10. Iscrizione di S. Clemente

Molto più importante della postilla del notaio Rainerio è l'iscrizione affrescata su un muro della chiesa di san Clemente a Roma, negli ultimi anni del sec. XI. Più importante perché si tratta di un'iscrizione esposta al pubblico, e per di più in una chiesa.

È noto l'episodio che l'affresco rappresenta, attinto alla *Passio sancti Clementis*[29]. Il patrizio pagano Sisinnio è pieno di collera contro il santo, che egli accusa di aver esercitato arti magiche contro di lui, togliendogli momentaneamente la vista e l'udito per abusare di Teodora sua moglie, convertita al cristianesimo. Egli ordina a tre servi di trascinare per terra san Clemente legato:

[27] Monteverdi, in *St. rom.*, XXVIII, 1939, pp. 150-151; Ruggieri, in *St. rom.*, XXXI, 1947, pp. 93-108.

[28] Ruggieri, in *Lingua nostra*, X, 1949, pp. 10-16; Cocito, in *Giorn. it. di filol.*, VIII, 1954, pp. 256-259.

[29] A. Monteverdi, «L'iscrizione volgare di S. Clemente», in *St. rom.*, XXIV, 1934, pp. 5-18 (rist. in *Saggi*, pp. 59-74); S. Pellegrini, «Ancora l'iscrizione di S. Clemente», in *Cult. neol.*, VIII, 1948, pp. 77-82.

Fili de le pute, traite.

Poi insiste con due di essi perché lo trascinino con la fune:

Gosmari, Albertel, traite.

e al terzo, Carboncello, dà ordine di spingere con un palo il santo:

Fàlite dereto colo palo, Carvoncelle.

Ma un miracolo è avvenuto: il sant'uomo che il patrizio e i suoi tre satelliti vorrebbero martirizzare, è libero: mentre essi credono d'avere in mano lui, stanno legando e spingendo una pesante colonna.

Da questa si leva una voce, che spiega il miracoloso avvenimento:

Duritia[m] cordis vestri[s] saxa traere meruistis[30].

Chi delineò il modello dell'iscrizione, con quello scarso storicismo che è proprio del Medioevo, adoperò nomi e lingua del proprio tempo per raffigurare il fatto avvenuto nel primo secolo, ma con un'importante eccezione: a Sisinnio e ai suoi uomini mise in bocca il volgare (e già questo fatto, ma più ancora il carattere plebeo delle parole a loro attribuite, mostra una certa intenzione scherzosa), mentre le parole del santo le fece risonare con la solennità della lingua liturgica[31].

11. Confessione di Norcia

Il più importante dei testi dell'undecimo secolo che sia stato fin qui rintracciato appartiene anch'esso all'Italia mediana, ed è la formula di

---

[30] Il Monteverdi corregge e integra il testo sulla scorta della *Passio*: «Duritiam cordis vestri *in saxa conversa est, et cum saxa deos aestimatis* saxa traere meruistis», ma è da osservare che la mancanza di tante parole non è dovuta a un'omissione più o meno casuale, ma all'intenzione, in chi ha ideato l'affresco, di compendiare in poco spazio l'invettiva del santo. Intenzione non molto felicemente realizzata; ciò che tuttavia non ci autorizza a inserire nell'edizione critica dell'iscrizione tante parole di più, ma solo a valercene per comprendere il testo conservatoci. Giacché, comunque, dobbiamo correggere *duritiam* in *duritia*, penso che l'autore intendesse: «per la durezza del vostro cuore avete meritato di trascinar sassi».

[31] Numerose, nel breve testo, le particolarità degne di nota. Nella grafia, la sola difficoltà dello scriba è stata la rappresentazione del suono *gli* (*fili*, e forse *falite*). La geminazione non appare nella scrittura anche dove la pronunzia doveva essere rafforzata (*pute* e anche *Sisinium*, ma *Carvoncelle*). Alla finale, dal lat. -*ŭ* si ha -*o* e mai *u*. In *dereto* (dissimilato da *de-retro*) non si ha dittongamento. Il passaggio da -*rb*- a -*rv*- (*Carvoncelle*) è dei dialetti italiani mediani. Si hanno ben due esempi di preposizione articolata (*dele, colo*). Il vocativo una volta è in -*e* (*Carvoncelle*), secondo il tipo latino un'altra volta è troncato (*Albertel*), forse preannunziando il troncamento meridionale dei vocativi.

Del verbo abbiamo due imperativi: *traite* (ripetuto due volte) e *fa* di *falite*, in cui vediamo i due pronomi seguirsi nell'ordine «complemento di termine + complemento oggetto», mentre, com'è noto, nell'italiano del Duecento e del Trecento prevale (salvo qualche raro caso) l'ordine inverso.

confessione di Sant'Eutizio. In un codicetto miscellaneo proveniente dall'abbazia di S. Eutizio presso Campli (oggi Campi) non lungi da Norcia, tra le formule sacramentali del rito della penitenza (*Ordo ad dandam penitentiam*) è contenuto un pezzo in volgare.

La prima parte è un'enumerazione di peccati e un atto di contrizione, che s'immaginano pronunziati dal penitente:

> Domine mea culpa. Confessu so ad me senior Dominideu et ad mat donna sancta Maria [etc.] de omnia mea culpa et de omnia mea peccata, ket io feci [etc.] Me accuso de lu corpus Domini, k'io indignamente lu accepi [etc.]. Pregonde la sua sancta misericordia e la intercessione de li suoi sancti ke me nd' aia indulgentia [etc.].

Seguono parole di esortazione e di assoluzione, parte in volgare, parte in latino, del confessore:

> De la parte de mme senior Dominideu et mat donna sancta Maria [etc.]. Et qual bene tu ai factu ui farai en quannanti, ui altri farai pro te, si sia computatu em pretiu de questa penitentia [etc.][32].

La formula è databile all'incirca alla seconda metà del sec. XI[33] e trova corrispondenza in parecchie formule penitenziali in latino.

Su tutto il testo, l'influenza latina pesa moltissimo. Anzitutto, parecchi passi sono latini. «Quando la formula venne compilata – osserva il p. Pirri (art. cit., p. 35) – doveva verificarsi qualche cosa di simile a ciò che avviene al presente, presso persone illetterate per le preci in volgare introdotte nell'uso dal Catechismo di Pio X. Anche ora vediamo che certe frasi del *Confiteor*, come *verbo et opere*; *mea culpa, mea culpa, mea maxima culpa*; *ad Dominum Deum nostrum* da molti si recitano in latino». Anche all'infuori di questi frammenti, fortissima è la dipendenza dal latino nella grafia[34], nella sintassi[35], dappertutto[36].

---

[32] La formula è stata la prima volta pubblicata dal Flechia nell'*Arch. glott. it.*, VII, 1880, p. 121-129. Una nuova edizione del p. Pirri, nella *Civiltà Cattolica* del 4 gennaio 1936, è specialmente importante per i riscontri storico-liturgici che l'accompagnano. Nelle citazioni che seguono, ci atteniamo alla numerazione del Monteverdi, *Testi*, pp. 31-33.

[33] Il p. Pirri dà come termine estremo *post quem* il 1037 e *ante quem* il 1089.

[34] Si oscilla continuamente tra *baptismu* (r. 16) e *battismu* (r. 6), *observai* (r. 17) e *oservai* (r. 21), *ipsu* (r. 28) e *esse* (r. 26). Grafie del tipo *factu* (r. 46) portano per falsa analogia a grafie come *mecto* (r. 28), grafie come *ad me* conducono a un *adcusare* (r. 34), di contro ai numerosi *accuso*.

Per trascrivere forme che dovevano sonare pressappoco *ogna*, l'estensore si serve dell'abbreviazione stessa del latino *omnia*, cioè *ō̄*. D'altra parte, parole latine come *adulteria* e *commissatione* sono raccostate al volgare e diventano *aulteria* e *commessatione*.

[35] Nella r. 1, *confessu so* ricalca *confessus sum*.

[36] Latino è *accepi* (r. 11), perché il verbo antico non è sopravvissuto in nessuna parlata romanza (e, se fosse sopravvissuto, avrebbe preso altra forma). Il *senior* di *me senior* (r. 1) avrà sonato davvero così? o non si tratterà d'un travestimento erudito d'un *messor* o qualcosa di simile?

Da notare, nella grafia, l'uso del *k* limitato a *ke* congiunzione o pronome (come pronome, anche *ked*), e l'oscillazione nel rafforzamento sintattico.

Uno dei tratti fonetici più caratteristici del nostro testo è la distinzione alla finale tra la o (dal lat ŏ, ō) e la *u* (dal lat. ŭ): *io, accuso, preso, como,* e invece *confessu, battismu, diabolu, Petru, Paulu* ecc.[37]

Nel verbo si hanno alcune forme forti notevoli (*abbi, dibbi*).

Quanto all'ordine delle parole, la legge che esige l'enclitica iniziale (legge Tobler-Mussafia) non è osservata nel gruppo frequentissimo *Me accuso,* ma ciò sarà dovuto alla prepotente influenza del modello latino, perché invece dove si ha una locuzione volgare indipendente si ha *Pregonde.*

12. Testi del secolo XII

Riunendo in gruppi affini per argomento i testi superstiti del sec. XII e del principio del sec. XIII, troviamo anzitutto la registrazione di qualche testimonianza giudiziaria; poi una serie di scritte private, d'inventari, di libri di ricordi contabili. L'iscrizione monumentale di Ferrara sarebbe unica, se fosse autentica: ma probabilmente non lo è. Poi abbiamo una serie di poemetti giullareschi di argomento edificante, tutti provenienti da un territorio che va dalla Toscana alla Campania attraverso le Marche e il Lazio. Altri ritmi, di argomento storico-narrativo, appaiono nel Veneto e in Toscana. Le ventidue prediche piemontesi sono tutto quel che ci resta documentato della predicazione in volgare, che pure era certo viva in tutta la penisola. I *Proverbi de femene* aprono al cominciare del sec. XIII la fioritura di poesia didattica nel Duecento lombardo. Le strofe di Rambaldo di Vaqueiras tentano di riprodurre nel genovese le risorse d'una lingua letteraria matura come il provenzale.

Manca, tra le voci delle diverse regioni, quella degli Abruzzi; e mancano testi siciliani certi, malgrado lo sviluppo culturale della

---

[37] La distinzione sembra anche applicarsi, come in qualche dialetto mediano odierno al neutro pronominale («como ipsu Dominideu *lo* sa» r. 29) di contro al maschile («lu corpus Domini, k'io indignamente *lu* accepi», r. 10).

Si ha qualche traccia di metafonia: *puseru* (r. 12), *dibbi* (r. 19).

Non si ha dittongamento di ɛ e ɔ, ma *e* tonica in iato dà *i: mia, mie.*

Nel trattamento delle atone si noti *decema* (r. 18), *iudecatu* (r. 34): ma anche, per influenza latina, *genitore* e *genitrice* (r. 13), *quadragessime* (r. 20), ecc.

Alla finale si tende all'epitesi: *ene* (v. 48); e così andrà spiegato anche il *farai* «farà» della r. 47.

Nei possessivi si distingue la serie tonica *meu mia mei mie* dalla serie atona *me* (*senior*) e *ma* (se, come è quasi certo, *mat donna* non è un'abbreviazione per *mater donna,* ma una grafia per *maddonna*). Meno bene si vede il paradigma degli altri possessivi.

Sicilia sotto i Normanni e il prossimo fiorire della cultura fridericiana. Continuano invece a spesseggiare i documenti sardi.

Passeremo rapidamente in rassegna i testi indicati, per vedere ciò che ci possono insegnare sul consolidarsi dell'uso scritto del volgare in questo periodo.

13. Testimonianze giudiziarie

Un gruppo importante di passi in volgare, di poco posteriore alla metà del sec. XII, contenuto in una pergamena volterrana del 1158, ci riferisce un episodio di un'annosa controversia tra il conte Ranieri Pannocchieschi e suo fratello Galgano vescovo di Volterra. Il giudice Balduino riferisce le testimonianze che presso di lui hanno date sei uomini di Travale, per provare l'appartenenza di un certo numero di casolari a Travale, e quindi la dipendenza dal conte Ranieri. In due casi, i più importanti, Balduino riferisce le parole dei testimoni in discorso diretto.

Le parole di Enrigolo suonano così: *Io de presi pane e vino per li maccioni a Travale*; Poghino ha sentito dire da Ghisolfolo che Malfredo dopo aver fatto la guardia a Travale, si lagnò del trattamento con queste parole: *Guaita, guaita male, non mangiai ma' mezo pane*, e così fu dispensato dal servizio. Questo è il passo più importante delle testimonianze, perché, quantunque resti qualche incertezza d'interpretazione, certo si tratta di un motto fondato o su un ritornello o su un proverbio popolare[38], che s'inquadra dunque in una tradizione in volgare.

Anche dove riferisce con parole proprie le altre testimonianze, il giudice adopera numerosi vocaboli in volgare; non solo si guarda dal travestire in latino i nomi e i soprannomi delle molte persone di cui si parla, ma anche in molte altre cose fa intravedere abbastanza bene le parole dei testimoni.

Siamo, come già con la postilla amiatina, nella Toscana occidentale; e alcune caratteristiche del nostro testo sono degne di nota[39].

---

[38] V., oltre alla bibl. cit. dall'Ugolini, F. Chiappelli, in *St. filol. ital.*, IX, 1951, pp. 141-153; L. Spitzer, in *Lingua nostra*, XIII, 1952, pp. 1-2.

[39] Molto interessante è qualche tratto della grafia: l'uso di *ke, ki* per la velare sorda ha fatto nascere l'idea di ricorrere alla *k* per indicare il corrispondente suono velare sonoro: si ha dunque non solo *Gerfalcki*, ma pure *Maccingki, Pogkino, Gkisolfolo*. Più diffuso (lo ritroviamo specialmente a Pistoia) è il modo di esprimere la *z* sorda per mezzo di *th*: «ego *certetham* aliam non scio nisi per auditam», *Eldithelli, Benthuli*.

Per la fonetica, appare ben documentato il noto fenomeno toscano della riduzione di -ARIU ad -*aio*: «Andreas Starna qui Napp*aio* vocabatur» di contro a «li napp*ari*». La -*e*- atona, nella preposizione *de* non articolata oscilla: «la curte *de* Travale» «la curte *di* Travale». INDE atono è ridotto a *de*: «Io *de* presi pane e vino».

Al singolare *Starna* (soprannome) corrisponde un plurale *Starni*.

14. Scritte e ricordi

Vediamo ora l'uso del volgare in scritte e ricordi[40].

La carta fabrianese del 1186 incomincia in un latino assai tentennante, e poi, fin che il formulario aiuta, procede alla meglio indicando il modo in cui i due contraenti debbono procedere nel dividere i frutti di beni posseduti in comune. Ma a un certo punto il notaio sembra non sappia più sbrogliarsi nel rendere il *noi*, e poi addirittura l'*io*, di cui si serve il conte Attolino nell'indicare il modo di spartizione; e passa a servirsi del volgare per un lungo tratto che dura sin quasi alla fine del documento:

> de quale consortia nui advemo plu de vui, nui partimo et vui tollete; et o («ove») advemo de paradegu, de paradegu parterimu...

> et set ce fosse impedementu varcante, lu 'mpedementu sia complitu et pignu vet mecto per X livere de inforzati...[41].

Più netta è l'intercalazione del volgare nel latino in un'altra carta marchigiana di poco posteriore (del 1193), proveniente dall'abbazia cisterciense di Fiastra. Si tratta di una breve scritta privata in volgare, inserita nel bel mezzo di una carta notarile di vendita. Diversamente dalle *carte*, «le *scritte*, che sono atti di carattere assolutamente privato,

---

La costruzione *non ma* («non mangiai ma' mezo pane») ha altri riscontri nell'italiano antico: «e nulla ci ho rimedio ma uno» in un'*Ars dictandi* del sec. XIII (Debenedetti, *Giorn. stor.*, CV, 1935, p. 191); più spesso con l'aggiunta di *che* «non avea pianto ma' che di sospiri» (Dante, *Inf.*, IV, 26), ecc.

Nel lessico, notevoli *maccioni* «muratori» (dal germ. *machio*) e *mascia* «massa».

[40] La carta di Rossano, del 1118, trascritta dall'Ughelli e poi perduta, è preziosa per il molto volgare che vi traspare (tanto più se si tien conto della penuria di antichi testi calabresi): l'intenzione dell'estensore era tuttavia di scrivere in latino. Si veda il testo critico di A. Colonna, in *Rend. Ist. Lomb.*, Lettere, LXXXIX, 1956, pp. 9-26.

Anche i periodi in volgare inseriti da Ruele, figlio di Ugo signore di Montemiglio, e priore dell'eremo di Monte Capraro, in un memoratorio della consacrazione di una chiesa di quell'eremo (1171), si inseriscono stranamente in un contesto latino: si direbbe che a un certo punto il priore Ruele si trovasse imbarazzato nell'esprimere in latino le ipotetiche che si affollavano al suo pensiero, e perciò le scrivesse in volgare, riprendendo il latino proprio all'ultima parola: «sci scia excommunicatus».

[41] La distinzione fra -*o* e -*u* (*mecto, advemo, partimo*, ecc.; *paradegu, vostro, toltu, dictu, bonu pingnu*, ecc.) è osservata nella grande maggioranza dei casi. Tipico della zona mediana è il tipo *arcoltu* per «raccolto».

Il presente di *avere*, come degli altri verbi in -*ere*, è in -*emo* (*advemo, odstendemo, adtendemo*), mentre il futuro è in -*imo* (*parterimu, adrenderimu, atverimo*).

Per il lessico, si noti *sinaita, senaita* nel senso di «confine»: si tratta della voce longobarda *snaida* « taglio» (propriamente «intacco fatto in un albero per indicare il possessore»), documentata in carte latine medievali e viva ancor oggi in dialetti abruzzesi e siciliani.

senza valore legale, e conseguentemente senz'obbligo dello stile e della formula degli atti legali, cominciano prestissimo a essere dettate ne' dialetti volgari». Con questa scritta si risale infatti al 1193, «mentre le carte notarili ufficiali per più secoli ancora durarono a scriversi in latino»[42].

Il notaio, a un certo punto della carta di vendita, v'inserisce, senza avvertire in alcun modo del passaggio, la scritta privata di pegno fra i medesimi contraenti, la quale era servita di premessa alla vendita. Le tracce della parlata base si vedono abbastanza bene attraverso la patina della scrittura[43].

Una carta savonese, probabilmente del 1182, ci conserva l'inventario dei modesti averi di una vedova, Paxia, quali essa li dichiarò ai consoli della città[44].

Una serie di ricordi privati concernenti le decime che spettavano a un certo Arlotto si conserva in un testo della montagna pistoiese della seconda metà del sec. XII:

Alpicione dr. XXVIIII et del due anni l'uno una spalla et una callina, et omni anno mezzo staio de orzeo, et ki fuori...[45].

A ricordi privati appartiene anche la postilla apposta a una carta pistoiese del 1195. In un codicillo al suo testamento, steso naturalmente in latino, Gradalone prometteva di rendere ai danneggiati le usure che aveva percepite. In calce al documento (o, più esattamente, in calce a una copia autentica, vergata dal notaio Gerardo) si leggono, di mano dello stesso notaio, alcune righe che costituiscono una specie di verbale o promemoria della restituzione delle usure compiuta da Gradalone:

---

[42] C. Paoli, *Arch. stor. ital.*, s. 5ª, V, 1890, p. 278.

[43] Anche qui è osservata, benché non molto scrupolosamente, la differenza tra -*u* ed -*o* finale. Segni di metafonia si avvertono con certezza (mentre erano vaghi e incerti nella carta fabrianese): *Carvone* di contro a *Carvuni*, *quistu* accanto a *questo*; e cfr. ancora *Fracliti*, *Ofridi*, *issu*; tuttavia *resicu*. È ben sviluppato il significato di *loro* come pronome obliquo (*sia loro a proprietate*). Nel significato di «o» si ha *uo*, in cui non è da scorgere un continuatore di AUT, che non potrebbe avere il dittongo, ma un *vo* per *voi* «vuoi», di cui conosciamo numerosi altri esiti nell'Italia centro-meridionale.

[44] V. il testo pubblicato e commentato da G. Pistarino, in *Cult. neol.*, XII, 1952, pp. 239-242. Vi si scorgono bene tratti spiccatamente liguri. Per la grafia, notiamo la *x* di *prixon* « prigione» ecc. e il digramma *gu* in *brague* «brache». Per la fonologia, ai noti la metatesi in *pairol* «paiolo», e il trattamento di CL in *oreger* «origliere» e di CT in *peiten* «pettine». Il pronome di prima persona è *ei*. Piuttosto ricco e interessante il lessico.

[45] Il testo è stato pubblicato da A. Castellani, in *Studi fil. ital.*, XII, 1954, pp. 5-21. La velare è rappresentata con *k* (*Botaciatiki*) o da *ch* (*Finochio*), ma la *k* rappresenta anche *gh* (*Kerardini*). Figurano nel testo i dittonghi *ie*, *uo* (*tiene*, *fuori*) e *i* come esito di RJ (*dinaio*). Si noti il suffisso atono -*oro* da -*olo*.

Gradalone si fue nanti Bonus, ke est aguale episcopus de Pistoria, et nanti l'arcipreite Buoso, sì si concioe con tuti questi omini...[46].

Della fine del sec. XII è l'elenco parzialmente conservatoci dei beni e dei redditi della chiesa di Fondi. È una serie di note di questo tipo:

Item vinale unu posto alla veterina a llatu Antoni de Trometa et a sancto Antoni a la via a longu la macera.

Item Pastena deve dare pro olo sanctu et pro crissima tomela de granum nove rase.

Ma molte espressioni rimangono inintelligibili, anche perché prete Antonio figlio di maestro Niccolò di Fondi era non meno approssimativo nello scrivere in volgare che nello scrivere in latino, se poteva adoperare locuzioni come *pro sacristia capitillum fundanus*[47].

Una serie di ricordi molto più ampia e ricca, importantissima per la conoscenza del fiorentino del primo Duecento, si ha nei noti frammenti del libro di conti d'un banco fiorentino, riferiti all'anno 1211 e contenuti in due fogli di pergamena che fin dal sec. XIV erano stati adoperati per una legatura. Sono notazioni di questo tipo:

MCCXI. Aldobrandino Petri e Buonessegnia Falkoni no *dio*no dare katuno *in* tuto lib*re* lii *per* liv*re* diciotto d'*imperiali* mezani, a rrascio*ne* di t*re*nta e cinque *meno* terza, ke demmo loro tredici dì a*n*zi k*alende* luglio, e *dio*no pagare tredici dì a*n*zi k*alende* luglio: se più stanno, a iiii *denari* libra il mese, qua*n*to fosse nostra volo*n*tade. T*e*sti Alb*e*rto Baldovini *e* Quitieri Alberti di Porte del Duomo.

La lingua del frammento[48], malgrado parecchie incertezze nella grafia[49], ha una sua fisionomia netta, con una notevole precisione di termini bancari, la quale ci fa pensare all'esistenza di un uso scritto di parecchio anteriore alla data del testo[50].

Troviamo già le caratteristiche del fiorentino, quali saranno più

[46] Si noti la mancanza del dittongo in *omini* (*Buoso*, come nome proprio germanico, ha un'altra storia); la persistenza di *i* in *arcipreite* (da ARCHIPRESBITER, -PREBITER), l'epitesi di -*e* in *fue* e *concioe*.

[47] È vivo l'uso di *k*, come si vede da un esempio di *ke*. La distinzione fra -*u* ed -*o* è per lo più osservata. Si noti per il vocalismo *Valle maiure*, per il consonantismo *Vallecorza* e *cannele*. Al lessico meridionale appartengono le misure adoperate nell'inventario, le *cafise* e le *tomela*.

[48] Lo spoglio del Parodi, ricco d'importanti riscontri (*Giorn. stor.*, X, pp. 178-196), va integrato con le ulteriori ricerche di Schiaffini, *Testi*, Castellani, *Nuovi testi*, e specialmente con l'analisi che accompagna la nuova edizione del Castellani, in *Studi filol. ital.*, XVI, 1958, pp. 21-95.

[49] La *k* è di gran lunga predominante in tutte le posizioni, ma *Rusticuci*, *Compagnino*, *Compangno*, *Bellacalza*. L'estensore è imbarazzato nello scrivere *ghe*, *ghi* (*Arrihi*, *Ugetti*; con rafforzamento *Teckiaio*) e *gue*, *gui* (*Bonaguida* di contro a *Bonaquida*, ecc.

[50] Si aggiunge anche una conferma esterna: il richiamo di partite segnate in un «libro veckio».

ampiamente documentate in testi dei decenni seguenti, tuttavia qua e là con qualche tratto più arcaico[51].

Il «breve» del 1219 degli uomini di Montieri nella Maremma toscana è un documento unico nella copiosa letteratura statutaria italiana. Di regola, gli statuti in volgare che ci rimangono sono relativamente tardi, e rappresentano la versione di anteriori testi latini: invece lo statuto di Montieri rappresenta, come dimostrò il Volpe che scoprì e pubblicò per primo il testo[52], una minuta in volgare, con emendamenti e aggiunte evidentemente nati dalla pubblica discussione, e introdotti per servire a una formulazione definitiva dello statuto in latino. Non c'è dubbio che l'estensore della minuta aveva nella memoria le formule consuete della legislazione statutaria, che traspaiono chiaramente nel suo volgare («non essare in consilio nè in facto nè in ordinamento con alcuna persona», «observare ed adimpire a bona fede senza frode», «se non fusse per se difendendo», ecc.).

La grafia è un po' più «moderna» che nel libro di conti fiorentino[53], ma ancora molto oscillante; alcuni tratti grammaticali distintamente senesi[54]; la sintassi piuttosto involuta, per l'evidente sforzo di formulare già ipotatticamente, in vista della traduzione latina da compiersi, le osservazioni e controsservazioni sorte nella «compagnia».

15. Iscrizione del Duomo di Ferrara

Si soleva attribuire a una data di poco posteriore al 1135 un'iscrizione che, secondo testimonianze non anteriori al secolo XVIII, si leggeva nel duomo di Ferrara. Secondo queste fonti, in un arco che divideva la navata principale dal coro c'era, accanto all'immagine della Vergine a mosaico, quella di un profeta, e in un cartoccio pendente dalla mano sinistra di questo c'era la seguente iscrizione:

[51] Si ha l'«anafonesi» caratteristica del fiorentino, e poi *-er-* per *-ar-* (*Aquerelli, Kafferelli, quiderdone*), epitesi di *-a* in *prestoa* (che trova riscontro in testi di San Gimignano). Troviamo *ci* accanto a *no* (e *ne* in enclisi) come pronome atono di prima plurale (*no promise, no die dare; ci diè; dene pagare*).

Si ha *avemo* (non ancora *abbiamo*) e *ponemo*. Lo strano infinito *avire* è spiegato dal Parodi come effetto del tipo notarile *placire, monastirium*, e quindi è diverso dall'*avire* che troveremo in Guittone, dovuto a influenza siciliana (Schiaffini, *Rassegna*, XXIX, 1921, p. 285).

I latinismi non sono frequenti, fuorché in formule di data (*intrante, kalende aprilis*); vivace è però il tipo *Arrisalito figlio Turpini, mamma Sinibaldi, per lo mercato San Brocoli, Borgo Sa Lorenzi* (ma anche *a konto Arnolfino*).

[52] G. Volpe, «Montieri: Costituzione politica, struttura sociale, attività economica di una terra mineraria toscana del sec. XIII», in *Vierteljahrschr. für Social- und Wirtschaftsgesch.*, VI, 1908, p. 315 ss. Vedi ora il testo, con qualche correzione, in G. Fatini, «Letteratura maremmana delle origini», in *Bull. sen. st. patria*, n. s., IV, 1933, e in quasi tutte le antologie citate.

[53] Si pensi alle scrizioni *paghi, paghino, camarlenghi; rasgione*, ecc.

[54] Cfr. p. es. *lettare, essare, rendare*.

> Li mile cento trenta cenque nato
> fo questo templo a san Giorgio donato
> da Glelmo ciptadin per so amore,
> e tua fo l'opra, Nicolao scolptore.

(«Nel 1135 sorto, fu questo tempio a San Giorgio dedicato da Guglielmo cittadino per suo amore; e tua fu l'opera, Niccolò scultore»).

Nel 1570-71 il mosaico sarebbe stato danneggiato dai terremoti; nel 1572 si chiamò un pittore a restaurarlo, in modo che l'iscrizione figurava in parte a mosaico e in parte dipinta; nel 1712 l'arco fu demolito.

Malgrado qualche dubbio espresso da singoli eruditi sull'antichità e l'autenticità dell'iscrizione, essa dai più venne ritenuta genuina, e fu accolta in tutte le sillogi di testi antichi. Ma un rigoroso esame delle fonti compiuto dal Monteverdi[55] l'ha portato a concludere che si tratta di una falsificazione di un erudito settecentista, G. Baruffaldi (cui si aggiunse poi la versione un po' diversa, ma non meno fantasiosa, di G. A. Scalabrini). La sua dimostrazione ci sembra senz'altro da accogliere. La copia del Baruffaldi darebbe la trascrizione del testo qual era dopo il restauro, mentre il testo dello Scalabrini riprodurrebbe l'iscrizione prima del restauro (e comunque conterebbe pochissimo, salvo forse per la parola *cinque*, che appartenendo alla prima parte non restaurata potrebbe anche, qualora il testo fosse autentico, rappresentare la scrittura originaria).

La questione dell'autenticità ha una certa importanza per l'origine degli endecasillabi, di cui si avrebbe nell'iscrizione ferrarese uno dei più antichi esempi, anzi il più antico conosciuto, se non si interpretano come endecasillabi i versicoli della postilla amiatina[56].

Nella lingua dell'iscrizione scorgiamo qualche traccia settentrionale (*fo* «fu», *so* «suo») e fortissime impronte latine: latinismo è *tua*, come si deve certo leggere nell'ultimo verso[57], latineggiante è la grafia di *scolptore* (e, a suo modo, quella di *ciptadin*). Ma tutto codesto non importa più se si tratta di una falsificazione.

16. Ritmi giullareschi. Elegia giudaica

Con i ritmi giullareschi abbiamo la testimonianza di un modo peculiare di vita culturale: uomini con una certa infarinatura di studi

---

[55] Monteverdi, «Lingua italiana e iscrizione ferrarese», in *Atti dell'VIII Congresso int. di studi romanzi*, II, Firenze 1959, pp. 299-310.

[56] L'ipotesi più probabile sull'origine dell'endecasillabo è tuttora quella del D'Ovidio che lo faceva risalire al saffico ritmico (*Ut queat laxis resonare fibris*): D'Ovidio, *Versificazione ital. e arte poetica medievale*, Milano 1910, pp. 197-202. Monteverdi, in *Studj rom.*, XXVIII, 1939, pp. 141-154.

[57] Prima di L. Olschki (*Arch. rom.*, XX, 1936, pp. 257-260), si leggeva *mea*, attribuendo i primi endecasillabi italiani allo stesso Nicolao.

che si rivolgono a una cerchia di persone per divertirle, per edificarle, per trarne guadagno.

Il più antico conservatoci, il quale, malgrado numerose oscurità d'interpretazione, ci permette d'intravedere parecchi aspetti della vita dei giullari, è il ritmo Laurenziano, il più antico componimento poetico italiano che si possa chiamare letterario (sia pure molto modestamente)[58]. Si tratta di venti doppi ottonari, scritti di séguito, nell'ultima pagina di un codice laurenziano contenente un Martirologio, da una mano degli ultimi anni del sec. XII o del principio del XIII. Il giullare si rivolge a un vescovo (Villano arcivescovo di Pisa, secondo l'ipotesi del Cesareo, accolta dal Mazzoni) facendone lodi sperticate e pronosticandogli nientemeno che il pontificato, con la speranza di ottenerne in dono un cavallo: se lo ottiene, lo mostrerà al vescovo di Volterra, Galgano. Del resto, un dono simile lo aveva già avuto da un altro vescovo generoso, Grimald(esc)o. La scena del giullare che recita i suoi versi davanti al vescovo e alla sua corte s'immagina bene; dove essa si sia di fatto svolta, è difficile dire, per le incertezze che rimangono nell'identificazione dei tre vescovi: forse la stessa Toscana occidentale, dove già abbiamo trovato che Malfredo per un verso o un buon motto era dispensato dal far la guardia. Molto più importerebbe l'accertamento del territorio linguistico da cui il giullare proveniva, ma le incertezze permangono[59].

Le allusioni dottrinali (*Fisolaco*, cioè «il *Physiologus*»; *Cato*, cioè «i *Disticha Catonis*»), lo schema metrico affine alla *Sancta Fides* provenzale, l'ordinamento conforme alle prescrizioni retoriche (*salutatio, captatio benevolentiae, petitio, exemplum*) mostrano nel verseggiatore una certa cultura, applicata al fine pratico che egli si proponeva.

Più alto livello e fini di edificazione rivelano il ritmo di Sant'Alessio, di provenienza marchigiana, e il ritmo Cassinese, conservato in copia nel cenobio in cui probabilmente fu composto: l'uno e l'altro della fine del sec. XII o del principio del XIII. Ambedue si rivolgono a un pubblico distinto[60], riferendosi nella narrazione, più o meno mimata, a un rotolo

[58] Ampia bibliografia nelle antologie più volte citate (aggiungi i contributi più recenti di L. Spitzer, *Italica*, XXVIII, 1951, pp. 241-248[a]; Camilli, *Lingua nostra*, XIII, 1952, pp. 45-46, Castellani, *St. fil. it.*, XVI, 1958, pp. 10-13). Gli articoli più importanti sono quelli del Mazzoni, *St. mediev.*, n. s., I, 1928, pp. 247-287, del Casella *St. fil. it.*, II, 1929, pp. 129-153, e di nuovo del Mazzoni, *St. fil. it.*, III, 1932, 103-162; ora quello del Castellani.

[59] Il Castellani, dopo aver mostrato (art. cit., pp. 12-13) che i fondamenti su cui il Casella aveva pensato alla Toscana orientale sono troppo incerti, conclude che il ritmo non offre elementi per una localizzazione sicura nell'àmbito della Toscana propria: nulla tuttavia si oppone all'ipotesi che il giullare fosse volterrano.

[60] Cfr. «ore odite», *S. Alessio*, v. 3; «hore mo vo dico», v. 13; «et mo, seniuri, or ascultate», v. 222; «Eo, sinjuri, s'eo fabello, lo bostru audire compello», *R. Cassin.*, vv. 1-2; «Ergo poneteb'a mente», v. 27, ecc.

ovvero a un cartellone contenente una figurazione dei principali episodi[61].

I 257 versi del ritmo di sant'Alessio narrano solo la prima metà della leggenda del santo (cioè la nascita, il matrimonio, l'esortazione alla moglie, la fuga a Laodicea, la vita da mendicante)[62]. Parecchi indizi confermano che l'autore del ritmo era della stessa regione da cui proviene la copia del poemetto, cioè marchigiano[63]. Le numerose oscillazioni di forma che si osservano nel testo del ritmo saranno in parte dovute alla copiatura, ma altre è probabile siano mescidanze linguistiche dovute al giullare. Il quale di tanto in tanto adopera qualche verso intero o qualche parola in latino, parecchi latinismi e alcuni gallicismi.

Lo schema metrico, una serie di lasse ciascuna composta di una serie di ottonari (o novenari), seguita da una coppia di endecasillabi, si ritrova, in forma leggermente più complicata, nel ritmo di Montecassino. In questo[64], il verseggiatore dopo una specie di prologo con la *captatio benevolentiae* e la dichiarazione del carattere allegorico del componimento, narra ai suoi uditori l'incontro e il dialogo fra due personaggi, l'uno (il Mistico) che viene dall'Oriente, l'altro (il Mondano) che viene dall'Occidente. Il testo è stato ritenuto molto lacunoso dal D'Ovidio, che voleva conformarlo a uno schema rigoroso, ma poiché alla poesia delle origini dobbiamo riconoscere un'assai ampia libertà metrica, è meglio rimanere aderenti al testo tramandato: e basterà ammettere una sola lacuna.

La lingua del testo offre problemi difficili, ma nulla ci obbliga ad allontanarci dalla Campania, anzi dai dintorni di Montecassino[65].

---

[61] È un'idea del Nigra, accolta dal Monaci (*Rendic. Acc. Lincei*, XVI, 1907, p. 113) e applicata dal Casini (*Studi di poesia antica*, Città di Castello 1914, p. 87) al ritmo Cassinese. Sull'uso degli *exultet*, rotoli membranacei ornati di miniature disposte in senso inverso al testo perché il popolo le osservasse, v. Monaci, *Crest.*, p. 471.

[62] Sappiamo da altre fonti che la leggenda del santo era cara alla tradizione giullaresca: subito dopo la metà del sec. XII, Pietro Valdo a Lione, mescolatosi alla turba che ascoltava un giullare narrare di sant'Alessio, «ex verbis ipsius compunctus fuit».

[63] La distinzione fra *u* ed *o* finali è osservata con notevole costanza; si distingue il maschile dal neutro nei pronomi e in alcuni dimostrativi; ND dà *nn*, con qualche oscillazione e parecchie regressioni, i gruppi «cons. + L» sono intatti (*flore, slatta*, ecc., fuorché in *kinao*), ecc. Ricordiamo un solo fatto lessicale: *afflao* 217 «trovò» (da AFFLARE, tuttora ben rappresentato nei dialetti meridionali).

[64] Sul ritmo cassinese, si vedano specialmente l'ampio saggio del D'Ovidio, in *Studj rom.*, VIII, 1912, pp. 101-217 e Vuolo, in *Cult. neol.*, VI-VII, 1946-47, pp. 39-79, Spitzer, in *St. mediev.*, XVIII, 1952, pp. 23-54, Pagliaro, in *Rend. Acc. Lincei*, s. 8ª, XII, 1957, pp. 163-248 (rist. in *Poesia giullaresca e poesia popolare*, Bari 1958, pp. 194-232), Panvini, *Il Ritmo cassinese*, Catania 1957, Segre, in *Giorn. stor.*, CXXXIV, 1957, pp. 473-481. Il lavoro di L. De Palma (Bari 1946) è peggio che inutile (Contini, *Belfagor*, I, 1946, pp. 595-601, Schiaffini, *Rass. d'Italia*, nov. 1946, pp. 107-115).

[65] Manca il dittongamento di *ę* e *ǫ*; nel trattamento delle atone prevalgono *e*

L'appello al pubblico, il probabile uso di immagini figurate, il dialogo che fa pensare a una recitazione mimata, la struttura metrica ci richiamano alla letteratura giullaresca; ma certo l'autore del ritmo Cassinese è notevolmente più colto di quello del ritmo Laurenziano e del Sant'Alessio: lo mostrano le voci latine non adattate (*ergo, vir,* ecc.) e i latinismi assai numerosi (*compello, interpello, albescente, sitiente,* ecc.) che palesano familiarità con il latino dei tribunali e delle scuole. Né mancano provenzalismi e francesismi (*deportare,* 22; *fui trobata,* 65; *destuttu* 59, ecc.).

Siamo insomma in presenza di uno scrittore che, adeguandosi alle forme giullaresche, sa il suo latino e conosce la vita cortese. Non è illegittimo parlare per il nostro testo, di «campano illustre».

Un altro componimento poetico religioso, diverso di carattere perché proveniente da una comunità israelitica, è un'elegia giudeo-italiana, conservata da due manoscritti in lettere ebraiche.

Scritta per essere cantata dal sacerdote durante le cerimonie del digiuno di Ab, l'elegia narra la dispersione del popolo ebreo, soffermandosi sulla triste sorte di due giovinetti di nobile stirpe, fratello e sorella, venduti come schiavi, sulla loro agnizione e la loro morte; le lamentazioni sul popolo ebreo e sui due giovinetti si mescolano alle invocazioni al Signore. È indubbia l'influenza di composizioni giullaresche di carattere religioso (p. es. nel dialogo della meretrice e del taverniere, padroni dei due giovinetti), ed è possibile che vi sia qualche preciso ricordo del S. Alessio. Per la localizzazione del testo non ci soccorre alcun indizio esterno: i riscontri letterari (*S. Alessio, Pianto delle Marie*) fanno pensare piuttosto alle Marche; i tratti dialettali ci riportano ai dialetti mediani (marchigiano-umbro-romaneschi), senza che sia possibile una più precisa determinazione[66].

17. Ritmi storici

Due altri testi ci documentano un diverso aspetto dell'uso del volgare: la narrazione fatta da cittadini in ritmi facili e concitati di avvenimenti bellici che interessavano le rispettive città, una specie di

---

ed *u*; *-u* finale si distingue da *-o* e produce metafonesi; quasi dappertutto abbiamo *b* in luogo di *v*; i gruppi «cons. + L» persistono; importanti i resti e le espansioni analogiche di pronomi personali dativi (*tebe* 84, *sebe* 8; *por vebe* 11) che ci richiamano *bobe* della testimonianza di Teano (ma anche *a tteve*: *S. Alessio* 65); *fora* 46, e probabilmente *boltiera* 51, sono piucchepperfetti con valore di condizionali («sarebbe», «vorrebbe»).

[66] Sulle difficoltà dipendenti dall'uso dei caratteri ebraici, v. Cassuto, in *Silloge ...Ascoli,* Torino 1929, p. 357. Uno spoglio dei suoni e delle forme è dato dal Cassuto, pp. 376-381. Per il lessico, si noti, ad es., *cetto* (v. 109) «presto» (lat. CITO), che figura come marchigianismo nella canzone del Castra (*Cietto cietto s'agia,* v. 2), si ha in Iacopone e spesso nelle laude drammatiche umbre, e di cui si trovano tracce nel Lazio. Il *S. Alessio* ha la parola nella forma *citu* (v. 201).

bollettini di guerra in versi, con l'esaltazione della «buona causa». Si tratta di un frammento bellunese del 1193, di quattro versi, e di un più ampio frammento lucchese del 1213, l'uno e l'altro inclusi in narrazioni cronistiche latine di poco posteriori: il cronista, giunto a parlare dell'avvenimento che era stato messo in versi sùbito dopo il fatto, fa sue le parole del verseggiatore.

Il passaggio dal latino al volgare avviene senza alcuna transizione nel testo bellùnese:

> De Casteldard avì li nostri bona part,
> i lo getà tutto intro lo flumo d'Ard;
> e sex cavaler de Tarvis li plui fer
> con se duse li nostri cavaler.

(«Di Castel d'Ardo ebbero i nostri buon partito, e lo gettarono tutto entro il fiume d'Ardo; e sei cavalieri di Treviso i più fieri con sé condussero i nostri cavalieri»[67]).

Invece nel testo lucchese, il cronista che ha cominciato a narrare in latino lo scontro tra un gruppo di Lucchesi contro un maggior gruppo di Massesi, Pisani, Pistoiesi e altri ancora, man mano che viene a precisare i particolari si ricorda delle parole del ritmo; e ne fa proprie alcune frasi, finché passa addirittura a ripetere le notizie e il commento politico («Di lui e li altri sia vendecta», ecc.).

Questa funzione cittadina e «pubblicistica» del volgare è assai importante, anche se le testimonianze ne sono così scarse.

18. Versi volgari in un dramma liturgico

Il brevissimo lamento di Maria, cioè i tre versi, rimati, con caratteri fortemente meridionali, che chiudono un dramma liturgico latino sulla Passione, della fine del sec. XII,

> ... te portai nillu meu ventre.
> Quando te beio, *moro presente.*
> Nillu teu regnu agime a mente

è un'importante testimonianza dell'infiltrarsi del volgare nella poesia drammatica religiosa[68].

---

[67] Nel testo bellunese va notata qualche traccia supradialettale: sia per mezzo di latinismi (non solo il discusso *sex*, ma anche *intro*), sia per la reintegrazione della vocale finale in *tutto* e in *flumo* (specialmente riconoscibile nel secondo vocabolo, in quanto si tratta di ricostruzione analogica).

[68] Si noti, accanto a *beio* con *b-* da *v-*, *ventre* con *v-*, probabilmente per ricordo latineggiante di *fructus ventris tui.*

19. Sermoni

Altra manifestazione dell'attività religiosa in volgare sono 22 sermoni piemontesi, la cui lingua non è stata ancora studiata nei particolari[69]. Il predicatore per lo più parte da un passo del Vangelo, che traduce e commenta. P. es. (sermone II):

> Dominus dicit in evangelio: Beati misericordes quoniam ipsi misericordiam consequentur. Seignor frere, nostre Sire dit en son evangeli que bonaurai sun cil qui an misericordia, quar il la troveran plenerement. Perqué etc.

Si tratta di un testo piemontese, messo per iscritto e copiato da uno che era abituato alla grafia francese, e ne applicava le consuetudini (e anche alcune forme e alcuni vocaboli) al testo che scriveva o che copiava[70].

Notevole è anche l'influenza del latino: l'autore dei sermoni lo distingue più nettamente dal volgare che non sappia distinguere i diversi volgari fra loro.

In complesso, il territorio piemontese era (e sarà ancora a lungo) linguisticamente molto staccato dal resto d'Italia.

20. Versi didattici

Appartiene probabilmente ai primissimi anni del sec. XIII un poemetto di 189 quartine monorime di doppi settenari: è una serie d'affermazioni e di consigli fieramente misògini, primo esempio rimastoci di quella letteratura morale-didattica a cui daranno opera Uguccione, Patecchio, Bonvicino. Lo scritto, che si può intitolare *Proverbi de femene*, è in un dialetto lombardo a cui non è possibile assegnare un luogo preciso.

Ecco una quartina:

> E como son falsiseme   plene de felonia
> et unqa mai no dotano   far caosa qe rea sia.
> Or dirai qualqe caosa   de la lor malvasia,
> ond se varde li omini   de la soa trïçaria[71].

Può bastare un solo esempio a mostrare come si mescolino nel testo (certo in gran parte per opera dell'autore, forse in piccola parte del copista) rudi forme dialettali con altre che rappresentano un uso più arcaizzante, e altre ancora che si conformano al latino. Se si esaminano le parole che avevano in latino una -T-, troviamo ben quattro esiti: sparizione (*spaa*, quart. 54, *mua*, 149), *dh* (*redhi*, 155), *d* (*mercadi*,

---

[69] Dopo lo spoglio del Förster, *Roman. Studien*, IV, 1879-1880, pp. 40-80.

[70] È pressoché costante, p. es., la grafia *que*, *qui* per la velare davanti a *e*, *i*, senza tracce (fuorché nel latino: *fratres karissimi*) della *k*.

[71] La lingua del poemetto è stata studiata da A. Raphael, *Die Sprache der Proverbia que dicuntur*..., Berlino 1887.

ramadi, resonadi, 55), *t* (*muto, entenduto, recordato, dato* «dado», 53). La ragione della scelta spesso è riconoscibile: nella quartina 55 l'ultima parola del primo verso è *Barbacoradi*, che ha suggerito la scelta della forma in *-d-*. Questa libertà qualche volta giunge a provocare degli usi regressivi: nella quartina 81 il versificatore adopera *scaltride* e *tride* per rimare con *ride* e *aside*; ma altrove (56) accanto a *marito, partito* e *florito* si lascia andare a adoperare un *rito* per *rido*, che certo non è stato mai usato parlando[72].

Nel lessico abbondano i gallicismi (*acolar* «abbracciare», 93; *cobiticia* «cupidigia», 181; *a lo men esciente*, 94; *esdito* «sentenza» 20; *meseli* «lebbrosi», 181; *sagire* «afferrare» 146; *triçaria* «inganno» 17, ecc.) e i latinismi (*malicia*, 143; *nequicia*, 64; ne çovene ne *sene*, 63 ecc.).

Insomma, se il pensiero e la tecnica dell'autore dei Proverbi possono sembrarci ingenui, la lingua è assai composita.

21. Il contrasto e il discordo di Rambaldo di Vaqueiras

Nel canzoniere di Rambaldo di Vaqueiras, trovatore provenzale fra i più notevoli, troviamo un contrasto e un discordo con parecchi versi scritti volutamente in italiano[73]. Nel contrasto, scritto verso il 1186, Rambaldo presenta un cavaliere che dichiara il proprio amore a una donna, in tre strofe di 14 versi e un congedo di 6, con lo stile convenzionale della lirica cortese; la donna, una popolana, risponde in altrettante strofe con energico disdegno, rifiutando il suo amore e trattando il cavaliere da giullare. L'uomo parla in provenzale, la donna, che è presentata come una «genoesa», in un dialetto letterarizzato.

Rambaldo visse a lungo in Italia come poeta di corte (e poi valente guerriero) presso Guglielmo III e Bonifacio di Monferrato; ma egli era un poeta provenzale e non un dialettologo moderno: il valore di questo testo consiste non tanto nel carattere documentario, che non potrebbe avere, quanto nello sforzo del poeta di adattare un dialetto non scritto (e, nel sottofondo, i tanti altri dialetti che avrà sentiti in Italia) agli schemi linguistici e letterari della fiorente cultura provenzale. Ne è risultato un testo assai misto[74].

[72] Qualche altra peculiarità: il largo uso di *q* per *c* velare (*riqe*, 135); la facoltà di adoperare forme apocopate in consonante o gruppo consonantico, salvo che alla fine del verso o dell'emistichio («Quel q'eu *digo* de femene, eu nol *dig* per entagna» 85); la forma *lero* per «loro», sia come pronome obliquo plurale (70, 87, 180) sia come possessivo (98, 162, 183): però qualche volta c'è anche *loro*; la desinenza in *-emo* per il pres. ind. della I con.: *trovemo*; oscillazione fra *-ave* e *-ia* nel condizionale (*porave*, 88, *devria*, 142).

[73] Dei due testi si è occupato a varie riprese il Crescini (negli articoli citati nel suo *Manuale provenzale* e nei *Testi* del Monteverdi); per la lingua, v. spec. Parodi, *Lingua e lett.*, pp. 296-300.

[74] Spesso si sente il provenzale sotto una patina genovese: Rambaldo, che ha appreso che a *plus* provenzale corrisponde *chu* genovese, applica il modulo

Nel discordo, che è probabilmente degli ultimi anni del secolo XII, Rambaldo vuol mostrare lo sconvolgimento prodotto in lui dalla sua donna usando cinque lingue diverse, una per ciascuna delle cinque strofe, e tutte e cinque (due versi per ciascuna) nel congedo. Alla strofa provenzale segue quella italiana; poi una francese, una guascone e una ibero-romanza. La lingua della quinta strofa è così mista da rendere impossibile di dire se il poeta abbia voluto scrivere in portoghese o in galliziano (meno probabilmente in spagnolo); e proprio questo fatto ci suggerisce di considerare per parallelismo la seconda strofa, piuttosto che genovese, «lombarda» (nel senso antico del termine). C'è sì uno spiccato genovesismo: un codice (a¹) ci dà al verso 15 *çhu*, che trova riscontro nel *chu* del verso 25 del contrasto. Ma i dieci versi sono in una lingua molto composita: si veda p. es. *ò* 12 di contro a *aio* 9 (cfr. anche i futuri *averò* 10, *partirò* 16, *farò* 44)[75].

Le strofe italiane di Rambaldo manifestano, come s'è visto, una forte dipendenza dal provenzale. Ma, a differenza di tutti gli altri testi che abbiamo visto sin qui, non c'è traccia, si può dire, di influenza latina[76]. La sua propria lingua era già abbastanza alta e nobile e matura, agli occhi di Rambaldo, per valere come lingua a sé, senza che ci fosse bisogno di ricorrere al latino.

22. *Bilancio di due secoli e mezzo*

Se consideriamo in complesso i testi che abbiamo visti fin qui, troviamo che il bilancio è assai magro. Intravediamo bene o male, piuttosto male che bene, il quadro dell'Italia dialettale già formato[77]; e in esso emerge l'influenza di centri come Roma e Montecassino.

anche a *chaidejai* 16, *deschasei* 47 (ma ci sono pure *plui* 17 e *plait* 19). Anche *gauzo* 72 sembra il provenzale *gaug* travestito in genovese (le antiche *Rime genovesi*, d'un secolo più tarde, hanno *goyo* e *gozo*). Interessanti i futuri *scanerò* e *amerò*, serbati dal codice a¹: li troviamo anche nelle antiche Rime; e poiché in quelle troviamo *Catarina*, *Margarita*, *masaritie*, i futuri vanno spiegati non con un mutamento fonetico, ma per analogia dei futuri della 2ª e 3ª coniugazione (Flechia, *Arch. glott. it.*, X, pp. 146 e 160).

[75] Anche qui abbiamo voci provenzali travestite, p. es. *glaio* «gladiolo». Non ci dobbiamo poi nascondere che la tradizione manoscritta lascia campo a molte incertezze.
Il *çhu* del verso 15 è estremamente probabile, come *lectio difficilior* che nessun copista si sarebbe arbitrato d'introdurre in luogo di *plus* o *pus* degli altri codici: ma non possiamo dire lo stesso di *io*, testimoniato dal solo codice f in luogo di *e* o *eu* degli altri codici. Nel contrasto si ha pure *e* (o *eu*); e il criterio della *lectio difficilior* (Crescini, *Romanica fragmenta*, Torino 1932, p. 524) non si può senz'altro applicare, perché il copista del codice f può anche aver voluto iperitalianizzare un testo che sapeva italiano.
[76] L'*april* del v. 11 del discordo è attestato solo dal codice f (contro *abril* o *abrilo* di tutti gli altri codici): se *april* è autentico, sarà un latinismo dell'uso genovese, non di Rambaldo.
[77] Rinviamo ancora al bel panorama del Vidossi (cit. a p. 88).

Quantunque l'esempio delle grandi letterature d'oc e d'oil e delle lingue rispettive si faccia sentire, non vi è ancora alcuna opera d'arte che possa anche lontanamente competere con quelle, e che possa assumere il valore di un modello letterario e linguistico[78].

Si tratta ancora di tentativi modesti, quasi sempre prevalentemente pratici. S'intravede una tradizione nei ritmi dei giullari, ma non è verosimile che le loro rozze cantilene possano avere contribuito a portare una qualsiasi forma o parola toscana agli iniziatori della poesia siciliana[79].

Tuttavia già appare la tendenza a evitare le forme dialettali più crude, più strettamente locali; e specialmente nei testi in versi appaiono numerosi doppioni.

Certo, la testimonianza dei testi andrebbe completata con il molto che si può ricavare dai volgarismi sparsi nelle carte latine di questa età. Ma questa esplorazione di caratteristiche grammaticali e lessicali volgari è, si può dire, appena iniziata.

Data la relativa scarsezza e disformità dei testi e degli spogli da documenti, non ci sembra che metta conto di tracciare un inventario dei fenomeni grammaticali per questo periodo. Anche per il lessico un inventario separato è difficile. Si potrebbero, certo, mettere in luce molte nuove formazioni e nuovi significati sorti in questi secoli: p. es. *podestà* applicato nella seconda metà del sec. XII ai podestà imperiali, poi al principio del sec. XIII ai podestà forestieri. Spesso si ricorre al latino (*comune*, *console*, ecc.), e si è già fatta sentire l'influenza francese (suffisso *-iere*, *mangiare* nelle testimonianze di Travale, ecc.) e quella araba. Ma sarà meglio dare un cenno complessivo sul lessico quando potremo anche disporre della documentazione assai più larga che si ha nel Duecento: rinviamo perciò la trattazione al capitolo seguente.

[78] V. le pagine sintetiche del Terracini, in *Cult. neol.*, XVI, 1956, pp. 19-25.

[79] Come pensava il Torraca, nella conclusione dell'articolo «Su la più antica poesia toscana» (1901), rist. in *Studi di storia letteraria*, Firenze 1923.

CAPITOLO IV
IL DUECENTO
(1225-1300)

1. Limiti

Toccheremo in questo capitolo delle principali vicende dei volgari d'Italia, cominciando dal terzo decennio, in cui appaiono le prime sicure manifestazioni di scritti con intenzioni d'arte, e terminando con la fine del secolo. E assisteremo al costituirsi di una tradizione che durerà poi sempre saldissima, almeno per la poesia.

2. Vicende politiche

La politica italiana è dominata dalla poderosa figura di Federico II dal terzo al quinto decennio del secolo, cioè dall'anno del suo ritorno in Italia e della sua incoronazione (1220) fino all'anno della morte (1250). Alcune direttrici dell'azione di Federico hanno importanza durevole: l'opera di riordinamento amministrativo del regno di Sicilia, fondata su funzionari anziché sul tradizionale regime feudale ed ecclesiastico, l'opera di legislazione ripresa come continuazione del *Corpus iuris* giustinianeo; invece il suo tentativo di riunire sotto un solo governo il Regno e quella parte d'Italia che non dipendeva direttamente dal pontefice fallisce, per la forza e il sentimento d'indipendenza che ormai possiedono in quelle terre della penisola le città-stato, i Comuni e alcune potenti casate. All'appoggio di Federico sono forse dovute alcune migrazioni di colonie valdesi (provenzali) in Calabria.

A Firenze, la città che tiene, si può dire, le fila dell'opposizione a Federico, ricevono nuovo impulso i nomi di *Guelfi* e *Ghibellini*: essi erano nati in Germania nelle lotte per la successione dell'Impero dopo l'estinzione della Casa di Franconia, e a Firenze diventano segnacoli della politica italiana.

Alla morte dell'imperatore tien dietro, in Firenze, lo stabilirsi del regime del «primo popolo»; e nel 1252 viene coniato il *fiorino* d'oro, che s'impone rapidamente per la sua eccellenza e la sua stabilità in tutti i mercati italiani ed europei (lo segue, nel 1289, il *ducato* di Venezia, altrettanto apprezzato).

La battaglia di Montaperti (1260) segna un breve trionfo dei Ghibellini: poco dopo, per contraccolpo della sconfitta e della morte di Manfredi a Benevento (1266), si ha la riscossa dei Guelfi.

I possessori di terre dai dintorni tendono a entrare in città e a farvisi cittadini. Nel 1293 gli Ordinamenti di giustizia segnano il predominio del popolo nel Comune; contemporaneamente la pace di Fucecchio dà a Firenze la supremazia sulle altre città toscane (Arezzo, Pisa).

Segni di crescente importanza dei ceti popolari (benché non mai di quelli infimi) sono l'istituzione del *capitano del popolo* che rappresenta le Arti e limita l'autorità podestarile, e più tardi quella dei *priori*.

In parecchie città settentrionali si sta consolidando l'autorità di famiglie che di fatto esercitano la signoria (Estensi, Scaligeri, Visconti).

Gli Angioini, collocati in posizione preminente dall'appoggio papale e dalla vittoria sugli Svevi, hanno una potente piattaforma nel Regno e propaggini d'autorità in tutta l'Italia. La Sicilia, dopo poco più di un decennio di dominazione angioina, è più o meno strettamente legata agli Aragonesi. Questi tentano anche d'impadronirsi della Sardegna, dove tuttavia ancora predominano i Pisani.

3. Vita culturale

Alla corte fridericiana, un gruppo di laici colti prende quelle funzioni esecutive che finora nelle corti erano state esercitate da alti dignitari ecclesiastici o feudali.

Si sa quale fervore intellettuale dominasse Federico e, per suo impulso, la corte: l'imperatore si faceva leggere Aristotile e compieva osservazioni naturalistiche, disputava per lettera di cose matematiche con sovrani orientali, promoveva traduzioni dal greco e dall'arabo.

Quel favore di cui i trovatori godettero largamente presso le corti settentrionali, mancò loro invece in quella di Federico II. Di uno solo, Guglielmo Figueira, sappiamo che fece breve soggiorno presso di lui[1]. Ma l'afflato della poesia trobadorica animò la nuova forma di poesia che ebbe nome dal «regale solium» di Federico.

La vita universitaria, che prima si era manifestata solamente a Bologna, ora si estende a varie sedi: Padova (1222), Napoli, consciamente contrapposta da Federico a Bologna (1224), Arezzo, Roma, Siena. Nelle università si coltivano distinte, ma non separate, l'*ars notariae* e l'*ars dictandi*: diritto e retorica si congiungono nella stesura degli atti pubblici. Anche se non è possibile accogliere la tesi del Monaci[2] che fa nascere il volgare illustre dal contatto avvenuto all'università di Bologna fra studenti di varie regioni d'Italia, è certo che Bologna esercitò una notevole influenza conguagliatrice.

---

[1] Quanto ai giullari, con una delle sue prime leggi, promulgata a Messina, li abbandonò alle vendette di quelli che fossero stati offesi dalle loro parole (Torraca, *Studi di storia lett.*, cit., p. 21).

[2] Nel noto articolo della *Nuova Antol.*, 15 agosto 1884: «Da Bologna a Palermo: primordi della Scuola poetica siciliana».

Ed è nota l'importanza che hanno nella vita culturale di questo periodo notai e giudici: Giacomo da Lentini (*il Notaro* per antonomasia), Pier della Vigna, Brunetto, Guido Guinizzelli, Cino da Pistoia, ecc. Giudice era anche il fondatore del preumanesimo padovano, Lovato dei Lovati.

La stragrande maggioranza degli scritti di questo periodo è ancora in latino, e l'appena nascente letteratura volgare s'appoggia alla plurisecolare letteratura latina per trarne alimento, soprattutto per mezzo di traduzioni.

Hanno notevole prestigio anche le due lingue letterarie d'oltralpe. Da un lato l'epopea carolingia e le *ambages pulcerrime* dei romanzi arturiani (Dante, *De vulg. el.*, I, x, 2), dall'altro la poesia trobadorica con la nuova concezione dell'amore cortese si presentavano alla nuova civiltà italiana come insigni modelli letterari, degni di essere imitati nelle lingue originarie o in un volgare italiano nobilitato.

Intensa è la vita religiosa, sia nelle forme che si incanalano (o che la Chiesa riesce a incanalare) nell'ortodossia, sia in forme più o meno ribelli. Dei primi decenni del secolo è la nascita dei nuovi ordini di san Domenico e di san Francesco; un po' più tardi è il riordinamento degli agostiniani, seguito dalla loro rapida espansione nella seconda metà del secolo. Ondate di pietà suscitano veri movimenti di folla: il «tempo dell'Alleluia» (1233) e la devozione dei Flagellanti (1260) danno origine non solo a varie devozioni, ma a laudi e cantilene. Le Confraternite che si fondano un po' dappertutto vogliono avere i loro laudari, e così le laudi si scambiano fra paese e paese.

Nel campo scientifico, il Duecento segna il trionfo della scienza greca passata attraverso l'interpretazione di Averroè e degli altri maestri arabi.

Il pensiero teologico, che fa capo principalmente a Parigi, è dapprima contrario alla filosofia di Aristotile; ma poi, specialmente per opera di Tommaso d'Aquino, le difficoltà sono superate e il pensiero dello Stagirita diventa un caposaldo della filosofia cristiana occidentale.

È appena necessario ricordare la grande fioritura delle arti, specialmente dell'architettura, in questo periodo, che è quello che vede sorgere le cattedrali di Siena, di Orvieto, e Santa Maria Novella e Santa Croce a Firenze. Santa Maria del Fiore è iniziata nel 1296.

Sintomo di un ravvicinamento fra le sparse membra della penisola è l'apparizione del nome di *Italiano*. Nella latinità medievale accanto a *Italia* si avevano *Italus* e *Italicus*, in volgare mancava ancora un termine. Specialmente oltre le Alpi si tendeva a adoperare *lombardo* come termine complessivo: i Francesi, dice Salimbene (*Cron.*, p. 933 Bernini), e le testimonianze si potrebbero moltiplicare, «inter Lombardos includunt omnes Italicos et cismontanos». Nel 1278, avverte il Sapori[3], quando si trattò con il re di Francia per il ritorno a Nîmes dei

---

[3] *Studi di storia economica medievale*, Firenze 1940, p. 561.

mercanti italiani scacciati, si fece avanti un Piacentino col titolo di «capitaneus mercatorum lumbardorum et tuscanorum»; invece nel 1288 nelle fiere di Sciampagna apparve l'«Universitas mercatorum *Italicorum*».

Già qualche anno prima Brunetto Latini nel *Tresor* (fra il 1260 e il 1266) aveva adoperato a più riprese *Ytaile* (contrapposta alla più ristretta *Lombardie*) e *Ytalien* (I, 1,7; I, 129,2; III, 1,3; III, 75,15 Carmody) e un anonimo compilatore di «esempi» aveva rielaborato un passo di Valerio Massimo (in un linguaggio di colorito senese) con le parole seguenti: «Et di ciò dice Valerio che avendo li romani preso uno grande *ytaliano*...»[4]. L'etnico è coniato evidentemente partendo da *Italia*, secondo il modello di *Sicilia-siciliano*[5], *Venezia-veneziano*, *Istria-istriano*, ecc.[6].

4. Latino e volgare

Per rendersi conto della consistenza e del carattere degli scritti in volgare, bisogna anzitutto tener conto che in questo secolo e ancora per lungo tempo, gli scritti in latino rappresentano la stragrande maggioranza. Le opere teologiche e filosofiche, le leggi e i commenti al codice, le cronache, i trattati di medicina e di astrologia: tutto o quasi tutto è in latino. La latinità di S. Tommaso, di S. Bonaventura, di Albertano da Brescia, di Iacopo da Voragine, di Salimbene da Parma, di Stefanardo da Vimercate, si manifesta in forme assai diverse[7].

Si legga la lettera di condoglianza indirizzata da Pier della Vigna ai professori di diritto civile di Bologna per la morte di Giacomo Balduini:

Iuris civilis professoribus universis magister Petrus, salutem... Amaritudo amarissima et materia concreta doloribus humanis noviter mentibus occurrerunt. Nam unicus et singularis in terris homo, in quo velut in suo proprio leges convenerant, et vivebat eloquentiae tuba, et consilii plenitudo sedebat, est revocatus ad patriam, de cuius revocationis amaritudine vox populi a fine usque in finem et terminos orbis terrae dolorosa multum exivit. Nec mirum, quia iam

[4] Rheinfelder, in *Rom. Forsch.*, LIV, 1940, p. 327. Già ci sono esempi di *Taliano* come antroponimo alla fine del sec. XII presso Varese e a Pallanza (Aebischer, in *Raccolta... Serra*, Napoli 1959, p. 41).

[5] Già p. es. nei *Proverbi de femene*, v. 213, *ceciliana* (e anche, v. 101, *libiana*); nella profezia di Merlino riportata da Salimbene c'è *ab Hispanianis* (p. 777 Bernini).

[6] Un esempio di *Lombardo* opposto a *Toscano*, linguisticamente interessante, è nel passo di Salimbene in cui si ricorda un fra Barnaba che «optime loquebatur Gallice, *Tuscice* et *Lombardice*» (*Cron.*, p. 851 Bernini).

[7] Una ricca scelta di testi latini del '200 si ha nel cit. volume di A. Viscardi, B. e T. Nardi ecc., *Le origini*, Milano-Napoli 1956, pp. 739-983.

optimus persuasor bonorum operum, omnium excellentissimus Iacobus, de Regio Iesu Christo vitalem spiritum resignavit[8].

Il testo è pieno di ornati retorici: figure etimologiche come *amaritudo amarissima*, clausole ritmiche come *mèntibus occurrèrunt, spìritum resignàvit* («cursus velox»), *plenitùdo sedèbat* («cursus planus») ecc.[9].

Si legga ora un passo di Salimbene:

Nota quod Innocentius papa fuit audax homo et magni cordis. Nam aliquando mensuravit sibi tunicam Domini inconsutilem, et visum fuit sibi quod Dominus parve fuisset stature; quam cum induisset, apparuit grandior ipso. Et sic timuit et veneratus est illam, ut decens fuit. Item solitus erat aliquando librum tenere coram se, cum populo predicabat. Cumque quererent capellani, cur homo sapiens et litteratus talia faceret, respondebat dicens: 'Propter vos facio, ut exemplum dem vobis, quia vos nescitis et erubescitis discere'. Item homo fuit qui interponebat suis interdum gaudia curis; unde cum quadam die quidam ioculator de marchia Anconitana salutasset eum dicens:

> Papa Innocentium,
> doctoris omnis gentium,
> salutat te Scatutius
> et habet te pro dominus,

respondit ei: 'Et unde est Scatutius?'. Cui dixit:

> De Castro Recanato,
> et ibi fui nato.

Cui papa:

> Si veneris Romam,
> habebis multam bonam,

id est 'bene faciam tibi'. Fecit papa quod gramaticus docet: *Per quemcumque casum fit interrogatio, per eumdem debet fieri responsio.* Quia enim malam gramaticam fecit ioculator, malam gramaticam audivit a papa (pp. 42-43 Bernini).

Il periodare e non di rado anche il lessico di Salimbene lasciano trasparire assai bene l'uso volgare, attraverso una grammatica che segue con relativa correttezza le norme scolastiche del tempo.

Si legga ora il passo in cui San Tommaso discute l'obiezione secondo cui in certi casi la simonia sarebbe lecita, «puta quando sacerdos puerum morientem baptizare non velit».

Ad primum ergo dicendum, quod in casu necessitatis quilibet potest baptizare; et quia nullo modo est peccandum, si sacerdos absque pretio baptizare non velit, ac si non esset qui baptizaret; unde ille qui gerit curam pueri, in tali casu licite potest eum baptizare, vel a quocumque alio facere baptizari; posset tamen

[8] A. Huillard-Bréholles, *Vie et correspondance de Pierre de la Vigne*, Parigi 1865, p. 299.
[9] Sui vari stili e le varie forme di questi ornati, v. A. Schiaffini, *Tradizione*, e la bibl. ivi citata.

licite aquam a sacerdote emere, quae est purum elementum corporale. Si autem esset adultus, qui baptismum desideraret, et immineret mortis periculum, nec sacerdos eum vellet sine pretio baptizare, deberet, si posset, per alium baptizari; quod si non posset ad alium habere recursum, nullo modo deberet pretium pro baptismo dare, sed potius absque baptismo decedere, suppleretur enim ei ex baptismo flaminis, quod ei ex sacramento deesset (*Summa theol.*, II Secundae Partis, Quaestio C, Art. II).

Ma non basterebbero venti o cinquanta passi a dare un'idea della varietà di questo latino, ben vivo nell'uso di tutte le persone colte.

Quelli che si mettono a scrivere in volgare non ignorano questa tradizione, almeno in alcune delle sue varietà. Accanto, perciò, a un'influenza del volgare sul latino, percettibile specialmente nei testi con minori pretese letterarie, ve n'è un'altra, fortissima, che il latino esercita sul volgare, sia nell'arte del periodare, sia nel lessico.

La coscienza della grande superiorità del latino sul volgare è sempre presente agli autori di volgarizzamenti (v. § 11).

Andare a scuola vuol dire anzitutto imparare la *grammatica*, cioè il latino. E non solo per chi si proponga di diventare notaio o ecclesiastico o simili, ma anche semplicemente d'esercitare il commercio: un contratto notarile genovese del 1266 parla di «grammatica communiter edocenda secundum mercatores Ianuae»[10].

Nella vita civile occorre tuttavia che i reggitori tengano conto dei molti che ignorano il latino. Gli Statuti di Bologna nel 1246 danno esatte prescrizioni per gli esami che dovevano subire quelli che aspiravano a diventar notai. Gli esaminatori dovevano «videre et scire qualiter sciunt scribere, et qualiter legere scripturas quas fecerint vulgariter et litteraliter, et qualiter latinare et dictare»[11]: dovevano insomma dimostrare d'esser capaci di leggere in volgare i loro atti a quelli che li avevano incaricati di redigerli. E Pietro dei Boattieri, nel commento alla *Summa artis notariae* di Rolandino, dava istruzioni in proposito[12].

Ormai cominciano ad apparire alcuni statuti scritti di proposito solo in volgare: ci rimangono gli statuti di Montagutolo dell'Ardinghesca, del 1280-97, che esplicitamente prescrivono al «camarlengo» di designare tre «buoni omini» perché rivedano il «costeduto», e facciano scrivere «tucti gli ordini che per li detti tre omini fussero fermati, di buona léttara di testo, e non in grammatica»[13].

Anche nella vita monastica si trae notizia dalle *Commentationes* di

---

[10] S. Caramella, nella riv. *Il Comune di Genova*, 31 luglio 1923.

[11] *Statuti di Bologna dall'anno 1245 all'anno 1267*, a cura di L. Frati, II, Bologna 1869, p. 185. Anche più precise sono le prescrizioni dello statuto del 1252 (ivi, p. 186): «faciat singulos legere et reccitare scripturas quas fecerint et instrumenta que dixerint vel vulgariter vel litteraliter ibidem coram examinatoribus».

[12] A. Gaudenzi, *I suoni, le forme e le parole del dialetto di Bologna*, Torino 1889, pp. XXII-XXIII.

[13] F. L. Polidori, *Statuti senesi scritti in volgare*, I, Bologna 1863, p. 43.

Montecassino che quotidianamente si tenevano nel capitolo conferenze in volgare[14].

Mentre le scuole vescovili continuano a provvedere all'insegnamento per i futuri ecclesiastici, sorgono in quell'età, sotto la spinta e a spese della borghesia mercantile, scuole laiche in cui s'impara, sul fondamento del volgare, un po' di latino[15].

5. *Conoscenza del francese e del provenzale*

I contatti con la Francia e con le due grandi letterature che in essa già erano fiorite sono più forti che mai in questo periodo. Una delle manifestazioni più cospicue è la passione per l'epopea, specialmente carolingia, nell'Italia settentrionale. Ne abbiamo numerosissime testimonianze: il giurista Odofredo ci parla degli «orbi qui vadunt in curia comunis Bononie et cantant de domino Rolando et Oliverio», uno scrittore della fine del Duecento descrive il giullare che in barbaro francese canta alla plebe le imprese di Carlo:

> celsa in sede theatri
> Karoleas acies et gallica gesta boantem
> cantorem aspicio; pendet plebecula circum
> auribus arrectis: illam suus allicit Orpheus.
> Ausculto tacitus: Francorum dedita lingue
> carmina barbarico passim deformat hiatu[16].

Caratteristica è questa accoglienza fatta negli strati più popolari a una poesia straniera solo approssimamente intelligibile. La cosiddetta letteratura franco-italiana ci mostra numerosi gradi dell'inevitabile ibridismo[17].

Ecco, per dar solo un esempio, come si presenta la canzone di Orlando in un noto testo franco-veneto, il cod. Marciano V[4]:

> Rollant a messo l'olinfant a sa boçe
> inpinç il ben, per gran vertù lo toce;

[14] A. Walz, *S. Tommaso d'Aquino*, Roma 1945, p. 18.

[15] Si vedano i frammenti grammaticali con esercizi fondati sul volgare, pubblicati da Sabbadini, *Studi mediev.*, I, 1904, pp. 281-292; De Stefano, *Revue langues rom.*, XLVIII, 1905, p. 495-529; Manacorda, *Atti Acc. Torino*, XLIX, 1914, pp. 689-698, tutti degli ultimissimi anni del '200 o dei primissimi del '300. Un po' più tardi sono quelli latino-friulani pubblicati dallo Schiaffini, *Riv. Soc. fil. friul.*, II, 1921, pp. 3-16; 23-105, III, 1922, pp. 1-31.

[16] V. l'articolo fondamentale di P. Meyer, «L'expansion de la langue française en Italie pendant le Moyen-âge», in *Atti del Congresso internazionale di scienze storiche* (1903, IV, Roma 1904, pp. 61-104. Il passo del rimatore in Novati, *Attraverso il medioevo*, Bari 1905, p. 298.

[17] Vedi A. Viscardi, *Letteratura franco-italiana*, Modena 1941, e il capitolo sulla «Letteratura franco-italiana», in Viscardi - Nardi, ecc., *Le Origini*, pp. 1053-1219.

grand quindes leugue la vox contra responde,
Çarlo l'olde et ses conpagnons stretute.
Ço dist li roi: – «Batailla fa nostri home!» –
Et Gainelon responde alo' inconter:
«Se un altro lo disesse, el senblaria mençogne!».
    Li cont Rollant per poi e per achant
et per dolor si sona l'ilifant;
per me' la gole li sai for li sange,
de soe cervelle se va lo tenpan ronpant.

(vv. 1864-1874 Gasca Queirazza).

Tracce molto più lievi d'ibridismo troviamo in altri testi composti in prosa da italiani, che per un motivo o per l'altro avevano scelto di scrivere in francese: il trattato di falconeria tradotto per re Enzo da Daniele Deloc di Cremona (ed. H. Tjerneld, Stoccolma 1945), il *Tresor* di Brunetto Latini (ed. F. Carmody, Berkeley-Los Angeles 1948)[18] la cronaca di Martino da Canale (ed. F. L. Polidori, Firenze 1845)[19], il *Milione* di Marco Polo, steso da Rustichello da Pisa (ed. L. F. Benedetto, Firenze 1928).

Dobbiamo anche tener conto dei frequenti contatti dovuti ai commerci. Il nome di *Francesco* e la conoscenza del francese testimoniata dai biografi per il santo di Assisi dipendono dai legami del padre con la Francia. I libri di commercio fiorentini mostrano quanto fitti fossero i rapporti, specialmente con la Sciampagna[20]. E quando leggiamo il *Fiore*, compendio del *Roman de la Rose*, ovvero l'*Intelligenza*, abbiamo l'impressione che i due autori avessero una così stretta familiarità col francese (e non solo, direi, col francese letterario) da spostare troppo in là il limite della ricettività (lessicale e talora anche grammaticale) dell'italiano. Bastino, a comprovarlo questi versi:

[18] Nel notissimo passo in cui Brunetto spiega perché abbia scelto il francese («Et se aucuns demandoit por quoi cis livres est escrit en roumanç selonc le raison de France, puis ke nous somes italien, je diroie que c'est pour .ii. raisons, l'une ke nous somes en France, l'autre por çou que la parleure est plus delitable et plus commune a tous langages (*var.*: gens)»: I, 1, 7) il primo fattore (la residenza in Francia) sembra quello preponderante. Malgrado la ricchezza e l'ingegnosità della documentazione, non ci sembra accettabile la tesi di A. Pézard (*Dante sous la pluie de feu*, Parigi 1950) che Dante abbia condannato Brunetto per il suo «eccesso» nel lodare il francese e metter da parte l'italiano: se questo fosse il motivo della condanna, non si spiegherebbe in alcun modo il verso «sieti raccomandato il mio Tesoro» (*Inf.*, XV, v. 119).

[19] Cfr. lo studio sulla lingua, di P. Catel, *Rend. Ist. Lomb.*, LXXI; 1938, pp. 305-348, LXXIII, 1940, pp. 39-63.

[20] Ricchi di gallicismi, come è ovvio, sono specialmente i conti tenuti da Italiani residenti in Francia. Si veda, p. es., il «ragionato» di Cepparello Dietaiuti pratese, incaricato della «balìa d'Alvernia»: «Ricordanza k'io paghai a Parigi a messer Etaccia di Belmercieri per suoi ghagi alla Tusanti ottanta otto, libre cc tornesi» (1288): Schiaffini, *Testi*, p. 249; o un Libro di mercanti fiorentini in Provenza (1299-1300): «uno ronzino tavolato ferrante il quale fu di Messer Pere Giovanni ciantre di messer l'arciveschovo...» (Castellani, *Nuovi testi*, p. 758).

> sì non son troppo grossa nè *tro' grella*
>
> (*Fiore*, son. 43)
>
> ma 'l Die d'amor non fece *pà semblante*
>
> (son. 104)
>
> E s'ella non è bella di *visaggio*
> cortesemente lor *torni* la testa
> e sì lor mostri senza far *arresta,*
> le belle bionde trecce *davantaggio*
>
> (son. 166)
>
> *covriceffo* o *aguglier* di bella *taglia*
>
> (son. 190)
>
> la *grada* è di cipresso *inciamberlata*
>
> (*Intell.*, st. 62)
>
> e Cesar quand'uccise Artigiusso
> che non fu de' *musardi sanza faglia*
>
> (st. 79)
>
> Vergenteusso il fedì su la fronte
> sì forte che *ciancellò* tutto 'l ponte
>
> (st. 126)

Per l'Italia meridionale bisogna tener conto dell'influenza politico-amministrativa degli Angioini.

L'influenza del provenzale è quasi unicamente legata al grandissimo prestigio della sua letteratura, e al culto della parola che alcuni dei suoi poeti avevano portato al sommo. La guerra albigese distrusse la vita di corte in provenza, e con essa i fondamenti materiali della poesia dei trovatori. La dispersione di questi poté per un breve periodo contribuire all'espansione del provenzale fuori della terra d'origine: già abbiamo visto, all'inizio del secolo, trovatori provenzali accolti nelle corti e nelle città settentrionali. Il prestigio della lingua d'oc (e la mancanza d'una lingua poetica nazionale) fa sì che parecchi, nel nord, si mettano alla scuola dei trovatori e compongano nella loro lingua, cosicché nella schiera dei maggiori poeti in lingua provenzale si possono annoverare anche Italiani come Lanfranco Cigala e Sordello[21].

Invece nel Mezzogiorno non si imitò, ma si emulò: e nacque la scuola siciliana.

Percivalle Doria, nobile genovese e fedele agli Svevi, scrive in provenzale un serventese in lode di Manfredi, e tenzona con Filippo di Valenza; ma poi anche scrive in siciliano illustre due canzoni («Come lo giorno...»; «Amor m'a priso...»).

In conseguenza della forte influenza esercitata dai modelli francesi e provenzali sulla letteratura duecentesca, i francesismi e i provenzali-

---

[21] G. Bertoni, *I trovatori d'Italia*, Modena 1915; V. De Bartholomaeis, *Poesie provenzali storiche relative all'Italia*, Roma 1931; F. A. Ugolini, *La poesia provenzale e l'Italia*, Modena 1939; e numerose edizioni di singoli poeti. Testimonianza dell'interesse che si ha in Italia per il provenzale è la compilazione di grammatiche (Ugo Faidit, Terramagnino da Pisa); e del resto le vite dei trovatori sono state con ogni probabilità composte da Ugo di Saint Circ nell'ambiente trevigiano.

smi sono assai numerosi, specie in alcuni scrittori, come Guittone. Talvolta essi rispondono a una precisa intenzione stilistica: così l'abbondanza di espressioni francesi e provenzali nel contrasto di Cielo d'Alcamo è una caricatura della lingua cortese[22].

Daremo più oltre un elenco sommario dei gallicismi entrati nel lessico, sia per questo tramite sia come conseguenza di contatti diretti.

6. Poesia d'arte e prosa d'arte

Le varietà locali del volgare parlato erano molto divergenti, e i tentativi che finora erano stati fatti per metterli in scrittura avevano tentato di levigarne la rozzezza eliminando le peculiarità troppo spiccate e ricorrendo ai suggerimenti che poteva dare la lingua scritta per eccellenza, il latino. Proprio l'esempio del latino, con la sua relativa fissità e regolarità, fa sentire il bisogno di modelli anche per il volgare. C'è nell'aria l'idea che se e quando appariranno dei modelli degni, essi saranno imitati anche nelle loro particolarità, e per questa via si troverà un rimedio alle incertezze grammaticali e lessicali.

Non si mira insomma direttamente a una lingua comune: si mira a una lingua bella e nobile, la quale eliminerà i particolarismi e sarà perciò anche «comune». Nell'Italia di questa età, artisticamente così matura e politicamente così divisa, modello voleva dire modello di bellezza, di eleganza artistica. Questo ci spiega come emergano tanto imperiosamente, creando una scia d'imitazione letteraria e linguistica, quegli scritti in cui si persegue un ideale di bellezza.

È la lirica che si pone all'avanguardia della letteratura, e che crea un moto d'entusiasmo, con conseguenze che dureranno per secoli. La spinta iniziale data dai poeti siciliani della curia sveva, i primi in Italia a servirsi del volgare per fare poesia d'arte sarà trasmessa a tanti altri: e tutti, non solo i pedissequi imitatori siculo-toscani ma anche il Guinizzelli, gli stilnovisti e in genere tutti quelli che scriveranno in versi, terranno conto in proporzione maggiore o minore dei modelli siciliani, così che alcune peculiarità entreranno stabilmente nell'uso poetico italiano.

Non basta: questa spinta fa sì che la poesia acquisti un vantaggio tanto sensibile sulla prosa da creare fra i due modi di scrivere addirittura una scissione che durerà per secoli. I modelli poetici che si susseguono costituiscono una tradizione, che fornisce un modello di lingua relativamente uniforme per le varie regioni; invece la prosa stenta (e stenterà per molto tempo) a uscire dall'àmbito locale. Sorge sì, poco dopo la fioritura siciliana, una prosa d'arte, che ha a Bologna con la persona di Guido Fava il suo primo maestro. E anche la prosa d'arte troverà in Toscana cultori appassionati come Brunetto e Guittone. Ma

[22] Monteverdi, *Studi mediev.*, XVI, 1943-50, pp. 161-175 (rist. in *Studi e saggi*, pp. 101-123).

il minor livello artistico da loro raggiunto in confronto con la poesia e lo stretto legame che la prosa ha sempre con le contingenze pratiche di carattere personale e locale, per cui essa non può staccarsi troppo dal parlare quotidiano, neppure quando è soggetta a elaborazione artistica, fanno sì che il processo di unificazione della lingua prosastica sia senza confronto più lento. Non va, poi, dimenticato che testi in prosa mancano completamente per l'Italia meridionale e la Sicilia durante il Duecento: vi si scrive ancora soltanto in latino.

Questo sguardo complessivo aiuterà il lettore ad intendere con quale criterio abbiamo scelto gli argomenti che illustreremo nei paragrafi che seguono. Presteremo attenzione particolare al costituirsi di una tradizione poetica, in quanto ad essa risale l'impianto fondamentale del linguaggio poetico italiano. Invece per la prosa ci dovremo accontentare di accennare ai vari filoni, non essendoci lecito attribuire importanza esclusiva alla prosa d'arte.

7. *La scuola poetica siciliana e la sua lingua*

La prima fucina di poesia che meriti di esser considerata poesia d'arte è la Magna Curia di Federico II.

I tentativi di datare qualcuna delle poesie della scuola siciliana ai primi anni del Duecento si fondano su argomenti troppo fragili per scuotere la verosimiglianza che le prime poesie nascano da uno scrittore particolarmente dotato, il notaio Giacomo da Lentini, con l'appoggio datogli «heroico more» (*De vulg. el.*, I, XII, 4) da Federico, nella atmosfera creatasi alla sua corte dopo il suo ritorno in Italia. Che si tratti di un meditato disegno del sovrano svevo non è probabile, ché in questo caso probabilmente si sarebbero avuti serventesi politici, e non canzoni e sonetti.

La novità della scuola siciliana rispetto al suo modello, la poesia provenzale, è la lingua: mentre i trovatori del Settentrione d'Italia avevano accolto, insieme col modello poetico, anche la lingua, i trovatori siciliani lo ricalcano, adattando all'uso artistico una lingua fino allora usata in qualche canto plebeo o giullaresco, di cui possiamo tutt'al più congetturare l'esistenza.

I presupposti sociali e culturali erano gli stessi su cui si era fondata la poesia occitanica: il carattere di gioco elegante di una società aristocratica, raffinata, per cui si sottomette alle convenzioni dell'amor cortese l'imperatore stesso[23].

---

[23] E quando Federico dice:

> Dolze mea donna lo gire
> non è per mia volontate,
> che mi convene ubbidire
> quelli che m'à 'n potestate

non bisogna scambiare la finzione poetica con la realtà.

Sembra staccarsi molto dal tono generale di questa poesia il contrasto di Cielo d'Alcamo[24] «Rosa fresca aulentissima»[25] tant'è vero che Dante scegliendo per citarlo (nel *De vulg. el.*, I, XII) il terzo verso, ricco di plebeismi (*Tragemi d'este focora, se t'este a bolontate*), lo considerava come scritto nel siciliano usuale «quod prodit a terrigenis mediocribus», non raffinato da intenti d'arte. Ma la critica più autorevole riconosce nell'autore del contrasto un poeta non incolto: solo che l'autore avendo scelto di rappresentare per realismo due personaggi volgari, sa dosare con efficacia artistica i tratti aulici (*rosa fresca de l'orto, donna col viso cleri* cioè «dame au cler vis», ecc.) e i tratti dialettali (*bolontate, bolta, càrama*, ecc.), i quali non si possono attribuire a una zona precisa proprio perché il poeta li ha scelti per dare colorito plebeo. Questa voluta accentuazione di caratteristiche ci ha valso una discreta conservazione del testo, perché i trascrittori le hanno intese e rispettate.

Fulcro della Magna Curia fu la Sicilia, con gli importanti centri culturali di Palermo e di Messina; ma la corte risiedette spesso e a lungo sul continente e parteciparono all'attività poetica anche scrittori non nati in Sicilia.

Non toccò in sorte, a questa poesia sbocciata nella corte fridericiana come in una serra, di avere un grande poeta; e con la morte di Federico e poi di Manfredi sparì anche quell'alto ma ristretto ambiente in cui era fiorita. Ma l'esperimento era stato nobile e bello, ed era piaciuto molto sul continente: se scompare la corte sveva, e tacciono in Sicilia e nella Italia meridionale le note di quella poesia, altri nella borghesia comunale toscana e bolognese hanno ormai raccolto l'eredità. Non solo le esperienze tecniche non vanno perdute: ma, ciò che più c'importa in questa sede, la poesia della prima scuola ha anche una notevole efficacia linguistica sulle scuole successive.

Quale era, linguisticamente, la fisionomia delle composizioni di quei primi poeti? Ricorriamo a uno qualsiasi dei canzonieri che, scritti negli ultimi anni del Duecento o nel primo Trecento, ci conservano quei testi; ecco, per esempio, che cosa troviamo nella prima carta del famoso codice Vaticano 3793 (= A), il più importante di quei canzonieri:

Notaro Giacomo

Madoña dire uiuolglio. come lamore mapreso. jnverlo grande orgolglio. cheuoi bella mostrate enōmaita. oilasso lome core. chentanta pena miso. cheuede chesimore. pbenamare etenolosi jnuita.

---

[24] Il testo è conservato dal solo ms. A (Vat. 3793), e il nome è stato apposto dall'erudito cinquecentista mons. Angelo Colocci, sul fondamento, dobbiamo supporre, di fonti oggi perdute. La forma *Ciullo* non è che una falsa lettura della grafia del Colocci.

[25] Sul contrasto si ha un'ampia bibliografia: oltre agli scritti meno recenti citati nelle note antologie, v. Monteverdi in *Studi e saggi*, pp. 101-123, Pagliaro, in *Saggi di critica semantica*, Firenze 1953, pp. 229-279, Id., in *Poesia giullaresca e poesia popolare*, Bari 1958, pp. 193-232.

Introducendo la divisione di parole, l'interpunzione e l'uso grafico moderno per *u, v, gl*, lo possiamo trascrivere così:

> Madonna, dire vi voglio
> come l'Amore m'à preso;
> inver lo grande orgoglio
> che voi, bella, mostrate, e' non m'aita.
> Oi lasso, lo me' core
> ch'è 'n tanta pena miso,
> che vede che si more
> per ben amare, e tenolosi in vita.

L'aspetto è complessivamente non molto diverso dalla lingua poetica che vigerà in Italia fino all'Ottocento. Ma già in questa prima mezza strofa, c'è (oltre a una svista evidente, *tenolosi* per *tenelosi* «se lo tiene») una rima imperfetta, *preso: miso*. Si può facilmente ricostruire quale fosse la lezione esatta (*priso: miso*), anche perché un altro canzoniere, il Laurenziano-Rediano 9 (= B) scrive *como lamorprizo*. Il copista toscano di A nel trascrivere un codice che portava *priso*, ha creduto lecito di fare quello che usavano fare i copisti nel Medioevo, cioè di conformarlo alla propria pronunzia, e ha scritto *preso*: invece poi non ha avuto il coraggio di scrivere *messo* in luogo di *miso* (che del resto si poteva appoggiare al passato remoto *misi*); così la parola in rima è rimasta a rivelarci l'arbitrio.

Ora la stragrande maggioranza dei testi della prima scuola è in queste condizioni; e non è possibile credere, come fece qualche autorevole studioso delle due passate generazioni (Caix, Gaspary, Monaci, Zingarelli, De Bartholomaeis), che la fisionomia dei testi originari non fosse molto diversa, e che questo impasto fosse dovuto al fatto che i poeti della prima scuola già mirassero a una coinè, volutamente impiegando voci e forme .continentali[26].

La tesi della toscanizzazione, che già era parsa più verosimile a Adolfo Bartoli, al D'Ancona, al D'Ovidio, ebbe conferma da uno scritto fondamentale (anche se discutibile in molti particolari) di G. A. Cesareo, *Le origini della poesia lirica in Italia* (Catania 1899, 2ª ed., Palermo 1924) e da un saggio di I. Sanesi[27] sulla progressiva toscanizzazione dei canzonieri; il Tallgren[28] e meglio ancora il Parodi[29] chiarirono definitivamente alcuni punti più oscuri di questo processo.

C'è poi un altro elemento che interviene in aiuto dei filologi. Il cinquecentista Giovanni Maria Barbieri, da un codice che egli chiama-

---

[26] Si è già accennato che il Monaci, in un articolo che ebbe molta risonanza (*Nuova Antol.*, 15 agosto 1884) aveva addirittura creduto di poter porre a Bologna, centro universitario, il primo punto d'incontro di quelli che sarebbero stati poi i poeti della scuola siciliana.

[27] *Giorn. stor.*, XXXIV, 1899, pp. 354-367.

[28] *Mém. Soc. Néo-phil. de Helsingfors*, V, 1909, pp. 233-374.

[29] *Bull. Soc. Dant.*, XX, 1913, pp. 113-142 (rist. in *Lingua e letteratura*, pp. 152-188).

va il *Libro siciliano* e che purtroppo è andato perduto, ha ricavato una canzone di Stefano Protonotaro messinese e due frammenti di re Enzo (il figlio di Federico II, re nominale di Sardegna, fatto prigioniero alla Fossalta nel 1249 e morto a Bologna nel 1272).

Ecco come si presenta, nella trascrizione del Barbieri, la prima strofa della canzone di Stefano (con quattro piccole e probabilissime correzioni del Debenedetti):

> Pir meu cori allegrari,
> ki mult*u* longiamenti
> senza alligranza e ioi d'amuri è statu,
> mi ritorn*u* in cantari
> ca forsi levimenti
> da dimuranza turniria in usatu
> di lu troppu taciri.
> E quandu l'omu à rasuni di diri
> ben di' cantari e mustrari alligranza,
> ca, senza dimustranza,
> ioi siria sempri di pocu valuri.
> Dunca ben di' cantar onni amaduri[30].

Siccome la buona fede del Barbieri è fuori discussione, e d'altronde non è possibile che un falsificatore cinquecentesco conoscesse particolarità sottili come quelle che si trovano applicate nelle poesie siciliane copiate dal Barbieri (posizione delle enclitiche, uso dell'*h*), la testimonianza è da accogliere in pieno, a conferma e integrazione di quello che già si poteva intravedere attraverso le rime. E cioè, scartando l'ipotesi poco fondata del Bertoni che ai poeti siciliani fossero aperte «due vie», quella di comporre in una coinè italianeggiante e quella di comporre in «siciliano illustre»[31] è necessario ritenere che l'aspetto primitivo di tutte le poesie della scuola sveva fosse simile a quello rivelatoci nella canzone di Stefano Protonotaro e nei due frammenti di re Enzo[32]. Linguisticamente, allora, questi testi assumono il primo posto, anche se di una generazione posteriore alla prima fioritura poetica, e tutto il resto può essere utilizzato per stabilire la grafia, la fonologia, la morfologia dei poeti della prima scuola solo nella misura in cui o la

[30] V. l'eccellente discussione di S. Debenedetti, «Le canzoni di Stefano Protonotaro», in *Studj romanzi*, XXII, 1932, pp. 5-68.

[31] V. la conclusiva dimostrazione del Monteverdi, *Studj rom.*, XXXI, 1947, pp. 40-41 e 44-45.

[32] Abbiamo lasciato da parte la famosa testimonianza di Dante (*De vulg. el.*, I, XII), perentoria per le origini della scuola poetica, ma non sufficiente a dimostrare la maggiore o minore sicilianità linguistica di quei poeti. Ricordiamo anche le parole del catalano Jofre de Foixà, nelle sue *Regles* scritte in Sicilia tra il 1289 e il 1291 e dedicate a Giacomo II d'Aragona: «si tu vols far un cantar en frances no.s tayn que y mescles proençal ne cicilià ne gallego» (rr. 220-222 Li Gotti): parole che in qualche modo attestano la possibilità di usare il siciliano illustre come lingua letteraria.

rima o la discordanza dei codici ci permettono di riconoscere tratti siciliani conservati da uno o obliterati da un altro. I testi siciliani in prosa purtroppo aiutano poco, perché cominciamo ad averne solo con il sec. XIV, quando l'atmosfera culturale è fortemente cambiata.

Nel dare un cenno dei tratti più importanti di questa lingua, non dobbiamo tuttavia dimenticare che essa non è una lingua completa, ma una stilizzazione artistica compiuta sul fondamento del dialetto siciliano, già un po' dirozzato dall'uso fatto tra persone di una certa levatura, tenendo per modelli da un lato il latino, esempio costante di qualunque scrittore medievale, dall'altro il provenzale, che è imitato più davvicino, in quanto costituisce anche il modello letterario, e fissa l'ideario a cui quei poeti in complesso si attengono[33].

Quanto alla grafia, *ch* aveva valore palatale. Infatti il notaio bolognese che trascriveva in un memoriale la canzone di Giacomo da Lentini «Madona, dir ve voio» manteneva la grafia del suo testo in *despiache*: *fache*[34]. Ma *chi* rappresentava anche l'esito di PL-, e qualche volta i manoscritti lo mantengono, qualche volta lo adattano, qualche volta non capiscono: una *chiacenza* di Giacomo (nel discordo «Dal core mi vene», v. 113) è correttamente toscanizzato dal codice Laur.-Rediano 9 in *piagienza*, mentre il Vaticano 3793 frainteso, scrivendo *achia senza*.

E breve ed *o* breve del latino non dittongano sotto l'accento: *feri*, *bonu*.

I breve ed *e* lunga latine danno alla tonica *i*: *vidi, taciri; u* breve ed *o* lunga danno *u*: *dundi, hunuri*. Ma è anche possibile un trattamento di tipo latineggiante, che prende un aspetto diverso da quello continentale (anzi, per certo rispetto, inverso). Accanto ad *amuri*, che è la forma di tipo popolare, si può avere *amori*, con la vocale del latino. Ma non va dimenticato che il siciliano aveva ed ha un sistema fonologico di sole cinque vocali, nel quale non si ha distinzione fra *o* aperta ed *o* chiusa, *e* aperta ed *e* chiusa: perciò qui si ha *amòri*. Le parole con *o* ed *e* per le quali si ricorra al latinismo (e al provenzalismo) possono presentare due forme e rimare in due modi: *amuri*: *duluri* oppure *amòri*: *còri*.

---

[33] Oltre agli scritti citati (fra i quali va tenuto presente soprattutto il Parodi), e alle opere del Caix (*Le origini della lingua poetica italiana*, Firenze 1880) e del Gaspary (*Die Sizilianische Dichterschule der XIII. Jahrhunderts*, Berlino 1878), che tuttora possono riuscire utili benché molto invecchiate, ricordo gli scritti del Santangelo (fra cui principalmente «Il primato linguistico dei Siciliani», in *Atti Acc. Sc., Lett. e Arti*, Palermo, XX, 1938, ristampato con ritocchi nel volumetto *Il siciliano lingua nazionale nel secolo XIII*, Catania 1947) e del Monteverdi (specialmente l'articolo sintetico «La critica testuale e l'insegnamento dei Siciliani», in *Essais de philologie moderne, Biblioth. Phil. Lettres Liège*, CXXIX, pp. 209-217), e l'introduzione del volume di M. Vitale, *Poeti della prima scuola*, Roma 1951.

[34] Si è più volte discusso se i testi poetici contenuti nei Memoriali siano stati copiati da manoscritti o riprodotti a memoria: indizi come questi rendono più probabile la prima ipotesi.

Le *e* e le *o* atone, particolarmente quelle finali, si presentano come *i* (*timiri, placiri*)[35] ed *u* (*mustrari, dintru*).

Il gruppo cj dà -z-: *lanza, solazo.*

Per la morfologia, si nota l'alternanza di *esti* con *è*, di *avi* con *à*, di *sapi* con *sa*, di *fachi* con *fa*. L'imperfetto è del tipo *avia, putia*. Nel condizionale si ha di regola il tipo *diviria*; esiste anche un gruppetto di forme in -*ra*: *fora*; *gravara, sofondara*; *finera*; *partira*, sulla cui provenienza non vi è consenso. Il De Bartholomaeis le riteneva «continentali», il Debenedetti escludeva che fossero siciliane, il Vitale le crede di origine provenzale. Ma il piucchepperfetto latino con valore di condizionale non sopravvive solo in dialetti continentali dalla Calabria agli Abruzzi, bensì anche in qualche dialetto siciliano[36] e non vediamo motivo sufficiente per dubitare della loro indigenità, tanto più che, se si trattasse meramente di un'imitazione del provenzale, troveremmo la desinenza -*era* anche per la prima coniugazione (cfr. p. 132).

Venendo ora al lessico, potremo tener conto, oltre che della canzone e dei frammenti in siciliano illustre, anche dei sicilianismi e francesismi e provenzalismi che gli altri testi presentano (pur pensando che altre di queste peculiarità possano essere andate perdute).

Ecco qualche vocabolo siciliano[37]: abento «riposo, tranquillità»; adiviniri «accadere»; ammiritatu «compensato»; *ghiora* «gloria»; (*i*)*ntrasatto* «improvvisamente» (*REW* 4510); (*i*)*nvoglia* «avvolge»; *menna* «mammella»; *nutricari* «nutrire»; *ricienta* «sciacqua»; sanari «guarire»; *tando, intando* «allora» ecc.[38]

Anche più importante è la serie delle parole di origine galloromanza. Per quelle francesi si può rimanere incerti se siano vocaboli entrati nell'uso siciliano (più o meno popolare) con i Normanni, ovvero se siano vocaboli genericamente culturali o specificamente letterari; invece per le parole provenzali la provenienza letteraria è pressoché certa. Non si dimentichi tuttavia, che molto spesso è difficile distinguere i francesismi dai provenzalismi[39].

---

[35] Si veda, p. es., il verso 52 di «Madonna dir vi voglio» («la nave - c'a la fortuna gitta ogni pesanti»), in cui i codici B e C (Palat. 418) hanno *pezante* e *pesante*, mentre A (il Vat. 3793) ha un *pesante* corretto in *pesantj*, cioè un primo impulso a toscanizzare respinto dopo che il copista ha veduto la rima del v. 56 («li mie' sospiri e pianti»). Nella canzone «Madonna mia...», al v. 14 c'è un «ogni amanti» al singolare («a cui prega ogni amanti»), salvatosi in A, mentre C lo toscanizza molto semplicemente, scrivendo «a cui serven li amanti».

[36] Ugolini, *Giorn. stor.*, CXV, 1940, pp. 175-176.

[37] Segno in maiuscoletto le poche forme di colorito più siciliano (ricavate da Stefano o da re Enzo); le altre sono riportate nella forma in cui ce le danno i canzonieri.

[38] Gaspary, *Siz. Dicht.*, pp. 190-199; Cesareo, *Origini*, 2ᵃ ed., pp. 281-287; Debenedetti, *St. rom.*, XXII, pp. 32-33.

[39] Gaspary *Siz. Dicht.*, pp. 199-229; Bezzola, *Gallicismi*, passim; Debenedetti, *St. rom.*, XXII, pp. 34-43; G. Baer, *Zur sprachlichen Einwirkung der altprov. Troubadourdichtung auf die Kunstsprache der frühen italien. Dichter*, Zurigo 1939; P. M. L. Rizzo, in *Convivium*, 1949, pp. 740-748, e in *Boll. Centro St. Sicil.*, I, 1953,

I francesismi includono vocaboli come *ciera* «volto» (fr. ant. *chiere*), *cominzare*, *(i)ntamato* «leso» (fr. *entamé*; la parola sarà adoperata anche dal Villani), *sagnare*. Ma è molto più ampia la serie dei provenzalismi, che include tutta la gamma delle idee e dei sentimenti dell'amore trobadorico: *amanza, intendanza, amistate* (e *amistanza*), *drudo, ascio, disascio, sollazzo, gioia* (o anche *gioi, gio'* e *gaugio*), DULZURI, *alma* «anima», *coraggio* e *corina* «cuore», *simblanza, fazone* (prov. *faisô*, franc. *façon*), *speranza, dottanza, rimembranza, ballìa* «potere, balìa», *argoglio, talento* «volontà, desiderio» (per metafora dalla parabola evangelica). E poi *augello, pascore* «primavera», *aigua*. Alcuni aggettivi: *avenente* (*-ante*), *gente* «gentile» (e *genzore* «più gentile»), *corale*, LIALI, *sofretoso* «scarso». Tra i verbi cito: PLACIRI, *ciausire* «scegliere, esaltare», BLASMARI, *dottare*, ALCIRI «uccidere». E tra gli avverbi ricordo: *adesso, adessa* (dapprima nel senso di «sùbito»), LONGIAMENTI[40].

Voci provenienti dal continente non figurano mai, a quel che sembra, nei poeti siciliani propriamente detti; solo nei poeti nati in terraferma e nei Siculo-toscani.

8. La lingua dei poeti toscani

La prima poesia d'arte foggiata dai Siciliani piacque tanto che subito si propagò[41] in Toscana. «L'ammirazione e l'entusiasmo col quale gli Italiani accolsero la lirica siciliana, il primo tentativo di una poesia d'arte italiana, sono attestati (ed è prova che non si cancella...) dal mirabile ed eloquentissimo fatto che la lingua di quella poesia divenne in un istante la nostra lingua poetica, per dir così, nazionale e pur attenuando via via i suoi caratteri siciliani e cedendo a poco a poco il campo dopo circa la metà del secolo, rimase assai ferma e tenace alcuni decenni specialmente nel suo dominio della rima»[42].

Si tratta d'una ondata di ammirazione, d'una grande voga, a spiegar la quale non bastano certo i contatti che Federico e la sua corte poterono avere con Arezzo patria di Guittone o con Pisa patria di un gruppetto di minori poeti.

Si noti che, da poesia appoggiata a una corte, essa diviene ora poesia di una scuola, esercitata da un piccolo gruppo di borghesi colti, ad Arezzo, dove fiorisce Guittone, il principale rappresentante a Pisa, a Lucca, a Pistoia, a Siena, a Firenze, a Bologna[43].

pp. 115-129, II, 1954, pp. 93-151; Elwert, in *Homenaje a F. Krüger*, II, Mendoza 1954, pp. 85-112.

[40] Cfr. il § 19, dedicato ai gallicismi.

[41] Il Petrarca dice *manavit*: «Quod genus [la poesia volgare] apud Siculos, ut fama est, non multis ante seculia renatum, brevi per omnem Italiam ac longius manavit» (*Famil.*, I, I, 6 Rossi).

[42] Parodi, *Bull. Soc. Dant.*, XX, 1913, p. 129 (= *Lingua e lett.*, p. 171).

[43] Guittone mette in rilievo, nella nota canzone in onore di Giacomo da Lèona

Per la lingua non vi è gran differenza tra i cosidetti «siculo-toscani» (Guittone, Bonagiunta, ecc.) e i cosidetti «poeti di transizione» (Chiaro Davanzati, ecc.). Lo Stil nuovo rappresenta un energico stacco, con un nuovo atteggiamento del gusto: ma il Guinizzelli stesso aveva cominciato come guittoniano, e molte delle peculiarità linguistiche dei Siculo-toscani sono accolte e continuate nello Stil nuovo.

La voga dei Siciliani è manifestata dalla propagazione di copie delle poesie: diffusione avvenuta secondo il costume medievale, con trascrizioni che più o meno consciamente miravano a adattare il testo alle abitudini linguistiche del trascrittore. I pochi canzonieri che ci rimangono non sono che i relitti di un naufragio; i più antichi sono tutti di provenienza toscana, e già con le loro differenze rispecchiano la varia origine, il vario grado di toscanizzazione, il vario atteggiamento di chi li ha messi insieme[44].

Dobbiamo supporre che i versaggiatori toscani che negli anni intorno al 1250 si proponevano d'imitare i Siciliani avessero sotto gli occhi copie di poesie simili a quelle che ci rimangono, se mai un po' meno toscanizzate.

I Siciliani, messisi alla scuola dei Provenzali per i quali la rima era rigorosamente perfetta[45] avevano anch'essi, come s'è visto, adoperato rime perfette, ma applicate al loro sistema di cinque vocali. I Toscani, che possedevano un sistema di sette vocali, vedevano nei manoscritti dei poeti che consideravano loro modelli rimare non solo delle *e* e delle *o* che in toscano avevano timbri diversi; ma vedevano anche delle *e* che per loro erano chiuse rimare con *i*, delle *o* chiuse rimare con *u*. Non avevano motivo per rifiutare questo esempio, in modo particolare quando attingevano ai loro modelli i vocaboli medesimi.

Così troviamo nei poeti toscani di questo periodo non solo rime fra vocale aperta e vocale chiusa, del tipo *core: maggiore, mostro: vostro,* oppure *vène: pene, effetto: distretto* (tipo che, aiutato dalla mancata distinzione nella scrittura, rimarrà stabilmente acquisito alla poesia italiana per tutti i secoli successivi), ma anche rime più imperfette. Anzitutto del tipo *servire: avere: cherere: provedere* (Guittone, son. 17, cod. B)[46] oppure *disire: piacere: languire: miri* (Chiaro Davanzati, canz.

(XLVI), la coscienza tecnica e l'alta ambizione lirica (il «proenzal labore») che sopravanzano il fondamento dialettale «artino» nell'opera dell'amico e nella sua propria:

> Francesca lingua e proenzal labore
> più dell'artina è bene in te, che chiara
> la parlasti...

[44] Il Vat. 3793 (A) è probabilmente di stesura fiorentina; la prima e principale mano del Laur. Red. 9 (B) è di un pisano; il Pal. 418 (C) presenta tracce di un copista lucchese. Una descrizione dei codici antichi ap. B. Panvini, in *St. di filol. ital.*, XI, 1953, pp. 8-70.

[45] In provenzale non è ammessa, com'è noto, la rima di una *e* od *o* aperta con la stessa vocale chiusa.

[46] Una mano più recente ha scritto una *i* sulle *e* toniche.

«Molti lungo tempo anno», cod. A), *piaciere: servire* o *placire: servire* (Betto Mettefuoco, «Amore perché m'ai», cod. A e B), *fina: regina: s'ataupina: mischina: fina: camina: mena* (Pucciandone Martelli, canz. «Lo fermo intendimento», cod. C), ecc.

Non v'è dubbio che gli autori si sono attenuti ai modelli siciliani, quali li avevano sott'occhio, per rimare parole che nell'uso parlato toscano non rimavano. Il Parodi riteneva che essi usassero di questa licenza scrivendo alla siciliana *avire, piacire, mina*; altri pensavano piuttosto (e il Contini ha ora ripreso con buoni motivi questa opinione) che si attenessero alla rima imperfetta anche nella scrittura. Quello che è sicuro, e che più importa, è il fatto che per questi poeti rima imperfetta non vuol dire possibilità illimitata di rimare *e* chiusa toscana con *i*, ma possibilità di farlo per quelle parole per cui i Siciliani avevano dato l'esempio. Gli «ipersicilianismi» sono estremamente rari: p. es. *pena: affina* in Baldo da Pasignano (cod. A)[47].

Una serie di rime, che il Caix aveva ritenuto bolognesi-aretine, mostrano la *-u-* lunga trattata come *-o-*: il Parodi ha fatto vedere che quasi tutti gli esempi si riducono alla famiglia di *alcono, niono, ogni ono* per *alcuno, niuno, ognuno*, per cui bisogna piuttosto parlare di rime guittoniane, mentre forme come *altroi, coi* sono probabilmente dovute ad amanuensi.

Nella lingua della lirica siculo-toscana manca di regola il dittongamento di *e* e di *o*, così che per es. Guittone (come più tardi Dante) scrive *novo* in poesia e *nuovo* in prosa, e l'uso prosastico trova conferma nell'uso dei documenti. La mancanza di dittongo sarà dovuta al triplice influsso del latino, del provenzale, del siciliano, che convergevano nel suggerire l'idea che la forma non dittongata fosse più nobile. Troviamo tuttavia traccia nei nostri poeti della riduzione, propria del toscano meridionale e dell'umbro, di *ie* in *i*, di *uo* in *u*: Guittone usa *rechire* per *rechiere*, *pui* per *puoi*; e un *furi* per *fuori* si avrà persino nella *Divina Commedia*[48].

Il dittongo *au* è promosso dall'esempio dei Siciliani non solo in parole che in qualche modo possono appoggiarsi al latino (*laudo, auso*) o al provenzale (*augello, ciausire*), ma anche in *aucidere, aulire* e, non sempre, in *caunoscere, aunore*.

Frequentissimo è nei nostri poeti il passaggio a *-r-* della *-l-* dopo consonante: *prusore, sembrare*.

Limitato ai poeti lucchesi e pisani è l'uso di *-ss-* per *-zz-*: *allegressa: messa* (Bonagiunta), *lasso: impasso* (Bacciarone).

Le forme del verbo palesano pure notevoli influenze dei Siciliani: *aggio*[49], *saccio, veo, creo*, ecc.; specialmente gli imperfetti e i condiziona-

---

[47] Parodi, *Bull. Soc. Dant.*, XX, 1913, p. 125 (= *Lingua e lett.*, p. 166). Re Enzo rima *plenu* e *penu*.

[48] Parodi, *Bull. Soc. Dant.*, III, p. 98, XX, p. 132 (= *Lingua e lett.*, pp. 178 e 225).

[49] «Dai lirici proviene a Dante *aggio*, che tuttavia dovette anch'essere del toscano meridionale» (Parodi, *Bull. Soc. Dant.*, III, p. 129 = *Lingua e lett.*, p. 257).

li in -*ia*, i quali esistevano anche nella Toscana meridionale, ma nell'uso poetico sono entrati indiscutibilmente[50] attraverso l'imitazione dei Siciliani e rimarranno nell'uso letterario, specialmente poetico, anche nei secoli seguenti.

I condizionali in -*ra* (*fora*, -*ara*, -*era*, -*ira*) sono anch'essi dovuti al duplice influsso dei Siciliani e dei Provenzali; mero provenzalismo è il rarissimo condizionale in -*era* della prima coniugazione («che morte mi *sembrera* - ogn'altra vita»: Bondie Dietaiuti, A, n. 184).

Può servire a illustrare il carattere composito di questa lingua il fatto che nella medesima canzone di Compagnetto da Prato («L'amore fa»: A, n. 88) troviamo tre tipi di futuro: «lassa, come *faragio*?», v. 2; «*manderò* per l'amore mio», v. 23; «gliele *dirabo* io», v. 25: accanto alla forma usuale del fiorentino abbiamo quella sicilianeggiante (e toscana meridionale) in -*aggio*, e quella della Toscana occidentale e meridionale in -*abbo*. Frequente nei Siculo-toscani, per influenza provenzale, è anche il tipo *sono perdente* in luogo di *perdo*[51].

Il lessico ci mostra molti dei provenzalismi già accolti dai Siciliani, qualche sicilianismo, qualche provenzalismo di cui non abbiamo notizia presso i Siciliani (*anta* «vergogna», *barnagio* «nobiltà morale», *amburo* «ambedue», ecc.).

Continua la prolificità dei suffissi -*anza*, -*enza*, -*ore*, -*ura*, -*aggio*, -*mento*. Guittone adopera molto i prefissi accrescitivi *sor-* (*sorbella*, ecc.), *sovra-* (*sovrapiacente*, ecc.), *tra-* (*tradolze*, ecc.), e i suoi seguaci lo imitano.

Molto più forte che nei Siciliani è il contingente di latinismi.

Anche il lessico di questi poeti è assai composito. Basti un solo esempio: per esprimere la nozione di «specchio» si trovano almeno cinque vocaboli: *miradore* (Guittone), *specchio*, *speglio* (Palamidesse di Bellendote), *spera*, *miraglio* (Bondie Dietaiuti).

L'apparizione dello Stil nuovo getta lo scompiglio tra i seguaci di questa poesia cortese convenzionale: Guittone satireggia (son. 111) i luoghi comuni di alcuni sonetti del Guinizzelli, Bonagiunta trova che il Guinizzelli «muta la mainera» del poetare, ricorrendo alla «sottiglianza», Dante da Maiano risponde trivialmente al sonetto «A ciascun'alma presa», dicendo al rivale di farsi passare «lo vapore – lo qual ti fa favoleggiar loquendo»; Onesto da Bologna rimprovera a Cino da Pistoia le parole che così frequentemente adopera («*Mente* ed *umile* e più di mille sporte – piene de *spirti*...»), e biasima il suo continuo filosofare.

Il nuovo clima culturale che il Guinizzelli e i suoi seguaci instaurano non solo rinnova alcuni concetti, fra cui principalissimo quello di nobiltà, ma crea intorno all'immagine della donna un'atmosfera rarefatta di meraviglia, di contemplazione quasi mistica.

---

[50] Schiaffini, *Italia dial.*, V, 1929, pp. 1-31.
[51] Corti, in *Atti Acc. Tosc.*, XVIII, 1953, pp. 9-60.

Quanto alla lingua, non va dimenticato che il Guinizzelli aveva cominciato la sua carriera poetica come guittoniano, e che è un bolognese colto, cresciuto nell'atmosfera culturale dell'università di Bologna. Mancando testimonianze sincrone, siamo di nuovo a domandarci: quali saranno state le peculiarità grafiche, fonetiche, morfologiche del Guinizzelli? Avrà scritto *assicura* o *asegura*, *ciò* o *ço*, *saggio* o *saço*? Avrà scritto pressappoco come leggiamo nel cod. A?

> Omo chesagio nonchorre legiero
> ma passa egrada como vuole misura.
> poi ca pemsato ritene suo penzero
> jnfino a tanto che lo uero lasichura.

Oppure come leggiamo in quattro versioni complete e tre incomplete del medesimo sonetto, rintracciate nei memoriali bolognesi, la più antica delle quali è stata scritta nel 1287, una decina d'anni dopo la morte del poeta? Il testo che Adriana Caboni ha ricostruito su questi manoscritti è il seguente:

> Homo ch'è saço non corre liçero,
> ma pensa e grada sì con vol mesura;
> quand'à pensato reten so pensero
> de fin a tanto che 'l ver l' asegura.

Non ci par dubbio che la stesura del Guinizzelli dovesse essere più vicina a questa seconda che alla prima: ma ogni ricostruzione che «emilianizzasse» i testi quali effettivamente ci rimangono sarebbe arbitraria. Basti una sola osservazione: due dei memoriali portano la forma *ligero*, e perché non potrebbe risalire all'autore?[52].

Non abbiamo così forti incertezze per il gruppo maggiore degli stilnovisti, quelli toscani. E per essi abbiamo, sia per le caratteristiche grammaticali sia per i problemi testuali, il saldo appoggio delle indagini condotte dal Barbi per le sue edizioni della *Vita Nuova* e delle *Rime*[53]. Non mancano segni evidenti della continuità di tradizione che dai Siciliani attraverso i Siculo-toscani, conduce agli stilnovisti: ma, come è ovvio, in questi ultimi i sicilianismi e i provenzalismi sono in numero notevolmente minore.

Prevalgono negli stilnovisti le forme non dittongate (*tene, pensero, core, mova*) su quelle dittongate, *laudare* è più frequente di *lodare* (per effetto della tradizione e per ricordo del latino, come s'è già accennato).

Si ha ancora qualche esempio di rima siciliana: *vedite: sbigottite: ferite: partite* (Cavalcanti, son. «Deh! spiriti...»: si noti che i manoscritti –

[52] In forma emilianizzata ha presentato *I rimatori bolognesi del sec. XIII* G. Zaccagnini, Milano 1933, e ha trovato scarsissimo consenso. Cfr. il saggio di G. Toja, *La lingua della poesia bolognese nel sec. XIII*, Berlino 1954.

[53] V. l'Introduzione alla *Vita Nuova*, 1ª ed., Firenze 1906, pp. CCLVI-CCLXXXV; 2ª ed., pp. CCLXXVII-CCCVIII.

il Chig. e il Vat. 3214 – hanno *vedete*). Troviamo alcune rime guittoniane: *paurosi: chiosi* (Dante, son. «Degli occhi...»); *come: lome* (Cavalcanti, canz. «Donna me prega», che riappare nell'*Inferno*, X, 19, proprio nell'episodio del padre di Guido, e si ritrova in Cino, son. «Da poi che la natura...»); *scritto: prometto: metto: intelletto* (Dante, son. doppio «Se Lippo amico...»); *venta* («vinta»)*: penta: spenta: rappresenta* (Dante, son. «Voi, donne...»). Par di sentire un'eco guinizzelliana nel dantesco *conosciuda* (*: nuda: chiuda: druda*), nello stesso sonetto.

E non manca qualche rima umbra: *pui* per «puoi» (oltre che per «poi») in Dino Frescobaldi, ecc.[54]

Nel lessico, appaiono in piena luce le parole tipiche della nuova scuola: *nobiltà, onestà, gentilezza, pietà, piacere*, ecc. Anche voci che già erano nei Provenzali e nei guittoniani, come *mercede* (qualche volta *merzede*) e *valore* (che in Guittone era femminile, alla provenzale) appaiono transvalutate. Vi sono poi le *angele* e *angiolette*, e *angelico* e *angelicato*, gli *spiriti* e *spiritelli*, e poi le *foresette* e *pasturelle*, le *giovanette* e *giovanelle*, i loro *atterelli* e l'aspetto che prende la loro *labbia*.

Ma v'è ancora, in alcuni più in alcuni meno[55], una serie non scarsa di nomi in -*anza*, in -*enza*, in -*aggio*, che continuano la serie corrispondente dei Siciliani e dei Siculo-toscani. E poi decine e decine d'altre voci dello stesso filone: *beltate, disio* (e *disiro*), *martiro; adastare, agenzare, gabbare, gecchire; manto* «parecchio», ecc. Ma *leggiadro*, che per Guittone aveva il significato spregiativo di «superbo» o di «frivolo» (conforme al provenzale *leujaria* «frivolezza») assume negli stilnovisti significato favorevole.

L'appartenenza di Dante agli stilnovisti e i legami che uniranno il Petrarca a questa scuola fanno sì che essa abbia un'efficacia grande anche per i secoli seguenti. Di qui l'importanza capitale di questa decantazione dei risultati delle scuole precedenti e di questa fissazione del fiorentino letterario fatta dagli stilnovisti.

Tutte le altre voci che la poesia toscana del Duecento ci fa sentire (quelle che «differunt a magnis poetis, hoc est regularibus»: Dante, *De vulg. el.*, II, IV, 3) importano piuttosto come testimonianza dell'uso parlato e, in qualche caso, per valore poetico: ma non hanno avuto nei secoli seguenti influenze linguistiche apprezzabili. Penso ai poeti realistici e satirici fiorentini e senesi[56], ai componimenti amorosi

---

[54] Ageno, *Boll. Centro St. Sicil.*, I, 1953, pp. 167-168.

[55] Più «arcaico» è Lapo Gianni (F. Figurelli, *Il dolce stil nuovo*, Napoli 1933, p. 317).

[56] V. anche per la lingua, M. Marti, *Cultura e stile nei poeti giocosi del tempo di Dante*, Pisa 1953. Ricordo la curiosità per le varianti dialettali manifestata da uno di questi poeti (Cecco Angiolieri?) nel sonetto «Pelle chiabelle di Dio...» (Massera, *Sonetti burleschi*, I, p. 134, Marti, *Poeti giocosi*, p. 247): vi si passano in rassegna frasi dialettali di Roma, di Lucca, di Arezzo, di Pistoia, di Firenze, di Siena. La canzone del fiorentino Castra (ricordata nel *De vulg. el.* e conservata nel Vat.

popolareschi, alle tenzoni politiche, alla poesia allegorico-dottrinale del *Tesoretto* e del *Favolello*, del *Fiore* e dell'*Intelligenza*. Anche su questa poesia si riverberarono più o meno forti i riflessi della traslazione della poesia siciliana in Toscana, specie nella rima[57]. Il drappello di poeti che s'impone agli altri, anche per la lingua, è sempre quello dei lirici.

9. *La poesia religiosa umbra e la sua lingua*

Vasti movimenti di religiosità popolare, promossi da uomini che all'afflato del divino univano le doti di trascinatori di folle, si diramano dall'Umbria nelle regioni contermini e poi in tutta l'Italia. Primo e più importante il francescanesimo, poi il moto dell'Alleluia (1233), poi il moto dei Flagellanti (1260). «A Dieu ne plaise – diceva l'Ozanam studiando *Les poëtes franciscains en Italie au XIII*e *siècle* – que j'aie voulu réduire les saints à n'être que les précurseurs des grands poëtes»: quel che ci preme tuttavia assodare, dal nostro angolo visuale, è se questi movimenti possono avere avuto importanza per la formazione dell'italiano, e se per loro mezzo esso ha accolto qualche particolarità umbra.

S. Francesco predicò in volgare, ponendosi all'unisono con l'anima degli umili, e tutto l'ordine da lui fondato partecipa di questo fervore di predicazione, a stretto contatto col popolo. Anche la continua circolazione dei religiosi poté in qualche modo contribuire a scambi interdialettali.

Di scritti di san Francesco in volgare non ci rimane che il famoso «Cantico di Frate Sole» o «Cantico delle creature», da lui dettato (nel 1225 o 1226) dopo una notte di atroci sofferenze e tentazioni tormentose, e probabilmente scritto nei suoi rotoli da frate Leone, che fu segretario usuale del Santo dal 1222 sino alla morte. Le parole – sublime effusione di preghiera e insieme altissima poesia – erano destinate al canto (ma purtroppo la melodia ci resta ignota).

Il testo, quale si può ricostruire dai manoscritti che ne rimangono[58], è in prosa assonanzata, in un dialetto umbro illustre a cui conferisce solennità il sottofondo biblico, presente attraverso copiose reminiscenze[59]:

3793; cfr. da ultimo Camilli, *St. fil. ital.*, VII, 1944, pp. 79-96) deride le particolarità del dialetto marchigiano.

[57] V. p. es. l'articolo di G. Petronio su «La rima nell'*Intelligenza*», *Giorn. stor.* CXXIX, 1952, pp. 363-381.

[58] Le edizioni critiche più recenti e importanti sono quelle date indipendentemente da V. Branca (*Arch. francisc. hist.*, XLI, 1948, pp. 3-87) e da M. Casella (*St. mediev.*, XVI, 1943-50, pp. 102-131).

[59] L. F. Benedetto, *Il Cantico di Frate Sole*, Firenze 1941, passim. Per dare solo un esempio, si pensi alle discussioni suscitate dal *per*, che appare tante volte nel cantico nella formula «Laudato si, mi Signore, per...» (cfr. A. Pagliaro, *Saggi di critica semantica*, cit., pp. 199-226).

> Altissimu, onnipotente, bon Signore,
> tue so le laude, la gloria e l'onore e onne benedizione.
> A te solo, Altissimo, se confano
> e nullu omo ene dignu te mentovare.

Nel testo si ravvisano con certezza alcuni caratteri umbri, p. es. terze persone plurali come *so, sostengo,* mentre mancano altri caratteri umbri che forse apparivano come troppo evidenti deformazioni del latino e quindi troppo plebei per un testo così solenne (p. es. nessun codice ha *iocunno* o *iocunnu,* tutti *iocundo* al v. 19).

Il tratto più vistoso, la *-u* finale (*altissimu*), lascia perplessi, perché il codice più importante di tutti[60] lo presenta solo in 8 casi, mentre in 19 altri dà *o* (*altissimu,* p. es., nel primo verso, *altissimo* al v. 3), cosicché siamo tutt'altro che certi che appartenesse al linguaggio di san Francesco.

Nella vasta letteratura delle laudi, sia liriche che drammatiche, la composizione di alcuni testi risalirà al sec. XIII, mentre i più sono dei secoli seguenti. Avveniva di solito così: ciascuna compagnia metteva insieme il proprio laudario ricorrendo alle compagnie circonvicine, e nel copiare i testi seguiva il solito metodo, di adattarli più o meno al proprio dialetto: fatto d'ibridazione che certo contribuì a ravvicinare le varietà locali (ma che a noi rende molto difficile la ricerca dei testi più antichi e genuini).

Guardiamo piuttosto la lingua del più importante fra i poeti mistici umbri dopo san Francesco, Iacopone da Todi. Convergono, come nella sua poesia, così nella sua lingua, filoni popolareggianti e filoni dottrinali. La fisionomia del suo «todino illustre» ci è abbastanza nota, specialmente da quando sono state eliminate dalle raccolte parecchie poesie non sue e i suoi versi si possono leggere nell'edizione di Franca Ageno, che si è principalmente valsa, nella sua ricostruzione critica, di due manoscritti antichi provenienti da Todi[61].

La lingua di Iacopone mostra numerosi tratti dell'italiano mediano, analoghi a quelli dei dialetti laziali e diversi da quelli del fiorentino[62]. Nella fonetica troviamo forti tracce di metafonia, il trattamento di ND come *nn* (*spenne, monno, profonno*), di GN pure come *nn* (*lenno* «legno», *penno* «pegno», *rennare*), lo sviluppo di *a-* davanti a R (*aracomanno, arfreddato*). Per la morfologia si hanno possessivi enclitici del tipo *maritota,* terze persone plurali come *vengo,* futuri in tmesi del tipo *à penare* «penerà», piucchepperfetti con valore di condizionale. Il paradi-

---

[60] L'Assisiate 338, che anzi, secondo il Casella, è quello da cui tutti gli altri deriverebbero.

[61] Iacopone da Todi, *Laudi, trattato e detti,* a cura di F. Ageno, Firenze 1953; circa i criteri di ricostruzione, si veda il suo saggio su *Donna de paradiso,* in *Rassegna lett. it.,* LVII, 1953, pp. 62-93 (e la discussione di G. Contini, ivi, pp. 310-318).

[62] Sono tuttora utili il prospetto grammaticale e il lessico che accompagnano l'ed. Ferri del 1910, purché, naturalmente, si riscontrino con il testo Ageno.

gma del verbo *essere* al presente indicativo è *so, ei* o *si, è* o *ene, semo* o *simo, sete* o *site, so*. Nella sintassi, emergono alcune caratteristiche spiccatamente individuali: imperativi sostantivati («bello me costa el tuo *ride*», XVI, v. 31, cioè «il tuo riso»)[63], infiniti con valore di gerundio («abbrevio mia detta.'n questo luogo *finare*» XXXVIII, v. 62).

Il lessico mostra alcune voci specificamente umbre (*carace, cotozare*, ecc.), altre che trovano riscontro in qualche dialetto toscano meridionale (*encamato, entrasatto, finente, osolare* «origliare»), molte che appartengono a vaste zone mediane (*cetto* «presto», *oprire* «aprire», *peco* «pecora»). Iacopone usa di grande libertà nella coniazione suffissale di sostantivi (*amoranza, lascivanza; albergata, lamentata; assaiato, gloriato; grassìa*, ecc.) e di aggettivi («li freddi *nevile*», LXI, v. 48); e non ha il minimo scrupolo nel munire parole usuali di suffissi che gli servano a ottenere una rima («lo 'nferno se fa *celestìo*, prorompe l'amor *frenesìo*», XLVI, vv. 25-26; « 'ngavinato al *catenone*..., pò tener lo mio *cestone*..., per empir mio *stomàcone*..., estampiando el mio *bancone*..., a pagar lo mio *scottone*..., starian fissi al *magnadone*..., mentre ha a collo lo *scudone*..., gir *bizocone*», LV).

Non ci stupiremo di trovare in Iacopone, insieme con molti latinismi attestati per la prima volta (almeno allo stato attuale delle ricerche), i quali rimarranno stabilmente nel lessico (*angustiare, appetire, balsamo*, ecc.), adozioni individuali (*decetto* «ingannato», *derenzione* «separazione [dalla vita]», *morganato* «condizione di inferiorità nel matrimonio», *è opporto* «è d'uopo», *preliare, prestolo* «attendo», *puella*, ecc.).

Influenze della precedente lirica amorosa non mancano: lo mostra non solo qualche imprestito come *entennenza* «amore», ma l'accettazione di parecchie rime di tipo siciliano[64].

Il linguaggio di Iacopone e in genere quello della poesia religiosa umbra è per più rispetti importante, ma nella storia della lingua dei secoli seguenti non ha quasi lasciato traccia, essendo rimasto tagliato fuori dalla corrente principale.

Quando le poesie di Iacopone si trascrivono in Toscana, subiscono la solita opera di adattamento, per non dire di travisamento: ecco come si presenta il principio della lauda XIX nel manoscritto di Londra (Brit. Mus., Ms. Addit. 16567), il migliore di tutti:

> Figli neputi frate rennete / lomal tollecto loqual uo lasai
> Uui lo promecteste alo patrino / de rennerlo tucto e non uenir meno /
> ancor non medeste / per lalma un ferlino
> de tanta moneta / quanteo guadangnai.

Ed ecco gli stessi versi in un manoscritto toscano (Ricc. 2841):

> Figli et nipoti et frati / rendetel maltollecto

[63] Ageno, *Lingua nostra*, XIII, 1952, pp. 109-110.
[64] Ageno, *Bull. Centro Studi Sic.*, I, 1953, pp. 152-184.

> loquale io tapinello uilassciai /
> Voi promectesti alunostro patrino / di renderlo tucto e non uenir meno /
> Ancora nonne desti pellanima unfrullino
> di tanta moneta / che peruoi guadagniai.

Diversamente da quel che era accaduto per la poesia siciliana, non vi è chi si entusiasmi per le peculiarità degli Umbri, che piuttosto dovettero sembrare plebee. È vero che intanto era passato più di mezzo secolo, e la poesia toscana era diventata assai più matura.

10. La poesia religiosa e didattica nell'Italia settentrionale

Anche l'Italia settentrionale ha una fioritura di verseggiatori, che spunta nella vita tanto attiva e ricca di fermenti religiosi, non tutti ortodossi, delle città settentrionali. I poemetti hanno scopi morali, religiosi, didattici, e benché gli autori pensassero di fare opera di bellezza («Mo el è plusor ditaori · ki an dito de beli sermoni»: Barsegapè, *Serm.*, vv. 884-885), non raggiungono che livelli assai modesti.

Gherardo Patecchio, notaio cremonese (che come tale partecipò alla pace fra Cremona e Piacenza del 1228) si rivolge, nei 606 alessandrini del suo *Splanamento de li Proverbii de Salomone*, non a «li savi», «q'ig sa ben ço q'ig dé, - anz per comunal omini qe non san ogna lé» (vv. 14-15), e dà una sequela di massime e consigli morali:

> Quel qe de povertad mena çoi e legreça
> val des dig ric avari c'a tesor e riqeça
> (vv. 434-35)
> Pegr' om, voia o no voia, s'adovra de nient;
> mai l'om qe ben s'adovra, serà ric e mainent
> (vv. 457-58).

Mentre questo *Splanamento* è conservato dall'ottimo codice Saibante (ora a Berlino), le *Noie* dello stesso autore ci sono tramandate solo da una trascrizione quattrocentesca, che le rende pressoché inservibili linguisticamente.

Il codice Saibante conserva anche il *Libro* di un altro poeta probabilmente cremonese, Uguccione da Lodi. Il *Libro* è composto di due parti in metro diverso, che Ezio Levi[65] intitolò il *Libro* e l'*Istoria*[66], e ambedue trattano i consueti temi della letteratura ascetica medievale, corruzione del mondo, l'imminenza della morte, le pene dei dannati:

---

[65] *Poeti antichi lombardi*, Milano 1921.

[66] Attribuita dal più recente editore, R. Broggini, a uno pseudo-Uguccione (*Studj rom.*, XXXII, 1956). Anche altri due poemetti, su *La misera vita de l'omo* e l'*Anticristo*, erano stati attribuiti ad Uguccione da E. Levi, ma non è probabile che siano di lui.

Avaricia en sto segolo	abunda e desmesura,
tradhiment *et* engano	avolteri e soçura.
Çamai no fo la çente	sì falsa ni sperçura,
qe de l'ovra de Deu	unca no mete cura,
del magno re de *gloria*	qe sta sopra l'altura,
quel per cui se mantien	ognunca creatura.

(vv. 130-135).

Il *Sermone* di Pietro da Barsegapè, di 2440 versi, alessandrini e novenari, compiuto dall'autore nel 1274, ci è conservato dal manoscritto Archinto, ora alla biblioteca di Brera. La lingua è un milanese illustre, molto simile a quello che troviamo in Bonvicino. Si leggano per es. i versi 25-38, in cui Pietro preannunzia gli argomenti che sta per trattare:

E clamo marçé al me segniore
Patre Deo creatore
ke posa dir(e) sermon divin
e començà e trar(e) a fin
como Deo a fat(o) lo mondo
e com(o) de terra fo l(o) hom(o) formo;
cum el desces de cel in terra
in la *v*ergen regal polcella;
e cum el sostene passion
per nostra grand(e) salvation;
e cum verà al dì de l' ira
là o serà la gran(de) roina;
al peccator(e) darà grameça
lo iusto avrà grande alegreça...

Bonvicino della Riva scrisse negli ultimi decenni del Duecento i suoi «contrasti», e poemetti espositivi, narrativi, didattici in quartine d'alessandrini. La sicurezza che il poeta mostra nella fattura dei suoi versi in milanese illustre, la bontà della tradizione manoscritta, le cure spese nello studio del testo, della versificazione e della lingua dal Mussafia, dal Salvioni e dal Contini[67] fanno delle opere volgari di Bonvicino il testo meglio conosciuto di questo periodo.

La grafia del codice migliore, quello di S. Maria Incoronata (ora a Berlino) è in certo modo etimologica, giacché segna anche suoni che secondo la testimonianza del metro e della rima dovevano essere spariti. Ecco una quartina del contrasto fra la rosa e la viola, dove le lettere messe tra parentesi indicano i suoni ormai spariti:

[67] A. Mussafia, «Darstellung der altmail. Mundart nach Bonvesin's Schriften», in *Sitzungsber. Ak. Wien*, LIX (1868); C. Salvioni, «Osservazioni sull'antico vocalismo milanese», in *Studi... Rajna*, Firenze 1911, 367-388; G. Contini, *Le Opere volgari di Bonvesin de la Riva*, Roma 1941. In attesa del glossario del Contini può ancora rendere qualche servizio A. Seifert, *Glossar zu den Gedichten des B. da Riva*, Berlin 1886.

> Anchora dis(e) la rosa: Eo pairo intro calor,
> in temp(o) convenievre,   ke paren i oltre flor,
> il temp(o) ke (l)i lissinio(l)i   cantan per grand amor;
> i olce(l)i me fan versiti,   k'en plen de grand dolzor (vv. 85-88).

Giacomino da Verona è autore d'un poemetto sulla *Gerusalemme celeste* in 280 alessandrini e di uno sulla *Babilonia infernale* in 340 alessandrini; lo stesso codice Marciano che ce li conserva contiene anche altri poemetti dello stesso ambiente culturale.

La *Gerusalemme* e la *Babilonia* mostrano qualche tratto sicuramente veronese; p. es. nei versi seguenti:

> Lo re de questa terra   si è quel angel re'
> de Lucifer ke diso: «En cel(o) metrò el me se';
> eo serò someiento   a l'alto segnor De'»,
> dond'el caçì da cel   cun quanti ge çè dre».

> (*Babil.*, vv. 25-28)

la o d'appoggio non etimologica si ha non solo in *someiento* ma anche in *diso*.

Il *Detto dei Villani* di Matazone da Calignano presso Pavia non ha caratteristiche dialettali spiccate (forse solo *mazale* «maiale»).

I versi della *Bona çilosia* o della *Fé lial*, che a lungo sono andati sotto il nome di *Lamento della sposa padovana*, sono probabilmente un frammento di un poemetto in cui si narravano i vari casi d'amore a scopo morale: la lingua è un padovano illustre.

L'Anonimo Genovese che scrisse negli ultimi anni del Duecento e nei primi del Trecento, alterna versi d'entusiasmo cittadino per le vittorie sui Veneziani con consigli religiosi e morali. Ecco come si deve comportare chi vuol prender moglie:

> Quatro cosse requer
> en dever prender moier:
> zo è saver de chi el è naa,
> e como el è acostuma;
> e la persona dexeiver;
> e dote conveneiver.
> Se queste cosse ge comprendi
> a nome de De la prendi.

Tutti i testi che abbiamo menzionati, e gli altri minori, meritano di essere studiati come testimonianza di sforzi vari per mettere in iscritto le parlate dialettali, nobilitandole secondo l'esempio delle lingue letterarie.

Questo sforzo, che è comune a tutti i verseggiatori, e un certo numero di tratti comuni a tutti i dialetti settentrionali (p. es. la metafonia) hanno contribuito a creare l'illusione di una specie di coinè veneto-lombarda, o se si vuole, padana. Vi sono indubbiamente correnti di scambio e di conguaglio, da riferire sia all'uso «naturale» dei singoli dialetti, sia all'uso letterario di questi scrittori: basta pensare alla -o epitetica del veronese (che è certo una fase ricostruttiva dopo un periodo di caduta delle finali), oppure alla coesistenza di condizionali formati col perfetto e di condizionali formati con l'imperfetto (p. es. *porave* e *devria* in Barsegapè). Ma i singoli testi presentano ancora una fisionomia abbastanza nettamente caratterizzata secondo la città o almeno secondo l'area di provenienza: nei testi lombardi troviamo *g* per CT (*benedigi, condugio, confegi*) solo i Cremonesi dittongano È in *ie*, solo i Milanesi e i Genovesi mutano L in *-r-*: *gora, perigoro* (Bonvicino), *povoro* (Anon. Gen.).

In complesso, non possiamo dire che negli scrittori si veda in atto una forte tendenza a passare da questi volgari illustri municipali a una sola lingua conguagliata: non portava a questa unità lo sgretolamento politico, non un comune slancio verso un esempio di bellezza particolarmente fulgido, ché non c'era bellezza in questa onesta e piatta letteratura borghese.

Testi piuttosto conguagliati ci si presentano quando un'opera è passata attraverso parecchie trascrizioni, in modo che i tratti originari rimangono obliterati (e tutt'al più ci sono rivelati dalla rima). Così la leggenda versificata di S. Margherita, che il Wiese aveva pubblicata servendosi di otto manoscritti e giudicata lombarda[68], fu poi ritenuta dal Salvioni piuttosto veronese (*Arch. glott. it.*, XII, p. 378); e più tardi (*Giorn. stor.*, XXIX, 1897, p. 437) originariamente piacentina.

Questa modesta letteratura continuerà ancora, sempre più scialba e stracca, nel Trecento e nella prima metà del Quattrocento. La ignorarono i Toscani, e perciò nulla ne accolsero.

11. *La prosa. Origini e fioritura della prosa d'arte. I volgarizzamenti*

Le occasioni di mettere per iscritto il volgare per uso pratico si moltiplicano in questo periodo; specialmente per la Toscana abbiamo una notevole quantità di documenti, e miglior possibilità di servircene[69].

Abbiamo registri di spese e di prestiti compilati da privati o da compagnie, elenchi di tassazione (p. es. i *Libri della Lira* di Siena, dopo un po' di latino nelle prime pagine, passano francamente a servirsi del volgare), lettere in cui le notizie scambiate con i rappresentanti

---

[68] B. Wiese, *Eine altlombardische Margarethen-Legende*, Halle 1890.

[69] Per Firenze abbiamo le due eccellenti raccolte dello Schiaffini, *Testi fiorentini del Dugento e dei primi del Trecento*, Firenze 1926, e del Castellani, *Nuovi testi fiorentini del Dugento*, Firenze 1952. Parecchi testi (statuti, libri commerciali, lettere) abbiamo anche per Siena e per altre città toscane (v. la bibl. del Castellani). Un'eccellente scelta di testi letterari dà *La Prosa del Duecento* di C. Segre e M. Marti, Milano-Napoli 1959.

commerciali talvolta s'intrecciano a considerazioni e previsioni politi-che[70].

Abbiamo inoltre alcune iscrizioni in volgare.

Nell'insegnamento del latino, quale si fa nelle scuole laiche, il volgare serve come punto d'appoggio: il latino *vendor* è spiegato con *fire vendù*, e segue l'esempio *Pero fo despoià de le vestimenta dal maistro*[71].

Il linguaggio «naturale» così si estende lentamente a spese del latino; e la conoscenza di tali documenti poco o punto letterari è preziosa per la localizzazione precisa dei singoli fenomeni linguistici.

Ben scarse pretese artistiche troviamo anche nelle cronache, brevi e schematiche.

La prosa narrativa (*Novellino*) nel suo tono semplice e popolaresco, non manca tuttavia di influenze lessicali e stilistiche di modelli francesi e provenzali.

Mentre i bestiari risentono molto del latino del *Physiologus*, Ristoro d'Arezzo ci dà il primo esempio d'una prosa scientifica originale.

Un impulso decisivo alla formazione d'una prosa artistica venne da Bologna, *caput exercitii litteralis*, secondo la definizione di Boncompa-gno, e più precisamente dall'*ars dictandi* che fioriva in quell'Università. L'obbligo fatto ai notai di leggere in volgare alle parti i documenti che rogavano in latino era già una spinta perché si curasse il volgare. Ma una spinta molto più forte, e che incitava ad andare al di là delle esigenze meramente pratiche, era una consuetudine che si veniva instaurando nella vita comunale dell'Italia settentrionale e centrale: i podestà, i capitani, ecc., dovevano ogni tanto tenere concioni nel pubblico arengo. E anche in queste modeste contingenze si fa sentire la spinta verso il culto della forma.

Mentre alcuni dei più famosi maestri dello Studio bolognese, come Boncompagno da Signa o Bene da Firenze, volsero le loro cure esclusive a insegnare come si dovessero tenere ornate orazioni latine, Guido Fava ebbe l'idea di applicare quelle dottrine al volgare. Le formule volgari della *Gemma purpurea* e i *Parlamenti ed Epistole*[72] «sono non soltanto uno de' più antichi nostri testi volgari, ma forse anche il primo tentativo che sia stato fatto di trasportare i formulari di lettere in volgare, e di fondare una prosa letteraria italiana»[73], e se possiamo trovare un po' ridicola la sua pretesa nel proclamarsi (nell'esordio della *Gemma*) *Tullii (et) Ciceronis heredem* (speriamo almeno che l'*et* non sia suo!), non possiamo disconoscerne l'importan-

---

[70] V. p. es. la bella raccoltina di *Lettere volgari del sec. XIII scritte da Senesi* pubblicate da C. Paoli e E. Piccolomini, Bologna 1871.

[71] Manacorda, *art. cit.* (a p. 126).

[72] Il *parlamento* in volgare enunzia il tema, il quale poi è svolto per lò più da tre *epistole* latine, una maggiore, una minore, una minima.

[73] Parodi, in *Miscell. stor. della Valdelsa*, XXI, 1913, p. 241 (= *Lingua e lett.*, p. 489).

za, per un primo sentore di preumanesimo. Malgrado le difficoltà che presenta la ricostruzione del testo volgare[74], intravediamo nelle formole del Fava, accanto ad alcune caratteristiche genericamente settentrionali e a peculiarità del bolognese più antico, visibili tratti latineggianti; malsicure sono alcune tracce toscane[75].

Piuttosto che pensare a un prestigio letterario toscano che, per testi scritti e copiati prima della metà del secolo, è difficile ammettere, si può pensare che il gran numero di Toscani che studiavano e insegnavano a Bologna avesse portato a Bologna certi influssi, e soprattutto la persuasione più o meno chiara che il toscano, come quella fra le parlate italiane che era la più simile al latino, avesse una particolare distinzione.

La stretta dipendenza dei testi di Guido Fava dalle tradizioni dei dettatori latini[76] si vede nell'uso del *cursus*, del parallelismo dei membri, e di altri artifici, con lo scopo che quelli che a lui si attengono possano «favelare ornata mente e dire belleça de parole» (Parlam. 93, Gaudenzi p. 159).

Scritti di questo genere sono numerosi per tutto il secolo e il principio del secolo seguente, a opera principalmente di Bolognesi: fra Guidotto nel *Fiore di retorica* dà soprattutto le regole della «favella giudiciale», Matteo dei Libri scrive «dicerie» volgari. Dell'*Ars notariae* di Ranieri da Perugia abbiamo parecchie formule volgarizzate (giunteci in copia di amanuensi viterbesi). Giovanni da Viterbo, nel *Liber de regimine civitatum*, scritto probabilmente nel 1253[77], fornisce ai futuri podestà o capitani del popolo schemî di discorsi in latino e in volgare.

In primis, sedato rumore populi, petat audiri, quod sic fieri consuevit: 'Noi faimo pregu alla cavallaria et al popolo e a ttutta l'altra bona gente, la quale ene en questu arengu, et generalmente a ttuttu 'l comunu di questa cittade, ke per lo vostro honore nui debiamo essere entisi...'.

Si tratta di un umbro illustre, assai difficilmente localizzabile.

Gli scopi pratici della retorica mirano ad innalzarsi a eloquenza letteraria nell'opera di Guittone d'Arezzo. Le sue lettere, anche se

[74] Monteverdi, *Saggi*, pp. 75-110; Terracini, «Osservazioni sul testo delle formole epistolari volgari della *Gemma purpurea*», in *Atti Acc. Scienze Torino*, LXXXIV, 1949-50, pp. 315-329; Castellani, in *St. filol. it.*, XIII, 1955, pp. 5-78.

[75] Settentrionale è di regola il trattamento delle sorde (*amigo, seguro, tenudo, fiada, savere*) e delle palatali (*çura*); bolognese antico è il trattamento di *s*- davanti a *i* (*sci, scia*); latineggiante (cioè corretta o ipercorretta) è la scrittura delle doppie; toscani potrebbero essere il trattamento delle atone in *signure, signoria* (ma cfr. Castellani, *art. cit.*, pp. 70-71), i presenti *diamo* e *s(c)iamo*, la forma epitetica *ene*, ecc.

[76] V. il capitolo su «L'ars dictandi e la prosa di Guido Faba», in Schiaffini, *Tradizione*.

[77] Pubblicato da G. Salvemini, nella *Bibl. iuridica medii aevi*, III. I brani in volgare sono stati collazionati e studiati da G. Folena, *Lingua nostra*, XX, 1959, pp. 97-105.

indirizzate a persone singole, sono «lettere aperte», dissertazioni morali ammantate di un'eleganza ritmica, con tutti gli espedienti insegnati dai dettatori: *cursus*, amplificazioni, simmetrie, figure etimologiche, ecc. «Maldestro, ma indefesso e coraggioso innovatore» nelle sue canzoni come nelle sue lettere, Guittone persegue, con «fasto culturale», «un tipo di espressione da umanità superiore»[78]. Sforzo animoso[79], ma ancora immaturo, specie in un periodo in cui era ancora necessario dissodare il terreno, abituare la gente a leggere in volgare.

A ciò miravano i volgarizzamenti dal latino e dal francese, numerosi in tutta l'Italia settentrionale e centrale, rari nell'Italia meridionale, specialmente copiosi e importanti in Toscana. Si traducono – oltre ad opere d'interesse pratico, come statuti di confraternite e corporazioni – opere retoriche, scritti morali e politici, compilazioni storiche[80].

Brunetto Latini parafrasa liberamente, nella sua *Rettorica*, i primi 17 libri del *De Inventione* di Cicerone, tenendosi abbastanza vicino ai semplici moduli della prosa narrativa. Il suo sforzo di divulgazione enciclopedica si manifesta in spiegazioni, richiami, postille, e la sua prosa riesce chiara, anche se non saldamente organica[81].

Andrea da Grosseto e il pistoiese Soffredi del Grazia volgarizzano i trattati morali di Albertano da Brescia, il primo con maggior sicurezza stilistica, il secondo con più spiccato colorito dialettale (ancora inedita è la versione di Fantino da San Friano). Bono Giamboni traduce dal latino Orosio, Vegezio e altri parecchi, e dal francese il *Tresor* di Brunetto. Taddeo Alderotti volgarizza (male, secondo il giudizio di Dante) l'*Etica nicomachea* di Aristotile (dal latino, s'intende).

Lucchesi o pisane sono le versioni della *Navigatio Sancti Brendani*, del *Thesaurus Pauperum*, di quei passi dello *Speculum historiale* di Vincenzo di Beauvais i quali vanno sotto il nome di *Fiore e vita di filosofi*.

Veneti sono i traduttori del *Panfilo* (ridotto in prosa dal testo medievale in distici) e dell'*Imago mundi* di Onorio di Autun. Due Romani volgarizzano il *Liber Historiarum Romanorum*, mentre una

[78] De Lollis, *«Arnaldo e Guittone»*, in *Idealistische Neuphilologie*, Heidelberg 1922, pp. 159-173.

[79] Sulle peculiarità sintattiche e stilistiche di Guittone, v. i capitoli «Guittone d'Arezzo» e «Guittone, Guittoniani, Rhétoriqueurs» in Schiaffini, *Tradizione*, e lo speciale capitolo in C. Segre, *Sintassi del periodo*.
Per ciò che concerne le peculiarità fonetiche e morfologiche, purtroppo è quasi impossibile discernere ciò che è di Guittone e ciò che invece appartiene al copista lucchese o pisano del codice da cui quasi esclusivamente dipende la nostra conoscenza del frate aretino, il Laur. Red. 9. Il lessico è ricco di latinismi e di provenzalismi poetici, e meriterebbe di essere studiato davvicino.

[80] V. specialmente F. Maggini, *I primi volgarizzamenti dai classici latini*, Firenze 1952, e i *Volgarizzamenti del Due e Trecento* a cura di C. Segre, Torino 1953 (introduzione e scelta).

[81] V. l'eccellente analisi di C. Segre, nella seconda parte della sua *Sintassi del periodo*.

terza versione è fortemente toscanizzata; pure di un Romano è il volgarizzamento dei *Mirabilia Urbis Romae*.

Parecchi libri della Bibbia sono tradotti in questo tempo, specialmente per uso di mercanti e artigiani.

Molto numerosi sono pure i volgarizzamenti dal francese, e i più o meno liberi rimaneggiamenti: storie del ciclo dell'antichità (di Troia, di Tebe, di Cesare), romanzi arturiani; anche alcune opere latine sono tradotte attraverso versioni francesi (la *Disciplina clericalis* di Pietro Alfonso, il *De regimine principum* di Egidio Romano). Abbiamo già ricordato la versione del *Tresor* di Brunetto.

Per lo più il colorito locale di questi testi è assai spiccato; nello stile, molto dipende, oltre che dalla struttura più o meno complessa del testo, dalla capacità maggiore o minore degli autori. Si confronti l'andamento pedestre e per lo più paratattico della versione delle *Miracole de Roma* (§ 6 Monaci):

Ad porta Flamminea Octabiano fece fare uno castiello lo quale clamao Agoste, dove se sotterravano tutti li imperatori de Roma. Lo quale fu tabolato de diverse prete. Et lo giro de mieso de sotto era cupo, et intravano per nasscoste vie. Et lo giro de mieso sì be stabano le sepolture de li imperatori. Et in onne sepoltura erano scripte lectere ke diceno così: Queste sonno l'ossa la cenere de Nerva imperatore, et la victoria ke fece.

con la complessa struttura del volgarizzamento da Orosio di Bono Giamboni (II, VIII):

Ma quegli d'Atena, poscia che Dario venne contra loro, avvegna che a quelli de Lacedemonia aiuto avessero adomandato, nonpertanto, ispiato per certo che quegli di Persia si riposavano per un digiuno di quattro dì che faciano, per quella cagione pigliata speranza, armati solamente diece migliaia de' loro cittadini e mille cavalieri, settecento migliaia di uomini ne' campi marattonei ardiro d'assalire.

In complesso, attraverso questo largo, costante esercizio la lingua acquista un lessico più ampio e una più salda struttura periodica. Le allusioni a «realtà» del mondo antico sono spesso trasposte in parole moderne, che a noi sembrano travestimenti: *citharoedus = giullare*, *iurisconsulti = savi di ragione*, *respublica = comune*, ma numerose altre parole, specialmente astratte, entrano per questa via nel lessico italiano (v. § 18).

12. I fatti grammaticali

Non esiste un'ampia descrizione dei fenomeni grammaticali dei testi di questo periodo. Tuttavia il rapido panorama tracciato da M. Bartoli in appendice alla crestomazia del Savj - Lopez[82], il manuale

---

[82] P. Savj Lopez - M. Bartoli, *Altitalienische Chrestomathie*, Strasburgo 1903.

d'italiano antico del Wiese[83], e il Prospetto grammaticale del Monaci permettono un primo orientamento generale.

Per il fiorentino di questa età, confrontato con gli altri dialetti toscani, abbiamo le ottime introduzioni ai *Testi fiorentini* dello Schiaffini e ai *Nuovi testi fiorentini* del Castellani.

Nei paragrafi che seguono, non potremo far altro che indicare alcuni fenomeni più caratteristici, limitando quasi sempre i nostri cenni all'Italia centrale[84]. Notiamo qui un'esigenza che ci sembra d'importanza capitale (anche se non sempre potremo metterla in evidenza nei brevissimi cenni che seguono). Nello studiare la lingua di un dato periodo nei singoli suoi istituti, è necessario distinguere l'uso delle singole località, quale ci è testimoniato nei testi di carattere pratico giuntici negli originali, da quello che ci appare nei testi in prosa artistica o in versi, in cui si hanno sempre deviazioni più o meno forti dall'uso quotidiano. È importante rendersi conto dell'àmbito di queste deviazioni, e valutare fino a che punto siano dovute a meditati propositi artistici.

13. *Grafia*

La grafia è ancora molto oscillante, in quanto una salda tradizione di scrivere in volgare comincia a instaurarsi solo in questo periodo. In presenza dei suoni che il latino medievale non ha (p. es. *cio, ciu, gio, giu, che, chi, ghe, ghi, gl, z* sorda di *za, zo, zu*), gli espedienti vari a cui si ricorre stentano a coagularsi in un metodo comune.

La *k* è ancora assai frequente, e l'alternanza con *c* è assai saltuaria e irregolare: nei Capitoli della Compagnia d'Orsanmichele (1294) troviamo più spesso *chiesa*, ma anche *kiesa*, nel codice Laur.-Red. delle *Lettere* di Guittone si ha *k* solo in *karissimo*, ecc.[85].

Perdono terreno le grafie *k, q* per *g* velare (*Kerardi, quadannio*, nel quaderno pistoiese del 1259) e quella ancora più rara di *c* per *g* palatale (*Ciunta, avantacio*, nello stesso quaderno).

Per qualche peculiarità si può dare una localizzazione abbastanza precisa. Il gruppo *th* col valore di *z* è del toscano occidentale (Pisa, Lucca, Pistoia): abbiamo p. es. *vethosa* per «vezzosa» (Schiaffini, *Testi*, p. x), mentre a Firenze i *Conti di banchieri* hanno *Matzingo*, ecc., e il *Libro del Chiodo* (1268) dà *Veczosus*[86].

---

[83] B. Wiese, *Altitalienisches Elementarbuch*, 2ª ed., Heidelberg 1928.

[84] Sottintendiamo un continuo rinvio ai manuali del Meyer-Lübke, del Rohlfs, del Wiese.

[85] Invece il digramma *ch* ha valore palatale qua e là nell'Italia settentrionale e in Sicilia (Debenedetti, *St. rom.*, XXII, p. 17; Contini, *It. dial.*, X, p. 226); cfr. p. 135.

[86] Nell'Italia settentrionale troviamo *th* (probabilmente col valore di una interdentale sonora o sorda) a Brescia (Contini, *It. dial.*, XI, 1935, p. 146) e altrove (id., XIV, 1938, p. 223). Nella Lombardia della seconda metà del Duecento è frequente *dh* (Contini, *Bonvesin*, pp. LIII-LIV).

È continua l'oscillazione tra grafie etimologiche (preferite dai testi più colti) e grafie fonetiche (nei testi più popolari).

L'*h* etimologica è piuttosto frequente (*homo*), ma sparisce quando la parola sia preceduta da proclitica (*lomo*). Dante manifesta la sua preferenza per le grafie etimologiche in un passo del *Convivio*: «[Epicuro] disse questo nostro fine essere *voluptade* (non dico *volunta-de*, ma scrivola per *p*)» (IV, VI 11)[87].

L'indicazione dei rafforzamenti, specie in alcune posizioni, p. es. dopo la *a-* prefissale[88], è così oscillante anche in Toscana, da lasciarci spesso incerti se si tratti di fenomeno fonetico o solo grafico.

14. *Suoni*

Il fiorentino parlato di regola presenta il dittongo negli esiti di Ẹ ed Ọ in sillaba libera, anche dopo i gruppi di consonante seguita da *r* (*priego, triema, pruova, truova*). Manca, per lo più, il dittongo in *figliolo* e qualche volta dopo altra palatale[89].

La riduzione di *uo* a *u* (del tipo *furi, figliulo, Ceriulo, Cavicciuli*) è aretino-cortonese-umbra, e a Firenze si trova solo in sporadici esempi, certo provenienti da quella zona. Anche più rara è la riduzione di *ie* in *i* (cfr. *priga, lita* in Iacopone). Numerose forme non dittongate (dei tipi *novo* e *vene*) appaiono in poesia, sotto la triplice spinta del latino, del provenzale e del siciliano.

Le forme del tipo *conseglio, someglio* e *ponto, onghia*[90] circondano Firenze da ogni parte.

La perdita della *-i-* nei dittonghi discendenti (*preite* che diventa *prete*) va collocata verso la metà del secolo.

Solo della lingua letteraria, e dovuto a imitazione dei Siciliani e dei Provenzali, è il dittongamento in sillaba iniziale di *o, u* in *au: aulire, aunore, ausignuolo, rausignuolo*, ecc.

Nel vocalismo atono ricordiamo il passaggio di *-ar-* ad *-er-*, caratteristico del fiorentino (*loderò*), mentre viceversa nel senese anche gli *-er-* passano ad *ar-* (*vìvare*); la sincope in *avrò, dovrò, potrò* è avvenuta verso la metà del Duecento. Il dittongo *-ia-* in posizione atona passa ad *-ie-* (*Bietrice, vie più*; anche *sie, sieno, Die sa*). *Ogni* vince *ogne* negli ultimi decenni del secolo.

Nel consonantismo, la sonorizzazione delle sorde si osserva in un numero maggiore di voci che non siano poi sopravvissute (*imperadore, ambasciadore, armadura, savere*) e con maggiore abbondanza nei testi d'arte che in quelli documentari.

---

[87] A Bologna troviamo mantenuta la grafia etimologica anche nei nessi con *l*: *compluta* per «compiuta», *sclanti* per «schianti», nei *Memoriali*.

[88] V. la prefazione del Parodi al *Tristano riccardiano*, p. CLVII.

[89] Castellani, Gloss. dei *Nuovi testi*, s. v. *figliolo*.

[90] Cioè senza «*anafonesi*», per usare il termine del Castellani, *Nuovi testi*, p. 21.

La riduzione di -RJ- a -*i*- ha portato come conseguenza a un paradigma nominale singolare *denaio* plurale *denari*, ancora ben vivo (p. es. nella *Tavola di Riccomanno Iacopi*). Ma appaiono anche numerose voci con la riduzione semidotta a -*r*-: *contraro*, *memora*, *Grigoro*, *Melora*.

La prostesi di *i*- (più raramente di *e*-) davanti a *s* impura è quasi costante[91].

15. Forme

Per il nome[92], predominano di gran lunga, come si sa, i tre tipi corrispondenti alle tre prime declinazioni latine; ma si hanno anche forti tracce della quinta, in Toscana (*merigge*; *adornezze*, *altezze*, *bellezze*, *face* in Guittone) e anche più in dialetti settentrionali e meridionali.

Relitti di nominativi si hanno, oltre che in molti nomi tuttora vivi (*uomo*, *sarto*, *orafo*, *moglie*, ecc.), in *tràito* (e *traìto*) «traditore», *èdima* «settimana» e nell'agg. *maggio* «maggiore»; inoltre nel tipo semidotto *maiesta*, *poverta* e in nomi propri dotti come *Cato* ecc.

Sembrano semidotti i vocativi del tipo *figliuole* (Dante), *Criste* (Bonvicino); dotti sono i genitivi singolari frequentissimi nell'uso notarile (*la figliuola Guidi Tinaçi*, *lo kapitale Arriki*, ecc.) e i genitivi plurali in -*oro* cristallizzati in qualche formula e in qualche toponimo (ma estesi talvolta anche a nomi in -*a*, come *regno femminoro*).

Per il plurale notiamo spesso oscillazioni dove sono in gioco le palatali e le velari (*cuoci* «cuochi», *cronice* «cronache», ecc.). Dei plurali in -*ora* abbiamo ancora esempi in testi toscani (*bustora*, *campora*, *pratora*, *luogora*); molto più largo e saldo è l'uso nell'Italia meridionale.

Il genere di *amore*, *fiore*, negli antichi lirici è spesso femminile (per influenza provenzale).

Per l'articolo, *lo* è ancora la forma predominante; *il*, che dapprima era solo ammissibile quando potesse appoggiarsi a una vocale precedente, acquista autonomia (*Il marito è morto*, Firenze 1277, in Castellani, *Nuovi testi*, p. 368). Similmente si hanno al plurale *li* (più di rado, ma anche davanti a consonante *gli*) ed *i*, ormai autonomo. Il sing. *el* e il plur. *e'* sono propri dei dialetti occidentali, ma qualche esempio se ne ha anche a Firenze. Nel toscano meridionale (e nell'umbro) si ha il tipo *in elle sale* (Guittone), *in ella croce* (Iacopone), *en nella vigna* (Bestiario umbro-toscano).

Al provenzale è dovuto qualche comparativo organico nei poeti

---

[91] V. gli spogli da testi del Duecento in Meyer-Lübke, *Behrens-Festschrift*, Jena-Lipsia 1929, pp. 24-30.

[92] Oltre alle trattazioni già indicate, può rendere ancora utili servizi, benché invecchiatissima, la *Teorica dei nomi della lingua italiana* di V. Nannucci, Firenze 1847.

delle prime scuole: *genzore* «più gentile», *forzore* «più forte» (in *plusore* la spinta provenzale converge con quella francese).

Nei pronomi, si noti la penetrazione per influenza siciliana di *meve* (*mevi*) e di *nui* nei Siculo-toscani: il primo scomparso, il secondo rimasto nella lingua poetica fino al Manzoni. *Eglino* (*egliro*) ed *elleno* (*ellono*) sono dovuti ad analogia con le forme verbali. Nelle coppie di pronomi atoni si passa dal tipo *mi ne* al tipo *me ne* poco dopo la metà del secolo; il tipo *lo mi* comincia a cedere a *me lo* solo verso la fine del secolo, ma persisterà ancora a lungo[93].

Per il verbo[94], notiamo al presente le forme poetiche *aggio*, *deggio*, *saccio*, dovute ai Siciliani. *Abbo* (con la variante *abo*) si ha qua e là in tutta la Toscana, ma cade presto in disuso.

Al futuro, oltre alle forme normali in -*ò* abbiamo esempi di -*aggio*, -*abbo*, -*abo*.

All'imperfetto, le forme *savamo* e *savate* per «eravamo», «eravate», vivranno fino a tutto il '400. L'imperfetto in -*ia* nei verbi in -*ere* è probabilmente indigeno (per chiusura di *e* in iato), ma a Firenze si espande nella lingua poetica per influenza dei Siciliani[95].

Nel passato remoto, abbiamo spesso forme deboli dove più tardi si avranno quelle forti (*nascé*, Brunetto, *toglié*, Giamboni, *tacette*, Dante, ecc.) e viceversa (*potti*, *cretti*); inoltre, forme diverse da quelle poi prevalse (*dolfe*).

Al congiuntivo, sono pressoché costanti a Firenze le forme *dea*, *stea*. Il paradigma *che tu favelli* (I con.), *che tu conduche* (altre con.) è normale a Firenze nella seconda metà del Duecento[96] e si ritrova in Dante, benché quando egli scriveva ormai l'uso generale fosse mutato (v. cap. V).

Al condizionale, accanto al paradigma popolare toscano formato col perfetto (-*ebbi*, -*ei*) troviamo in poesia il paradigma formato con l'imperfetto (-*ia*) pure di origine siciliana, e qualche voce dal piucchepperfetto (cfr. p. 128).

All'imperativo, il tipo *crede* è normale nella Toscana periferica.

16. Costrutti

Nella sintassi dei gruppi e nella proposizione si delinea già nettamente dal comune fondo neolatino la fisionomia sintattica dell'italiano che, salvo poche peculiarità, rimarrà stabile. La sintassi del periodo si

---

[93] Castellani, *Nuovi testi*, pp. 79-105 (con discussione degli studi precedenti).

[94] Anche per il verbo abbiamo i due volumi del Nannucci, *Analisi critica dei verbi italiani*, Firenze 1843, *Saggio del prospetto generale di tutti i verbi anomali e difettivi*, Firenze 1853: essi vanno tuttavia consultati con estrema cautela, non solo perché invecchiati, ma per la fìsima dell'autore di postulare, partendo da forme flessive varie, degli infiniti non documentati.

[95] Schiaffini, *Italia dial.*, V, 1929, pp. 1-31.

[96] Castellani, *Nuovi testi*, pp. 68-71.

presenta assai diversamente in scritti narrativi di tipo più o meno popolaresco, come il *Novellino*, e in scritti dottrinali dominati dai modelli latini, come quelli di Guittone[97].

Daremo qui solo un cenno su alcuni costrutti dell'italiano del Duecento che già nel secolo successivo saranno affievoliti o addirittura scomparsi.

Dio è adoperato in alcune locuzioni col significato di «di Dio, a Dio»: *se Dio piace* (lettera senese 1260), «l'amistà del mondo è *Dio nemica*» (Guittone, lettera XXXVI, p. 41 Meriano); *la Dio mercé* persisterà per secoli.

Il costrutto senza preposizione, limitato ai nomi propri, *il campion San Pietro* (Pallamidesse), *lo dì San Vito* (Cron. Pisana, 1279), *la gente Gieso Cristo* (Fiore), *il nodo Salamone* (Dante, sonetto a Forese), *il porco Sant'Antonio* (Dante, *Par.*, XXIX, v. 124)[98] si ricollega ai genitivi di tipo notarile già ricordati (*lo kapitale Arriki*, ecc.) e si prolungherà nei secoli seguenti nei costrutti *in casa i Frescobaldi*, *Piazza San Marco*[99].

Sono ammesse coi superlativi altre parole intensive: «Gorgias Leontino, il più antichissimo rettorico» (Brunetto, *Rettorica*, c. 38); «Cassandra cominciò a fare sì grandissimo pianto» (*Istor. troiana*, ed. Gorra).

Il pronome di terza persona indeterminata è spesso indicato da *uomo*, *l'uomo*, ma poiché *uomo* ha sempre conservato anche il valore pieno, non c'è mai stata una completa grammaticalizzazione come in francese[100].

Il possessivo enclitico, che nei secoli seguenti si restringerà all'area mediana e meridionale, è ancora vivo in Toscana: a Firenze si ha *mógliama*, *càsasa* (Castellani, *Nuovi Testi*, *Gloss.*), a Siena *fratelma*, *cognàtoma* (Mattasalà).

L'indefinito *tutto* è spesso adoperato senza articolo: «a quella ch'ave *tuto* 'nsegnamento» (Rinaldo d'Aquino, «In un gravoso affanno», v. 20).

Il comparativo può avere il suo complemento in un possessivo: «quand'omo è vinto da *un suo migliore*» (Guido delle Colonne, canz. «Amor che lungiamente...»), «chi contr'*al suo forzor* vo star rapente» (Guittone, canz. V): è il tipo che si ritrova nel dantesco «delli altri *miei miglior*» (*Purg.*, XXVI, v. 98).

---

[97] Manca una sintassi dell'italiano antico comparabile a quella del Foulet per il francese antico. Ma abbiamo un certo numero di monografie su fenomeni singoli, e parecchie pagine importanti nei *Testi* dello Schiaffini e nei *Nuovi testi* del Castellani. Una rapida rassegna di fenomeni dà il Wiese, *Altital. Elementarbuch*. Per la sintassi del periodo, che studiata autore per autore va a identificarsi con la stilistica, si veda specialmente G. Lisio, *L'Arte del periodo nelle opere volgari di Dante Alighieri e del sec. XIII*, Bologna 1902, Parodi, *Lingua e letter.*, pp. 301-328, Schiaffini, *Tradizione*, passim, Segre, *Sintassi del periodo*, passim.

[98] Debenedetti, *Bull. Soc. Dant.*, XXVII, 1920, pp. 75-81.

[99] Cfr. anche *la torre Babel* (Brunetto).

[100] R. Schlaepfer, *Die Ausdrucksformen für «man» im Italienischen*, Zurigo 1933, spec. pp. 38-67.

Il verbo *solere* è usato al presente con valore di imperfetto («E la rica alegranza c'aver *soglio*»: Bondie Dietaiuti, canz. «Greve cosa», v. 6) probabilmente secondo l'esempio provenzale.

Il passivo, oltre che dalle voci di *essere* e da quelle di *fieri* aggregate al paradigma di *essere* (*fia, fiano*)[101] può essere retto da *venire* o da *divenire*: «e tal è che non mai *venta dovene*» (Guittone, «Ai lasso», v. 41)[102].

I numerosi costrutti perifrastici sono in parte propri della lingua poetica: «e vede la tempesta sormontando» (Chiaro Davanzati) ecc.[103].

Nelle coppie di avverbi troviamo frequentemente il tipo *villana ed aspramente* (Novellino)[104].

Si noti *fiore* con valore avverbiale («un nonnulla»; nelle frasi negative «punto»): «sé, ned amico, nè Dio guarda *fiore*» (Guittone, «Ai lasso, che li boni», v. 54)[105].

Nella congiunzione *che* convergono, com'è noto, varie forme: abbiamo ancora resti di *ca* (lat. QUAM) non solo nei Siciliani, ma anche nelle Rime genovesi e nei Toscani[106].

Frequente nei testi del Duecento e del Trecento è la paraipotassi, cioè la ripresa con *e* o *sì*: «E cacciando in tale maniera dall'ora di prima infino all'ora di vespero, *e* allora pervenne a una fontana» (*Trist. Ricc.* Parodi, p. 3)[107].

Notevoli sono alcuni costrutti assoluti con tendenza a diventar formule fisse: «lo Re d'onni rege... – fatto s'è sponso voi, *la grazia sua*» (Guittone, lettera X), «e, *grazia di Dio*, non poté» (Schiaffini, *Testi*, p. 104).

Qualche problema di topologia è stato bene studiato: la norma che vieta l'uso delle proclitiche all'iniziale, la cosiddetta legge Tobler - Mussafia[108], assai regolarmente osservata[109].

---

[101] Com'è noto, i dialetti settentrionali antichi avevano parecchie altre forme: esempi nel Monaci, *Crest.*, Prospetto.

[102] R. Kontzi, *Der Ausdruck der Passividee im älteren Italienischen*, Tubinga 1958 (*Beth. Zeitschr. rom. Phil.*, 99).

[103] Corti, «Studi sulla sintassi della lingua poetica avanti lo Stilnuovo», in *Atti e Mem. Acc. Toscana*, XVIII, 1953, pp. 263-365.

[104] B. Migliorini, *Saggi ling.*, pp. 148-155.

[105] Numerosi esempi nel Tommaseo-Bellini; si ricordi Dante, *Inf.*, XXV, v. 144, XXXIV, v. 26; *Purg.*, III, v. 135.

[106] Frequente nel cod. A di Guittone, raro nel cod. B (v. il *Glossario* dell'ed. Egidi); «porta più a la groppa *ca* a l'orekia» (Ristoro d'Arezzo).

[107] Schiaffini, *Testi*, 283-297, Sorrento, *Sintassi romanza*, cap. II.

[108] A. Mussafia, in *Miscellanea Caix-Canello*, Firenze 1886, pp. 255-261; cfr. anche Schiaffini, *Testi*, pp. 275-283; Sorrento, *Sintassi romanza*, pp. 139-201; Rohlfs, *Hist. Gr.*, II, § 470; Migliorini, in *Problemi e orient.*, II, 2ª ed., pp. 203-204; sul valore stilistico di quelle coppie in cui si ha libera scelta, v. Chiappelli, *Lingua nostra*, XIV, 1953, pp. 1-8.

[109] Un'eccezione è stata osservata in Guittone («E ci fa sol ragione om debitore», son. 143); qualche altra è nel *Mare amoroso*.

17. I fatti lessicali

Diamo una rapida occhiata alla consistenza del lessico quale si è venuto costituendo nei primi tre secoli dopo l'apparizione dei primi documenti, anzi, diciamo all'ingrosso dal 950 al 1300. Prima del Mille, possiamo immaginare un lessico ristretto alle più elementari necessità della conversazione quotidiana; verso il 1300 troviamo che il lessico del volgare è ormai in grado di esprimere concetti e sfumature scientifici, filosofici, letterari. Si è passati da un lessico dell'ordine di grandezza di quattro o cinquemila vocaboli a un lessico di forse dieci o quindicimila.

Certo un lessico di questa ampiezza era posseduto ancora da non molti uomini colti qua e là, specialmente in Toscana e nei territori limitrofi, mentre l'enorme maggioranza non era ancora capace che dell'uso spontaneo di un dialetto non coltivato.

Tuttavia, proprio per il lessico dobbiamo sforzarci di volgere lo sguardo quanto più si può anche al di fuori della Toscana. In ogni luogo dove fervono le attività umane si possono, in servigio di nuove nozioni che acquistino consistente fisionomia e valore sociale, coniare nuove parole o mutare i significati delle antiche, ovvero si possono accogliere e adattare vocaboli forestieri. E molte di queste parole nate o trasformate o accettate in questo periodo in varie città e regioni d'Italia, saranno più tardi accolte in pieno nel lessico nazionale: i vocaboli universitari che prendono nuovo significato (in latino) a Bologna (v. p. 155); il *molo* e la *darsena* di Genova, l'*arsenale* e il *catast(ic)o* di Venezia, il *taccuino* di Salerno, l'*ammiraglio* e il *portolano* di Palermo.

Il fondo più stabile e consistente è costituito dalle parole ereditarie giunte dalle generazioni precedenti. Talvolta assistiamo alla scomparsa o alla degradazione semantica di qualcuna di esse, dovuta alla concorrenza di parole nuove. Il lat. CALIGARIUS, ancora vivo, se pur non molto vegeto, in alcuni dialetti settentrionali (veneziano *caleghèr*, ecc.), a Firenze sotto la forma *galigaio* ha prima preso il significato di «conciapelli», poi è scomparso.

Diminuisce la fortuna delle parole di origine germanica, specie per la rinascita del diritto romano: *libero* guadagna terreno su *franco*, ecc.

Si coniano parole innumerevoli, con i consueti procedimenti. Accanto ai suffissi ereditari (per i nomi, *-aio*, *-ore*, *-acchio*, *-oio*, *-ura*, *-ia*, *-mento*, *-zione* ecc.) prendono vigore alcuni suffissi di origine forestiera, specialmente *-iere* e *-aggio*, provenienti dal provenzale e dal francese. Per gli aggettivi, accanto a *-oso*, *-ano*, *-agno*, abbiamo *-ale*, *-esco*, *-ingo*. Per i verbi si moltiplica *-eggiare*.

Vigoreggiano i prefissi *a-*, *in-*, *dis-*, *s-*, ecc., che valgono anche a foggiare voci parasintetiche (*allibrare*, *indenaiato*, *sbarbare*).

Abbiamo numerosi deverbali, sia maschili, sia femminili (*comincio*, *estimo*, *frodo*, *lascio*, ecc., *dura*, *mena*, *monta* «somma», ecc.).

Non mancano composti di vari tipi (*fattibello*, *tecomeco*, ecc.), e vivace esemplificazione ne danno i soprannomi (*Legalotre*, Lucca 1076, ecc.).

Per quei periodi per cui siamo meglio informati, e specialmente nei testi letterari, possiamo seguire certi gusti individuali e certe mode: si pensi alla fortuna dei tipi *dolzore, riccore, calura, laidura*[110] o dei participi passati deboli sostantivati con valore astratto (il *turbato*, la *perduta*)[111] nel tardo Duecento.

Nelle nuove coniazioni, accanto ai moventi razionali, appaiono talvolta anche moventi scherzosi: si pensi p. es. a *scarsella*, propr. «quella che è sempre a corto di denaro».

Quanto ai mutamenti semantici subiti da moltissimi vocaboli in questo periodo, non potremo, com'è ovvio, che citare qualche esempio caratteristico.

Anzitutto ricordiamo il nome dell'istituzione tipica del Medioevo italiano, il *Comune*; e il nome di *popolo* è sinonimo di «regime democratico». Simbolo del Comune è il *carroccio* (che troviamo a Milano già dal sec. XI, a Firenze nel XIII). Il centro politico e civile della città porta nomi diversi: ricordiamo la fortuna che ebbe in questo significato il *Broletto* milanese in molti centri dell'Italia settentrionale[112].

E molto varî sono i nomi delle autorità civili, militari, giudiziarie: diffusissimo, insieme con l'istituzione, il nome di *podestà* (che fino al secolo seguente sarà femminile, *la podestà*) «parola di schietta creazione padana»[113]. La stessa provenienza ha anche *padrone*, in cui si continua con nuovo significato il *patronus* latino. Risultato di assai complesse vicende è anche il mutamento di significato per cui *contado* anziché «territorio soggetto a un conte» viene a indicare il «territorio di campagna» sottoposto (e contrapposto) a un Comune, e *contadino* viene a dire «coltivatore dei campi».

Una terminologia assai ricca e precisa si viene formando per tutto ciò che concerne la circolazione del denaro: *ragione* nel significato di «conto» e di «contabilità» (col derivato *ragioniere*); *saldare, scontare, cambio secco* ecc. *Monte* indica (in lettere senesi del '200) «unione di capitali». *Tavola* è nel '200, a Firenze, il nome usuale per «banco di prestatore o cambiatore» (nel '300 prevarrà *banco*, e avrà col derivato *banchiere* fortuna internazionale). *Camera* è in più luoghi riferito all'erario. La severità con cui la Chiesa condannava l'usura fa sorgere molti eufemismi[114] per indicare l'«interesse»: già il termine stesso d'*interesse* è eufemistico (indicando propriamente la «mora», il periodo che trascorre tra il prestito e la restituzione); *dono* volutamente fa apparire l'affare sotto altro aspetto; *merito* è metafora tratta dalle opere che procurano ricompensa.

[110] Corti, in *Rend. Acc. Lincei*, s. 8ª, VIII, 1953, pp. 294-312.

[111] Corti, in *Arch. glott. ital.*, XXXVIII, 1953, pp. 58-92.

[112] Serra, in *Lingua nostra*, V, 1943, pp. 1-5.

[113] Bartoli, in *Lingua nostra*, VI, 1944-45, p. 4.

[114] L'avvertiva il Sacchetti (nov. XXXII): «Ed hanno battezzato l'usura in diversi nomi, come dono di tempo, merito, interesso, cambio, civanza, baroccolo, ritrangola, e molti altri nomi».

Le monete hanno una nomenclatura estremamente varia secondo i luoghi e i tempi: *agostaro* (lat. *augustalis*), *aquilino* o *aguglino* (der. di *aquila*), *fiorino* (der. di *fiore*), *ducato* (dall'iscrizione che la moneta veneziana portava), ecc.

Conseguenza semantica del titolo di *frate* e *suora* dato ai religiosi dei nuovi ordini è la limitazione di quelle parole all'uso ecclesiastico, mentre *fratello* e *sorella* subentrano loro nel significato comune. *Pietanza* oltre al significato proprio di «pietà» («Villana morte che nonn a pietanza»: Giacomino Pugliese) ha quello di «cibo che si dava ai frati in certe ricorrenze» (in seguito a lasciti e simili).

Alla pratica dell'insegnamento è dovuto il significato che aveva preso *grammatica*, quello cioè di «latino». In opposizione alla *grammatica* insegnata nelle scuole sta l'espressione di *lingua materna*, nata, sembra, in questo periodo[115]. Il verbo *compitare* si riferisce parimenti ai calcoli aritmetici («trentaquattro soldi ci kompitano»: Ricordi di Agliana, Schiaffini, *Testi*, p. 222)[116] e alla pronunzia esattamente scandita («secundo ke aio compitatu et voi avete [uditu] kosì zurarete»: Volgarizzamento di Ranieri da Perugia, in Monaci-Arese, p. 65).

18. Latinismi

Già in qualcuno degli esempi di mutamento semantico citati nel paragrafo precedente abbiamo per necessità sconfinato in un campo in cui dobbiamo ora entrare di proposito: quello del latinismo. In un tempo in cui ancora quasi tutto ciò che è scritto suol essere scritto in latino, in cui quasi ogni manifestazione di cultura si svolge in quella lingua, la simbiosi è tale che è impossibile tener separati come fossero due fiumi diversi quelli che sono due filoni, due correnti con scambi continui.

E naturalmente, quando parliamo di latino non dobbiamo pensare tanto a Cicerone o a Virgilio quanto al latino come si usava allora (cfr. § 4): lingua stabile eppure duttile, adatta all'uso ecclesiastico come a quello del diritto, della filosofia, delle scienze, nel cui lessico figuravano con egual diritto parole classiche, parole del Vangelo e parole del Digesto, vocaboli coniati dai padri della Chiesa e dagli scolastici, da medici e da giuristi; e quando occorreva non si aveva scrupolo di introdurre parole volgari o forestiere[117].

Questa latinità c'interessa anche perché qualche nuovo vocabolo ovvero qualche nuova accezione, esprimenti particolari aspetti della

---

[115] Spitzer, *Essays in historical Semantics*, New York 1948, pp. 15-65.

[116] Cfr. Castellani, *Testi sangimign.*, Gloss.

[117] «Nam cum ars habeat sua vocabula propria quemadmodum et cetere artium, et nos non inveniremus in gramatica Latinorum verba convenientia in omnibus, apposuimus illa que magis videbantur esse propinqua per que intelligi possit intentio nostra», dice il proemio al *De arte venandi cum avibus* di Federico II, che infatti presenta alcuni francesismi.

vita spirituale di questi secoli, possono esser nati proprio in questa veste latina, prima d'essere accolti nel volgare. Si pensi alla terminologia universitaria, che sorge insieme col più antico centro di vita universitaria italiana, quello di Bologna: voci come *universitas*, che accanto al significato di «corporazione, ente associativo» svolge quello di «corporazione di studenti», quindi quello di «università»[118]; *facultas*, *rector*, *doctor*, *lectura*, *artista* «studente della facoltà delle arti», *legista* «studente della facoltà delle leggi», *canonista*, *decretista*, ecc.

La latinità come si presenta in questi secoli ha grande importanza per studiare una delle fonti principali a cui il volgare ricorre per alimentare il proprio lessico, man mano che si cominciano a trattare in volgare cose di cui prima si trattava soltanto in latino.

Ecco terminologie come quella filosofica, ricca di vocaboli patristici e scolastici: *aequivocare*, *maneries*, *obiectum*, *subiectum*; *actualis*, *conditionalis*, *potentialis*, *realis*, *sensualis*, *totalis*, *virtualis*, *causativus*, *speculativus*, *sensitivus*, ecc.; come quella giuridica: *curatela*, *legalitas*, *molestare*, *processus*, *sequestrare*, ecc.; quella medica: *coniunctiva*, *cerumen*, *extremitas*, *fontanella*, *pia mater*, ecc.; quella alchimica: *aqua vitae*, *cohobare*, *cupri rosa*, *mercurius*, *vitriolum*, ecc.; a tutte queste, e a innumerevoli altre, attinge e attingerà anche nei secoli seguenti il volgare.

Il contingente di latinismi affluito in questi secoli nell'italiano maturante è soprattutto copioso per ciò che concerne le cose dello spirito.

Abbiamo già visto (cap. II) come parole quali *Cristo*, *spirito*, *profeta*, *apostolo*, *martire*, *diavolo* debbono essere passate dalla latinità ecclesiastica all'uso popolare o piuttosto sempre riconguagliate e ricorrette secondo le forme che il popolo sentiva in chiesa, fin da un'età antichissima.

Saranno del tardo Medioevo parole come *edificare* (*adificare* in Guittone), *misericordia*, *divinitade* («teologia», Brunetto Latini). Dai mistici vengono parole come *absorto*, *ratto* «rapimento mistico», *annichilare*.

Ricordiamo moltissimi termini filosofici: *scienza*, *coscienza*, *sapienza*, *dottrina*, *sostanza*, *accidente*, *causa*, *genere*, *specie*, *razionale*, *reale*, *attuale*, *formale*, *virtuale*, *corporale*, *naturale*, *eterno*, *eternale*, *sempiterno*, *equivoco* ecc.

Sono attinti al latino gran parte dei termini che si riferiscono alla scuola: *studio*, *libro*, *capitolo*, *pagina*, *titolo*, *rubrica*, *pertrattare* (vers. di Albertano), *dottore*, *grammatica*, *rettorica*, ecc. E così i termini giuridici: *legista*, *statuto*, *eredità*, *codicillo*, ecc. I più importanti sono quelli che passano dai libri all'uso concreto: gli uffici di *console* e di *senatore* (rinnovato a Roma), quello di *assessore*, ecc. Il titolo di *magnates* appare

---

[118] C. Calcaterra, *Alma Mater Studiorum: l'Università di Bologna*, Bologna 1948, pp. 48-49.

qua e là in scrittori medievali che l'attingono alla Vulgata, ma a Firenze negli ultimi decenni del Duecento diviene un termine preciso (esprimente il punto di vista del popolo grasso); nella riforma del 1281 dello Statuto del podestà c'è una rubrica «De securitatibus praestandis a *Magnatis* civibus». E possiamo esser certi che contemporaneamente la parola si sarà adoperata anche in volgare.

Parecchie scienze (e pseudoscienze) danno ampi contingenti di termini: l'aritmetica (*arismetica, arismetrica*: p. es. *numero, multiplicare,* ecc.); la geometria (*sfera, piramide,* ecc.); la musica (*melodia, sinfonia,* ecc.); l'astronomia (ecco p. es. qualche termine usato da Ristoro d'Arezzo: *clima, declinazione, deferente, eccentrico, epiciclo, exaltatione, retrogrado, stationario, zodiaco*).

Per varie vie entrano nel lessico del volgare innumerevoli termini generici: *cibo, consolazione, desiderio, fastidio, gaudio, timore; singulare, vago, verace; esordire, vivificare,* ecc.

Non vorremmo tuttavia che questi esempi, dati in luogo di un elenco che risulterebbe troppo lungo, potessero dar l'idea di una penetrazione illimitata e senza resistenza. Anzitutto, dove già sono in uso parole saldamente popolari, i latinismi stentano ad entrare. Una parola come *facile* non esiste ancora nel Duecento (o, se dovesse saltar fuori un testo che la documentasse, potremmo comunque dire che è inconsueta): per esprimere quel concetto si adopera solo *agevole*. Si veda la storia della penetrazione nel volgare della parola *esercito* quale l'ha tracciata con ricca documentazione il Maggini[119]: nel Duecento è pressoché costante l'uso di *oste,* e solo il Giamboni nel tradurre Vegezio è costretto a usare *esercito* (anzi *exercito*) per mantenere una spiegazione etimologica: «L'oste che di pedoni e cavalieri è mescolata per lettera (cioè «in latino») si chiama *exercito,* cioè a dire operamento...»; e solo negli ultimi anni del secolo si trovano esempi di *exercito* col significato di «moltitudine».

Qualche volta si riconosce nel vocabolo una fonte precisa, il passo di uno scrittore: l'eco del virgiliano «Purpureus veluti cum flos *succisus* aratro» (*Eneide*, IX, v. 435) si trova già in Bonagiunta («che 'l core da lo petto – pare che mi sia diviso – com'albore *succiso*», nella canz. «Novellamente amore»), poi nelle *Rime* di Dante («come *succisa* rosa», in «Tre donne», v. 21), e per questa via nella tradizione letteraria[120].

Sintomo di faticosa penetrazione sono le alterazioni che le parole latine subiscono, presentandosi così in forma semidotta: *alimenti* «elementi», *dificio* «edificio», *storlomia* «astronomia», ecc.

I raccostamenti paretimologici sono qualche volta mal riusciti tentativi dottrinali («*eretici* sono coloro che errano dalla veritade»: Bono Giamboni) rimasti senza alcuna conseguenza, ma altre volte

---

[119] *Lingua nostra*, III, 1941, pp. 76-79.
[120] Bocc., *Fiammetta*; Poliz., *Orfeo*; Boiardo, *Amorum*, CLI e *Orlando inn.*, III, VII, 18: «poi che *soccisa* fu la bella pianta» (ma il Berni correggeva *soccisa* in *tagliata*).

influiscono sulla forma e sulla fortuna del vocabolo: *rettorica* è scritto con *-tt-* (*o- ct-*) ed è volgarmente interpretato come l'arte che serve ai «rettori»[121].

Il significato che i latinismi assumono in italiano è, naturalmente, quello che le singole parole avevano nella latinità medievale: una parola come (*i*)*storiare*, specie nella locuzione fissa *dipinto e storiato* (*Tavola Rit.*, ecc.) è conforme al significato che *historiare* aveva nella latinità del tardo medioevo, cioè «rappresentare con immagini»[122].

Più difficilmente ravvisabili sono i calchi sul latino: p. es. *dirozzare, digrossare* sono probabilmente calchi su *erudire*.

Il risultato complessivo è un cospicuo allargamento del lessico volgare, che costituisce un'acquisizione stabile. Ma non ci si è giunti senza tentennamenti, e certo non tanto per una pigra acquiescenza alla constatata «penuria dei vocaboli volgari», o per il desiderio d'incastonare alcune parole antiche nel dettato volgare nobilitandolo, quanto per uno sforzo di attività creativa, la quale nel latino trovava un modello e un incentivo.

In questo quadro complessivo vanno valutati i latinismi singoli, sia quelli che hanno fatto qualche fugace apparizione e poi non hanno attecchito (si vedano p. es. quelli che abbiamo citati per Iacopone nel § 9), sia quelli che sono stabilmente penetrati nel lessico letterario, sia quelli che accolti per via letteraria o per via pratica, sono stati ammessi così largamente nell'uso da essere adoperati quotidianamente da tutti.

Non è possibile separare dalla storia dei latinismi, come tante volte si è visto, quella dei grecismi, classici ed ecclesiastici. Non potevano certo contribuire a migliorare la conoscenza del greco opere come il *Grecismus* di Eberardo di Béthune (1124), con nozioni del tipo di queste:

> Est universale *cata* fitque *catholicus* inde
> .... Et *cata* sit fluxus, inde *catarrus* erit.
> ....
> Est quoque mors *feron, feralis* dicitur inde,
> Est *flegmos* sanguis, indeque *flebotomus*.
> ....
> Quod *moys* unda sit, hoc *Moyses* et *musica* monstrant,

né i lessici di Uguccione e di Giovanni da Genova, che attingevano essenzialmente al *Grecismus*.

Tuttavia, è proprio alle norme dei grammatici che ci dobbiamo rifare per spiegarci l'accento duecentesco e spesso anche posteriore di

---

[121] Brunetto Latini scrive *rector*, ma dà la definizione corretta, quella che spetta al classico *rhetor*: «*Rector* è quelli che 'nsegna questa scienza secondo le regole e' comandamenti dell'arte» (*Rettorica*, ed. Maggini, I, 5).

[122] P. Toynbee, «A note on *storia, storiato*», in *Mélonges Picot*, Parigi 1913, pp. 195-208.

parecchi nomi propri e di alcuni nomi comuni: *Semelè, Calliopè, Iliòn, aloè*, ecc.[123].

Bisogna tener conto dei contatti politici, commerciali, culturali coi Bizantini. Il titolo di στρατηγός si mantiene anche nei territori bizantini passati in potere dei Normanni, prendendo il significato di «giudice criminale»; Federico II ancora mantiene la carica e il titolo a Messina e a Salerno[124].

Testi greci si leggevano alla corte di Federico e anche nella scuola medica di Salerno: di qui probabilmente, l'accettazione di *ana* nelle prescrizioni mediche, sopravvissuta fino ad oggi[125].

Venezia, rimasta sempre più o meno strettamente in contatto con Costantinopoli, attinge ai Bizantini nomi come *liagò* «terrazzo» da ἡλιακός o come *dromo, squero*. Essa inizia nel secolo XII la descrizione dei beni «riga per riga», κατὰ στίχον, da cui *catasticum* e poi *catasto*.

Di altre parole è assai difficile dire come siano penetrate in Italia e Europa: l'*andanico* «acciaio», lat. med. *andanicum*, è il biz. ἰνδανικὸς σίδηρος «ferro indiano», importato dall'India attraverso la Persia[126].

19. Gallicismi

Per elencare i principali gallicismi penetrati in Italia dal 1000 al 1300 le difficoltà non mancano. Anzitutto, come già s'è accennato (p. 80), in parecchi casi non si hanno gli elementi per decidere se siano penetrati in età carolingia o postcarolingia. Poi è spesso difficile rendersi conto della via per cui una data parola può esser penetrata in Italia, tanto sono stati molteplici i contatti: può essere stata portata dai Normanni, imparata in Levante dalla bocca dei Crociati francesi, trasmessa da pellegrini o da mercanti, può esser giunta per tramite letterario, ecc. In questi secoli, alcuni degli aspetti fondamentali della vita e della cultura europea si regolano secondo il modello francese: in prima linea le istituzioni feudali e la vita cavalleresca. Il fatto stesso che la letteratura d'oil e quella d'oc abbiano avuto dei capolavori prima delle altre letterature romanze, ha dato loro una posizione di privilegio e una funzione di modello.

La penetrazione dei francesismi fino agli strati più popolari è dovuta nell'Italia meridionale ed in Sicilia al contatto con i dominatori normanni; ma anche nel resto d'Italia le relazioni sono così varie e

[123] V. le belle pagine del Parodi, in *Bull. Soc. Dant.*, III, 1896, pp. 105-107 (= *Lingua e lett.*, pp. 232-235; cfr. anche 361-363). La regola che prescriveva di accentare sull'ultima tutti i nomi «barbari», principalmente quelli ebraici (*Iacob, Esau, Satanas*) si era estesa, principalmente per influenza della tradizione scolastica francese, anche ai nomi greci i quali non rientravano nella normale declinazione latina.

[124] Rezasco, s. v. *stradico* e varianti (*straticò*, ecc.).

[125] Folena, *Lingua nostra*, III, 1941, pp. 81-83.

[126] Austin e Kahane, in *Byzantina Metabyzantina*, I, 1946, pp. 181-187.

copiose che molti dei francesismi penetrati in questo periodo sono vivi ancor oggi, anche nell'uso dialettale[127].

Alcuni dei termini fondamentali del feudalismo (*vassallo*, ecc.) erano giunti già nei secoli precedenti. Citiamo alcuni titoli: *conestabile* (il lat. *comes stabuli* era già una carica nel Basso Impero), *siniscalco* e *camarlingo* (ambedue in forma latinizzata). *Assise* e *demanio* entrano in Italia coi Normanni. *Realme* è dal fr. ant. *reame* o *reialme* (in cui l'aggettivo *reial* «regale» si era intruso nel vocabolo risalente a REGIMINE). Appartengono propriamente alla terminologia feudale anche *omaggio* (il dichiararsi «uomo», cioè vassallo, del signore feudale) e *ligio*.

Alla vita cavalleresca si riferiscono *cavaliere*, *scudiere* «giovane che aspira al grado di cavaliere», *baccelliere* «valletto; primo grado universitario»; l'atto di *addobbare* (propr. «far cavaliere») e i titoli di *sire*, *sere*, *messere*, *dama*, *madama*, *damigello -a*, *donzello -a*.

La nobiltà tiene molto al proprio *lignaggio* (fr. ant. *lignage*, propr. la «linea» di discendenza).

Ricca di francesismi è tutta la terminologia del cavallo: il *destriere*, il *corsiere*, il *palafreno* (prov. *palafrè*), probabilmente il *ronzino*, e così anche il *somiero*.

Tra i numerosi termini di guerra troviamo *oste*, *schiera* (prov. *esquiera*), *foraggio*, *foriere* («chi andava innanzi alle truppe per procurare vitto e foraggio»), *berroviere* «soldato a piedi», *mislea* (fr. antico *meslee*), *ostaggio*, ecc. Ecco anche nomi d'armi: *arnese* («armatura», poi «bagaglio»); *usbergo* o *asbergo*, *maglia*, *camaglio*, *cervelliera*, *targia*, ecc. *Gonfalone* (fr. ant. *gonfanon*, dal franco *gund-fano* «vessillo di guerra») e probabilmente *bandiera* provengono pure da contatti con la Francia, e così *stendardo*, parola diffusasi dopo la prima Crociata. Con numerose varianti dovute a raccostamenti paretimologici si presenta in Italia il termine di *battifredo* «torre di vedetta», «torre mobile d'assedio» (fr. ant. *berfrei*, ecc.).

Alla casa e agli arredi domestici si riferiscono *loggia*, *ciambra* o *zambra*, *sala* nel senso di «grande stanza»[128], *cuscino* e *origliere*, *doppiere*, *guastada*, ecc.

Per le vesti e gli adornamenti ricordiamo *cotta* «veste femminile ed ecclesiastica», *sorcotta*, *corsetto*, *covricefo* o *covercefo* (Fiore; Gloss. *Nuovi Testi* Castell.); *guardacuore*, ecc.; *gioiello*, *fermaglio*, ecc. Con le voci di moda sono entrati anche alcuni nomi di colori: *giallo* (fr. ant. *jalne*, lat. GALBĬNUS), *vermiglio*, *bloio* ecc.

---

[127] Molto utile, anche se non esauriente, è il saggio di R. R. Bezzola, *Abbozzo di una storia dei gallicismi italiani nei primi secoli* (750-1300), Zurigo 1924 (= Heidelberg 1925). Per buon numero dei termini che citeremo qui sotto, nel Bezzola si possono trovare ulteriori notizie.

[128] Invece *sala* nel senso di «abitazione rustica» era già voce longobarda.

Mangiare entra assai presto in Italia[129] e per qualche secolo lotta contro l'equivalente indigeno *man(d)ucare, manicare*. Un po' meno antico è *desinare*: ma *desinèa* è già nel *Novellino*. Ricordiamo anche il *buglione* e la *cervogia*.

Il nome dei *giardini* e dei *verzieri* si diffonde presto in Italia[130].

I cavalieri provano la loro forza e la loro abilità nel *torneo*, nella *giostra*, nel *bigordo*; e si può ritenere accaduto in tali occasioni il passaggio dal fr. ant. *manche* «manica» all'ital. *mancia* (attraverso il significato di «dono d'una manica fatto da una dama»).

Altro passatempo cavalleresco è la caccia col falcone, che ha dato occasione di ricevere i nomi di *sparviere, astore, artiglio* (dal prov. *artelh* «dito del piede», accolto in italiano come termine di falconeria), *zimbello*, ecc. Anche la caccia coi cani ha dato occasione di accogliere qualche termine francese o provenzale: *veltro, levriere*, ecc.

Musica e poesia fanno giungere in Italia parecchie voci: *caribo, liuto, ribeba* o *ribeca, viola, cennamella*, ecc., il nome di *trovatore* (con il significato provenzale di *trovare* «poetare»), *giullare, ministriere* (che i Romantici chiameranno piuttosto *menestrello*).

Alcuni vocaboli si riferiscono a viaggi e pellegrinaggi: *viaggio, passaggio, bolgia* «bisaccia», probabilmente *oste* «chi dà alloggio e vitto» (fr. ant. *oste*, lat. HOSPITE[M]), *ostello* (*ostero, stero*, fr. ant. *ostel*), ecc. Specificamente religiosi sono i termini di *palmiere, cordigliere, Cert(r)osa*, ecc. La penetrazione di *grangia* (*grancia*) in Italia è avvenuta specialmente per opera di monaci cisterciensi[131]. Anche *tovaglia* è, nelle sue prime apparizioni, limitata all'uso liturgico.

Numerosi sono i termini la cui accettazione è dovuta agli scambi commerciali: *derrata, detta* «debito», *civanza, gaggio* «pegno», *improntare*, ecc.; *dozzina; alla* (nome di misura) *tornese, provisino, merguagliese* (nomi di monete), ecc. Si hanno anche molti nomi di stoffe: *celone, mosteruolo, rensa, razzese, sargia*, ecc.

E non mancano esempi di antichi francesismi nel campo della medicina (*sagnare, segnare* «sanguinare» e «salassare», *signera* «salasso»: Gloss. *Testi* Schiaffini) o delle arti e mestieri (*ingegnere; copelli* «trucioli» nel *Novellino*).

Molto importante è il filone letterario. Alcuni termini penetrano attraverso l'epica (*paladino, prence*), altri attraverso i romanzi cavallereschi (*avventura*). Molto più numerosi e penetrati in profondità sono quelli che i poeti siciliani hanno mutuato ai provenzali, e sono per loro mezzo passati ai siculo-toscani e poi almeno in parte agli stilnovisti e

---

[129] Troviamo παρα ιωάννου μαγγεαβόε in un documento del 1140 (Trinchera, *Syllabus Graec. membr.*, doc. 123) e *mangiai* nelle parole di Malfredo a Travale, riferite nella testimonianza del 1158.

[130] Si ha *gerdinos, jardinos* nella carta semivolgare di Rossano, righe 13 e 24 (Monaci- Arese, p. 8).

[131] Serra, in *Dacorom.*, III, 1924, pp. 947-948.

alla tradizione lirica ulteriore. Ci basti rinviare all'ampio elenco che ne abbiamo già dato (§ 7)[132].

Talvolta si tratta di voci già esistenti in italiano, che per influsso provenzale o francese hanno preso un significato speciale[133].

Non sappiamo se siano giunti per la strada della poesia o per diverso cammino altri termini spirituali, astratti: *onta, damaggio* «danno», *oltracotanza, mestiere, pensiero, preghiera, foggia, sorta, dibona(i)re, medes(i)mo, cominciare, corteare, donneare*, ecc.

E alla convergenza di varie spinte si deve la penetrazione di suffissi diventati produttivi anche in Italia: *-aggio, -ardo, -iere.* L'incremento che avevano avuto i suffissi già indigeni *-enza, -anza, -ore, -ura* si può invece ritenere pressoché esaurito col venir meno dell'influenza provenzale.

Francesismi e provenzalismi sono spesso riconoscibili in confronto con le voci indigene per indizi fonetici o morfologici: così *cavaliere* si oppone a *cavallaio* o a *cavallaro, somiere* a *somaio, ostaggio* a *statico, stadico*, ecc.

Meno facile è talora distinguere il filone francese da quello provenzale: in certi casi, oltre agli indizi formali giova tener conto dell'area in cui li troviamo anticamente attestati. Si hanno alcuni casi di doppia penetrazione: *damigello* (fr.) – *donzello* (prov.), *saggio* (fr.) – *savio* (prov.)[134], ecc. Bisogna anche tener conto della possibilità che si tratti di vocaboli giunti dalla Francia in veste latina: così dev'essere avvenuto per *marescalco* e *siniscalco, faldistoro*, e altri ancora.

Abbiamo ricordato tra gli altri anche qualche vocabolo ora caduto in disuso. Ne avremmo potuto citare un numero di gran lunga maggiore: sia parole più volte attestate, come *maccherella* «mezzana», *agenzare* «piacere», *(in)naverare* «ferire» (anche fig.), *perzare* «forare», ecc., sia voci che troviamo in singoli autori[135] o in singole circostanze[136].

Nei secoli successivi, come sempre accade dopo un'invasione di vocaboli così massiccia, molti sono scomparsi. Ma non si dimentichi che p. es. *visaggio* si trova usato non solo nel *Fiore*, ma in Dante e poi nel Pulci, e poi ancora nel Davanzati.

---

[132] A p. 132 abbiamo anche ricordato che qualche provenzalismo ignoto, per quel che sappiamo, ai Siciliani, è stato accolto dai Siculo-toscani. Su *leggiadro*, cfr. p. 134.

[133] Si pensi al significato che può avere *uomo* («vassallo»), *intendere* («convien ch'*intenda* in donna di valore»: Guittone), ira, ecc.

[134] Cfr. Baer, *Sprachl. Einwirkung*, cit., pp. 62-68.

[135] È anche accaduto che qualcuna sia rimasta inosservata, e poi sia stata identificata: il Contini ha dimostrato (*Giorn. stor.*, CXVII, 1941, p. 62) che Guittone adoperava *abbo* nel senso del provenzale *aip, ap* «costume».

[136] P. es. *curattiere, curattaggio* sono comunemente adoperati nel senso di «sensale» «senseria» dagli Italiani residenti in Provenza e a Bruges (Castellani, *Nuovi testi*, Gloss.): si tratta del provenzale *corratier*, propr. «corridore», che è penetrato anticamente anche in altre regioni e che ha dato origine al fr. mod. *courtier*.

20. Voci di origine orientale

Le relazioni con il mondo islamico concernono in questo periodo principalmente gli Arabi, sia per la loro dominazione durata due secoli e mezzo in Sicilia, sia per la predominanza marittima esercitata per molti secoli nel Mediterraneo, sia per l'importanza che specialmente in alcune scienze (astronomia, medicina, ecc.) ebbero gli studiosi arabi. In qualche caso si tratta di influenza arabo-persiana; i Turchi quasi non contano[137].

È ovvio che importerebbe conoscere per ciascuna parola per qual via è entrata, diverse essendo le conclusioni che si possono trarre da una parola entrata nel lessico per la simbiosi siculo-araba e da una parola appresa in un porto del Mediterraneo. Ma benché le ultime ricerche[138] siano decisamente rivolte in questo senso, per molti vocaboli siamo ancora incerti[139].

Il problema non presenta difficoltà per parole la cui area sia solo siciliana, come per esempio *giuggiolena* «sesamo», *sciurta* «sentinella» (o siciliana recentemente estesasi dalla Sicilia al resto d'Italia come *zàgara* «fior d'arancio»). Ma anche nel caso di parole di area amplissima, in qualche caso l'origine siciliana è storicamente dimostrabile: così per *ammiraglio* che indicò dapprima «capo, comandante», e solo nel sec. XII in Sicilia e nel XIII altrove si fissò nel significato di «capo delle forze di mare»[140], ovvero per *soda*, che risale all'arabo *suwwâd*, adoperato per indicare varie piante litorali del genere *Salsola* e poi le ceneri da esse ricavate[141].

In altri casi la penetrazione è avvenuta altrimenti. La stessa espressione araba *dâr-ṣinâ'a* («casa del mestiere», poi «luogo di costruzioni navali») trova accoglimento in Italia sotto forme diverse: *arzanà* (poi *arsenale*) a Venezia, *darsena* a Genova, a Pisa *tersanaia*, ad Ancona *terzenale*, a Palermo *tarzanà* (e anche in spagnolo e catalano

---

[137] Due voci tatare, *cane* (*khan*) e *orda*, sono state divulgate dalle notizie che circolarono intorno all'Orda d'Oro. *Orda* significava propriamente «accampamento», e così usa la parola Giovanni da Pian del Carpine nel rendiconto della sua missione (1245-47) dato nell'*Historia Mongalorum*: «post haec pervenimus ad primam *ordam* Imperatoris», e passim.

[138] Specialmente quelle di A. Steiger, *Contribución a la fonética del hispano-árabe y de los arabismos en el ibero-románico y el siciliano*, Madrid 1932; id., «Aufmarschstrassen des morgenländischen Sprachgutes», in *Vox Romanica*, X, 1948-49, pp. 1-62.

[139] Il repertorio più comodo (benché tutt'altro che originale e non sempre preciso) è quello del Lokotsch. Per le influenze sul siciliano, si vedano i nn. 3689-3695 della bibliografia di Hall (6525-6533 della 2ᵃ ed.). G. B. Pellegrini ha raccolto gli arabismi delle carte pisane medievali (*Rend. Acc. Linc.*, s. 8ᵃ, XI, 1956, pp. 142-176: cfr. i riscontri veneti adunati da M. Cortelazzo, in *Lingua nostra*, XVIII, 1957, pp. 95-97).

[140] Amari, *Storia dei Musulmani di Sicilia*, ed. Nallino, III, pp. 357-60.

[141] Steiger e Hess, in *Vox Rom.*, II, 1937, pp. 53-76.

antico *daraçana, teraçana*). La prima forma ebbe, come è noto, fortuna italiana ed europea, e così pure, sebbene in minor misura, la seconda.

Genova è anche stata il centro di irradiazione di *cotone*[142].

Da Salerno dev'essersi divulgato *taccuino* per mezzo del *Tacuinum sanitatis* (da *taqwîm* «corretta disposizione»).

Ricordiamo rapidamente, senza escludere che qualcuna delle voci che citeremo possa essere entrata anche dopo il 1300, alcuni dei principali arabismi.

Ecco parecchi termini di commercio: *magazzino, fondaco, dogana, gabella, tariffa, fardello, tara; zecca, cantàro, ròtolo, tómolo, carato, risma; sensale, dragomanno*, ecc.

Attraverso gli scambi commerciali, sono giunti lo *zucchero* e lo *zafferano*, l'*azzurro* o *lapislazuli*, il *balascio*, ecc.[143].

Ecco alcuni termini marittimi: *libeccio, scirocco, gomena, sciàbica, càssero. Càssero* ci offre un bell'esempio di un fenomeno frequente tra gli arabismi: esso ci è stato trasmesso dagli Arabi (con il doppio significato di «cittadella» e di quello di «castello della nave»), ma a loro volta gli Arabi avevano avuto la parola χάστρον dai Bizantini, e questi dai Romani (*castrum*). Esso serve inoltre a esemplificare, attraverso il confronto con lo spagnolo *alcázar*, un altro fenomeno: in Spagna gli arabismi presentano spesso (non sempre) forme in cui appare conglutinato l'articolo *al-* (cfr. *carciofo/* spagn. *alcachofa; cotone/ algodón; fondaco/* spagn. *alhóndiga*, e anche *zucchero/* spagn. *azúcar*), cosicché si può affermare che quando un arabismo italiano comincia con *al-* è con ogni probabilità passato attraverso la Spagna[144].

Tale indizio s'incontra spesso nei termini di matematica, *algebra, algoritmo*, ecc.; e si sa che attraverso la Spagna musulmana sono giunte in Europa le cifre arabiche, che gli Arabi avevano ricevute dagli Indiani. *Cifra, zifra* era propriamente lo «zero», cioè la novità essenziale del nuovo sistema di numerazione («staraioce *per zifra* a la mascione», cioè non contando nulla: Iacopone, 43, v. 92).

Anche i termini di astronomia (*zenit, nadir, auge* «apogeo» di un astro; *Aldebaran, Vega*, ecc.) sono giunti attraverso le traduzioni dall'arabo in latino fatte in Ispagna: la forma di *zenit* si manifesta come libresca per il fatto che la *m* originaria (*zemt capitis*, da *samt ar-ra's* «direzione della testa»)[145] è stata scambiata con *ni*.

La terminologia medica araba ebbe una lunga e forte influenza, esercitata, specialmente in certi periodi, attraverso Salerno. Abbiamo già citato *taccuino*, ricordiamo *nuca* (che fino al sec. XVI significò «midollo spinale»), *racchetta* (propriamente, in origine, «palma della

---

[142] Battisti e Furlani, in *It. dial.*, III, 1927, pp. 234-246.

[143] Discussi, ma a mio parere assai probabili, sono gli etimi arabi (o arabo-persiani) di *ottone* e *bronzo*.

[144] Non è vera, si badi, la proposizione inversa: le parole senza *al-* non ci offrono alcun indizio di provenienza.

[145] Nallino, in *Riv. studi orient.*, VIII, 1919, p. 376.

mano»), *sciroppo*, *ribes*, ecc. Spesso si passa attraverso una forma latinizzata.

Anche la terminologia araba dell'*alchimia* ha lasciato parecchie tracce (*alambicco*, *alcali*, *borace*, *risagallo*, ecc.).

Si osservi, in aggiunta agli esempi di queste ultime serie, che parecchi calchi da voci arabe passano al volgare attraverso il latino scientifico. Così *imprimere* (*in*) è il termine che indica l'influenza esercitata dai corpi celesti sui mondi sublunari («E se 'l cielo colla sua virtude ha ad operare ed imprimere nella terra»: Ristoro, VI, c. 3, p. 79 Narducci; «colui che 'mpresso fue – nascendo, si da questa stella forte»: Dante, *Par.*, XVII, vv. 76-77)[146]. Nell'anatomia *pomo d'Adamo*, *pia madre*, ecc. sono calchi arabi.

L'abilità degli Arabi come coltivatori e irrigatori del suolo fece sì che molte piante utili penetrassero per mezzo loro in Europa: le *arance* e i *limoni*, le *albicocche*, i *carciofi*, gli *spinaci*, le *melanzane*, lo *zibibbo*.

Alcuni nomi di strumenti musicali risalgono pure all'arabo per tramite provenzale: *leuto* o *liuto*, *ribeba* o *ribeca*.

Arabi sono anche il gioco della *zara* e quello degli *scacchi*, con alcuni dei termini relativi (*scaccomatto*, *rocco*, *alfino*, poi mutato in *alfiere*).

Alcuni vocaboli si riferiscono a istituzioni del mondo islamico: *soldano* (più tardi *sultano*), *califfo*. Anche il nome degli *Assassini*, prima di diventare un nome comune, era adoperato con preciso riferimento alla setta dei fanatici ismaeliti radunati intorno al Vecchio della Montagna, e piuttosto alludendo alla fedeltà al loro capo che alla loro micidialità.

21. Altri filoni del lessico

Minore di quel che ci si attenderebbe, data la frequenza dei rapporti con la Germania, è la penetrazione dei tedeschismi. Si ha qualche termine politico (come quelli dei *Guelfi* e dei *Ghibellini*, applicati a Firenze alle condizioni italiane; cfr. p. 113), qualche termine di guerra (*saccomanno* e, a giudicare dal nome proprio che ne è stato tratto, *riccomanno*); tedeschi sono parecchi dei termini minerari importati da operai dell'Erzgebirge sassone e boemo nelle miniere che col loro aiuto si cominciarono a coltivare (*guercus* «operaio», *coffarum* «rame greggio», ecc.)[147].

I commerci con l'Inghilterra fanno conoscere lo *stanforte* e gli *sterlini*.

---

[146] Nallino, in *Riv. st. or.*, VIII, 1919, p. 381.

[147] V. i capitoli minerari nello statuto di Massa Marittima, il cui nucleo principale è anteriore al 1294, e nel testo che possediamo non è posteriore al 1325 (*Ordinamenta super arte fossarum rameriae et argenteriae Civitatis Massae*, Firenze 1938, con il glossario di M. Casella, pp. 101-104).

Quanto agli scambi esercitatisi in questi secoli fra regione e regione, alcune correnti s'intravedono abbastanza distintamente: espansione di voci provenienti dal Nord: *acciuga, carena, molo, scoglio* da Genova, *arsenale* da Venezia; *spada* probabilmente dalle fabbriche d'armi lombarde; *cavezzo* «scampolo» da chissà quale città settentrionale.

All'influenza siciliana e a quella bolognese sulla poesia toscana abbiamo già accennato. Tuttavia, la documentazione è ancora troppo scarsa per poter tracciare con sicurezza un quadro complessivo.

CAPITOLO V
DANTE

1. Dante «padre della lingua»

È vera, e in che senso, l'espressione vulgata che chiama Dante «padre della lingua italiana» o l'altra, un po' meno forte, ma non meno onorevole, per cui il Petrarca lo chiamò (*Sen.*, V, 2) *dux nostri eloquii vulgaris*?

Se è vero che da Giacomo da Lentini prende le mosse la lirica fridericiana, perché questi titoli non dovrebbero spettare, invece, a lui? E se troviamo nel Duecento a Firenze e anche a Bologna testi scritti in una prosa volgare con caratteri grammaticali e lessicali non molto dissimili da quelli della prosa di Dante, come possiamo parlare di «padre della lingua»?

Ma, ove si intenda «lingua» nel senso di «lingua capace di tutti gli usi letterari e civili», è indiscutibile che a Dante spettano i meriti di un demiurgo. Prima di lui alla preponderanza schiacciante del latino, e all'uso occasionale delle due lingue di Francia, letterariamente insigni, non si contrapponevano che dialetti in via di dirozzamento, e tentativi sporadici di assurgere all'arte e alla bellezza. Tutta l'opera di Dante ha una «carica» spirituale nuova e potente, che in breve tempo opera un rivolgimento nell'opinione pubblica in Toscana e fuori, e fa d'un balzo assurgere l'italiano al livello di grande lingua, capace di alta poesia e di speculazioni filosofiche.

Il pensiero di Dante è ancora per tutti i suoi elementi intimamente legato al pensiero medievale, ma egli è il primo laico che nell'Europa cristiana assurge a dominare tutta la cultura del tempo. L'entusiasmo per la divulgazione che già animava il suo maestro Brunetto e una piccola schiera di volgarizzatori dal latino diventa in lui un programma consapevole: egli sa che *clerus vulgaria temnit* (per servirci delle parole di Giovanni del Virgilio), sa che ci sono troppi letterati che hanno fatto delle lettere una professione, anzi un mercimonio, e d'altra parte tanti altri che «per malvagia disusanza del mondo hanno lasciata la letteratura a coloro che l'hanno fatta di donna meretrice; e questi nobili sono principi, baroni, cavalieri e molt'altra nobile gente, non solamente maschi ma femmine, che sono molti e molte in questa lingua, volgari e non litterati» (cioè capaci di servirsi del volgare ma non del latino) (*Conv.*, I, IX, 5). Ora, Dante mira a «indurre a scienza e virtù», a innalzare a vera nobiltà queste persone per mezzo del volgare: creare cioè schiere di laici colti e valenti. La fede di Dante nell'arte e la sua fede nel nuovo strumento di essa animano insieme le sue opere letterarie e i suoi scritti teorici.

Per una felice contraddizione, Dante non pensa a risolvere il problema linguistico in modo conforme a quelli che sarebbero gli interessi della monarchia universale, ma a quelli dell'Italia: l'esilio gliela ha fatta conoscere quasi tutta, e attraverso le molte diversità delle parlate egli ha ravvisato una sostanziale conformità, che gli permette d'immaginarla unita da una sola lingua. Suo uditorio ideale è dunque l'Italia, in tutte le parti «a le quali questa lingua si stende» (*Conv.*, I, III, 4), nei suoi confini naturali, dal Varo e dal Quarnaro fino a Pachino.

Si pensi alle miserevoli condizioni politiche dell'Italia nei primi anni del Trecento: il Papato, dopo l'oltraggio di Anagni (1303) e il conclave di Perugia (1305), trasmigrato oltre le Alpi; l'Impero vacante; i comuni straziati dalle lotte e i signorotti che cominciano a farsi tiranni; la Sicilia che con la pace di Caltabellotta (1302) aveva avuto il suo reuccio e si rinchiudeva in sé. Non certo questo stato di cose autorizzava a sperare: ma Dante credeva, e credendo operò il miracolo. L'Italia non era, in quanto essa non aveva coscienza della sua sostanziale unità culturale, che le avrebbe permesso di accogliere una comune lingua letteraria e civile, più adatta che il latino ad accomunare tutti gli Italiani. Dante sentì e le rivelò questa coscienza: così l'Italia fu.

Non bastarono a ciò i due trattati incompleti in cui Dante parla del volgare, né sarebbero bastate cento opere dottrinali: valse invece la *Commedia*, il capolavoro in cui gli Italiani riconobbero la loro propria lingua riplasmata e sublimata.

2. *Idee di Dante sul volgare*

A più riprese Dante espresse le proprie opinioni sul volgare, con brevi cenni nella *Vita Nuova*, distesamente nel *De vulgari eloquentia* e nel *Convivio*, incidentalmente di nuovo nella *Divina Commedia*. I dantisti si sono ripetutamente occupati delle dottrine dell'Alighieri sulla lingua in generale e sul volgare in particolare, soffermandosi specialmente su quei punti (maggior nobiltà del latino o del volgare, mutabilità della lingua) in cui nelle varie sue opere le dottrine non coincidono o non sembrano coincidere.

Qui esporremo brevemente le dottrine del *De vulgari eloquentia* e del *Convivio*: le prime anche per l'importanza che ebbero nelle discussioni posteriori, le seconde per il caldo entusiasmo che manifestano attraverso il saldo schema del ragionamento scolastico.

Il *De vulgari eloquentia* e il *Convivio* sono pressappoco contemporanei. Probabilmente la stesura dei capitoli che abbiamo del trattatello latino è del 1303, e ha l'aspetto di un primo getto, non molto rifinito;

quando scriveva il *Convivio*, cioè, come si crede, negli anni 1303-1307, il poeta si proponeva di compiere e di pubblicare l'altra operetta, appena sbozzata; poi, quando tutto il suo tempo e il suo entusiasmo furono dedicati al divino poema, i due scritti teorici furono lasciati da parte non compiuti.

Se nel *Convivio* si parla del volgare italiano in generale, nel *De vulgari eloquentia* il problema è in parte più ampio in parte più ristretto. Nei primi sette capitoli del primo libro Dante discute della favella umana in generale, toccando anche alcune questioni che ora ci sembrano un po' futili (parlò prima l'uomo o la donna?), ma che appartenevano alla cultura del tempo. Nei capitoli VIII-X egli viene a trattare degli idiomi d'Europa e particolarmente d'Italia. Dante divide le lingue d'Europa in tre rami, il greco, il germanico-slavo, e il triforme idioma romanzo che si suddivide in francese, lingua d'oco (cioè provenzale-catalano), italiano. Egli ritiene che la tripartizione maggiore risalga alla confusione babelica, mentre le tre varietà dell'idioma romanzo si sarebbero differenziate spontaneamente più tardi, per la instabilità della favella umana. Quanto al latino, esso sarebbe una fissazione artificiale dell'idioma triforme, regolata dal comune consenso di più genti (e più simile all'italiano che alle altre due lingue, come si vede dalla conformità fra *sic* e il nostro *sì*).

Dopo aver rapidamente confrontato i titoli di merito del francese, del provenzale e dell'italiano secondo i pregi delle rispettive letterature, egli restringe la trattazione al volgare d'Italia («vulgare latium»), e abbozza la nota divisione dell'Italia dialettale in quattordici sezioni, senza contare le innumerevoli variazioni secondarie e subsecondarie.

Giunto all'undicesimo capitolo, Dante inizia un discorso che, pur legandosi strettamente con la divisione dialettale che precede, è del tutto diverso. Fino a questo punto (salvo il criterio di confronto tra le tre lingue neolatine, per cui s'era appellato alle rispettive letterature) egli aveva parlato soltanto di lingua (*loquela*, *eloquium*, *ydioma*), aveva parlato, diremmo oggi, da glottologo. Ora egli comincia a trattare da letterato di un problema di stile: comincia veramente qui il «trattato sull'arte di dire in volgare» (*De vulgari eloquentia*). Egli va cercando per tutta l'Italia il volgare più elegante, e comincia con l'eliminare le parlate peggiori (il romanesco, il marchigiano e lo spoletino; il milanese e il bergamasco; il friulano e l'istriano; il casentinese e il frattegiano; e infine il sardo).

Venendo poi al siciliano (cap. XII), Dante ricorda che esso ha avuto illustri poeti, fioriti nella corte dei re svevi, e che a quei suoi predecessori fu dato e si continuerà a dare il nome di siciliani, non perché fossero tutti isolani, ma perché dalla Sicilia prendeva nome il regno. Nessun pregio ha invece il volgare plebeo quale si legge in Cielo d'Alcamo. Similmente l'Italia meridionale (Dante parla di *Apuli*, e si riferisce ai territori del regno di Napoli) ha avuto poeti d'arte, mentre i dialetti plebei sono barbari.

Quanto ai Toscani (cap. XIII), è folle stoltezza quella d'arrogarsi il privilegio del volgare illustre: Guittone d'Arezzo, Bonagiunta da Lucca, Brunetto e altri hanno scritto versi municipali e non curiali. Singole frasi (o versi) che Dante cita mostrano particolarità spiccatamente municipali: da Firenze per esempio: *Manichiamo introque, che noi non facciamo altro*[1] Non meno sgradevole è la parlata dei Genovesi, con tutte le sue *z*.

A oriente dell'Appennino (cap. XIV), si trovano il troppo femmineo romagnolo e il troppo ispido veneto. Più gradevole è il bolognese (cap. XV), temperato a lodevole soavità dalla commistione dei caratteri opposti (femminilità e ispidezza): beninteso per ciò che si riferisce al dialetto; quanto al volgare aulico, lo raggiunsero Guido Guinizzelli e altri maestri scostandosi dal dialetto e valendosi del loro discernimento («vulgarium discretione repleti»). Troppo prossimi ai confini sono il trentino e il piemontese perché metta conto esaminarli.

In nessun luogo d'Italia il poeta è riuscito a trovare (cap. XVI) l'odorosa pantera di cui era andato a caccia (i bestiari medievali favoleggiavano che gli animali fossero attratti dal grato odore della pantera, di cui poi rimanevano vittime) – cioè il volgare illustre. Bisognerà, per identificarlo, cercare la più semplice unità di misura (nello stesso modo che il bianco è misura dei colori, e che Dio, sostanza semplicissima, risplende più nell'uomo che nel bruto, più nel bruto che nella pianta, ecc.). Ora il volgare illustre, cardinale, aulico e curiale, è quello che è di ogni città italiana e sembra non risieda in alcuna.

Illustre lo chiama Dante (cap. XVII), cioé fulgido perché sublimato per magistero d'arte, e atto a commuovere col suo potere; *cardinale* (cap. XVIII), perché intorno ad esso, come la porta sul suo cardine, si muovono i dialetti; *aulico*, perché degno della reggia, se l'Italia avesse una reggia; *curiale*, perché degno del supremo tribunale, se anche questo l'avessimo.

Il volgare che appartiene a tutta l'Italia è questo volgare illustre (cap. XIX): conosciuto questo, si potranno studiare quelli inferiori; e Dante si riprometteva di farlo in uno dei libri successivi.

Nei 14 capitoli del II libro, l'autore parla della poesia a cui il volgare illustre principalmente si addice, cioè la canzone; nel VII egli spiega come si debbano cernere («cribrare») i vocaboli magnifici («grandiosa vocabula») adatti alla canzone: naturalmente solo alcune esclusioni possono essere fondate su criteri estrinseci, mentre quasi sempre si tratta di gusto.

Che cosa dovessero contenere i libri seguenti, sappiamo solo da qualche rinvio: forse nel III si doveva trattare della prosa; al IV Dante rimandava per il volgare mediocre e quello umile. Nemmeno è certo se il trattato dovesse terminare con il quarto libro.

---

[1] Il Rajna, staccandosi dall'autorità dei manoscritti, proponeva di leggere *facciano aTro*, con due altre particolarità dell'antico fiorentino plebeo. Ma non è detto, osserva il Marigo (p. 112 della sua edizione), «che il canto plebeo dovesse contenere in ogni parola una brutta deformazione».

L'incompletezza dell'opera non solo lasciò priva la posterità di quelle preziose notizie che Dante avrebbe certo date, ma fu la causa principale dei malintesi a cui il trattatello diede origine nel Cinquecento.

La ricerca dantesca, benché prenda le mosse dallo stato linguistico dell'Italia del suo tempo, non è una ricerca di lingua (intesa come strumento sociale, atto a servire alla generalità degli Italiani), ma di stile (cioè di una sublimazione artistica della parola). Date le premesse dantesche, così doveva essere: se «lo volgare seguita uso», cioè non è legato da regole stabili come quelle artificialmente fissate per il latino, esso non può essere elaborato altro che individualmente, con la mira rivolta a un ideale d'arte simile a quello che hanno avuto i grandi poeti dell'antichità («lo bello stile», dirà Dante nella *Commedia*). Nulla dipende dalle regole, tutto dal «discernimento»: noi diciamo (con un termine che, com'è noto, risale ai letterati spagnoli del Cinquecento) *gusto* o *buon gusto*, Dante parla scolasticamente di *discretio*.

Il raffinamento, la sublimazione a cui il poeta sottopone i materiali grezzi che trova intorno a sé consiste soprattutto in un'opera di eliminazione: non debbono apparire nella canzone che parole generali, attinte a quel fondo che tutti gli Italiani hanno in comune, e perciò lontane dalla realtà minuta, che è tanto varia, e aliene da tutto ciò che è provinciale o municipale.

Sono fuori dell'arte quelli che non sanno staccarsi dalla realtà quotidiana e attingere questa sfera ideale, di qualunque luogo essi siano, anche toscani. Dato questo carattere ideale del linguaggio artistico splendido, non è possibile trovare un «luogo» dove esso risieda. Sede esso potrebbe trovare soltanto (e qui le speranze politiche levano il volo sopra la meschina realtà della penisola serva e divisa) se l'Italia avesse di nuovo una residenza sovrana e una suprema sede di giustizia.

Dante volge lo sguardo a una schiera di poeti che hanno realizzato il suo ideale di linguaggio artistico, dopo i Provenzali che sono stati ottimi fabbri del volgare materno: i lirici della scuola che si suol chiamare siciliana; il Guinizzelli, con alcuni Bolognesi; e poi i poeti del nuovo stile: Guido Cavalcanti, Lapo Gianni, Cino da Pistoia e lui stesso, Dante.

Giacché ha di mira l'arte di scrivere con eleganza, il raffinamento stilistico e non la lingua di tutti, Dante sorvola su quelle che potevano essere nei suoi predecessori le varianti idiomatiche (e del resto egli conobbe i poeti siciliani già un po' toscanizzati dai copisti).

Troppo pochi particolari concreti abbiamo sul modo in cui egli si raffigurava questo processo di raffinamento: esso certo soprattutto consisteva in una eliminazione di caratteristiche urtanti per il loro municipalismo plebeo, non in una sorta di mescolanza (il concetto di «mescolanza» è solo, in un certo modo, implicito nella *discretio*, e appena adombrato qua e là, per i *vocabula curialiora* adoperati dagli

Apuli, I, xii, 8, e per la *commixtio oppositorum* avvenuta nel parlare di Bologna, I, xv, 5).

Nel *Convivio* quasi tutto il primo trattato è dedicato a giustificare ed esaltare il volgare, scelto a preferenza del latino per commentare le canzoni morali del poeta; ma esso non contiene alcuna affermazione notevole circa la norma da seguire.

Presentatosi «quasi a tutti li Italici» in vile apparenza, ora Dante deve dare alla sua opera «alto stile», per conferirle «un poco di gravezza» (I, iv, 13). Egli ha scelto il volgare, per tre ragioni (I, v): la prima è uno scrupolo di tecnica artistica (l'opportunità che essendo le canzoni in volgare anche il relativo commento sia nella stessa lingua); la seconda è il suo desiderio di «pronta liberalitade» (cioè la mira di riuscire più largamente benefico facendosi intendere a un maggior numero di persone); la terza è «lo naturale amore de la propria loquela». Vero è che il latino è superiore al volgare «e per nobilità e per virtù e per bellezza» (I, v, 7), per la sua stabilità, per la capacità di esprimere cose che il volgare non è in grado di fare, per la maggiore armonia, «però che lo volgare seguita uso e lo latino arte»[2]: ma un commento latino mal si adatterebbe a canzoni in volgare. Un commento scritto in latino «avrebbe a pochi dato lo suo beneficio, ma lo volgare servirà veramente a molti» (I, ix, 4).

Il pacato ragionamento si anima quando Dante viene a illustrare la terza delle ragioni addotte per spiegare la scelta del volgare, «lo naturale amore de la propria loquela» (I, x, 5). Egli vuol magnificare il volgare, proteggerlo dai rischi che il cattivo traduttore di un commento latino gli potrebbe far correre, difenderlo contro i denigratori (I, x, 7-11). Per mezzo di esso l'autore potrà manifestare «altissimi e novissimi» concetti, e così mostrare «la gran bontade del volgare di sì»: nella prosa si vede meglio la «vertù» della lingua che nella poesia, in cui sono «accidentali adornezze» (I, x, 12).

«Li malvagi uomini d'Italia che commendano lo volgare altrui e lo proprio dispregiano», cioè quelli che hanno preferito e preferiscono (specialmente nell'Italia settentrionale, come sappiamo) il provenzale o il francese, meritano «perpetuale infamia e depressione» (I, xi) perché mossi da ignoranza o da malizia (in quanto attribuiscono a incapacità del volgare quella che è incapacità loro) o da vanagloria (per farsi ammirare scrivendo in lingua altrui) o da invidia o da pusillanimità: varie scuse per aver «a vile questo prezioso volgare» (I, xi, 21). Il «perfettissimo amore» alla propria loquela (I, xii, 2) è nato in Dante dalla sua prossimità a lui, in quanto «uno e solo è prima ne la mente che alcun altro» (I, xii, 5) e dalla bontà propria di esso. Dal volgare Dante ha ricevuto «dono di grandissimi benefici» (I, xiii, 2), perché esso

[2] Su queste asserzioni, in confronto con altre del *De vulgari eloquentia*, si vedano Rajna, in *Misc. Hortis*, Trieste 1910, p. 128; Busnelli e Vandelli, nella loro ed. del *Convivio*, pp. 87-89; B. Nardi, *Dante e la cultura medievale*, 2ᵃ ed., Bari 1949, pp. 230-233.

congiunse i suoi genitori, perché lo introdusse nella via della scienza, «in quanto con esso io entrai ne lo latino e con esso mi fu mostrato: lo quale latino poi mi fu via a più innanzi andare» (I, XIII, 5). Per il volgare sarebbe giovevole alla sua conservazione «acconciare sé a più stabilitade» (I, XIII, 6)[3], e ciò potrebbe ottenere diventando lingua poetica. Questo Dante ha fatto legandosi con esso di lunga consuetudine.

Giustificata così la bontà del volgare e la sua attitudine a un commento in prosa, proclamato il suo affetto ad esso, Dante chiude il primo libro del *Convivio* con le famose parole di tono profetico: «Questo sarà luce nuova, sole nuovo, lo quale surgerà là dove l'usato tramonterà, e darà lume a coloro che sono in tenebre e in oscuritade, per lo usato sole che a loro non luce» (I, XIII, 12). Anche quelli che non conoscono il latino potranno finalmente accostarsi a opere di alto pensiero. E, grazie anche all'opera di Dante, la profezia si avverò[4].

3. La lingua di Dante dalle liriche giovanili alla Divina Commedia

Non è mai senza rischio confrontare le dottrine che uno scrittore professa sulla lingua e lo stile con le sue opere d'arte. Per Dante, i fraintendimenti sono stati specialmente gravi nei secoli passati, quando si è preteso di trovare applicate nella *Commedia* quelle teorie che egli riferiva esclusivamente allo stile sublime.

Da questa classificazione in «generi» non ci è lecito prescindere; tanto più se teniamo conto che le esperienze artistiche di Dante volutamente spaziano per un'amplissima gamma. «Ecco in Dante convenire l'epistolografia di tipo apocalittico, il trattato di tipo scolastico, la prosa volgare narrativa, la didascalica, la lirica tragica e la umile, la *comedìa*»[5].

Anche prescindendo, come in questa sede dobbiamo, dagli scritti latini, Dante atteggia la propria lingua nelle varie opere, anzi nelle varie parti delle opere, a stili diversissimi.

Nelle liriche, passa dai primi esperimenti ancora legati ai provenzaleggianti siculo-toscani, a quel nuovo timbro suo e di pochi amici, che

[3] Un passo del *De vulgari eloquentia* (I, IX, 9) ci fa vedere come Dante considerasse la stabilità della lingua quale attributo indispensabile della sua funzione sociale: «sub invariabili sermone civicare» («partecipare d'una comune cittadinanza per mezzo d'una lingua invariabile»). Che tuttavia egli mirasse a dare al volgare una fissità analoga a quella del latino, non par probabile (Parodi, *Bull. Soc. Dant.*, III, p. 94 = *Lingua e lett.*, p. 220).

[4] Anche nella *Divina Commedia* si possono spigolare alcune affermazioni di Dante sulla favella umana e sul volgare italiano: si troveranno citate nella «Categoria quinta» delle *Concordanze dantesche* di G. Falorsi, Firenze 1920.

[5] Contini, nel volume miscellaneo della Libera Cattedra sul *Trecento*, Firenze 1953, p. 98.

in ottemperanza al giudizio espresso da lui medesimo, chiamiamo stilnovistico.

Nella *Vita Nuova*, le prose che, quasi svolgendo il suggerimento dato dalle «ragioni» provenzali, accompagnano le poesie, risentono inevitabilmente della moda della prosa ornata, con ripetizioni, figure etimologiche e altre raffinatezze formali, ma pur riescono, insieme con la melodia dei canti di lode, a creare un'atmosfera d'incomparabile levità: e l'efficacia della *Vita Nuova* come modello stilistico non sarà inferiore nemmeno alla *Divina Commedia*. La frequenza di parole come *miracolo* e *maraviglia* e delle espressioni superlative conferisce a creare questa atmosfera[6].

Il canzoniere raccoglie numerose e varie esperienze artistiche: le rime allegoriche per cui Dante poté attribuirsi il titolo di «poeta della rettitudine», le battute realistiche della tenzone con Forese, le rime petrose e le sestine in cui il poeta gareggia con il robusto e difficile Arnaldo Daniello, tentando «novità – che non fu già mai fatta in alcun tempo»; poi ancora, negli anni dell'esilio, la breve e vigorosa canzone «Tre donne»[7].

La scelta lessicale nell'alta lirica è sempre severa e schifiltosa, né in essa appaiono quelle parole che il *De vulgari eloquentia* condanna come «puerilia» *(mamma, babbo)* o «silvestria» *(cetera o cetra, greggia)* o «urbana lubrica et reburra», come *femmina* e *corpo (corpo* veramente compare nella canzone della nobiltà, in cui Dante dice di dover lasciare il suo «soave stile»): invece egli adopererà senza scrupolo tutte queste parole nella *Commedia*. Viceversa, appaiono nelle *Rime* parole che non si leggono nella *Commedia*: p. es. *lagare, prenze, lastrare*.

Il poeta riconosce che ha attinto «lo bello stilo» attraverso l'assiduo studio dei classici e specialmente di Virgilio:

> Tu se' lo mio maestro e 'l mio autore;
> tu se' solo colui da cu' io tolsi
> lo bello stilo che m'ha fatto onore.

(Inf., I, vv. 85-87)

Nel verso, il poeta ha esteso il campo del volgare alla lirica filosofica, in prosa dà col *Convivio* il primo cospicuo esempio di opera dottrinale in volgare. Vi è assimilata l'esperienza della latinità classica e di quella scolastica in una sintassi periodica di ampio respiro, e rivolta non a scopo ornamentale ma ragionativo[8]. Valga un solo esempio:

---

[6] Ci basti rinviare a Schiaffini, *Tradizione*, cap. V.

[7] Cito due sole opere: l'ottimo commento del Contini alle *Rime*, 2ª ediz., Torino 1946, e F. Maggini, Dalle *«Rime» alla lirica del Paradiso*, Firenze 1938.

[8] Rinvio soltanto a Schiaffini, *Tradizione*, cap. VI, e a Segre, *Sintassi del periodo*, Parte III.

Volendo la 'nmensurabile bontà divina l'umana creatura a sé riconformare, che per lo peccato de la prevaricazione del primo uomo da Dio era partita e disformata, eletto fu in quello altissimo e congiuntissimo consistorio divino de la Trinitade, che 'l Figliuolo di Dio in terra discendesse a fare questa concordia. E però che ne la sua venuta nel mondo, non solamente lo cielo, ma la terra convenia essere in ottima disposizione; e la ottima disposizione de la terra sia quando ella è monarchia, cioè tutta ad uno principe, come detto è di sopra; ordinato fu per lo divino provedimento quello popolo e quella cittade che ciò dovea compiere, cioè la gloriosa Roma (IV, v, 3-4).

Insomma nel *Convivio* «la visione squisitamente medievale s'attua con moduli così perfettamente costrutti, con una tale dignità di scrittura, da farci sentire un soffio di classicità tra le arcate gotiche del processo dimostrativo»[9].

Nella *Divina Commedia* il poeta, pur attraverso le rigorose limitazioni che si è imposte scegliendo lo schema della terzina, si comporta con amplissima libertà per quello che concerne la gamma degli stili[10]. Partendo da fondamenti grammaticali e lessicali senza alcun dubbio fiorentini, egli si vale liberamente di tutte le risorse linguistiche che abbiano già avuto una consacrazione letteraria.

In vari luoghi del poema possiamo trovare versi «illustri», in cui non c'è alcuna peculiarità locale. Versi come

> Per te poeta fui, per te cristiano
> ....
> E la bella Trinacria, che caliga
> ....
> Oh Beatrice dolce guida e cara
> ....

avrebbero potuto essere scritti, in via d'ipotesi, anche da un poeta non toscano. Lo stesso si può dire per qualche passo, diciamo pure, opacamente dottrinale:

> Ogni forma sustanzial, che setta
> è da matera ed è con lei unita
> specifica virtù ha in sé colletta,
> la qual sanza operar non è sentita...
>
> (*Purg.*, XVIII, vv. 49-52).

Invece troviamo all'altra estremità della gamma versi di stile mediocre o addirittura plebeo, in cui perciò appaiono vocaboli non ammessi dal poeta per l'alta lirica in quanto hanno un forte colorito idiomatico. Così l'ultimo verso del c. XX dell'*Inferno*

[9] Segre, *Volgarizzamenti del Due e Trecento*, Torino 1953, p. 18.
[10] Schiaffini, «A proposito dello 'stile comico' di Dante», in *Momenti*, pp. 43-56.

> Sì mi parlava ed andavamo *introcque*

e parecchi confronti realistici di altri canti dell'*Inferno*:

> Già *veggia* per *mezzul* perdere o *lulla*,[11]
> com'io vidi un, così non si pertugia
> rotto dal mento infin dove si *trulla*
> > (XXVIII, vv. 22-24)

> e non vidi già mai menare *stregghia*
> a ragazzo aspettato dal *segnorso*
> > (XXIX, vv. 76-77)

> e sì traevan giù l'unghie la scabbia
> come coltel di *scàrdova* le scaglie
> > (ivi, vv. 82-83).

Non tocca a noi analizzare quelle doti che fanno di Dante uno dei più grandi poeti dell'umanità: la sua miracolosa adesione al concreto anche dove si solleva ai vertici della spiritualità, l'armonia or dolce or solenne con cui il suono delle parole accompagna lo snodarsi delle immagini e dei concetti; non tocca a noi, anche se la fortuna di Dante nei secoli, e quindi la sua durevole efficacia nella lingua siano dovute proprio a queste qualità.

Il problema più propriamente nostro è quello di vedere fino a che punto la grammatica e il lessico di Dante si possano dire fiorentini. La rielaborazione che Dante ha fatto del proprio dialetto natio ne ha mutato il carattere al di là di quello che i poeti sogliono fare quando sublimano la loro parlata «naturale» in linguaggio artistico?

4. Grammatica e lessico della Divina Commedia

L'uso dantesco[12] è, in confronto con l'uso «naturale» del fiorentino del suo tempo[13], molto più ricco di doppioni[14].

---

[11] «Un verso che solo i Fiorentini possono capire... E chi è colui che sappia ciò che Dante si volesse dire in quel verso *Già veggia* ecc.? Certo io credo che nessun altro che noi Fiorentini...» (Della Casa, *Galateo*, XXII, sulle orme del Bembo).

[12] Sarebbe utile poter disporre di inventari completi dell'uso grammaticale e lessicale di Dante; ma purtroppo non possiamo disporre che di repertori invecchiati: la magra dissertazione di H. Zehle, *Laut- und Flexionslehre in Dantes D. C.*, Marburgo 1885, la concordanza del Fay (1888), i vocabolari di L. G. Blanc (1859), di G. Poletto (1885-87), di G. A. Scartazzini (1905), di G. Vivanti-Siebzehner (1954).

[13] Quale lo conosciamo specialmente dai *Testi* dello Schiaffini e dai *Nuovi testi* del Castellani.

[14] Può rendere tuttora utili servigi l'articolo giovanile di N. Zingarelli, «Parole e forme della Divina Commedia aliene dal dialetto fiorentino», in *St. di fil. rom.*, I, 1884, pp. 1-202. Importantissimo per ogni ricerca sulla lingua di Dante è sempre il luminoso articolo di E. G. Parodi, «La rima e i vocaboli in rima nella Divina Commedia», in *Bull. Soc. Dant.*, III, 1896, pp. 81-156 (rist. in *Lingua e lett.*, pp. 203-284).

Si ha *diceva* accanto a *dicea* (come vediamo con sicurezza in esempi in rima: *diceva* [*Purg.*, XXIV, 118] in rima con *Eva*; *dicea* [*Purg.*, XXVII, 99] in rima con *Citerea*); *vorrei* (*Inf.*, XXXIII, 97) accanto a *vorria* (*Par.*, XXXIII, 15), *fero* e *feron* accanto a *fenno*, ecc. Il perfetto forte di *tacere* (*tacqui*, -*e*) si ha 10 volte, quello debole (*tacetti*, -*e*) quattro.

Padre alterna con *patre*, e *madre* con *matre*; *lasciare* ha accanto a sé, quasi altrettante volte, *lassare*. *Manicare* e *manducare* sono usati promiscuamente con *mangiare*, e così pure *vendicare* (3 volte) e *vengiare* (altre tre volte): è evidente che Dante approfitta volentieri della possibilità di servirsi di un quadrisillabo oppure di un trisillabo, anche se questa non sia la ragione esclusiva. *Re* e *rege*, *imagine*, *imago* e *image* sono adoperati liberamente, con una scelta di cui non è sempre agevole scrutare i motivi. Accanto a *specchio*, che è la forma «normale», adoperata 16 volte, Dante ha nella sua tavolozza *speglio* (4 es.), *speculo*, *miraglio*; accanto a *speranza*, adopera *speme* (7 volte) e *spene* (3 volte).

Questa libertà di scelta basta a mostrare che Dante, pur tenendosi saldamente radicato all'uso natio, guarda intorno a sé, ed accoglie accanto alle parole e alle forme del fiorentino contemporaneo, anche voci e forme che stanno cadendo dall'uso, qualche forma del toscano occidentale e meridionale, qualche rara voce d'altri dialetti italiani, molte voci latine, parecchie francesi. Questa vastità d'orizzonte ha tuttavia una limitazione rigorosa: mentre il poeta ammette senz'altro, ove gli occorrano, le forme e i vocaboli fiorentini, gli altri devono aver avuto una qualche consacrazione letteraria. Quindi i vocaboli latini possono essere accolti di diritto, ma se usa il tipo *vorria* lo fa appoggiandosi ai Siciliani e ai Siculo-toscani; *vonno* (3ª pers. plur. del pres.) era dell'umbro letterario; *fenno*, *apparinno*, *terminonno* (3ª pers. plur. del perfetto) erano stati usati letterariamente da Toscani occidentali; la rima di *lome* (o *lume* che sia) con *nome* e *come* ha precedenti nel Cavalcanti e nei Bolognesi, e così via[15].

Non meraviglia che Dante si attenga piuttosto alle forme che si usavano in Firenze nella sua giovinezza o nella generazione precedente piuttosto che a quelle prevalse un po' più tardi. A proposito di alcune forme verbali usate da Dante il Parodi aveva concluso: «Pare che Dante, piuttosto che l'uso dei lirici, abbia seguito qui pure l'uso toscano di poco più che una generazione innanzi alla sua, attingendo in quel moderato arcaismo nobiltà e solennità di linguaggio»[16]; il Castellani (*Nuovi testi*, p. 69), pur non escludendo che quelle forme fossero ancora vive nella generazione di Dante, conclude che «certo all'epoca in cui fu scritta la *Divina Commedia* erano in piena dissoluzione».

In un altro caso vediamo Dante usare alternativamente il tipo

---

[15] Cfr. il più volte citato art. del Parodi, e la concisa formulazione del suo articolo postumo «Dante e il dialetto genovese» (*Lingua e lett.*, pp. 285-300).

[16] *Bull. Soc. Dant.*, III, p. 126 (= *Lingua e lett.*, p. 253).

vederai, corrente nella generazione a lui anteriore, e il tipo *vedrai*, che prevale tra i suoi contemporanei («*vedrai* li antichi spiriti dolenti... e *vederai* color che son contenti»: *Inf.*, I, vv. 116 e 118)[17].

Dante non si fa scrupolo di adoperare nella *Commedia* voci fiorentine d'ogni strato sociale, anche plebee. Il riscontro d'altri testi o la testimonianza di altri dialetti toscani ha spesso consentito d'interpretare con puntuale precisione vocaboli danteschi prima intesi approssimativamente[18]: p. es. *bastare* nel senso di «durare» (*Purg.* XXV, v. 136) trova riscontro nel Pulci e nel proverbio «Tanto *bastasse* la mala vicina quanto *basta* la neve marzolina»; *burlare* per «buttar via, sparpagliare» (*Inf.*, VII, v. 30) è nell'onomastica (*Burlafave* di Montepulciano, soldato a Firenze nel 1290) e nel Pucci; *piovorno* fu sentito dal Giuliani in Val di Nievole (e *rubecchio* nella montagna pistoiese); *potere* nel senso di «esser capace di portare» (*Par.*, XVI, v. 47) è ancora vivo in Toscana (e altrove) in locuzioni come *lo puoi?*; *punga* (*Inf.*, IX, v. 7) ha molti esempi trecenteschi e quattrocenteschi «scomparsi per buona parte dalle stampe, per le troppo amorevoli cure degli editori» (Parodi); ecc.

Qualche volta la scelta di vocaboli dialettali mira a caratterizzare singoli personaggi (p. es. il lucchese *issa* attribuito a Bonagiunta).

Amplissima, quasi direi illimitata, è l'apertura verso i vocaboli latini, classici, tardi e medievali. L'ammissibilità teorica di tutti essi, anche i più strani, è dimostrata da quel passo del *De vulgari eloquentia* (II, VII, 6) in cui Dante cita come adoperabile in volgare la capricciosa coniazione della latinità medievale «*honorificabilitudinitate*, quod duodena perficitur sillaba in vulgari, et in gramatica tredena perficitur in duobus obliquis».

I latinismi sovrabbondano nei canti di discussione dottrinale; quindi ne troviamo in quantità crescente dall'*Inferno* al *Paradiso*. Molti già dovevano essere stati accolti nell'italiano scolastico prima di Dante, ma molti sono certamente suoi[19].

Alle volte l'abbondanza dei latinismi è suggerita dalla solennità del discorso attribuito a un personaggio. Per citar solo un esempio, nello scorcio di storia dell'Impero tracciato da Giustiniano (*Par.*, VI), ce ne

---

[17] Castellani, *Nuovi testi*, pp. 62-63. Qualche altro esempio di «polimorfia» aggiunge Nencioni, *Fra grammatica e retorica*, pp. 14-19.

[18] Osservazioni in questo senso faceva già il Borghini, contraddicendo il Ruscelli. Si veda poi l'articolo di G. B. Giuliani, *Dante e il vivente linguaggio toscano*, Firenze 1872, il volumetto di R. Caverni, *Voci e maniere nella Divina Commedia dell'uso popolare toscano*, Firenze 1877 (esagerato nella tesi, pieno di errori storici ed etimologici, eppure di qualche utilità), il solido saggio di I. Del Lungo, «Il volgare fiorentino nel poema di Dante» (in *Atti Acc. Crusca*, 1889, rist. in *Dal secolo e dal poema di Dante*, Bologna 1898), e il più volte citato articolo del Parodi.

[19] Dell'uso delle scuole, in quanto vi accadesse di parlare volgare, erano certo anche le locuzioni fisse del tipo *ab antico* (*Inf.*, XV, v. 62) o le sostantivazioni di *ubi*, *necesse*, *quia*, ecc.

sono molti che contribuiscono all'alta tonalità del discorso: *dal cirro negletto fu nomato... tu labi... triunfaro... si cuba ... col baiulo seguente ... dal colubro - la morte prese subitana ed atra... al lito rubro... e il suo delubro... era fatturo... nel commensurar di nostri gaggi... alcuna nequizia... la presente margarita...* Cive compare solo in rima, e solo negli elevati discorsi di Beatrice («e sarai meco senza fine cive»: *Purg.*, XXXII, v. 101), di Carlo Martello («per l'uomo in terra, se non fosse cive»: *Par.*, VIII, v. 116), di S. Pietro («ma perché questo regno ha fatto civi»: *Par.*, XXIV, v. 43).

Altre volte è l'aderenza alla sua fonte che suggerisce a Dante il latinismo: l'*agricola* del canto di S. Domenico (*Par.*, XII, v. 71) risale alla parabola del vignaiolo; il *conservo* di papa Adriano (*Purg.*, XIX, v. 134) viene dall'*Apocalisse*; gli *iaculi* serpenti di Libia (*Inf.*, v. 86) sono un ricordo di Lucano; il *libito* e il *licito* scambiati da Semiramide (*Inf.*, V, v. 56) sono già contrapposti in un passo di Orosio; «l'alte fosse che *vallan* quella terra sconsolata» (*Inf.*, VIII, v. 77) risalgono al libro dei *Proverbi*, parafrasato già in un passo del *Convivio* («quando [Iddio] con certa legge e giro *vallava* gli abissi»); ecc.

Lo Zingarelli, nell'articolo citato, ha elencato circa cinquecento latinismi. Chi si mettesse a rifare il calcolo dovrebbe tentar di distinguere i latinismi propri di Dante da quelli già comuni al tempo suo; ma non vogliamo tentare questa difficile impresa, né cercare quali possono essere state nei singoli casi le ragioni della scelta del poeta: ci basti aver segnalato l'ampiezza del fenomeno[20].

L'ignoranza del greco ha trattenuto Dante dall'adoperare vocaboli greci che non vedesse già accolti nei testi latini di cui si serviva (p. es. *perizoma* lo trovava nella *Vulgata*, *latria* e *tetragono* in S. Tommaso). Solo eccezionalmente egli si avventura a ricostruire più che non sappia: come quando prende per un singolare il plurale *entoma* (trovato presumibilmente nel *De historia animalium* di Aristotile) e ne cava un falso plurale *entomata* (*Purg.*, X, v. 128)[21].

I gallicismi che troviamo in Dante non sono pochi, ma si stenta a indicarne qualcuno che non si trovi anche in altri testi e quindi possa essere esclusivamente suo. Anche *flailli* (*Par.* XX, v. 14), adattamento del fr. ant. *flavel*, *flajel*, finora non documentato da alcun altro testo, potrebbe essere giunto a Dante per tramite siciliano se badiamo al vocalismo[22].

Difficile è anche stabilire il confine tra le voci coniate da Dante e quelle che egli può avere attinto attorno a sé, da fonti di cui non ci resta testimonianza.

Probabilmente sono sue parecchie derivazioni immediate, deverbali

[20] Cfr. anche E. R. Curtius, *Europäische Literatur und lateinisches Mittelalter*, Berna 1948, cap. XVIII, § 2.

[21] Per l'accento di nomi come *Calliopè, Semelè*, ecc., v. p. 169.

[22] Schiaffini, *It. dial.*, IV, 1928, pp. 229-230.

come *cunta* (*Purg.*, XXXI, v. 4) o denominali come *alleluiare, golare, mirrare*.

Tra le molte derivazioni prefissali (*adimare, appulcrare; dismalare, divimare; indracare, ingigliare, impolare, inurbarsi, inventrare; rinfamare, ringavagnare; sgannare, spoltrire; transumanare*, ecc.) parecchie sono certo sue, specialmente le voci formate da possessivi, da pronomi, da numerali, da avverbi (*immiare, intuare, inleiarsi, inluiarsi, intrearsi, internarsi* [der. di *ternol*, *incinquarsi, immillarsi, indovarsi, insemprarsi, insusarsi*). A proposito d'*imparadisare*, il Tommaseo diceva, nel *Dizionario*: «È della lingua viva, e da essa l'avrà preso Dante, non essa da Dante»: ma in presenza di tante coniazioni di questo tipo, ci sembra più probabile il contrario.

Forse di conio dantesco è anche qualche formazione suffissale: *pennelleggiare, torreggiare*.

5. *Efficacia di Dante*

Nei secoli seguenti (e non mancheremo man mano di farne ricordo) l'influenza di Dante si spiegherà costantemente, se pure or con maggiore or con minor forza. Influirà sullo stile (p. es. il Boccaccio risente fortemente della *Vita Nuova*; gli scrittori di «visioni» della *Divina Commedia*), sulla metrica (fortuna della terza rima), sul lessico (come ora vedremo con qualche esempio).

Poiché fin dal Trecento la *Commedia* è assunta quasi a libro santo della nazione, commentato come si commentavano le sacre pagine, e letto nelle scuole d'alto livello, esso ha fornito e fornisce materia di continue citazioni, sia di versi interi, sia di locuzioni che più o meno davvicino alludono a episodi e figure del poema o a concetti danteschi: le *bramose canne* (di Cerbero), il *fiero pasto* (del conte Ugolino), il *disiato riso* (della regina Ginevra), la *vendetta allegra*, la *mala signoria*, il *natio loco*, la *morta gora*, il *mondan romore*, la *volgare schiera*, il *velen dell'argomento*, il *sapor di forte agrume*, il *segnacolo in vessillo*, le *femmine da conio*, e ancora *risurger per li rami, raunar le fronde sparte, far tremar le vene e i polsi*, ecc.

Anche singole parole dantesche hanno avuto fortuna: non solo quelle che si riferiscono alla struttura e alle leggi dell'oltretomba dantesco, come *bolgia* e *contrappasso* (da *contrapassum* di S. Tommaso: «ciò che è patito a riscontro della colpa»), ma parecchie altre: *lai* (v. p. 195), *loico, macro, grifagno, tetragono* (nel senso astratto di «incrollabilmente saldo» che si ricava dal *Par.*, XVII, v. 24), ecc.

Ma più che le influenze singole conta l'efficacia complessiva di Dante, che con la *Commedia*, a meno di un secolo dagli inizi dell'uso letterario dell'italiano, instaurò un così alto monumento di poesia, «mostrò ciò che potea la lingua nostra».

CAPITOLO VI
IL TRECENTO

1. Il Trecento

Il Trecento è uno dei periodi più importanti nella storia della lingua italiana: non perché in quel secolo la lingua e la letteratura abbiano toccato il culmine della perfezione, come ritennero, per motivi in parte diversi, il Bembo, il Salviati, il Cesari, il Giordani, ma perché in quel secolo vissero e operarono i tre scrittori che furono storicamente i principali modelli per l'unificazione linguistica nazionale.

Nel quadro della civiltà comunale, Firenze mostra, insieme con la crudezza e le iniquità delle sue lotte di parte, una sua vitalità prodigiosa. Vi opera Giotto; Arnolfo vi costruisce «il più bello ed orrevole tempio della Toscana». I mercanti fiorentini svolgono in tutta l'Europa occidentale una mole enorme di affari: si sa che Bonifacio VIII, trovando che erano fiorentini dodici fra gli ambasciatori inviati da diverse potenze per la sua incoronazione, li avrebbe chiamati «il quinto elemento del mondo».

Rigoglio ed orgoglio si sentono nelle parole del Villani, che nel 1300 decide d'imprendere a scrivere la *Cronica*, «considerando che la nostra città di Firenze, figliuola e fattura di Roma, era nel suo montare e aseguire grandi cose, siccome Roma nel suo calare» (VIII, cap. 26).

Il salire in considerazione della lingua nuova è principalmente frutto della civiltà comunale: il latino rischiava di essere monopolizzato da un ristretto gruppo di professionisti, e sarebbero rimasti esclusi dalla cultura i mercanti, cioè il nerbo più attivo della città, i nobili, ormai accolti nella cittadinanza, e le donne, che di solito non andavano a scuola. In questo terreno culturale sono cresciuti il pensiero e la poesia di Dante, e il prestigio se ne è subito riverberato sul volgare.

Dire che la civiltà comunale di Firenze è stata il terreno culturale adatto per il prosperare di alcuni grandi scrittori, non vuol dire che ciò basti a spiegare le altissime qualità di artisti grazie alle quali essi si sono imposti come modelli, né il fortunato concorso di circostanze per cui i tre più eccelsi sono sorti tutti da quel terreno.

Che aspetto avrebbe avuto ed avrebbe la lingua d'Italia se Dante non fosse nato, e invece, poniamo, Bonvicino della Riva avesse avuto il cuore e l'ingegno dell'Alighieri? Ma si sa che ipotesi di questo genere non si debbono fare.

Nell'esaminare gli eventi storici e culturali di questo periodo che abbiano più stretti rapporti con la lingua, giungeremo di solito fino alla morte del Boccaccio, cioè fino al 1375, perché l'ultimo quarto del secolo meglio si ricongiunge, per l'umanesimo ormai dominante, con le tendenze del Quattrocento.

2. *Eventi politici*

La civiltà comunale, che a Firenze si mantiene più a lungo e più saldamente che altrove (ma non senza la parentesi dittatoriale del duca d'Atene, e non senza che si avverta un certo predominio di famiglie con tendenze oligarchiche) si va invece trasformando nell'Italia settentrionale e mediana, con l'emergere di signori locali.

La tendenza, tuttavia, di alcune città maggiori a espandersi a un àmbito pressappoco regionale si manifesta sia in Toscana, dove Firenze riesce ad estendere il proprio dominio su Pistoia, Pisa ed Arezzo (ma non su Siena e non su Lucca), sia nelle altre parti dell'Italia settentrionale (tentativi dei Carraresi, degli Scaligeri, dei Visconti) e mediana. Ogni signoria politicamente importante è sede di una corte, e tende a promuovere la propria coinè.

L'importanza di Roma è sempre più compromessa dall'assenza del Pontefice, né certo la rialza l'effimera signoria di Cola. Nel regno di Napoli importa molto più la capitale (in stretti contatti col resto d'Italia, sia al tempo di re Roberto sia in quello del siniscalco Acciaiuoli) che il resto dello stato, dov'è scarsissima la vita comunale. La Sicilia, che durante tutta l'età sveva era stata protesa verso la penisola, dopo Caltabellotta (1302) forma il piccolo regno autonomo di Trinacria, chiuso in sé e solo preoccupato delle proprie fortune. In Sardegna, alla forte influenza pisana subentra la penetrazione catalana, sotto il dominio degli Aragonesi.

La peste nera, dopo la strage compiuta nel '48 in tutta la penisola, ancora negli anni successivi più volte riappare con minore virulenza: e incide fortemente non solo sulla compagine demografica, ma su tutta la vita del tempo.

3. *Vita civile e culturale*

Tra i molti aspetti della vita civile e culturale del Trecento, meritano ricordo quelli che hanno esercitato una certa influenza nel costituirsi di una lingua comune.

I mercanti compiono lunghi viaggi, hanno contatti con uomini di vari paesi, e spesso si stanziano in altre nazioni, servendo di tramite a vocaboli stranieri. Si diffonde in questo secolo la contabilità secondo il metodo veneziano. Si ricordi anche l'usanza dei mercanti di leggere in viaggio opere scritte in volgare, divertenti piuttosto che edificanti.

La navigazione mette in contatto uomini di diversi paesi: gli scritti nautici (p. es. il *Compasso da navigare*) o i codici di consuetudini marittime (come la *Tavola di Amalfi*) hanno sempre caratteri linguistici fortemente miscelati.

Passano spesso dall'una all'altra città i podestà, i giudici, i maestri: e il riso che talvolta suscitano le loro particolarità linguistiche li spinge a eliminarle.

Le milizie di ventura, dapprima spesso straniere (si ricordino le truppe borgognone del duca di Atene), sono più tardi assoldate in Italia, nelle regioni più povere.

E passano di città in città, da signore a signore, gli «uomini di corte» in tutte le loro varie gradazioni, dai poeti cortigiani ai giullari: talora sollecitati e signorilmente accolti, talora respinti per timore della loro petulanza professionale (si ricordino, p. es., le severe disposizioni del Costituto di Siena, volgarizzato nel 1309-10, contro i giullari alle feste di nozze).

Desideri di guadagno, aspirazioni di gloria, ansia di bellezza sono spinte eterne dell'animo umano: ma in pochi tempi e in pochi luoghi hanno raggiunto una così forte tensione come a Firenze e in Italia in questo periodo. Quello che in prima linea s'impone all'attenzione è l'umanesimo che, soprattutto ad opera del Petrarca e del suo banditore, il Boccaccio, s'irradia principalmente da Firenze su tutta l'Europa. Ma non dobbiamo dimenticare il nuovo stile che s'impone nelle arti figurative (Giotto, Arnolfo) e nella musica (l'*Ars nova* accolta e stabilizzata a Firenze).

S'aggiungono in questo secolo alle antiche università quelle di Perugia, di Firenze, di Siena: e importa ricordare che grazie soprattutto all'opera dei due insigni interpreti del diritto comune, Bartolo da Sassoferrato e il suo discepolo Baldo, maestro per molti anni a Perugia e poi in altre città, la nuova dottrina giuridica diventa comune patrimonio italiano, anzi europeo.

Sui rapporti culturali che si sono venuti intessendo fra regione e regione si sono raccolte numerose testimonianze: vogliamo almeno ricordare una fra le più importanti di queste correnti, quella che portò nel Veneto una larga conoscenza degli uomini, delle cose e specialmente delle lettere toscane: tanto più che ne siamo largamente informati grazie a una buona monografia[1].

4. *Latino e volgare*

Latino e volgare si presentano in un certo senso in rapporti di emulazione e quasi di antagonismo, in altro senso di strettissimo collegamento. La forte tendenza ad estendere l'uso del volgare per argomenti per cui prima si adoperava solo il latino senza dubbio

[1] A. Medin, «La coltura toscana nel Veneto durante il Medio Evo», in *Atti Ist. Ven.*, LXXXII, 1923, I, pp. 83-154.

avvantaggia la lingua nuova e in certo modo sminuisce l'altra. Ma dobbiamo pur ricordare che il volgare assurge ai fastigi con Dante preumanista e il Petrarca e il Boccaccio antesignani dell'umanesimo, per concludere che soltanto a uomini che avevano maturato una nuova concezione della cultura, nutrendosi con la lingua e il pensiero dei classici, è stato possibile dare al volgare una forma altamente artistica e un impulso nuovo[2].

L'importanza del volgare rispetto al latino[3] aumenta decisamente in questo secolo, sia negli usi pratici che in quelli letterari. In ciò l'Italia non rappresenta affatto un'eccezione in Europa: per citar solo un esempio, anche nell'uso della cancelleria imperiale, il tedesco (sporadicamente adoperato già prima) acquista molto terreno sotto Lodovico il Bavaro.

La corrispondenza di carattere pubblico continua in generale in latino: la tradizione è assai forte nelle cancellerie, e inoltre i notai che vi sono addetti spesso provengono da altre città[4]. Quando troviamo atti pubblici in volgare, come la pace tra Firenze e Pisa del 1328[5] o i patti fra il comune di Ancona e quello di Venezia stipulati nel 1345[6], probabilmente non si tratta dello strumento originale ma di traduzioni fatte per darne conoscenza al pubblico. Altre volte si tratta di minute precedenti la stesura ufficiale[7]. Ma gli ordini e le istruzioni date dai governanti ai propri ufficiali e rappresentanti sono spesso in volgare[8].

L'uso del volgare si estende largamente in questo secolo in tutta la legislazione statutaria. È sempre vivo l'uso di leggere in volgare le deliberazioni proposte all'approvazione e, dopo, di comunicarle al pubblico[9]. Ma ciò non basta: si sente anche il bisogno che le versioni siano messe per iscritto.

Nel 1302 a Bologna, i capi della compagnia dei muratori domanda-

---

[2] Il «padre dell'umanesimo», il Petrarca, condusse il «padre della prosa italiana», il Boccaccio, «a maturare particolarmente sulla prosa di Livio la sintassi e lo stile che egli impose all'ancora novella prosa italiana» (Billanovich, *Giorn. stor.*, CXXX, 1953, p. 330).

[3] Non è qui il luogo per dire che cosa fosse, prima del trionfo dell'umanesimo, il latino comunemente usato nei documenti e nelle scuole: spesso la struttura del periodo e il lessico risentono fortemente del volgare. Possono dare un'idea di questa latinità alcuni testi come il commento latino ai *Documenti d'amore* di Francesco da Barberino, il trattato di Antonio da Tempo, il commento di Benvenuto da Imola, oppure i commentari di Bartolo o di Baldo.

[4] Sulla persistenza del latino nella Cancelleria fiorentina, e sui limiti in cui si fa eccezione a questa regola, v. D. Marzi, *La Cancelleria della Repubblica Fiorentina*, Rocca S. Casciano 1911, pp. 416-421.

[5] Tronci, *Annali Pisani*, III, p. 138.

[6] Migliorini-Folena, *Testi Trecento*, n. 26.

[7] È questo il caso del testo dei patti proposti dal comune di Montefiore a quello di Fermo (1388): Migliorini-Folena, *Testi Trecento*, n. 58.

[8] Marzi, *Cancelleria*, cit., pp. 422-423.

[9] Marzi, *Cancelleria*, cit., p. 417; G. Fatini, *Lett. maremmana delle origini*, cit., p. 89.

no al capitano, agli anziani e ai consoli della città che una riformazione contro le «novità» politiche sia fatta e «scripta e reformà volgare», «açò che sia publico et certo a ciaschuno de intendere»[10].

Lo statuto dell'Arte della Seta (o di Por Santa Maria) a Firenze (1335) è in latino, ma la sua ultima rubrica dispone che esso sia tradotto in volgare, e che tutti i sindaci leggano il testo volgare[11].

Numerosi statuti, sia comunali, sia di singole corporazioni, sono volgarizzati appunto in questo secolo. A Siena si fa nel 1309-10 la traduzione del Costituto (ed. Lisini, Siena 1903), a Perugia si traducono gli statuti cittadini nel 1342 (ed. Degli Azzi, Roma 1913-16), ad Ascoli nel 1377 (ed. Zdekauer-Sella, Roma 1910), ecc.

A Firenze lo statuto dell'Arte dei medici, speziali e merciai, steso in latino nel 1314, è volgarizzato nel 1349, ecc.[12]. Nel 1355 si decide di tradurre gli Statuti comunali e nel 1356 è dato ufficialmente l'incarico a ser Andrea Lancia di volgarizzare entro un anno tutti gli Statuti e ordinamenti, facendoli poi legare in un volume e mettendoli a disposizione del pubblico[13].

Si richiede, naturalmente, ai traduttori di essere precisi: lo statuto dell'arte della mercanzia di Siena (1338) prescrive che il testo latino e quello volgare «abbiano una medesima sententia, entendimento et concordia» (ed. Senigaglia, p. 155). Ma non è escluso che il traduttore possa fare qualche correzione formale «con belle e sostanziali parole mercantili»[14].

Bandi pubblici, elenchi di merci soggette a gabella s'intende che siano in volgare. Bartolo, forzando l'interpretazione dei testi giustinianei, allarga i limiti in cui il volgare può essere ammesso nei processi e negli atti[15].

Sono spesso in volgare anche i testamenti e le petizioni alle autorità, a cui devono aver prestato la penna legali «che s'aggirassero per le curie in servizio del pubblico»[16]. Lettere e istruzioni della Cancelleria di Firenze sono assai spesso in volgare[17].

Invece, tra un paio di migliaia di referti medico-legali databili fra il 1245 e il 1400 che si conoscono a Bologna, uno solo, del 1350 circa, è in volgare[18].

Ottemperano principalmente a necessità pratiche i numerosi volgarizzamenti e le poche compilazioni in volgare di opere di medicina, di

[10] Migliorini-Folena, *Testi Trecento*, n. 1.

[11] Dorini, *Statuti dell'Arte di Por Santa Maria*, Firenze 1934, pp. 159-160.

[12] V. gli elenchi di questi volgarizzamenti in Doren, *Die Florentiner Wollentuchindustrie*, Stoccarda 1901, II, pp. 770-786.

[13] Marzi, *Cancelleria*, cit., pp. 418-420, 571-572.

[14] Doren, *Le arti fiorentine*, Firenze 1940, II, p. 336.

[15] Fiorelli, *Le français mod.*, XVIII, 1950, pp. 280-281.

[16] Marzi, *Cancelleria*, cit., p. 418.

[17] Vedi il testo di 127 di esse, dal 1311 al 1350, in Marzi, *Cancelleria*, cit., Appendice III.

[18] Münster-Folena, in *Lingua nostra*, XV, 1954, pp. 8-12.

chirurgia, di agricoltura che troviamo in questo secolo: ricordiamo p. es. le versioni da Serapione, Pietro Spano, Guglielmo da Piacenza, Pier Crescenzi.

Nell'uso letterario, il volgare acquista nuovi campi sul latino. Il *Convivio* è conscia affermazione della maturità del volgare per difficili trattazioni filosofiche. E quel che Dante aveva detto nel *De vulgari eloquentia* sulla mancanza di cantori delle armi sprona il Boccaccio a comporre la *Teseida*:

> Ma tu, o libro, primo a lor [= *le Muse*] cantare
> di Marte fai gli affanni sostenuti,
> nel volgar lazio più mai non veduti.
>
> (l. XII, st. 84).

Sia il Petrarca che il Boccaccio sono dottrinalmente persuasi della maggior «dignità» del latino, pur facendo al volgare la parte che sappiamo[19].

Il fatto che il Petrarca postilli in latino gli autografi delle Rime (*hic non placet*; *dic aliter*; *hoc placet quia sonantior*, ecc.), o che dia titoli latini ai *Trionfi* mostra che la sua lingua scritta usuale era il latino, mentre il volgare era una lingua di cui in particolari condizioni ci si poteva servire per esperimenti di poesia. Ma è fatto tutt'altro che isolato: si pensi al commento latino di cui Francesco da Barberino munisce i suoi *Documenti d'amore*; anche Graziolo dei Bambagliuoli scrive in versi il suo *Trattato sopra le virtù morali* e l'accompagna con un commento latino; troviamo sacre rappresentazioni con didascalie latine[20], e i titoli del *Saporetto* del Prodenzani (*Mundus placidus*, ecc.) sono in latino. E le intestazioni, le date, e talora anche le firme di lettere in volgare sono latine.

Continuano i volgarizzamenti di opere latine, come il Boezio di Alberto della Piagentina, le *Metamorfosi* del Simintendi, l'*Eneide* dell'Ugurgieri, e, più importante, la versione della Terza e della Quarta Deca di Livio, compiuta dal Boccaccio su un testo allestito dal Petrarca[21]. Attraverso l'esperienza tecnica dei traduttori «si viene elaborando una speciale prosa che contrae molta lega di lingua latina (soprattutto riguardo al lessico), è schifiltosamente aliena dal volgare comune e mostra segni ben marcati di eleganza: prosa modellata sul latino e destinata, perché trova un ambiente propizio, a conseguire ed

[19] Ma la tanto discussa espressione *nugellae vulgares* adoperata dal Petrarca per le sue liriche non è spregiativa, ma una reminiscenza oraziana: egli chiama *nugae* anche le lettere latine «che non hanno dignità e aspetto di libri» (V. Rossi, in *Dante e l'Italia*, Roma 1921, p. 317 n.).

[20] De Bartholomaeis, *Laude drammatiche e rappresentazioni sacre*, I e II. passim.

[21] V. la citata raccolta di *Volgarizzamenti del Due e Trecento* a cura di C. Segre.

estendere un saldo dominio anche per certo suo ufficio correttivo ed educativo»[22].

Non è raro il caso di autori che scrivono una stessa opera in tutte e due le lingue: Bartolomeo da San Concordio scrive *De documentis antiquorum* e poi traduce l'opera col titolo di *Ammaestramenti degli antichi*; ser Cristoforo Guidini traduce in latino il *Libro della divina dottrina* di S. Caterina, perché «el dicto libro era ed è per volgare e chi sa la grammatica o la scienza non legge tanto volentieri le cose che sono per volgare, quanto fa quelle per lettera».

Tutto l'insegnamento si fa di regola in latino. Tuttavia i maestri spesso si servono del volgare come tramite, come sappiamo anche da Dante («con esso io entrai ne lo latino e con esso mi fu mostrato»: *Convivio*, I, XIII, 5).

Ma v'è un insegnamento elementare pratico: per esempio, a Firenze nel 1313, un maestro s'impegna a insegnare a un ragazzo «ita et taliter quod... sciat... legere et scribere omnes licteras et rationes et quod... sit sufficiens ad standum in apotecis artificis»[23].

Si riferisce alle condizioni senesi della seconda metà del Trecento l'*Istoria del re Giannino*: «in pochi mesi sparò il parlare franciescho et imparò a parlare latino, cioè toscano, e stette alla scuola per tempo di due anni, et imparò a legiere et a scrivare merchatantescho senza gramaticha, et poi imparò l'albacho, cioè a ragionare» (p. 23 Maccari).

Quanti fossero quelli che studiavano, ce lo dice per Firenze il Villani, nelle sue pagine statistiche per il 1338: «i garzoni che stavano ad apprendere l'abbaco e algorismo in sei scuole, da mille in mille e duecento» (*Cron.*, XI, cap. 113), su una popolazione di circa ottantamila anime.

Qualche volta studiavano anche le donne: Bernabò Lomellini loda la moglie Zinevra di saper meglio «leggere e scrivere e fare una ragione che se un mercante fosse» (Bocc., *Dec.*, II, 9, 10). La Margherita Bandini, moglie dal 1376 di Francesco Datini, nel 1396 stava imparando a leggere e scrivere sotto la guida di ser Lapo Mazzei (Mazzei, *Lettere*, I, p. 154 e 159 Guasti). I più conservatori non apprezzavano molto che le donne studiassero: «s'el' è fanciulla femina, polla a cuscire, e none a legiere, ché non istà troppo bene a una femina sapere legiere, se già non la volessi fare monaca» (Paolo da Certaldo, n. 155).

5. *Conoscenza di altre lingue*

Notevole è la conoscenza della lingua e della letteratura francese, specialmente nella prima metà del secolo. Le frequenti relazioni con i numerosi mercanti e cambiatori stabiliti in Francia, i contatti con la corte avignonese, l'influenza della moda e dei costumi francesi alla

[22] Schiaffini, *Tradizione*, pp. 191-192.
[23] Contratto citato da Debenedetti, in *Studi mediev.*, II, 1907, p. 346.

corte di Roberto d'Angiò e ancora ai tempi di Giovanna I sono i fattori più importanti[24].

L'uso letterario del francese da parte di Italiani è vivo nell'Italia settentrionale (Rustichello che scrive la narrazione di Marco Polo, e ancora nel 1379 Raffaele Marmora inizia l'*Aquilon de Bavière*); e influenze di opere francesi si avvertono non di rado (p. es. nel Vannozzo e nel Prodenzani).

Il canto ottavo del IV libro della *Leandreide* è messo dall'autore in bocca al trovatore Arnaut de Marueilh e scritto in provenzale.

Quelli che tornavano di Francia arricchiti e affettavano le loro conoscenze della lingua erano satireggiati dall'Angiolieri in persona di Neri Piccolino (son. «Quando Ner Piccolin tornò di Francia»), il quale imprecava «Mala *mescianza* - possa venire a tutti i miei vicini». E contro Taccone, giostratore e vantatore, il Sacchetti scriveva i versi volutamente francesizzanti «la roccia *imbroccia*, e 'ncontro a Bacchilone - scontra *le roi* e *Ciarlon imperiere*» (p. 224 Chiari).

Verso la fine del secolo, Benvenuto da Imola, echeggiando in tono minore le rampogne dantesche del *Convivio*, protestava contro i gallicheggianti del suo tempo: «Unde multum miror et indignor animo, quando video italicos et praecipue nobiles, qui conantur imitari vestigia eorum et discunt linguam gallicam, asserentes quod nulla est pulchrior lingua gallica; quod nescio videre; nam lingua gallica est bastarda linguae latinae, sicut experientia docet» (*Comentum*, II, p. 409).

Il Petrarca, inviato nel 1361 dal Visconti al re di Francia, si scusava di parlar latino anziché francese: «linguam gallicam nec scio nec facile possum scire».

Non molto noto era il tedesco. Il catalano seguiva l'influenza aragonese in Sicilia e in Sardegna. Federico III d'Aragona, che in Sicilia favoriva il volgare siciliano, scriveva delle poesie politiche in un provenzale di colorito catalano. In Sardegna già nel 1337 si pubblicavano in catalano i decreti del governatore (*veguer*) diretti ai funzionari[25]. Nel 1372 la popolazione sarda fu espulsa da Alghero e sostituita da una colonia catalana.

La Calabria e Messina erano centri notevoli di cultura greca. Nella penisola, il preumanesimo e poi l'umanesimo portano con sé lo stimolo a una piena conoscenza del greco: è nota la parte che vi ebbero il re Roberto (con i traduttori da lui favoriti), il Petrarca, il Boccaccio. Il primo insegnamento del greco a Firenze, quello di Leonzio Pilato (verso il 1360), ebbe carattere orale; solo alla fine del secolo (1397) sarà stabilita una cattedra per il Crisolora.

---

[24] Oltre al noto articolo di P. Meyer (*Atti Congr. sc. stor.*, IV, Roma 1904), v. E. Levi, *Franc. di Vannozzo*, Firenze 1908, pp. 281-311, Altamura, *Convivium*, 1949, pp. 289-290.

[25] M. L. Wagner, *La lingua sarda*, Berna 1951, p. 13.

6. Il volgare in Toscana

In Toscana, l'uso del volgare ai fini pratici è già dal secolo precedente più ampio che altrove. Ma quel che più ci preme è il vedere come esso assurga ai più alti fastigi nell'uso letterario. La *Vita nuova* può essere considerata come l'inizio di quel periodo in cui Firenze viene a occupare una posizione di indiscusso primato nella letteratura. Su un terreno molto fertile, per un'innata tendenza e una ormai lunga educazione al bello scrivere e a una dizione gradevole[26], allignano i tre grandi scrittori, e raggiungono un'eccellenza stilistica quale non s'era più vista dall'antichità in poi. La vena andrà poi a inaridirsi negli ultimi decenni del secolo, per il predominare dell'umanesimo latineggiante.

Insieme con la *Commedia*, va ricordata la lirica, ché a questa e a quella anzitutto mirerà l'imitazione stilistica e linguistica: ed è cosa risaputa che nell'unificazione linguistica italiana la poesia precede la prosa.

La lirica stilnovistica, con la sua aristocratica concezione della vita e della poesia, scade molto presto a una meccanica ripetizione di luoghi comuni. Ma il Petrarca, pur ricollegandosi strettamente ad essa, crea nuovi temi e nuove forme.

Scarso sforzo d'arte troviamo nei cantari storici e cavallereschi, ma una nobilitazione degli schemi di essi si ha nelle opere poetiche del Boccaccio. La poesia realistica continua la corrente già iniziata nel Duecento, e va cogliendo nell'uso popolare un idioma variopinto ed energico, talora stilizzandolo per diletto[27].

Voci di poeti minori si levano da tutta quanta la Toscana: da Lucca (Pietro Faitinelli), da Siena (Folgore da S. Gimignano, Bindo Bonichi, Simone Serdini, fiero nemico di Firenze e grande ammiratore di Dante, e parecchi altri), da Arezzo (Cenne della Chitarra, Giovanni de' Boni).

Nella prosa, i testi dottrinali (p. es. Dante, *Convivio*; Sacchetti, *Esposizioni*) mostrano una forte influenza erudita nelle divisioni e nelle articolazioni di tipo scolastico, le quali non sono ignote ai mistici (santa Caterina, san Giovanni delle Celle).

Gli storici e i narratori di viaggi in parte si ricollegano alla tradizione cronistica, in parte ai novellatori borghesi (si ricordi anzitutto il Sacchetti, ma anche, nelle parti narrative, il Passavanti, i quali continuano il filone del *Novellino*).

---

[26] Si ricordino le raccomandazioni di Paolo da Certaldo a chi è mandato come ambasciatore: «che tu parli e dichi le tue parole con nuovi vocaboli e intendevoli però che molto se ne diletta la gente» (*Libro*, n. 275).

[27] Specialmente le frottole, che riproducono «verba rusticorum et aliarum personarum, nullam perfectam sententiam continentia» (Antonio da Tempo, p. 153 Grion), mostrano in Toscana una curiosità per voci popolaresche e in qualche modo bizzarre (come la frottola del Sacchetti su «La lingua nova - che altrove non si trova»), mentre altrove le frottole s'infarciscono di parole dialettali. V. il cit. vol. di M. Marti, *Cultura e stile nei poeti giocosi del tempo di Dante*, Pisa 1953.

Le esperienze tecniche compiute negli ultimi decenni del Duecento e nei primi del Trecento nell'arte del periodo, grazie all'opera dei volgarizzatori più che alle teorie dei trattatisti, hanno ormai creato uno strumento duttile e pronto per quell'artista che sappia valersene. Si ha un'idea delle sempre crescenti esigenze artistiche da quel passo in cui Filippo Villani dice che suo padre Matteo «usò lo stile che a lui fu possibile, apparecchiando materia a più dilicati ingegni d'usare più felice e più alto stile» (Proemio).

7. *Petrarca*

Ciò che conta del Petrarca in una storia della lingua italiana è solo la sua lirica; di prosa italiana non abbiamo nulla (non contano le poche righe di una lettera a Leonardo Beccanugi); lontana e indiretta è l'importanza delle sue opere latine[28].

L'esercizio stilistico del Petrarca muove dagli stilnovisti, special- mente da Cino; di Dante contano soprattutto le rime petrose; la *Commedia* influisce specialmente sui *Trionfi*, e più per la prepotente grandezza di Dante che per il consenso del riluttante e non congeniale Petrarca.

Contano i trovatori; ma molto più le costanti letture di classici, con un canone diverso e molto più ampio di quello medievale, che testimonia uno spirito nuovo e più maturo. Attraverso una lunga e paziente elaborazione il poeta raggiunge una squisita e decorosa eleganza, una musica verbale temperata e canora.

Egli definiva il lavoro che stava facendo nello scrivere il *De remediis* «doppio - tra lo stil de' moderni e 'l sermon prisco» (son. 40), lo sforzo di contemperare lo stile degli scolastici e quello ciceroniano. Anche più difficile è il lavoro per la lirica italiana: base è la sua toscanità già composita, a cui si sovrappongono ricordi della tradizione poetica anteriore, dai Siciliani agli Stilnovisti, e dell'autorità latina. Così egli si ritiene libero di usare *propio*, anche in rima, e *proprio*, *tesoro* e *tesauro*, *-me* e *-mi*, *-se* e *-si* enclitici; *proverai* ma *lassarà* (28, 36); libero soprattutto egli si ritiene nell'usare il monottongo o il dittongo dove il fiorentino

---

[28] Per la lingua del Petrarca è prezioso il confronto fra gli abbozzi conservati nel cod. Vat. Lat. 3196 (facsimile, Roma 1941; ed. diplomatica Appel, Halle 1891; M. Pelaez, in *Bull. Arch. Paleogr. Ital.*, II, 1910, pp. 163-216; A. Romanò, *Il codice degli abbozzi (Vat. Lat. 3196) di F. Petrarca*, Roma 1955) e la redazione definitiva e in parte autografa del Cod. Vat. Lat. 3195 (facsimile, Milano 1905; ed. diplomatica Modigliani, Roma 1904).
Si veda: F. Giannuzzi Savelli, «Arcaismi nelle Rime del Petrarca», in *St. fil. rom.*, VIII, 1899, pp. 89-124; F. Ewald, *Die Schreibweise in der autographischen Handschrift des Canzoniere Petrarcas*, Halle 1907; A. Schiaffini, in *It. dial.*, V, pp. 140-143; Id., in *Cult. neol.*, III, pp. 149-156; Id., in *Momenti di storia della lingua it.*, 2. ed., cap. III; G. Contini, *Saggio di un commento alle correzioni del Petrarca volgare*, Firenze 1943; Id., pref. all'edizione Tallone, Parigi 1949; Id., «La lingua del Petrarca», nel volume sul *Trecento* della Libera Cattedra, Firenze 1953, pp. 93-120.

parlato aveva *ie* e *uo*. In rima si trova più spesso il monottongo; ma che egli si lasci guidare soltanto dall'orecchio si vede da casi come questi: abbiamo «Nè per bei boschi allegre *fere* e snelle» (312, 4) ma «Nè *fiere* han questi boschi sì selvagge» (288, 13): 19 volte *fera* (o *fere*), di contro a 5 *fiera* (o *fiere*) secondo la concordanza del McKenzie; abbiamo persino nello stesso verso «Ché *bono* a *buono* à natural desio» (*Tr. Fama*, I, v. 126)[29].

I mutamenti di *pie'* in *pe'*, di *dover* in *dever*, di *begli occhi* in *belli occhi* mostrano lo sforzo di discostarsi dall'uso parlato per nobilitare la dizione arcaizzando lievemente. Le forme latineggianti del tipo di *fenestra*, *curto*, *conduto* (prima aveva scritto *condotto*), *consecrare* sono su questa linea, e talora vanno al di là del lecito: se è ammissibile un *impio* nell'interno del verso, non si può dire altrettanto di un *impie* (83, 8) in rima con *tempie*, *empie*, *scempie* (si può solo notare che è di mano del copista, non del P.).

Nella morfologia, il Petrarca accetta i due tipi di condizionale in *-ia* ed *-ei*, mentre del terzo tipo (dal piucchepperfetto) ha il solo *fora*. Rarissimi i participi senza suffisso (*avria stanco*, 218, 4).

Nel lessico, quello che più colpisce è la voluta limitatezza: esso è «chiuso in un giro di inevitabili oggetti eterni, sottratti alla mutabilità della storia» (Contini, «La lingua...», cit., p. 11). Non appaiono quasi mai vocaboli caratteristici, rari, fortemente espressivi: quei rarissimi che si possono citare appaiono in poesie di corrispondenza, dove il Petrarca non può schivare le rime difficili (*Etiopia*, *inopia*, *sfavillo*, *stillo*, nella risposta a Stramazzo da Perugia, 24), oppure in serie binomie o polinomie (*lappole e stecchi*, 166, 8), in antitesi («Oh poco mel, molto *aloè* con fele», 360, 24), in imprecazioni[30].

Oltre alla patina latineggiante che domina l'ortografia e la scelta delle varianti, sono in numero notevole (anzi crescente dalle *Rime* ai *Trionfi*) i latinismi, sia lessicali (p. es. *ivernale*, *sorore*), sia sintattici (p. es. *credere* nel significato di «fidarsi» o «obbedire»; l'accusativo alla greca; l'ordine delle parole).

I provenzalismi non vanno al di là di quelli che la tradizione poetica già aveva consacrati (del tipo di *augello*, *despitto*, *dolzore*, *frale*, *savere*, *soglio* con il significato di «solevo», ecc.); anzi il poeta evita quelle parole in *-anza* di cui era stato fatto tanto abuso.

Potrebbe far meraviglia il trovare nel Petrarca un francesismo non adoperato prima di lui, *retentire* (*In su'l dì fanno retentir le valli*, 219, 2), se il valore onomatopeico della parola non la giustificasse[31].

Sono pochissime le parole presumibilmente coniate dal Petrarca stesso: *disacerbare*, *inalbare*.

---

[29] Una lunga serie di doppioni si può vedere nell'Ewald, o in M. Vitale, *Poeti della prima scuola*, cit., pp. 95-96.

[30] Contini, «La lingua...», cit., pp. 18-20.

[31] Quanto a *dilivrare* nel senso di «liberare» («Ben venne a *dilivrarmi* un grande amico», 81, 5), esso era comune in prosa sotto la forma *diliverare*.

Invece è ricca la serie delle espressioni figurate, che solo in parte il Petrarca attingeva dai suoi modelli: *foco, fiamme, sole, tesoro, fenice* per «persona amata», *liquido cristallo* per «acqua», *rai* per «occhi», *amorosi vermi, amorose vespe* per «passione amorosa» ecc.: se alcune ci sembrano banali, ciò è dovuto all'abuso che i petrarchisti ne hanno fatto nei secoli seguenti.

Contribuiscono a volta a volta all'armonia e all'eleganza dell'espressione le antitesi, i parallelismi, le accumulazioni polisindetiche o asindetiche (*Fior, frondi, erbe, ombre, antri, onde, aure soavi*, 303, 5; *Non Tesin, Po, Varo, Arno, Adige e Tebro*, ecc. 148), gli adìnati e tutti gli altri stilemi con cui più tardi gli imitatori credettero di fare poesia.

8. Boccaccio

Anche fra gli scritti del Boccaccio la posterità operò una potatura severa. Poco contarono nella codificazione cinquecentesca della lingua le opere giovanili (*Filocolo, Filostrato, Ameto, Teseida, Fiammetta, Ninfale*), moltissimo il *Decamerone*.

Quanto alle grandi compilazioni filologiche in latino, esse ebbero una loro fortuna erudita nell'età umanistica, del tutto scissa dalla fortuna del *Centonovelle*.

Nelle opere minori in volgare troviamo già i segni assai chiari della sua personalità. «Lo spirito del Boccaccio fu venato di alessandrinismo fin dalla nascita, e l'amore del peregrino, del lussuoso, del complicato, del sovrabbondante si mescolava in lui in indissolubile unione col più puro e schietto realismo, minacciando sempre di trionfare. Sulla sua nuova anima borghese-mercantile di fiorentino un'altra misteriosamente se ne accendeva, di un Ovidio-Apuleio»[32].

Si compenetrano variamente nelle esperienze giovanili tentate per numerose vie, prosa e versi (terzine, ottave, ballate, sonetti), i due filoni dell'arte del Boccaccio: lo schietto realismo, che si manifesta nella narrazione rapida e qualche volta anche trascurata, e l'amore di ornamenti fastosi, quali potevano piacere al giovane che viveva in margine della brillante e voluttuosa corte angioina.

Predominano nel *Filocolo* i colori attinti ad Ovidio, ad Apuleio, alla prosa studiosamente adorna di vezzi retorici dei volgarizzatori di classici, cosicché il romanzo manifesta una esuberante «oltranza stilistica»[33].

Ma dopo i nuovi esperimenti seguiti al ritorno in Firenze, viene la stagione del capolavoro. Lo scrittore ha esteso il proprio uditorio ideale

[32] Parodi, «La cultura e lo stile del Boccaccio», in *Poeti antichi e moderni*, Firenze 1923, p. 161.
[33] Schiaffini, *Tradizione* (i due ultimi capitoli). Sull'importanza del volgarizzamento di Livio nel tirocinio letterario del Boccaccio, v. Billanovich, *Giorn. stor.*, CXXX, 1953, pp. 311-337.

ai borghesi, ai mercanti, al popolo grasso[34], e la sua tecnica, fattasi meno vistosa, s'adegua molto meglio ai toni assai vari della narrazione. Le figure e gli aspetti dell'umana commedia, la celebrazione della vita e l'esaltazione dell'ingegno umano, i grandi affreschi di quel mondo medievale che dopo gli anni della grande peste volgeva verso l'autunno, ma che le generazioni appena trascorse avevano conosciuto aperto verso l'Europa e verso il Levante, florido, rude eppure gentile, trovano nella parola ora semplice ora adorna del Boccaccio l'espressione più congrua.

L'oltranza si è placata in misura: i latinismi sono diminuiti; le costruzioni inverse riportate a un più armonico equilibrio con quelle dirette; i periodi dall'ampio respiro non affollano tutta l'opera; abbondano sì nei Proemi, appaiono qualche volta nella narrazione, ma dove il Boccaccio fa parlare i suoi personaggi appaiono solo quando una tensione ideale li giustifica: si confronti il tono vivace e popolaresco delle parole di Cisti fornaio (VI, 2), del prete di Varlungo alla Belcolore (VIII, 2) o di Maso a Calandrino (VIII, 3) con i ragionamenti di Ricciardo a Catella (III, 6), con i virili discorsi di Ghismonda (IV, 1) e con le elevate orazioni del Zima (III, 5).

Il Boccaccio s'adegua, in complesso, nel *Decamerone* alla norma grammaticale del fiorentino del suo tempo[35], conforme al suo proposito di scrivere «in fiorentin volgare» (Intr. IV giorn.), ma la scelta è dominata dall'aspirazione a un canone di nobile regolarità. Costrutti del tipo *mógliema* si trovano solo in bocca ai personaggi, non quando parla l'autore: indizio che ormai erano ristretti all'uso plebeo.

Il lessico è ricco, ma non più della fastosa ricchezza delle opere giovanili[36]. Talora, per motivi di tono e di color locale, lo scrittore si serve di parole inconsuete: p. es. nella novella del Conte d'Anversa (II, 8) si hanno molti francesismi nei discorsi dei personaggi (si pensi alle parole della moglie del maniscalco Lamiens a Giannetta: *donare* «dare», *giuliva, biltà* ecc.)[37]; Tancredi (IV, 1) è chiamato *principe* o *prenze*; i Veneziani sono chiamati due volte (IV, 2; VI, 4) *bèrgoli*, cioé «leggieri, chiacchieroni» (voce di scherno usata allora nel Veneto); Anichino va nel giardino a percuotere Egano «con un pezzo di *saligastro*» – e siamo a Bologna (VII, 7); *Jancofiore* (VIII, 10) non solo si rivolge a Salabaetto con parole di colorito dialettale, ma di lei il

---

[34] Sono gli ambienti in cui appunto il *Decamerone* si divulgherà (Branca, Pref. alla sua edizione del *Decameron*, p. XLVIII; Id., *Boccaccio medievale*, Firenze 1956, passim).

[35] Per singoli fenomeni, il Castellani fa qualche riserva: vedi p. es. *Nuovi testi*, p. 120.

[36] Non vi si troverebbero senza specialissimo motivo i francesismi o gli arcaismi che il Boccaccio si permette in poesia: il *rivaggio* del *Ninfale*, il *vengiare* dell'*Ameto*, il *plusori* della *Teseida*; *temenza, parvenza, gravenza, spiacenza, sicuranza, sembianza, membranza* si leggono nella ballata di *Dec.*, X, 7.

[37] *Biltà* «bellezza» è anche nella ballata inserita nella Conclusione della II giornata: «che di biltà, d'ardir, nè di valore».

Boccaccio narra che adopera «sapone *moscoleato*»; e così via. *Lucertola verminara* (II, 10, 6) «geco» è un termine che il Boccaccio dové apprendere a Napoli; ed è probabile che il meridionalismo *menne* «mammelle» («le fredde *menne*», «le ritonde *menne*», *Filocolo*, p. 361, 411 Battaglia) sia dovuto piuttosto a ragioni biografiche (soggiorno a Napoli) che stilistiche (ricordo di poeti della scuola siciliana) (cfr. p. 197 n.); si ricordi anche il *ciancioso* dell'*Ameto*.

Più ancora che nelle scelte lessicali, il gusto boccaccesco appare nella sintassi, p. es. nell'uso dei participi e dei gerundi[38] o nella collocazione del verbo: il verbo alla fine della proposizione (che nel Cinquecento diventerà uno degli ingredienti dell'imitazione boccaccesca) alle volte è semplicemente un relitto di usi retorici, alle volte è usato dal Boccaccio, consciamente o inconsciamente, per ottenere un effetto sintetico: passare rapidamente sul resto per giungere all'atteso verbo finale.

9. Culto delle tre corone

Il diffondersi del poema sacro suscita un'ammirazione sconfinata, che subito dà origine a imitazioni. I miseri poemi che ne nascono meritano appena menzione nelle storie letterarie; ma nella metrica prende stabile piede la terza rima; e nella lingua l'influenza dantesca è sensibilissima: sia perché l'ammirazione del capolavoro porta all'accettazione della lingua in cui è scritto (si pensi al verseggiatore veneziano Giovanni Quirini, in cui una leggiera patina dialettale appena copre l'accettata toscanità), sia perché le reminiscenze di locuzioni e di parole dantesche pullulano, nei maggiori e nei minori, in poesia ed in prosa. Il poema si diffonde in copie numerosissime; i commenti si moltiplicano; se ne fanno pubbliche letture in Toscana e fuori (a Siena lo legge un maestro di Spoleto forse già prima del 1360; a Firenze il Boccaccio; a Bologna, a Ferrara, a Verona, a Milano altri maestri). Nel 1379, a Perugia, l'opera dantesca è presa addirittura con valore antonomastico: «livero de Dante o simiglie» è un articolo della Gabella di quell'anno[39].

Nel riluttante Petrarca ritroviamo «il bel paese» (146, 13); «O Padre nostro che nei cieli stai» (*Purg.*, XI, v. 1) è echeggiato da «Signor che'n cielo stassi» (*Trionfo della Morte*, I, v. 70); «l'ombra tutta in sé romita». dell'episodio di Sordello riappare nel verso «con tutte sue virtuti in sé romito» (*Tr. della Morte*, I, v. 152), ecc. Ma nelle opere del Boccaccio,

---

[38] V. per es., sui gerundi «indipendenti», molto largamente usati dal Boccaccio, G. Herczeg, *Lingua nostra*, X, 1949, pp. 36-41.
[39] Migliorini-Folena, *Testi Trecento*, n. 49. Del resto in un inventario siciliano del 1367 si trova «librum unum dictumn *lu Dante*, quod dicitur de Inferno», e «la figura retorica sta a indicare un'opera universalmente conosciuta» (G. Santangelo, *Lineamenti di storia della letteratura in Sicilia*, Palermo 1952, p. 25).

apostolo del culto di Dante, troviamo reminiscenze frequentissime, avvertite dai commentatori a ogni piè sospinto; già nel'500 i Deputati alla correzione del Decamerone avevano osservato (Annotazione XXXI) molte locuzioni del *Centonovelle* attinte alla *Commedia*. E non solo la *Commedia* influisce: la *Vita nuova* ha fortemente improntato di sé lo stile del Boccaccio.

Le «*donne della torma* che guidano l'altre» si leggono nello *Specchio* del Passavanti (p. 319, Polidori); le «dolenti note» e la «selva oscura» si trovano nel Pucci (*Merc. Vecchio*, v. 205; *Brito di Bretagna*, v. 49); e così via[40].

Il modo in cui Dante adopera due volte la parola *lai* (*Inf.*, V, *Purg.* IX) le dà un nuovo valore (non più «poesia per musica», ma «lamentazione»), e commentatori e poeti l'adoperano in questo senso (già Antonio da Ferrara, nel *Credo* pseudodantesco, ha «con pianti e strida ed infiniti *lai*»)[41].

Non appena si divulgano la conoscenza del Petrarca lirico e quella del *Decamerone*, la fama associa i tre scrittori nell'ammirazione. Sono diversi quanto mai: eppure sono accomunati dalla strenua passione per la forma. Finalmente il pubblico ha a sua disposizione tre grandi scrittori, i quali possono servire a quello stesso scopo a cui il nascente umanesimo fa servire i maggiori latini: essi diventano autori che possono essere non solo gustati, ma anche considerati come modello stilistico e grammaticale.

Nel culto per il Petrarca e per il Boccaccio, come già in quello di Dante, i letterari veneti sono all'avanguardia: è significativo che l'umanesimo volgare prenda le mosse da quella stessa regione in cui già il Lovati, il Ferreti, il Mussato avevano dato un primo, sia pur modesto, avvio all'umanesimo.

Il Petrarca aveva passato gli ultimi anni della sua vita a Padova, a Venezia, ad Arquà, e con lui Giovanni Dondi e Francesco di Vannozzo avevano scambiato rime di corrispondenza. Il sonetto XXVIII di Francesco, che parla venetamente di *fasse* («fasce») e di *zoioso destino*, si chiude con questi versi:

> e la vermiglia gonna
> partia col bianco (in *megio* era oro fino)
> la palma letto e 'l bel *braccio* colonna.

L'imitazione petrarchesca porta il verseggiatore a dire *braccio* e non *brazzo*, e a ipertoscanizzare *mezzo* in *megio*.

[40] Locuzioni dantesche, specie dell'*Inferno*, appaiono nei cantari popolareschi (V. Branca, *Il cantare trecentesco e il Boccaccio*, Firenze 1936, p. 22; G. Mariani, *Il Morgante e i cantari trecenteschi*, Firenze 1953, pp. 51-55) e abbondano nei volgarizzatori (Andrea Lancia, ecc.).

[41] F. Neri, «La voce *lai* nei testi italiani», in *Atti Acc. Sc. Torino*, LXXII, 1936-37, pp. 105-119.

L'influenza del Boccaccio è riconoscibile nella cronaca dei padovani Gatari, la quale già verso il 1372 palesa la conoscenza del *Decamerone* e del *Corbaccio*.

10. Preminenza di Firenze in Toscana e della Toscana in Italia

L'aver avuto scrittori eccellenti conferisce anche all'idioma in cui essi hanno scritto un titolo di preminenza? È cosa che si potrebbe discutere, ma che da molti secoli in Italia è tacitamente accolta come assioma (cfr. la dantesca «gloria *della lingua*», che allude a gloria letteraria). La coscienza di una posizione preminente, dovuta alle opere letterarie dei suoi figli, già suscitava orgoglio in Firenze e in generale in Toscana[42] alla fine del Duecento e al principio del Trecento, provocando l'irritazione di Dante, che nel *De vulgari eloquentia* giudicava usurpata la fama di più d'uno[43].

Un'implicita ombra di vanto par di sentire nelle ripetute affermazioni del Boccaccio riferite a sé stesso[44] e a Dante[45].

Sulla misura della fiorentinità del Petrarca si può discutere (noi accettiamo la formula del Contini «fiorentinità trascendentale»), ma che egli si considerasse pertinente a Firenze, è certo: si pensi, tra l'altro, al sonetto in cui dice che se avesse atteso in solitudine alla sola poesia, Firenze avrebbe il suo poeta:

> S'io fossi stato fermo a la spelunca
> là dove Apollo diventò profeta,
> Fiorenza avria forse oggi il suo poeta

[42] I limiti della Toscana sono nettissimi dove sono segnati dal mare e dall'Appennino, incerti a sud-est e a sud. Perugia è esclusa da Dante, che riconosce il suo dialetto come appartenente ai dialetti mediani («propter adfinitatem quam cum Romanis et Spoletanis habent»: *De vulg. el.*, I, XIII); ma la Signoria di Firenze, dando istruzioni a un ambasciatore presso il papa, considera Perugia in Toscana (Marzi, *Cancelleria*, cit., p. 698). La «Nota di tucti li maestri di gramatica che sono in Toscana», che è del 1360 (ed. O. Bacci, Castelfiorentino 1895) include maestri di Todi, Orvieto, Amelia, Rieti.

[43] «Post haec veniamus ad Tuscos, qui propter amentiam suam infroniti, titulum sibi vulgaris illustris arrogare videntur...», e tutto il cap. XIII del libro I del trattato.

[44] «In leggier rima e nel mio fiorentino idioma» (Proemio del *Filostrato*); «le presenti novellette... le quali non sono solamente in fiorentin volgare ed in prosa... ma ancora in istilo umilissimo, e rimesso»: *Dec.*, Intr. g. IV, 3 (con polemica modestia).

[45] «per costui la chiarezza del fiorentino idioma è dimostrata», *Vita di Dante*, ed. Macrì-Leone, p. 11; «Movono molti... una quistione così fatta... perché a comporre così grande... libro... nel fiorentino idioma si disponesse», ivi, p. 71; cfr. «Florentino ydiomate» nella *Genologia*, l. XV, c. 6. Così dice composto il *Convivio* in «fiorentino volgare» (*Vita*, ed. Macrì, p. 74). Per questa ragione egli volle anche comporre la *Vita* «nel nostro fiorentino idioma» (Macrì, p. 7). Cfr. Rajna, *Bull. Soc. Dant.*, XIII, p. 8.

non pur Verona e Mantoa et Arunca.

(son. 166)[46].

Coscienza delle qualità del fiorentino mostra anche il Proemio dello *Specchio di vera penitenza* del Passavanti (1354): «mi pregarono che quelle cose... che io per molti anni... aveva volgarmente predicato al popolo... le riducessi a certo ordine per iscrittura volgare, sì come nella nostra fiorentina lingua volgarmente l'avea predicate» (p. 6 Polidori).

I Fiorentini sembrano particolarmente sensibili alle differenze degli altri dialetti: si ricordino le frasi dialettali che erano spiaciute a Dante e che egli ricorda nel *De vulgari eloquentia*, o le parole dialettali attribuite dal Boccaccio[47] e dal Sacchetti[48] a personaggi delle loro novelle.

I biasimi dati dal Passavanti[49] con quasi uguale severità a tutti i volgarizzatori delle Sacre Scritture, non esclusi i Fiorentini, non vanno intesi come un confronto generale tra i diversi dialetti o le diverse pronunzie d'Italia, ma vogliono richiamare l'attenzione sui pericoli vari che corre la parola di Dio nelle mani degli ignoranti[50].

Un Toscano contemporaneo di Dante, vissuto parecchi anni fuori dalla regione natia, Francesco da Barberino, nel Proemio al *Reggimento e costumi di donna*, attribuiva la palma al suo proprio volgare, pur consentendo che qualche parola, purché bella e atta ad armonizzarsi col resto, si potesse prendere da altre parlate:

E parlerai sol nel volgar toscano

[46] La parola *poeta* vuol dire in questa età essenzialmente (ma non esclusivamente: basti ricordare *Par.*, XXV, v. 8) «poeta in latino», e a Catullo, Virgilio e Lucilio allude il verso seguente; ma come la *spelunca* è insieme Delfi e Valchiusa, così forse *poeta* non è solo «poeta in latino». Lo stesso possiamo dire per le parole con cui il vescovo Giacomo Colonna salutava la laurea capitolina del Petrarca, «del novo e degno *fiorentin poeta*».

[47] La Lisetta veneziana parla di «mio marido» (IV, 2), Chichibio canta a Brunetta «voi non l'avrì da mi (VI, 4), Jancofiore dice a Salabaetto «tu m'hai miso lo foco nell'arma, toscano acanino» (VIII, 10), Tingoccio e il Fortarrigo senesi adoperano *costetto* per *cotesto* (VII, 10; IX, 4), ecc. Del resto si ricordi la lettera in cui il Boccaccio nel 1339 metteva scherzosamente per iscritto il dialetto napoletano, narrando a Franceschino de' Bardi il parto di Machinta amante di Franceschino e le visite e i regali che ebbe (ed. F. Nicolini, in *Arch. stor. ital.*, s. 7ª, II, 1924, pp. 5-102).

[48] Uno spoglio (ma non completo) ne ha dato E. Mozzati, *Rend. Ist. Lomb.*, Lett., LXXXV, 1952. La vivace curiosità linguistica del Sacchetti è anche dimostrata dalla nota frottola, in cui egli accumula parole contadinesche, parole di altri luoghi della Toscana, diminutivi, parole espressive (cfr. F. Ageno, *St. fil. ital.*, X, 1952, pp. 413-454).

[49] *Lo specchio della vera penitenza*, Trattato della scienza, p. 288 Polidori.

[50] Il passo fu interpretato a suo modo dal Perticari nella *Proposta* del Monti (I, Milano 1817, p. 44; II, II, Milano 1820, p. 404), ridiscusso dal Galvani (*Sulla verità delle dottrine perticariane*, Milano 1845, pp. 299-307): v. G. Getto, *I. Passavanti*, Milano 1943, pp. 16-17.

> e porrai mescidare alcun volgari,
> consonanti con esso,
> di que' paesi dov'ài più usato,
> pigliando i belli, e' non belli lasciando...

Il padovano Antonio da Tempo, nel 1332, concludendo la sua *Summa artis rithimicae*, proclamava il primato del toscano: «Lingua tusca magis apta est ad literam sive literaturam quam aliae linguae, et ideo magis est communis et intelligibilis» (p. 174 Grion), soggiungendo tuttavia: «non tamen propter hoc negatur quin et aliis linguis sive idiomatibus aut prolationibus uti possimus».

Più tardi, Benvenuto da Imola, nel suo commento a Dante, afferma senza esitazione: «Nullum loqui est pulcrius aut proprius in Italia quam Florentinum» (*Comentum*, I, p. 336 Lacaita)[51].

Il veronese Gidino da Sommacampagna trattando di sonetti bilingui e trilingui parla di «lingua volgara o sia toscana» (p. 51 Giuliari) e di «versi li quali sono l'uno in lingua toscana, l'altro in lingua litterale, e lo terzo in lingua francescha» (p. 67).

E ancora un po' più tardi, nell'Italia mediana, Monaldo di San Casciano dei visconti di Campiglia rimproverava Simone Prodenzani di usare troppe voci orvietane, avvertendo:

> che 'l vocabulo e 'l profazio
> del Patrimonio nel paese esperico
> non è accetto nel materno Lazio,

cioè, secondo la parafrasi del Debenedetti[52], «i vocaboli e la pronunzia che usano ad occidente del Patrimonio non sono di buon italiano»[53].

11. *Il volgare nell'Italia settentrionale*

Come si atteggi il volgare nel vario uso che se ne fa nelle varie regioni, è assai difficile dire in breve. Si desiderano ancora saggi monografici che, città per città o regione per regione, mostrino come il volgare si sostituisca al latino nelle scritture; e poi con quali criteri,

---

[51] D'altronde, Benvenuto apprezza specialmente quei Fiorentini che viaggiando hanno imparato a eliminare i loro idiotismi: «certe, quid quid dicatur, Fiorentini qui hodie peregrinantur loquuntur multo pulcrius et ornatius, quam illi qui numquam recesserunt a limite patriae, quia dimittunt vocabula inepta, quae sunt Florentiae, et assumunt alia convenientiora» (*Comentum*, V, p. 160 Lacaita).

[52] *Il «Sollazzo»*, Torino 1922, p. 143.

[53] Questa preminenza toscana nell'uso letterario non impedisce tuttavia che qualche Toscano trapiantato altrove dimentichi la propria parlata e non gliene importi nulla: il pratese Piero Benintendi, portato fanciullo a Genova, scrive nel 1392: «Da tuti sono cognosuto e massimamenti per genovesse proprio quanto da li genovexi, e così sono» (*Lettere di P. B.*, ed. Piattoli, in *Atti Soc. Lig. St. patria*, LX, 1932 p. 60). Il Benintendi scrive secondo l'uso genovese senza traccia di fiorentino.

sotto l'influsso di quali modelli si formino le varie tradizioni locali. C'è da precisare, insomma, quel che si vede ancora piuttosto all'ingrosso, come nel mettere per iscritto i volgari agiscano due spinte: quella verso la nobilitazione e quella verso la generalizzazione. Ci si avvia così a coinè sempre più vaste, dapprima sotto l'egida del latino, più tardi del toscano.

Si vede abbastanza bene che il Piemonte e la Liguria sono piuttosto isolati, mentre il resto dell'Italia settentrionale, l'Italia padana, come potremmo chiamarla, o la Lombardia, nel senso medievale del termine[54], costituisce un territorio non certo unitario, ma con scambi molto fitti.

È necessario poi distinguere fra la poesia e la prosa; anzi fra i vari generi di poesia e i vari generi di prosa. Nelle scritture in versi la lotta fra i modelli francesi e provenzali e quelli toscani non è ancora ben decisa al principio del secolo[55], ma poi il gusto si volge decisamente ai Toscani.

Un componimento in versi della metà del secolo, la canzone «Prima che'l ferro» di Antonio Beccari, che ci è giunta in un testo molto probabilmente autografo e comunque sicuro, ci permette un'analisi precisa dell'ibridismo portato nel linguaggio della lirica dall'imitazione toscana. Il Rajna, in un articolo di capitale importanza[56], ha fatto vedere come sia necessario distinguere i pochi testi genuini da quelli passati attraverso trascrizioni più tarde, quando ormai la toscanizzazione era più avanzata[57].

Il verseggiatore, che aveva indirizzato una sua canzone a Francesco Ordelaffi e Galeotto Malatesta con lo scopo di stornare un duello per cui già era corsa una sfida, qualche anno dopo, nel 1354, ne scrisse, quasi certamente di suo pugno, una copia. Ecco la prima stanza secondo l'edizione diplomatica del Rajna:

> Prima che 'l ferro arossi i bianchi pili
> Et che uergogna et danno in uu se spiechi,
> Scopritiue i-orechi,
> Obtusi dal furore di uostri cori.
> Siti uu çoueneti, o siti uechi?

[54] V. per tutti E. Levi, *Francesco di Vannozzo*, cit., pp. x-xi; M. Zweifel, *Untersuchung über die Bedeutungsentwicklung von Langobardus - Lombardus*, Halle 1921.

[55] Penso alla «canzone di Auliver», intrisa di provenzalismi e di francesismi, di vernacolo e di latino: caso «forse teratologico» (Contini, *Paragone*, aprile 1951, p. 12), certo capriccioso («tut lço] che de li savii eu sia el men savio»). Vedi G. B. Pellegrini, *La Canzone di Auliver*, Pisa 1957.

[56] «Una canzone di Maestro Antonio da Ferrara e l'ibridismo del linguaggio nella nostra antica letteratura», in *Giorn. stor. lett. it.*, XIII, 1889, pp. 1-36.

[57] Si ripete anche qui pressappoco quello che è accaduto per i testi della scuola poetica siciliana, quasi tutti alterati dai più tardi trascrittori. Con ben altra sicurezza potremmo giudicare della lingua dei rimatori settentrionali se possedessimo in abbondanza testi autografi o molto prossimi all'autografo.

Siti uu plebesciti, o uer çentili?
Siti uu franchi, o uili?
Siti uu in piçol grado, o uer sengnori?
I credo pur che ça diuersi honori
Ho receuuto in su i-uostri theatri:
Però, miei maçori patri,
Çaschun rafreni in si l'ardita mano
Al son de mia tronbecta!
Ch'a le parole d'una uedouecta
Tardoe ça de ferire el bon Traiano.
Et se mio dir fie uano,
El no ue mancherrà finir questa opra,
Che danno et desenor conuen che scopra[58].

Alcuni tratti ci attestano la fedeltà del Beccari a tradizionali peculiarità dialettali e interdialettali padane: p. es. la metafonia (non solo in *pili*, che potrebbero anche essere un latinismo, ma anche in *accisi, arnisi, paisi*; però *honori, segnori* senza metafonia), i pronomi tonici *mi, si, vu* (una volta *vui*), e soprattutto le seconde persone in *-ati, -iti*, che vanno considerate come una caratteristica stabile del padano illustre, da Guido Fava al Boiardo.

Il latinismo appare soprattutto nella patina ortografica (*obtusi, honori, theatri, -ct-* per *-tt-* legittimo o illegittimo, ecc.), ma anche nel lessico (*angue, audienza,* ecc.).

Quanto al toscanismo, esso appare, oltre che nel lessico, sostanzial-mente conforme a quello dei poeti toscani del Trecento, anche in tratti fonetici e morfologici: la *g-* palatale compare (*già* 26, *giovenecto* 28) accanto all'affricata *z* (*ça* 9, *çoveneti* 5); nella formazione del futuro e del condizionale della 1ª con., troviamo (accanto a un *bastarebe* 44) un *mancherrà* (18), che rivela non meno con la vocale *-e-* che con la *-rr-* geminata le intenzioni toscaneggianti; accanto al più frequente suffisso *-ero -era* (*mestero, cavalero, altero; schera, bandera*) appare un esempio di *-iero* (plur. *destrieri*, 45).

La canzone dimostra con assoluta evidenza l'orientamento dei rimatori dell'Italia padana alla metà del secolo; e insieme ci fa vedere con quale circospezione dobbiamo valerci dei testi giuntici in copie più tarde[59].

---

[58] Gli altri quattro codici danno tutti una lezione di aspetto assai più moderno, in cui vanno perduti i tratti caratteristici della lingua del Beccari: il *pili* del primo verso, che è confermato dalla rima (*çentili, vili*), è mutato in *peli; spiechi* è frainteso e riprodotto con *specchi* (mentre il rimatore intendeva *spieghi*) e così via.

[59] Un critico di solito prudente, il Medin, aveva creduto di poter attribuire a un Toscano, Zenone da Pistoia, il poemetto sulle vicende di Francesco Novello da Carrara, fondandosi sulla veste toscanizzata in cui esso appare nell'edizione del Lami (*Deliciae erud.*, XVI); la scoperta di un altro testo, più vicino all'originale, portò all'attribuzione a Pavano dei Rizzoletti, famiglio di Francesco (Medin, *Atti Ist. Ven.*, LXXXII, i, pp. 110-111, 148).

In vario grado e misura, quel che si è detto vale per i rimatori di quest'età fioriti a Milano, a Verona, a Padova, a Treviso, a Ferrara, a Bologna, a Ravenna, sia come privati che frequentando le corti.

Dobbiamo tener conto, in conclusione, di questi quattro fattori: tratti coincidenti con quelli della parlata locale; tratti illustri, interdialettali, radicati nell'uso scritto di zone più o meno vaste; tratti latineggianti; tratti toscani, provenienti dall'imitazione dei poeti toscani; e i testi ci mostrano come quest'ultimo fattore acquisti importanza di generazione in generazione.

Meno sensibile è l'influenza del toscano quando si passi dalla lirica ad altri generi di scritture in versi, laudi, cantari, serventesi, lamenti ecc., via via fino alle frottole, il cui capriccioso realismo porta piuttosto all'imitazione del linguaggio popolare nelle sue bizzarrie. Già in questo secolo troviamo qualche esempio di «letteratura riflessa» in dialetto: si pensi al sonetto caudato in dialetto pavano indirizzato da Marsilio da Carrara a Francesco di Vannozzo:

> Di-me, sier Nicolò di Pregalea,
> se Dio v'aì, si-vu sì embavò,

e alla risposta di questo[60], alla frottola in veneziano dello stesso Vannozzo[61], oppure alle frottole bolognesi di Antonio Beccari[62].

Passando alla prosa, dobbiamo osservare anzitutto che non troviamo testi che si possano qualificare prosa d'arte. Nei trattati morali, ascetici, didattici, nei romanzi epici, nelle cronache non sentiamo alcun afflato artistico: allo sforzo d'arte è ancora destinato il latino. Tanto meno potremmo aspettarci di trovarlo nei testi dichiaratamente pratici: lettere, testamenti, statuti di confraternite, bandi, statuti comunali, ecc.

Riprendiamo un momento la canzone del Beccari, per guardare il testo in prosa («la tema») che l'accompagna. Basta un esame sommario per vedere che esso è molto più «padano» della canzone. Si osservi, per esempio, il trattamento della -*t*- fra vocali: il testo in prosa ha *inguadiada*, *fradello*, *armadi* (oltre a *parentado* e *servidore*), cioè di regola si ha la sonora; invece la canzone ha *recevuto*, *ardita*, *canuta*, *muta*, *togati*, *pentiti*, *date*, *prisato*, *coronato*, cioè di regola si ha la sorda[63].

Qualche osservazione analoga si può fare anche per la morfologia: nella prosa troviamo un gerundio *siando*, del consueto tipo diffuso in tutta l'Italia settentrionale (gerundio e participio in -*ando* per tutte le

[60] E. Lovarini, *Antichi testi di lett. pavana*, Bologna 1894, pp. 1-3; Vannozzo, ed. Medin, pp. 40-41.

[61] Ed. Medin, pp. 137-162.

[62] E. Levi, *Maestro Antonio da Ferrara*, Roma 1920, pp. 32-35.

[63] Nello spoglio dei Rajna, p. 19 si leggono solo i tre esempi con sonora tratti dalla prosa, e chi non scruti bene non s'accorge che lo sforzo di maestro Antonio, la sua «innovazione» sta nelle forme toscaneggianti, quelle con la sorda.

coniugazioni: *dagando, corando, romagnando, digando*, ecc.: Rohlfs, *Hist. Gramm.*, § 618), nella poesia un *vincendo*, in cui alla principale spinta toscana può darsi che si unisca la spinta latineggiante.

Alla metà del secolo, insomma, i testi in prosa sono molto più arretrati di quelli in versi per ciò che concerne l'accoglimento di una norma comune fondata sul toscano.

I testi dell'Italia padana di questo periodo assai difficilmente, se non soccorrano dati estrinseci, si possono attribuire a un preciso luogo d'origine, ma tutt'al più a una certa area relativamente vasta, perché gli scrittori tendono a eliminare le caratteristiche più salienti del loro dialetto locale, e se mai mantengono di esso alcuni tratti conservativi.

Meglio d'ogni altro ha studiato questo fenomeno il Salvioni[64]: si avverte tuttavia che quando, a proposito del Belcalzer, egli parla di «condizioni di poca sincerità linguistica di tutta la letteratura medievale alto-italiana», egli non fa altro che definire spregiativamente proprio quell'aspirazione alla coinè di cui stiamo indagando le tracce.

Di generazione in generazione, il ravvicinamento si fa più sensibile. Si consideri un tratto fonetico molto diffuso in vaste zone dell'Italia settentrionale, l'apocope di *-o* ed *-e* finale non solo dopo le liquide e nasali, ma anche dopo altre consonanti (o gruppi di consonanti): *dit, corp, mes*, ecc. Nella scrittura si estende sempre più la tendenza a eliminare questo tratto, munendo le parole di vocale finale (che talora non è quella etimologica)[65]: si confronti, ad esempio, l'abbondanza delle apocopi in Vivaldo Belcalzer, che scriveva a Mantova prima del 1309 (*sot, element, serad* «serrato», *did* «dito», *old* «ode», *lus* «luce», *spess, log, soreg, negr, monstr*, oltre a *musel, mor, man* ecc.)[66], con l'abbondanza di vocali finali che troviamo due generazioni dopo in testi della cancelleria di Mantova (*fato, tuto, falso, parte*, ecc.; notevoli le false regressioni come *lialmento* «lealmente», *cognossero* «conoscere», *voliro* «volere», *Esto* «Este»)[67].

Questa tendenza si esercita anche sui dialetti parlati, specialmente nel Veneto, e ne muta sensibilmente la fisionomia[68], contribuendo, con altri fenomeni che si manifestano appunto in questo secolo (dittongamento di *e, o*; intacco di *pl, bl, cl, gl*) a fare dei dialetti veneti i più simili, nell'aspetto generale, a quelli toscani.

---

[64] Ricordiamo l'articolo sulla lingua del Belcalzer (in *Rend. Ist. Lomb.*, XXXV, 1902, pp. 957-970) o quello sul *Libro dei battuti di Lodi* (*Giorn. stor.*, XLIV, pp. 421-422).

[65] La frequenza della *-o* finale nei testi veronesi, e non solo in quelli, si spiega così, meglio che per la necessità fisiologica d'una «vocale d'appoggio».

[66] Salvioni, *Rend. Ist. Lomb.*, s. 2ª, XXXV, 1902, p. 962 (che cita poche ricostruzioni, come *zove* « giogo»).

[67] Si vedano la lettera (1366 o 1367) e il bando (1369), riportati in Migliorini-Folena, *Testi Trecento*, nn. 39 e 40.

[68] Si pensi all'abbondanza dell'apocope in un dialetto vicinissimo al veneziano, quello di Lio Mazor: *dis, tu vegnis, me dies* (Migliorini-Folena, *Testi Trecento*, n. 5).

Ma insomma in questo secolo parecchi tratti regionali sono ancora ben saldi; e l'orientamento verso il lessico e la grammatica toscana, che per i versi è già forte, non è che agli inizi per la prosa.

12. *Il volgare nell'Italia mediana*

Anche qui bisogna distinguere la poesia dalla prosa.

L'Umbria ha una sempre viva fioritura di poesia religiosa, specialmente drammatica. Verso la metà del secolo, anche a Perugia si fa sentire l'influenza letteraria e linguistica della Toscana: e i versi del Nuccoli e del Ceccoli mostrano un colorito un po' meno perugino di quelli del Moscoli, di qualche anno più antichi[69].

Abbiamo già sentito (p. 198) quali rimproveri si movessero alla lingua dell'orvietano Simone Prodenzani. Invece, alla fine del secolo, il folignate Federico Frezzi scrive in una lingua in cui ormai sopravvivono pochissimi tratti umbri. Anche Francesco Stabili scrive l'*Acerba* in una lingua con molti tratti grammaticali e lessicali ascolani, ma in cui si rivela lo studio dell'odiato Dante, il «poeta che finge immaginando cose vane», e del toscano letterario.

La *Giostra dei vizi e delle virtù* e il *Pianto delle Marie* mostrano una coinè con molti latinismi, qualche provenzalismo, sensibili tratti regionali (distinzione fra -*u* ed -*o*, prima pers. plur. ind. pres. in -*ima*, ecc.).

I testi umbri e marchigiani in prosa sono quasi tutti di carattere pratico (e relativamente ormai non scarsi di contro a quelli latini): anch'essi sono ancora fortementi dialettali, benché già si cominci a evitare qualche tratto municipale e regionale. Si pensi a regressioni del tipo *colonda* a Perugia[70], le quali mostrano come si tenda a rifuggire dal tipo *quanno*.

Il Lazio ci dà l'unico testo in prosa che si possa qualificare prosa d'arte all'infuori della Toscana, gli *Historiae Romanae fragmenta*, noti specialmente per i capitoli che costituiscono la *Vita di Cola*: il dettato semplice eppure vigorosamente incisivo rivela un vero scrittore. Purtroppo per la lingua è assai difficile dire fino a che punto di scosti dalla parlata «naturale» di Roma, sia per la mancanza di testi a riscontro, sia per le incertezze in cui ci lascia la tradizione manoscritta[71].

[69] Ma essi sono conservati nello stesso codice, il Barb. Lat. 4036, e ci è difficile valutare fino a che punto sia intervenuto il copista.

[70] In un inventario di confraternita del 1339 (Migliorini-Folena, *Testi Trec.*, n. 20); *colonda*, sempre riferito alla colonna della flagellazione di Gesù, è anche in laude drammatiche perugine (De Bartholomaeis, I, pp. 40 e 224).

[71] In mancanza della più volte promessa edizione critica, bisogna adoperare l'edizione di A. Ghisalberti, *La Vita di Cola di Rienzo*, Firenze 1928 o quella di A. Frugoni, Firenze 1957. Cfr. G. Bertoni, «La lingua della Vita di Cola di Rienzo», in *Lingua e pensiero*, Firenze 1932, pp. 73-84, F. A. Ugolini, «La prosa degli *Historiae Romanae fragmenta* e della cosiddetta *Vita di Cola di Rienzo*», in *Arch. Soc. rom. St. Patria*, LVIII, 1935, pp. 1-68.

Accenniamo qui anche agli Abruzzi, per quanto appartenenti al regno di Napoli: nella zona aquilana troviamo una vita comunale e religiosa assai forte, che trova espressione in non pochi testi volgari. I versi (le laude drammatiche, il *Detto dell'Inferno*, Buccio di Ranallo) mostrano una lingua più dirozzata che la prosa: si pensi alla -*u* finale che nei versi è ormai spesso evitata, mentre nella prosa ancora predomina. E, nei versi di Buccio, troviamo sintomatiche regressioni: *vedembo* «vedemmo», *abembo* «avemmo», ecc.

13. *Il volgare nell'Italia meridionale e nelle isole*

Nel regno di Napoli[72] la situazione nei primi decenni del secolo è all'ingrosso simile a quella dell'Italia padana: si hanno vari poemetti di tipo morale o didattico (come il *Libro di Catone* o i *Bagni di Pozzuoli*) in una coinè con parecchi caratteri meridionali. Nel *Serventese del Maestro di tutte le arti*, che è della fine del secolo (o del principio del secolo seguente) appaiono ormai numerosi toscanismi (*so* accanto a *saccio*, ecc.)[73].

Del tempo di re Ladislao abbiamo parecchi poeti petrarcheggianti, i cui versi sono contenuti nel codice Laurenziano Gadd. Rel. 198[74]: ma non siamo in grado di dire fino a che punto la lingua sia stata toscanizzata dal trascrittore.

Quanto alla prosa, il monumento più importante, la cosiddetta *Cronaca di Partenope*, non solo è un conglomerato di quattro parti diverse, ma ci è giunto in tradizione varia e per lo più tarda e cattiva[75], cosicché mal ci si può fondare sui testi fin qui pubblicati per lo studio della lingua. Ancor peggiore è lo stato della *Tabula Amalfitana*, che ha avuto varie stratificazioni, fra cui l'ultima probabilmente risale agli ultimi anni di Roberto d'Angiò.

Parecchi volgarizzamenti di testi di morale e di scienza applicata (agricoltura, chirurgia, mascalcia) sono mal pubblicati o tuttora inediti.

La mancanza di vita comunale nel Regno fa poi sì che manchino quei testi documentari locali che abbiamo più o meno copiosamente altrove. La Sicilia nei primi decenni del secolo è racchiusa in sé e tende a costituire un siciliano cancelleresco, con una fisionomia piuttosto stabile (il «vulgari nostro siculo», come allora fu detto).

Nella seconda metà del secolo anche in Sicilia il toscano comincia a prendere autorità di lingua letteraria; si legge Dante, e Tommaso

[72] A. Altamura, «Appunti sulla diffusione della lingua nel Napoletano», in *Convivium*, 1949, pp. 288-297; Id., *Testi napol. dei secoli XIII e XIV*, Napoli 1949.
[73] V. l'edizione e l'illustrazione del Rajna, *Zeitschr. rom. Phil.*, V, 1881, pp. 1-40.
[74] F. Torraca, «Lirici napoletani del sec. XIV», in *Aneddoti di storia letteraria napoletana*, Città di Castello 1925, pp. 99-134.
[75] G. M. Monti, «La *Cronaca di Partenope* (premessa all'ed. critica)», in *Annali Semin. Giur. econ. dell'Un. di Bari*, V, 1932.

Caloiro, amico del Petrarca, gli rivolge un sonetto toscano che testimonia l'ammirazione dei Siciliani per il poeta di Laura («Almen per lei voi già per nome chiama - Cicilia tutta...»). Scarse sono le testimonianze poetiche: la *Quaedam profetia* o *Lamento di parte siciliana*, probabilmente del 1354, e poco altro[76]. In prosa abbiamo documenti d'archivio e lettere[77], costituzioni religiose[78] e poi testi morali e storici (per lo più traduzioni o compilazioni): il *Dialagu de Sanctu Gregoriu*, la *Sposizione del Vangelo della Passione*, l'*Istoria di Eneas*, il *Valerio Massimo*, ecc.

L'eccellente edizione del *Dialagu* data da S. Santangelo[79] ha anche importanza paradigmatica, perché ci mostra come il testo, trascritto nella prima metà del sec. XIV da mano siciliana (e integrato più tardi da copisti calabresi), fosse nel secolo seguente esemplato in due altri manoscritti, che ci si presentano fortemente toscanizzati. Se ci rimanessero solo questi ultimi, il giudizio sulla lingua del traduttore sarebbe molto diverso, e inevitabilmente falsato. L'*Istoria di Eneas*, come ha mostrato nella sua edizione il Folena[80], dipende da un testo toscano (un volgarizzamento compiuto da A. Lancia), che il volgarizzatore non di rado fraintendeva (come quando mutava in *sochira* il *serocchia* del Lancia).

Forme toscaneggianti come *giornu* e *più* appaiono nel volgarizzamento del Vangelo di S. Marco (in caratteri greci) della seconda metà del Trecento.

14. *I fatti grammaticali e lessicali*

Una descrizione dei fatti grammaticali e lessicali dei Trecento, o meglio ancora delle varie fasi del Trecento, non si può certo dare in poche pagine. Né, purtroppo, si possono indicare monografie che in qualche modo la sostituiscano.

Siccome l'italiano normale odierno per la sua maggior parte ancora coincide con l'italiano trecentesco, le descrizioni che sono state fatte[81] sono di regola «differenziali» e non integrali, cioè rendono conto soltanto, o quasi soltanto, di quelle peculiarità per cui l'italiano trecentesco differisce da quello moderno.

[76] G. Cusimano, *Poesie siciliane dei sec. XIV e XV*, I, Palermo 1951.

[77] E. Li Gotti, *Vulgare nostro siculo*, I, Firenze 1951; v. anche P. Palumbo, *Boll. del Centro di st. filol. e ling. siciliani*, I, 1953, pp. 233-245.

[78] *Regole, costituzioni, confessionali e rituali* a cura di F. Branciforti, Palermo 1953. I capitoli della prima compagnia di disciplina di Palermo (1343) sono redatti tenendo presenti quelli di analoghe compagnie di Firenze e di Genova (p. x).

[79] *Libru de lu Dialagu de Sanctu Gregoriu translatato pir frati Ioanni Campulu di Messina*, in *Acc. Sc. lettere e belle arti Palermo*, Suppl. agli Atti, n. 2, Palermo 1933.

[80] *La Istoria di Eneas vulgarizata per Angilu di Capua*, a cura di G. Folena, Palermo 1956.

[81] P. es. la tesi, del resto mediocre, di C. Steger, *Appunti sulla lingua delle «Novelle» di F. Sacchetti*, Düren 1930 (il titolo è in italiano, il testo in tedesco).

Dovremo far così anche noi nei paragrafi seguenti, pur rendendoci conto che questa prospettiva è parziale, e che invece una descrizione rigorosa richiederebbe di tener conto sia di ciò che è morto che di ciò che tuttora sopravvive.

Da quanto si è detto fin qui, risulterà poi chiara un'altra esigenza metodica. La descrizione dei testi di Firenze, e del resto della Toscana va tenuta distinta da quella delle altre regioni; e per queste ci si dovrà domandare fino a che punto l'aspirazione verso una coinè sia soddisfatta per mezzo dell'eliminazione di singole peculiarità, di conguagli con dialetti vicini, dell'aiuto del latino, e da che punto invece si cominci a rivolgersi per aiuto ai modelli toscani.

15. Grafia

La grafia trecentesca è senza confronto più instabile della nostra. I più oscillanti sono ancora i suoni velari e palatali: *cane* o *chane* (*k* è in regresso, ma non è del tutto sparito), *pace* o *pacie*, *degno* o *dengno*, *figlio* o *figlo* o *filglio*. Poi c'è grande esitazione nell'applicare o no la grafia del volgare alle parole colte: *onore* o *honore* (per lo più si scrive *atti honesti*, ma *lonesto* e *donesto*, dove noi ora usiamo l'apostrofo), *rapto* o *ratto*, *letizia* o *letitia*[82], *teatro* o *theatro*, ecc.

Le scempie e le doppie sono spesso incerte, particolarmente dopo alcuni prefissi (*a-*, *pro-*); per rappresentare il rafforzamento di *q*, il Petrarca passa da *giaqque* degli abbozzi a *giacque* del manoscritto definitivo (nel son. «Qual mi fec'io»).

L'interpunzione è nei manoscritti, specialmente in quelli volgari, ancora scarsissima (mentre già i trattatisti di quest'età teoricamente distinguono molti segni)[83]. P. es. nel codice Trivulziano della *Commedia* si ha un punto alla fine di ogni terzina, e null'altro. L'uso delle maiuscole, almeno nei manoscritti più accurati, s'accosta a quello odierno (nomi propri o adoperati come tali). Si ha qualche esempio, ma rarissimo, di accento acuto. E nei versi è frequente, benché tutt'altro che regolare, il punto soscritto per indicare l'espunzione[84].

---

[82] Già il Salviati, *Avvertimenti*, I, iii, 3, 11, dà elenchi di manoscritti trecenteschi che preferiscono l'una o l'altra grafia. Il Battaglia, nell'ed. della *Teseida* (p. cxxiv) cita casi in cui il Boccaccio oscilla (*letizia*, ma *malitia, tristitia*). L'*h* è talvolta adoperato per indicare che non c'è assibilazione della *t*: p. es. *malathia, mercanthia* nel *Re Giannino*, *consenthio* negli *Statuti di Perugia* del 1342, ecc.

[83] V. specialmente F. Novati, «Di un'*Ars punctandi* erroneamente attribuita a F. Petrarca», in *Rend. Ist. Lomb.*, s. 2ª, XLII, 1909, pp. 83-118.

[84] In mancanza di lavori complessivi sulla grafia e sull'interpunzione conviene ricorrere alle prefazioni delle migliori edizioni critiche: la *Vita Nuova* del Barbi, i *Testi fiorentini* dello Schiaffini, la *Teseida* del Battaglia, le *Rime* del Sacchetti a cura del Chiari (cfr. anche, per il Sacchetti, F. Ageno, in *St. fil. ital.*, XI, 1953, pp. 258-262), le opere del Torini a cura di I. Hijmans-Tromp, Leida 1957, pp. 175-208. Sulla grafia del Petrarca, v. Parodi, *Lingua e letter.*, pp. 443-452 e la monografia dell'Ewald (cit. nella nota a pag. 205).

Le peculiarità locali e regionali non mancano, benché non sempre geograficamente ben delimitabili. Nella Toscana stessa, solo Lucca e Pisa distinguono nella scrittura la *s* sonora, rappresentandola con una *z*. Nell'Italia padana *ce, ci* valgono spesso *ze* e *zi*; a Genova *c* palatale è espressa talora con *ih* (*sihavo* per *sc'avo*); nell'Italia meridionale è frequente *cz*, oltre che per *z* sorda, per *cc* palatale (*saczo*, cioè *saccio*)[85]; in Sicilia *ch* è ancora costante per la *c* palatale (*chircari*; ma anche per *kj*: *choviri, chudiri*); con l'indebolirsi dell'uso di *k* e la penetrazione dell'uso continentale di *ch* con valore velare (*chi* «che») nascono incertezze (*cantichi* sarà da leggere con palatale o con velare?). Si noti il tentativo di rendere la *g* velare con *gk* (*longki* nella *Regula di S. Benedittu*, cap. 18, ed. Branciforti).

16. Suoni

Manca un quadro sicuro come quello tracciato dal Castellani per il fiorentino del Duecento, sul fondamento di testi non letterari. Qui sotto ci accontentiamo di notare rapidamente alcuni fenomeni tipici[86].

Prevalgono ancora le forme dittongate nelle serie *priego* e *pruova* (dopo i gruppi di esplosiva seguita da *r*).

La riluttanza contro il dittongo *au* (dovuta a reazione contro la tendenza a mutare *altro* in *autro* e sim.) si manifesta nell'alterazione dei latinismi che lo contengono: *lalda, altore* (che tuttavia sono forme limitate agli strati più plebei).

Forme sincopate come *rompre, lettre* (di tipo toscano occidentale) sono possibili anche in poesia (Petrarca).

È probabile che proprio nel sec. XIV in Toscana la *c* di *aceto, dieci*, passasse da affricata (schiacciata) a spirante, conguagliandosi alla ·*c*· di *bacio, brucio* (Castellani, *Nuovi testi*, pp. 29-31, 161-162).

Gli esiti in *c* palatale e *z* oscillano non di rado: *tencione* (passim), *incalciare* (passim), e viceversa *bonazza, trezze*.

È possibile davanti al pronome *tu* la caduta della finale dei verbi in -*si* e -*sti* e della congiunzione *se*: *fostù, postù, pregastù, stu*, ecc.

L'*r* finale dell'infinito apocopato può assimilarsi alla consonante successiva: troviamo in rima *vedella* «vederla» (Petr.), *emendallo* (Bocc.), *gittalla* (Pucci), *avella* (Canigiani), *guidàgli* «guidarli» (Folgore), *credégli* (Bocc.), ecc.

Fuori della Toscana, l'imitazione delle caratteristiche toscane comincia a produrre fenomeni di iperurbanismo, cioè regressioni. Troviamo nel Settentrione il tipo *gioglia, noglia*. Dalla pronunzia toscana di

---

[85] Anche in Toscana ai trova *cz*, ma per *zz*: v. *Areczo*, passim, nell'Append. III del Marzi, *Cancelleria*; *fermecça, Firencçe* negli *Statuti dell'arte dei vinattieri* (Firenze, 1339), ecc.

[86] Sottintendiamo, in questo paragrafo e nei seguenti, i rinvii alle trattazioni corrispondenti del Meyer-Lübke e del Rohlfs.

-*aio* come trittongo l'autore della *Leandreide* si crede autorizzato a far rimare *Nicolao* con *sezzao*. L'orvietano Prodenzani estende il dittongo *uo* a *roco* (da *raucus*) e ne fa *ruoco*, il bolognese Zambeccari scrive *mieco, grieco, arieco*, il *Tristano Corsiniano* ha *fiede* (per *fede*), *criede* (per *crede*). E così via.

17. Forme

Ci accontentiamo, anche qui, di piluccare alcuni tratti.

Nella flessione del nome notiamo la vitalità di certe varianti del plurale quando la desinenza sia preceduta da certe consonanti: *cavallo*, plur. *cavagli* o *cavai* accanto a *cavalli*; e simili. Condizionate un tempo dalle parole che seguivano, ora queste varianti sono liberamente disponibili per gli scrittori che vogliano ricavarne effetti d'arte. Basti un esempio, dalla novella della Lisabetta: «il maggior de' *fratelli*», «i *fratei* domandandone» (*Dec.*, IV, 5, 6 e 10). *Raggio* può avere come plurale *raggi* o *rai* (sopravvissuto poi a lungo nella tradizione poetica). Invece il paradigma, foneticamente regolare, *danaio*, plur. *danari*, comincia ad apparire strano e a cadere in disuso[87]. Dei sostantivi e aggettivi in -*co* abbiamo spesso plurali diversi da quelli che poi prevarranno: *fisichi*, (F. Uberti), *grammatichi* (id.; Pucci), *salvatichi* (Bocc.), ecc. Di parecchie parole in -*a* si hanno ancora i plurali in -*i*: *le veni, le porti, far bocchi*. In numerosi esemplari, e territorialmente in vasta area, si ha il plur. invariabile dei nomi in -*e*: *le parte, le chiave* (ma il Petrarca corregge *verde fronde* in *verdi fronde*, nel sonetto «L'aura serena»). Molto più numerosi di oggi sono i plurali in -*a*: *le cannella, le delitta, le letta, le merla*, e quelli in -*ora*: *le borgora, le cambiora, le elmora, le palcora, le pegnora*. Il plurale di *malanno, maglianni* (Sacch., nov. 54) mostra che in quel nome la giustapposizione non è ancora ben salda.

Quanto ai pronomi, troviamo già, seppure ancor raramente, qualche esempio di *lui* e *lei* come soggetto; e costrutti come *per lo colui consiglio* (Bocc.). La forma *gliele* vale per qualunque accusativo seguito da qualunque dativo di terza persona.

Negli aggettivi possessivi troviamo non di rado *mie, tuo, suo* usati per tutti i generi e numeri (*al mie cor, e' mie desiri, la tuo veste, la suo camera, i suo atti*), anche in posizione tonica: *da' lupi tuo* (Sacchetti).

Nell'articolo, si oscilla fortemente tra *il* e *el*; *lo* è usato di regola dopo consonante, specialmente dopo *per* e *messer* (*per lo fresco, per lo pane, messer lo frate*); anche maggiore è la libertà nell'uso delle forme plurali *i, li, gli* (*stracciò li vestimenti*).

Nei numerali, ha ancora molte varianti il numero *due* (*due, dui, duo*,

---

[87] Ma è vivissimo negli Statuti di Perugia del 1342: *campaio*, plur. *campare*; *denaio*, plur. *denare*, ecc.

dua); non sono rare, sia in prosa che nel verso, le forme sincopate del tipo *venzei*, *venzette*.

Quanto al verbo, si noti anzitutto che le differenze fra tema tonico e tema atono sono tuttora numerose: *io aiuto* alterna con *aitare*, *atare*; *io manuco* con *manicare*, ecc. Nelle terminazioni del presente *tu ami* è ormai normale, ma *tu ame* persiste come variante poetica. La terminazione *-iamo* è ormai generalizzata per tutte le coniugazioni (*noi amiamo*, *noi vediamo*, *noi finiamo*), ma *-amo -emo -imo* ancora persistono a Pisa, Lucca, Arezzo; alcune forme (specialmente *avemo*) sono tuttora adoperabili non solo nel verso (*avemo*, Bocc., *Tes.*, V, 52, *Amor. Vis.*, XXXIII, 18; *vedemo*, *sapemo* e anche *calchemo*, *Tes.*, XII, 7), ma talora anche in prosa («sì come già più volte detto *avemo*»: *Dec.*, II, 7, 39)[88].

All'imperfetto, predominano nella 2ª con. le forme in *-avate* (*avavate*, *ardavate*, *diciavate* ha il Boccaccio in prosa e in verso).

La distribuzione tra passati remoti forti e deboli non sempre coincide con quella odierna (*crese* per «credette», *vivette* per «visse» ecc.); e non sempre coincidono le forme (*dolfe* «dolse»). Le forme tronche *perdé*, *salì* sono ormai normali, pur conservando accanto a sé quelle epitetiche *perdeo*, *salio*, di tono aulico oppure plebeo. Nelle 3ᵉ pers. plur. dura a lungo la lotta tra varie terminazioni: nei perfetti forti *scrissono*, *scrissoro*, *scrissero*, nei perfetti deboli *andaro*, *andarono*, *andorno*, *andonno*[89]. Al futuro e al condizionale della 1ª con. i Fiorentini adoperano *-erò* ecc., non senza qualche eccezione (*gittarà*, Bocc., *Dec.* II, 10, 21). La sincope è assai estesa: *lavorrò*, *lacerranno*, *dimorrò*, *rendrà*, *guarrò*, e anche *dranno*, *srete*. Le forme sincopate sono facoltative: p. es. il Pucci usa *menerò* e *menrò* secondo la misura del verso. Talora si ha anche assimilazione: *sarrò* «salirò». Per analogia con le forme sincopate o metatetiche (*enterrà*, *mosterrò*) sono nate numerose forme con *-rr-* non etimologica: *troverrò*, *griderrete*.

Nei congiuntivi passati stentano a stabilizzarsi le terminazioni: *io avesse* (Sacch.), *tu vedesti* (Petr.), (*voi*) *prendesti* (Compagni), (*voi*) *credessi* (Bocc.).

L'imperativo in *-e* è frequente non appena si esce da Firenze: *consente* (Bonichi), ecc.

Numerosissimi sono i participi senza suffisso: *cerco*, *guasto*, *tocco*, *véndico*, *visso* ecc.

Non appartiene all'uso del tempo, ma è un vivace stilema individuale, quel superlativo del gerundio che troviamo in Giordano da Rivalto: «andronne in ninferno? Sì bene, ritto, ritto, correndissimo» (*Pred.*, XXI, p. 119 Narducci).

---

[88] Il *pregamote* del Sacchetti, nov. 169, è messo in bocca ai Perugini.

[89] Si veda su queste oscillazioni (e sulle forme *scriverebbero*, *scriverebbono*, *scrivessero*, *scrivessono*) il saggio di G. Nencioni, *Fra grammatica e retorica*: ottimo esempio di interpretazione di un fenomeno di grammatica storica alla luce della storia della cultura.

Avere ha ancora parecchie forme parallele: *aggio*, specialmente nella tradizione della lingua poetica; *abbo*, specialmente a Lucca. *Dea e stea* sono ancora le forme prevalenti per «dia» e «stia».

L'ausiliare *avere* è frequente con i riflessivi di vario tipo: «quando non *se l'avesse* messo» (Passavanti, *Specchio*, p. 62 Pol.), «*s'avea* messi dinanzi da la fronte «(Dante, *Inf.*, XXXIII, v. 33), «*s'avea* posto in cuore di non lasciarla mai» (Boccaccio, *Dec.*, III, 6, 49), «*avendosi* dato piacere» (Sercambi, *Nov.*, p. 226 Renier), «ora te *l'hai* dimenticato» (ivi, 300), ecc.

Nelle parole invariabili, ricordiamo la frequenza del costrutto *incontrogli, dattornovi, addossoli, dentrovi. Mediante* è ormai adoperabile anche con plurali: «*mediante* molti avversi casi» (Bocc., *Filoc.*).

Ai brevissimi cenni dati fin qui su peculiarità dell'uso toscano andrebbero aggiunte numerose trattazioni riferite alle altre zone, sia per registrare i fenomeni radicati localmente, sia per vedere i più o meno sensibili accenni di penetrazione toscana. Ci limitiamo a indicare un paio di esempi.

Già abbiamo ricordato quanto salde siano, nell'Italia padana, le terminazioni *-ati, -eti, -iti* alla 2ª pers. plurale. I testi napoletani hanno una caratteristica che permarrà ancora per secoli, gli infiniti e i gerundi coniugati: «medici li quali sancza alchuna caritate domandano *essereno* pagati» (*Cron. di Partenope*, c. XXVI).

L'espansione di *-iamo* negli indicativi a spese di *-amo -emo -imo* si vede bene in Umbria, dove i testi in prosa (p. es. lo *Statuto* perugino del 1342) hanno sempre queste ultime forme, mentre nelle laude e sacre rappresentazioni umbre (De Bartholomaeis, *Laude dramm. e sacre rappr.*, I) le forme in *-iamo* appaiono in certo numero.

18. Costrutti

Anche per la sintassi ci limiteremo a ricordare alcuni costrutti frequenti in questo tempo e più tardi abbandonati[90].

Il *di* partitivo è larghissimamente in uso: «e domandar *del pane*» (Dante, *Inf.*, 33, 39), «tra li uccelli à *di* valenti medici» (*Esopo* Guadagni, XIII), «*di valentissimi vini* e confetti fecer venire» (Bocc., *Dec.*, I, 10, 14).

Il costrutto appositivo con *di* si può appoggiare al sostantivo con il semplice articolo determinativo («il cattivel *d'*Andreuccio», Bocc., *Dec.*, II, 5; «del cattivello *di* Calandrino», *Dec.*, VIII, 7, 1; «lo innamorato *di* Paolo», S. Caterina; cioè «quell'anima ardente d'amore che fu San Paolo»)[91].

---

[90] Qualche buon saggio abbiamo solo per costrutti singoli, e per la sintassi del periodo, che, studiata in autori singoli, va a identificarsi con la stilistica.

[91] A. Lombard, «Li fel d'anemis», «ce fripon de valet», in *Studier i mod. spr.*, XI, 1931, pp. 1-69; S. Lyer, in *Zeitschr. rom. Phil.*, LVIII, 1938, pp. 348-359.

Non ha bisogno di preposizione il costrutto «in casa i Frescobaldi», «a casa il diavolo»[92].

È ancora libero l'uso dell'articolo col *di* del complemento di materia, anzi, se precede l'articolo determinativo, si preferisce la preposizione articolata («le colonne *del* porfido»: Bocc.); invece più tardi diventerà obbligatorio l'uso della preposizione semplice[93].

Si adopera l'articolo indeterminativo nei costrutti «una sua madre», «una sua donna» (Bocc., *Dec.*, II, 6; III, 9; IV, 3).

Il superlativo in *-issimo* può avere talvolta valore di superlativo relativo («la Rettorica è *soavissima* di tutte l'altre scienze», *Conv.*, II, XIII, 14); esso ammette accanto a sé altre parole intensive: «di *sì* nobilissima virtù» (Dante, *Vita nuova*, II, 9: cfr. Barbi, *Vita nuova*, ed. crit. 1932, p. 10 n.), «*assai* picciolissima cosa» (Sercambi, *Novelle*, p. 200 Renier).

Gli indefiniti di quantità si possono accordare con i sostantivi partitivi che seguono: «Deh! com'ài *poca* di stabilitate» (Lapo Gianni, son. «Amor nova ed antica vanitate»); «quivi cresce con *tanta* di ferezza», (D. Frescobaldi, canz. «Un sol penser»), «l'altra [chiave] vuol *troppa* - d'arte e d'ingegno avanti che disserri» (Dante, *Purg.*, IX, vv. 124-125); «in *poche* di volte che con lui stato era (Bocc., *Dec.*, VIII, 9, 10); ma anche «qui si convenne usare un *poco* d'arte» (*Purg.*, X, v. 10; cfr. «qui si vuole usare un *poco* d'arte»: Bocc., *Dec.*, VIII, 6, 13).

Il trapassato remoto può essere usato in proposizioni principali: «e questo detto, alzata alquanto la lanterna, *ebber veduto* il cattivel d'Andreuccio» (Bocc., *Dec.*, II, 5); «prima che a Monaco giugnessero, il giudice e le sue leggi *le furono uscite* di mente» (ivi, II, 10); «prese un salto e *fussi gittato* dall'altra parte» (ivi, IV, 9); «si fece accendere un lume e dare una radimadia, e *fuvvi entrato* dentro» (ivi, VII, 2); «al luogo del suo signore senza che essi se ne accorgessero *condotti gli ebbe*» (ivi, X, 9); «Non volendomi Amor perdere ancora - *ebbe* un altro lacciuol fra l'erba *teso*» (Petr., 271).

Il verbo impersonale è spesso introdotto da un *egli* soggetto: «*Egli* trapassavano poche mattine che io, levata, non salissi...» (Boccaccio, *Fiammetta*, p. 50 Pernicone); «*el* mi restava molte cose a dire» (*Filostrato*, parte II, p. 58 Pernicone); «Deh, che bellezza t'è *egli* cresciuta, o Biancofiore...?» (*Filocolo*, p. 64 Battaglia); «desta la moglie, et ella gli fa accredere che *egli* è la fantasima» (*Dec.*, VII, 1, Sommario).

I participi e i gerundi hanno usi più numerosi che nel Duecento e che nel Cinquecento, e la loro utilizzazione stilistica è talora assai notevole[94].

Il complemento agente con *a* è usato nel Duecento e nel Trecento

---

[92] Pasquali, *Lingua nostra*, I, pp. 8-10; Bianchi, ivi, cfr. pp. 44-45.

[93] Migliorini, *Saggi ling.*, pp. 156-174

[94] S. Škerlj, *Syntaxe du participe présent et du gérondif en vieil italien*, Parigi 1926, passim; per il Boccaccio, Herczeg, *Lingua nostra*, X, 1949, pp. 36-41; per il Sacchetti, Segre, *Arch. glott. it.*, XXXVII, 1952, pp. 9-17.

molto più largamente che in séguito non si farà: «non ti fare pregare ne' suoi bisogni *a colui*» (Paolo da Certaldo, n. 335); «elli [Sansone] si lasciò vincere *a* sua femina» (Bencivenni, *Esposizione del Patern.*, p. 55); «O casta dea, de' boschi lustratrice - la qual ti fai *a* vergini seguire» (Bocc., *Teseida*, VII, st. 79); «la fa uccidere e mangiare *a*' lupi» (*Dec.*, II, 9); «*a* lui ti fa aiutare, *a* lui ti fa i tuoi panni recare...» (ivi, VIII, 7).

La sequenza asindetica di due imperativi («*va togli* quel canestro», Sacchetti, nov. 118) è frequente, e rimarrà poi viva, ma solo nell'uso popolare. Lo stesso si può dire del costrutto *dar mangiare, dar bere*.

Notevoli gli usi modali di *dovere, venire, volere*: «Pirro adunque cominciò ad aspettare quello che far *dovesse* la gentil donna» (Bocc., *Dec.*, VII, 9), «gli *venne* veduta una giovinetta assai bella» (ivi, I, 4), «di così fatte femine non si *vorrebbe* aver misericordia» (ivi, V, 10).

L'accusativo con l'infinito, specie con alcuni verbi, è indizio di tendenze classicheggianti[95].

Sotto l'influenza del latino sono anche i costrutti dei verbi di timore: «si ch'io temetti ch'ei tenesser patto» (Dante, *Inf.*, XXI, v. 93); «temendo no 'l mio dir gli fosse grave» (ivi, III, v. 80); «e temo no 'l secondo error sia peggio» (Petr., 55); «e temo non chiuda anzi - Morte i begli occhi» (id., 118); «li due fratelli, li quali dubitavan forte non ser Ciappelletto gl'ingannasse» (Bocc., *Dec.*, I, 1, 78); «la donna e 'l giovane... subito sospettano che non fosse quello che era» (Sacchetti, nov. 84).

Un tipo di proposizioni concessive è retto da *per che, perché*: «Non andare mai a casa di niuna femina mondana... *per ch'*ella mandi per te» (Paolo da Certaldo, n. 86); «Tu, *per ch'*io m'adiri - non sbigottir ch'io vincerò la prova» (Dante, *Inf.*, VIII, v. 121; cfr. XV, v. 15; XXXII, v. 100: *Purg.*, XXX, v. 55; *Par.*, XXI, v. 101); «da amare, *perché* io voglia, non mi posso partire» (Bocc., *Fiamm.*, V); «*Perch'*io t'abbia guardato di menzogna - a mio podere et onorato assai» (Petr., *Rime*, 49, 1; cfr. 59, 1).

Qualche problema di topologia è stato bene studiato: la norma che vieta l'uso delle proclitiche all'iniziale, la cosiddetta legge Tobler-Mussafia («*Fecemi* la divina potestate», *Inf.*, III, v. 5, ecc.)[96], e l'ordine delle coppie pronominali *li mi porta, mi si presenta* ecc.[97].

Qualche altro è stato impostato: l'ordine del gruppo sostantivo-aggettivo, talvolta quasi obbligatorio, talvolta libero (*la lingua latina, la tedesca rabbia, la cartaginese guerra*)[98], l'ordine delle parole nelle proposizioni principali e in quelle dipendenti, che ha così grande importanza nel Boccaccio e nelle vicende delle future imitazioni di esso[99].

[95] U. Schwendener, *Der Accusativus cum Infinitivo im Ital.*, Säckingen 1923, passim; cfr. Migliorini, *Lingua e cultura*, pp. 41-42.

[96] V. la bibliografia data a p. 151.

[97] A. Lombard, «Le groupement des pronoms personnels atones en italien» in *Studier i mod. spr.*, XII, 1934, pp. 19-76.

[98] Schiaffini, *Tradizione*, p. 229 (e bibl. ivi citata).

[99] Schiaffini, ivi, pp. 194-199.

Questa minima scelta di osservazioni vuol solo mostrare l'urgenza di un'ampia sintassi dell'italiano antico. Altre molte se ne potrebbero fare tenendo conto anche dei testi non toscani: si pensi ad es. al complemento oggetto di persona costruito con *a* in siciliano: «mandirà *ad Eneas* a lu infernu» nella *Istoria di Eneas* (XII, § 4 Folena).

19. *Consistenza del lessico e suoi mutamenti*

La vivace attività spirituale e pratica del Trecento porta a un arricchimento notevole del lessico: sia nella lingua generale, sia con lo stabilirsi di sempre più precise terminologie speciali, trasferite dal latino al volgare quando si passa a trattare nella nuova lingua di argomenti prima riservati al latino (p. es. termini di filosofia, medicina, astronomia), oppure costituitesi nell'uso pratico (termini di commercio, d'arti figurative, di musica, ecc.).

Citiamo come esempio alcuni termini d'arte che vengono tecnificati nel Trecento (giungiamo qui sino agli ultimi anni del secolo per poter includere il Cennini):

a(c)querella («acquerello»): «e poi aombrare le pieghe d'*aquerelle* d'inchiostro; cioè aqua quanto un guscio di noce tenessi dentro due gocce d'inchiostro»: Cennini, cap. VII;

aria, quale ce lo testimonia il Petrarca («umbra quaedam et quem pictores nostri aerem vocant, qui in vultu inque oculis maxime cernitur»; *Famil.* XXIII, 19, 12) e lo usa il Cennini («contra natura sarà che a te non venga preso di sua maniera e di suo *aria*», c. XXVII); il Petrarca anche in verso («quell'*aria* dolce del bel viso adorno», 122; «e mi contendi l'*aria* del bel volto», 300);

fresco: «lavorare in fresco, cioè nella calcina fresca» (Cennini, c. CLXXV);

mensola è in Dante (*Purg.*, X, v. 132), e il Buti spiega con numerosi sinonimi: «questo vocabolo significa lo piumacciuolo, o lo capitello, o lo scedone, o leoncello che si chiami, che sostiene qualche trave»;

sfumare: «l'acquerelle che vi dài su, non vi appariscono *sfumanti* e chiare» (Cennini, cap. XVII; cfr. quel che poi dirà l'Alberti, *Pittura*, p. 77 Papini: *mancando il lume bianco, si perderebbe quasi in fumo*»).

L'allargamento d'orizzonte portato dal traffico ci è testimoniato dall'apparire della nuova parola *milione*: il Faitinelli (nel son. «Se si combatte...» che è del 1315) scrive «e gente paladina un *milione*», ma Iacopo d'Acqui, intorno al 1330, deve ancora spiegare il vocabolo «quod est idem quod divicie mille milia librarum»[100], e così pure Giovanni Villani: «si trovò nel tesoro della Chiesa in Vignone in moneta d'oro coniata il valore di diciotto milioni di fiorini d'oro... che ogni milione è mille migliaia di fiorini d'oro la valuta» (*Cron.*, XI, 20).

Il linguaggio poetico ha ricevuto dagli Stilnovisti fortissime impron-

---

[100] Citato da L. F. Benedetto, *Il Milione*, Firenze 1928, p. 246.

te; ma già cominciando da Cino da Pistoia i termini di quel lessico, i *disiri*, i *sospiri*, i *martiri*, sono diventati convenzionali, mero repertorio. E alcuni addirittura (*angelo*, *stella*, *tesoro*, *occhi ladri*, ecc.) si installeranno nel lessico comune. Il Petrarca passò poi al vaglio tutto quel vocabolario.

Nei procedimenti della creazione lessicale non c'è molto da osservare. Nella derivazione prefissale si nota il passar di moda di qualche procedimento caro al secolo precedente: p. es. il tipo *oltramirabile*, *oltrapiacente*; è invece ancora molto produttivo *mis-* (*misavveduto*, *misavventura*, *miscadere*, ecc.). Alcuni suffissi godono particolare fortuna: *-esco*, *-evole*, *-ista* (*autorista*, *decretalista*, *tenorista*, ecc.; a «Messer Antonio piovano - eccellente *dantista*» intitola un sonetto nel 1381 Franco Sacchetti). Il bisogno di esprimere una nuova nozione urge su parecchi, e talvolta produce una serie di tentativi, una disordinata efflorescenza, che solo più tardi si placherà nella scelta d'un solo vocabolo. Come aggettivo derivato di *poeta* si ha *poetico*, ripreso dal latino (p. es. in Alberto della Piagentina e nel Buti), ma poi anche *poetevole* (nel volgarizzamento di Guido Giudice), *poetesco* (in Franco Sacchetti), *poetale* (in Zenone da Pistoia).

Sempre numerose sono le formazioni di deverbali senza suffisso, dei tipi *bilancio*, *ploro* e *ruba*.

Seguono per lo più i tipi normali di coniazione le voci foggiate per burla, come i «ventri *attopati*» della novella 187 del Sacchetti (che son poi quelli che hanno mangiato i *topistornelli* offerti da Dolcibene in cambio della *gattaconiglio*).

In complesso, anche rimanendo in Toscana, il lessico trecentesco presenta un'assai scarsa compattezza. Per esprimere la nozione di «sorella» abbiamo, oltre a *sorella*, le forme *suora* (Dante, Villani), *suore* (Cavalca), *sorore* (Petr.), *serocchia* (Villani, A. Lancia), *sirocchia* (Boccaccio), *sorocchia* (Sacch.); solo per una forma, *suoro*, si vede chiaramente una precisa localizzazione, cioè Siena. Così accanto a *lepre* troviamo *levre* (Dante), *lievre* (Rotta di Montecatini, Ottimo, ecc.), *lievore* (Simintendi); abbiamo *sorice*, *sorico*, *sorcio*, *sorco*, *sorgo*, e così via. Persino dove si aspetterebbe che l'analogia della numerosa serie in *-mente* intervenisse a normalizzare, si ha, accanto ad *altramente*, anche *altramenti*, *altrimente* e *altrimenti*: e sarà questa la forma che prevarrà. Dove sono in lizza una forma popolare e una latineggiante, questa ha spesso la meglio, come vedremo nel paragrafo seguente.

20. Latinismi

Il lessico toscano nel Trecento ha accolto e «digerito» latinismi (e grecismi) con un'ampiezza di cui difficilmente ci si fa un'idea.

Se ne possono fare elenchi per scrittori o per opere singole, e in qualche caso se ne possono ricavare importanti indizi per la cultura dell'autore, il suo atteggiamento rispetto agli antichi o rispetto a singoli scrittori latini, e magari con questo aiuto discutere problemi di autenticità o di attribuzione[101]. Ma qui ci preme solo considerare l'assunzione dei latinismi nelle sue linee generali, valutandone la penetrazione stabile nel lessico. S'intrecciano, come sempre, moventi obiettivi e moventi affettivi.

Anzitutto molti latinismi sono accolti per rispondere ai bisogni dei compilatori di opere filosofiche e scientifiche in volgare, tradotte, compendiate o originali.

Si spiegano così i molti latinismi per esprimere concetti astratti: avverte l'autore del *Fiore di virtù* che «le cose spirituali non si possono sì propriamente esprimere per paravole volgari come si esprimono per latino e per gramatica, per la penuria di vocaboli volgari». Si spiega l'accettazione di termini anatomici e medici come *congiuntiva, duodeno, ieiuno, poro, ulcerare*, o di termini astronomici come *esaltazione* «altezza» (Iac. Alighieri), *Leo, Virgo, Scorpio, Tauro, Pisce*, ecc. I traduttori dal latino, in quanto sempre meglio avvertono la differenza tra le «realtà» antiche e quelle moderne, sono indotti a introdurre vocaboli latini che indichino questa diversità di nozione: nella versione della terza Deca di Livio, il Boccaccio usa *repubblica, militi, legione*, ecc., e non più i travestimenti medievali (*comune*, ecc.); così l'Ugurgieri, volgarizzando Virgilio, mantiene un termine tecnico come *infula* (p. 341 Gotti); il Giamboni, nel tradurre Vegezio, usa *pluteo*. Fazio degli Uberti, descrivendo Roma, spinto dal nome antico non meno che dalla sopravvivenza locale, dirà: «Vedi *Termi* Dioclezian si bello» (*Dittamondo*, II xxxi v. 91)[102].

Molte altre volte i latinismi sono accolti perché danno eleganza, signorilità, decoro, perché contribuiscono ad alzare il volgare alla dignità del latino[103]. Talora i latinismi si adoperano perché si adattano bene a un dato schema: specialmente quando si ha bisogno di sdrucciole: «la traditrice *lepore* marina», cioè Pisa (Faitinelli, son. «Poi rotti...»), «I' sento sbadigliar la madre *vetula*» (Alesso Donati, madrigale «Ellera non s'avvitola...»). Ma il fatto che queste parole non sono

---

[101] Si pensi alle indagini del Maggini e dello Schiaffini, che conclusero con l'attribuzione al Boccaccio del volgarizzamento della 3ª e della 4ª deca di Livio (Maggini, *I primi volgarizzamenti*, cap. IV; Schiaffini, *Tradizione*, cap. VII), confermata poi per altra via dal Billanovich (v. qui addietro, p. 208). Il volgarizzamento mostra quella smania che talora ha il Boccaccio di riprodurre l'ornato latino nei particolari, e vi si leggono latinismi «laceranti» come *preera alla provincia, prefece*, ecc.

[102] Cfr. la st. 68 dell'*Intelligenza*: «L'ottavo loco è *termasse* chiamato – secondo lo latin de li Romani, – e per volgare si è stufa appellato».

[103] Tutt'altro che consuete sono ormai le mescolanze come quelle che troviamo in un testamento veronese del 1324: «Imprima eo magistro Alberto *instituo*, ordino, dispono et faço magistro Guiduzo... meo hereso... commandarò *et legabo*» (Migliorini-Folena, *Testi Trec.*, n. 11). Null'altro che scherzi poetici sono i componimenti «semiletterati» come quello di Gidino:
Per le parole del Corvo fedele
Phoebus iratus plenusque furore, ecc. (p. 48 Giuliari).

sopravvissute mostra che rispondevano a una momentanea opportunità artistica e non a un bisogno sociale. Altre volte non si tratta nemmeno di spinta artistica, ma di pigrizia o di capriccio: «e quando viene en etate *nubilla*» (nubile), (Niccolò del Rosso, son. «La femmena...»). I modi di adattamento dei latinismi non sono sempre uniformi. Talvolta si riproduce il vocabolo latino tale e quale, talaltra si adatta foneticamente e morfologicamente agli schemi italiani.

C'è la possibilità, accanto a *entrare, lottare, lecito*, di avere forme latineggianti come *intrare, luttare, licito*, specie se servano per la rima. Ma esiste *desco*, ben saldo, e il Boccaccio, che avrebbe bisogno di esprimere la nozione del «disco» degli antichi, non ha il coraggio di farlo, e si attiene a *desco*: «con Sarpedone al *desco* allor giucando» (*Tes.*, XI, st. 66)[104].

All'adattamento popolare *assempro* si contrappongono con crescente fortuna *essemplo* ed *esempio*.

Gli aggettivi latini in *-undus* sono di solito adattati con la finale *-ondo*, conformemente allo schema di *profundus/ profondo, secundus/ secondo*; ma si può avere anche *-undo*, in prosa e in poesia (p. es. *vagabundo*, Bocc., *Tes.*, III, st. 76); e così si può avere *verecondia* e *verecundia* («la *verecundia* è una paura di disonoranza per fallo commesso»: Dante, *Conv.*, IV, xxv, 10). Similmente si ha *defunto* (Dante) e *defonto* (Sacch.). Oscillano *-anzia* e *-anza, -enzia* e *-enza*.

Oppure si pensi al trattamento di J: *Iove* alterna con *Giove, iustizia* con *giustizia, deiezione* e *degezione, addiettivo* e *aggettivo, plebeo* e *plebeio*, ecc. Oscillano *speciale* e *speziale, socio* e *sozio*, ecc.

Morfologicamente, si adatta di solito la forma dell'accusativo spogliandola della *-m* finale[105]. Ma nei nomi della terza declinazione, e non solo in quelli in *-o* (*Apollo*, ecc.), è tutt'altro che rara l'adozione del nominativo: *aspe, ospe, satelle, vime*, e simili; oltre al tipo *maiesta, podesta, mortalita, Felicita, Trinita* e simili. Ancora nel Duecento e nella prima metà del Trecento l'oscillazione nei nomi propri antichi è fortissima: si pensi alle forme varie che ha il nome di *Venere* per indicare la dea o il pianeta: *Veno* (nel *Fiore* e nel *Detto d'amore*), *Venusso* (nel *Fiore*), *Venus* (Boccaccio, *Tes.*; Sacchetti, *Battaglia*, ecc.). Ma il tipo francesizzante di adattamento[106] man mano cede a quello più moderno: Dante oscilla fra *Cleopatràs* e *Cleopatra*, il Petrarca ha *Cleopatra*.

L'accento, in alcune parole più rare, e specialmente nei nomi propri, tende spesso a passare sulla penultima: *Amazóne* (Bocc., *Tes.*), *Castóre, Nestóre* (ivi), *Ipocràte* (Sacchetti), *baltèo* (Boccaccio), *satìro* (Sercambi), ecc.

---

[104] Solo molto più tardi (s. XVII) il lessico accoglierà *disco*.

[105] Qualche titolo, che ora sogliamo tradurre, si usava citare in latino: «Ovidio, nel quinto di *Metamorphoseos*» (Dante, *Conv.*, II, v, 14); «del re Saul si legge, nel libro *Paralipomenon*» (Passavanti, *Specchio*, p. 308 Polidori); e simili.

[106] Il Salvini (*Discorsi accadem.*, CX) ricorda il «vecchio Villani, che disse *Eneas Silvius*, e cento altri latinamente alla maniera francesca».

Qualche particella, qualche locuzione è assunta dal linguaggio giuridico, dal linguaggio filosofico, ecc.: *de plano*, *di nottetempore* (o *di nottetempo*), *e converso* e simili.

Si attinge, come è ovvio, alla latinità circostante in tutti i suoi aspetti: si ricavano parole non solo dagli scrittori classici, ma più ancora da quelli ecclesiastici (*condegno* dal *condignus* di S. Paolo, *girovago* dal *gyrovagus* della *Regola* di S. Benedetto) e da quelli medievali (*duello*, *bravìo*; *brocardo*; *altimetria*, *planimetria*). Il Boccaccio, curioso di scrittori tardi (Apuleio, ecc.) attinge vocaboli anche ad essi (*meditullo*, *prosapia*). E qualche volta scrittori meno dotti ricorrono a una latinità di fantasia: così sono nati il *plebesciti* «plebei» di Antonio Beccari (v. sopra, p. 200), che dev'essere una confusione di *plebiscitum* con un presunto participio passato di *plebescere*, l'*agnizia* di ser Filippo di ser Albizzo in un sonetto al Sacchetti («Credo che l'abbi tu, se n'hai *agnizia*», LXXII a, ed. Chiari), il *profazio* di Monaldo di S. Casciano (v. sopra, p. 198), il *vàpoli* «maneschi» di Fazio degli Uberti (II, xv, v. 49), ecc.

Lo scrittore stesso che adopera un latinismo sente talvolta la necessità di chiarirlo, per non riuscire oscuro a quelli fra i suoi lettori che ignorano il latino. Ecco qualche esempio di tali interpretamenti: «Di questo mese si semina la ruta ne' luoghi *aprici*, cioè in lieto ed aperto luogo» (Volg. Palladio, Marzo, XV); «Tayda fu *concubina*, cioè bagascia di Sansone» (Pucci, *Zibaldone*, cit. da D'Ancona, *Saggi*, p. 381); «tu lo visiti nel tempo del *diluculo*, cioè la mattina per tempo»... «*diluculo* non è altro a dire, se non il dì che già luce» (*Mor. S. Greg.*, 8, 20); «per la *erubescenza*, cioè per la vergogna che è nel confessare» (Passavanti, *Specchio*, p. 151 Polidori); «sì maturo e vecchio, che ogni color del letame sia *esalato*, cioè sfumato» (Volg. P. Cresc., 4, 10, 3); «Nell'ultimo luogo delle virtudi è da dire d'una virtù, la quale è requie di tutte le altre, ed è detta *eutrapelia*, cioè giocondità» (Bartol. da S. Concordio, *Amm. degli antichi*, IX, rubr.; anche Dante adopera *eutrapelia*: *Conv.*, IV XVII, 6); «prese una *fiscella*, cioè una nassa» (*Fiorita d'Italia*); «Avvegna che per molte condizioni di grandezze le cose si possono *magnificare*, cioè fare grandi...» (Dante, *Conv.*, I, x, 7); «quella *ostetrice*, cioè che leva i fanciulli» (*Pistola di S. Girol.*)[107]; «volendo narrare 'l gioco della *palestra*, cioè dove i campioni si provavano» (*Mor. S. Greg.*, I, 6); «*proàulo* è il secondo, ch'uomo appella verone» (*Intell.*, st. 61).

Glosse di questo genere provano che la parola era poco meno che sconosciuta. Minor valore dimostrativo hanno, naturalmente, le glosse dei commentatori, i quali spiegano di proposito non solo i vocaboli oscuri ma anche quelli un po' meno chiari: il Boccaccio spiega (*Tes.*, VIII, 94) «la *marzial* gente» con «guerriera»; il Buti chiosa in Dante *cuna* e *larva* e *zona* e tanti altri latinismi.

[107] Migliorini, *Saggi ling.*, pp. 132-134.

La tendenza a introdurre nuovi vocaboli latini fa sì che siano man mano respinti dall'uso vocaboli che prima erano usati esclusivamente. Così *esercito, orazione, repubblica* vengono sostituendo *oste, diceria, comune*[108]; *pittore* dapprima adoperato solo come latinismo, finisce poi col vincere *pintore* e *dipintore*[109].

Va di pari passo la tendenza alla rilatinizzazione delle parole, cioè la sostituzione di forme alterate secondo la fonetica toscana con forme identiche a quelle latine. Nelle coppie *cecero-cigno, diecimo-decimo, dificio-edificio, etterno-eterno, fedire-ferire, giogante-gigante, guagnelo/vangelo-evangel(i)o, ninferno-inferno, nicistà/nicessità-necessità, orrato-onorato, orrevole-onorevole, sanatore-senatore, sinestro-sinistro*, e tante altre, si potrebbe studiare il lento progresso e il definitivo trionfo della seconda forma a spese della prima. Talora la poesia precorre la prosa; talora i non Toscani hanno fatto traboccare la bilancia a favore del latinismo e a spese della forma più «idiotica». Si veda p. es. con quale sicurezza e stabilità i Toscani nel Trecento adoperano, in prosa (Boccaccio) e in poesia (Dante, Petrarca) *Cicilia, ciciliano* («per la varietà di volgari degli abitanti è oggi da loro chiamata *Sicilia*, e da noi Italiani *Cicilia*»: Villani, *Cron.*, I, 8): poi *Sicilia*, appoggiandosi al latino, finirà col prevalere definitivamente.

Invece in un certo numero di casi, la rilatinizzazione è stata respinta: non basta che il Petrarca adoperi una volta in rima *bibo* e *describo*, o che il Boccaccio scriva *limbo* per *lembo* perché l'uso popolare di *bevo, lembo* e quello semidotto di *descrivo* siano intaccati.

Il lessico finisce con l'accogliere stabilmente molte e molte centinaia di vocaboli: e non solo nell'uso letterario, ma nell'uso quotidiano (e magari ufficiale, p. es. *censo, esattore*).

Ecco un breve elenco meramente esemplificativo di latinismi entrati nel lessico nel Trecento (senza poter escludere che qualcuno risalga al secolo precedente): *adunco, ambrosia, antropofago, atroce, austero, autentico, circonferenza, claudicare, compatriota, confabulare, consimile, discolo, energumeno, esistenza, eunuco, evaporare, faretra, frugale, girovago, ignavia, incolore* (Cecco d'Ascoli), *indigente, industrioso, ingurgitare, invitto, mellificare, milizia, ostare, premeditare, prolisso, puerile, pusillanime* (-o), *qualificare, rubicondo, serico, settentrione, siccità, sofistico, spurio, stirpe, transitorio, truculento, venereo, venusto, verecondo, vigile, vigilare*.

Invece numerosissime altre voci, adoperate occasionalmente da qualche scrittore, non arrivano ad attecchire. Ecco qualche esempio anche di queste: *ablato* «cosa portata via» (Sacch., nov. 293); *(h)alare* «respirare» (Cecco d'Ascoli, *Acerba*, 1. IV, c. 4); *cano* «bianco, canuto» (Sennuccio Del Bene, son. «Amor, tu sai ch'io son col capo *cano*»); *ceno*

---

[108] Maggini, *Lingua nostra*, III, 1941, pp. 76-79; VIII, 1947, pp. 1-3.

[109] In documenti fiorentini dei primi del Trecento, quelli in latino hanno *pictor*, quelli in volgare *dipintore* (Davidsohn, *Firenze ai tempi di Dante*, pp. 379, 416). Gli Statuti di Perugia del 1342 hanno *l'arte dei pentore* (I, p. 124 Degli Azzi).

«fango» (Canigiani, *Ristorato*, cap. XL); *comere* «pettinare, lustrare» (Petr., *Trionfo Tempo*, v. 16); *complettere* «abbracciare» (Canigiani, *Rist.*, cap. XXXVIII)); *convizio* «ingiuria» (Maestruzzo); *conviziatore* «ingiuriatore» (Bocc., lett. Pino de' Rossi); *cornice* «cornacchia» (Petrarca, 210); *diversorio* «albergo» (Cavalca, *Specchio croce*, IX); *(h)ebere* «venir meno» (Petrarca, *Tr. Fama*, I, v. 91); ecc.

In alcuni casi la scomparsa di questi latinismi avventizi si spiega bene. Talora è l'omonimia che li pone a contrasto con altri vocaboli più vitali: *celare* «intagliare» (da *caelare*) non può resistere a *celare* «nascondere»; *contento* da *contemptus* «disprezzo» (M. Villani; *Fioretti*, ecc.) e anche *contento* nel senso di «contenuto» non reggono in presenza di *contento* «lieto»; *eretto* da *ereptus* «rapito» (Canigiani) non resiste a *eretto* «ritto»; *fitto* da *fictus* «finto» (Passavanti) cede a *fitto* «conficcato»; *invito* da *invitus* «che fa contro voglia» (Boccaccio) svanisce di contro alla famiglia di *invitare*, ecc. Invece il latinismo *ostare* «ostacolare» vince il gallicizzante *ostare* «togliere» (da *oster*, *ôter*). Anche certi significati o costrutti peculiari del latino non arrivano a imporsi, accanto al significato più generale e più saldo nell'uso: p. es. *istituire* nel senso di «educare», *offendere a* e *offendere in* nel senso di «inciampare»; più lunga vita avrà nell'uso letterario *discorrere* nel senso di «girare intorno».

21. Gallicismi ed altri forestierismi

Larga, come s'è visto, è la conoscenza, diretta e letteraria, delle cose francesi. In singole persone, viventi o vissute in Francia, se ne avverte un forte influsso diretto: si legga per esempio, una lettera scritta nel 1330 da Balduccio Partini, un pistoiese residente in Beaulieu: «...Quando fui a Torso, lo *balio* volse *piagi* da me fiorini 500, che io mi rapresenterei *dedens certana* giornata a Parigi...» (rr. 29-31); «in questa *derniera* lettera ch'à mandata...» (rr. 54-55), «no ci à *valletto* nè *ciamberiera* che possa durare con lui» (r. 140), ecc.[110].

E il fortissimo influsso esercitato nel secolo precedente da modelli francesi e provenzali sulla lirica e sulla materia romanzesca (anche d'argomento classico) continua a scorgersi ancora. Si veda, p. es., la copia dei francesismi e provenzalismi nella canzone del Pregio di Dino Compagni («Ché pregio è un miro di clartà gioconda - ove valor s'*agenza* e si pulisce... en guerra franco a mostrar sua valenza - e *driturier*, quando *impronta*, al pagare...»). Nella versione del *Libro dei Sette savi* leggiamo *accollare* «abbracciare», *aggio* «età», *astivo* «frettoloso», *calangiare* «rivendicare», *coprifuoco*, *dipardio!*, *merciare* «ringraziare», *micieffo* («il *micieffo* cioè il disastro», p. 70 D'Ancona), *musardo* «perdigiorno», *taccia* «macchia», ecc.

[110] L. Chiappelli, «Una lettera mercantile del 1330 e la crisi del commercio italiano nella prima metà del Trecento», in *Arch. stor. ital.*, s. 7ª, I, 1924, pp. 229-256.

Verso la metà del secolo, persistono ancora parecchi gallicismi: e quelli usati in poesia coincidono solo parzialmente con quelli usati in prosa (abbiamo p. es. *dammaggio*, *plusori* nella *Teseida*, *civire*, *civanza*, *saramento*, *sugliardo* nel *Decamerone*). Dopo la scelta rigorosa operata dal Petrarca, i gallicismi da lui evitati nel verso (p. es. *naverare*) spariranno definitivamente.

L'afflusso di francesismi nuovi è ormai ridotto a poco: qualche nome ora penetra con gli oggetti: p. es. *dorè* e *tanè* nella tariffa fiorentina dei tintori (1375), *bombarda*, nominata la prima volta a proposito dell'assedio di Brescia del 1311 (che sembra francese per il suffisso), *petito* «misura per liquidi nell'Italia mediana». Né sempre i francesismi mantengono connotazione elegante, ammirativa: *ciambra*, *zambra* dové in origine, nel Duecento, essere accolto come sinonimo elegante rispetto a *camera*. Ma ormai nel Trecento non è più così: in due sonetti della stessa corona il Pucci adopera indifferentemente *camera* e *zambra* secondo la necessità del metro: «poi me n'andai in *camera* con lei», «po' che no' fummo nella *zambra* entrati»; a Siena *ciambra* ha preso (già nel volgarizzamento del del Costituto, che è del 1309-10) il significato di «pozzo per lo spurgo di materie fetide», e spregiativo è il derivato *zambracca* (che è già nel *Corbaccio*).

Dalla penisola iberica giungono poche parole: ricordiamo il nome del gioco delle carte, entrato insieme con esse, *nàibi* (dall'arabo)[111], il nome dei *mugàveri* o *almogàveri*. Negli ultimi decenni del secolo si divulgano le maioliche, il cui nome appare ancora come nome proprio nel Cennini («belli vasi da Domasco o da *Maiolica*», c. CVII)[112].

È difficile dire se siano giunti in questo secolo, oppure già prima, arabismi documentati ora, come *cubebe* o *tazza* o *chermisì* («cremisi»).

Poche voci penetrano dal tedesco, come il *piffero* (Pecorone), il gioco della *zighinetta* (Lucca 1362). Il nome di *sciverta* «spada» (da *Schwert*) non attecchì (l'usa solo il Prodenzani, *Sollazzo*, VI, v. 73). Qualche altro termine, come *luffomastro* o *luvomastro* (Villani), *dicco* («I Fresoni ruppono i *dicchi*, ciò sono gli argini»: Villani), è solo riferito ai luoghi d'origine.

Lo stesso si può dire dei termini usati da mercanti italiani in Inghilterra: *costuma* «dogana», *cochetto* «documento che attesta l'avvenuto pagamento dei diritti doganali», *feo* «stipendio», ecc.[113], o dei nomi greci e orientali usati in narrazioni di viaggi: p. es. Leonardo Frescobaldi parla di «duecento *calòri*», cioè *caloiri*, *calògeri*[114].

---

[111] V. le testimonianze di S. Debenedetti, *Il «Sollazzo»*, pp. 161-162.
[112] Cfr. il secondo trattatello *Dell'arte del vetro* pubblicato dal Milanesi, cap. 40: «Prendi el vasello di terra secco che vuoi dipingere, secondo fanno quelli di *Maiolica*»; e nel titolo: «scodelle di *maiolica*».
[113] E. Re, *Arch. stor. ital.*, LXXI, 1913, pp. 249-282.
[114] Anche la *Franceschina* del p. Oddi, nel secolo seguente, parlerà de «li *caloiri*, li quali sonno religiosi heretici» (II, p. 262).

22. *Voci non toscane*

Non intendiamo qui parlare delle parole o frasi dialettali che singoli scrittori toscani introducono nelle citazioni o nella narrazione per color locale (cfr. pp. 193-194 e 197). E tanto meno delle numerose parole dialettali o interdialettali che appaiono negli scrittori non toscani: *enguana* «fata delle acque», *treppare* «saltare», che leggiamo in sonetti in «italiano» del Vannozzo, *còttola* «sottana» nel Correggiari, *ossorare* nel Catenacci; e dei vocaboli anche più numerosi che si hanno negli scritti in prosa di autori non toscani, i quali restano come elementi di «sostrato». Intendiamo invece ricordare che già in questo secolo sono state accolte nel lessico numerose parole da altri dialetti. Prevalgono le voci settentrionali, provenienti dal Veneto (*madrigale*), o da focolari non ben determinabili dell'Italia padana (*cavezza, corazza, rugiada, tregenda, filugello*)[115].

Anche per qualcuna di queste voci, le oscillazioni sono fortissime: basti citare i vari adattamenti del veneziano *dóṣe* (*doxe*): se il Giamboni e il Boccaccio hanno *doge*, il Barberino ha *dugie*, il Villani *dogio*, il «Re Giannino» *dugio*, il Sercambi *dogio* o *dugio*. Certo le varianti sono dovute all'influenza del latino *dux* o del volgare *duca*, dato lo strettissimo contatto semantico (il Barberino nel *Reggim.*, I, IV e I, V parla del *duca di Storlich* in verso e del *dugie di Storlich* in prosa).

Entro la Toscana stessa, gli scambi sono forti: Firenze dà e riceve[116]; e se nei testi lucchesi, pistoiesi, senesi, aretini, troviamo ancora fenomeni e vocaboli caratteristici, non li troviamo allo stato puro, ma quasi sempre, ormai, mescolati con fenomeni e vocaboli del fiorentino letterario: *ponto, fameglia, merolla*, hanno accanto a sé *punto, famiglia, midolla*.

---

[115] La parola significa ancora, conforme all'etimo (FOLLICELLU), «bozzolo»: così *filogello* nel Costituto di Siena, 1309-10; «imparato a trarre seta di *filugelli*» nel Sercambi, p. 34 Renier; e anche nell'emiliano Paganino Bonafé «per vermi da *folliselli*» (*Thesaurus rusticorum*, v. 590 del cod. Bologn., ed. Frati). A Lucca *filugello* significa «seta di rifiuto o di spurgo» (*Statuti della Corte dei Mercanti*, 1376, Glossario).

[116] Esempi in Castellani, *Nuovi testi*, pp. 72-78, 104 e passim.

CAPITOLO VII
IL QUATTROCENTO

1. Limiti

Se, invece degli anni secolari, volessimo porre alla nostra trattazione limiti meno convenzionali, potremmo prender le mosse dalla morte del Boccaccio, da cui s'inizia quello che, riferendosi al noto compianto del Sacchetti per la morte del Boccaccio, gli storici hanno chiamato il «secolo senza poesia» (1375-1475)[1].

Una data importante, comunque si debba giudicare dell'efficacia dell'evento, è quella del *Certame coronario* (1441); importantissima quella della stampa dei primi libri in volgare (1470). Le date dell'ultimo decennio (1492, morte di Lorenzo de' Medici, scoperta dell'America; 1494, spedizione di Carlo VIII) sono state tanto adoperate e tanto discusse come date terminali dell'Evo medio che possiamo dispensarci dal parlarne.

2. Eventi politici

Le città-stati sono ormai tramontate e anche le piccole Signorie tendono a sparire, assorbite negli Stati regionali a regime principesco od oligarchico. Venezia estende il dominio in terraferma eliminando Scaligeri e Carraresi; Firenze conquista Pisa (1406) e acquista Livorno (1421), ecc.

Nella prima metà del secolo, assistiamo, dopo i tentativi di espansione di Gian Galeazzo, a quelli di Filippo Maria Visconti; poi alla conquista della dinastia aragonese di Sicilia, la quale, vincendo la partita sugli Angioini, riesce a riunire il Napoletano all'isola. Lo Stato Pontificio risente gravemente delle conseguenze degli scismi; e solo con Niccolò V torna a consolidarsi e a pesare tra gli Stati italiani. Un certo equilibrio s'instaura negli ultimi decenni, auspice Lorenzo de' Medici: ma i sentimenti di rivalità fra gli Stati sono tanto forti da non permettere di agire in comune quando la Francia e la Spagna, costituitesi in Stati nazionali, verranno con pretesti dinastici a impadronirsi di terre italiane e a dirimere nella penisola le loro contese.

---

[1] B. Croce, *Poesia popolare e poesia d'arte*, Bari 1933, p. 233.

La caduta di Costantinopoli in mano dei Turchi (1453) si ripercuote sulla politica e sulla vita culturale italiana. E l'espansione dei Turchi nella Penisola Balcanica spinge all'emigrazione e all'insediamento in Italia di numerose colonie albanesi e serbocroate.

La posizione degli Stati Sabaudi a cavaliere delle Alpi contribuisce a dare al francese una posizione importante nel Piemonte. La Sardegna è in questo periodo in mano aragonese e la nobiltà immigrata vi ottiene forti privilegi. La Corsica dipende politicamente da Genova, Malta dal regno di Napoli, la Dalmazia costiera da Venezia.

I prìncipi dominano sulle corti, dove hanno modo di manifestarsi il lusso, l'ambizione e anche la cultura. Se la forza, anzi addirittura l'esistenza, di questi Stati come tali poggia sull'individualità dei principi stessi (basta pensare allo «sgonfiarsi» dello Stato milanese alla morte di Gian Galeazzo e più tardi di Filippo Maria), è ovvio che la loro influenza personale si manifesti ampiamente sia nella vita di corte, sia nelle cancellerie, da cui dipende l'organizzazione amministrativa degli stati. Molto più impersonale è l'opera delle cancellerie negli stati oligarchici.

Si ha un assai notevole movimento di persone, sia entro gli stati stessi (forti migrazioni dal contado alla città), sia fra stato e stato (matrimoni, esilii, composizione eterogenea delle Compagnie di ventura, e successivi stanziamenti di uomini d'arme, attività di diplomatici, ecc.)[2], talora con importanti conseguenze culturali[3] e anche linguistiche[4].

Con gli altri paesi europei e mediterranei si svolge un assai intenso traffico, sia per terra sia per mare (si pensi ai frequenti viaggi di galee tra Firenze e Bruges). L'espansione dei Turchi porta invece grave danno agli stanziamenti coloniali e agli scambi commerciali, che più facilmente si erano svolti sotto il più tollerante dominio degli imperatori greci. Danni anche più gravi porterà ai commerci italiani la nuova via delle Indie aperta dai Portoghesi con la circonnavigazione dell'Africa.

3. *Vita culturale*

L'entusiasmo per l'Umanesimo, diffondendosi principalmente da Firenze, si accende per tutta quanta l'Italia. Si mira, attraverso una caccia quasi affannosa ai codici antichi, alla riscoperta, o meglio alla riconquista del mondo classico; e tale riconquista è insieme causa ed effetto di una rinnovata fiducia delle forze umane nel costruire una convivenza civile, di un nuovo sentimento dell'importanza dell'uomo

[2] Il Beccadelli, nato a Palermo di famiglia bolognese, vive a Siena, a Pavia, a Napoli; il Pontano è nativo di Cerreto di Spoleto, ecc.

[3] Vediamo p. es. che Palla Strozzi, esule a Padova, è uno dei capisaldi della penetrazione del Rinascimento letterario e artistico nel Veneto.

[4] In Firenze si affacciano (nella seconda metà del '300 e ora) peculiarità dialettali provenienti dalla Toscana occidentale e meridionale.

nel mondo. La città terrena non è più svalutata come mera preparazione alla città celeste, ma è vagheggiata con amorosa cura nei suoi elementi materiali e spirituali.

In contrasto con la cultura medievale, che era di carattere quasi esclusivamente ecclesiastico, la cultura umanistica è prevalentemente secolare, sia per gli oggetti che la interessano sia per le persone che la praticano. All'indirizzo aristotelico, tuttora predominante nelle scuole, si contrappongono correnti neoplatoniche e mistiche, che hanno una forte influenza negli ultimi decenni del secolo, specie a Firenze. «Se il primo umanesimo fu tutto un'esaltazione della vita civile, della libera costruzione umana di una città terrena, la fine del'400 è caratterizzata da un chiaro orientamento verso un'evasione dal mondo, verso la contemplazione»[5].

L'allargarsi degli studi dell'antichità fa sì che uno che vi si dedichi a fondo debba spendervi gran parte del suo tempo – e quindi aspiri a ricavarne il sostentamento e magari l'agiatezza. Diventa abbastanza frequente in questo tempo la professione del letterato. C'è poi chi vive recitando i propri versi, come Serafino Aquilano – anche se c'è chi lo considera un «menestrello»[6].

L'esame spregiudicato dei testi nuovamente scoperti pone i fondamenti di quella che sarà la filologia testuale. Si cominciano a dibattere problemi di linguistica storica: si pensi alla famosa discussione avvenuta a Firenze nel 1435, nell'anticamera di Eugenio IV, se già nell'antica Roma esistesse una differenza tra latinità colta e latinità parlata analoga alla differenza che c'era allora tra latino e volgare[7], oppure alla pagina in cui Poggio riconosce una permanenza di lingua parlata romana in Spagna e e in Sarmazia[8].

All'ammirazione per gli scrittori classici consegue il proposito d'imitarli: anziché scrivere secondo la consunta tradizione scolastica medievale, ciascuno viene studiosamente costruendo la propria lingua: chi scegliendo fior da fiore tra i vari scrittori, chi mirando a restringere il canone verso il solo Cicerone[9]. Giannozzo Manetti si fa interprete di questa coscienza degli umanisti di essere gli artefici di una lingua nuova, quando asserisce[10] che la lingua non è dono della Natura, ma «subtile quoddam et acutum artificium».

---

[5] E. Garin, *L'Umanesimo italiano*, Bari 1952, p. 103.

[6] Cfr. il sonetto messo in bocca a sua madre (cit. negli *Scritti... Monaci*, Roma 1901, p. 201):
senza bisugnu a fa da ministriglie
'n mezzo a Milano, Mantova et Urbinu.

[7] M. Vitale, in *Lingua nostra*, XIV, 1953, pp. 64-69 (con la bibl. prec.); H. Baron, *The Crisis of the Early Italian Renaissance*, Princeton 1955, pp. 304-312, 421-429.

[8] *Opera*, Basilea 1538, p. 54 (cfr. E. Walser, *Poggius Florentinus*, Lipsia 1914, pp. 260-261).

[9] R. Sabbadini, *Storia del ciceronianismo*, Torino 1886.

[10] Nel famoso discorso «De dignitate et excellentia hominis» (cit. da G. Gentile, in *Giorn. stor. lett. it.*, LXVII, 1916, p. 67).

Coluccio Salutati non solo riforma la propria lingua, ma, quale cancelliere della repubblica di Firenze, introduce un nuovo stile cancelleresco.

Si discute, e talora con accanimento, sulle regole da applicare. E anzitutto gli umanisti si scagliano contro il latino tradizionale delle scuole, e i vecchi manuali quali il *Doctrinale* e il *Grecismus*[11].

Le arti figurative sono in luminosa ascesa: ferve lo sforzo per liberarsi dagli schemi medievali, obbedendo a un nuovo realismo e assimilando l'insegnamento degli antichi. Si progettano città ideali, e si eseguono arditi piani urbanistici, i quali danno una nuova fisionomia a parecchie città, conferendo loro l'aspetto che tuttora conservano, con strade per quel tempo assai larghe, senza l'ingombro delle medievali «baldresche», che Lodovico il Moro aborriva e faceva demolire.

Nelle botteghe artigiane convergono sforzi artistici e sforzi tecnici di maestri e di allievi: non v'è ancora lo «scienziato» o il «tecnico» di professione, e Leonardo può a buon diritto proclamare «l'operazione assai più degna della contemplazione o scienza» (*Trattato della pittura*, § 20 Borzelli).

Nelle corti, i prìncipi per lo più favoriscono gli umanisti: essi medesimi talvolta sono stati allievi di maestri insigni, o affidano ad essi i loro figli. Ma alcuni promuovono apertamente ed energicamente l'uso del volgare.

A Milano[12], Filippo Maria Visconti, il quale era anche in grado di improvvisare un discreto discorso in latino, si dilettava della lettura del Petrarca e del Boccaccio. Egli fece compilare (intorno al 1440) un commento dell'*Inferno* a Guiniforte Barzizza, fece commentare il Petrarca al riluttante Filelfo, fece tradurre Cesare e Curzio Rufo a Pier Candido Decembrio e, sia stato o no il deliberato iniziatore dell'uso del volgare nella cancelleria milanese, certamente quell'uso favorì[13]. Parecchi decenni più tardi, se diamo ascolto a Francesco Tanzi, editore delle rime di Bernardo Bellincioni (1493), Lodovico Maria Sforza avrebbe chiamato alla sua corte «il faceto poeta Belinzone, a ciò che

[11] Il Salutati rimprovera a Benvenuto da Imola il suo latino fratesco («fratrum religiosorum more»: *Epistolario*, ed. Novati, V, p. 15); Guarino Veronese (*Epistol.*, II, p. 582) e tanti altri inveiscono contro le pessime compilazioni su cui nelle scuole si studiava il latino (Billanovich, *Lingua nostra*, XV, pp. 70-71); il Niccoli, nel primo dei *Dialogi ad Petrum Histrum* del Bruni (p. 15 Kirner) se la prende con i solecismi dei filosofi, e così il Valla e tanti altri (risponderà Giovanni Pico nella lettera a Ermolao Barbaro dicendo che il consenso dei filosofi nella loro terminologia vale più che l'essere conforme all'antico uso romano; v. il testo in Garin, *Prosatori latini del Quattrocento*, Milano-Napoli 1952, pp. 804-823; la risposta del Barbaro alle pp. 844-863); nella sua velenosa polemica con Poggio, il Valla lo rimprovera di usare parole come *certificare, dignificare*, ecc.

[12] Sulla cultura milanese del Quattrocento, v. (oltre ai capitoli I e X del *Quattrocento* di V. Rossi, 2ª ed., Milano 1933), F. Malaguzzi-Valeri, *La corte di Lodovico il Moro*, vol. IV, Milano 1922.

[13] V. l'accurato saggio di M. Vitale, *La lingua volgare della cancelleria visconteo-sforzesca nel Quattrocento*, Varese-Milano 1953.

per l'ornato fiorentino parlare di costui e per le argute, terse et prompte sue rime la città nostra venesse a limare et polire il suo alquanto rozo parlare» (I, p. 5, della rist. Fanfani). E Lodovico il Moro affermava a Giambattista Ridolfi (che lo riferì a Pietro de' Medici) che «la nazione fiorentina nel dire e nello scrivere volgare passa tutti gli altri»[14].

A Ferrara, dove l'insegnamento di Donato degli Albanzani, e poi quello dell'Aurispa e del Guarini avevano sparso fecondi semi di cultura umanistica, la corte estense è anche un semenzaio di cultura volgare[15]. Ludovico Carbone narra (*Facezie*, CVIII) che un podestà del Modenese, leggendo in una lettera del duca «capias *accipitrem* et mitte nobis ligatum in sacculo ne aufugiat», invece che mandargli un falcone, gli mandò, prigioniero l'*arciprete* – e da allora le lettere furono scritte non più in latino ma in volgare[16]. Alla prima propulsione di Niccolò III (che fece commentare a Pier Andrea Bassi la *Teseida* boccaccesca) fa seguito l'opera sempre più intensa di Leonello e di Borso[17]. Non meno favorì il volgare Ercole I, spinto forse anche dalla moglie Eleonora, che ignorava il latino[18].

Nella corte e nella cancelleria di Napoli, dopo la decadenza culturale del periodo angioino, si ha una forte ripresa con gli Aragonesi. Latino e catalano predominano nella cancelleria[19], e relativamente rare sono le lettere in napoletano illustre del tempo di Alfonso I. Ma quando si viene ai tempi della politica decisamente italiana, e non catalana, di Ferdinando I, il volgare italiano prende il sopravvento[20], e il Pontano dà l'impronta del proprio stile alla corrispondenza cancelleresca.

In questo clima fervido di studi, prospera l'insegnamento, fondato

[14] Galletti, *L'Eloquenza*, Milano 1938, p. 574.

[15] Cian, in *Studi... Rajna*, Firenze 1911, pp. 263-265; G. Fatini, «Il volgare preariosteo a Ferrara», in *Le rime di Ludovico Ariosto*, Torino 1934 (*Giorn. stor.*, Suppl. XXV.

[16] Simile narrazione, riferita al tempo di Niccolò III, si ha in una lettera di Agostino Mosti pubblicata dal Solerti (*Atti e mem. Dep. Storia patria Romagna*, s. 3ª, X, 1892, p. 191).

[17] Carlo di San Giorgio (o, come si faceva chiamare, il Polismagna) si rivolge al duca Borso perché lo scusi presso quelli che criticassero i vocaboli d'una sua traduzione in ferrarese illustre: «io scio che tu sei ferrarese et io ferrarese... et però non saperia io adriciare la lingua se non al ferrarese idioma, il quale, secondo il mio parere, non ha mancho elegantia che alcuno altro italiano parlare». Egli era stato infatti rimproverato, forse dal duca stesso, per aver scritto in latino la storia della congiura dei Pio, e la riscrisse in volgare (G. Bertoni, *La Biblioteca Estense e la cultura ferrarese*, Torino 1903, p. 123; Fatini, op. cit., pp. 16-17).

[18] Fatini, op. cit., pp. 29-41.

[19] Nella tesoreria, le cedole saranno scritte in catalano fin circa il 1480 (Croce, cit. da Folena, *Crisi*, p. 6).

[20] F. Nicolini, nella sua ed. di F. Galiani, *Del dialetto napoletano*, Napoli 1923, pp. 113-114.

in primo luogo sullo studio dei classici latini. I libri per tale studio, che in questo periodo si moltiplicano, hanno spesso come strumento il volgare: si pensi alle grammatiche[21] e ai glossari[22] in cui le frasi o i vocaboli latini sono interpretati in volgare.

L'insegnamento del greco prospera anch'esso, per necessità intrinseca dello sviluppo dell'umanesimo e per convergenti spinte estrinseche (il concilio di Ferrara e Firenze per l'unione della chiesa greca con la latina; l'emigrazione di parecchi dotti dopo la conquista turca di Bisanzio). Le traduzioni dal greco raramente sono dirette: per lo più avvengono attraverso la mediazione del latino.

C'è anche chi affronta lo studio dell'ebraico (Giannozzo Manetti, Giovanni Pico)[23].

Neanche l'insegnamento mercantile è trascurato, come risulta da trattati quali la *Summa de Arithmetica, Geometria, Proportioni et Proportionalita* (Venezia 1494) di Luca Pacioli.

Suona nelle chiese la predicazione tradizionale, in latino, in volgare e talvolta in una miscela dell'uno e dell'altro. Sulle altre s'innalzano alcune grandi voci: san Bernardino da Siena, il beato Giovanni Dominici, il Savonarola. E san Bernardino insiste perché il predicatore parli «chiarozo chiarozo, acciò che chi ode ne vada contento e illuminato e non imbarbagliato» (pred. III, 1427, p. 77 Bargellini).

Qualche volta i predicatori si rivolgevano al popolo anche sulle piazze. E un po' per farsi meglio intendere, un po' per attirare l'attenzione degli ascoltatori, non mancavano di adattare la loro parlata a quella del luogo in cui predicavano: sintomatica è l'affermazione di S. Bernardino: «Quando io vo predicando di terra in terra, quando io giongo in un paese, io mi ingegno di parlare sempre sicondo i vocaboli loro; io aveva imparato e so parlare a modo loro molte cose. *El mattone* viene a dire il fanciullo, e *la mattona* la fanciulla» (predica XXIII, p. 505 Bargellini).

Ma sulle piazze s'udiva per lo più la voce dei «cantatori in panca»: così a Firenze sulla piazza di San Martino. E sappiamo che i Perugini

---

[21] Lo scartafaccio grammaticale di Caselle (nel Canavese) contiene frasi in volgare accompagnate dalla versione latina (Terracini, in *Romania*, XL, 1911, p. 435); Filippo Beroaldo il vecchio, insegnando retorica e poesia a Bologna, si serviva spesso del volgare (L. Thorndike, in *Rom. Review*, XLI, 1950, pp. 274-275); ecc.

[22] Citiamo come es. il glossario di Gasparino Barzizza (1370-1430), tante volte stampato nel Cinquecento, il glossario latino-bergamasco pubblicato dal Lorck (*Altbergam. Sprachdenkmäler*, Halle 1893, pp. 95-163), il glossario del Cantalicio fatto conoscere dal Baldelli (*Atti e mem. Acc. tosc.*, XVIII, 1953, pp. 367-406), interessante per il colorito reatino degli interpretamenti. Abbondano i materiali ancora inediti.

[23] Cfr. Burckhardt, *La civiltà del Rinascimento*, trad. Valbusa-Zippel, I, Firenze 1921, pp. 231-232. Gli Ebrei, naturalmente, si servono della loro lingua per usi liturgici e anche pratici (un testamento in ebraico letto al podestà in volgare, a Orvieto, 1434: Debenedetti, *Sollazzo*, p. 112; uno in Sicilia, in *Boll. Centro St. Sic.*, II, 1954, p. 376, ecc.).

più volte ricorsero a Firenze (o ad Arezzo, a Siena, a Lucca) per avere dei buoni canterini[24].

Largamente apprezzate dal popolo, per cui ecclesiastici e laici di mezzana cultura le venivano preparando, sono le sacre rappresentazioni, fiorite specialmente nell'Italia centrale, benché propaggini se ne abbiano anche in altre regioni. Invece la recitazione di commedie e tragedie di argomento classico – non solo di quelle antiche rappresentate in latino, ma anche di quelle di argomento classico composte in volgare (l'*Orfeo* del Poliziano, 1480, il *Cefalo* di Niccolò da Correggio, 1487, ecc.), o tradotte dal latino (l'*Anfitrione* volgarizzato da Pandolfo Collenuccio, 1487, ecc.) – non è che un passatempo cortigiano.

L'umanesimo contribuì anche a modificare la scrittura, e l'arte del copiare, e il commercio librario. I libri latini sono tanto più numerosi di quelli volgari che uno che cerchi di questi ultimi li deve pagar più cari[25].

Ma ecco che il mirabile frutto che l'umanesimo ha fatto nascere in Germania, l'invenzione della stampa, valica le Alpi e viene a produrre una rivoluzione in tutto il mondo culturale, con conseguenze linguistiche grandissime. Poco dopo le prime stampe di libri latini, Vindelino da Spira pubblica a Venezia, nel 1470, il canzoniere del Petrarca; è incerto se sia del 1470 o del '71 l'edizione napoletana del *Decamerone* detta del «Deo Gratias». Del 1471 sono il *Decamerone* veneziano del Valdarfer, il *Petrarca* romano del Lauer, due edizioni veneziane della Bibbia, e probabilmente il *Fiore di canzonette* del Giustinian. Nel 1472 appaiono tre edizioni della *Commedia* (a Foligno, a Mantova, a Iesi o a Venezia), una del canzoniere del Petrarca (a Padova), una stampa del *Decamerone*, due del *Filocolo*, una della *Fiammetta*, e ancora il Burchiello, Giusto de' Conti, il Cavalca. Venezia, Firenze e Milano sono all'avanguardia nella pubblicazione di libri in volgare, mentre le città «universitarie» più conservatrici (Bologna, Roma) – quelle stesse che si tengono più a lungo attaccate alla scrittura gotica – ne pubblicano pochi, in confronto con la grande massa di libri in latino.

È sintomatico vedere come la priorità, sia cronologica sia quantitativa, nei primi decenni della stampa, spetti senz'altro ai tre grandi scrittori trecentisti. Numerose sono, fra gli incunaboli in volgare, anche le opere ascetiche, né manca qualche opera pratica (medicina, aritmetica, ecc.).

Già l'istituzione di botteghe librarie attrezzate a produrre numerosi manoscritti aveva cominciato a esercitare certi effetti linguistici, facendo sparire le peculiarità più rare e difficili nei testi frequentemente copiati. Ma insomma, finché il libro è manoscritto, è destinato a una o a pochissime persone: quando gli editori cominciano a produrre

---

[24] D'Ancona, *Varietà storiche e letterarie*, II, Milano 1885, p. 63.

[25] Il 20 maggio 1429, il Traversari, che sta comprando a Firenze libri in volgare per Leonardo Giustinian, gli scrive così: «Piget pretii nimis magni: venerunt ecce iam carius vulgariter quam latine scripta».

centinaia o migliaia d'esemplari a stampa, si preoccupano di essere compresi dal loro pubblico, e di non urtarne il gusto. Da principio il tipografo non fa che affidare al compositore un manoscritto che gli capita fra mano; ma poi si manifesta necessaria l'opera dei correttori, e quest'opera assumerà tanto maggiore importanza quanto più il gusto generale prenderà forme precise. Il correttore di tipografia, piuttosto che curare che il libro a stampa riesca conforme al volere dell'autore (preoccupazione che solo modernamente si è affermata), pensa a presentarlo con un aspetto grammaticale corretto e coerente, e con parole largamente intelligibili. Un manoscritto può magari presentarsi con grafie singolari e parole un po' strane: non così un libro che si voglia vendere largamente. Questa è la via per cui l'industria del libro promosse fortemente l'accettazione di una norma comune, sia nella grammatica che nel lessico. Non basterà, naturalmente, la generazione dell'ultimo trentennio del secolo a produrre effetti radicali; ma se prendiamo in considerazione lo svolgimento dell'italiano comune anche nelle due generazioni seguenti, fin verso la metà del secolo XVI, vedremo che la stampa ha portato un contributo decisivo a una maggiore stabilità e uniformità della lingua[26].

4. La «crisi» quattrocentesca

Se esaminiamo complessivamente lo stato della lingua italiana durante il Quattrocento, notiamo una differenza notevole fra la prima e l'ultima parte del secolo, e fra l'atteggiamento della Toscana e quello del resto d'Italia.

Nei primi decenni il volgare è depresso e sminuito nell'opinione generale, di contro al latino esaltato dal trionfante umanesimo: esso è ridotto a funzioni modeste, quasi ancillari. Non manca chi scriva in volgare, in poesia e in prosa; manca chi lo coltivi con cura, con amore, con coscienza d'arte. In questo stato di depressione, in Toscana la norma si fa più indulgente ed eclettica, per non dire anarchica: l'uso parlato fiorentino accetta largamente forme nuove, in parte provenienti dal toscano occidentale e meridionale, e l'uso scritto le accoglie senza scrupolo, in concorrenza con quelle tradizionali, quali le aveva fissate la letteratura trecentesca. Poiché chi vuol essere elegante scrive in latino, l'eleganza è scarsamente curata da chi scrive in volgare[27].

[26] Bibliofili e bibliografi sono giunti a una buona conoscenza dell'attività dei vari centri librari nell'età degli incunaboli; mancano invece ricerche le quali mostrino in quale misura le singole stamperie abbiano avuto preoccupazioni linguistiche e come abbiano proceduto al riguardo.
[27] Si potrebbe quasi generalizzare quel che nella *Famiglia* dell'Alberti, Lionardo dice per le particolari condizioni dei diaoganti: «torniamo al proposito nostro, del quale ragioneremo quanto potremo aperto e domestico, senza alcuna exquisita o troppo elimata ragion di dire, perché tra noi mi pare si richiega buone sententie molto più che leggiadria di parlare» (II l., p. 155 Pell.-Spongano).

Nei testi senza pretese (come ad esempio le lettere di Alessandra Strozzi ai figli, deliziosamente fresche e spontanee, o i ricordi domestici di ser Bernardo Machiavelli) la lingua fluisce schietta e senza fronzoli; ma se chi scrive ha la più modesta preoccupazione letteraria, sùbito fioccano dalla penna latinismi in copia. Feo Belcari poteva scrivere versi come questi:

> Prendi esercizio e non fatica *nimia*
> ....
> Tieni il cor lieto senza verun *nubilo*,
> se presto vuoi non si veggia il tuo *funere*:
> questo ti chieggo spero bramo e *cupio*.
> Con tutte le virtù sta in festa e giubilo;
> ché d'ogni grazia e d'ogni eccelso *munere*
> ti troverai alfin pieno il *marsupio*[28].

Avvertiva nel secolo seguente il Salviati: «Chi non era da tanto, che dettar potesse in latino, l'appressarsi quanto potea, e usar modi, che del Latino avessero, gloriosa opera riputava»[29]. Lo reputava necessario anche il Landino, nel notissimo passo dell'orazione con cui inaugurava le sue letture petrarchesche: «È necessario essere Latino chi vuol essere buono Toscano...: volendo arricchire questa lingua bisogna ogni dì de' latini vocaboli non sforzando la natura derivare e condurre nel nostro idioma.»[30]. «Non sforzando la natura», aggiungeva il Landino; mentre troppo spesso la sforzarono prosatori e poeti semidotti.

Per tutte le condizioni che abbiamo viste (abbandono, incertezza nella norma grammaticale, abuso del latinismo nel lessico) si è parlato non a torto di «crisi» della lingua nel primo Quattrocento.

Se per gli usi letterari il volgare è spregiato, per quelli pratici viene man mano acquistando vigore. Gli umanisti con il loro sforzo di migliorare la latinità, di sterminare la barbarie medievale mettendo in auge i modelli classici hanno finito con lo sminuire l'utilità pratica del latino. Un bando steso nella grossolana e volgareggiante latinità cancelleresca riusciva intelligibile a molti, sia pure pressappoco; se il bando è scritto in latino ciceroniano, potrà essere compreso da poche persone colte, non certo dal popolo. E siccome i nuovi prìncipi hanno bisogno del favore del popolo, alcuni di essi favoriscono apertamente un più ampio uso del volgare.

La crisi del volgare e quella del latino vanno studiate nel gioco delle reciproche influenze. Vediamo così che l'umanesimo, dopo aver depresso il volgare per azione diretta, finisce col riabilitarlo per azione indiretta. Ma ora il volgare, sciatto in Toscana e mescidato alla

---

[28] Flamini, *La lirica toscana del Rinascimento*, Pisa 1891, p. 371.
[29] Salviati, *Avvertimenti della lingua*, libro II, cap. 7.
[30] L'orazione è (mediocremente) pubblicata da F. Corazzini, *Miscellanea di cose inedite o rare*, Firenze 1853.

periferia, pieno di male assorbiti latinismi, non è più in grado di contentare scrittori diventati più maturi e più esigenti alla scuola dei classici. E negli ultimi decenni del'400 il volgare risorge, approfittando di questa più matura esperienza: trionfa quello che è stato chiamato l'umanesimo volgare. Di nuovo Firenze assurge, con Lorenzo de' Medici e col Poliziano, a un'alta sintesi, letteraria e linguistica.

Nelle altre nazioni dell'Europa occidentale, la crisi umanistica, avvenuta più tardi che in Italia, determinerà profonde fratture: il francese e lo spagnolo (e anche, *variatis variandis*, l'inglese e il tedesco), scossi fino alle fondamenta dalle innovazioni lessicali e anche grammaticali portate dalla cultura umanistica, volteranno addirittura le spalle al passato e creeranno, su nuovi fondamenti, nuovi canoni letterari e linguistici, cosicché la fase medievale e la fase rinascimentale di ciascuna di quelle lingue si presentano nettamente diverse. In Italia invece si ebbe poco più che un riassestamento, una crisi di crescenza, tanto salde e già preumanistiche erano le basi della letteratura e della lingua.

5. *Latino e volgare*

La vita culturale del Quattrocento italiano si svolge nelle due lingue, e, come abbiamo accennato, la dinamica delle vicende del volgare non si comprenderebbe senza conoscere le vicende del latino. Anche perciò è importante vedere in qual misura si ricorresse all'una e all'altra delle due lingue, e come esse venissero considerate durante il secolo[31].

Tutti i letterati sanno, più o meno, il latino. Ma mentre nel primo periodo dell'umanesimo troviamo qualcuno dei maggiori che scrive solo o quasi in latino (p. es. il Salutati), più tardi ne troviamo molti che esercitano con perizia le due lingue, come il Poliziano, il Sannazzaro, il Pontano[32].

Negli usi pratici, il volgare resta saldamente installato anche nel periodo in cui è letterariamente depresso. La signoria di Firenze scrive in fiorentino ai propri rappresentanti[33], ed essi di solito tengono in

[31] Notizie confuse, ma in qualche parte utilizzabili, dà l'opuscolo di M. T. Ruga, *Latino e volgare nella letteratura italiana dalle origini alla fine del Quattrocento*, Pescara 1912. Eccellente il saggio di P. O. Kristeller, «L'origine e lo sviluppo della prosa volgare italiana», in *Cultura neolatina*, X, 1950, pp. 137-156 (e, in ingl., in *Studies in Renaissance Thought and Letters*, Roma 1956, pp. 473-493).

[32] Il Collenuccio scrive in volgare il suo trattatello *De l'educazione*, pur dichiarando la sua preferenza per il latino: «Ora non so se avrò satisfatto a tutt'uomo, per essere stato breve; questo so bene che a me medesimo non ho satisfatto, sì perché scrivo più volentieri in lingua latina, e la dignità de la materia pare che lo richieda...» (cit. da C. Varese, *P. Collenuccio umanista*, Pesaro 1957, p. 55).

[33] Nel 1401 la signoria scrive in volgare ai propri ambasciatori a Bologna, e invece in latino a Giovanni Bentivoglio (v. la citazione dei testi, pubblicati dal

volgare le loro orazioni: messer Nello di Giuliano da San Gimignano, mandato ambasciatore a Martino V nel 1425, così si esprime:

Ancora sarebbe di bisogno innanzi a tanta Santità di parlare per gramatica con quello ornamento che si richiederebbe e di quella materia la quale a noi dalla nostra magnifica Signoria è stata imposta. Ma perché e' non è di consuetudine degli altri oratori e ambasciadori fiorentini, e etiandio per più propiamente e più congruo al proposito di quegli che ce l'anno commesso, per vulgare si poterà meglio soddisfare a ciascuna parte con quella facultà e brevità...[34].

Nel chiedere libero passaggio per il territorio della Repubblica fiorentina, gli ambasciatori di Carlo VIII parlano in latino, e in latino ricevono risposta (1494). Invece gli ambasciatori di Massimiliano (1496) richiedono *aetrusca lingua* l'alleanza di Firenze – e la risposta è fatta in volgare[35]. Anche le scritture concernenti liti commerciali dovevano, a Firenze, essere stese in volgare, dopo che la Signoria e i Consigli maggiori, il 27 e 28 marzo 1414, ebbero accolto e trasformato in provvisione la petizione seguente:

Addomandasi a voi, magnifici Signori, signori Priori delle Arti e Gonfaloniere della Giustizia, che vi piaccia provvedere, e pe' Consigli del Popolo e del Comune di Firenze fare solennemente riformare le infrascritte cose, cioè che tutte le scritture de' piati e sentenzie che si faranno o fare si dovranno pe' Sei o Uficiale di Mercatanzia, o nella loro corte, o nelle corti delle Arti della città di Firenze, o in qualunche d'esse Arti si debbano fare e scrivere in volgare, e non altrimenti: e se altrimenti si facessino non vaglino e non tengano, e non sieno d'alcun valore o vero effetto. E così si debba osservare. E che il notaio e qualunque altra persona che facesse le dette scritture altrimenti che in volgare come è detto, caggi in pena, per ogni volta, di lire mille *ec*. E che la presente legge cominci a' dì primo del mese di gennaio prossimo che viene, e non prima[36].

Un'altra provvisione, del 15 febbraio 1451, stabiliva che i notai della Cancelleria tenessero nota delle spese «scrivendo in volgare, acciò s'intenda pe' Ragionieri, che aranno a riscontrare coll'entrata del Proveditore di decta Camera et col Camarlingho della Cassetta del Monte»[37]. Nella corrispondenza, pubblica e privata, alcune volte il criterio di scelta fra latino e volgare è apertamente dichiarato o si può determinare. La preferenza per il volgare, nella corrispondenza con altri comuni,

Bosdari, ap. Kristeller, *Cult. neol.*, X, 1950, p. 145 n.). Nel 1454 la signoria di Firenze, protestando per certi sicari mandati contro Poggio, scrive in volgare a Santi Bentivoglio, e invece in latino alla signoria di Bologna e al cardinale Bessarione, legato pontificio (testi ap. Walser, *Poggius Florentinus*, cit., pp. 389-391).

[34] Cod. Ricc. 2544, c. 123 a, cit. da V. Rossi, *Quattrocento*, 2ª ed., p. 166.
[35] Galletti, *L'eloquenza*, cit., p. 575.
[36] *Miscell. Fiorentina*, I, pp. 28-29.
[37] Marzi, *La Cancelleria*, cit., p. 591.

è esplicitamente affermata dai Fiorentini in una loro risposta ai Senesi che avevano scritto in latino:

> E perché noi crediam che sia utilissimo a voi e a noi dichiarare bene e apertamente senza punto di simulazione ovvero dissimulazione qual sia la vera intenzione e il puro e sincero proposito di ciascuno di noi, abbiamo deliberato di farvi questa risposta più tosto in volgare che in latino, sì e per soddisfar meglio e più agli animi nostri, sì etiamdio perché la S. V. non abbia di bisogno nell'intendere di questo nostro così sincero proposito d'altra interpretazione che della nostra propria, nè in altro sentimento si possa intendere che in quello che è il naturale e il vero intelletto delle parole volgari[38].

Ma, se scorriamo le 49 lettere spedite fra il 1435 e il 1440 dal cardinal legato Vitelleschi ai priori di Viterbo[39], vediamo che sono parte in latino e parte in volgare, senza che se ne capisca il perché: forse secondo l'opportunità d'aver sottomano l'uno o l'altro segretario.

S'intende per qual ragione sia scritta in volgare una richiesta indirizzata personalmente a un principe poco latinista: così in mezzo alle molte lettere latine di Biondo da Forlì spiccano le due in volgare indirizzate a Francesco Sforza, per raccomandargli il figlio (1459) e per chiedere un sussidio per la pubblicazione della quarta Decade delle sue storie (1463): «la quale deca nè altro più non posso scrivere senza alturio de chi pò et a chi tocha»[40].

Tra gli scritti non letterari, ci stupisce trovarne in latino qualcuno riferito ad argomenti molto familiari, per esempio due trattatelli di cucina, probabilmente provenienti dall'Italia meridionale, di età angioina[41].

Le traduzioni dal latino in volgare (e anche dal greco, ma spesso attraverso il latino) sono in questa età molto numerose: frequente è la dichiarazione dei traduttori d'aver compiuto il lavoro a utilità dei men dotti; non meno frequente quella d'aver obbedito alla richiesta di un principe. Vediamo il povero Boiardo affannarsi alla richiesta del suo duca (Ercole I) di tradurgli in fretta un pezzo del *De Architectura* dell'Alberti (lettera del 17 settembre 1488; II, p. 572 Zottoli): s'intende chiaramente che, se anche il duca avesse a disposizione il libro, non sarebbe in grado d'interpretarlo con esattezza.

Che le traduzioni siano più o meno buone, è sempre accaduto e sempre accadrà. Molto si lagna di quelle disponibili al suo tempo Matteo Palmieri:

> alquanti ne sono volgarizzati, che ne' loro originali sono eleganti, sentenziosi e gravi, scritti in latino, ma dall'ignoranza de' volgarizzatori in tal modo corrotti, che molti ne sono da ridersene di quelli che in latino sono degnissimi, e vie più da

---

[38] Kristeller, in *Cult. neol.*, X, 1950, p. 149.

[39] Pinzi, in *Arch. Soc. Rom. St. P.*, XXX, pp. 357-407.

[40] Biondo Flavio, *Scritti inediti e rari*, ed. B. Nogara, Roma 1927, pp. 210-212.

[41] M. Bouchon, in *Arch. Lat. Medii Aevi*, XXII, 1952, pp. 63-76.

ridere sarebbe di me, se io volessi dimostrare che Tullio, Livio, o Virgilio e più altri volgarizzati autori, in nessuna parte fossero simili a' primi, perocché non altrimenti gli somigliano che una figura ritratta dalla più perfetta di Giotto, per mano di chi mai non avesse operato stile nè pennello, s'assomigliasse all'esempio, che avvengadio avessi naso, occhi, bocca e tutti i suoi membri, nientedimeno sarebbe tanto diversa, quanto ciascuno in sé stesso immaginare puote, e forse ritraendo con l'ali Gabriello, non lo conosceresti dall'infernale Lucifero (*Vita civile*, Proemio).

Le imperfezioni della traduzione possono dipendere da molte cose. Anzitutto da difficoltà intrinseche del testo latino; talvolta dal non esistere nel volgare vocaboli corrispondenti. Il Landino, nell'introduzione alla sua versione di Plinio, si scusa: «Non so come interpreti *seminario* et *arbusto*, item *ablaqueare* et *interlucare*, se non per circonlocutione o per il medesimo vocabolo».

Può anche darsi che il traduttore tenda a tirar via: Battista Guarini, criticato dal duca Ercole per la sua versione dell'*Aulularia*, scrive al duca (26 febbraio 1479) mandandogli il *Curculio* tradotto: «io mi forcio andare dietro ad le parole dil testo»[42].

Un severo giudizio, in questo periodo, può anche essere dettato da diverse opinioni circa la norma linguistica. Giovanni Brancati materano, bibliotecario di Ferdinando d'Aragona, censura, in una lettera latina al suo re, la versione di Plinio fatta dal Landino, non solo perché considera il traduttore un «filosofastro», ma anche perché non gli piace il toscano, difficile a leggersi e a pronunziarsi[43].

Attraverso le numerose versioni di questo periodo nuove parole entrarono in circolazione. Vediamo che proprio alla versione pliniana del Landino (la prima edizione certa è quella di Venezia, Jenson, 1467) attinge il Pulci nel bestiario da lui inserito nel XXV canto del *Morgante*: di lì vengono *caprimulgo*, *ippotamo* (sic), *ibis*, *rinoceronte* (nel Landino *rhinocerote*), oltre a qualche parola-fantasma[44].

Non bisogna dimenticare che si ha anche un certo numero di versioni dall'italiano in latino: delle novelle del Boccaccio furono tradotte (dopo la Griselda, che il Petrarca mise in latino nell'ultima delle *Senili*) il Ciappelletto a opera di A. Loschi, Tito e Gisippo da F. Beroaldo, Guiscardo e Gismonda da L. Bruni, re Alfonso e messer Ruggieri da B. Fazio[45]. Il *De Prospectiva pingendi* di Piero della Francesca, scritto in volgare, fu, poco dopo, tradotto dal suo conterraneo maestro Matteo. Del resto, Vespasiano da Bisticci diceva di aver scritto il suo libro «a fine che se alcuno si volesse affaticare a far latine queste vite, egli abbia innanzi il mezzo col quale egli lo possa fare» (Discorso dell'autore).

Durante tutta l'età umanistica è costante e in vario modo operante

[42] Bertoni, *La Biblioteca estense*, cit., p. 131.
[43] Croce, in *Quaderni della Critica*, marzo 1948, pp. 20-22.
[44] Meriano, in *Lingua nostra*, XIII, 1952, pp. 2-3.
[45] Ruga, *Latino e volgare*, cit., pp. 23-24.

la simbiosi tra latino e volgare. Frequenti sono i titoli latini a opere italiane (*Amorum libri*, il canzoniere del Boiardo; *De prospectiva pingendi*; *Hypnerotomachia Poliphili*, ecc.). Nelle lettere in volgare, molto spesso l'intitolazione, i saluti e la firma sono in latino[46]. La lettera di dedica della *Summa* del Pacioli a Guidobaldo d'Urbino è in italiano e in latino[47].

Non è raro, nelle lettere, che frasi intere o pezzi di frasi in latino si mescolino a un contesto in volgare. Si legga la lettera in cui Taddea e Matteo Maria Boiardo si lagnano con la comunità di Reggio che sia stato concesso di edificare un molino a Barnaba Capraro, «cosa ad nuy *non mediocriter molesta duplici ratione*, perché il non se può negare che...» (lettera 14 genn. 1464).

Oppure l'inizio di una lettera autografa di papa Sisto IV a Galeazzo Maria Sforza, del 28 luglio 1474:

Carissime fili salutem et apost. benedict. Ve habiamo scripto molti brevi per li quali asai amplamente avete potuto intendere la iustitia nostra in li fati de Cita di Castello. E per questo si maravigemo assai e non possiam credere quillo n'e scripto da Fiorensa cio che voi non solo incitati Fiorentini contro di noi, ma anco prometete a loro ogni subsidio contra di noi. *A, fili carissime, quid tibi fecimus?* Non se ricordiamo averve offeso mai *nec verbo neque opere*; anco per lo singulare amore vi portiamo tuto quello abiamo potuto fare per voi habiamo fato e faremo sempre. *A a, numquid redditur pro bono malum? Quare foderunt foveam anime mee? A, fili carissime* considerate la iustitia de le mie petitione. Considerate *contra quem agitur...*[48].

Ovvero una protesta dei Napoletani contro messer Lupo, luogotenente della Vicaria (1479):

Imperò requerimo vui messer Lupo *ex parte Regiae Maiestatis et dictae civitatis et eorum civium in genere et in specie* sotto quella pena, la quale contene in nelle dicte constituciune, capituli, pragmatica et ordinacione fatte et ordinate *ut supra* et per quanto haviti cara la gratia de dicta Maiestà...[49].

Più ovvio è che l'oratore fiorentino a Carlo VIII, Gentile Becchi, nel riferire a Piero de' Medici quello che ha detto al re in latino, intercali nella lettera dei passi latini[50].

Eufemismo e solennità par di sentire in quel tratto di lettera di Bernardo Dovizi a ser Andrea da Foiano (21 maggio 1490) in cui parla di un creduto attentato a Lorenzo de' Medici: «s'è decto che volevano e venivano per far impresa di grande momento, cioè *interficere patronum nostrum*»[51]; eufemistiche vogliono essere le parole di don Atteone (nella

[46] Esempi in Migliorini-Folena, *Testi Quattr.*, passim.
[47] Olschki, *Gesch. der neuspr. wiss. Literatur*, I, p. 152.
[48] Pastor, *Storia dei Papi*, II, p. 766.
[49] Altamura, *Testi nap. del Quattrocento*, Napoli 1953, p. 33.
[50] Santini, *Firenze e i suoi oratori nel Quattrocento*, Palermo 1923, pp. 205-206.
[51] Moncallero, *Il Cardinale Bern. Dovizi*, Firenze 1953, p. 48.

lettera-novella di Sabatino degli Arienti, p. 418 Gambarin) sul «capellano don Baptista, il quale *laborabat in extremis*».

Frasi e locuzioni latine si trovano frequentemente a proposito di argomenti religiosi, quando si citano o riassumono testi biblici o liturgici.

Nelle sacre rappresentazioni, non è raro il caso di personaggi che adoperino frasi o addirittura strofe intere in latino. Nel *Morgante* (XXVII, st. 142) l'Arcangelo Gabriele che appare a Orlando morente gli ricorda le parole di Giobbe alla moglie citando i passi biblici e poi traducendoglieli:

> E perché pur la moglie si dolea
> E' disse: «Donna mia, ora m'ascolta:
> *Dominus dedit*, lui data l'avea,
> *Dominus abstulit*, lui l'ha ritolta,
> *Sicut Dominus placuit, in ea*
> *Factum est*, così fatto è questa volta».
> E poi «*Sit nomen Domini*» ebbe detto
> «Il nome del Signor, sia benedetto».

Anche più numerose che nel Trecento o nel tardo Cinquecento sono le parole e locuzioni, particolarmente avverbiali, passate dallo stile cancelleresco latino a quello italiano: *assiduo*, *autem*, ecc.

La miscela più curiosa è quella che notiamo in numerose prediche degli ultimi decenni del secolo. Accanto a sermoni in latino e a sermoni in volgare ne abbiamo molti in cui il latino e il volgare si mescolano[52]. Ad esempio, nel *Quaresimale* di p. Valeriano da Soncino leggiamo:

> *Scis quod facit vulpes quando abstulit galinam illi pauperculae feminae?* La se ne va in lo boscheto e se mette in la herba fresca e volta le gambe al celo e sta a solazar cum le mosche. *Sic faciunt isti prophete*, questi gabadei, questi hypocritoni, sangioni dal collo torto, quando *habent plenum corpus* de galini, caponi, fasani, pernise, qualie e de boni lonzi de vitello e qualche fidegeti per aguzar lo apetito, e lo capo de malvasia, vernaza, vino greco, tribiani e moscatelli cum qualche prosuto, salziza, cervelladi, mortadelli, beroldi o vero cagasangui a la bresana per bevere melio. Non vedesti mai, madre mia, li meliori propheti.

Oppure:

> *Aliquis possit dicere: mundus nunquam fuit sceleratus sicut nunc. Dico quod non est verum:* que *mundus fuit semper* una gabia de matti, figurata *per archam Noe* plena de ogni bestiame[53].

---

[52] Galletti, *L'eloquenza*, pp. 263-266; R. Garzia, «I sermoni maccheronici del Quattrocento», in *Annali della Facoltà di Lettere dell'Univ. di Cagliari*, I, 1928; A. Viscardi, «Il quaresimale di Pavia di Bernardino da Feltre (1493)», in *Cult. neolatina*, II, 1942, pp. 280-291.

[53] Manoscritto nella Bibl. Univ. di Genova, A. III, 18, cc. 65 e 67 (cit. Garzia, art. cit., pp. 23 e 18).

O, nei sermoni del b. Bernardino Tomitano da Feltre raccolti da un confratello bresciano[54]: «*Quid est illa* ballarina *nisi una noctua que ludit* su l'archetto per farse remirar?» (p. 6); «*Si lex prohibet et non servatur*, ché non ne facciamo scartozi?» (p. 16); «*emisit illam infocatam orationem* come una bombarda, *et misit ad terram Paulum*» (p. 275), ecc.

E simili testi si possono trovare in Gabriele Bareleta, Cherubino da Spoleto, Giovanni dell'Aquila.

Fino a che punto questa miscela corrispondeva a un uso effettivo? Se avessimo solo uno o due esempi isolati potremmo interpretarli come un accidente sopravvenuto nella trasmissione. Potremmo cioè ritenere che le prediche fossero effettivamente fatte in volgare, e poi raccolte per mezzo d'una specie di tachigrafia; siccome la tachigrafia insegnava una serie di compendi di parole latine, l'ascoltatore avrebbe mentalmente tradotto in latino le parole, e in latino sarebbero poi state decifrate. Ma, in presenza di testi piuttosto numerosi di questo tipo, l'ipotesi va scartata, e bisogna ammettere che la miscela presentataci dai testi corrisponda abbastanza fedelmente alla realtà. Data la capacità dei predicatori di servirsi correntemente delle due lingue, la scelta fra l'una e l'altra doveva essere dettata da varie circostanze: il carattere dell'uditorio, il luogo (piuttosto in latino nelle chiese, sempre in volgare sulle piazze), l'indole del predicatore[55], l'argomento della predica[56]. Poiché anche nelle prediche in volgare i testi biblici e patristici si citavano in latino, l'uditorio era abituato ad ascoltare un discorso mescidato, considerandolo in qualche modo appartenente al rito ecclesiastico, e accontentandosi, dove non capiva, di abbandonarsi al tono e al gesto del predicatore. Di questa consuetudine alcuni approfittarono per inserire nelle prediche latine frasi intere o pezzi di frase in volgare, specialmente per raggiungere un tono più confidenziale nelle parti narrative e aneddotiche.

Nasce alla fine del Quattrocento a Padova, con Tifi Odasi autore della *Macaronea* e Corrado autore della *Tosontea*, una nuova stilizzazione artistica di questo ibridismo[57], la poesia maccheronica[58]. La

---

[54] *Sermoni* del b. Bernardino da Feltre, a cura di p. Carlo da Milano, I, Milano, 1940.

[55] Fra Gabriele Bareleta era famoso per i suoi scherzi, tanto che si era coniato il motto «nescit praedicare qui nescit barlettare».

[56] Fra Cherubino da Spoleto avverte (serm. 38) che, dovendo parlare dell'atto coniugale, «tu praedicator conare honeste dicere quantum potes, et quod non potes honeste dicere vulgariter dice latine».

[57] Nei secoli precedenti abbiamo visto alcune poesie con alternanze di versi in due o più lingue (il discordo di Rambaldo di Vaqueiras, l'*Ai faus ris* attribuito a Dante, le alternanze di versi teorizzate da Gidino da Sommacampagna): ora (verso il 1485) il Cantalicio compone una saffica latina, in cui però in ciascuna strofa l'ultimo verso (l'adonio) è un quinario in volgare: «Surge venantum cito turba surge... – Chiama Allegretto».

[58] U. E. Paoli, *Il latino maccheronico*, Firenze 1959.

mescidanza è diversa da quella dei predicatori, perché nel maccheronico la grammatica e la metrica latina sono sostanzialmente rispettate, e
solo nel lessico si mescolano a scopo burlesco parole volgari. Nato in
ambienti universitari e con forme umanistiche (come si vede anche
dall'uso quasi costante dell'esametro), lo stile maccheronico può aver
preso ispirazione o dalla lingua mescidata dei predicatori o da altre
miscele latino-italiane, di cui anche nell'università non dovevano
mancare esempi[59].

Ora che abbiamo visto, sia pur molto sommariamente, in quali modi
latino e volgare si opponessero oppure convivessero, ci resta da
accennare alle dispute fra fautori e oppositori dell'una e dell'altra
lingua[60].

Numerose testimonianze a favore del volgare portano i personaggi
del *Paradiso degli Alberti*[61], ma non ci è possibile contarle come
altrettante attestazioni singole, bensì come segno della tendenza
favorevole dell'autore Giovanni Gherardi[62].

Per lo più, le discussioni non vertono sul volgare in sé, ma sull'uso
che ne hanno fatto i tre grandi scrittori. Nel I libro dei *Dialogi ad
Petrum Histrum* (cioè a Pietro Vergerio di Capodistria) del Bruni
leggiamo l'asserzione del Salutati che Dante sarebbe superiore ai
Greci e ai Latini se avesse scritto in latino[63] e la tirata del Niccoli sugli
errori di Dante, la sua cattiva latinità e la rozzezza che ne fa un poeta
da fornai[64]; nel secondo libro il Niccoli ritratta la contumelie e fa le lodi

---

[59] Nella *Rappresentazione d'un pellegrino* (cit da V. Rossi, *Quattrocento*, 2ª ed.,
p. 302), maestro Balzagar medico dice a un compare:

> ...questa arte vuol pratica:
> essere ardito e ben ciaramellare,
> e qualche volta parlare in grammatica
> in *is*, in *us*, in *as*, e disputare.

Proverbiali erano le storpiature del latino che facevano i cuochi, probabilmente i frati laici dei conventi: si ricordi la *Confabulatio coquinaria* di Ugolino Pisani
(1435) (Rossi, *Quattrocento*, pp. 528 e 559) e la frase del Valla contro Poggio (1452
circa): «numquid a tuo coquo didicisti?... culinarium vocabulum est» (*Liber Poggii*,
in *Opera*, Basilea, 1540, p. 368). Sull'espressione spregiativa *latin de cuisine,
Küchenlatein* stati scritti vari articoli: v. R. Pfeiffer, in *Philologus*, LXXXVI, 1930,
pp. 455-459.

[60] V. Cian, «Pro e contro il volgare», in *Studi... Rajna*, pp. 251-297.

[61] Si citano specialmente le parole di un interlocutore padovano (Marsilio di
Santa Sofia): «omai chiaro veggio e conosco che l'edioma fiorentino è sì rilimato e
copioso che ogni stratta e profonda matera si puote chiarissimamente con esso
dire, ragionare e disputare».

[62] Santini, in *Giorn. stor.*, LX, pp. 290-291; in genere, sulla prudenza con cui
bisogna interpretare il *Paradiso degli Alberti*, v. Baron, *The Crisis*, cit., pp. 67-75.

[63] «Dantem vero, si alio genere scribendi usus esset, non eo contentus forem,
ut illum cum antiquis nostris compararem, sed et ipsis et Graecis etiam
anteponerem» (p. 30 Kirner).

[64] «Quamobrem, Coluci, ego istum poetam tuum a concilio litteratorum
seiungam atque eum zonariis (*alii*: lanariis), pistoribus atque eiusmodi turbae
relinquam» (pp. 33-34 Kirner).

dei tre scrittori; ma insomma rimane qualche dubbio sulle sue vere opinioni[65].

Cino Rinuccini in una sua *Invettiva* biasima i detrattori dei tre poeti; Domenico da Prato, difesi Dante e il Petrarca, loda espressamente il volgare: «O gloria e fama della italica lingua! Certo esso volgare, nel quale scrisse Dante, è più autentico e degno di laude che il latino e il greco che essi li detrattoril hanno».

Molto importanti nella loro ponderazione e moderatezza sono i pareri di Leon Battista Alberti, per l'autorità dell'uomo, versato in molte scienze ed arti, esperto di molteplici attività, sicuro scrittore in ambedue le lingue. Nel Proemio al terzo libro *Della famiglia*, l'Alberti afferma che gli scrittori hanno sempre scritto per essere intesi: perciò «forse e prudenti mi loderanno s'io, scrivendo in modo che ciascuno m'intenda, prima cerco giovare a molti che piacere a pochi: ché sai quanto siano pochissimi a questi dì e litterati...[66]; ... chi fusse più di me docto o tale quale molti vogliono essere riputati, costui in questa oggi comune troverrebbe non meno ornamenti che in quella, quale essi tanto prepongono e tanto in altri desiderano... E sia quanto dicono quella antica apresso di tutte le genti piena d'auctorità, solo perché in essa molti docti scrissero, simile certo sarà la nostra, s'e docti la vorranno molto con suo studio et vigilie essere elimata et polita...» (pp. 232-233 Pellegrini-Spongano).

Si radica profondamente in questa persuasione, che il volgare sia capace di esprimere alti concetti purché vi sia chi degnamente lo coltivi, la gara promossa da Leon Battista Alberti, sovvenuta da Piero de' Medici, bandita solennemente dagli Officiali dello Studio, celebrata il 22 ottobre 1441 nella chiesa di S. Maria del Fiore. Il nome di *Certame coronario*, formato di due latinismi, può magari spiacerci, ma corrisponde appunto al fine di nobilitazione del volgare che la gara si proponeva; e mostra che, più che dalla conoscenza – che probabilmente l'Alberti ebbe – di analoghe feste e concorsi piccardi, tolosani, barcellonesi, l'ispiratore della gara fu guidato dal più o meno vago ricordo di feste romane[67].

I versi letti al Certame dagli otto concorrenti sul tema proposto (la vera amicizia) erano assai scialbi; e i solenni giudici che dovevano

---

[65] Altrove (nella *Vita di Dante*, scritta nel 1436) il Bruni mette il volgare, quanto alla poesia, allo stesso livello del latino: «lo scrivere in stile letterato o in volgare non ha a che fare col fatto di essere o no poeta, nè altra differenza è se non come scrivere in greco o in latino. Ciascuna lingua ha la sua perfezione e suo suono e suo parlare limato e scientifico» (Solerti, *Le vite di Dante, Petrarca e Bocc.*, p. 106). Per le opinioni del Bruni sul volgare, v. Baron, *The Crisis*, cit., pp. 422-429.

[66] L'Alberti aveva già fatto una dichiarazione analoga nella sua prima opera d'impegno scritta in volgare, il *Teogenio*: «e parsemi da scrivere in modo ch'io fussi inteso da' miei non litteratissimi cittadini» (*Opere volgari*, III, p. 160).

[67] Si veda specialmente P. Rajna, «Le origini del Certame coronario», in *Scritti varii... Renier*, Torino 1912, pp. 1027-1056, A. Altamura, *Il Certame coronario*, Napoli 1952.

premiare il vincitore con la corona d'alloro lavorata in argento, decisero di non assegnarla. Una «protesta» giuntaci anonima, e che figura scritta da persona indotta, è probabilmente dell'Alberti stesso[68].

Il fallimento della gara mostra che nel 1441 la riabilitazione del volgare non era ancora avvenuta nella comune opinione dei dotti. I giudici forse ebbero il torto d'intendere la gara come una sfida al latino, anziché, come l'Alberti la concepiva, un mezzo per far riconoscere le capacità del volgare e cooperare ad affinarle.

Basti una menzione delle contraddittorie opinioni sostenute dal mutevole e venale Filelfo, che commentò il Petrarca e Dante, scrisse un discorso in volgare (1451) «contro i suoi emuli i quali dicevono esser Dante poeta da calzolai e da fornai», e poi affermò del volgare «hoc scribendi more utimur iis in rebus quorum memoriam nolumus transferre ad posteros»; e di quelle del lodatore del passato Vespasiano da Bisticci, persuaso che «nello idioma volgare non si può mostrare le cose con quello ornamento che si fa in latino» («Vita di re Alfonso»).

Invece Lodovico Carbone, nella sua Esortazione al duca Borso (1459), difende Dante e il volgare («nientedimeno il volgare e materno idioma è tanto in esso limato e terso con ioconda rima e profonda sentenzia, che non meno lo fa degno che se in latino fussi composto»)[69].

Il Landino, professore di retorica e poetica nello Studio fiorentino e cancelliere della Signoria, è anche commentatore di Dante e del Petrarca e traduttore di Plinio in volgare: nell'Orazione inaugurale già citata (1460) vorrebbe vedere meglio coltivate le spontanee doti del volgare («ciò che di magnificenza e d'eleganza in sé la fiorentina lingua dimostra si può piuttosto da nativa abundantia riconoscere, che a lima oratoria attribuire»). Più tardi, proemiando alla *Sforziade* di Cicco Simonetta da lui tradotta (1490), lodava «la Fiorentina lingua, laquale è comune non solo a tucte le genti Italiche, ma per la nobilità dalcuni scriptori di quella è sparsa et per la Gallia et per la Hispagna» (c. 3 a). Ma erano intanto passati trent'anni, e l'umanesimo volgare aveva fatto grandi passi[70].

6. *L'umanesimo volgare*

Lo sforzo di Leon Battista Alberti per risollevare il volgare, dalle basse condizioni in cui era caduto, al livello delle lingue classiche, per mezzo dei propri scritti e del Certame coronario, può essere considerato un importante avvio all'umanesimo volgare, il quale giun-

[68] Il Rajna (p. 1032) ha rilevato alcuni persuasivi riscontri tra l'uso dell'Alberti e quello della Protesta (imperfetto congiuntivo con valore di condizionale: «per quale la terra nostra molto ne fosse onestata», ecc.).

[69] *Il Borghini*, I, 1863, p. 114.

[70] Vedi M. Santoro, «Cristoforo Landino e il volgare», in *Giorn. stor. lett. it.*, LXXI, 1954, pp. 501-547.

gerà a maturazione con Lorenzo e col Poliziano, col Boiardo e col
Sannazzaro.

Il Landino (nell'Orazione inaugurale più volte citata) riconosceva
all'Alberti questo merito:

> Ma huomo che più industria abbia messo in ampliare questa lingua che
> Batista Alberti certo credo che nessuno si trovi. Leggete priego i libri suoi e molti
> e di varie cose composti. Attendete con quanta industria ogni eleganzia
> composizione e degnità che appresso ai Latini si trova si sia ingegnato a noi
> trasferire.

A noi la grafia, la sintassi, il lessico dell'Alberti danno l'impressione
di una troppo scoperta intrusione di elementi latini: ma era pur
necessario passare per questa fase per giungere a una più matura
fusione.

All'altezza d'arte di Lorenzo de' Medici e del Poliziano fa riscontro
la sicura consapevolezza che essi avevano dei meriti della lingua. La
raccolta di liriche mandata nel 1476 da Lorenzo a Federico, figlio di
Ferdinando d'Aragona (dove predomina il gusto stilnovistico) è preceduta da un'epistola critica, scritta con ogni probabilità dal Poliziano, in
cui si celebrano le lodi del toscano:

> Nè sia più nessuno che quella toscana lingua come poco ornata e copiosa
> disprezzi. Imperocché, se bene giustamente le sue ricchezze e ornamenti saranno
> estimati, non povera questa lingua, ma abbondante e politissima sarà ritenuta.
> Nessuna cosa gentile, florida, leggiadra, ornata, nessuna acuta, ingegnosa,
> sottile, nessuna ampia, copiosa, nessuna altra magnifica e sonora, nessuna altra
> finalmente ardente, animata, concitata si potrà immaginare, della quale... con
> quegli due primi, Dante e Petrarca... i chiarissimi esempi non risplendano....

Più meditate lodi dà Lorenzo alla «materna lingua», «comune a
tutta Italia» nel *Comento sopra alcuni de' suoi sonetti*, che dev'essere di
poco posteriore al 1476. Egli viene «considerando quali siano quelle
condizioni che danno degnità e perfezione a qualunque idioma e
lingua» e le riduce a quattro: la più vera lode della lingua è quella
d'«essere copiosa ed abbondante, ed atta ad esprimere bene il concetto
della mente»; poi «la dolcezza e armonia»; poi l'essere scritte in quella
lingua «cose sottili e gravi e necessarie alla vita umana» (cioè il
possedere un'importante letteratura); infine «l'essere prezzata per
successo prospero della fortuna» (cioè l'avere un'ampia espansione
territoriale). Ci guarderemo bene da anacronistici confronti con i criteri
della moderna linguistica funzionale. Importa invece vedere la sicura
persuasione dell'alta dignità della lingua, in cui i tre grandi fiorentini
hanno espresso «ogni senso». E più ancora si può aspettare dall'avvenire: ché la lingua è appena nella sua adolescenza, «perché ognora più
si fa elegante e gentile».

Già i tre grandi fiorentini avevano costituito il principale argomento
per i difensori del volgare nella prima metà del secolo; nelle parole del

Magnifico si ha una pagina d'esaltazione incondizionata dei tre, ai quali è aggiunto (né la cosa ci stupisce, conoscendo i gusti stilnovistici di Lorenzo) Guido Cavalcanti.

Non è qui il luogo di tracciare la storia della fama di Dante, Petrarca e Boccaccio durante questo secolo[71] «di soffermarci su quel particolare capitolo della storia della fama che è la loro accettazione come modelli scolastici[72].

Ricordiamo solo quel verso dell'iscrizione che Bernardo Bembo, padre di Pietro, fece apporre nel 1483 alla tomba di Dante[73]:

> Nimirum Bembus Musis incensus Ethruscis:

in essa il patrizio veneziano definisce non soltanto sé stesso, ma tutto l'umanesimo volgare.

Negli ultimi decenni del secolo, insomma, il volgare accoglie in sé le esperienze umanistiche, e riacquista fiducia in sé affisandosi ai tre grandi scrittori trecenteschi. Essi avevano sempre costituito l'argomento principale per i difensori del volgare; un segno della loro fama crescente è la loro accettazione come modelli scolastici.

Per i nostri fini gioverebbe avere una ricerca complessiva sulle influenze stilistiche, lessicali e talora grammaticali esercitate dalle tre corone sui vari scrittori[74], fino a penetrare nella lingua comune.

Strettamente connessa con la celebrità dei tre grandi è la fama di

[71] È ben noto che di «tre corone fiorentine» parla Giovanni da Prato, mentre nel primo dialogo del Bruni il Niccoli parla con disprezzo dei «cosiddetti triunviri» («de hisce tuis, ut ita dicam, triumviris», p. 31 Kirner).

[72] Si ricordi la meraviglia di Pietro Dovizi nel trovare che a Venezia «sola nostrorum vatum Dantis ac Petrarche carmina infantium imbuunt: quo fit ut elocutioni tantum vacent, mox liberalibus studiis adolescant. Quare nobis obiter gaudendum est, quod in patriam alienam tam prospere, tam celebriter vates nostri extra limen proferantur» (lettera a Marsilio Ficino, 31 marzo 1496, in Della Torre, *Storia dell'Accademia Platonica di Firenze*, Firenze 1902, p. 58).

[73] Del Balzo, *Poesie di mille autori*, IV, Roma 1893, p. 167.

[74] Si pensi, ad esempio, alle numerose reminiscenze dantesche che affiorano nel Frezzi, nel Pulci, nel Poliziano; ma ce ne sono molte anche nei lirici minori («e fiere in selva con gaetta pelle»: Cino Rinuccini) e nei prosatori («la corta buffa dei beni sottoposti alla fortuna»: Palmieri, *Vita civile*, II; innumerevoli in Giovanni Cavalcanti). V. più oltre, p. 273.

Il Petrarca è imitato con intenti diversi: con «ingenua funzione di raffinamento» nell'*Innamorato*, come elemento del bizzarro impasto espressivo nel *Morgante*, per trarne note malinconiche nella *Giostra* del Poliziano e nell'*Arcadia* del Sannazzaro (Bigi, *Dal Petrarca al Leopardi*, Milano 1954, p. 74), per alimentare gli arzigogoli concettistici del Tebaldeo e di Serafino, o dell'autore di quella barzelletta a cui allude Maria Savorgnan in una lettera al Bembo (8 agosto 1500): «poso dir, come quela barzeleta, che d'affanni poi dentro avampa il core»; in genere del Petrarca trova fin d'ora ampia diffusione il linguaggio amoroso, così largamente fondato sulla metafora.

L'influenza del Boccaccio si sente soprattutto nella struttura del periodo dei novellatori (Masuccio, Sabbadino).

Firenze per la dolcezza, l'abbondanza, l'eleganza del dire: e frequenti sono i giudizi di questo tenore dati dai fautori del volgare. Un Siciliano, probabilmente l'Aurispa, verso il 1420 diceva d'aver scordato il siciliano e il greco per la dolcezza del toscano e del latino:

> Inter tam dulcis quales fert Tuscia linguas
> dedidici Graecam, dedidici Siculam[75].

Tra i volgari, il Filelfo giudicava «elegantissimus et optimus» il fiorentino e asseriva che «ex universa Italia ethrusca lingua maxime laudatur»[76]. Il b. Bernardino da Feltre, predicando a Firenze, si scusa: «non starò a dir secondo l'arte del dir che sta a Fiorenza, ma secundum evangelium»[77].

Quanto al nome della lingua, ancora si adoperano promiscuamente e quasi indifferentemente i termini di *volgare, fiorentino, toscano, italiano*[78]: non sono ancora nate le dispute a chiarire le differenze (o, piuttosto, a invelenire la questione senza chiarirle).

Una delle caratteristiche dello spirito d'espansione dell'umanesimo volgare è la riconquista di «generi» che le lingue classiche avevano posseduti, e il volgare non ancora: la tragedia, la commedia, l'egloga, la satira hanno i primi esempi in italiano proprio in questo scorcio di secolo.

Naturale corollario dell'umanesimo volgare è lo sforzo di fissare delle regole per la lingua.

Abbiamo notizia che l'Augurello andava cercando le regole della lingua nel Petrarca[79]. Dei primi tentativi di fissar regole, l'unico documento quattrocentesco che ci rimane è la grammatichetta che apparteneva nel 1495 alla Libreria Medicea privata col titolo di *Regule lingue florentine* o *Regole della lingua fiorentina*: l'originale è andato perduto, ma una copia fu fatta nel dicembre 1508, fu posseduta dal

---

[75] Sabbadini, in *Giorn. stor.*, Suppl. VI, p. 84.

[76] Rossi, *Quattrocento*, 2ª ed., p. 120, rimanda a quattro lettere del Filelfo.

[77] *Sermoni...*, cit., I, p. xxviii.

[78] Leon Battista Alberti parla di «lingua toscana» nella *Pittura* (p. 13 Papini), di «nostra lingua», «nostra toscana» nella *Famiglia* (p. 231, 233 Spong.). Il Magnifico parla nel *Commento* di «lingua volgare», «nostra materna lingua», «lingua nostra», «questa lingua», «nostri poeti fiorentini». Il compendio geronimiano del Salterio è «tradotto di lingua latina in lingua toschana» da Marsilio Ficino per Clarice Medici Orsini (Della Torre, *Storia dell'Accademia Platonica*, cit., p. 846). Il Landino dice (nell'*explicit* dell'edizione di Firenze 1490) d'aver tradotto la *Sforziade* del Simonetta «de sermone litterale in lingua firentina».

Ma quando si viene al confronto con altre lingue vive, si parla piuttosto di *italiano*. Nel *Piovano Arlotto*, traducendo una frase vallona, si dice che «le parole vogliono significare questo in taliano» (nov. CXII); di un marinaio albanese si dice che «non sapeva parlare italiano» (motto CLXIV). Nella *Farsa dell'ambasciatore del Soldano* (Torraca, *Studi di storia letteraria napol.*, Livorno 1884, p. 277) c'è un messo «che non sa il linguaggio italiano». Ecc.

[79] Flamini, *Il Cinquecento*, Milano [1902], p. 129.

Bembo, e si conserva ora nella Biblioteca Vaticana[80]. Le *Regole* sono anonime; l'identificazione dell'autore non è sicura, ma molti indizi fanno pensare a Leon Battista Alberti[81].

Appartengono al Quattrocento anche le prime raccolte lessicografiche: glossarietti parte metodici parte alfabetici in cui la voce italiana (veneta) è interpretata in tedesco (bavarese)[82], il *Vocabolista* in cui Luigi Pulci raccolse alcune centinaia di latinismi[83], l'elenco di vocaboli milanesi fatto per curiosità da Benedetto Dei[84], un glossarietto furbesco[85], il primo vocabolario italiano-latino, quello di Nicodemo Tranchedino[86].

7. Il volgare in Toscana

I mutamenti grammaticali che appaiono nella lingua parlata negli ultimi decenni del Trecento e nei primi del Quattrocento si manifestano, come sempre, più scopertamente nella prosa che nel verso. Nel lessico s'infiltra dappertutto il latinismo, non appena lo scrittore abbia la minima pretesa letteraria.

Sia nella prosa che nel verso, gli scritti fiorentini sovrastano di gran lunga, per quantità e per importanza, quelli del resto della Toscana.

In prosa, oltre alle lettere private (Alessandra Strozzi) e alle lettere politiche (Rinaldo degli Albizzi), abbiamo trattati civili (Palmieri, Alberti) e trattati ascetici (Belcari, S. Antonino), novelle e facezie (il pratese Giovanni Gherardi, il lucchese Sercambi, il senese Sermini, il *Grasso legnaiolo*, il *Piovano Arlotto*), sermoni sacri (S. Bernardino da Siena), memoriali e cronache (Giovanni Cavalcanti, Giovanni Morelli, il bizzarro Bindino da Travale[87], Benedetto Dei), biografie (Vespasiano da

---

[80] V. il testo in appendice a Trabalza, *Storia gramm.*

[81] V. specialmente C. Trabalza, in *Studi... F. Torraca*, Napoli 1912 (e in *Dipanature critiche*, Bologna 1920).

[82] Conservati in manoscritti del 1423 e 1424, e in incunaboli del 1477 e 1479 (A. Mussafia, «Beitrag zur Kunde der norditalien. Mundarten im XV. Jahrh.», in *Denkschr. Ak. Wien*, XXII, 1873; O. Olivieri, «I primi vocabolari italiani», in *Studi di filol. ital.*, VI, 1942; L. Emery, in *Lingua nostra*, VIII, 1947, pp. 35-36).

[83] G. Volpi, «*Il Vocabolista* di L. Pulci», in *Riv. delle bibl. e degli archivi*, XIX, 1908, pp. 9-15 e 21-28. Le liste di vocaboli raccolte da Leonardo (e contenute nel manoscritto Trivulziano e in un foglietto del codice di Windsor) sono in piccola parte in ordine alfabetico, ma ciò non prova che egli avesse, come qualcuno pensò, l'intenzione di compilare un vero e proprio vocabolario. Vedi A. Marinoni, *Gli appunti grammaticali e lessicali di Leonardo da Vinci*, I, Milano 1944; II, Milano 1952; ivi la copiosa bibliografia precedente.

[84] Folena, in *Studi di filol. ital.*, IX, 1952, pp. 83-144. Dello stesso Dei è anche un elenco (inedito) di vocaboli turcheschi.

[85] Pubblicato da G. Volpi, in *Miscellanea Rossi-Teiss*, Bergamo 1897, pp. 49-61.

[86] Nei repertori latino-italiani (Barzizza, Cantalicio, ecc.: cfr. nel *Maqré Dardeqé* («Il Maestro dei fanciulli», glossario ebraico-arabo-italiano stampato a Napoli nel 1488) il volgare ha soltanto valore strumentale.

[87] Curiosa, nella cronaca di Bindino, la mescolanza di versi o di rime,

Bisticci), commenti (Landino), ecc. Quasi nuovo è il campo delle scritture tecniche, «cosa non appartenente a' precetti di rettorica» (Ghiberti, *Commentari*, p. 2 Morisani): l'Alberti, il Ghiberti, Piero della Francesca, Leonardo; e così pure quello delle dissertazioni filosofiche (Ficino). La prosa del Magnifico cerca di introdurre una nuova eleganza.

Verseggiatori più o meno popolareschi continuano nella prima metà del secolo l'epica (cantari), la drammatica (sacre rappresentazioni), la poesia burlesca (lo Za, molto «contenutistico», il Burchiello, che spesso ricerca acutezze o dilettazioni puramente verbali: «Nominativi fritti e mappamondi», «Sospiri azzurri di speranze bianche»). Nella lirica la stanca rimeria più o meno petrarcheggiante è ravvivata dagli scambi con altre regioni, spesso con l'aiuto del canto e della musica (canzonette «siciliane», calabresi, napoletane, veneziane, strambotti, ecc.).

Il filone popolaresco seguiterà anche nella seconda metà del secolo, e senza perder freschezza si solleverà ai fastigi dell'arte nel cenacolo di Lorenzo: rispetti, ballate, canti carnascialeschi sono una delle tante maniere di quell'uomo e di quell'ambiente così versatili. Anche il *Morgante* si attiene al tono popolaresco. La lirica colta di Lorenzo, con i suoi accenti neoplatonici e la ripresa dei motivi stilnovistici, si stacca nettamente dal petrarchismo «fiorito».

Danno testimonianza del risollevato prestigio queste parole del Calmeta, scritte una decina d'anni dopo la morte di Lorenzo:

la vulgare poesia e arte oratoria, dal Petrarca e Boccaccio in qua quasi adulterata, prima da Laurentio Medice e suoi coetanei, poi mediante la emulatione di questa [Beatrice d'Este] et altre singularissime donne di nostra etade, su la pristina dignitade essere ritornata se comprehende (*Vita di Serafino*, nelle *Collettanee* pubblicate nel 1504, p. 11 Menghini, p. 72 Grayson).

Nei canti carnascialeschi, la lingua popolare non è solo imitata, ma volutamente caricata. La *Nencia* inaugura il «genere» dei poemetti rusticali, che sono tipica letteratura dialettale riflessa.

La curiosità per gli altri dialetti e la tendenza a satireggiarli che già appare in alcuni trecentisti toscani è più che mai viva nel Quattrocento: si ricordino i sonetti del Burchiello che prendono in giro Veneziani, Senesi, Romani; quelli di Luigi Pulci che fanno il verso ai Milanesi e ai Napoletani; quelli di Benedetto Dei che enumerano alla rinfusa parole tipiche dei Milanesi.

Anche nei novellieri troviamo più d'un esempio di imitazione

proveniente dall'esempio dei cantari:

   e'l mille quatrociento nove chorriva
   che re Vincilago a Siena veniva
        (cap. L, p. 38 Lusini),
   Iscì 'l castellano di Talamone e cavonne suo fornimento;
   lassovvi il vino e 'l formento...
        (cap. CLXI, p. 130).

realistica o satirica dei dialetti: si ricordi l'oste marchigiano del *Piovano Arlotto* («Messore, non dicere chiù, che se 'n ce vene» ecc.: n. 50 Folena).

Il furbesco comincia a essere occasionalmente, adoperato; a scopo scherzoso da qualche scrittore (Pulci, Pistoia, Arienti, ecc.).

8. *Il volgare nell'Italia settentrionale*

Altri notevoli passi compie il volgare in confronto con il secolo precedente: sia con la maggior diffusione, sia con un maggiore conguagliamento interregionale, avvenuto specialmente attraverso l'accettazione di elementi latini e di elementi toscani. I testi in prosa stilati senza intenzioni letterarie nelle città più importanti, dove più si fa sentire l'influenza di una corte e di una cancelleria, ci mostrano l'esistenza di altrettante varietà locali, le quali di generazione in generazione sempre maggiormente si scostano dai rispettivi dialetti parlati e si avvicinano fra loro.

Si confronti un testo bresciano del 1412, con vistosi tratti specifici («O De omnipotent sempiterno, el qual revelast la tua gloria in Yhesu Christ a tuti li zeng, guarda per l'ovra de la tua misericordia che la tua giesia sparta per tut el munt debia perseverà cum fe stabella...»)[88], con un testo della stessa città, steso nel 1431 da un ufficio del comune: «infrascripta si è la spesa fata per lo Comuno de Bressa per far la festa de Nostra Dona del messe de avosto de l'ano suprascripto fata per Antonio de Vachi e per mi Agostino de Mazii. El Comuno de Bressa de dare per comperar una vacheta per scrivere susso li rassó del comuno e de la fabbrica...»[89]. Tra l'uno e l'altro testo si collocano la conquista del Carmagnola e l'annessione alla Repubblica Veneta (1430). Oppure si confrontino i testi veronesi di questo tempo, così scarsamente caratterizzati, con quelli dell'età scaligera.

Nei luoghi più lontani dalla circolazione della cultura abbiamo testi più vicini al parlato, quindi più rozzi. Verso la fine del secolo, da una valle del Bergamasco, provengono testimonianze come questa: «A y è quey da Nes che i ne voraf tor i nos grumey»[90]: lontananza da luoghi di cultura e scrupoli di scrivano convergono nel darci un testo ancora fortemente dialettale.

Al contrario, quanto più chi scrive ha intenzioni letterarie, tanto più la sua lingua è nobilitata. Si confrontino le lettere che ci restano del Boiardo[91] con i prologhi alle sue traduzioni[92]: non si notano solo

---

[88] Migliorini-Folena, *Testi Quattr.*, n. 13.

[89] Migliorini-Folena, *Testi Quattr.*, n. 28.

[90] Migliorini-Folena, *Testi Quattr.*, n. 106.

[91] Per es. quella del 21 marzo 1492: «Thomaso, vede de remosscolare tuto Rezo per trovarmi uno strassinazo, et guarda che sia strassinazo proprio e non degagna... et cossì dilo a mia molgiera che ancora lei *fazza* cercare...» (Migliorini-

differenze di tono, ma di grammatica e di lessico. (Vero è che delle lettere ci resta l'autografo, dei prologhi no: quindi non è da escludere che questi siano stati un po' rimaneggiati).

Insomma, nello stesso modo che gli umanisti vengono uno per uno, con lenta opera personale, fabbricando la loro latinità, disimpegnandosi dagli insegnamenti medievali e accostandosi sempre più accuratamente ai classici, così quelli che mirano a scrivere in volgare con qualche eleganza man mano si adeguano ai modelli riconosciuti. E, come già si è visto, i versi sono stati modellati sui grandi autori prima e più davvicino che la prosa[93].

Nel Piemonte, per la sua posizione periferica, e la vicinanza al francese, l'accostamento al toscano è raro e scarso. Fortemente dialettale (e con influssi francesi) è il poemetto sulla presa di Pancalieri (1410)[94], un po' meno la laude di Chieri[95]. Vuol scrivere invece in toscano letterario l'autore della *Passione* di Revello (1490), benché si scusi della scarsa perizia, per il poco uso che si fa della nuova lingua:

> la *Passione* in tal lingua è fatta
> che da noi è poco usitata
> imperò che non è da maravigliare
> se non l'abbiamo bene saputa fare[96].

«Proprio la poesia religiosa ci attesta la diffusione dell'italiano negli strati umili e borghesi del Piemonte, in un periodo in cui i documenti pubblici sono scritti in latino, e quelli di corte in francese»[97]. Galeotto Del Carretto «è forse l'unico poeta piemontese che sul finire del sec. XV, vivendo in Corte, poetasse alla maniera dei rimatori cortigiani del restante d'Italia»[98]. In prosa, si può ricordare solo qualche cronaca ancor molto rozza.

In Lombardia, abbiamo già accennato che il volgare era stato favorito da Filippo Maria Visconti e poi dagli Sforza: fra gli altri poeti

Folena, *Testi Quattr.*, n. 112).

[92] Per esempio il Prologo della *Ciropedia:* «Havrete dunque la vita e gesti del primo Cyrro scripta da Xenophonte greco, la quale è assai più utile che piacevole... Quivi non si vede la incredibile grandezza di Porro... Ma le leggie con le quali infino da fanciulli si *faccino* e populi virtuosi et obedienti ali principi... Come si conservino li amici e *facciansi* da principio...» (II, p. 717 Zottoli).

[93] Se n'è accorto l'ignoto padovano autore d'una frottola della prima metà del '400 (G. Mazzoni, «Un libello padovano in rima del sec. XV», in *Atti e Mem. della R. Acc. di scienze, lett. ed arti di Padova*, VI, 1890), vv. 234-235:

> Tal è che parla in rima
> che non sa dir in pruosa...

[94] Migliorini-Folena, *Testi Quattr.*, n. 12.

[95] Salvioni, *Lamentazione metrica sulla passione di N. S.*, Torino 1886; parzialmente rist. in Wartburg, *Raccolta*, n. 8.

[96] De Bartholomaeis, *Laude dramm. e rappresentazioni sacre*, III, p. 307.

[97] F. Neri, *Fabrilia*, Torino 1930, p. 85.

[98] G. Manacorda, in *Men. Acc. Torino*, XLIX, 1900, p. 58.

cortigiani emerge Gaspare Visconti, che pur si scusa (nell'epistola premessa all'edizione milanese del 1493) «del nostro non molto polito naturale idioma milanese». Può essere interessante ricordare come egli stesso glossò la parola *fromba* che aveva adoperata in un sonetto (attingendola forse alla *Fiammetta* o al *Morgante*): «*Fromba* in lingua toschana è quello che in lingua latina dicitur *funda*»[99].

Per la prosa, siamo abbastanza bene informati sulla lingua della cancelleria[100]. Interessante, e non ancora ben studiata, è la lingua della *Patria historia* di Bernardino Corio, che narra le vicende milanesi fino al 1499 (Milano 1503).

A Bergamo, al principio del Quattrocento, frate Stefano Tiraboschi copiava, talvolta compendiandolo, l'antico poemetto veronese su *Santa Caterina*; e il confronto riesce molto istruttivo. Ecco alcuni versi della redazione veronese:

> L'imperaor Maxençò clama gi credenderi,
> gi baron de la corto et altri cavaleri,
> e dis: «Or m'entendii quel che voio dire;
> e' v'ò clamado çae e fatovi vegnire:
> vui savì de Katerina quel k'ela m' à fato,
> per lei non è romaso ked e' no sia mato,
> ell'ae desorado lo nostro De del templo...[101].

Ed ecco il testo in bergamasco ormai italianeggiante:

> Lo imperadore Masenzo sì giamà li soi credenderi,
> li baroni de la corte e li altri cavaleri,
> e disse: «Voy sapeti quello che Katherina me ha fatto,
> per ley non è romaso che non sia parso matto.
> Ella ha despresiado lo dio nostro del templo...[102].

A Mantova la copiosa corrispondenza gonzaghesca ci mostra una coinè assai progredita[103].

Dal Veneto si leva, nella prima metà del secolo, la voce di Leonardo Giustinian: benché sia quasi impossibile riconoscere le sue caratteristiche precise, in mezzo al coro che essa ha suscitato intorno a sé in tanta parte d'Italia, alcuni forti venetismi risaltano (p. es. *golta* in rima con *volta*, ecc.).

L'espansione delle «giustiniane», aiutata dalla musica, ha fatto sì che si accogliesse, anche fuori dell'Italia settentrionale, l'apocope in consonante davanti a pausa («Quel che in sogno tu me fai - fussel vero

---

[99] *Rime*, ed. A. Cutolo, Bologna 1952, p. 79. Lo spoglio dell'opera, a cura di M. Vitale, mette in luce il forte colorito latineggiante e settentrionale della lingua del Visconti.
[100] M. Vitale nel citato volume su *La lingua volgare della cancelleria visconteo-sforzesca*.
[101] Monaci-Arese, *Crestomazia*, p. 426.
[102] Renier, in *Studi filol. rom.*, VII, 1894, p. 32.
[103] Migliorini-Folena, *Testi Quattr.*, n. 117 (cfr. n. 121).

e poi mor*ir*...»; in una barzelletta di Serafino «Non mi negar, signora, - di sporgerme la m*an*)[104].

In una redazione rimata dei *Sette Savi*, della metà circa del secolo, vediamo uno che «senza essersi impratichito, mediante lo studio, della lingua letteraria, pretende di scriverla»[105]. Un po' più tardi, quando il veronese Giorgio Sommariva traduce Giovenale, e il padovano Cosmico, e il veronese Antonio Vinciguerra tentano la satira morale in terzine, essi scrivono, pur con qualche settentrionalismo, in toscano illustre. Si legga qualche verso della 4ª satira di Giovenale nella traduzione del Sommariva:

> Ecco che 'l mi convien anchor chiamare
> Crispino in ogni parte per suo vici,
> monstro senza virtude da sprezzare,
>
> debile, infermo, ma forte in flagici,
> excetto in le delicie viduile,
> ma in l'altri fa mille execrandi exici.
>
> Che zova adunque haver le signorile
> case con boschi e possessione a lato
> al foro, che non son già cose vile,
>
> se alchun maligno esser non può beato...[106]

oppure qualche verso della sua *Chronica vulgare*:

> Manfredo, spurio a Federico filio,
> morto che fu Corrado so fratello,
> al regno di Sicilia diè di piglio;
>
> dominò tredece anni intruso in quello
> benché dal quarto anatematizzato,
> dico Alessandro, fusse col suo hostelo,
>
> per aver preso, morto e mal menato
> la gente d'arme e copie de la Chiesa...[107]

in confronto con i versi (lasciati inediti dallo scrittore e pubblicati modernamente) in cui il Sommariva stilizza la parlata rustica:

> O consegieri, e ti nostro massaro,
> e tuti vu del borgo mazorenti,
> pianzì sta morte, con grandi sbraimenti,
> de Pier Zafeta, nostro pare caro...
>
> El ne schivava da tuti i sodè («*soldati*»),

[104] Folena, *Crisi*, p. 40 n.
[105] Rajna, in *Romania*, VII, 1878, p. 26.
[106] Treviso 1480, c. 15 b. Il dott. Franco Riva ha voluto riscontrare per me questo passo e i due seguenti. Sono aggiunti, s'intende, accenti e interpunzione.
[107] Venezia 1496, c. 8 b.

e dai sberoeri e d'aotra mala zente,
che cerca tor le nostre povertè...[108].

Nella prosa, troviamo pure varietà grandissime. Marin Sanudo nei suoi *Diari* adopera un veneziano cancelleresco di solido impasto, con parecchie caratteristiche dialettali ben salde. Invece, per citare solo un altro esempio, l'antiquario veronese Felice Feliciano mostra nelle sue lettere una lingua tanto illustre (con molti latinismi e alcuni toscanismi) che qualcuno poté addirittura attribuire a lui l'*Hypnerotomachia Poliphili*. Si senta l'inizio di una sua lettera a Giov. Bellini: «Le vixere de la profunda terra mi da gli preciosi metalli, e'l Tago e 'l Nyllo con le salse unde di Gangie le margherite, l'India l'avorio, e gli olenti ligni d'oriente li balsami, e gli arbori di Sabba mi manda l'incenso, Sydonia le porpore, e gli picoli vermi di Siria gli sirici drapi, gli cupi e profondi gorghi il pescie squamoso, e le frondose silve le timide lepori, et il tenace visco gli uccelli volanti. E quello amore che più mi è caro mi dà el tuo cuore» ecc.[109].

La fioritura delle tipografie di Venezia[110] fa di quella città una roccaforte della diffusione del toscano letterario: basti pensare all'importanza delle edizioni aldine del primissimo Cinquecento.

Nel Friuli (passato nel 1419-20 al dominio di Venezia) si trova che il vernacolo è troppo rozzo, e chi scrive si attiene sempre più a modelli veneti e poi italianeggianti[111]. Prete Pietro dal Zoccolo (o Pietro Edo) di Pordenone, in tre rappresentazioni sacre[112] e in un poemetto su *Amore e Fortuna* scrive in toscano con pochi tratti veneti; e nel pubblicare il suo volgarizzamento delle *Costituzioni della Patria del Friuli* (Udine 1484) spiega quale criterio abbia seguito per scegliere tra «le lingue italiane»: «la elegantia de la toschana» non gli è parsa conveniente «per esser troppo oscura a li populi furlani»; «la furlana» a sua volta presentava varie difficoltà («non è universale in tutto il Friule», e «mal se pò scrivere, e pezo lezendo pronunciare»); perciò ha finito con l'attenersi al «trivisano» («Imaginai in tal translation dovermi acostar piutosto a la lengua Trivisana che ad altra, per esser assai expedita e chiara et intelligibile da tutti, come quilla che segondo il mio giudicio partecipa in molti vocabuli

[108] G. Fabris, *Sonetti villaneschi di G. Sommariva*, Udine 1907, p. 14.

[109] G. Fiocco, in *Archivio veneto-tridentino*, IX, 1926, p. 193.

[110] Non sarà inutile notare che la stampa dei primi libri in volgare a Venezia fu finanziata da mercanti fiorentini (E. De Roover, *Bibliofilia*, LV, 1953, pp. 107-115).

[111] Nel *Fior di Battaglia* (1409-10) di Fiore dei Liberi (ed. Novati, Bergamo 1902), qualche raro tratto fortemente dialettale (*dent de zenchiar* «dens apri») emerge in mezzo al veneto illustre. Del resto, si cfr. la lettera del 1437 con il memoriale del 1477 in Migliorini-Folena, nn. 34 e 88.

[112] Nelle quali non manca qualche ipertoscanismo:
Un terremoto forte e smesurato
non sol mi fé rizzire li capei,
ma sbigotir *ni* fece tutti sei
e cader giù allor, e mio *malgrato*.

(De Bartholomaeis, *Laude dramm. e rappresentazioni sacre*, III, p. 298).

con tutte lingue italiane»). Ma, come si vede anche da queste poche righe[113], si tratta di un veneto molto toscanizzato.

Nell'Emilia, il centro più importante di elaborazione del volgare è Ferrara (cfr. pp. 227), per esperimenti letterari di vario genere. Tra i molti verseggiatori[114] emerge il Boiardo: più che i suoi scritti minori importa l'*Orlando Innamorato*, in cui l'emiliano illustre decisamente inclina verso il toscano: accanto a forme e vocaboli dell'uso regionale (*gionto, panza, ziglio, cacciasone, fasso* «fascio», *ve adunati, beccaro, pioppa*, ecc.) si hanno forme e voci toscane (*veniamo, rubesto, stordigione*, ecc.), ipertoscanismi (*fraccasso, diffesa, gaglio* «gaio», *piaccia* «piazza», *struccio* «struzzo», *avancia* «avanza», *batteggian* «battezzan», ecc.), latinismi (*strata, spata*, ecc.). Il poeta approfitta volentieri delle varianti disponibili per la rima: p. es. si ha *scudo* in rima con *nudo, scuto* in rima con *arguto*, ecc. La miscela non era certo tale da piacere agli schizzinosi letterati del Cinquecento e alle loro norme assai più rigorose. Ma la direzione in cui si muove il Boiardo è quella medesima in cui verrà a trovarsi, di alcuni passi più innanzi, Lodovico Ariosto. Manca, purtroppo, un saggio che illustri degnamente la lingua del Boiardo nel quadro della sua cultura.

Della prosa letteraria ferrarese ci danno un'idea le *Facezie* del Carbone; Sabadino degli Arienti nelle *Porretane* stilizza, con echi boccacceschi dovuti al «genere», il bolognese illustre. Molto più rozze sono le cronache, e in genere le scritture pratiche.

9. *Il volgare nell'Italia mediana*

Anche la corte urbinate ci dà alcuni testi colti. Giovanni Santi da Urbino, il padre di Raffaello, nella sua pedestre *Cronaca* in rima vuol arieggiare i *Trionfi* del Petrarca, e ben di rado adopera forme e vocaboli regionali (*agionto, vinti, Vinesa*) o ipertoscani (*chiuodo*); Angelo Galli si tiene molto stretto ai grandi trecentisti; solo lievissime scabrezze dialettali mostrano le rime e le prose (incluse anche le lettere) del pesarese Collenuccio.

Dall'Umbria vengono testi in versi ormai non molto dialettali come il *Sollazzo* e il *Saporetto* del Prodenzani, le 37 sacre rappresentazioni messe insieme nel 1405 da Tramo di Leonardo d'Orvieto[115], i numerosi laudari di diverse città e, nella seconda metà del secolo, i molti poemetti del perugino Lorenzo Spirito.

Nella prosa non letteraria, troviamo il solito sfasamento tra le

---

[113] O da un passo qualsiasi: «Perché l'officio del zudese è longissimo, ordinamo che li zudexe possa prolongar li termini de una et più cause in absentia de le parte overo de una d'esse...» (c. VI a).

[114] Vedi il cit. scritto del Fatini, *Le «Rime» di L. Ariosto*, passim.

[115] P. es. accanto alle forme dialettali *deliberamo, giudicamo, mandamo*, ecc. si hanno le forme toscaneggianti *cantiamo, adoriamo, danniamo*, ecc. (De Bartholomaeis, *Laude dramm. e rappres. sacre*, I, pp. 339-345).

grandi città centri di cultura, in cui la lingua s'italianizza rapidamente, e i luoghi meno importanti, in cui le caratteristiche locali resistono di più: a Perugia la *-e* finale per *-i* ancora compare qua e là nei primi decenni del secolo[116], mentre poi la *-i* si fa generale; a Spoleto gli *Annali* dello Zambolini distinguono bene *u* e *o* finali, secondo l'uso dialettale di quella zona. La cronaca di Todi di I. F. degli Atti, a cavalcioni fra il sec. XV e il XVI, palesa la lotta fra spinte toscane e spinte romanesche[117].

A Roma la lingua poetica è quella ormai comune; non solo nei petrarchisti, come Giusto de' Conti, ma per es. nel lamento di Paolo Petrone, carcerato a Viterbo nel 1420:

> Roma, dov'è llo tuo nobil senato?
> dov'è 'l tuo Cesari che fo ssì altero?[118].

Invece, il medesimo Paolo Petrone scrivendo in prosa la sua *Mesticanza* ha un vistoso colorito romanesco (*tierra, muorto, aitro, monno, menao,* ecc.), e così pure altri cronisti (Paolo di Benedetto dello Mastro, Stefano Infessura) e l'estensore delle *Visioni di Santa Francesca,* Giovanni Mattiotti. Ma altri diaristi (Gaspare Pontani, Antonio da Vasco) adoperano una discreta lingua toscaneggiante.

Se ci spingiamo negli Abruzzi, troviamo che il corifeo del petrarchismo fiorito, Serafino Cimminelli, non ha quasi più tracce regionali (avendo del resto passato parte della vita a Roma e nelle corti settentrionali)[119]. Ma fortemente dialettali sono i *Cantari di Braccio;* già più toscaneggiante la cronaca aquilana rimata di Cola di Borbona. Tratti dialettali e tratti dottrinali si mescolano nella poesia drammatica (specialmente nel laudario drammatico domenicano dell'Aquila).

Abbiamo pochi esempi di prosa letteraria[120], mentre i testi pratici sono fortemente dialettali[121].

10. *Il volgare nell'Italia meridionale*

L'uso letterario e pratico del volgare, scarsissimo nell'età angioina, scarso nei tempi di Alfonso I[122], diventa vivace a partire da Ferdinando

---

[116] P. es. *de li gentili homene, gli dicte tre fategli,* in «Richiesta di cittadinanza», Migliorini-Folena, *Testi Quattr.,* n. 19.

[117] Sulla lingua di questa cronaca, vedi F. Ageno, in *Studi fil. it.,* XIII, 1955, pp. 167-227.

[118] Medin-Frati, *Lamenti storici,* II, Bologna 1888, pp. 7-12.

[119] Se mai, è più facile notare tratti settentrionali (*arecordi; stati, pensati,* 2ª pers. plur.) che meridionali (*saccio, cresi* «credetti»).

[120] Come la redazione chietina della *Fiorita* di Armannino (Migliorini-Folena, *Testi Quattr.,* n. 16).

[121] P. es. l'inventario della cattedrale di Teramo (Migliorini-Folena, *Testi Quattr.,* n. 100): si notino regressioni come *pandi* «panni».

[122] Migliorini-Folena, *Testi Quattr.,* nn. 42 e 56; v. l'annunzio al popolo della pace con Eugenio IV in De Tummulillis, *Notabilia temporum,* p. 53 Corvisieri.

I[123]. Alcuni gentiluomini napoletani, con intenti, se non con risultati, analoghi a quelli della cerchia medicea, tentano una lirica di tono popolaresco: quindi con numerosi dialettalismi[124].

Ma non mancano le influenze petrarchesche; queste anzi predominano nel canzoniere di Pier Iacopo De Iennaro[125], mentre nelle *Sei etate de la vita umana* egli mostra una forte influenza dantesca; in complesso si nota che nella scelta tra più forme possibili egli tende a scostarsi quanto può dal dialetto. Petrarchismo e classicismo coloriscono i versi del Cariteo.

Nei vigorosi sonetti dello sventurato conte di Policastro, Giannantonio de Petruciis, forme e vocaboli plebei appaiono accanto a forme e vocaboli colti: così, egli adopera liberamente l'articolo *lo* o l'articolo *el* davanti a consonante:

> *lo* sole con la luna e con li venti
> *lo* celo con le stelle è sucto al Fato
> (son. I)
> *el* corpo degli affanni ora riposa
> (son. XLVI)
> non saccio se *lo* cor de me te premi
> ....
> *el* crudo fato credo che blastemi
> (son. LII).

Volutamente ricchi di dialettalismi sono anche i *gliòmmeri* (nome napoletano di quelle che altrove si chiamano le frottole) e le *farse*: ecco p. es. una scena di streghe dalla farsa *Lo Magico* di Pietro Antonio Caracciolo (che fu recitata davanti a Ferdinando I):

> Una, la più valente, – in su la forca
> nde *saglie* et là se corca – a la *bucune*
> et taglia poi la fune, – et fa cascare
> l'*inpisi* a le *yanare*; – et prestamente
> chi lloro stirpa un dente, – et chi le lingue,
> et chi a llor toglie il *pingue*, – et chi i *denochii*,
> et chi llor cava l'occhii, – et chi i *capilli*...[126].

---

[123] V., oltre al cap. IX del *Quattrocento* di V. Rossi, A. Altamura, *L'umanesimo nel Mezzogiorno d'Italia*, Firenze 1941; Id., «Appunti sulla diffusione della lingua nel Napoletano», in *Convivium*, 1949, pp. 288-303; Id., *Testi napoletani del Quattrocento*, Napoli 1953; G. Folena, *Crisi*, passim; M. Corti, *Rime e lettere di P. J. De Jennaro*, Bologna 1956.

[124] Le loro poesie sono raccolte, insieme con versi anonimi, nella silloge di Giovanni Cantelmo conte di Popoli (del 1468 circa), conservata nel codice 1035 della Nazionale di Parigi, e stampata da M. Mandalari, *Rimatori napoletani del '400*, Caserta 1885. Si veda anche la raccolta di poesie contenute nel cod. Vat. lat. 10656, di tono più popolare (ed. L. Berra, in *Giorn. stor.*, LXXXIV, 1924, pp. 241-276).

[125] Sul progressivo aderire del De Iennaro alle forme toscane v. M. Corti, in *Giorn. stor.*, CXXXI, 1954, pp. 305-351 e il vol. cit., passim.

[126] Da un cod. di Monaco, del principio del sec. XVI: Torraca, *Studi di storia letter. napoletana*, Livorno 1884, p. 432.

Un deciso avvio all'accoglimento della norma toscana si ha, sia per il verso che per la prosa, con l'*Arcadia* di Iacopo Sannazzaro; mentre una prima redazione, che risale al penultimo decennio del secolo[127], ha ancora un forte colorito napoletano, l'edizione definitiva, preparata dall'autore intorno all'anno 1500 e pubblicata dal Summonte nel 1504, è vicinissima al toscano letterario. Il riscontro tra le due redazioni[128] permette di esaminare a un preciso traguardo non solo l'opera dello scrittore, ma in genere, le tendenze del suo tempo. Le tre componenti principali (forme e vocaboli dialettali più o meno dirozzati; forme e parole toscane, attinte quasi tutte alle letture letterarie, principalmente al Petrarca e al Boccaccio; voci latine) si presentano in ambedue le redazioni, in misura e in combinazioni varie[129]: ma l'eliminazione delle forme dialettali, nella redazione definitiva, è spinta molto innanzi, tanto che il Varchi (*Hercolano*, Venezia 1570, p. 151) poté lodare l'autore per aver composto la sua *Arcadia* senz'esser mai stato in Firenze, solo lagnandosi di lievi trasgressioni.

Data la forte centralizzazione, culturale e burocratica, del regno di Napoli, l'attività poetica delle province periferiche è molto scarsa[130].

Per la prosa abbiamo già accennato all'importanza del linguaggio della cancelleria, e all'influenza che vi esercitò il Pontano, il quale, umbro di nascita, passò poco più che ventenne al servigio degli Aragonesi[131]. Una moda letteraria è quella delle epistole, amorose e d'altro genere: ne incluse alcune nei suoi *Notabilia temporum* il De Tummulillis; parecchie di argomento amoroso ne scrisse Ceccarella Minutolo, imitando lo stile delle opere giovanili del Boccaccio[132]. Nei memoriali di Diomede Carafa, nel trattato *De maiestate* di Giuniano Maio, nell'*Esopo* di Francesco Del Tuppo[133], e nel *Novellino* di Masuccio Guardati, l'unica opera che abbia una certa importanza artistica[134],

---

[127] Ed è principalmente rappresentata dal cod. Vat. 3202, pubblicato dallo Scherillo.

[128] Compiuto da G. Folena nell'eccellente monografia *Crisi* ecc.

[129] Particolarmente saldi sono gli elementi dialettali quando trovano l'appoggio di elementi latini omologhi: p. es. *medulla, giugo* («giogo»), *cucumero*.

[130] Ricordiamo *El Giardino* dell'agnonese Marino Ionata, e il rozzo lamento in terzine del cosentino Giovanni Maurello (Migliorini-Folena, *Testi Quattr.*, n. 91).

[131] V. le *Lettere inedite* di I. Pontano *in nome de' reali di Napoli*, ed. Gabotto, Bologna 1893; quelle private sono state pubblicate dal Percopo. Per ricordar solo un fenomeno, nella stessa lettera a Ferdinando d'Aragona (7 maggio 1490), il Pontano scrive «perché *lo* medico che dà la medicina presuppone etiam che, dopo la medicina, se faccia *lo* cristero»... e «resignarò *il* sigillo» (Altamura, *Testi*, pp. 107-108).

[132] Nell'epistola ristampata in Migliorini-Folena, *Testi Quattr.*, n. 61, e in Altamura *Testi*, pp. 89-90, si legge «se *lo* mio penuso core» ma «tollere *el* sospetto», *andaʀela*, ma *saperne* ecc.

[133] Sulla lingua, v. la nota del De Lollis alla sua scelta (Firenze 1886) e A. Mauro, *Francesco Del Tuppo e il suo Esopo*, Città di Castello 1926, pp. 192-196.

[134] V. il capitolo «Stile e lingua», in G. Petrocchi, *Masuccio Guardati*, Firenze 1953, pp. 126-168.

permane in varia misura il colorito dialettale, ma sono molti gli elementi latini e quelli toscani, principalmente boccacceschi.

I testi in prosa provenienti da altre province del Regno sono anch'essi poco numerosi: quelli più letterari (il *Libro di Sidrac* salentino, il *Quadragesimale* di fra Roberto da Lecce, l'*Esposizione del Pater noster* di Antonio De Ferrariis, pure di Terra d'Otranto) non si scostano molto dal tipo ora visto; anche i rari statuti in volgare (Statuto di Maria d'Enghien, Statuto di Molfetta, Capitoli della Bagliva di Galatina) mostrano un forte ibridismo[135].

In Sicilia, gli scritti in versi d'indole religiosa hanno vistosi caratteri grammaticali siciliani, ma sintassi e lessico sono fortemente influenzati da testi continentali. La *Istoria di la traslacioni di Sant'Agata*, in ottave, di autore probabilmente catanese, suona così:

> dormendu Gislibertu et repusandu
> Agatha santa virginella et pura
> li apparsi in sompnu, bella si mustrandu
> quali esti in chelu avanti a Cui ipsa adura,
> cun li capilli xolti chi parìanu
> di oru perfectu, tantu straluchìanu...[136].

L'andamento familiare e scherzoso spiega il forte colorito dialettale siciliano della commediola di Caio Ponzio Calogero (o Calorio o Caloria), un messinese che aveva studiato a Padova: eccone gli ultimi versi:

> La condannemu per questu in effectu
> che amar lu debia quantu amar si po,
> e per lu cor robatu, o volgia o no,
> li daga lu cor so che staga in pegnu[137].

Ma anche qui l'influenza del toscano letterario è notevole (pur prescindendo da tratti veneti come *volgia*, forse dovuti al copista). Più forte è nello strambotto del medesimo Ponzio:

> Per la continua guerra chi a gran torto
> sustegno, piglio tanto di rispetto
> ch'il stanco corpo a poco a poco porto
> a morti, chi con gran piaciri aspetto[138],

come in genere nei frammenti lirici che del Quattrocento ci rimangono nelle citazioni di Mario D'Arezzo[139].

---

[135] Sulla lingua degli Statuti di Maria d'Enghien, v. D'Elia, in *Atti II Congr. stor. pugliese* ecc., Bari 1954.

[136] G. Cusimano, *Poesie siciliane dei secoli XIV e XV*, II, Palermo 1952.

[137] V. Rossi, «Caio Caloria Ponzio e la poesia volgare letteraria di Sicilia nel sec. XV», in *Scritti di critica letter.*, II, Firenze 1930, pp. 417-451.

[138] Rossi, ivi.

[139] Sorrento, *Diffusione*, pp. 31-35.

Nella Sicilia del Quattrocento si aveva una notevole conoscenza della triade toscana e anche della letteratura volgare religiosa toscana e umbra[140].

La prosa letteraria è più toscaneggiante che la poesia: la *Leggenda della beata Eustochia*, composta nel 1487-90, si propone di essere in toscano letterario, anche se i sicilianismi non manchino[141]. Di otto incunaboli stampati a Messina nello scorcio del secolo, sette sono in prosa fortemente toscanizzata, anche se trattano di argomenti locali (l'ottavo è la *S. Agata* in versi)[142]. Il progresso della toscanizzazione è evidente nei protocolli notarili di Messina: i bandi, che cominciavano con le parole *Bandu et comandamentu*, a partire dal 1492 s'iniziano con *Bando et comandamento*[143].

Prima di chiudere questa rapida rassegna dello stato della lingua nelle varie regioni, accenniamo al fatto che gli Italiani che vivevano in paesi stranieri, messi a contatto con persone di varia provenienza, tendevano a forme di coinè. Il *Libro mastro* del Banco Borromei a Londra[144] è molto più italianeggiante dei documenti milanesi coevi.

11. La norma linguistica

L'ampiezza di oscillazione consentita agli individui è assai larga durante il Quattrocento; e solo alla fine del secolo si comincia a sentire l'influenza coagulatrice della stampa. Dapprima la scarsa tutela esercitata dalla lingua letteraria, più tardi, col prevalere dell'umanesimo volgare, l'abitudine umanistica di mettere insieme a proprio modo la lingua, come si faceva per il latino, rendono la norma molto scarsamente imperativa[145].

Insomma, molte delle consuetudini grammaticali e lessicali anziché essere univoche e più o meno imperative, come in altri periodi, sono aperte in varie direzioni; anziché adagiarsi in schemi già fatti, chi scrive può liberamente ricorrere al modello del latino o al modello dei tre grandi toscani. Il Boiardo, come s'è visto, scrive *scudo* secondo l'uso lombardo e toscano, ovvero *scuto* alla latina, *piazza* o *piaccia*, *gaio* oppure *gaglio*, e così via.

---

[140] Sorrento, *Diffusione*, pp. 42-48, M. Catalano, *La leggenda della beata Eustochia da Messina*, 2ª ed., Messina-Firenze 1950, p. 41.

[141] V. l'eccellente ed. cit. del Catalano, che ha ricostruito criticamente il testo su due codici, uno con leggiere tracce emiliane e uno con influenza umbra.

[142] Catalano, op. cit., pp. 41-42.

[143] Catalano, op. cit., p. 39.

[144] Migliorini-Folena, *Testi Quattr.*, n. 31.

[145] Sull'abbondanza delle varianti morfologiche verbali in Firenze, v. Nencioni, *Fra grammatica e retorica*, passim.

O, per citare un altro esempio, gli scrittori meridionali, invece che attenersi all'uso indigeno dell'articolo *lo* in tutte le posizioni, accolgono più o meno largamente le forme toscane *el* o *il*.

Verso la fine del secolo, si nota un maggiore avvio alla formazione di un gusto collettivo; e naturalmente contano molto le spinte di quegli antesignani le cui opere più largamente piacciono, come il Boiardo e il Sannazzaro.

Ogni trascrizione tende a eliminare le peculiarità troppo dialettali del testo[146]. In proporzioni molto maggiori, ciò accade con le opere a stampa, perché gli editori mirano allo scopo che esse siano intese da un pubblico molto largo. Talvolta l'editore ha la precisa intenzione di rimaneggiare il testo che vuol riprodurre, e nell'eliminare gli idiotismi per lo più toscaneggia; altre volte lascia correre gli idiotismi dell'originale o ne introduce di propri[147]. In certi casi, anziché correggere, il tipografo preferisce glossare il suo testo[148].

La larga libertà di cui gode ciascuno scrittore fa si che l'àmbito della scelta stilistica sia molto più ampio in confronto con quello della norma stabile, sia per la grammatica sia per il lessico. Ciò non vuol dire che regole e tendenze non esistano, valevoli in cerchie culturali più o meno ampie.

Alcune trattazioni grammaticali e spogli lessicali possono servire di guida per singoli autori e per il loro ambiente: per la Toscana si potrà ricorrere specialmente agli *Appunti sulla lingua* e al *Glossario* del *Piovano Arlotto* (ed. Folena, Milano-Napoli 1953), agli spogli degli autografi di L. B. Alberti a cura del Grayson[149], agli spogli del Tanaglia (ed. Roncaglia, Bologna 1953), alla monografia del Ghinassi su *Il volgare letterario nel Quattrocento e le Stanze del Poliziano*, Firenze 1957; altre buone ricerche abbiamo per l'Italia settentrionale[150] e per quella meridionale[151].

---

[146] P. es. il verso che in uno strambotto napoletano suona «non vide che se chiava lo *tavoto*?» è trascritta dal Boiardo, benché così la rima venga a mancare, «non vedi ch'el se apre la sepoltura?» (Berra, in *Giorn. stor.*, LXXXIV, 1924, p. 252 e 272).

[147] V., per citar solo un esempio, il diverso procedere delle edizioni milanese (1483) e veneziana (1484) di Masuccio Guardati rispetto a quella napoletana del 1476, di cui purtroppo non rimangono esemplari: v. la nota di A. Mauro all'edizione Laterza e quella di G. Petrocchi all'ed. Sansoni.

[148] La prima edizione a stampa di un vocabolarietto italiano-tedesco (Venezia 1477) dava, p. es., i lemmi *Luganica, Boldoni, Unto sutil*; la ristampa di Bologna 1479 dà invece *Luganica o salciza, Boldoni o cervela, Unto sutile o butiero*.

[149] *Lingua nostra*, XVI, 1955, pp. 105-110.

[150] Del Salvioni, su vari antichi testi lombardi, in gran parte del sec. XV (in *Arch. glott. ital.*, XII, pp. 381-384); di Bayot e Groult per la *S. Caterina* del Mombrizio, pp. 13-41 della loro edizione (Gembloux 1943); del Vitale per la cancelleria milanese (Varese-Milano 1953) e per Gaspare Visconti (Bologna 1952).

[151] Si vedano i citati volumi del Folena sul Sannazzaro e della Corti sul De Iennaro.

12. *Grafia*

Nei manoscritti e nelle prime stampe[152] la grafia è molto instabile, specialmente per alcune peculiarità: *cane* o *chane* o, sporadicamente, *hane*[153], *degno, degnio, dengno* o *dengnio*, ecc.[154]. La fortissima influenza umanistica porta a una predominanza di grafie di tipo etimologico: *maximo, apto, epso* ecc.[155]; esse sono particolarmente frequenti nell'Italia settentrionale e meridionale, ma anche in Toscana sono molto più largamente usate che nel Duecento e nel Trecento. Il nesso *ci* + vocale alterna con *ti* + vocale (*ocio - otio, gracia - gratia* ecc.) come nella grafia latina del tempo. *Ch, th, ph, y*, appaiono nei vocaboli greci, e non sempre collocati al loro posto[156].

Resistono ancora grafie regionali consuetudinarie: nel Nord *c* con valore di *z* sorda (*anci, solacevole, discalci* plurale di *discalzo* ecc.), *x* per *s* sonora; nell'Italia meridionale *cz* e talvolta *tz* per *z* sorda; in Sicilia *ch* si trova ancora con valore di *c* palatale, *x* con valore di *sc*. I nessi *lh* per *gl, ny* per *gn* appaiono sporadicamente nel Sud (p. es. nel *Sidrac* otrantino).

Non attecchirà la grafia *sg* che si trova qualche volta in Toscana (*indusgiare, collesgi, Luisgi* in Bernardo Accolti).

Leon Battista Alberti vuol evitare gli equivoci che nascono dal doppio valore, vocalico e consonantico, del segno latino *u*, e propone quella distinzione grafica tra *u* e *v* che solo alla fine del Seicento, dopo molte vicende, entrerà nell'uso[157].

Notevoli oscillazioni presentano le geminazioni consonantiche all'interno di parola, specialmente nei composti con *ad- ob- sub-*, nei tipi *abbiamo, fuggire*, ecc.: in Toscana la pronunzia serve di guida, e tutt'al più vi può essere l'influsso della grafia latina; ma nell'Italia settentrio-

---

[152] Mi permetto di rinviare, per maggiori notizie, al mio articolo «Note sulla grafia italiana nel Rinascimento», in *Studi di filol. italiana*, XIII, 1955 (e in *Saggi ling.*, pp. 197-225).

[153] Sia in posizione intervocalica (*la hasa*) che dopo consonante (*per harità*): è escluso quindi che si tratti di un tentativo di rappresentare la spirante (v. Folena, in *St. fil. it.*, XIV, 1956, pp. 501-513).

[154] L'*Esopo* del Del Tuppo ha, per esempio, *rescingnolo, risingiolo, rescingolo, resignolo, risignolo, rissungnolo* (Mauro, *Del Tuppo*, cit., p. 194).

[155] Su una falsa etimologia si fonda *scio, scia* per *so, sa*, molto diffuso nell'Italia settentrionale.

[156] Si ha anche qualche curioso sconfinamento: p. es. in un manoscritto della *Famiglia* dell'Alberti si legge *phigliuolo*.

[157] L'Alberti vi accenna in un passo de *De componendis cyfris* (ed. Meister, p. 127), in cui dice di averla fatta «alibi, cum de litteris atque caeteris principiis grammaticae tractaremus»: individuata la *v* consonantica («quod medium quidpiam inter *b* atque *u* sonet»), l'Alberti ritiene che si debba scrivere con il gambo piegato («hasta inflexa scribendam»). La distinzione tra *u* e *v* è fatta anche nelle *Regole* laurenziane, e questo ha indotto parecchi (tra cui il Sensi e il Trabalza) a identificare le *Regole* con lo scritto dell'Alberti a cui allude il *De componendis cyfris*.

nale, dove la pronunzia dialettale ignora, all'ingrosso, le geminate, la grafia è su questo punto molto barcollante.

Anche più incerta è la rappresentazione grafica dei fenomeni dovuti a fonetica sintattica: i rafforzamenti del tipo *a nnoi*, le assimilazioni del tipo *gram bene* e *illei* (= in lei), i fenomeni di enclisi e proclisi. Qui la spinta all'uniformità promossa dalla stampa ha portato a semplificare energicamente. Specie per i rafforzamenti, il movente funzionale per cui è preferibile avere una forma unica per ogni parola (e quindi è meglio scrivere *a lui, di lui, con lui* anziché *a llui, di llui, co llui*), veniva a convergere con un fattore storico: l'importanza della tipografia a Venezia, in un territorio che ignora le geminazioni dovute alla fonetica sintattica.

Per la rappresentazione dei fenomeni di proclisi e di enclisi, la grafia oscilla a lungo prima di stabilizzarsi sulle posizioni poi sempre mantenute: nei manoscritti e nelle prime stampe le voci proclitiche sono spesso scritte unite (*ilbene, lacarne* ecc.); in qualche incunabolo sono scritte unite o separate secondo che c'è spazio nella riga o no.

Manca ancora l'apostrofo, e si scrive *lanima, lerrore, longegno* (= lo *'ngegno*); è venuta meno la norma per cui nel Duecento e nel Trecento si scriveva *huomo* ma *luomo*[158].

Di solito non si adoperano ancora segni per indicare la posizione dell'accento nelle tronche, e tanto meno altrove. Ma già qualche tipografo[159] stampa *e/, volonta/, mitigo/*. G. Ridolfi nel copiare una lista di parole milanesi raccolte da Benedetto Dei aggiunge gli accenti (acuto all'interno, grave sull'ultima, secondo l'esempio greco: *zighéra, pinchieruò*)[160].

Quanto all'interpunzione, la grammatica umanistica conosceva l'uso di tre segni diversi (*virgula sine puncto*, *virgula cum puncto*, *punctus planus*), talora di quattro o anche di più[161]. Nei manoscritti e nelle prime stampe troviamo un'interpunzione scarsa e oscillante: chi addirittura non adopera alcun segno; chi il solo punto; chi il punto e i due punti; chi il punto, la virgola e i due punti. Non rara è la sbarra obliqua, che equivale in sostanza a una virgola (ma può anche servire, come or ora s'è visto, per indicare l'accento, e, in caso di composizione tipografica fitta, per staccare due parole l'una dall'altra). Sporadicamente si trovano anche il punto in mezzo, il punto in alto e la sbarra obliqua con il punto in basso. Solo nel secolo seguente l'interpunzione diverrà più ricca e più regolare.

---

[158] Il Landino, per es., fa stampare *dHecuba*, e nel Tanaglia è scritto *lhuomo* (e anche *l^hore* con l'aggiunta di *h*).

[159] V. p. es. l'edizione della *Commedia* con il commento del Landino, Firenze 1481.

[160] Folena, in *Studi di filol. it.*, X, 1952, p. 91. Un accento si ha anche nella versione toscana del rituale ebraico (1484).

[161] Roncaglia, in *Lingua nostra*, III, 1941, pp. 6-9.

13. Suoni

Negli scrittori toscani, sono ancora prevalenti i dittonghi nelle serie *triema*; *pruova*, *truova*; *ceraiuolo*; *puose*, *rispuose*. Sembrano propaggini del toscano meridionale forme come *venardì*, *iarsera*, documentate anche a Firenze. Di contro a *domane*, *stamane* dell'uso trecentesco appaiono *domani*, *stamani*. Abbondano le -*i*- protoniche della serie *filice*, *piggiore*, *mimoria*, *sicondo*, *tinore*.

Nei testi in versi, si avverte non di rado l'influenza della tradizione poetica: B. Giambullari adopera *core* (*chore*) nei versi più elevati, *cuore* (*quore*) in quelli di tono popolaresco. Il Boiardo nel canzoniere usa *suave*, nelle ecloghe *soave*, nell'*Orlando Innamorato* oscilla.

L'esito fonetico normale -*aio* -*ari* (*danaio* -*danari*, *scolaio* - *scolari*) compare ancora non di rado, quantunque indebolito dall'analogia.

Il fenomeno forse più interessante di questo periodo è la reazione popolare alla copiosissima accettazione dei latinismi, specialmente per quei gruppi che non esistevano nel sistema fonologico toscano. Resta sempre mal digeribile il gruppo *au*, che si continua a sostituire con *al* (*altore*, Leonardo) o a semplificare in *a* (*arora*, Agazzari)[162]; e così pure i gruppi di consonante seguita da *l*: *cripeato* «clipeato» (Gherardi, *Paradiso degli Alberti*), *compressione* «complessione» (Alberti), *Prinio*, *exempri* (in una lettera del Bisticci), *frutto* «flutto», *pepro* «peplo» (nel *Vocabolista* del Pulci), *fragello*, *obrivione* (Leonardo); così è nato *sopperire* da *sopplire*, *supplire* (Morelli, ecc.)[163].

La vocale prostetica davanti ai gruppi con *s* (e a *sc*) si ha non soltanto dopo parola consonante (*per escriptura*, Palmieri, *Città di Vita*, III, XII, v. 137, *pere scriptura* nell'ed. Rooke; *per iscienzia*, Piov. Arlotto; *per ispelonche*, Pulci); ma facoltativamente anche dopo vocale (*una sua ischiava*, S. Bernardino; *fresco isposo*, Alberti; *cento iscudi*, *alcuna isperanza*, Piov. Arlotto)[164]. Anche *gn* può avere *i*- prostetica: *un tale ignocco* (Pulci, *Morg.*, XXII, v. 42), *ignuno* passim.

In Toscana, progrediscono i tipi popolari *stiena* per *schiena* e *diaccio* per *ghiaccio*.

Davanti alle particelle enclitiche -*lo* -*la* ecc. la *r* dell'infinito e la *m* delle prime persone plurali si possono assimilare: *coprilla* (Bisticci), *pensalle* (Pulci; ma anche *trovarlo* in rima con *Carlo*), *perdonalli* (Piov. Arlotto), *trovalla* (Poliziano); *vogliallo* (Bruni), *finirella* (Poliziano)[165]. Così anche *mandàgli* «mandargli», Pulci).

---

[162] Cfr. la rima di *fausta* con *guasta* e *basta* nella *Città di vita* del Palmieri.

[163] Per reazione, si ha invece *splimere* per *esprimere* (M. Franco), *refligerio*, *plecipitare* (Leonardo); il Pulci, definendo *fleto* nel *Vocabolista* «pianto ed il mormorio del mare», mostra di confondere *fletus* con *fretus*.

[164] Quanto al timbro della vocale prostetica, si noti che il Sannazzaro corregge *esperanza* in *isperanza* (Folena, *Crisi*, p. 35).

[165] Ma nelle *Stanze* non si ha mai quest'assimilazione, sentita come popolaresca.

Sempre frequenti le sincopi del tipo *s'tu* (Pulci), *vorres'tu*? (Alberti), *cades'tu*? (Piov. Arlotto), *vedes'tu*? (Pulci) e del tipo *guarti* «guardati» (Pulci, Lorenzo Med.).

I troncamenti degli articoli, degli aggettivi indicativi, dei qualificativi sono meno frequenti delle forme intere: *uno giorno* (Piov. Arlotto), *alcuno riscaldamento, quello dono, quello bello vecchio* (Alberti); viceversa sono ammissibili troncamenti come *buon padri, maggior bellezze* (Alberti).

Abbiamo già accennato (p. 249) alla nuova possibilità, introdotta dai rimatori settentrionali, della tronca consonantica in pausa; in prosatori meridionali ne abbiamo qualche raro esempio (*vanno ad arrobar*, Carafa), che va interpretato come un'estensione ipertoscana dei troncamenti nella sequenza del discorso[166], forse aiutata dall'ispanismo.

Non ci è possibile fermarci sulle peculiarità fonetiche degli scrittori non toscani, le quali andrebbero studiate luogo per luogo, anzi testo per testo. Ci accontentiamo di indicare l'estensione dei dittonghi *ie, uo* a parole che in toscano non li avrebbero avuti: *spiero* in una lettera veneziana (Migliorini-Folena, n. 10, r. 24), *infidieli* nel Carbone, *crudiele* nel Boiardo, *tieco* nel bolognese Malpighi[167], *duono* nel Sannazzaro[168], *buora* a Trieste[169], ecc.

In palese regresso, come tratto dialettale che non trova riscontri in toscano, è la metafonia, sia negli scrittori settentrionali che in quelli meridionali: *ambasiaduri*, ma *depentori* in una lettera di Francesco da Carrara[170], «armata de' *genoisi*», ma «scolari *bolognesi*» nell'Arienti (p. 123 e 265 Gamb.), «*amorusi* sospiri» ma «*religiosi*» (ivi, p. 208 e 362), *ricchezze* e *ricchizze* (sempre al plur.) nello stesso ms. di Giuniano Maio. Se mai, la coincidenza di forme metafoniche con forme latine in cui si ha *i* od *u* presta loro una maggior resistenza (*profundi* nel Sannazzaro).

Le sonore intervocaliche settentrionali cedono alle sorde toscane: in una lettera (1440) del padovano Antonio de Rido ai Fiorentini[171], abbiamo, accanto a *deliberado, zurado, cognosudo*, anche *deliberato* e *potuto*. L'Arienti, ipertoscanizzando, parla (p. 227) di «toccare il *dato*» (dado). E così via.

Per l'accento, merita un cenno la frequenza con cui, nell'assunzione di vocaboli classici, dotti ed indotti trascurano la quantità latina, preferendo di solito la pronunzia piana a quella sdrucciola: *arterìa, aurèo, funerèo, giubillo, ostìco* (e persino *metonymìce* in rima con *allegorìce* e *tropìce*: Mombrizio, *S. Caterina*, vv. 730-735); *Amazzóne*,

---

[166] Folena, *Crisi*, p. 39.

[167] Cfr. «dormire *miego*», nelle parole attribuite a un ambasciatore ferrarese in una facezia del Piovano Arlotto (n. 69).

[168] Non si tratta qui soltanto di una peculiarità individuale, ma la penetrazione toscana è scesa nel dialetto: Folena, *Crisi*, p. 28.

[169] J. Cavalli, *Commercio e vita privata di Trieste*, Trieste 1910, p. 291.

[170] Migliorini-Folena, *Testi Quattr.*, n. 9.

[171] Pastor, *Storia dei Papi*, I, p. 739.

Antiòco, Borèa, Caucàso, Demostène, Driàde, Ecùba, Eschìne, Euridìce, Gorgóne, Iapèto, Leonìda, Origène, Palàde, Persèo, Prometèo, Proserpìna, Sermàti («Sarmati»), *Sisìfo, Sosìa, Tesifóne*, ecc.

14. Forme

Nella flessione nominale, troviamo con molta abbondanza, nella serie in *-a*, plurali in *-i: vaghe piumi* (Palmieri), *le porti* (Pulci), *le bianche areni* (Luca Pulci); nella serie in *-ca* abbiamo molti esempi latineggianti in *-ce: domestice, pubblice* (Alberti), *catolice* (Boiardo), *mendice* (Serafino Aq.). Nella serie in *-co, -go* troviamo oscillazioni tra velare e palatale: *sindachi, traffichi* (Cavalcanti), *tisichi* (Landino), *pratichi* (Poliziano), *fongi* (Cammelli), *Licurgi* (Ficino); con i nomi in *-ello* è frequente il plurale in *-egli: f? rategli* (Macinghi, S. Bernardino, Piov. Arlotto, Pulci), *stornegli* (Pulci), *agnegli* (Piov. Arlotto). Nella serie in *-e* sono frequenti i plurali invariati accanto a quelli in *-i: coteste febbre* (Macinghi Strozzi), *le gente, le mente* (Pulci), *l'ardente fiamme* (Poliziano), *penne debole* (Leonardo), ecc. Ai singolari del tipo *amistà, nimistà*, fanno spesso riscontro plurali non tronchi (*amistadi, nimistadi*).

Sono di solito maschili *opinione, parete, tigre*.

Un tentativo di acclimatare i comparativi latini si trova nel Ghiberti (*densiore, suttiliore*); superlativi di forma latina si hanno nell'Alberti (*difficillimo: Famiglia*, passim; ma anche *difficilissimo*, p. 203 Spong.).

Per l'articolo sono molto frequenti le forme *el*, plur. *e*; un po' meno *il*, plur. *i*; *lo*, plur. *li* e *gli*, perde terreno. La parola *re* prende di solito come articolo *lo*[172].

Per i pronomi, si divulgano *lui* e *lei* come soggetti, malgrado le resistenze puristiche suggerite dal confronto col latino: «comprendiamo che *lui* desideri sommamente l'accordo» (lettera 1434 della Signoria di Firenze, in Capponi, *Storia*, II, p. 506), «ma *lui* mi rispondea e dicea» (Alberti, *Famiglia*, p. 226 Spong.), «Dominus dedit, *lui* data l'avea» (Pulci, *Morg.* XXVII, st. 142), «*lei* si percuote il petto e in vista piagne» (Poliziano, *Giostra*, I, v. 113)[173].

Incomincia in questo secolo l'uso del pronome di terza persona riferito a *Vostra Signoria*: dapprima *ella, essa, questa, quella*, poi anche *lei*, che finì col diventare nel secolo seguente il pronome allocutivo più frequentemente usato: «pregando essa *V. Illma S.* se degna fare tal demostrazione verso el dicto Iacopo che lo predicto Matheo et soi comprendano per mio amore *lei* lo ha trattato bene et clementemente»

---

[172] Maggiori particolari in Folena, *Piovano Arlotto*, p. 369. Il fatto che *lo re* sia forma preferita si può spiegare oltre che per la formula *messer lo re* (Folena, ivi), per l'influenza dell'uso meridionale cioè di quello che era il Regno per antonomasia.

[173] Un commentatore, leggendo nel Sannazzaro (*Arc.*, p. 63 Scher.): «(quel monile) *ley* per mio amore gliel puse», osserva «*ella* dicere debuisset» (Scherillo, p. CCVIII).

(lettera di G. Pontano per la cancelleria aragonese, 9 luglio 1476); «l'opera qual habia facto... M. Augustino la riferirà pienamente a bocha alla *S. V. R^{ma}*, et *lei* dipoi la potrà significare ad Nostro Signore» (lett. Galeazzo Sforza Sanseverino, 1494)[174].

Nei numerali, ricordiamo la grande variabilità di *due: duo* (Macinghi Strozzi, Lor. Medici), *duoi* (*duoi moderni*, Michele del Giogante), *due* (di solito davanti a femminile oppure in pausa, *uno anno* o *due*, Lor. Med.), *dua. Venti, trenta*, ecc. sincopano facilmente davanti ad altri numeri: *venzei, cinquanzei* (Palmieri); si ricordi anche la facezia di *Quazzoldi* beccaio («quattro-soldi») nel *Piovano Arlotto* (n. 43).

Nella morfologia verbale, al presente, 1ª pers. plur., non sono interamente scomparse le forme anteriori all'espansione di *-iamo*: *avemo* (Alberti), *cognoscemo* (P. Arlotto), «Amor qui la *vedemo*» (canzone «Monti valli» attribuita al Poliziano), *avemo, conoscemo* (Lor. Med., *Altercazione*, IV); metaplasmi come *vedimo, corrite* si trovano solo nel verso (Palmieri, *Città di vita*; Lor. Med.). *Siàno, facciàno, andiàno* sono varianti popolari.

All'imperfetto, la desinenza in *-o* della prima persona è un'innovazione (in confronto con l'*-a* trecentesca), ma a Firenze è di gran lunga predominante (e l'unica registrata dalle *Regole* laurenziane); *potiva, sapia* per la 1ª persona sono arbitrii del Palmieri. La prima persona plurale di *essere* ha *eravamo* e *savamo* (o anche *savano*: Palmieri); la 2ª pers. *eravate* o *savate*. Negli altri verbi la 2ª pers. plurale ha anche *-avi* ecc.: *voi cantavi, voi dicevi* (Alberti).

Al futuro notiamo la 1ª pers. plur. del tipo *daréno*, che è di tipo popolare. Frequenti sono le alterazioni dovute a combinazioni fonetiche varie con il tema verbale: *uccidrò* (Pulci), *misurrai* (Palmieri), *giosterrò* (Pulci), *proverrò* («proverò», Pulci), *troverrete* (Piov. Arl.), ecc.

Al passato remoto, si ha qualche forma forte diversa da quelle poi prevalse (*bebbi*, S. Bernardino; *missi*, Pulci; *tretti*, Regole laurenziane). Alla prima pers. plur. debole, frequentemente è scempiata la consonante (*ragionamo* «ragionammo»: Pulci). Alla terza plurale forte e alla terza plurale debole si hanno ampie oscillazioni: *andaro, andarono, andorono, andorno; dissero, disserono, dissono, disseno*[175].

Nel congiuntivo presente della 3ª coniugazione si può avere nelle persone deboli (specialmente nel linguaggio più andante) la vocale *-i*: prima pers. sing. *ricognoschi* (Pulci), 3ª pers. sing. *possi, piacci, conoschi*, 3ª pers. plur. *conoschino* (S. Bernardino).

Nel cong. imperfetto, alla 3ª pers. sing. si ha *lavorasse* e *lavorassi*,

[174] Pastor, *Storia dei Papi, Supplemento*, Roma 1931, p. 499. Le varie fasi quattrocentesche e cinquecentesche sono esaminate in un mio articolo «Primordi del *lei*», in *Lingua nostra*, VII, 1946 (= *Saggi ling.*, pp. 187-196).

[175] L'eccellente saggio del Nencioni, *Fra grammatica e retorica*, dedica le pp. 50-109 a illustrare come i vari scrittori si comportino nella scelta, e mostra che la libertà non è capriccio.

alla 3ª plur. *andassero, andasseno, andassino, andassono*. Col verbo *essere*, prevale *fussi*.

Nel condizionale, le forme in *-ei* (1ª pers.), *-ebbe* (3ª pers.) prevalgono, in Toscana, su quelle in *-ia*.[176]

Alcuni participi sono diversi da quelli più tardi prevalsi (*dolto*, Poliziano). I participi senza suffisso sono frequenti nell'uso popolare («voi mi avete *guasto*»: Piov. Arl., ecc.). Quanto agli ausiliari, il riflessivo ancora non esige *essere*: *aversi affannato* (Alberti), *s'ha sgretolato* (Pulci), *coperto m'ho* (Lor. Med.), *io mi ho allevato costui* (Piov. Arl.), ecc.

Limiteremo a pochissime le osservazioni sulla morfologia dell'italiano delle varie province.

Nell'Italia mediana e meridionale abbiamo notevoli residui della 5ª declinazione latina (*fermecze* «fermezza» a Roma, *faze* «faccia»).

Nell'italiano settentrionale *il* (*el*) è normale davanti a *s* impura (*il scudo*, Boiardo, *il sdegno*, Tebaldeo). Nell'italiano meridionale, abbiamo già accennato alla rapida penetrazione di *il* (*el*) a spese di *lo*[177].

Tra i pronomi, qualche forma tonica di colorito dialettale resiste tenacemente: troviamo *mi* non soltanto in poeti padani: «Misera *mi* che ho sedeci anni» nel lamento di una fanciulla ferrarese del Quattrocento (Fatini, *Le Rime dell'Ariosto*, p. 23); «O fa l'altri morire o *mi* campare» (Boiardo, *Orl. Inn.*, II, v, st. 23); ma anche «lassa far a *mi*» in una barzelletta, forse di Serafino Aquilano, musicata da Josquin des Prés (Menghini, *Serafino*, pp. 36-38) e nel coro delle Baccanti alla fine dell'*Orfeo* del Poliziano, nella redazione originale mantovana:

> Chi vuol bever, chi vuol bevere,
> vegna a bever, vegna qui.
> Voi imbottate come pevere.
> I' vo' bever ancor *mi*.
> Gli è del vino ancor per *ti*.
> Lassa bever prima a *me*.
> Ognun segua, Bacco, *te*.

Sappiamo che il Savonarola, quando venne a Firenze, «diceva *mi* e *ti*, di che gli altri frati ridevano»[178].

Nei verbi, notiamo per il presente indicativo la vivacità del tipo *-ati -eti -iti* (*pensati, haveti, risponditi, finiti*) negli scrittori lombardi e emiliani, in prosa e in poesia[179].

All'imperfetto la forma di 1ª pers. in *-a*, se in Toscana è in assoluto

---

[176] Schiaffini, in *It. dial.*, V, 1929, p. 25. Il Poliziano preferisce *saria* in verso, *sarebbe* in prosa. Il Grayson ha osservato che nel manoscritto V della *Famiglia* dell'Alberti alcune forme in *-ia* sono state corrette in *-ebbe* (*Rinascimento*, 1952 pp. 228-229).

[177] Ma il Sannazaro approfitta volentieri dell'uso promiscuo, e raramente corregge in senso toscano (Folena, *Crisi*, p. 69).

[178] Cambi, *Storia di Firenze*, ap. Capponi, *Storia della rep. di Firenze*, II, p. 194.

[179] Le edizioni di Serafino oscillano (son. CIX) tra *vivete* e *viviti*.

regresso, persiste a Nord e a Sud (*io ragionava*, Boiardo; *me maravi-gliava*, Arienti; *era*, Masuccio).

Al passato remoto, la 1ª pers. plur. lomb.-ven.-emiliana termina in -*assimo*, -*essimo*, -*issimo* (oppure -*assemo* ecc.): «*venissemo* a questa conclusione» (lett. G. F. della Torre a Lorenzo de' Medici, 1476); *confirmasemo* (Venezia 1436, in Monticolo, *Capitolari delle arti*, III, p. 26); «A caval *rimontassimo* in gran fretta» (Bello, *Mambriano*, VII, st. 57).

Una notevole caratteristica del napoletano illustre è la presenza di infiniti, participi presenti e gerundi coniugati al plurale, cioè con l'aggiunta della desinenza -*no* per la 3ª persona[180]: «pensa de quisto fragele mundo li beni non *esserono* se non ombra e fummo» (Del Tuppo, *Esopo*); «cose *spectanteno* ad uso del bene commune» (G. Maio, *De Maiestate*); *farnosi*, *starnosi*, *fermarnosi* per «farsi, starsi, fermarsi» (Sannazzaro, *Arcadia*, egl. VIII)[181].

15. Costrutti

Nei fenomeni sintattici di questo periodo avremo spesso occasione di vedere tracce di influenze del latino.

È ben vivo il costrutto appositivo con *di* appoggiato al semplice articolo: «*il* traditor *di* Gano» (Pulci, *Morg.*, II, st. 43, IV, st. 50), «l'ottimo cittadino *di* Giovanni» (Cavalcanti, *Istorie*, l. III, c. 6).

Nel complemento di materia, prevale ormai il costrutto non artico-lato (*la palla d'oro*), mentre nei secoli precedenti si preferiva dare al complemento l'articolo determinativo quando il sostantivo reggente aveva pur esso l'articolo determinativo (*la palla dell'oro*)[182].

Il superlativo può essere rafforzato da intensivi: «*la più ottima* parte de' mortali» (Palmieri, *Vita civile*, Proemio); «*più ottimo* tempo» (Cavalcanti, *Istorie*, l. XIV, c. 35), «(costumi) *molto lodatissimi*» (Alberti, *Fam.*, p. 123 Spong.), «(luoghi) *tanto* alla famiglia *utilissimi*» (ivi, p. 119), «*assai dolcissime* parole» (Masuccio, p. 225 Mauro), ecc.

Il possessivo *suo* serve spesso per una ripresa di tipo popolare: «Della mia sopravvesta il *suo* colore» (Pulci, *Morg.*, II, st. 52)[183].

Frequentissimo è il semplice *quale* col valore di «che» relativo: «Ganimede · *qual* di cipresso ha il biondo capo avvinto» (Poliziano, *Giostra*).

Una delle caratteristiche più salienti della sintassi quattrocentesca

[180] Molto più raramente si ha -*mo* e -*vo* per la 1ª e la 2ª.
[181] Il Varchi, nell'*Hercolano* (Venezia 1570, p. 151) esprimeva la sua meraviglia per l'insolita terminazione: «non sò vedere in che modo egli cotale affisso si componesse; e più per discrezione intendo quello, che significar voglia, che per regola». Sul fenomeno, v. Savj-Lopez, in *Zeitschr. rom. Phil.*, XXIV, 1900, pp. 501-504.
[182] Migliorini, *Saggi ling.*, pp. 156-174.
[183] Getto, *Studio sul Morgante*, cit., p. 138.

è l'ellissi di *che*, sia come pronome relativo non accessorio, sia come congiunzione dichiarativa. Probabilmente è una moda che si dirama dalle cancellerie[184], ma si trova sia nella prosa che nel verso, sia in Toscana che fuori: «aveva uno povero giovane istava con lui» (Piov. Arl., motto 141, r. 4); «per quel vedevo e udivo» (Lorenzo Med., *Beoni*, II); «voglio questa mattina facciate» (Piov. Arl., motto 2, r. 26), «Par di letizia ognun di loro osanni» (Palmieri, *Città di vita*, III, XXXII, v. 79), «(quel disio) - so vi consuma, mentre vi favello» (Lorenzo Med., *Beoni*, V).

I costrutti con l'infinito si estendono largamente, per influenza latina, principalmente in scritture letterarie (Alberti, Lorenzo de' Medici), ma anche in testi senza alcuna pretesa.

Anche sul modo della reggenza abbiamo alcune influenze singole di costrutti latini: p. es. «vietono li ragi del sole entrare nel delectoso boschetto» (Sann., *Arc.*, I, 34 ecc.)[185].

Troviamo il congiuntivo per influenza latina in vari tipi di proposizioni dipendenti: «La natura dello ingegno nostro è tanto universale... che... in un medesimo tempo alle volte varie operazioni *eserciti*...» (Palmieri, *Vita civile*); «vedesi... che l'amicitia *sia* utilissima a' poveri» (Alberti, *Famiglia*, p. 145 Spong.); «E disse: Chiarion, dimmi chi *sia*» (Pulci, *Morg.*, XX, st. 82); «Colui che par di tanti pensier cinto – diss'io al duca mio, dimmi chi *sia*» (Lor. Med., *Beoni*, VI); «a me pare che sien quattro, delle quali una o al più due, *sieno* proprie e vere lodi della lingua, l'altre piuttosto *dipendano*...» (Lor. Med., *Comento*).

Nell'Alberti troviamo anche l'imperfetto congiuntivo per il condizionale, pure per influsso latino: «Quale austero uomo non *fuggisse* questi sollazzi?» (*Famiglia*, p. 127 Spong.).

Indubbiamente alla stessa spinta è dovuta la soppressione della doppia negazione: «che in tale casa porti seco nè scandolo nè vergogna» (Alberti, *Famiglia*, p. 50); «(i filosofi) della materia lasciano adrieto nulla» (ivi, p. 120).

Per quel che concerne l'ordine delle parole, un po' dappertutto vien meno l'obbligo della posizione enclitica delle particelle atone (legge Tobler-Mussafia): «*Vi priego* che con attenzione mi ascoltiate...» (Landino, *Orazione Petr.*); «*Ci fu* qui nuove...» (lett. di Piero de' Medici, 2 genn. 1467); «*Si conveniva* che nel venire gli andasse incontro...» (Vespasiano da Bisticci, «Don. Acciaiuoli»); «*Te dico*, cusina, quello ch'i' ho veduto» (*Passione* di Revello, I, v. 5978); «*Vi comandamo* che...» (lettera di re Alfonso, 1454, ap. Migl.-Folena, *Testi Quattr.*, n. 56); *M'è paruto* (lettera del Poliziano, p. 63 Del Lungo), ecc. La tradizione, tuttavia, mantiene ancora discretamente la norma nei testi più letterari[186].

Sporadico ma sintomatico effetto del latino sull'ordine delle parole

[184] Folena, *Crisi*, p. 75.
[185] Folena, *Crisi*, p. 90.
[186] Cfr. le osservazioni di Folena, *Crisi*, pp. 73-74, *Piov. Arlotto*, p, 374.

è la posizione che l'Alberti dà a *adunque*, *anche*, collocandoli come *autem*, *quoque*: «Le prime *adunque* parti del dipingere...» (*Pittura*, p. 59 Papini); «per le antiche istorie e per ricordanze de' nostri vecchi *anche*» (*Famiglia*, Proemio).

16. Consistenza del lessico

Abbiamo già accennato (p. 257) come la norma sia poco imperativa durante il Quattrocento: secondo la cultura dei singoli e la loro provenienza, l'impasto lessicale può essere molto diverso. I Toscani seguono senza scrupolo il loro uso vivo, ricorrono largamente al latino, e anche, quasi attingendo al patrimonio familiare, ai tre grandi trecentisti: com'è ovvio, il loro lessico è più o meno dottrinale, più o meno popolare secondo l'argomento di cui trattano e secondo il loro temperamento.

Per gli scrittori di altre regioni, le cose si presentano diversamente: essi si sforzano di evitare sempre più i vocaboli del vernacolo natio, ricorrendo ora al latino ora ai grandi scrittori toscani. Ma se il lessico latino offre una larga gamma di vocaboli, il lessico dei tre grandi trecentisti è lontano dal fornire tutta la serie di espressioni di cui si sentirebbe il bisogno. (Non si dimentichi inoltre che, per questo scopo, manca ancora qualsiasi specie di repertorio).

Le spiegazioni dei lemmi latini nei glossari del Barzizza o del Cantalicio sono fortemente dialettali, in quanto mirano solo a far capire le parole latine a scolari che non sanno altro che il loro dialetto.

I campi per cui è più difficile l'intercomprensione sono quelli pratici: per indicare, ad esempio, gli oggetti domestici o le piante non adoperate praticamente, non si hanno altri nomi che quelli locali o regionali. Un po' di più circolano i nomi dei pesci, per esigenze del mercato; ma quelle che il Sacchetti e il Burchiello chiamano *acciughe* sono *anchiovi* per il Boiardo[187].

Istituzioni che nascono o si diffondono in quell'età, nuovi oggetti, nuovi modi di pensare, fanno si che si divulghino per tutta la penisola i rispettivi nomi.

Il *catasto*, istituzione veneziana, già accolta nel Trecento in altre città, è introdotto a Firenze nel 1427, e se ne accetta anche il nome.

Posta, attraverso i significati di «luogo assegnato a un cavallo», «luogo dove si cambiano i cavalli», sta passando a quello di «trasporto di corrispondenza».

Si istituiscono (anzitutto a Perugia nel 1462, in seguito alla predicazione di Barnaba da Temi), i *monti di pietà* (*monte* era comunissimo già da tempo nel senso di «cumulo di debiti fruttiferi»: Rezasco, s. v.).

I *cerretani*, persone di Cerreto presso Spoleto, che questuavano per

---

[187] E *anc(i)uhe* per Benedetto Dei (fiorentino, ma vissuto a lungo fuori della città natia).

gli ospedali di sant'Antonio, danno il nome a ogni specie di girovaghi importuni[188].

Nella terminologia politica, il termine di *repubblica*, accanto al significato generico di «stato», prende quello più ristretto che lo contrappone a *regno* o *principato*[189]. Si sta sviluppando, si vede, una precisa terminologia diplomatica: *autorità* prende valore concreto; *potenz(i)a* assume anche il valore di «stato»; si parla di *credenzial lettera* (Giov. Cavalcanti). Nella vita militare, il termine di *colonnello* per indicare all'incirca quello che oggi chiamiamo «reggimento», appare a Milano nel 1472[190]. Appaiono gli *stradiotti*, milizie greche, e i *g(u)aluppi*, addetti alle salmerie, e si cominciano a usare le *partigiane*. Di questo secolo è pure il vocabolo *facchino*.

Il termine di *Accademia* nei primi decenni del secolo indica ancora propriamente, presso i dotti, quel boschetto nei dintorni di Atene in cui si riunivano Platone e i suoi discepoli: «quello santissimo seggio, unico quasi nido di tutti i philosofi, dove si nutrirono e crebbero tutte le buone e sanctissime arti o discipline a bene e onestamente vivere, luogo chiamato *Accademia*» (Alberti, *Fam.*, p. 126 Spong.). Per allusione a Cicerone (il quale aveva chiamato *Academia* il suo Tusculano, per ricordo del giardino di Platone) il Bracciolini, già in una lettera del 21 ottobre 1427, chiamava la sua villa di Terranova *Academia Valdarnina*[191]. Il trasferimento al significato moderno della parola, per cui non pensiamo a un ameno luogo suburbano di riunioni ma a un gruppo di persone riunito per fini di studio, comincia con la riunione di dotti giovani intorno all'Argiropulo: in questo senso, troviamo la prima volta usato il nome di «academia» in una lettera di Donato Acciaioli (1455)[192]. Più famosa quella che si radunava intorno al Ficino a Careggi: c'è ancora l'idea di luogo («academiola Phoebo sacrata», «academiola Phoebea» è la villa stessa), ma l'idea predominante è ormai quella delle persone (Alamanno Donati è chiamato in una lettera del Ficino del 29 ottobre 1488 «Martem Academiae», ecc.)[193]. Solo nel Cinquecento si svolgerà in pieno il significato moderno.

---

[188] Migliorini, in *Rom. Phil.*, VII, 1953, pp. 60-64 (= *Saggi ling.*, pp. 272-277).

[189] Maggini, in *Ling. nostra*, VIII, 1947, pp. 1-3, De Mattei, ivi, IX, 1948, pp. 13-18.

[190] P. Pieri, in *Arch. stor. prov. nap.*, 1933, p. 149.

[191] «His et nonnullis signis ("statue") quae procuro, ornare volo academiam meam valdarninam, quo in loco quiescere animus est»: *Epist.*, ed. Tonelli, I, Firenze 1832, p. 214.

[192] A. Della Torre, *Storia dell'Accademia Platonica*, cit., p. 364.

[193] Nei versi del *Morgante*, c. XXV (uno dei canti aggiunti dal Pulci al poema primitivo), il vocabolo ha ancora significato prevalentemente, ma non solo, topografico:

> La mia *academia* un tempo, o mia *ginnasia*,
> è stato volentier ne' miei boschetti...
> E così fuggo mille urban dispetti;
> sì ch'io non torno a' vostri *ariopaghi*,
> gente pur sempre di mal dicer vaghi.

Il primo verso richiama il v. 18 del framm. petrarchesco del *Trionfo della morte*

La moda introduce la *calzabraca*, le *frappe*, la *giornea* e chissà quanti altri termini[194].

Si comincia a coltivare il *carciofo*, si importano il *caviale*, lo *schienale*, la *morona*, il *giulebbo*.

Un'ampia illustrazione meriterebbero i termini di belle arti foggiati o tecnificati o assunti dalle lingue classiche in questo periodo. Valga come esempio il vocabolo di *medaglia*, che prima indicava una moneta, e prende il significato moderno con il nascere della nuova arte della medaglistica; o quello di *torso*, metaforicamente trasferito dalle piante alle statue mutile e ai corpi umani. La terminologia architettonica è stata quasi interamente rinnovata da L. B. Alberti[195]. Egli accoglie senza riserve numerosi vocaboli antichi: «Il capitello... partirassi per terzo: l'una parte serà il *plinto*; l'altra lo *echino* con l'*annulo*, il quale annulo serà la sesta parte; l'altro terzo serà lo *hipotrachelio*. Lo *astragalo*...» (Alberti, *I cinque ordini*). Ma altri avrà maggiori scrupoli: «El capitello è capo della colonna. Vetruvio il chiama *epistilio* le qui sbaglia, perché Vitruvio chiama così l'architravel. Questi vocaboli antichi lui li usa: io non ve li voglio dire, perché sono scabrosi e non s'usano oggi dì...» (Filarete, *Architettura*, c. 56 a del cod. Magliab.).

Accanto a *lume e ombra*, *bianco e nero* compare la coppia asindetica *chiaro oscuro*, e «il termine acquista nell'atmosfera leonardesca particolare intensità e valore semantico nettamente coloristico e tonale»[196].

I nuovi termini talora attecchirono, talora furono respinti: non ebbero fortuna, ad esempio, due termini geometrici adoperati dall'Alberti per sostituire rispettivamente *circonferenza* e *diametro*: *ghirlanda* e *linea centrica* (*Pittura*, p. 17 Papini).

Le invenzioni tecniche portano alla formazione di terminologie nuove: ricordiamo i numerosi vocaboli riferiti alla stampa: *stampare*, *imprimere*, *informare*, *libri da stampo*, *libri in forma*, *componitura*, *compositore*, ecc.[197].

Le scienze della natura, per l'esempio degli antichi e per l'intuito di qualche pioniere, assumono figura meglio definita, e danno luogo a nuove terminologie. Abbiamo già accennato all'importanza della versione pliniana del Landino: attraverso di essa penetrarono in italiano

«La mia Academia un tempo e il mio Parnaso» (e l'accostamento fra *accademia* e *ginnasio* echeggia, forse indirettamente, Cicerone, *Acad. poster.*, I, 4: «in Academia, quod est alterum gymnasium»). Il passo del Pulci probabilmente intendeva rispondere alle critiche dei Ficiniani (Della Torre, op. cit., p. 288). La definizione del *Vocabolista* («iscuola o setta di savi») insiste sulle persone, ma è ancora piuttosto vaga.

[194] A Ferrara troviamo un primo adattamento del turco *yelek* sotto la forma di *ghelèr, ghelero, gilereto* (Bertoni, in *Arch. Rom.*, IV, pp. 119-120).

[195] Folena, in *Lingua nostra*, XVIII, 1957, pp. 6-10.

[196] Folena, in *Lingua nostra*, XII, 1951, p. 61.

[197] Una ricerca speciale sulla terminologia della stampa sarebbe desiderabile e, data la ricchezza di materiali messi insieme dai bibliografi, non difficile.

non solo alcuni nomi di singoli animali e piante, ma anche termini corrispondenti a nozioni scientifiche, p. es. *insetto*[198].

Le osservazioni ed esperienze di Leonardo si concretano anche in vocaboli tecnici: si pensi all'uso che egli fa di *solo*, *falda*, *grado*, nel senso in cui più tardi i geologi useranno *strato*,[199] o di *ghiara ricongelata*, *congelazione* nel senso di «conglomerato, conglomerazione»[200]. Mentre scienze e tecniche vengono formando le loro terminologie, i vari gruppi sociali accolgono in varia misura i termini relativi. Una viva curiosità per le terminologie più varie mostra il Pulci nel *Morgante*: vocaboli militari, marinareschi, musicali, farmaceutici, ecc.[201].

La curiosità del Pulci si manifesta anche per i termini rari, dialettali, esotici; e non è soltanto sua, ma di tutta una cerchia di amici, fra cui va ricordato particolarmente Benedetto Dei. Grazie a tale curiosità penetrano in questo periodo dal Levante *tafferuglio*[202], *ciriffo* («sceriffo, discendente di Maometto»), *bizzeffe*[203]. Si imparano a conoscere in Levante quelle imposte graticolate a cui si attribuisce (per il sentimento che si presume abbia dato loro origine) il nome di *gelosie* («una porta di rame alta tre passi, lavorata a *gelosie*»: Barbaro, ap. Ramusio, *Navig. e viaggi*, II, p. 105); se ne introduce l'uso in Italia (Vitale, *Cancelleria*, Gloss.), e si estende l'uso della parola, applicandola a certe maniche tagliate (Carbone, *Facezie*, 1470 circa) al metodo di moltiplicazione «per *gelosia*» o «per *graticola*» (Pacioli, 1494).

Pure attraverso i viaggiatori giungevano notizie e nomi dai mari settentrionali: per es. dello *stoccafisso*[204].

Qualche parola gergale arricchisce la lingua scherzosa: *parlare in gramuffa* «parlare in grammatica, latineggiando».

Tra i mutamenti semantici, alcuni fra i più notevoli sono determinati dal ravvivamento del significato antico in vocaboli di origine latina (*virtù* non più, o non soltanto, nel senso cristiano, ma nel senso di «valore, eroismo») o dall'inserimento nella nuova concezione del

---

[198] Meno fortunato fu il termine di *mollicchi*, riferito nella versione del Landino a quelli che si chiamarono più comunemente *animali molli*, o anche solo *molli*, finché apparve e trionfò il termine di *molluschi* (Cuvier, 1795).

[199] Rodolico, in *Lingua nostra*, II, 1940, p. 129.

[200] Cod. Leicester 8 b, ap. Fumagalli, *Leonardo omo sanza lettere*, Firenze 1938, p. 102.

[201] Getto, *Studio sul Morgante*, cit., pp. 146-149; cfr. anche Ageno, in *Lingua nostra*, XIV, 1953, pp. 69-76.

[202] Migliorini, *Saggi ling.*, pp. 300-303.

[203] Una lettera del Pulci al Dei del 1481 comincia: «al mio caro Benedetto Dei, *salamalec*» (p. 162 Bongi).

[204] Dal viaggio di Pietro Querini alle Lofoten, 1432 («*stocfisi* seccano al vento et al sole senza sale»: Messedaglia, in *Atti Ist. Ven.*, CXI, 1952-53, pp. 1-27), dalle notizie che Raimondo da Soncino inviava da Londra (Migliorini-Folena, *Testi Quattr.*, n. 119).

mondo degli umanisti («*piacere* non vuole più dire peccato, ma sentimento, condizione e molla dell'esistenza»)[205].

Questa corrispondenza alle idee del tempo spiega la voga di cui godono alcune parole[206]: per es. *unico*, che il Petrarca applicava alla Vergine, e nel petrarchismo fiorito diventa un complimento («Unico Bernardin, l'opra è sincera», son. di Serafino Aquilano a un pittore; l'*Unico Aretino*, epiteto onorario di Bernardo Accolti). *Divino* già sta estendendosi nell'uso, e la sua fortunata carriera culminerà nel '500. Pure nel '400 è cominciata la grande fortuna di *pellegrino* nel senso di «elegante»[207].

Nelle metafore nate in questo periodo ora agiscono spinte perpetue dello spirito umano, ora spinte congruenti con lo spirito del tempo, ora lampi d'ingegni singoli: *perla* riferito a donna[208], *cicala* «donna chiacchierona e maldicente»[209], «*arpie overo aringe*» riferito a cavalli magri[210], ecc.

Delle copiosissime locuzioni documentate per la prima volta nel '400 (*aver l'assillo, far la civetta, far castelli in aria*, ecc.) chi può accertare che esse siano nate allora, e non invece nate molto prima, e messe per iscritto solo in quel secolo?

Negli scrittori toscani, la componente fondamentale del lessico è il loro uso spontaneo. Molti vocaboli senesi si hanno, per esempio, in san Bernardino o nel Sermini. A vocaboli di altre regioni i toscani attingono qualche volta, per cose di provenienza forestiera[211] o per vezzo stilistico[212]. Molto più difficile a precisare è quanto rimane di lessico «spontaneo», tradizionale, dialettale, negli scrittori di altre regioni. Anche quelli che più si sforzano, per rivolgersi a un più ampio uditorio, di ricorrere a parole latine o toscane, conservano, specialmente per le cose domestiche, vocaboli dialettali o regionali.

Basti una rapidissima scorsa attraverso alcuni testi più o meno letterari. Troviamo nel Cornazzano *caravaggia* «lavandaia», *gradizza* «grata», ecc.; in Gaspare Visconti *capigliara* «parrucca», *pristinaro*, ecc.; in Fiore dei Liberi *brena, bucolero, ingualivo*; nel Carbone *caleffare* «ingannare», *scarana* «seggiola», ecc.; nel Boiardo *gallone* «fianco», *moglio* «bagnato», *stanco* «sinistro», *strep(p)one* «bastardo, mascalzo-

[205] Spongano, in *Giorn. stor.*, CXXX 1953 p. 297.

[206] Vi sono poi le parole care a singoli scrittori (p. es. *verde*, che dà il tono a tante scene boiardesche, *matto, strano, ghiottone*, cari al Pulci del *Morgante*): non mancano le ricerche stilistiche di questo genere.

[207] Weise, in *Romanistisches Jahrb.*, III, 1950, pp. 381-403.

[208] Flamini, *La lirica toscana*, cit., p. 411.

[209] Nella ballata del Poliziano «Donne mie».

[210] Lettera di Bernardo Bembo, 1478 (Pintor, in *Studi... Rajna*, p. 800).

[211] P. es. «Secchi miglior sono e' fichi di Marca – e nominati lì *fichi pinzuti*» (Tanaglia, I, vv. 952-953).

[212] Per es.: «E non dura la festa mademane – crai e poscrai e poscrilla e posquacchera – come spesso alla vigna le Romane» (Pulci, *Morg.*, XXVII, st. 55): su questa espressione, cfr. specialmente Spitzer, *Italica*, XXI, 1944, pp. 154-169.

ne», *zambello* «lite», e tante altre parole dialettali; persino per indicare moti dell'anima il Boiardo ha qualche termine locale: troviamo nelle liriche (LXVIII, LXXI, CI) *rissor* nel senso di «sfogo, conforto» (che sembra sia un deverbale del verbo emiliano *arsurèr*, lat. *RE-EX-AURARE). L'Arienti ha, p. es., *barbano* «zio», *calcedro* «recipiente di rame», *ferletta* «bacchetta», *lambrecchia* «trappola».

Nella *Franceschina* dell'Oddi troviamo *cerqua* «quercia», *pancella* «grembiule», ecc.; nei Cantari di Braccio *fagungio* «falò», *trappu* «rattrappito», ecc.

In Masuccio leggiamo *àstrico* «terrazzo», *iopparello* «giubba», *làzaro* «lebbroso», *zabbatera* «moglie di calzolaio», ecc. Nel Sannazzaro, *àlvano* «pioppo», *elcina* «leccio», *lùg(g)iola* «acetosella», *mantarro* «mantello», ecc.[213]. Nella *Leggenda della beata Eustochia*, *ammuchuni* «di nascosto», *brandone* «cero», *brùgula* «tumore», *catoio* «latrina» e molte altre voci (illustrate nel glossario del Catalano).

Qualche volta lo scrivente, che sa che in due regioni diverse la nozione è espressa da parole differenti, agevola il lettore con una coppia di sinonimi: Leonardo, parlando di concrezioni pietrose trovate nelle vene di persone vecchie, dice che «eran grosse come castagne, di colore e forma di tartufi, ovver di *loppa o marogna* di ferro» (*De anat.*, fogli B, c. 10 b)[214].

Palese, anche se non sempre individuabile nei particolari, è l'influenza esercitata sul lessico letterario dagli scrittori del Trecento. Di solito si tratta solo dei tre grandi; ma il cenacolo mediceo tien conto anche degli stilnovisti. L'influenza dantesca è riconoscibile per l'apparizione di parole piuttosto rare: oltre al solito *lai*[215], *cagnazzo*, *bolgia o caina d'inferno* (Pulci); *bobolce*, *incappellarsi*, *punga*, *sorpriso* (Poliziano); *lurchi*, *rubesto* (Boiardo), ecc. Per la minore appariscenza del lessico petrarchesco, è più difficile riconoscere influenze di questo tipo (*disacerbare*, *testore*, Poliziano; *ritentire*, Boiardo), ma è modellata sul Petrarca tutta quanta la terminologia amorosa (l'Amore che colpisce o cattura come un cacciatore, che avvelena, che nutre d'illusioni, ecc.). Il Boccaccio influisce non solo col *Decameron*, ma anche con le operette giovanili. Inutile dire che la ricerca su vocaboli singoli non può mai prescindere dagli aspetti stilistici.

Nella formazione di nuovi vocaboli, si ricorre ai consueti procedimenti. Si hanno derivazioni dirette da aggettivi e participi: *furibondare* (Burchiello), *scultare* (Pulci), *sportare* «aggettare» (G. Rucellai), ecc.

Tra i prefissi, non è ancora morto *cata* («se mi ci cogli, non mi ci

[213] Folena, *Crisi*, pp. 169-173.
[214] Cfr. le coppie tautologiche nell'edizione bolognese del *Vocabulista* (vedi p. 258 n.).
[215] «Per mostrar giusti i suoi bugiardi *lai*», nell'invettiva di G. Pegolotti contro i Veneziani per l'uccisione di Francesco da Carrara (Congedo, *Canzoni storiche del sec. XV*, Lecce 1895, p. 19); Boiardo, *passim*; ap. Poliziano, *Giostra*, I, st. 115 nel significato di «dolore»: «Li dolci acerbi *lai* che d'amor nascono».

catacogli»: S. Bernardino, pred. XLII). *Dis-* piace all'Alberti, che foggia,
p. es., *disgruzzolare, dislodare.*

Tra i suffissi, sono fertili *-ale* (*baccale*, Lorenzo Med., *conale*,
Ghiberti, *nazionale*, 1° esempio 1488, nel Rezasco, *vampale*, Bern.
Giambulari; si ricordi anche il *bugiale* di Poggio, «mendaciorum veluti
officina»), *-ardo* (*rossardo*, S. Bernardino), *-ecchio* (*grossecchio*, Nencia),
-esco (*burchiellesco*, Bellincioni), *-ile* (*verginile*, Palmieri), *-eggiare* (*setteg-
giare* «dividersi in più sètte», Bruni), ecc.

Non è difficile notare le inclinazioni di autori singoli verso certi tipi
di formazione: Giovanni Cavalcanti ha numerosissimi esempi di aggettivi in *-esco* (*cerbiesco, cosimesco, volpinesco*, ecc.); il Palmieri nella *Città
di vita*, in cui abbondano le citazioni dantesche, torna alle formazioni
parasintetiche del tipo *induare* ecc. (*imbenarsi, incrunare, inlotare*);
l'Alberti tenta formazioni di stampo latino («Piladee e *Lelie* amicitie»,
Fam., p. 142 Spong.); il Pulci si lascia spesso andare al suo estro
capriccioso e chiama *dragata* un «colpo dato con un drago» da un
gigante (XIX, st. 38); in un'altra scena scherzosa, inventa il nome di un
principe musulmano «l'*arcifanfan* di Baldacco» (XXV, st. 294), e così
via. L'uso più o meno vario, più o meno ricco dei suffissi alterativi
dipende dal gusto dei singoli scrittori: i sostantivi e aggettivi in *-ozzo*
sono, com'è noto, frequentissimi in san Bernardino; il Pulci si serve
volentieri di diminutivi, accrescitivi, peggiorativi: «un'altra *malizietta*
trovò strana», «Orlando è *corbacchion* di campanile», «Volle menargli
d'un suo *bastonaccio*», ecc. La cerchia medicea si diletta particolarmente di forme diminutive: oltre al largo e felice uso che ne fa il Poliziano[216],
ricordiamo Lorenzo[217] e il Franco[218].

Meriterebbe una speciale indagine (certo difficile) la scomparsa
dall'uso parlato toscano di parole vive nei secoli precedenti. L'*avale*
della *Nencia* sembra mostrare che la parola era ridotta all'uso del
contado. Invece l'uso che il Sannazzaro fa di *otta* non può avere
analogo valore (egli trovava la parola in Dante e Petrarca). Notiamo
anche qualche ravvivamento conscio di parole poetiche disusate, p. es.
il *desianza* del Poliziano (*Stanze*, I, 37).

[216] «Vi sembrano così freschi e immediati, eppure la spinta e l'appoggio gli
viene talora dagli antichi, dai Greci, da Catullo» (Folena, in *Approdo*, aprile-
giugno 1954, p. 29).
[217] Sia nell'uso poetico («con munuscoli e lettruzze», canz. 92, connubio di un
diminutivo umanistico con uno popolaresco), sia nella riflessione critica (*Comento*, I, p. 85 Sim.).
[218] Si legga la lettera del 1485 in cui Matteo Franco descrive i giovinetti
medicei: «E Giuliano vivolino e freschellino com'una rosa; gentile pulito e
nettolino come uno specchio; lieto e tutto contemplativo con quegli occhi. Messer
Giovanni ancora ha un buon viso, non di molto colore ma sanozzo e naturale; e
Iulio una cera brunazza e sana...» (M. Franco, *Un viaggio di Clarice Orsini de'
Medici nel 1485*, ed. I. Del Lungo, Bologna 1868).

17. Latinismi

Abbiamo visto a più riprese come il punto di vista umanistico rendesse il volgare succubo del latino. Per i singoli autori e i singoli testi possiamo notare un'influenza maggiore o minore; anzi nell'àmbito di un testo medesimo si possono osservare differenze secondo le diverse intenzioni stilistiche dell'autore: il *Proemio* e il quarto libro della *Famiglia* dell'Alberti sono più latineggianti del resto. In certi testi l'ordito grammaticale volgare regge un lessico quasi tutto latino: si legga ad esempio un passo dell'epistola di ser Domenico da Prato a Giovanni di Salvi: «molti ferocissimi apri et onagri et linci dintorno alle foltissime selve veggio, et poi prospicio li nuovi bubi et milvi et vespertilii et noctoraci, che per l'aere volano. Quici non filomene in dilettevoli gabbie sento cantare, ma gracidare assaissime monedole s'ode»[219].

Una spinta che porta ad usare parecchi latinismi è la moda letteraria dei versi sdruccioli, favorita da certi generi, come l'egloga[220], ma non limitata a quelli (si ricordino le *Pìstole* di Luca Pulci; o certi schemi metrici con sdrucciole di Serafino Aquilano).

La curiosità erudita spinge parecchi, che si rendono conto di avere ancora molto da imparare, a *vocabulizare*[221], cioè a tener nota di vocaboli rari, per lo più di origine latina o greca, che si possano all'occorrenza adoperare scrivendo in italiano: l'ha fatto il Pulci, nel suo *Vocabolista*[222], e Leonardo ne ha piluccato i risultati e ha fatto anche lui la sua raccolta[223].

---

[219] *Paradiso degli Alberti*, ed. Wesselofski, I, II, Bologna 1867, p. 362.

[220] Già il Sansovino osservava, a proposito della opportunità di accogliere vocaboli latini che il verso sdrucciolo offriva al Sannazzaro: «gli diede anco animo il verso sdrucciolo, che s'usava molto in quei tempi, nel quale egli si poteva accomodare di molte voci latine, e formarne anco delle nuove» (cit. da Folena, *Crisi*, p. 55).

[221] La parola è registrata due volte da Leonardo nel cod. Trivulziano (Marinoni, *Gli appunti grammaticali e lessicali di Leonardo*, cit., I, p. 31; II, *Repertorio*, s. v.).

[222] Il *Vocabolista* ci permette in qualche modo di valutare la conoscenza che aveva dei latinismi una persona di cultura mezzana e di curiosità grande. Tuttavia dobbiamo anche tener conto della possibilità d'una intenzione pedagogica: se no, sarebbe troppo strano veder registrate parole che, già adoperate dall'uno o dall'altro dei tre grandi trecentisti, potremmo presumere ben conosciute: *adulto, aura, biga, borea, cloaca, cuna, egregio, fertile, frenesia, inesorabile, insidie, mostro, opportuno, pristino, tortura*, ecc. La definizione è in qualche caso molto istruttiva, perché ci fa vedere con quale significato la parola sia dapprima penetrata nel lessico: *pausa* «il punto, quando si scrive tra nome e nome», *teatro* «luogo tondo dove si facevano giuochi» (anche il Boccaccio adoperava la parola riferendosi a teatri di tipo romano). Per qualche parola il Pulci si confessa incerto (*simbosio* «dove molti fanno una cosa a parte, come e' credo»), è molto approssimativo o addirittura sbaglia: *clima* «una parte delle tre, o Asia o Affrica o Europa», *esbeston* «una pietra, che acesa non si può ispegnere», *squalido* «non equale», *ulco* «ispezie di ciccioni» (evidentemente credeva che si trattasse di un *ulcus*, **ulci* anziché di *ulcus, ulceris*).

[223] Sul modo della compilazione e sulle intenzioni di Leonardo si è discusso a lungo: a risultati persuasivi giunge l'opera citata del Marinoni.

Riguardo alla forma in cui i latinismi sono accolti in italiano, abbiamo già visto che la grafia oscilla molto. La tendenza generale è quella di ricondurre alla scrittura latina le parole di cui si riconosce l'origine: *apto* è più frequente di *atto*, e simili. Ma mentre un toscano che usa dire *Affrica*, *piggiore*, *cicala* non scrive altrimenti, nelle altre regioni si scrive spesso *Africa*, *peggiore* e magari *cicada*. Malgrado l'appoggio unanime dei Trecentisti, *Cicilia* e *ciciliano* sono venuti al paragone con *Sicilia* e *siciliano*: la Macinghi Strozzi e il Poliziano preferiscono la forma con la *c-*, mentre Lorenzo scrive con la *s-* (*Corinto*, v. 150; *Amori Ven.*, vv. 21, 106 Simioni)[224].

Di solito le desinenze dei latinismi sono adattate alle esigenze morfologiche italiane: si ha qualche raro nominativo in *-o* della terza (*ingratitudo*, Pulci; *Rectitudo*, Del Tuppo) oltre a quelli già tradizionali (*Apollo*, *Cupido*, ecc.). Per qualche nome antico meno noto si mantiene talvolta la desinenza consonantica del nominativo (*Venus*, *Saturnus*, Burchiello; *Socrates*, *Demostenes*, ma anche *Socrate*, nel *Libro de la vita de filosofi*, 1480; *Ercules*, Del Tuppo; *Ceres*, Poliziano). Lorenzo de' Medici usa *nume* oppure *numine*. Nelle parole di tradizione liturgica la consonante finale spesso riceve una vocale d'appoggio: *chirieleisonne* (Burchiello), «Per la virtù del *Tetragrammatonne*» (Pulci, *Morg.*, XXV, st. 242).

Si piegano solo a qualche lieve adottamento fonetico (*ipso facto*, *isso fatto* o anche *esso fatto*, Alessandra Strozzi) gli avverbi e le congiunzioni latine. Questa serie è penetrata, come s'è visto (p. 257), attraverso l'uso cancelleresco: *assiduo*, *autem*, *breviter*, *demum*, *etiam*, *ex tempore*, *immediate*, *immo*, *improviso*, *in futurum*, *ipso facto*, *maxime*, *nuper*, *praesertim*, *praeterea*, *pro viribus*, *quidem*, *quodammodo*, *quominus*, *quoniam*, *raro*, *solum*, *sponte*, *taliter qualiter*, *tanto minus*, *tantum*, *vero*, ecc.

Chi adopera latinismi talvolta, per riguardo al lettore, dà una spiegazione o aggiunge un sinonimo: «certo fiore che li antiqui chiamavano *Amarantho*, però che non secca mai: da li nostri il veggio chiamare con diversi nomi: il suo colore è d'un bello carmesino»[225]; «*testudinato* ovvero in volta», «salotti ovvero *triclinii*»[226].

Le parole antiche vengono assunte in italiano più o meno col significato che avevano – in quanto il sistema lessicale italiano sia in grado di assorbirle. Qualche volta non si è preso il significato che avevano, ma quello che si credeva che avessero. Un esempio tipico è quello del verbo *tradurre*, che deve il significato attuale a Leonardo Bruni[227]: *tradurre* si diffonde durante il Quattrocento con quel significa-

---

[224] Il Boiardo, che aveva scritto con *c-* nel II libro (XXVII, st. 1 e 40), scrive con *s-* nel III (V, st. 22).

[225] Nella relazione (1492) sulla farsa *Il triumpho della fama* (Torraca, *Studi st. letter. napol.*, cit., p. 420).

[226] Francesco di Giorgio Martini, *Architettura*, ed Promis (cit. da Olschki, *Gesch. wiss. Lit.*, I, p. 135).

[227] Sabbadini, *Rend. Ist. Lomb.*, s. 2ª, XLIX, 1916, pp. 221-224. Il Sabbadini pensa che il Bruni abbia attinto quel significato a un passo di Gellio (I, 28, 1), dove significa veramente «trasportato» e non «tradotto».

to, eliminando gli altri che prima aveva[228], e sostituisce *traslatare*, *tralatare*, che anteriormente era il vocabolo più adoperato nel significato di «tradurre»[229].

Si ha anche qualche tentativo di imitazione del latino per mezzo di calchi: l'Alberti nella *Pittura* ricalca l'aggettivo latino *simus* dando all'italiano *scimmio* lo stesso significato: «altri aranno le narici *scimmie* et arrovesciate aperte» (p. 88 Papini); Lorenzo adopera *selva* (*Selve d'amore*) nel significato in cui il Poliziano aveva usato *silvae, sylvae*.

Per dare una sia pur pallida idea dell'enorme contributo che il latineggiare del '400 ha dato al lessico italiano, ecco un elenco (solo esemplificativo) di latinismi che risalgono, a quel che sembra, a quel secolo: *aggetto, amaranto, amatorio, ameno, amminicolo* (*adminicolo*: Alberti, *Fam.*), *anelante, applaudire, arboreo, arbusto, armigero, bisonte, bonificazione, cataratta* (di fiume), *certame, cèrulo, clava, concinnità, connubio, edicola* (term. eccl.), *emolumento, epidemia* (*epidimia*: Alberti, Luca Pulci), *esangue, esilarare* (*exh-*), *esonerare* (in senso concreto, eufemistico: «*exonerare* il ventre»: Arienti), *facezia, fanatico, fisetere* (*fisisteri*: Boiardo), *frontispizio* (term. arch.), *ilare, incile, insetto* (v. p. 297), *lenocinio, lepido, madido, marittimo, missiva, mutilo, obliterare, onomatopea* (*-pia*: Landino), *opulento, ottemperare, pagina, paraninfo, plettro, prodigioso, quintessenza* (dal lat. alchimico), *reboare, satellite* («guardia del corpo»), *sodalità, specioso, stria, tragelafo, tragicommedia, trofeo, veemente, vitreo*, ecc.

Le voci dell'elenco che precede hanno vinto la loro battaglia, e sono riuscite a inserirsi nell'uso dotto o addirittura nell'uso quotidiano. Ma innumerevoli altre, fra le troppe che nel Quattrocento si adoperarono, sono state meno fortunate. Ecco un altro gruppetto di esempi di questa ultima serie: *aborrendo* (Masuccio, *Nov.*, p. 232 M.), *àlere* («quella virtù che t'ha prodotto ed *ale*», Lor. M., son. LXXII), *alienigena* (lett. 1497, in Migl. - Folena, *Testi Quattr.*, n. 119), *alimonia* (Cornazzano, *Prov.*, I), *amitto* («veste» in gen., Tanaglia, I, v. 157), *ammissura* («accoppiamento» di animali, Tanaglia, passim), *animante* (Alberti, *Fam.*, p. 89, 125 Spong.), *arbuscolo* (Sann.), *armo* («spalla», Tanaglia, II, v. 136), *arvale* (Intenz. fav. Gualterio), *aspicere* (Arienti, *Porr.*, p. 181 Gamb.), *assentatore* («adulatore», Alberti, *Fam.*, passim), *assentazione* (Collenuccio, lett. 1491), *àtavo* (Boiardo, egl. II), *attitudine* (*ap-*, «opportunità»: Masuccio,

---

[228] Per es. «avevano *traducta* l'età sua nell'armi» (Alberti, *Fam.* p. 185 Spong.); «mercantie... *tradocte* da que'di casa nostra sin dalle streme provincie» (Alberti, ivi, p. 200).

[229] *Tra(s)latare* ha numerosi esempi trecenteschi; e ancora nel sec. XV *treletato* (Cola de Iennaro, 1479, ap. Migliorini-Folena, *Testi Quattr.*, n. 93); «*Istralatata* fu la bella historia – nel mille quattrocento ottanta trene» (Francesco Cieco Fiorentino *Il Persiano*). Anche il francese, lo spagnolo, il portoghese accolgono dall'italiano il tipo rinascimentale «tradurre», mentre l'inglese si attiene al tipo medievale *to translate*.

Nov., p. 131; Pontano, in Migl.-Folena, *Testi Quattr.*, n. 99), *aure* («orecchie»: G. Cavalcanti), *bàccare* (Arsochi, Sannazzaro), *bàcolo*, *bàculo* (Alberti, Pulci, Franco, Ghiberti, Sannazzaro), *cachinnare* (Cornazzano, *Nov.*), *calamo* (Sann.), *calculo* («sassolino»: Alb., *Fam.*, p. 73 Spong.), *càpolo* (Sann.), *càsside* (Refrigerio, *Rim. bol. Quattr.*, p. 109), *castrame(n)-tato* (P. Zambolini), *cèntrico* (Alberti, *Pittura*, passim), *certare* (Sannazzaro), *cistula* (Sann.), *clade* (Iacopo Bracciolini), *cognitore* (Arienti, *Porretane*, p. 310 Gamb.), *collacrimare* (Sann.), *collustrare* (Alberti, *Fam.*, Proemio), *commorare* (Oddi, *Franceschina*, I, p. 123), *concertare*, *-atore*, *-azione* («combattere», Alberti, passim), *conlineario* (Alberti, *Pittura*, p. 30 Pap.), *conscendere* (Alberti, *Famiglia*, p. 13 Spong.), *correttorio* (sost.: Oddi, *Franceschina*, II, p. 348), *cortice* (Sann.), *crotalo* (Sann.), *cunicolo* (Sann.), *de(h)iscere* (Sann.), *desidia* (Alberti, *Fam.*, passim), *detestando* (Masuccio, *Nov.* p. 246 M.), *diffignere* (Degli Agli, nel *Certame coronario*), *èbulo* (Sann.), *ecciso* («estirpato»: G. Maio), *edo* (Tanaglia, passim), *elato* (Lor. M., I, p. 166 Sim.; B. Pulci), *elimare* (Alberti, Landino), *elongarsi* (Lod. il Moro, in Migl.-Fol., *Testi Quattr.*, n. 120), *enervato* (Alberti, *Fam.*, p. 54 Sp.), *equare* («uguagliare»: R. Roselli, in Flamini, *Lirica*, p. 405), *èquore* (Serafino, *Egl.*, II, 278), *esizio* (Bern. Pulci), *esorare* (Gherardi, *Paradiso Alb.*, passim), *estifero* («come cicada sotto al sole *estifero*»: Boiardo, egl. VII), *estruso* (Tanaglia, III, v. 726), *estuante* (Sann.), *esuvie* (*exuvie*: Alberti, *Fam.*, 12 Sp.), *evaginare* («sguainare»: Arienti, *Porr.*, p. 68 G.), *exprobrare* (Collenuccio), *evenire* (Masuccio, *Nov.*, p. 246 M.), *fenerare* (Bern. Machiavelli, *Ricordi*, p. 116), *fittore* («scultore»: Ghiberti, I), *fluvio* (Sann., Serafino), *fulgetro* («folgore»: «li fabbrica Vulcan le sue fulgetra»: Lor. M., *Selve*), *gallicinio* (Sann.), *genitabile* (Sann.), *gracculo* (Sann.), ecc.

In mezzo a tanti latinismi non ci stupiremo incontrando degli adattamenti abusivi, come quando Luca Pulci (*Pist.*, XIV, v. 92) usa «opera *coturna*» per «opera tragica», o vedendo come nello scendere a strati popolari, la forma o il significato talvolta si alterino (*lo Papa Mundi* «mappamondo»: Giovanni da Uzzano, in Pagnini, *La Decima*, IV, p. 281).

18. Forestierismi

Un certo numero di vocaboli forestieri entra nel lessico per i frequenti contatti con gli altri paesi dell'Europa e con il Levante.

I più numerosi sono i vocaboli francesi. Citiamo alcuni termini militari come *franco arciere*, riferito dal pulci con forte anacronismo ai tempi di Carlo Magno[230], o *forriere* (relazione dell'ambasciatore fiorentino in Francia, 1461). Alcuni sono fatti conoscere dalla spedizione di Carlo VIII: «*polvereri* (così li chiamano loro) cinquanta» (lettera del

---

[230] L'ordinanza di Montil-lès-Tours (1448) chiamava *franc* l'arciere che ciascuna parrocchia doveva fornire, perché esente dalla *taille*.

Boiardo, 26 agosto 1494), «*le gentedarme* regie» (lettera del card. F. Sanseverino, 19 dic. 1494). Non c'è bisogno di ricordare che quella spedizione importò in Italia quello che fu detto il *mal francese*.

Vengono in questo secolo nomi di oggetti (*pattìni*, Pulci), di passatempi vari (*farsa*, Luca Pulci; *scangè*, da *escourgée*, Piovano Arlotto), designazioni di persone (*ceraldo* «ciarlatano», da *charalt*; *mignotta*), termini di mestiere (*mazzoneria*, Antonio Manetti), e anche alcuni termini generici come *dibatto*.

I poemi cavallereschi francesi non erano dimenticati (si sa con quale fervore fossero letti alla corte estense): e i francesismi abbondano infatti nei poemi cavallereschi italiani: *far carnaggio, franco combattante, pitetto*, ecc.

Le strette relazioni con la Savoia e con la Francia rendono ragione della forte influenza francese in Piemonte: la *Passione* di Revello, che secondo le intenzioni dell'autore è scritta in italiano, ha numerosissimi francesismi: *contrea, fassone, regname* (-*o*), ecc.; sintomatica è la presenza della congiunzione *car* «poiché».

Gli iberismi sono soprattutto frequenti nel Napoletano e in Sicilia, per influenza degli Aragonesi (*verdatero*, Giun. Maio), ma qualcuno è già diffuso in tutta Italia (nel Boiardo, per es., si ha *algalia* «zibetto», *giannetta* «lancia», *giannetto* «cavallo», nel Pulci *marrano*, ecc.).

I pochi germanismi si riferiscono a contatti militari: i *lanzi* già fanno sentire il loro *goden dacche* («buon giorno»). Può essere venuto per via militare anche l'aggettivo di colore *fàlago* «morello» (Pulci, *Morgante*, XV, st. 105).

Insignificanti sono gli anglicismi: per es. gli *aldrimani* sono citati per color locale dall'Arienti (*Porr.*, XXII).

Dal Levante s'importano profumi e dolci (*belgiuì, bongiuì*, Piov. Arlotto, Lorenzo Med.; *giulebbo*), vi s'imparano a conoscere fogge di vesti (*albernuccio, bernuccio; ghelèr*, p. 296), e usi religiosi e civili (*moschea*, in luogo del più antico *meschita; ciriffo; falquiero* alterazione di *faqîr*, Oddi; *tafferuglio* «festa chiassosa», poi «mischia»[231]). Il tartaro *urdû* è adattato sotto la forma *lordò* «campo militare senza recinti»[232]. Questi imprestiti sono dovuti agli stretti rapporti delle città marinare col Levante; ma ci rivelano anche la viva curiosità che si aveva per le terre lontane (cfr. p. 271): curiosità che ebbe non piccola parte nella scoperta del nuovo continente.

[231] Migliorini, *Atti Acc. Tosc.*, XVII, 1952 (= *Saggi ling.*, pp. 300-303).
[232] Zaccaria, *Raccolta*, p. 16.

CAPITOLO VIII
IL CINQUECENTO

1. Limiti

Cadono poco prima dell'inizio del secolo le grandi date simbolicamente prese a indicare la chiusura del Medioevo e l'inizio dell'età moderna: 1492, 1494. Più difficile è segnare un limite non del tutto convenzionale tra l'ultima generazione del Cinquecento e la prima del Seicento, essendo fortissime le congruenze tra loro. Un confine molto più evidente si potrebbe porre poco dopo la metà del secolo, al 1559, data del trattato di Cateau-Cambrésis, o al 1563, data della chiusura del concilio di Trento: tanto forte è la diversità sia sullo scacchiere politico che nell'atmosfera culturale tra la prima parte del secolo e la seconda.

Date fondamentali, per ciò che riguarda la storia della lingua, sono il 1501, data della pubblicazione del Petrarca aldino, che il Bembo curò con particolare riguardo all'ortografia, il 1525, in cui uscirono le *Prose della volgar lingua*, dello stesso Bembo, il 1582, data tradizionale della fondazione della Crusca (o il 1583, anno in cui il Salviati le diede nuovo impulso e indirizzo), il 1612, data della prima edizione del *Vocabolario degli Accademici*.

2. Vicende politiche

La Francia e la Spagna, le due grandi potenze che hanno appena raggiunto l'unità statale, e l'Impero, col nuovo impulso conferitogli dalla congiunzione con la potenza spagnola in seguito alla quadruplice eredità di Carlo V, conducono le loro guerre di predominio principalmente in Italia, dopo che la calata di Carlo VIII ha rivelato che alla superiorità culturale italiana non fanno riscontro né forza militare né compattezza morale. I prìncipi italiani sono presi nell'ingranaggio di queste potenze tanto più grandi di loro, e anche quelli che gridano «fuori i barbari» e si proclamano «difensori d'Italia» non possono far altro, per combattere gli stranieri, che appoggiarsi ad altri stranieri. Dopo alterne vicende, la Francia è superata dalla Spagna, e già la pace di Cambrai (1529) e il congresso di Bologna (1529-30) sanzionano la sostanziale vittoria spagnola; dopo alcuni altri sussulti, la pace di Cateau-Cambrésis (1559) conferma, anzi rafforza questo predominio spagnolo; la Francia porterà ormai maggiore interesse verso il Reno che verso le Alpi e l'Italia.

Sporadici tentativi e velleità di resistenza sminuiscono di ben poco il complessivo adagiamento nella «pace spagnola». Milano, soggetta ai viceré, ha perduto così ogni importanza politica. Invece in Piemonte Emanuele Filiberto riesce ad allontanare gli stranieri, e opera un energico riassetto, che trasforma lo stato feudale in stato assoluto. Genova, rimasta repubblica oligarchica per opera di Andrea Doria, ha per allora ricuperato la Corsica. Venezia è l'unico stato d'Italia che possa svolgere con prudenza una politica antispagnola; ma la sua potenza sta lentamente diminuendo, per la pressione turca e per lo sviamento dei commerci, prodotto dalla scoperta dell'America.

I Medici, più volte cacciati e più volte tornati a Firenze, ne spengono gli spiriti repubblicani; anche l'indipendenza senese è soppressa; Cosimo, nominato nel 1569 granduca, riorganizza lo stato con salda mano. Il porto di Livorno acquista notevole importanza sotto Ferdinando I.

Lo Stato della Chiesa, che nella prima metà del secolo ha visto spesso in lizza con gli altri principi d'Italia papi guerrieri e papi nepotisti (i Borgia, i Medici, i Farnese) nella seconda metà del secolo si riorganizza saldamente (Sisto V); al riacquisto di Perugia e di Bologna fa séguito quello di Ferrara. Le conseguenze della riorganizzazione religiosa dovuta ai Papi della Riforma cattolica, da Paolo III a Sisto V, si fanno sentire prima e più che altrove nello Stato della Chiesa.

Nei due vicereami di Napoli e di Sicilia gli interessi della Spagna prevalgono di gran lunga su quelli delle popolazioni, e se vi è resistenza, è più per difesa di privilegi di singoli ceti che per il bene comune. Ma insomma, gli scambi col resto d'Italia permangono vivi; invece la Sardegna, direttamente soggetta alla Spagna, ha scarsi contatti con la Penisola.

Gli Ebrei, che erano già stati sfrattati dalla Sicilia, nel 1539 vengono allontanati dal regno di Napoli; a Venezia nel 1516, a Roma nel 1555, più tardi in altre città vengono obbligati a concentrarsi nei ghetti; ma a Livorno e in alcuni stati dell'Italia settentrionale sono protetti dai prìncipi.

Dopo il periodo degli sconvolgimenti, gli stati che hanno ricuperato una sia pur relativa indipendenza si vanno riorganizzando, con forte tendenza all'accentramento nelle mani dei rispettivi sovrani: la burocrazia già cresce di numero e d'importanza.

L'arte della guerra ha subito forti mutamenti per l'importanza assunta dalle armi da fuoco; la fanteria prevale sulla cavalleria; alcuni stati ormai accettano il principio su cui aveva tanto insistito il Machiavelli: l'arrolamento dei sudditi anziché le truppe mercenarie.

3. Vita sociale e culturale

Se le vicende politiche del secolo impedirono che l'Italia conseguisse, in un modo o nell'altro, quell'unità politica a cui altre grandi nazioni già erano arrivate, il sentimento di una civiltà comune (linguistica, letteraria, artistica) è diventato persuasione generale; la quale è confermata, anziché scossa, dalle numerose polemiche. Se si discute quale debba essere il canone della lingua, già si sottintende che si debba usare una lingua unica come espressione di un'unica cultura nazionale.

È vero che i protagonisti di queste dispute, come in genere quelli che in questo secolo tengono la penna in mano, appartengono alle classi culturalmente più elevate. Della vita, delle opinioni, del parlare della plebe appena traspare qua e là qualche scarsa notizia: anche i lamenti e le parole dei contadini o dei venturieri che sentiamo nelle commedie di Ruzzante non sono voci autentiche di contadini o di venturieri, ma stilizzazioni ad opera di uno scrittore colto.

La circolazione di persone è molto intensa, per i più vari motivi: la milizia, le mutazioni politiche che spingono agli esilii (ricordiamo, fra i tanti fuorusciti fiorentini, gli Strozzi, il Nardi, il Giannotti, Bartolomeo Cavalcanti, l'Alamanni), i traffici, ecc.[1].

Anche la Riforma spinse parecchi a emigrare, ma fuori d'Italia: specialmente numerosi furono gli esuli lucchesi.

L'Italia ebbe a subire per effetto della Riforma e della Controriforma minori sconvolgimenti materiali che altri paesi; forti invece furono le conseguenze nell'orientamento della vita pubblica e privata. Le definizioni dottrinali e le prescrizioni disciplinari del concilio di Trento (1545- 63) sono applicate con rigore e con zelo particolare nello Stato della Chiesa e nei territori spagnoli. In parecchi i nuovi orientamenti portano a un sincero fervore religioso: testimonianze se ne possono vedere nel sorgere. e nel fiorire, dopo la Riforma protestante, di nuovi ordini religiosi (teatini, cappuccini, barnabiti, gesuiti, somaschi, carmelitani, fratelli della dottrina cristiana, oratoriani) e negli inizi della predicazione missionaria fuori d'Europa. Molti altri invece si accontentano di lasciarsi andare alla corrente, con un inerte conformismo o con l'ipocrisia dell'«intus ut libet, foris ut moris».

È dovuta al concilio di Trento l'istituzione dei registri parrocchiali (di battesimi, cresime, matrimoni, morti) che contribuì indubbiamente alla stabilizzazione dei cognomi. Il concilio regolò anche la lettura della Bibbia, sostanzialmente riserbandola solo a quelli che sapessero il latino. L'istituzione dell'*Index librorum prohibitorum* portò alle edizioni espurgate; inoltre gli autori cominciarono a evitare parole e frasi poco ortodosse (o che potessero sembrar tali).

Molto attiva è la vita di società. Il Castiglione nel suo *Cortegiano* ci dà una vivida immagine di quel che erano le corti nel primo quarto del secolo come centro di colta conversazione. Oltre che nelle corti

---

[1] Per ricordar solo un esempio cospicuo, Torquato Tasso, nato a Sorrento di padre bergamasco e di madre napoletana oriunda pistoiese, visse in gioventù a Salerno, a Roma, a Urbino, a Venezia, a Padova, a Bologna, prima di trovare un appoggio alla corte ferrarese.

principesche, nelle case nobili e presso le «cortigiane oneste» si discute di problemi d'amore e di onore, o si fanno giochi di società[2], si canta e si danza.

Dei più vari argomenti si disserta nelle Accademie, sorte in moltissime città, e diventate luoghi di scambi culturali, quasi sempre in volgare.

Nelle Università predomina la cultura aristotelico-scolastica, in latino. Numerosi sono gli stranieri che vengono da varie nazioni a studiare nelle università della Penisola, e che in quest'occasione imparano più o meno bene l'italiano. Principalmente dagli insegnamenti del Robortello all'università di Padova escono le regole letterarie pseudoaristoteliche, così conformi alle tendenze di quell'età.

Prìncipi e repubbliche per il disbrigo della loro corrispondenza e per le loro faccende amministrative hanno bisogno di persone che sanno maneggiar bene la penna, e infatti parecchi letterati insigni hanno speso molti anni della loro vita in questo modo: l'Ariosto, il Guicciardini, il Guidiccioni con funzioni di governo; il Machiavelli, il Bembo, il Berni, il Tolomei, Bernardo Tasso, il Caro, il Muzio, il Contile e molti altri come segretari.

Altra occupazione pratica che assorbe l'attività di parecchi letterati è l'editoria, attiva in parecchie città e specialmente a Venezia: in quella città furono stampati nel primo terzo del secolo forse la metà di tutti i libri editi in Italia, e anche dopo essa mantenne il primo posto. Ora si tratta di cooperazione saltuaria come quella data dal Bembo al Manuzio, ora di occupazione duratura: il Doni, il Dolce, il Domenichi, il Ruscelli, il Sansovino e parecchi altri furono per anni revisori e compilatori professionali.

Cominciano a circolare manoscritti i manifesti satirici (detti a Roma *pasquinate*) e i pubblici avvisi; lettere ed opuscoli sui fatti del giorno già precorrono il giornalismo moderno (ricordiamo i nomi dell'Aretino, del Doni, del Giovio, del Muzio).

Mentre le polemiche politiche e quelle religiose soggiacciono, come è ovvio, a forti limitazioni da parte delle autorità, queste non vedevano affatto di malocchio le polemiche su argomenti meno scottanti, letterari e linguistici.

Le lettere e le arti, che nei primi decenni del secolo s'ispirano a un individualismo gioioso, che aspira a un mondo di perfezione ideale (Ariosto, Castiglione, Raffaello), più tardi si muovono in un'atmosfera dominata da severi canoni intellettuali e morali, più grave, più fastosa, più cupa, che tuttavia non impedisce, anzi contribuisce a far nascere una esuberanza fantastica (prime manifestazioni barocche nella letteratura e nelle arti figurative; nascita del melodramma). Con la sola

---

[2] Quali ce li descrivono I. Ringhieri (*Cento giuochi liberali et d'ingegno*, Bologna 1551) e Girolamo e Scipione Bargagli (G. B., *Dialogo de' giuochi che nelle veglie sanesi si usano di fare*, Siena 1571; S. B., *Trattenimenti*, Venezia 1587).

pretesa di divertire il popolo, la commedia dell'arte (cioè dei comici di mestiere) schematizza i suoi personaggi in maschere.

4. *Latino e volgare*

Dopo la prima fioritura duecentesca e trecentesca, dopo la levata di scudi degli umanisti che erano riusciti per breve tempo a ridurre entro ben modesti limiti l'uso del volgare, l'italiano riesce nel Cinquecento a conquistare una posizione incrollabile, ed a superare il pregiudizio che lo metteva al di sotto del latino.

Benché, com'è ovvio, non sia possibile separare nettamente la storia del progressivo espandersi dell'italiano dalle polemiche che accompagnarono questa espansione, cercheremo anzitutto di dare un'idea dei progressi del volgare sul latino, per poi dare un cenno sulle polemiche relative.

La stragrande maggioranza di quel che si scrive e si stampa nella seconda metà del Quattrocento è in latino. Nel Cinquecento l'uso del volgare si estende molto in tutti i campi, pur senza ancora uguagliare la mole di quel che si scrive e si stampa in latino. La cultura si fa più vasta e più profonda, e si scrive e si stampa molto più che nell'età precedente: perciò se in certo senso è vero che l'espansione del volgare ha luogo a spese del latino, bisogna ricordare che la mole degli scritti, sia in volgare sia in latino, è enormemente più vasta.

Non c'è bisogno di ricordare che il latino era stato profondamente mutato dal movimento umanistico. Mentre tutte le opere scritte in prosa latina nel Duecento e nel Trecento presentavano una gamma relativamente uniforme, di tipo scolastico, l'Umanesimo ha portato man mano a un'enorme differenza fra un tipo letterario, elegante, che per la prosa si modella con assoluta prevalenza su Cicerone, per la poesia con predilezione su Virgilio, e un tipo pratico, considerato dai letterati assai barbaro, che persiste negli scrittori di medicina e di diritto, e negli usi amministrativi e giudiziari.

La vittoria del ciceronianismo bembiano sul libero e geniale eclettismo che sullo scorcio del Quattrocento aveva avuto come insigni rappresentanti il Poliziano e il Pontano, rende il latino molto rigido e lo scosta recisamente dal volgare, senza più permettere quell'adeguamento, conscio o inconscio, alla lingua viva, e quella continua creazione di neologismi che avevano permesso al latino di sopravvivere come lingua culturale durante tutto il Medioevo. Così il latino letterario, purificato e imbalsamato, è veramente ridotto una lingua morta. E in suo confronto, il volgare arriverà più facilmente ad imporsi.

Altra via il latino prenderà fuori d'Italia, con il vivace eclettismo di un Erasmo e di un Mureto.

Quanto agli usi pratici del latino, l'influenza esercitata su di essi dal purismo umanistico è lenta e scarsa: vi sono, sì, scienziati e giuristi che

entro certi limiti si accostano al modo di scrivere degli umanisti, ma
una enorme quantità di testi ne risente ben poco[3].

L'insegnamento[4] si fa in latino, salvo pochissime eccezioni: qualche
scuola pratica per futuri commercianti, e quelle prime classi in cui
s'impartiva l'insegnamento del latino a fanciulli che ancora non lo
conoscevano[5]. L'insegnamento universitario era tutto quanto in latino;
né ebbe effetto la proposta fatta nel 1518 dal rettore dei giuristi
dell'università di Padova che le lezioni pomeridiane (cioè le meno
importanti) dei professori di diritto fossero in italiano[6].

Il Gelli cita come notevole esempio quello di Francesco Verino che
nello Studio «leggendo filosofia e veggendo talvolta venire a udirlo il
capitano Pepe, il quale non intendeva la lingua latina, sùbito cominciava a leggere in vulgare» e «poco innanzi che egli si morisse, per
dimostrare la inestimabile bontà sua, leggendo publicamente ne lo
Studio Fiorentino il duodecimo libro de la divina Filosofia d'Aristotile,
volse esporlo in vulgare, acciocché ogni qualità d'uomo lo potesse
intendere»[7].

Di un insegnamento della lingua e della letteratura italiana sarebbe
stato addirittura assurdo parlare al principio del secolo. Il Trissino
attesta: «hoggidi, quasi a niuno se insegna Italiano, ma a tutti se
insegna Latino, e poi lo Italiano se impara da sé»[8]. E il Varchi precisa:
«mi ricordo io quando era giovanetto, che il primo, e più severo
comandamento, che facevano generalmente i Padri a' Figliuoli, e i
maestri a' discepoli era, che eglino nè per bene nè per male non
leggessono come volgare (per dirlo barbaramente, come loro) e Maestro Guasparri Mariscotti da Marradi, che fu nella gramatica mio
precettore, huomo di duri, e rozzi, ma di santissimi, e buoni costumi,
havendo una volta inteso in non so che modo, che Schiatta di Bernardo
Bagnesi, et io leggevamo il Petrarca di nascosto, ce ne diede una buona
grida, e poco mancò, che non ci cacciasse dalla squola»[9]. Solo nel 1589,
veniva istituita nell'Università di Siena la cattedra di «lettore di
toscana favella», a cui fu nominato Diomede Borghesi.

In altre università, parecchi studenti stranieri prendevano lezioni di
lingua, specialmente da maestri toscani.

Se le Università erano rocche del latino, invece per lo più le
Accademie erano centri di diffusione del volgare. Si lagna verso il 1537

---

[3] Il disdegno che fin dal Cinquecento si è nutrito verso queste scritture
pratiche ha avuto per conseguenza che nessuno si sia curato di studiarle dal
punto di vista linguistico; né ancora si è posto rimedio a questa lacuna.

[4] Manca purtroppo un'opera complessiva analoga a quella del Manacorda
per il Medioevo.

[5] Questa è la sola eccezione all'uso del parlare latino, il quale è prescritto
dalla *Ratio studiorum* (Napoli 1598) per tutte le scuole tenute dai Gesuiti.

[6] I. Facciolati, *Fasti Gymnasii Patavini*, Padova 1752, III, p. 3.

[7] *Capricci del bottaio*, p. 194 Gotti.

[8] *Dubbii grammaticali*, Vicenza 1529, c. 3 a.

[9] *Hercolano*, Venezia 1570, p. 186.

il Florido nella sua *Apologia* che chi ha speso pochi giorni a studiare il volgare ardisce fondare un'accademia; e infatti sappiamo che non solo nelle accademie delle città toscane, ma per lo più anche in quelle dell'Italia settentrionale si legge Dante e Petrarca, si discute di poetica e di retorica in volgare[10]. In minor numero sono quelle dove l'uso del latino predomina, come l'Accademia Papinianea di Torino fondata nel 1573, dove vige la severa prescrizione: «Si quis in Academia temere aliter quam latine sermonem habuerit, iure statim reiicito»[11].

Nella vita religiosa, la Chiesa proibisce, in opposizione alle richieste dei riformatori, l'uso del volgare nella liturgia[12]. Le versioni della Bibbia ancora circolavano nel Quattrocento e nel primo Cinquecento[13]. Ma l'opposizione della Chiesa a che i laici leggano e interpretino a modo loro la Bibbia si fa sempre più viva; e con il concilio di Trento si arriva alla proibizione. L'Indice di Paolo IV (1559) stabilisce che tutte le Bibbie in volgare non si possano stampare o leggere o tenere senza licenza del Santo Uffizio; le regole approvate da Pio V nel 1564 fissano la proibizione di leggere le traduzioni in volgare del Nuovo Testamento fatte da eretici, mentre i vescovi possono dare il permesso di leggere le traduzioni eretiche dell'Antico Testamento; anche per le traduzioni approvate i laici debbono avere un permesso scritto. Ancora più severe sono le prescrizioni degli Indici di Sisto V (1590) e di Clemente VIII (1596)[14].

Negli usi amministrativi e giudiziari il volgare si estende sempre più. Purtroppo non è mai stato fatto un esame degli statuti cittadini da questo punto di vista; dalle bibliografie relative non sempre è possibile rilevare con sicurezza le date di compilazione e, in qualche caso, nemmeno la lingua in cui sono scritti. La maggioranza sono ancora in latino[15]; e si noterà che sono in latino anche statuti di città toscane come Arezzo e Pistoia.

---

[10] Così gli Affidati di Pavia («il tutto si recita nella commune lingua italiana»: S. Breventano, *Istoria della antichissima nobiltà* ecc., Pavia 1570, c. 13 a), gli Infiammati di Padova, ecc.

[11] A. Germonio, *Pomeridianae sessiones*, Torino 1580, p. 170.

[12] Le questioni sulla lingua liturgica e le discussioni tridentine sono ampiamente esposte dal p. H. Schmidt, *Liturgie et langue vulgaire*, Roma 1950.

[13] Nel 1471 erano uscite a Venezia due edizioni dell'intera Bibbia, una fondata su una versione anonima trecentesca, l'altra a cura del benedettino N. Malerbi o Malermi. Nel 1530 i Giunti pubblicano a Venezia la traduzione del Nuovo Testamento di A. Brucioli, nel 1532 quella della intera Bibbia, nel 1537 un'altra traduzione di S. Marmocchini. Il Cellini, rinchiuso in Castel Sant'Angelo dopo la fuga, si fa portare qualche suo volume, e legge il suo «libro di Bibbia vulgare» (*Vita*, libro I, CXVII).

[14] Anche agli Ebrei l'autorità ecclesiastica vieta di aver libri di orazione in volgare (Terracini, in *Rom. Philology*, X, 1956-57, p. 258).

[15] Eccone, a titolo esemplificativo e non esaustivo, un breve elenco: Cesena 1475 (?) (ed. 1589); Conegliano 1488 (ed. 1610); Genova 1489 (ed. 1498); Parma 1494 (ed. 1494); Reggio nell'Emilia 1501 (ed. 1582); Scandiano 1500 (ed. 1669); Fermo 1506 (ed. 1589); Roma 1519 (ed. 1519-23); Perugia 1523 (ed. 1523-28); Trento 1527 (ed. Gar, 1858);

Ma parecchi sono in volgare: di Molfetta del 1474 e del 1519 (ed. Volpicella, 1875); dei mercatanti di Bologna del 1550 (ed. 1550); della Corte de' mercadanti di Lucca del 1555 (ed. 1557 e 1610); di Castiglion del Lago e Chiugi (sic) del 1571 (ed. 1750); di Corsica del 1571 (ed. 1843, ritoccata nella lingua); del fondaco di Lucca del 1590 (ed. 1590); dei cavalieri di S. Stefano del 1590 (ed. 1620).

Un caso interessante è quello dello statuto di Lucca, che nel 1539 fu pubblicato contemporaneamente in due volumi, uno con il testo ufficiale latino, l'altro con la traduzione in volgare. Le ragioni sono esposte nel retro del frontespizio dell'edizione in volgare:

> Dovendo essere le Leggi Norma, e Regola delle operationi di tutti li huomini, furono meritamente sempre da ogni Legislatore nel proprio Idioma del populo a chi si davano scritte. Et li Romani havendole da gli Greci nella Greca lingua riceute, da molti di loro, ma non da tutti intesa, a commune uso di tutto il populo, nella loro latina lingua tradur le fecero, la quale havendo dipoi insieme con le potenti arme per tutto lo Imperio loro stesa, fu per un tempo da tutti gli suggetti del ditto Imperio conservata, col quale essendo dipoi declinata, e in pochi ridotta, Ha giudicato el Magnifico Generale Consiglio del Populo, e Commune di Lucca, cosa honorevole, & utile, che le sue municipali Leggi, a publico bene, dalla ditta latina lingua da pochi intesa, nella volgare, & nativa Toscana più commune, & universale tradotte siano, accioche sian li suoi Cittadini ignoranti della ragione, nella quale conversano, e dalla quale governati sono, Sperando che non per cavillare, ma per bene, et honestamente secondo quelle vivere, studiate siano, et così essorta[16].

La corrispondenza con prìncipi oltramontani è sempre in latino, mentre quella con italiani è ora in latino ora in volgare. Per citare solo un esempio, il papa Leone X scrive al card. Farnese in latino (20 luglio 1513), mentre è in italiano la solenne lettera al Bembo (1 gennaio 1515) in cui gli comunica l'adozione nella famiglia Medici, per cui d'ora in poi potrà chiamarsi Pietro Bembo de Medici[17].

Sinigaglia 1531 (ed. 1533); Arezzo 1535 (ed. 1536); Modena 1546 (ed. 1590); dei notai di Modena 1548 (ed. 1549); Valtellina 1548 (ed. 1668); Urbino 1556 (ed. 1559); Castro e Ronciglione 1558 (ed. 1558); Montegranaro 1564 (ed. 1564); Ferrara 1566 (ed. 1567); Brescello 1569 (ed. 1697); Mondovì 1570 (ed. 1570); Carrara 1574 (ed. 1574); Montegiorgio 1577 (ed. 1730); Pistoia 1579 (ed. 1579); Roma 1580 (ed. 1580): civili di Genova 1588 (ed. 1589); dei drappieri di Bologna 1593 (ed. 1594): Cologna Veneta 1593 (ed. 1762). San Marino 1599 (ed. 1834); criminali di Savona 1600 (ed. 1610). La distribuzione geografica è molto irregolare, perché il Mezzogiorno ha pochissimi statuti, e nelle città dell'Italia settentrionale e centrale gli statuti si riformavano abbastanza spesso, ma si ristampavano solo a lunghissimi intervalli. Debbo la maggior parte delle indicazioni alla competenza e alla cortesia dell'amico Piero Fiorelli.

[16] Alcune volte, si conosce o s'intravede qualche intervento personale determinante. Nel 1546, a Lucca, l'Offizio sopra le scuole redasse in latino, per influenza di Aonio Paleario, i nuovi Capitoli, «a differenza di quanti ne furono fatti prima e dopo, e sono molti, i quali sono tutti in volgare» (P. Barsanti, *Il pubblico insegnamento in Lucca*, Lucca 1905, p. 151).

[17] Pastor, *Storia dei Papi*, trad. ital., IV, ii, p. 638 e 641.

Tutto codesto non è ancora stato studiato nei particolari; ma che in complesso l'uso del volgare faccia passi notevoli ci è testimoniato alla metà del secolo dal Gelli: nel suo *Dialogo sopra la difficultà dello ordinare detta lingua* (fiorentina) egli congettura «che ella abbia ancora a farsi più ricca e molto più bella» da due cose, una delle quali è «il cominciare i Principi, e gli huomini grandi e qualificati, a scrivere in questa lingua, le importantissime cose de' Governi de gli stati, i maneggi delle Guerre, e gli altri negozij gravi delle facende, che da non molto in dietro si scrivevano tutti in lingua Latina»[18].

Quanto ai processi, le interrogazioni agli imputati e ai testimoni si facevano in volgare; nei verbali le domande figurano ora riportate in volgare ora riassunte in latino, mentre per lo più le risposte sono riferite in volgare.

Per un processo fatto al rappresentante napoletano dei Gioliti per aver tenuto libri proibiti, fu interrogato dal Sant'Uffizio a Venezia Gabriele Giolito, e il verbale è redatto così:

Constitutus in Officio dominus Gabriel Giolitus de Ferrariis de Tridino Montisferrati mercator et impressor librorum Venetiis, degens iam annis XL[a], citatus pro habenda informatione super infrascriptis, medio iuramento quod prestitit, respondit ut infra.

Et primo interrogatus: «Dove et in che città e terre lui ha corrispondenza et bottega?» respondit «Ne ho una in Napoli, et un'altra in Bologna, et un'altra in Ferrara, et qui in Venetia alla Insegna della Fenice appresso il ponte di Rialto».

Int.: «Chi sono i suoi fattori et agenti nella bottega di Napoli?» R. «Un Gio. Batta Capello Bolognese».

....

Quibus habitis non fuit ulterius interrogatus sed dimissus, animo etc. quatenus etc.[19]

Talvolta i compilatori dei verbali mescolano pezzi di riassunto in latino e pezzi testuali in volgare: leggiamo così nel sommario del processo fatto dal vescovo di Squillace a fra Tommaso Campanella (1599):

Mauritius Rinaldus dixit de auditu à Campanella de mense Julii 1599, non recordatur de contestibus, che voleva far brugiare tutti li libri latini perche era un imbrogliar le genti che non intendono, et che voleva far esso libri volgari, subdens non recordari an dixerit de libris latinis de fide tractantibus che imbrogliassero le genti[20].

---

[18] *Ragionamento intorno alla lingua*, ap. Giambullari, *De la lingua*, p. 38.

[19] S. Bongi, *Annali di Gabriel Giolito de' Ferrari*, I, Roma, 1890, pp. CIII-CIV

[20] L. Amabile, *Fra T. Campanella, la sua congiura, i suoi processi* ecc., Napoli 1882, III, p. 439. Si confronti l'attestato (1601) di un medico napoletano, nello stesso processo: «Per questa fò fede io Giulio Jasolino Medico in Napoli [.....]. Essendo dunque costui persona malitiosa, come si dice, vafer, callidus, et astutus; se ha da dubitare che la sua pazzia sia simulata; de eo tamen nihil certi affirmare studeo: remettendome alli custodi che continoamente l'osservano» (Amabile, cit., III, p. 502).

Se nei processi è soprattutto lo scrupolo di riprodurre testualmente le risposte che porta all'uso del volgare nei verbali, in altri casi si evita il latino per sfuggire alle difficoltà della nomenclatura. Per es. quando il tesoriere della chiesa di Treviso, dopo la morte dell'umanista G. Augurello, va nella sua casa a fare l'inventario dei beni (1524), redige il principio e la fine del verbale in latino, ma l'elenco dei beni in volgare[21].

Nel campo filosofico, si adopera quasi esclusivamente il latino[22]. Alessandro Piccolomini, dedicando nel 1550 a papa Giulio III la sua *Filosofia naturale*, si vantava d'aver trattato per primo tutta la filosofia naturale e morale in italiano. Importante è l'atteggiamento del Bruno, ribelle all'aristotelismo delle università e alla precettistica umanistica, il quale scrive i suoi *Dialoghi* in volgare durante la sua residenza in Inghilterra, spinto dalla consapevolezza che un nuovo pensiero vuole una lingua nuova[23].

Analoghi moventi anticonformistici vediamo anche nell'uso del volgare fatto dal Campanella. Quanto alla presentazione che Sertorio Quattromani, sotto il nome di Montano Accademico Cosentino, fece della *Filosofia di B. Telesio ristretta in brevità e scritta in lingua toscana* (Napoli 1589, rist. G. Troilo, Bari 1914), va anche considerato che il Quattromani era studioso del Bembo e cultore del volgare.

Nel vasto dominio delle matematiche[24], l'uso del volgare è diffuso in quei campi che hanno importanza pratica: tra la fine del Quattrocento e il principio del Cinquecento Frate Luca Pacioli pubblica la *Summa de Arithmetica, Geometria, Proportioni et Proportionalita* (Venezia 1494, 2ª ed. Toscolano 1533), scritta «in materna e vernacula lingua», ma con passi latini di tanto in tanto, e la *Divina Proportione* (Venezia 1509, rist. Vienna 1889), anch'essa in un volgare molto incòndito.

Nel 1547, sorge tra Girolamo Cardano (secondato dal suo allievo, il bolognese Lodovico Ferrari) e il matematico bresciano Niccolò Tartaglia una polemica per noi assai istruttiva: il Cardano cerca di far pesare la sua cultura filosofico-matematica, espressa in molte opere latine, sul Tartaglia che è autodidatta e scrive in volgare. Alla pubblicazione del Tartaglia *Quesiti et inventioni nuove*, il Ferrari divulga (10 febbraio 1547) un cartello in cui l'accusa di plagio; e il Tartaglia replica minacciando «di lavare ottimamente el capo ad ambidui [il Ferrari e il Cardano] in un colpo solo, cosa che non sapria fare alcun barbier in Italia». La maniera plebea mosse a sdegno i due, e

---

[21] G. Pavanello, *Un maestro del Quattrocento, G. A. Augurello*, Venezia 1905, pp. 258-262.

[22] Teniamo conto, qui e più oltre, delle belle e sicure ricerche di L. Olschki (*Gesch. wiss. Lit.*, I, 1919; II, 1922): l'opera meriterebbe di trovare chi la continuasse e l'approfondisse per le singole discipline.

[23] E forse anche dallo sviluppo che la prosa scientifica stava assumendo in quegli anni in Inghilterra (G. Aquilecchia, in *Cult. neol.*, XIII, 1953, pp. 165-189).

[24] È sempre utilissima la *Bibliografia matematica* di P. Riccardi, Modena 1870-1880.

il Ferrari replicò (1 aprile 1547) in latino, dicendo di voler rientrare nelle buone consuetudini. Il Tartaglia rispondeva (21 aprile 1547) d'esser matematico e non uomo di lettere:

> Confesso io veramente mai haver fatto professione, ne dilettato di alcuna sorte di lingua. Egli e ben vero che il desiderio grandissimo da intendere li Autori che delle discipline Mathematice in lingua Latina trattavano, me ha sforzato a darvi qualche volta opera da me medesimo, con lo agiutto de molti vocabulisti: & delli Autori che con lingua volgare se sono sforzati a darla ad intendere & così con tal modo & via ne ho acquistato tanta che mi basta[25], si per intendere li detti Autori, & anchora la vostra così longa risposta.

Se la scrivesse in latino – continua il Tartaglia – la risposta riuscirebbe forse inferiore a quella del Ferrari (se pur è del Ferrari).

> Il medesimo potria esser forsi questa insieme con laltra mia risposta a voi scritta in la mia materna lingua volgare, cioe esser forsi molto inferiore, si in ellegantia, come de più fioriti vocabili toscani, del vostro primo cartello, a me scritto in lingua Tosca, perche in effetto, essendo io Brisciano (& non havendo io giamai imparato lingua tosca) egli e necessario (non volendome servire di quegli che di tal lingua fanno professione, come fati forse voi) che la pronontia mia, me ve dia in nota per Brisciano, cioe un poco grossetto di loquella...

Ma tutto codesto che c'entra con la sostanza della questione? Se egli, Tartaglia, sapesse l'arabo e volesse proporre i quesiti in arabo?

Il Ferrari nel cartello seguente (24 maggio 1547), dice d'essersi ormai deciso a scrivere «in lingua volgar, dapoi che chiaramente confessate, voi ne de la latina, ne men de la greca esservi fatto alcuna stima giamai» Esaurito l'argomento della lingua, la polemica prosegue ormai in italiano.

L'astronomia era materia d'insegnamento universitario, fondato principalmente sul *Tractatus de sphaera* del Sacrobosco (s. XIII). Ma non mancavano traduzioni e commenti in volgare: ricordiamo la spiegazione della cosmografia tolemaica che Alessandro Piccolomini scriveva per una madonna Laudomia (Venezia 1540) e un *Dialogo... de la Sfera, e de gli orti et occasi de le stelle* (Venezia 1545) di Giacomo Gabriele (nipote di Trifone, l'amico del Bembo). Ricevendo in dono il dialogo, il Bembo lodava il Gabriele d'essere «non solamente eccellente astrologo divenuto, ma insieme ancora maestro della Toscana lingua, la quale a noi Viniziani non è molto agevole ad apprendere sì, che si possa con essa bene e regolarmente scrivere...» (lett. da Roma, 25 settembre 1545).

Di prospettiva e di architettura ormai si scrive per lo più in volgare.

Per la musica, Pietro Aron, che già nel 1526 aveva pubblicato in volgare *Il Toscanello in musica*, sente ancora il bisogno, pubblicando il *Lucidario*, Venezia 1545, di giustificarsi di non aver scelto la lingua

---

[25] Tant'è vero che è in grado di tradurre gli elementi di Euclide (cfr. p. 320).

«più nobile e degna»: ha scelto di scriverla «nel Idioma nostro nativo», «per manco fatica» dei lettori.

Nella medicina, i grandi trattatisti (Fabrizi d'Acquapendente, Falloppio, Eustachio, Cesalpino) scrivono in latino, e solo qualche manuale pratico è in volgare.

Le farmacopee sono per lo più in latino, ma è notevole l'ampio Ricettario fiorentino, stampato una prima volta nel 1499 (*Nuovo Receptario composto dal famossisimo* [sic] *Chollegio degli eximii doctori della arte et medicina della inclita cipta di Firenze*), e poi ricompilato per ordine di Cosimo I (*El Ricettario dell'arte et Università de medici et spetiali della città di Firenze*, Firenze 1550).

La metallurgia, disciplina prevalentemente pratica, trova un trattatista in Vannoccio Biringuccio (*De la Pirotechnia*, Venezia 1540, 2ª ed. 1550; rist. del primo libro, Bari 1914).

Le narrazioni di viaggi e scoperte al principio del secolo sono ancora spesso in latino; la grande collezione di G. B. Ramusio *Delle navigationi et viaggi* (Venezia 1550-59) mette a disposizione del pubblico un poderoso insieme di narrazioni originali e di traduzioni in volgare.

Questi pochi esempi mostrano che per ciascuna disciplina l'uso del volgare è ora più ora meno robusto in confronto con l'uso del latino, per un vario convergere di spinte: la forza della tradizione umanistica e della scolastica aristotelica da un lato, le esigenze pratiche e l'umanesimo volgare dall'altro. Nel 1589 all'Accademia della Crusca l'Arciconsolo Pierfrancesco Cambi propose il quesito: «Se la lingua toscana sia capace di ricevere in sé le scienze» e il 21 dicembre Francesco Marinozzi lesse un suo scritto sull'argomento: è sintomatico che se ne discuta, e ancora in forma dubitativa.

Oltre che di scritti originali, si tratta anche di traduzioni. Il Cinquecento è forse il secolo in cui si tradusse maggior copia di opere scientifiche dal latino e dal greco (incluse molte opere di autori moderni)[26].

Aristotile, che era stato conosciuto durante il Medioevo per via indiretta (arabo-latina), e ritradotto dal greco in latino nel Quattrocento (dall'Argiropulo), ora è tradotto direttamente in volgare. Bernardo Segni dedica la sua versione dell'*Etica* (1550) a Cosimo I, pregandolo di non sdegnarla perché è fatta

in questa sua moderna, bella, et da tutti amata; nella quale quello, che forse appresso di pochi ella perderà, che la giudicassino scolpita in materia men'degna, senza dubbio riacquisterà ella viepiù appresso di molti, che la vedranno in materia da poter'essere da piu genti partecipata, et fruita[27].

---

[26] Tuttora indispensabile, perché non sostituita da analoga opera più moderna, è la *Biblioteca degli volgarizzatori* di F. Argelati, Milano 1767.
[27] *L'Ethica* d'Aristotile tradotta in lingua vulgare fiorentina e comentata per Bernardo Segni, Firenze 1550, pp. 4-5.

Euclide fu tradotto più volte (da E. Danti, da N. Tartaglia); Cosimo Bartoli volse dal latino, con certa eleganza accademica, la *Protomathesis* (1535) del delfinese Oronce Finé (*Opere di Orontio Fineo*, Venezia 1587).

L'importanza data a Vitruvio nell'architettura del Rinascimento ci spiega il susseguirsi delle traduzioni: C. Cesariano (Como 1521), G. B. Caporali (Perugia 1536), D. Barbaro (Venezia 1556), G. A. Rusconi (Venezia 1590), oltre ad altre rimaste inedite.

Similmente, l'importanza data alla farmacologia o «materia medica» di Dioscoride spiega le versioni che se ne fecero: quella di Fausto da Longiano (1542), di M. Montigiano (1547), e quella riccamente commentata di P. A. Mattioli (vers. lat., Venezia 1544; vers. it., Brescia 1544).

I *Mechanicorum libri* di Guido Ubaldo del Monte (Pesaro 1577) furono tradotti da F. Pigafetta (*Le mechaniche*, Venezia 1581).

Le erudite opere mineralogiche e metallurgiche del tedesco Giorgio Agricola furono tradotte in italiano e pubblicate pochi anni dopo le edizioni originali in latino (*De la generatione de le cose* ecc., Venezia 1550; *De l'arte de' metalli*, trad. da Michelangelo Florio, Basilea 1563).

L'importanza del volgare rispetto al latino è già molto diversa se passiamo a considerare la storia: la storiografia in italiano è senza confronto più considerevole che quella in latino. A Firenze, i molti e importanti storiografi scrivono tutti in italiano: una delle pochissime eccezioni sono le *Historiae Florentinae* di Gian Michele Bruto, veneziano antimediceo, che le pubblicò a Lione nel 1562. Fuori di Toscana si scrive nell'una e nell'altra lingua. L'Equicola difende il proprio assunto di scrivere in italiano la sua *Cronica de Mantua* (Mantova 1521), pur sperando che essa sia tradotta in latino[28]. Camillo Porzio, che aveva cominciato a scrivere in latino la storia della *Congiura dei Baroni*, passa a scriverla in volgare per consiglio del card. Seripando.

Di regola sono in latino gli scritti di erudizione storico-antiquaria; non però le eleganti dissertazioni di Vincenzio Borghini.

Si hanno anche in questo campo numerose traduzioni (Livio, Svetonio, Plutarco, ecc.). Va specialmente ricordata la gara col francese e col latino che volle compiere Bernardo Davanzati con le sue versioni da Tacito, mirando soprattutto alla concisione[29].

Nell'oratoria sacra, l'italiano ha una predominanza quasi esclusiva;

[28] «Non so qual nasuto ardisca con ragione reprenderme che nel comune idioma italico scriva... Io desio che questo mio compendio sia equalmente a tutti exposto; e, se ad extere nationi è più intelligibile la composizione latina, io poco curo che miei scritti passino mare o alpi, di miei cittadini lectori contento: et forse latino si leggerà più tosto che altri non existima» (p. 209).

[29] «...parmi aver pareggiato Cornelio, se non di maestà, di viveza; e superatolo di chiarezza e purità: tanta è la possanza e la destrezza e l'eccellenza della favella fiorentina che vive, e nel mare della natura sceglie, chi punto vi bada, voci e maniere operantissime» (lettera a Baccio Valori, 1595, premessa al volgarizzamento del primo libro degli *Annali*, Firenze 1596).

nell'oratoria civile, che ha sempre più di rado la sua vera funzione di convincere un'assemblea pubblica e sta diventando un'elegante cerimonia, ambedue le lingue si adoperano secondo le circostanze: Piero Angeli di Barga recitò in volgare l'orazione funebre di Enrico II di Francia nel duomo di Firenze (1559), e invece in latino quella per le esequie del granduca Cosimo nel duomo di Pisa (1574). Ma ormai il volgare predomina.

Lo stesso si può dire per l'epistolografia. Vediamo per es. Luca Contile che scambia con un suo condiscepolo, Federigo Orlandini, numerose lettere in latino; poi il Contile passa all'italiano, persuaso che si possa esprimere in esso accomodatamente e con abbondanza ogni ordine d'idee, talvolta meglio che in latino (lettera 12 ottobre 1541)[30]. Il Fracastoro e l'Aldrovandi pubblicano solo opere latine, ma nella corrispondenza privata usano un italiano semplice e realistico[31]. Continua a prevalere, naturalmente, il latino quando si tratta di argomenti filosofici e filologici, e nella corrispondenza con stranieri.

Le lettere si scrivono spesso non per comunicare privatamente con un amico, ma per manifestare pubblicamente la propria opinione con eleganza di stile[32]. Anzi è questo il secolo in cui più abbondano gli epistolari, dopo l'esempio chiassoso di quello dell'Aretino.

Per gli altri campi letterari, questo bilancio comparativo tra le opere scritte in latino e le opere scritte in italiano non avrebbe ragione d'essere[33]. Possiamo sì ricordare che l'attività umanistica in latino continua, con egloghe, elegie, poemi sacri, didattici, epici, qualche commedia, qualche tragedia, e che alcune di queste opere ancora si celebrano per insigne valore artistico. E possiamo osservare che un forte sostrato classicistico appare in tutti gli scrittori in italiano. Ma ormai un senso d'emulazione trionfante anima gli scrittori in volgare. La *Rosmunda* del Rucellai e la *Sofonisba* del Trissino sono scritte intorno al 1516 per rinnovare la tragedia classica; *L'Italia liberata dai Goti* dello stesso Trissino avrebbe voluto essere il poema eroico moderno; il Tolomei dice di aver scritto l'*Orazione della Pace* (aprile 1529) «per mostrare al mondo come questa nostra lingua Toscana era atta ad esprimere altamente e in orazioni tutti i grandi concetti, la qual cosa in quei tempi da certi letterati di debile stomaco non era creduta» (*Lett.*, c. 61 a).

Abbiamo già accennato quale importanza abbiano anche nel campo delle lettere le traduzioni dalle lingue classiche, molto numero-

---

[30] L. Contile, *Lettere*, Pavia 1569, I, c. 45.

[31] Olschki, *Gesch. wiss. Lit.*, II, p. 328.

[32] Lo Speroni protesta contro la pubblicazione di lettere poco eleganti (*Lettere volgari*, Venezia 1553, I, p. 112).

[33] Oppure avrebbe un carattere esclusivamente aneddotico: si dice per es. che Ercole Strozzi sia passato dall'elegia latina, in cui eccelleva, ai sonetti petrarchistici per amore di Barbara Torelli, alla quale piacevano i versi rimati (v. i versi di Daniel Fini citati dal Carducci, *Opere*, XIII, p. 340).

se in questo secolo. I traduttori sono animati dal desiderio (disinteressato o no) di far conoscere i classici a quelli che non sarebbero in grado di leggerli nell'originale; qualche volta dall'intenzione di aprire alla lingua moderna territori in cui ancora non era stata sperimentata; qualche volta dal proposito di cimentarla nel confronto con le lingue antiche[34].

La stretta simbiosi che ancora in questo secolo vige fra latino e volgare dà luogo a contatti e miscele varie. Alle lettere in volgare di Maria Savorgnan il Bembo appone in fine qualche postilla, per lo più in latino, concernente le circostanze di tempo in cui aveva avuto le lettere. Nella corrispondenza epistolare indirizzi, intestazioni e talora firme perdurano a lungo in latino. E qualche volta, in contesti volgari, s'insinuano passi latini. Ecco per es. il poscritto di una lettera di Scipione Forteguerri (Carteromaco) a Aldo Manuzio:

Io sono ito dal Cardinale Hadriano, et mostroli quella parte della lettera vostra, il che li fu assai grato. Ragionammo molto di lettere, *ac multa etiam de te*. Aspetto lo esemplare corretto per darglielo, *nec alia occurrunt. Vale iterum*, et scrivete spesso, *si potes*, et dirizzate le lettere al Secretario dell'Ambasciatore veneto. *Romae die* 19 *decembris* 1505. *Tuus S. Cart.*[35].

O una lettera del card. Rorario al Sadoleto (14 febbr. 1525):

...havendo Sua Santità deliberato *gerere se tamquam patrem omnibus communem et* servare la neutralità, el re di Franza... inviò un esercito per lo stato della Chiesa *ad temptandum regnum neapolitanum*: donde S. S. fu costretta *aut sumere arma, quibus nec poterat nec volebat uti, aut dare fidem regi neutralitatis*...

Oppure il passo di una lettera del nunzio Stella al Cervini, dell'ottobre 1548:

lei [la duchessa Renata] è quasi doventata riffuggio di simili [heretici], et s'ode da digne persone che *alioquin* essa signora ha buona mente, ma *arbitratur se obsequium prestare Deo* per le persuasioni di costoro[36].

Persiste largamente l'uso di singoli avverbi e particelle latine, specie in testi senza pretese.

Alle molte miscele che si presentavano nella vita e nella letteratura (italiano intercalato nel latino, latino intercalato nell'italiano) s'ispirano due stilizzazioni utilizzate a fini artistici, il maccheronico e il pedantesco-fidenziano.

Non c'è bisogno di ricordare che nella latinità maccheronica il

---

[34] Si ricordi la lettera del Caro sulla sua traduzione dell'*Eneide* «cominciata per ischerzo» e continuata «fra l'esortazioni degli altri e un certo diletto che ho trovato in far pruova di questi lingua con la latina, » (lettera 14 settembre 1565); e la premessa già citata del Davanzati (1595) alla sua versione degli *Annali*.

[35] *Lettere di scrittori ital. del s. XVI*, ed. G. Campori, Bologna 1877, p. 171.

[36] G. Spini, *Tra Rinascimento e Riforma: A. Brucioli*, Firenze 1940, p. 107.

sapore comico è dato dalla intrusione di parole dialettali in un contesto correttamente latino[37]; e invece nel pedantesco s'intercalano in un contesto italiano latinismi in abbondanza.

Il maccheronico, cominciato già nel Quattrocento, dà ora la sua massima prova col Folengo. Nato in ambienti universitari, continua a riferirsi alla barbara latinità che i filosofi universitari adoperano:

> Dum Pomponazzus legit ergo Perettus, et omnes
> voltat Aristotelis magnos sottosora librazzos,
> carmina Merlinus secum macaronica pensat
> et giurat nihil hac festivius arte trovari
>
> (*Baldus*, l. XXII, vv. 129-132).

Il pedantesco e il fidenziano satireggiano i dotti che non s'accontentano del volgare e vogliono o parlar latino o intercalare nel loro discorso italiano parole latine, intatte ovvero munite di desinenze italiane.

Il Castiglione, nemico di ogni affettazione, biasimava quelli che «scrivendo o parlando a donne usano sempre parole di Polifilo» (*Corteg.*, III, LXX). Si crea così un personaggio di commedia, il pedante (Francesco Belo, *Il Pedante*, 1529; Pietro Aretino, *Il Marescalco*, 1533; Giordano Bruno, *Il Candelaio*, 1583; e in tante altre commedie), con discorsi come questi:

> *Omnia vincit Amor, et nos cedamus Amori.* Certamente pare al giuditio de i periti, che *totiens quotiens* un uomo esce dalli anni adolescentuli, *verbi gratia* un par nostro, non *deceat sibi* l'amare queste puellule tenere (Belo, *Il pedante*, I, sc. 4).

Un altro pedante dice nel *Marescalco* dell'Aretino (V, sc. 10):

> La parsimonia del sobrio prandio non mi incita ad espurgarmi, e però cominceremo *latine*, perché Cicerone ne le paradoxe non vuole che si parli in volgare del sacrosanto matrimonio.

e il conte risponde:

> Parlateci più a la carlona che voi potete, che il vostro in *bus* et in *bas* è troppo stitico ad intenderlo.

C'è spesso, in queste commedie contro il pedante, qualche personaggio che ne sottolinea la ridicolaggine, difendendo la generale

---

[37] «Il latino maccheronico... presuppone una conoscenza perfetta del lessico, dello stile poetico, della prosodia e della metrica latina. Le deviazioni dalle forme regolari sono volontarie, e appunto perciò distribuite, graduate, adattate con finissimo senso d'arte» (U. E. Paoli, *Il «Baldus»*, Firenze 1941, p. 59). Una più minuta analisi nel cit. volumetto dello stesso autore, *Il latino maccheronico*.

intelligibilità del parlare[38] ovvero fingendo di non capire le parole difficili e confondendo *copule* con *scrofule*, o storpiando *ipocrita* in *pòrchita*, *ambiguo* in *anghibuo* e simili[39].

La varietà «fidenziana» di questo linguaggio pedantesco s'intitola da un Pietro Giunteo Fidenzio, pedante di Montagnana, che esisté realmente, e a cui Camillo Scroffa attribuì una serie di sonetti composti verso il 1550 e pubblicati nel 1562 e forse anche prima. Eccone uno:

> Le tumidule genule, i nigerrimi
> occhi, il viso peramplo e candidissimo
> l'exigua bocca, il naso decentissimo,
> il mento che mi dà dolori acerrimi;
>
> Il lacteo collo, i crinuli, i dexterrimi
> membri, il bel corpo symmetriatissimo
> del mio Camillo, il lepor venustissimo,
> i costumi modesti ed integerrimi;
>
> D'hora in hora mi fan sì Camilliphilo,
> ch'io non ho altro ben, altre letitie,
> che la soave lor reminiscentia.
>
> Non fu nel nostro lepido Poliphilo
> di Polia sua tanta concupiscentia,
> quanta in me di sì rare alte divitie.

Qui si satireggiano non le desinenze latine più o meno fittizie, ma i latinismi lessicali usati dai pedanti, come già nel *Vocabulario* del Luna (1536) le parole di un gentiluomo ai suoi staffieri: «O famuli, famuli, abbreviatimi questi sustentacoli, che son troppo prolissi!»[40].

Se il problema della scelta fra latino e volgare si poneva ancora frequentemente ai cinquecentisti, è ovvio che i più notevoli fautori dell'una e dell'altra lingua abbiano cercato di far propaganda per le loro opinioni.

Nel I libro delle *Prose della volgar lingua* bembesche, Ercole Strozzi difende la lingua latina come più «degna e onorata» contro la volgare «vile e povera», ma l'autore fa che rispondano vittoriosamente ai suoi

---

[38] Il parlare «in *bus* e in *bas*» è deriso anche nelle *Satire* del Nelli (II, xx):

> Usavan quel ch'hoggi usano i pedanti,
> parlare in *bus* e in *bas*...

e nella *Lettera in difesa de la lingua volgare* del Citolini (Venezia 1540). Il Gelli, nei *Capricci del bottaio*, V (p. 195 Gotti), ci parla di un tipo bizzarro, soprannominato *Ceccoribus*, la cui latinità consisteva solo nel dar desinenze di suono latino alle parole italiane. Ancora il Galilei ricorderà la satira delle «cose scritte in *baos*» di Ruzzante (lettera a Paolo Gualdo 1612), e il Renzo manzoniano protesterà contro il *siès baraòs trapolorum* del Dottor Azzeccagarbugli.

[39] La storpiatura delle parole, specialmente di quelle dotte, è la principale caratteristica della lingua detta «grazianesca»: vedine qualche esempio in A. Bartoli. *Scenari inediti della Commedia dell'arte*, Firenze 1890, p. L, cxxiii, e in V. Balando, *Lettere pacate e chiribizzose in lingua antiga, venitiana, et una alla gratiana...*, Parigi 1588.

[40] Qualche altra variante in Migliorini, *Lingua e cultura*, p. 27.

argomenti gli altri tre interlocutori, Carlo Bembo, Giuliano de' Medici e Federigo Fregoso.

Nel novembre del 1529, inaugurandosi solennemente l'anno accademico nell'Archiginnasio di Bologna, l'umanista udinese Romolo Amaseo pronunziò due orazioni *De Linguae Latinae usu retinendo* (pubblicate in *Orationum volumen*, Bologna 1563-64), che suscitarono larga eco di discussioni per la solenne difesa che in esse si fa del latino. Nella prima orazione l'Amaseo sostiene che il volgare non è che una corruzione del latino: perché dunque sforzarsi a imparare due lingue, di cui una buona e l'altra corrotta? Nella seconda orazione l'Amaseo confuta l'opinione che il volgare sia utile, allegando gli immensi tesori di sapienza pratica deposti dagli antichi nelle loro opere. Inoltre, non è vero che l'italiano costi meno fatica del latino; non solo perché il maggiore sforzo speso per imparare la lingua antica è compensato dalla diffusione universale del latino, ma anche perché in Italia stessa si disputa se la lingua debba esser toscana o cortigiana.

La presenza in Bologna dei sommi rappresentanti della Chiesa e dell'Impero dava occasione all'Amaseo di celebrare insieme la restaurazione del Sacro Romano Impero e della lingua di tutto il mondo civile. Ma si sa quanto v'era ormai di anacronistico in questa doppia celebrazione.

In quegli stessi anni, nel *De disciplinis* (1531), Lodovico Vives prediceva la fine del latino, pur dolendosi che ciò avrebbe prodotto un grande straniarsi fra gli uomini.

Le orazioni dell'Amaseo suscitarono larga eco. Il Bembo rispondeva a monsignor Soranzo, che l'aveva informato su di esse, con un argomento *ad hominem*:

Ho veduto quanto V. Sig. mi scrive della infamia data alla lingua volgare, e veggo che la poverella sarà molto male per lo innanzi, in quella guisa vituperata da così grande uomo. Ma io vorrei da lui sapere, per qual cagione egli medesimo, che così la biasima, leggeva pochi mesi sono ed isponeva a suo figliuolo, ed a non so quale altro fanciullo, le regole di questa medesima lingua da me scritte, e perché egli molto prima le ha diligentemente apprese a sua utilità, come egli dicea. Ma lasciamo il parlare di ciò, che è soverchio più che assai (*Lettere*, II, VIII, 24).

Replica all'Amaseo il Muzio con tre libri *Per la difesa della volgar lingua* (composti verso il 1533, e inclusi poi nelle postume *Battaglie*).

Ma sono anche riattizzati gli ardori dei latinisti: in una lettera di quegli anni Francesco Bellafini manifesta, rivolgendosi all'amico Marcantonio Michiel, il suo dolore

quippe qui maiestatem Romani eloquii inepto quodam vernaculae linguae ardore contaminari et perditum iri cerno.

C'è gente che perde tempo a interpretare *Pape Satan Aleppe* invece che a leggere i classici:

Linguam, quae plebis est, plebi linque, linque institoribus, nugivendis, circulatoribus, laniis, fartoribus, ambubaiarum et id genus collegiis, historiae minime aptam, oratori inconcinnam, philosopho omnino repugnantem, quibusdam tantum fabellis et apologis, amatoriisque cantionibus gratam....

Rincarava la dose Francesco Florido nella sua *in L. Accii Plauti aliorumque Latinae linguae scriptorum calumniatores Apologia* (1537 circa), severo contro tutti quelli che avevano scritto in volgare, e solo con qualche indulgenza per il Petrarca, il quale aveva scritto tutte le sue cose serie in latino e solo quelle frivole in volgare...

Nel *Dialogo delle lingue* di Sperone Speroni (la cui azione si finge in Bologna nel 1530, e la cui composizione è di qualche anno posteriore) si allude al clamoroso episodio dell'Amaseo. L'autore fa che Lazzaro Bonamico difenda il latino e oppugni il volgare; mentre un cortigiano sostiene i meriti della lingua parlata e il Bembo quelli dell'italiano trecentesco. Dentro il dialogo è inserito un secondo dialogo, che l'autore immagina sia avvenuto anni prima fra Giovanni Lascari e Pietro Pomponazzi, dove lo stesso problema è discusso rispetto alla filosofia, e il Pomponazzi sostiene[41] che l'essenziale è ragionar bene, anche se si ragioni in dialetto[42].

Risponde con buone argomentazioni ai fautori del latino Alessandro Citolini di Serravalle (Treviso) nella *Lettera in difesa della lingua volgare*, Venezia 1540[43].

Fanatico difensore della lingua antica è invece Celio Calcagnini, che scrivendo a G. B. Giraldi (Cinzio) (*Aliquot opuscula*, 1544) esprime l'augurio che l'italiano e tutte le opere scritte in questa lingua siano dimenticate, come espressione di «foedissima barbaries».

Con equilibrio più degno di uno storico, Carlo Sigonio, in una prolusione veneziana *De Latinae linguae usu retinendo* (1566) difende il latino senza vilipendere il volgare («detur utrique quod utrique debetur»). Altri confrontano i meriti rispettivi dell'italiano e delle due lingue classiche, celebrandole tutte e tre[44].

Una discussione assai ampia e interessante per ricchezza d'argomentazioni e concretezza di esempi è quella contenuta nel dialogo latino di Uberto Foglietta genovese (*De linguae Latinae usu et praestantia libri tres*, Roma 1547): il secondo libro è tutto dedicato a rispon-

[41] Anche nel *Dialogo della istoria* lo Speroni attesta che il Pomponazzi «aveva in costume di favellar volgar lombardo alla maniera della sua patria, senza curarsi della gramatica».

[42] Si sente l'eco dell'analoga disputa che s'era svolta nel Quattrocento a proposito del latino, tra filosofi ciceroniani (Ermolao Barbaro) e filosofi «barbari» (G. Pico della Mirandola). Cfr. p. 226.

[43] Nella quale appaiono per la prima volta nettamente opposte le lingue *vive* alle lingue *morte* (Faithfull, in *Modern Lang. Review*, XLVIII, 1953, pp. 278-292).

[44] G. della Casa, «Frammento d'un trattato delle tre lingue», in *Opere*, III, Venezia. 1728, pp. 381-384; V. Borghini, nella novella allegorica di Ellas, Lazia e Tyrsine, in *Lingua nostra*, I, 1939, pp. 38-40.

dere al problema se il latino sia adatto ad esprimere i concetti moderni, e fino a che punto si possa ampliare a tale scopo il vocabolario classico.

Man mano che si procedeva nel Cinquecento, nei riguardi della lingua letteraria il problema si risolveva con i fatti; e la superiorità del volgare s'imponeva[45].

5. *Contatti con altre lingue moderne*

Le spedizioni armate di stranieri, purtroppo così frequenti nella prima parte del secolo, fanno venire gran parte degli Italiani in contatto, per lo più rude, con persone di altre lingue: Spagnoli, Francesi, Tedeschi. E ancor più forte è l'influenza esercitata quando le armi e le leggi danno tutto il potere in mano dell'uno o dell'altro degli stranieri occupanti. Vi soggiacciono non solo i loro fautori, ma anche gli altri.

D'altra parte anche molti Italiani viaggiano o si stabiliscono all'estero, o per proprio conto, o come rappresentanti di una potenza italiana, o al servizio di una potenza straniera. C'è chi muta addirittura di lingua[46], altri accolgono vocaboli o costrutti stranieri in misura e con intenzioni assai varie: il caso più comune è quello di vocaboli stranieri accolti in scritti concernenti quei paesi.

La lingua straniera di gran lunga predominante nell'Italia cinquecentesca è lo spagnolo, per l'intensa simbiosi stabilita tra dominanti e dominati[47].

Il Galateo, il Bembo, il Castiglione, il Valdés alludono alle conoscenze che gli Italiani avevano o affettavano dello spagnolo; e più tardi il Tansillo, *continuo* del viceré Toledo e compagno di armi del figlio di lui, confessa che

> il viver con spagnuoli, il gir in volta
> con spagnuoli, m'han fatto uom quasi novo
> e m' hanno quasi la mia lingua tolta.

[45] Sugli argomenti rispettivamente addotti dai «latinisti» e dai «volgaristi» (l'àmbito delle due lingue in confronto tra loro; gli intrinseci pregi dell'una e dell'altra; la dipendenza della lingua moderna dall'antica o viceversa la sua autonomia; l'esistenza di regole per il volgare) si vedano i miei cenni in *Problemi e orientamenti*, III, pp. 6-9.

[46] Così, per citare il più insigne fra gli esempi, Cristoforo Colombo: ma alcuni italianismi (e parecchi lusitanismi, dovuti al fatto che egli cominciò a scrivere in spagnolo durante la sua residenza in Portogallo) furono rivelati nei suoi scritti dall'acuta analisi del Menéndez Pidal, *Bull. Hispanique*, XLII, 1940, pp. 5-28 (rist. in volumetto a sé, *La lengua de C. C.*, Buenos Aires 1942).

[47] B. Croce, che già aveva tracciato un lucido quadro della conoscenza dello spagnolo e dell'influenza da esso esercitata nel saggio *La lingua spagnuola in Italia*, Roma 1895, riprese più brevemente questo argomento, ma inserendolo nel più ampio quadro delle relazioni italo-spagnole, nel volume *La Spagna nella vita italiana durante la Rinascenza*, Bari 1915 (e successive edizioni).

Se gli altri ambasciatori ricorrevano per lo più al tramite d'interpreti, quelli spagnoli parlavano nella loro lingua, per es. davanti al Senato veneziano[48]: e appunto dai Veneziani il Campanella fu richiesto (nel 1595 circa) di un parere «se dovean lasciar parlare in lingua strana e non veneziana gli ambasciatori spagnuoli e francesi nel lor Senato»[49]. Al Caro era stato posto nel 1562 da messer Alfonso Cambi Importuni analogo quesito, per ciò che riguarda lo stile epistolare («il discorso che mi dimandate, che a quelli che scrivono spagnuolo, non s'abbia da rispondere nella medesima lingua»); ed egli non aveva mancato di avvertire quanto la questione fosse delicata («non si può parlar della lingua in questo caso, che non si parli dell'imperio, e della nazione che domina, e di quella che è dominata»), arrivando tuttavia, come il suo corrispondente desiderava, alla conclusione «che meglio, con più decoro, con men sospetto d'adulazione, e men pregiudizio di servitù, si scrive, e si risponde nella lingua propria, che nell'altrui»[50].

Numerose opere spagnole, buone e cattive, furono tradotte in italiano per lo più da mestieranti[51], e contribuirono a far conoscere le cose spagnole – e a divulgare ispanismi[52]. Personaggi spagnoli o spagnoleggianti appaiono non di rado nelle commedie[53].

Il francese era quasi altrettanto conosciuto dello spagnolo, e anch'esso considerato necessario per un gentiluomo. Forte è l'influenza francese nel Piemonte, per la vicinanza alla Francia, le ripetute occupazioni militari, la comunanza dinastica con la Savoia; fortissima ad Asti, per molti anni dominata dai Francesi[54].

Qua e là trapelano non liete esperienze di scorrerie soldatesche: il Beolco fa ripetere a un suo personaggio (e burlescamente spiegare ad

---

[48] Croce, *La Spagna*, cit., p. 156.

[49] Ma il suo «parere» non ci rimane: cfr. L. Firpo, *Bibliogr. degli scritti di T. Campanella*, Torino 1940, p. 181 (n. 67).

[50] *Lettere familiari*, II, Venezia 1587, pp. 163-64.

[51] Indicazioni bibliografiche in E. Toda y Güell, *Bibliografia espanyola d'Italia*, voll. 5, Escornalbou 1927-1931.

[52] Mambrino Roseo, pubblicando tradotto il *Libro de agricoltura utilissimo* di Gabriel de Herrera (Venezia 1557) aveva scritto *berengena*, probabilmente senza rendersi conto di quel che fosse: poi, accortosi che si trattava di melanzane, ne diede notizia nell'«avviso al lettore» (Messedaglia, in *Ann. Acc. Agric. Torino*, XCIV, 1951-52, p. 129).

[53] Per es. quella di A. Ricchi, *I tre tiranni*, rappresentata a Bologna in presenza di Clemente VII e Carlo V e pubblicata a Venezia nel 1533, ha un personaggio che parla spagnolo.

[54] Claude de Seyssel, nel prologo alla traduzione di Giustino (1509), rivolgendosi a Luigi XII, attesta che «là où les Italiens reputoient jadis les Français barbares, tant en moeurs qu'en langage, à present s'entrentendent sans truchement les uns les autres et s'adaptent les Italiens, tant ceux qui sont soubs votre obeissance que plusieurs autres aux habillements et maniere de vivre de France. Et par continuation sera quasi tout une mesme façon ainsi que l'on voit de ceux d'Astisane et de tout le Piemont...». Si sa che l'astigiano Alione compose in francese parecchie canzoni, e nelle sue commedie vi sono personaggi che parlano francese.

un altro) le frasi che si dovevano sentire: «Càncaro, gi è superbiusi quando i dise: '*Vilà cuchìn pagiaro, per lo San Diu* a te magnarè la gola'»[55].

Fra i numerosi esempi di influenze colte ricordiamo quelle esercitate alla corte di Ferrara da Renata di Francia, figlia di Luigi XII, la quale ebbe Marot come segretario e ospitò Calvino.

Emanuele Filiberto volontariamente favorì l'uso dell'italiano, ma dall'oratore veneto F. Morosini (1570) apprendiamo quali fossero le sue conoscenze: «a me ha detto più volte, che se gli occorresse dover fare un lungo ragionamento di cose serie, non lo sapria far meglio in alcuna lingua, che nella spagnola. Parla anco eccellentemente il francese, essendo si può dir quella la sua lingua naturale, poiché tutti li duchi passati parlavano sempre francese, così come parla ora sua eccellenza quasi di continuo italiano»[56].

Molto meno noto era il tedesco, anche per la molto maggiore diversità strutturale. I rapporti diplomatici con l'Impero si svolgevano, naturalmente, in latino. Ma le parole dei soldati tedeschi e svizzeri colpivano per la loro rudezza, e briciole di parole e di frasi tedesche si trovano in canti carnascialeschi attribuiti a lanzi venturieri: «Noi *trincare* un *flasche* plene – per le sante anime *fostre*», «*Trinche gote* malvasie – mi non *biver oter vin*», ecc.[57].

Ai confini d'Italia, la pressione è più forte: specialmente in quella parte della Lombardia che è venuta in mano degli Svizzeri, e nei territori nord-orientali che dipendono dall'Impero[58].

I Veneziani sentono, in Levante o a Venezia stessa, varie parlate esotiche, slave, greche, turche, arabe, zingaresche; e in alcune commedie ne troviamo imitazioni più o meno precise, dovute a quella stessa spinta espressiva per cui s'introducono nelle commedie i personaggi dialettali[59]. Ma la satira degli stranieri in commedia finì presto col diventare un espediente comico assai scipito[60].

---

[55] *Parlamento de Ruzante...*, in R. Viola, *Due saggi di lett. pavana*, Padova 1949, p. 86.

[56] Albèri, *Rel. degli Ambasciatori ven.*, II, i, p. 158.

[57] Singleton, *Canti carnascialeschi*, Bari 1936: Id., *Nuovi canti carnascialeschi*, Modena 1940, passim; cfr. Chiappelli, *Lingua nostra*, XIII, 1952, pp. 44-45.

[58] Nel 1523 i Triestini scrivono ai Carniolini, a proposito di una causa da discutersi nel consiglio dell'Impero, che intendono rispondere in latino e non in tedesco; nel 1581 i Tolminesi chiedono che gli atti per l'esazione di certe tasse siano fatti in tedesco, e i Goriziani rispondono che è loro diritto e dovere di redigere gli atti «in lingua Italiana overo Latina» (F. Pasini, *Idioma e parola*, Torino 1948, p. 83 e 139).

[59] E. Teza, «Voci greche ed arabe nelle commedie del Giancarli», in *Rend. Acc. Lincei*, 5ª s., VIII, 1899, pp. 135-145; G. Sala, «La lingua degli stradiotti nelle commedie e nelle poesie dial. del sec. XVI», in *Atti Ist. Ven.*, CX, 1951-52, pp. 141-188, 291-343.

[60] E il Lasca, nel Prologo della *Spiritata* (1561), assicurava che nella sua commedia non «ci si udiranno né Tedeschi, né Spagnoli, né Franciosi, cinguettare in lingua pappagallesca, odiosa, e da voi [spettatori] non intesa».

Alla conoscenza che si aveva all'estero della vita e della lingua italiana accenneremo più oltre.

6. *La lingua letteraria*

Se leggiamo una pagina di prosa, anche d'arte, degli ultimi anni del Quattrocento o dei primi del Cinquecento, ci è di solito abbastanza facile dire da quale regione proviene, mentre per un testo della fine del Cinquecento la cosa è assai malagevole. Quella che nei secoli precedenti era un'attività individualmente sviluppata dai singoli su sostrati regionali diversi, diventa nel Cinquecento un'attività dominata da correnti di gusto collettivo, in parte comuni in parte contrastanti, e da norme grammaticali che ottengono larghi consensi.

In una vita sociale che mira all'eleganza e al fasto, accanto alle arti belle, ha una posizione eminente l'arte della parola nelle sue manifestazioni scritte e in quelle parlate (oratoria, ecc.): la letteratura, insomma, è parte notevole del costume sociale.

Ma se una notevole uniformità nella lingua scritta si sta attuando tra le persone colte, per quella parlata si è ancora molto indietro[61].

Bandi, carteggi, inventari e in genere tutti i testi fortemente legati alle contingenze pratiche, se provengono dalle cancellerie del Settentrione o del Mezzogiorno sono ancora fortemente intrisi di regionalismi. Gli scritti tecnici e scientifici (d'arte, di architettura, di farmacia, di metallurgia, ecc.) hanno qua e là qualche termine regionale, insieme con numerosi termini tecnici dei quali si divulga la conoscenza.

Le commedie, oltre che sull'intreccio, spesso puntano sul pimento linguistico: con un accentuato uso idiomatico in Toscana, e con personaggi dialettali e stranieri. Il popolino favorisce la commedia dell'arte, con i personaggi schematizzati in maschere.

Le lettere autentiche non possono scostarsi troppo dal parlato; ma già la pubblicazione di numerosi epistolari da parte degli autori medesimi mostra che la lettera è considerata un genere letterario riflesso.

Gli scritti più spiccatamente letterari mirano a un linguaggio colto, illustre: gli autori non s'accontentano di scrivere per diletto proprio ed

---

[61] «...Fin tanto, che la lingua Italiana sia ridutta ad una forma sola per tutte le nationi d'Italia, come... ho detto di sperar che habbia da essere col favor di Dio fra non molto nelle persone non volgari, io non lodo, anzi tengo per cosa difforme e contraria al decoro che in parlare ordinario tra loro, comunque sia, un Lombardo, ò un Calabrese, volesse parlar Toscano, che cosi si farebbe degno di riso da ciascheduno. Onde si vede che con molta prudentia in questo grato Senato Veneto quando orano, ò ragionano persone dottissime, & che sanno perfettamente & perfettamente scrivono la buona lingua nostra, si guardano tuttavia di non uscir dal parlar loro ordinario, in quanto alle voci, usando poi tutte quelle sorti d'ornamenti che il decoro, & il soggetto della cosa può ricevere» (G. Ruscelli, *De' commentarii*, Venezia, 1581, p. 543).

altrui, ma vogliono costruire qualche cosa di durevole, di «monumentale». Il culto del «bello stile», la ricerca dell'eleganza, che sono tratti perenni della lingua e della letteratura italiana, ora predominano talmente da diventare una «maniera»: per questo periodo possiamo parlare anche noi, come gli storici dell'arte, di «manierismo».

Chi, come il Bembo, mira a una gradevole armonia con la rigorosa scelta e con la collocazione delle parole; chi si fonda piuttosto, come il Castiglione, su un equilibrio tra i vari membri della frase. Le esigenze logiche e quelle artistiche variamente si contemperano nel Machiavelli e nel Guicciardini. I contemporanei non trovarono abbastanza elegante né la prosa del primo, incline a forme popolaresche ormai in declino già al tempo suo, e molto dipendente nel lessico dagli usi cancellereschi; né quella del secondo, anch'essa sovrabbondante di latinismi. Pur nella loro diversità, ambedue miravano alle cose molto più che alle parole.

Nella poesia, quel tipo di petrarchismo platoneggiante a cui apre la strada il Bembo signoreggia quasi incontrastato – salvo la reazione antiaccademica e a suo modo popolaresca del Berni e del Lasca. L'Alamanni tenta di raggiungere uno stile elevato per altra via, con le sue liriche pindariche. L'Ariosto maneggia con fresca genialità l'ottava cavalleresca, la terzina, gli sdruccioli sciolti: quando rivede i propri scritti si piega, sia pure con quella scarsa regolarità che il suo estroso temperamento gli consente, alle nuove prescrizioni grammaticali. Il Tasso, nel modulare con melodia or molle ed ora solenne i versi del suo poema preannunzia già il barocco nel fasto e, qua e là, negli arzigogoli, mentre i versi canori dell'*Aminta* preannunziano l'opera musicale.

Gli atteggiamenti stilistici infinitamente vari dei singoli autori, le loro poetiche solo in parte conformi tra loro, e quel che in ciascuno di essi dipende dal luogo e dall'ambiente da cui traggono origine, in parte condizionano anche l'uso grammaticale e lessicale di ciascuno: e ciò si nota più fortemente nei primi decenni del secolo, quando ancora l'àmbito d'oscillazione è maggiore e si ammette che i singoli possono attingere a fonti assai più varie.

Il principio d'imitazione spinge a ricorrere ampiamente agli «autori», cioè agli scrittori che hanno toccato il culmine nell'arte dello scrivere[62]. È opinione concorde che si possa attingere liberamente ai modelli latini; più o meno quasi tutti gli scrittori lo fanno, e ciò ha lievi conseguenze per la morfologia, forti per la sintassi, fortissime per il lessico. Quanto agli scrittori italiani, le cose non sono altrettanto ovvie. In genere, si leggono e si ammirano i tre grandi trecentisti[63]. Ma in qual

[62] G. Santangelo, *Il Bembo critico e il principio d'imitazione*, Firenze 1950.

[63] Il senese Sinolfo Saracini, ambasciatore toscano in Francia, dichiarava a Enrico Stefano che il francese non poteva, nonché esser superiore all'italiano, nemmeno esser confrontato con questo, perché la Francia non aveva autori di fama se non il Ronsard allora vivente, mentre l'Italia aveva i tre famosi e altri ancora (S. Bargagli *Il Turamino*, Siena 1602, pp. 35-36).

misura essi siano tuttora validi come modelli, e quale più o quale meno, è oggetto di forti discussioni. Il Bembo, «balìo» della lingua, imita davvicino il Petrarca e il Boccaccio e ritiene che nel Trecento il volgare abbia raggiunto la perfezione; ma (benché nel 1502 avesse pubblicato un'edizione della *Commedia*) il suo culto per l'astrazione e per il decoro fa sì che egli non sia molto tenero per Dante, così concreto e talora corposo. Egli conosce e apprezza anche altri trecentisti; ed è sua l'edizione del duecentesco *Novellino* uscita col nome del Gualteruzzi (1525).

Si sa con quale larghezza sia stato accolto l'insegnamento del Petrarca non solo con l'imitazione di movenze di stile e di ritmo, ma con l'accettazione di molti vocaboli scelti e leggiadri del suo lessico: non solo nella lirica, ma in altri generi di poesia (si pensi all'Ariosto), e anche nella prosa. Non ci meraviglia che Maria Savorgnan scriva petrarcheggiando al suo Bembo («Aspetto vostre letere, per hora *conforto di mia stancha vita*», lett. 34; «seria troncato *il filo dil mio stame*», lett. 40; ecc.); ma se Aonio Paleario può scrivere nella lettera indirizzata alla moglie, alla vigilia dell'estremo supplizio (3 luglio 1570): «attendete alla *famigliola sbigottita* che resterà», vuol dire che per lui la parola del Petrarca è carne e sangue e non mera letteratura.

Eppure fin dai primi decenni del secolo c'è chi protesta contro l'eccessiva imitazione petrarchesca: sono anzitutto i Toscani, come il Firenzuola, l'Aretino (nel *Marescalco* e nei *Ragionamenti*; ma nelle rime petrarcheggia anche lui), il Berni, il Doni, il Grazzini; ma anche non Toscani come Cornelio Castaldi e più tardi Giordano Bruno.

Proteste si levano anche qua e là da parte del Firenzuola, del Castiglione, del Lenzoni, del Nelli ecc. contro la stucchevole imitazione boccaccesca.

Il Salviati, in tutta la sua opera risoluto fautore del «buon secolo», ricercatore di testi trecenteschi, e soprattutto ammiratore e studioso del Boccaccio, trova che un solo scrittore contemporaneo è giunto a immedesimarsi perfettamente nelle parole e nello stile trecentesco, il Della Casa nel *Galateo*, «il quale, oltreché non ha voce, o maniera di parlare, che non si truovi nelle scritture della migliore età, quello, che maggior cosa è, e che appena par da credere, si è questa: che l'Autore la moderna legatura delle parole, ed il moderno suono, mentre continuo l'aveva nelle orecchie, si potette dimenticare, e nello stesso, e proprio, e vero stile dettarlo di quel buon secolo»[64].

Ma la principale pietra di paragone è l'atteggiamento degli scrittori

---

[64] *Avvertimenti...*, I, Venezia 1584, p. 94. L'opinione del Bembo e del Salviati che la lingua avesse toccato il suo culmine nel Trecento se ha parecchi difensori ha anche molti negatori. Lorenzo de' Medici pensava che la lingua fosse ancora nella sua «adolescenza», il Castiglione che fosse «tenera e nova», il Gelli era certo che «la è viva e va all'insù», il Varchi riteneva che non avesse «messo ancora i lattaiuoli». Valerio Marcellino restava incerto se la lingua «va salendo verso il mezzogiorno, o se pur declina verso l'occaso».

rispetto alle parlate moderne. Il Bembo accettando la norma trecentesca, escludeva un contemperamento: nelle *Prose* (libro I) fa dire a suo fratello Carlo che «l'essere a questi tempi nato fiorentino, a ben volere fiorentino scrivere, non sia di grande vantaggio»; e a Ercole Strozzi, che suggerisce di mescolare la lingua toscana antica e quella nuova, Carlo Bembo risponde che «il pane del grano non si fa miglior pane per mescolarvi la saggina» (conclusione del I libro).

Il Bembo, e con lui molti non toscani, preferiscono nel plasmare la loro lingua letteraria cercare un solido fondamento nei libri, anziché nelle parlate italiane così diverse e fuggevoli, ovvero nell'uso toscano o cortigiano, anch'essi più o meno labili.

Invece i Toscani, che si trovano ad avere a disposizione, già per natura, una grammatica e un lessico in gran parte conformi alla norma già accolta, non hanno da far altro che servirsene, tutt'al più accettando anch'essi qualche suggerimento dai grandi trecentisti. Nel valersi a scopi letterari dei mezzi espressivi di cui già dispongono, si accorgono che volendo attingere all'uso dei nobili, della borghesia e del popolo possono mietere e spigolare locuzioni vivacemente espressive per inserirle nei loro scritti. Lo fanno ampiamente il Firenzuola, l'Aretino, il Doni, il Varchi, il Cecchi, il Davanzati e tanti altri: è molto difficile dire (e si può fare solo uno per uno, perché i loro atteggiamenti sono vari) in che misura si tratta di «retorica popolaresca»[65], di sforzatura manieristica.

Pochi sono i non Toscani che si sforzano di adeguarsi all'uso parlato fiorentino. Il più notevole è il Caro, marchigiano, che nel *Commento di Ser Agresto* asseriva di non voler usare «nè la boccaccevole, nè la petrarchevole, ma solamente la pura e pretta toscana d'oggidì, e della comune quella parte, che ancora da essi Toscani è ricevuta»; mentre stava scrivendo gli *Straccioni* chiedeva agli amici fiorentini di fornirgli modi di dire[66], e nella polemica col Castelvetro sosteneva «essere di più vantaggio che non pensate, l'haver havuto mona Sandra per balia, maestro Pippo per pedante, la loggia per iscuola, Fiesole per villa, haver girato più volte il coro di Santa Riparata, seduto molte sere sotto il tetto de' Pisani, praticato molto tempo, per Dio, fino in Gualfonda per saper la natura d'essa [lingua]»[67].

Altri che pur valutano altamente l'importanza della lingua parlata, e non vogliono riconoscere a Firenze e alla Toscana altra priorità che quella già conclusa con l'attività dei grandi trecentisti, puntano sull'importanza della lingua che si parla in altri luoghi di Italia. Anzitutto nelle corti, e in primo luogo in quella di Roma, che è il centro internazionale del cattolicesimo e uno dei principali luoghi d'incontro

[65] A. Momigliano, *Studi di poesia*, Bari 1948, p. 72.

[66] «Io vi ricordo, che voi faceste già ricolta di molti proverbi toscani; se me gli poteste mandare, mi tornerebbero forse in qualche luogo a proposito» (lettera a Luca Martini, giugno 1543: *Lettere famil.*, I, p. 278 Greco).

[67] A. Caro, *Apologia de gli Academici di Banchi*, Parma 1553, p. 168.

della vita politica e culturale italiana; e inoltre in corti come quelle di Mantova, di Ferrara, di Urbino.

I tratti comuni che queste varietà di «lingue di corte» possedevano (molti elementi uguali dovuti all'accoglimento dei modelli letterari trecenteschi, un numero notevole di latinismi del tipo *populo, commune, anatomia* contrapposti alle forme toscane *popolo, comune, notomia,* ecc.) non costituivano una vera e propria lingua sufficientemente compatta, ma erano tuttavia abbastanza numerosi da offrire argomenti a quegli scrittori che intendevano accogliere forme e parole in uso nelle corti, e non ritenevano né di doversi limitare all'uso trecentesco né di piegarsi all'uso toscano. Vedremo nel § 8 quali argomenti vengono addotti, nei primi decenni del Cinquecento, per difendere e per oppugnare questo punto di vista.

La libertà di scelta è proclamata da quelli che parlano di lingua italiana, comune, universale; e c'è chi ritiene che la lingua debba essere «mista»[68].

Altri fa professione d'adoperare la lingua della propria città: «Zoan» Gonzaga dichiara scritto «in lingua mantuana» un suo libretto sul principe[69]; G. Filoteo Achillini ritiene «ch'el fa mal chi die' dir quando si slingua», e perciò mantiene il «dir felsineo» suo[70]; Baldassarre Olimpo da Sassoferrato dichiara: «La compositione mia... è secondo la mia dolce e cara patria dove so' inteso e non curo andare altrove, e perché ivi, in quel freddo, nudo et asperrimo Sasso nacque chi me costrenge a far tal cose...»[71]; Antonino Venuti dice di scrivere «in siculo idioma constructo per esser in queste nostre parti con più facilità di tucti inteso, nobilitato anchor dalcuni vocaboli da quella ecelsa et principale lengua toscana»[72]. Questi ed altri autori che fanno analoghe dichiarazioni, non si scostano tuttavia quanto si potrebbe credere dal tipo d'italiano letterario che si sta generalizzando[73].

---

[68] Don Anselmo Tanzi, milanese, nella sua prefazione alla versione da Boezio (1520) dice di essersi servito «d'un volgar piano, chiaro et intelligibile, non in sola lingua Napolitana, ne Tosca ne Lombarda, ma mista, et in comune, et dimestico parlare...» (cit. da Argelati, *Biblioteca d. volgarizzatori*, I, p. 164).

[69] Cian, *Studi... Rajna*, p. 292.

[70] *Fedele*, l. II, c. XVIII (ap. Del Balzo, *Poesie di mille autori*, IV, p. 544).

[71] Ed. 1539 (cit. in *Arch. rom.*, IV, 1920, p. 90).

[72] *De agricultura opusculum*, Napoli 1516 (cit. da L. Natoli, *Studi su la letteratura sicil. del s. XVI*, I, Palermo 1896, p. 17).

[73] Se ne scosta parecchio, invece, il siciliano illustre teorizzato dal siracusano Mario d'Arezzo, nelle *Osservantii dila Lingua siciliana et Canzoni in lo proprio idioma*, Messina 1543; p. es.: «disputando si la lingua siciliana, la quali hogi noi tenimo, per havir tutti soi vocabuli distisi, & interi, non mezi & mutilati, et per potirsi schietta scriviri, et per tutta Italia intendiri, appari tanto bona, como di tutti altri contrati chiusi di l'Appi, & di l'uno, & l'altro mari» (c. 10 a: ho sott'occhio la ristampa a cura di G. B. Grassi, Palermo 1912): è un esperimento «autonomista» curioso, ma non molto significante. Cfr. il cap. IV del saggio di L. Sorrento, *Diffusione*. Nemmeno riuscì il tentativo di Girolamo Araolla di dare alla Sardegna una lingua letteraria (fondata sul logudorese settentrionale, con

Nella seconda metà del secolo, divulgatisi numerosi testi in verso e in prosa di scrittori contemporanei, placatesi le dispute sulla lingua, consolidatesi le norme in trattati grammaticali e repertori lessicali, è ormai raro trovare negli scrittori dichiarazioni di scelte indipendenti: anche se il canone non è uniforme, si tende piuttosto a conciliare le diversità che a esasperarle. Non manca tuttavia chi, come il Bruno, mantiene una sua estrosa indipendenza[74].

7. *L'uso letterario dei vernacoli*

La consapevolezza che ormai c'è una lingua letteraria comune valida per tutta l'Italia (consapevolezza a cui si giunge durante la prima metà del secolo) dà la spinta al fiorire della letteratura dialettale riflessa[75]. Gli scritti in dialetto anteriori a questa età miravano, salvo poche eccezioni[76], a una lingua il più possibile dirozzata, pronta a risolversi in coinè; gli scritti in vernacolo che ora cominciano ad apparire sono stilizzati in forme realistiche, volutamente fedeli alla rozzezza dei singoli vernacoli, in quanto questi venivano ormai contrapposti alla lingua generalmente accolta.

Il «genere» che meglio si presta a questa contrapposizione, attraverso il gioco scenico dei vari personaggi, è la commedia: troviamo un villano che parla faentino in una *Commedia nuova* di Pier Francesco da Faenza (non datata, ma probabilmente dei primi anni del Cinquecento); nelle farse dell'Alione agli interlocutori astigiani si mescolano dei francesi, un milanese, un «lombardo»; nella *Venexiana*, allo scorrevole veneziano delle due gentildonne si contrappone l'italiano un po' stentato e affettato del giovane e il bergamasco di un facchino; nella

---

italianismi e spagnolismi nei casi in cui mancasse la voce sarda): v. la ristampa delle *Rimas spirituales* a cura del Wagner, Dresda 1915, e dello stesso, *La lingua sarda*, cit., pp. 49-51.

[74] E, di tanto in tanto, qualcuno ancora protesta contro il toscanismo arcaizzante: così il milanese Lomazzi (*Grotteschi*, Milano 1587, p. 290) o il perugino Caporali (*Viaggio di Parnaso*, parte II, *Il pedante*).

[75] «Il fare libri nel dialetto proprio agli autori non toscani cominciò tardi e fu per gioco...», osservava già G. Capponi, *Nuova Antol.*, XI, 1869, p. 676. Si veda B. Croce «La letteratura dialettale riflessa, la sua origine e il suo ufficio storico», in *Critica*, XXIV, 1926 (rist. in *Uomini e cose della vecchia Italia*, I); L. Sorrento, «La poesia dialettale e il Parnaso siciliano», in *Rassegna*, XXXV, 1927, pp. 105-122; Id., «Per la storia della poesia dial. in Italia», in *Atti I Congr. tradiz. popol.*, Firenze 1930; B. Migliorini, «Dialetto e lingua nazionale a Roma», in *Capitolium*, luglio 1932 (rist. in *Lingua e cultura*, pp. 109-123); M. Sansone, «Relazioni fra la letteratura italiana e le letterature dialettali», in *Problemi e orientamenti*, IV, pp. 261-327. Anche J. Gilliéron distingueva nella storia del francese l'*ère des dialectes* dall'*ère des patois*.

[76] Abbiamo trovato delle eccezioni specialmente nel Veneto: abbiamo ricordato Francesco di Vannozzo e Antonio Beccari nel '300 (pp. 188-189); ma citando il quattrocentista veronese Giorgio Sommariva abbiamo anche osservato che i suoi sonetti rusticali non furono pubblicati che molto più tardi (p. 250).

prima commedia di Ruzzante, la *Pastorale*, due contadini pavani hanno a che fare con un medico bergamasco e il suo servo[77]. La presenza di uno o più personaggi che parlano nel loro dialetto finisce col diventare un espediente comico usuale nella commedia della seconda metà del Cinquecento e del Seicento[78]; e la caratterizzazione delle maschere avviene anche per mezzo del dialetto attribuito a ciascuna di esse.

Anche in alcune commedie toscane entrano in scena personaggi rustici, con dialettalismi spiccati[79].

S'intende bene che, abituatosi il pubblico al pimento dialettale, vi possono anche essere commedie in cui tutti i personaggi sono plebei e parlano in dialetto: resta sempre presente la virtuale contrapposizione alla lingua usuale.

Non mancano scritti dialettali di altri generi, specie nella seconda metà del secolo e nell'Italia settentrionale: le rime e le lettere di A. Calmo in veneziano, le liriche veneziane di Maffeo Venier; un poemetto eroico con reminiscenze ariostesche, l'anonimo *Pulon matt* di Cesena, e qualche altra lirica (ricordiamo G. B. Maganza «pavano», B. Cavassico bellunese, Paolo Foglietta genovese).

Diverso è l'atteggiamento dei Siciliani, che tentano un dialetto con molti elementi locali, ma culturalmente raffinato[80].

Anche del gergo furbesco si ebbero nel Cinquecento alcune stilizzazioni letterarie – o quasi[81].

8. *La questione della lingua*

Tutto il Cinquecento è pieno di polemiche letterarie, e a guardar bene si potrebbe cavare qualche frutto linguistico da ciascuna di esse:

---

[77] Dalle valli bergamasche provenivano numerosi a Venezia i servi e i facchini, e la rozzezza del loro dialetto rese proverbiale Bergamo come sede del parlare incolto: si vedano le numerose testimonianze allegate dal Cian a proposito della frase del Castiglione («non vi ristringendo voi a dichiarir qual sia la migliore, potrebbe l'omo attaccarsi alla bergamasca come alla fiorentina»: *Corteg.*, l. I, cap. xxx). Il Davanzati postillando la sua traduzione degli *Annali* (IV, 14), notava che una «goffissima lingua bergamasca o norcina» era adoperata «da Zanni o Ciccantoni» per far ridere.

[78] Nella Commedia *La vedova* di G. B. Cini (1569) vi sono personaggi che parlano veneziano, bergamasco, siciliano, napoletano. I testi di questo genere non ci danno di solito molte garanzie di autenticità; ma per il pavano è preziosa la documentazione che ce ne dà il Beolco, e per il romanesco della fase antica la testimonianza della vecchia serva Perna raffigurata da C. Castelletti nelle *Stravaganze d'amore* (1585).

[79] Si pensi specialmente a quelle dei Rozzi di Siena; ma anche in alcune commedie del Cecchi v'è qualche personaggio che parla il fiorentino plebeo.

[80] Sorrento, art. cit.; C. Naselli, «Una sacra rappresentazione siciliana del sec. XVI», in *Pallante*, VI (rist. in *Studi di antica letteratura sicil.*, Catania 1935).

[81] R. Renier, «Cenni sull'uso dell'antico gergo furbesco nella letteratura italiana», in *Miscellanea Graf*, Bergamo 1908 (rist. in *Svaghi critici*, Bari 1910, pp. 1-30).

le dispute su Petrarca e il petrarchismo, sul Boccaccio, su Dante; la diatriba fra il Caro e il Castelvetro; le discussioni suscitate dal Tasso.

Ma la polemica più importante è quella cui fu dato il nome di «questione della lingua»[82]. Essa è il prodotto delle riflessioni nate dall'incertezza della norma linguistica nei primi decenni del secolo e dal desiderio di porvi rimedio. Intervengono nella discussione alcuni fra i più autorevoli rappresentanti del gusto letterario e linguistico, a difendere quel tipo di lingua verso cui si erano orientati come scrittori.

Nella prima metà del secolo si distinguono bene tre correnti: quella arcaizzante che fa capo al Bembo, quella che inclina verso una lingua di tipo eclettico, più o meno ispirata alla coinè delle corti, e infine la corrente toscana, che ritiene che la lingua debba prendere per modello il fiorentino o più genericamente il toscano moderno.

Cominciamo a vedere le opinioni del Bembo. Il dotto veneziano sostanzialmente trasferisce nell'umanesimo volgare le teorie sull'imitazione dei classici che egli professa quale scrittore latino. Nel febbraio 1512 egli ha già pronto il primo libro delle *Prose della volgar lingua*, e il 1° aprile dello stesso anno invia il secondo libro a Trifone Gabriele e ad altri amici per riceverne consigli, e ancora nel 1522 attende all'opera, benché nel pubblicarla (nel 1525) egli la presenti come definitivamente conclusa prima del marzo 1516 (certo per rivendicare la priorità sul Fortunio).

Le *Prose* figurano come un dialogo che sarebbe avvenuto a Venezia nei giorni 10, 11, 12 dicembre 1502 tra Giuliano de' Medici (poi duca di Nemours), Federigo Fregoso, Ercole Strozzi e Carlo Bembo (portavoce delle idee del fratello).

Nel primo libro (dopo la discussione, a cui abbiamo qui addietro accennato, sui pregi del volgare e del latino) si parla delle origini della letteratura in volgare e dell'influenza esercitata dai Provenzali. Poi si viene a trattare delle diversità del volgare in Italia, e delle opinioni del Calmeta sulla lingua cortigiana, nel suo libro (ora perduto) sulla poesia volgare. Ma la lingua cortigiana non è una vera lingua: è vero che essa si parla alla corte pontificia, «ma – dice Giuliano de' Medici – questo favellare tuttavia non è lingua, perciò che non si può dire che sia veramente lingua alcuna favella che non ha scrittore» (affermazione assai discutibile, ma tipica, e atta a spiegare l'impostazione letteraria sempre mantenuta in Italia dalla questione della lingua). Per mostrare che il fiorentino è la lingua più regolata, Giuliano allega i suoi «due Toschi», «il Boccaccio e il Petrarca senza più». Carlo Bembo spiega come il fratello abbia dettato gli *Asolani* «in fiorentina lingua», nello

---

[82] Un ampio resoconto del dibattito è nel mio articolo pubblicato in *Problemi e orientamenti*, III, pp. 14-42. Dei molti scritti intorno alla questione, basti citare V. Vivaldi, *Storia delle controversie* (farraginosa ma utile), Th. Labande Jeanroy, *La question de la langue*, B. T. Sozzi, *Aspetti e momenti* (che sottolinea soprattutto gli aspetti sociali della questione), M. Vitale, *La questione della lingua*, Palermo 1960.

stesso modo che i Greci preferivano la lingua attica perché «più vaga e più gentile». La lingua fiorentina delle regolate scritture, ben s'intende, ché quando si vedono i fiorentini seguire l'andazzo dei tempi, si dubita «che l'essere a questi tempi nato fiorentino, a ben volere fiorentino scrivere, non sia di molto vantaggio». Giuliano difende i suoi concittadini, affermando che «le scritture, sì come ancor le veste e le armi, accostare si debbono e adagiare con l'uso de' tempi, ne' quali si scrive». Ma Carlo Bembo risponde che «la lingua dalle scritture non deve a quella del popolo accostarsi, se non in quanto, accostandovisi, non perde gravità, non perde grandezza». E se si contemperasse l'antico e il moderno? suggerisce lo Strozzi. No, no, risponde Carlo: «il pane del grano non si fa miglior pane per mescolarvi la saggina».

Nel secondo libro si passa a parlare della scelta e della disposizione delle voci. Bisogna scegliere «le più pure, le più monde, le più chiare... le più belle e grate voci». Perciò è meglio lasciar da parte Dante, che talvolta adopera voci «rozze e disonorate». Un opportuno contemperamento di grazia e di piacevolezza fa bella ogni scrittura, e per ottenere queste occorre badare al «suono», al «numero» (cioè al ritmo), e alla «variazione». Si passa quindi a discorrere della distribuzione delle rime nei versi, della posizione degli accenti (nei vocaboli e per ottenere il ritmo), e infine delle voci arcaiche.

Il terzo libro è un'esposizione dei punti più importanti della grammatica italiana, fatta da Giuliano. L'abbondante esemplificazione è tratta in grande prevalenza dal *Decamerone* e dal Petrarca, ma non mancano citazioni da Dante, dalle opere minori del Boccaccio e da poeti duecenteschi.

L'impostazione del Bembo è, come s'è visto, eminentemente retorica: egli si rivolge agli scrittori, e li spinge a cercare una lingua elegante attraverso l'imitazione dei migliori trecentisti toscani. Egli usa promiscuamente i termini «fiorentino, toscano, volgare»: la disputa su quei vocaboli non era ancora nata, e più tardi il Bembo evitò d'entrarvi[83].

---

[83] Il Bembo è anche introdotto come protagonista nel *Dialogo delle lingue*, composto poco dopo il 1530, da Sperone Speroni padovano. Nel dialogo, oltre alla disputa sulla preminenza del latino o del volgare (v. p. 299), si dibatte fra il Cortigiano e il Bembo l'argomento già esposto nelle *Prose*. «Dunque se io vorrò bene scrivere volgarmente – dice il Cortigiano – converrammi tornare a nascer toscano?» «Nascer no, – risponde il Bembo – ma studiar Toscano; ch'egli è meglio per avventura nascer Lombardo, che Fiorentino; perocché l'uso del parlar Tosco oggidì è tanto contrario alle regole della buona lingua Toscana, che più nuoce altrui esser nato di quella provincia che non gli giova» (p. 59 De Robertis). Lo Speroni riprende, accentuandola, l'opposizione, bembesca al toscano vivo, il quale non ha alcun difensore nel dialogo, giacché il Bembo sostiene la sua tesi arcaistica e il Cortigiano quella dell'uso delle corti (le poche parole che quest'ultimo sembra spendere a favore del fiorentino moderno – p. 60 – servono solo per provocare la confutazione del Bembo). Lo Speroni tessé anche le lodi del Bembo in un'orazione funebre (1547), e tornò sulla questione della lingua nel tardo *Dialogo della historia*.

Vediamo ora le opinioni dei fautori delle tesi eclettiche moderne (lingua cortigiana, lingua comune italiana).

Il primo nome in cui ci imbattiamo è quello di Vincenzo Colli, detto (dal nome d'un «pastor solennissimo» nel *Filocolo* del Boccaccio) il Calmeta[84]. Nato di famiglia «insubre» a Chio nel 1460, morto nel 1508, fu mediocre poeta. Aveva scritto un trattato *Della vulgar poesia*, in nove libri, che è andato perduto, e che solo conosciamo attraverso quello che ne dicono il Bembo (nelle *Prose*) e il Castelvetro (nella *Correttione d'alcune cose nel Dialogo delle lingue di B. Varchi, et una Giunta al primo libro delle Prose di M. Pietro Bembo*, Basilea, 1572)[85]. Il Calmeta a quelli che volevano scrivere in versi «commenda oltre a tutte le altre lingue d'Italia» la fiorentina, consiglia lo studio di Petrarca e del Boccaccio, e per affinare e arricchire la lingua che così si saranno procurata raccomanda di attenersi al modello della corte di Roma: di qui il nome di *lingua cortigiana* di cui si serve il Calmeta[86].

Altri fautori della lingua cortigiana sono Mario Equicola, Angelo Colocci e Giovanni Filoteo Achillino, i cui nomi troviamo, insieme con quello del Calmeta, nelle *Collettanee Grece Latine e Vulgari* che furono pubblicate nel 1504 per onorare la memoria di Serafino Aquilano.

Mario Equicola, nato ad Alvito (fra Sora e Cassino) nel 1470, fu segretario dei Cantelmo di Sora, e poi alla corte di Mantova. Il suo libro *De natura de amore*, che egli aveva composto in latino in età giovanile, fu poi da lui stesso tradotto (benché egli pensasse di attribuire la traduzione a suo nipote Francesco Prudenzio); la prefazione contiene un'apologia della lingua cortigiana e un'invettiva contro la toscana[87].

In parecchi passi del libro, l'Equicola si sofferma sulla scelta tra il parlar fiorentino e il parlar cortigiano, praticamente inclinando verso il secondo. Egli loda Giovanni Iacovo Calandra mantovano perché nella sua *Aura* «non con vocaboli dal latino fastidiosamente tratti ha sua inventione vestita ma di parole con indefessa diligentia dalla corte elette» (c. 38 b dell'ed. 1531). Più oltre dà consigli a chi frequenta le corti sul modo di parlare: è bene evitare le forme plebee del proprio naturale

[84] Tutto quello che ci rimane del Calmeta è stato pubblicato da C. Grayson, Bologna 1959.

[85] Le testimonianze non coincidono del tutto, probabilmente perché il Bembo, che aveva conosciuto il Calmeta e aveva discusso con lui a Urbino, si riferisce alle idee del Calmeta quali le ricordava, mentre il Castelvetro s'attiene più da vicino al libro.

[86] P. Rajna, «La lingua cortigiana», in *Miscellanea linguistica... G. I. Ascoli*, Torino 1901, pp. 295-314; F. Neri, «Nota sulla letteratura cortigiana del Rinascimento», in *Bulletin italien*, VI, 1906 (rist. in *Letteratura e leggende*, Torino 1951, pp. 1-9).

[87] Nel testo stampato del *Libro de natura de amore*, Venezia 1525, l'Equicola espone molto più in breve le sue idee (nella dedica a Isabella d'Este). Si veda il testo della prefazione ap. Renier, *Giorn. stor. lett. ital.*, XIV, 1889, p. 227; per l'attribuzione della traduzione e per le pagine introduttive v. ora G. Castagno, *Lingua nostra*, XXIII, 1962, pp. 74-77.

dialetto, attenersi al fiorentino solo se si è sicuri di proferirlo bene, cosa difficilissima, dilettarsi delle parole che non siano aliene o remote dal comune uso (cc. 161-162 dell'ed. cit.).

Angelo Colocci di Iesi, dal 1497 stabilito a Roma con importanti uffici presso la Curia, oltre che lo studio delle lingue classiche, coltivò quello delle lingue neolatine. Nell'*Apologia* di Serafino (nelle *Collettanee* già cit.) difende il Ciminelli per non essersi reso familiare il toscano:

> pongasi da un lato l'auctorità de' Toscani, dicamo ch'egli habbi usato el suo materno ydioma, che ben era iusto che in tante carte da lui vergate & scripte qualche segno della sua propria ve rimanesse. Et lassamo star che Dante, secondo che lui dice, con ogni industria sforzavasi ampliar la sua vernacula lingua, & pur nell'alta Comedia più tosto dicer volse la nostra *pica* che la sua *ghiandaia* & altri nostri vocabuli infiniti, in ciò scusandolo se alle volte non è stato verecundo della novità delle vocabuli. Benché nisuno edicto ne prohibisce proferir quelle parole (sì sono ingenue) che la nostra nutrice con le canzon de la cuna & con l'arte n'ha insegnato; senza che essendo el S[eraphino] subdito & propinquo al Regno di Napoli, non è fuor d'honestà ch'a Sicilia, matre delle rime, se sia alle volte conformato (p. 31 della rist. Menghini).

Dagli appunti del Colocci (conservati nel manoscritto Vat. 4817) possiamo conoscere le sue opinioni intorno alla lingua, le quali si distaccano sia da quelle del Calmeta, sia da quelle del Trissino: «La lingua è comune. Ma quando ben in Italia non sia una lingua comune, certo quella che Petrarca di tante lingue ha facto per imitazione, è comune» (c. 1 a). L'inconveniente maggiore nasce dagli idiotismi, di cui il fiorentino abbonda («le metaphore che da lingua a lingua sono diverse, e'n questa fanno ornato e difficultà alli peregrini»); cita come esempi *cilecca, schembo, ribotoli, chente* e il dantesco *s'insala*; «la fiorentina è la più pericolosa di queste metafore, che è quasi tra loro una cifra» (c. 54 a). Egli vorrebbe ricollegare la sua «lingua comune» alle lingue preromane d'Italia: «È mia opinion che sempre fu el Vulgare. Altra cosa era la lingua latina, altra la picena [citata prima fra le altre dall'autore iesino], osca e tosca et sabina. Nui che componemo nella comune lingua di Italia, non la latina, ma la comune cerchiamo imitar» (c. 115 a)[88].

Abbiamo citato tra quelli che parteciparono alle *Collettanee* anche Giovanni Filoteo Achillino, che ne fu, anzi, l'editore. Troviamo l'espressione delle sue idee nelle più tarde *Annotazioni della volgar lingua* (Bologna 1536), in forma di dialogo, nelle quali è satireggiata la lingua toscana e difesa la «comune». Egli vorrebbe scrivere *cognosco* e non *conosco*, *Gieronimo* e non *Girolamo*, *Olempo* e non *Olimpo*, *epistola* e non *pistola*, e così via. Alcuni vocaboli di Dante, di Petrarca e del Boccaccio, che l'Achillino trova strani, sono severamente biasimati.

[88] G. Salvadori, «Lingua comune e lingua cortigiana negli appunti di A. Colocci», in *Fanfulla della domenica*, 16 maggio 1909.

A colloqui sulla lingua tenuti alla corte di Urbino si ricollegano anche le pagine del *Cortegiano* di Baldassarre Castiglione. Benché, per il titolo del famoso suo libro, egli sia stato ritenuto fautore della «lingua cortigiana» (come tale lo fa intervenire il Tolomei nel dialogo *Il Cesano*), egli non adopera mai questo termine[89].

Nei capitoli 28-39 del I libro del *Cortegiano* il Castiglione immagina di riferire certi ragionamenti tenuti alla corte di Urbino, nel 1507: si è stabilito per gioco di «formare con parole un perfetto Cortegiano», e fra le altre qualità sociali che il cortigiano deve avere, c'è quella della lingua. I principali interlocutori sono il conte Ludovico di Canossa, che interpreta le opinioni del Castiglione, e Federigo Fregoso, che sostiene idee molto affini a quelle del Bembo. Meno importanti sono gli interventi di altri, come il magnifico Giuliano de' Medici (che già conosciamo dalle *Prose* del Bembo), il card. Bibbiena e altri ancora.

Anche per ciò che concerne la lingua il canone essenziale è un canone di buon gusto sociale: evitare l'affettazione. Dunque, sostiene il Canossa, bisogna anzitutto evitare gli arcaismi. Non però scrivendo, controbatte il Fregoso. E il Canossa si sofferma sui rapporti fra lingua parlata e lingua scritta: «è ragionevole che in questa si metta maggior diligenzia, per farla più culta e castigata; non però di modo, che le parole scritte siano dissimili dalle dette, ma che nello scrivere si eleggano le più belle che s'usano nel parlare».

Il Fregoso sostiene piuttosto che nella scrittura sia bello usar parole «non dirò di difficultà, ma d'acutezza recondita». Meglio di tutto, anche per evitare le difficoltà che nascono dalle diverse consuetudini delle città nobili d'Italia, è attenersi all'uso del Petrarca e del Boccaccio. L'ideale del Canossa è invece eclettico: non è nemico del toscano, ma è tutt'altro che incline a limitare ad esso la scelta: vuole che si usino «scrivendo e parlando quelle [parole] che oggidì sono in consuetudine in Toscana e negli altri loci della Italia, che hanno qualche grazia nella pronuncia». Saranno da evitare gli arcaismi, ma non quei francesismi e quegli spagnolismi «che già sono dalla consuetudine nostra accettati». Insomma il suo ideale è una lingua che «se ella non fosse pura toscana antica, sarebbe italiana, comune, copiosa e varia».

Nella lettera dedicatoria (premessa all'edizione del 1527, cioè di parecchi anni posteriore alle discussioni provocate dal Bembo e dal Trissino), il Castiglione risponde, piuttosto che ai dissensi suscitati dai ragionamenti del *Cortegiano* in quelli che intanto l'avevano letto, alle censure mosse alla sua lingua; e conferma di non essersi voluto obbligare a seguire la consuetudine del toscano modernamente parlato, e tanto meno quella degli scrittori toscani antichi. Se in Toscana si usano «molti vocaboli chiaramente corrotti dal latino, li quali nella Lombardia e nell'altre parti d'Italia son rimasti integri e senza

---

[89] Probabilmente, come ha pensato il Rajna, per non confondersi con i partigiani della tesi del Calmeta.

mutazione», perché attenersi alle forme toscane? Il Castiglione insiste qui sugli argomenti che già aveva svolti nel dialogo, a proposito di coppie come *popolo - populo, orrevole - onorevole* e simili (in cui tuttavia egli non si rende conto che le forme che considera rimaste integre sono invece latinismi). Non «credo – conclude il Castiglione – che mi si debba imputare per errore lo aver eletto di farmi piuttosto conoscere per lombardo parlando lombardo, che per non toscano parlando troppo toscano» (secondo il noto aneddoto di Teofrasto, il quale fu riconosciuto come non ateniese perché parlava troppo ateniese).

Risulta chiaro che le discussioni sulla lingua erano frequenti nelle corti settentrionali (specialmente Urbino e Mantova) e alla corte pontificia nei primi lustri del secolo, e si inclinava in esse alla soluzione «cortigiana».

Giangiorgio Trìssino, gentiluomo vicentino, portò a rincalzo dei partigiani di quella tesi l'autorità di Dante o almeno di ciò che egli credette di vedere nel *De vulgari eloquentia* quando fu venuto in possesso di una copia del trattatello dantesco (e cioè dell'esemplare che poi passò alla Biblioteca Trivulziana). Il Trissino fece conoscere il contenuto dell'opera (e forse ne fece vedere il manoscritto) a quel gruppo di letterati che si radunava negli Orti Oricellari, in uno dei suoi soggiorni a Firenze, probabilmente in quello del 1514; e continuò a parlarne nelle sue permanenze a Roma (1514-18, 1524, 1526).[90].

Il Trissino verso la metà del novembre 1524 pubblicava la sua *Epistola de le lettere nuovamente aggiunte ne la lingua italiana*, in cui giustificava la nuova grafia, con gli ε e gli ω, applicata nella sua edizione della *Sophonisba* nel settembre dello stesso anno.

Nella lettera il dotto vicentino parlava, fin dal titolo, di «lingua italiana», e distingueva nettamente, specie per la pronunzia, tra un uso *toscano* (o *tosco*, o *fiorentino*), e un uso *cortigiano e commune*. La nuova ortografia, a suo credere, avrebbe aiutato «mirabilmente ad asseguire la pronunzia Toscana, e la Cortigiana, le quali senza dubbio sono le più belle d'Italia». Nella *Sophonisba*, egli dice, «tanto ho imitato il Toscano quanto ch'io mi pensava dal resto d'Italia poter esser facilmente inteso; ma dove il Tosco mi pareva far difficultà, l'abbandonava; e mi riduceva al Cortigiano, e commune». Qualche volta egli si è «troppo al Fiorentino accostato», come nella pronunzia aperta dei dittonghi *ie* e *uo*, «perciò che giudico manco riprensibile peccato l'accostarsi troppo al Toscano, che 'l discostarsi troppo da esso»[91].

L'*Epistola* sollevò un coro di proteste, principalmente fra i Toscani: Lodovico Martelli, Angelo Firenzuola, Claudio Tolomei (sotto il nome di Adriano Franci) impugnarono le proposte ortografiche del Trissino; e

[90] Nacque dai colloqui fiorentini un'operetta vivacemente polemica del Machiavelli, di cui parleremo più sotto (p. 320).

[91] Questo passo figura molto accorciato nella seconda edizione dell'*Epistola*, pubblicata nel 1529. Lo cito dall'edizione originale, tuttavia abbandonando le peculiarità grafiche trissiniane.

ad essi si unì anche un veneto, Nicolò Liburnio. Insieme con gli argomenti più propriamente ortografici, gli avversari del Trissino discussero il nome di «italiana» dato alla lingua dal dotto vicentino: specialmente il Martelli sosteneva la fiorentinità della lingua ed impugnava l'autenticità del *De vulgari eloquentia*.

Il Trissino rispose nel dialogo *Il Castellano*, composto nel 1528 e pubblicato nel 1529. L'azione del dialogo è collocata poco dopo la pubblicazione dell'*Epistola*: vi prendono parte Giovanni Rucellai (nominato da Clemente VII castellano di Castel Sant'Angelo e morto nel 1525, il quale presenta le opinioni del Trissino, suo fraterno amico), Filippo Strozzi (il quale spesso cita letteralmente i passi del Martelli), Iacopo Sannazzaro, Antonio Lelio e Arrigo Doria: quest'ultimo è forse fratello di quel Giovanni Battista Doria a cui il Trissino attribuisce, nell'edizione di quello stesso anno 1529, la traduzione del *De vulgari eloquentia*. I due principali interlocutori (il Rucellai e lo Strozzi) sono, si noti, ambedue fiorentini.

Da principio il Trissino sta sulla difensiva. Gli avversari lo rimproverano di aver «spogliato la Toscana del nome della sua lingua»; niente affatto: egli ha solo parlato di «lingua italiana», poi che egli considera che la lingua toscana è italiana, e una fra le più insigni tra le lingue italiane. Poi egli passa (sempre per bocca del Castellano) all'offensiva: non è vero che i più antichi scrittori abbiano adoperato il toscano: i più antichi poeti sono stati i Siciliani, «alle cui canzoni e sonetti troverà essere più simili le rime di Dante e del Petrarca, che non sono a quelle di coloro che hanno scritto in fiorentino puro, come il Burchiello, Battista Alberti, Matteo Franco, Luigi Pulci e altri» (p. 21 dell'ed. Daelli). Infatti il Petrarca ha evitato di scrivere vocaboli «propri fiorentini», come *testé, costì, costinci, cotesto, guata, allotta, suto*. Lo Strozzi obietta, riportando le parole del Martelli: si provi a prendere gli scritti di Dante, del Petrarca, del Boccaccio, o magari quelli del Trissino stesso, e si provi a farli leggere nel contado di Ferrara, o di Vicenza o di Genova, e poi invece in quello di Firenze: si vedrà che solo qui «da tutti naturalmente intesi saranno». Alcune pagine più in là (pp. 37-38 Daelli) il Castellano dirà rispondendo:

vi dirò che 'l Petrarca meglio s'intende in Lombardia che in Fiorenza;... che 'l Petrarca sia naturalmente inteso altrove che in Toscana, si può non solamente conoscere per gli uomini, ma ancora per le donne, in cui più rimane la purità del parlare dei loro regioni, che negli uomini, perciò che non vanno così attorno nè hanno così pratica di forestieri come loro. Quelle di Lombardia certamente meglio intendono il Petrarca, che le nostre di Toscana; e questo avviene perché nel Petrarca è molto del parlare comune, e poco del particular nostro fiorentino.

Per intendere questa strana asserzione, dobbiamo evidentemente riferirci alle gentildonne che il Trissino frequentava, e non alle donne di quegli strati popolari a cui invece si riferiva il Martelli.

Le argomentazioni intorno al nome da darsi alla lingua sono condotte con definizioni e classificazioni di tipo scolastico: vi si discute di generi e specie, di sostanze e accidenti, senza approdare a nulla. Si cerca di chiarire la questione del nome della lingua per mezzo d'un paragone con una persona (Filippo Strozzi che può esser chiamato *Filippo Strozzi* come individuo, oppure *uomo* come specie, o anche *animale* come genere): è un paragone che tornerà spesso nella disputa, malgrado la sua fallacia (l'individualità storica di una lingua è molto diversa da quella di una persona, perché più multiforme e diuturna).

Le dottrine dantesche che il Trissino ha ricavate dal *De vulgari eloquentia* sono continuamente presenti, anche se il trattato viene citato solo verso la fine. Ma il Trissino interpreta a modo suo il trattato di Dante: anzitutto identificando senz'altro il volgare illustre cercato da Dante con la lingua italiana; poi allegando la *Commedia* a riprova del modo con cui la lingua si deve mettere insieme:

la Commedia istessa il manifesta, sendo piena di vocaboli, e di modi di dire di tutta l'Italia, i quali per nessun modo si possono dir fiorentini.

Il criterio dantesco della *discretio*, che è principalmente «eliminazione», è inteso dal Trissino come «mescolanza»:

per meglio conoscere poi la lingua di Dante e del Petrarca, pigliamo i loro scritti in mano, e veggiamo se i vocaboli di quelli sono tutti fiorentini, o no; e chiaramente vedremo, che non saranno tutti fiorentini: perciò che ed *aggio* e *faraggio*, e *dissero* e *scrissero*, e molti simili, che sono formazioni siciliane; e *poria*, e *diria*, e molti simili, che sono lombarde; e *guidardone, alma, salma, despitto, respitto, strale, coraggio, menzonare, scempiare, dolzore, folia, cria, scaltro, quadrella, mo, adesso, sovente*, e moltissimi altri vi si leggono, che non sono fiorentini. Adunque non essendo i loro vocaboli tutti fiorentini, nè toscani, non si può la loro lingua con verità nominare fiorentina, nè toscana... (pp. 45-46).

Infine, va osservato che, nell'appoggiare la propria tesi al *De vulgari eloquentia*, il Trissino non distingue minimamente le condizioni dell'età di Dante da quelle del suo tempo.

Con ogni probabilità di poco posteriore all'*Epistola* del Trissino, e cioè del 1524 (benché l'azione del dialogo sia posta al tempo di Leone X), è il *Dialogo della volgar lingua* dell'umanista bellunese Giovanni Pierio Valeriano, ossia Giovan Pietro Bolzani[92]. Abbiamo, propriamente, un dialogo inserito in un altro (come nell'operetta dello Speroni): il Valeriano immagina che Angelo Colocci riferisca ad Angelo Marostica e a Lelio Massimi (fautori come lui della lingua cortigiana, e spregiatori dell'andazzo toscaneggiante venuto di moda ai tempi di Papa Leone) un dialogo a cui l'ecclesiastico iesino avrebbe assistito presso il cardinale Giulio de' Medici (il futuro Clemente VII): vi partecipano,

[92] Il dialogo fu pubblicato a Venezia nel 1620, e poi ristampato a Belluno nel 1813, e a Milano nel 1829 e nel 1842. Sull'atteggiamento del Valeriano, v. Croce, nella *Critica*, XLII, 1944, pp. 113-120.

dopo alcune parole del cardinale stesso che si dichiara neutrale, il Trissino, Alessandro de' Pazzi, Claudio Tolomei, Antonio Tebaldeo.

Parte della conversazione verte sulle origini remote dell'italiano, cioè sui rapporti di esso con il latino, il greco, l'etrusco; e su questo punto possiamo sorvolare. L'autore evidentemente parteggiava per le idee sostenute con garbo e moderazione dal Trissino (e, con maggiore decisione e asprezza, dal Tebaldeo): ma non tanto da non lasciar esporre con una certa efficacia dal Tolomei e dal Pazzi la tesi toscana.

Poche volte si viene all'esemplificazione concreta, e quasi sempre nel campo lessicale: il Trissino nega che parole come *corpo, regno, vasi, fiumi* si possano dire toscane, perché tutta l'Italia le possiede; mentre considera come voci propriamente toscane *cinguettare, cavalcioni, civanza, tuttatré... arrubinargli... gnaffe...*: sono i vocaboli che si leggevano nel Boccaccio, ma non erano entrati nell'uso comune. Quando passa a considerare qualche particolarità fonetica toscana, il Valeriano punta sui plebeismi: da un *laudando* del Petrarca egli trae, per bocca del Trissino, una doppia argomentazione: contro i fiorentini moderni che pronunziano *laldando* (vizio che egli attribuisce anche alle persone colte, tant'è vero che egli fa che così legga anche il Pazzi); e a favore del largo uso dei latinismi (*laudare* in luogo di *lodare*), uso che è caratteristico della lingua cortigiana, mentre il toscano preferisce le forme proprie, che dal latino si sono discostate (ciò che per il Tolomei era un vanto, e per il Trissino un demerito).

Man mano che si va innanzi nel secolo, le menzioni della lingua cortigiana si vengono facendo sempre più rare ed incerte[93].

Difende il nome e il concetto di lingua italiana anche Girolamo Muzio (anzi Hieronimo Mutio, per attenerci alla sua volontà). Il volume postumo intitolato *Battaglie in diffesa dell'italica lingua* (Venezia 1582) comprende scritti concepiti e composti in periodi diversi, dal 1530 al 1573: dalla risposta ai due famosi discorsi dell'Amaseo alla *Varchina*, diretta contro l'*Hercolano* del Varchi. In tutto il libro, più o meno severamente secondo i tratti, il Muzio nega un qualsiasi primato del fiorentino: il Bembo con qualche riguardo aveva detto che non era di molto vantaggio il nascer fiorentino; egli ritiene addirittura che sia uno svantaggio. Mira sempre alla lingua degli scrittori «che universalmente per tutta Italia viene intesa» (c. 31 b della cit. ed. del 1582). Gli stranieri che vengono in Italia potranno facilmente imparare l'italiano, ma non il fiorentino che è così pieno d'idiotismi (c. 79 a).

È necessario a chi vuole che gli scritti suoi con laude siano ricevuti da tutte le regioni d'Italia, studiare et dar opera a' buoni libri, et conversar anche fra noi altri Italiani (a' Thoscani parlo) per tinger anche de' colori della nostra tintura,

[93] Ancora Paolo Giovio al principio del *Dialogo delle imprese*, composto nel 1550 circa, professava di non volersi obbligare «alla severità delle leggi di questo scelto toscano; perché io voglio in tutti i modi esser libero di parlare alla cortigiana».

che tanta differenza sarà da chi con la lingua appresa dalle balie et dal popolo vorrà scrivere, a quale haverà data opera agli ornamenti ch'io dico; tanta dico sarà la differenza de gli scritti de gli uni, a quelli de gli altri, quanta dalla Eneida alla Macheronea (c. 80 b)...

Da' libri bisogna imparare a scrivere, ributtando la opinione di coloro, che hanno per sofficienti maestri di buona lingua le balie, & il popolo (c. 116 b).

Biasimato una volta a Firenze, in casa di Tullia d'Aragona, di non saper bene scrivere in fiorentino, perché forestiero, rispose con un sonetto neoplatoneggiante a Tullia (c. 35 a), la cui ultima terzina proclama:

> Et si vedrà che non i fiumi Thoschi,
> ma 'l ciel, l'arte, lo studio, e 'l santo amore
> dan spirto e vita a i nomi et a le carte[94].

Come si vede, più ancora che i fautori della lingua cortigiana, che s'appellano a un modello sociale, sia pure difficilmente afferrabile, il Muzio insiste sulla necessità per i singoli d'un raffinamento letterario eclettico per raggiungere un linguaggio ideale.

I fautori della lingua «comune», «cortigiana», «italiana», si appuntano principalmente contro le forme troppo idiomatiche del fiorentino e in genere del toscano, mirando insieme alla nobiltà dell'espressione e alla sua universalità. Essi preferiscono nelle peculiarità fonetico-lessicali conformarsi al latino piuttosto che al toscano (*febre*, *obedire*, *patrone*, *populo*, *Capitolio*, *dicere*, *facere*, *honorevole* e non *horrevole*, *palazzo* e non *palagio*), accolgono forme analogicamente regolari (del tipo *leggei*, *leggiuto*), rifiutano i toscanismi che si oppongono alla tradizione letteraria già invalsa (*messi*, *detti*, per *misi*, *diedi*). Certo è ben valida l'obiezione che fanno i Toscani, che non si tratta di una «lingua» completa, ma solo di particolarità singole, sulle quali anzi non c'è accordo tra i vari Antitoscani: questa pretesa lingua, obietta il Martelli, «tanto mi pare che chiamar Cortigiano si deggia, quanto il fumo odorifero delle sagrificate vittime, sagrificata carne chiamar si deve» (*Risposta alla Epistola del Trissino*, c. 5 a).

I tratti che accomunano queste teorie sono l'aspirazione a una lingua comune svincolata dalla dipendenza dal toscano e fondata sulla letteratura; ciascuno scrittore avrebbe potuto e dovuto formarsela a proprio modo, con una libera scelta della propria elocuzione.

A queste tesi variamente eclettiche si opponevano i Toscani, e in

---

[94] Similmente nell'*Arte poetica* (c. 70):

> Siccome a' Greci, e siccome a' Latini
> nascer assai non fu greci o latini,
> così non basta il nascimento tosco.
> La beltà, la nettezza della lingua
> si conserva tra i libri, e da' scrittori
> scriver s'impara, e non da volgo errante.

particolar modo i Fiorentini, su cui ci dobbiamo ora soffermare. Le discussioni sulla lingua, che certo si erano fatte a Firenze anche nel Trecento e nel Quattrocento, furono rinfocolate dalla scoperta trissiniana del *De vulgari eloquentia*: il ricordo delle conversazioni tenute negli Orti Oricellari a proposito del trattatello rimase vivo per decenni e fu raccolto dal Gelli e dal Varchi.

Fu allora (probabilmente nell'autunno del 1514)[95] che il Machiavelli dovette prender la penna e scrivere quel suo *Discorso ovvero dialogo in cui si esamina se la lingua in cui scrissero Dante, il Boccaccio e il Petrarca si debba chiamare italiana o fiorentina*. Egli viene discutendo a favore della fiorentinità della lingua contro quelli «meno inonesti» che vogliono che sia toscana e quelli «inonestissimi» che la chiamano italiana. Bisogna confrontare, egli dice, la lingua di Dante, di Petrarca e del Boccaccio con quella di tutti i luoghi d'Italia; per semplicità si potrà tener conto solo delle «provincie», cioè Lombardia, Romagna, Toscana, terra di Roma e regno di Napoli. Se si tien conto, come è necessario, anche della «pronunzia», delle «circumstanze», delle parole, e si confrontano gli scritti delle tre corone con «qualche scrittura mera fiorentina o lombarda o d'altra provincia d'Italia, dove non sia arte, ma natura» (per Firenze il Machiavelli prende il Pulci), si vedrà che hanno scritto in fiorentino. Qui s'innesta il dialogo in cui Niccolò prende a tu per tu Dante, e con buoni argomenti misti a cavilli avvocateschi fa che il poeta riconosca d'aver torto.

Non v'è lingua, continua il Machiavelli, che sia semplice, tutte sono miste: ciò che più conta è la capacità di poter assorbire bene le parole forestiere:

quella lingua si chiama d'una patria, la quale convertisce i vocaboli ch'ella ha accattati da altri, nell'uso suo, ed è sì potente, che i vocaboli accattati non la disordinano, ma ella disordina loro; perché quello ch'ella reca da altri, lo tira a sé in modo che par suo.

Quindi anche un certo numero di parole prese da altre fonti non impediscono che si continui a dare lo stesso nome a una lingua, purché rimangano intatte le caratteristiche fonetiche e morfologiche:

tu [Dante] che hai messo ne' tuoi scritti venti legioni di vocaboli fiorentini, ed usi i casi, i tempi e i modi e le desinenze fiorentine, vuoi che li vocaboli avventizii facciano mutar la lingua?

Se si considera poi il parlare delle varie corti, si vedrà che è molto vario e mutevole. Il Machiavelli nota che gran parte della comunanza di lingua che a suo tempo già esisteva fra gli Italiani colti era dovuta al fatto che nelle varie regioni si era diffuso il culto dei tre grandi trecentisti, e «molti vocaboli nostri sono stati imparati da molti

---

[95] P. Rajna, «La data del *Dialogo intorno alla lingua* di N. Machiavelli», in *Rend. Acc. Lincei*, s. 5ª, II, 1893, pp. 203-222.

forestieri, ed osservati da loro, talché di propri nostri son diventati comuni».

Quando poi i non Toscani affrontino generi letterari in cui manchino modelli antichi, com'è specialmente la commedia, debbono ricorrere al toscano, se non vogliono fare troppo sgradevoli miscele, come qualche volta è successo all'Ariosto nei *Suppositi* (il Machiavelli cita dalla prima redazione, in prosa). Se si vedono ora «assai Ferraresi, Napoletani, Vicentini e Veneziani che scrivono bene» (l'autore allude all'Ariosto, al Sannazzaro, al Trissino, al Bembo), ciò si deve al fatto che Dante, il Petrarca e il Boccaccio hanno scritto prima di loro, e così nelle varie regioni si è dimenticata la «naturale barbaria».

Se lasciamo da parte le argomentazioni contro Dante, vivaci ma cavillose, lo scritto del Machiavelli è ricco di spunti notevoli: specialmente la rivendicazione dell'importanza dei tratti fonetici e morfologici, e la connessa affermazione della capacità delle lingue di riplasmare strutturalmente le parole avventizie.

Un'altra energica difesa della tesi fiorentina è quella di Lodovico Martelli: ad essa è dedicata la prima parte (cc. 2 a - 8 b) della *Risposta alla Epistola del Trissino delle lettere nuovamente aggionte alla lingua volgar fiorentina* (pubblicata a Firenze alla fine del 1525). Il Martelli oppugna quel che dice il Trissino nella sua lettera, quando parla di «tre delle Italiane lingue... ciò è Toscana, Fiorentina et Cortigiana». Siccome «ogni lingua nasce dall'uso di chi parla» (c. 2 b), provi il Trissino a prendere gli scritti di Dante e del Petrarca, e veda se «per il Ferrarese contado, ò Vicentino, ò Genovese od altri simili... cotali scritti sono dalli volgari huomini di quelli luoghi intesi» (c. 3 a); invece nei «contadi Toscani et particolarmente di Fiorenza... tutti naturalmente intesi seranno»: perché patria di una lingua è propriamente quella dove «da natura» si parla (c. 4 a). Quanto al *De vulgari eloquentia*, il Martelli dubita che sia di Dante.

Sia il Machiavelli che il Martelli impugnano principalmente la tesi cortigiana o italiana, mentre considerano insieme fiorentino e toscano («il Fiorentino, delle Toscane pronontie ha fatto una elettione, et è in Toscana quella lingua istessa, quanto al pregio, che in Grecia l'Atheniese»: Martelli, c. 5 a).

Nel *Castellano*, come abbiamo già accennato, il Trissino rispondeva al Martelli, mettendo in bocca di Filippo Strozzi, debitamente virgolati, parecchi passi del Martelli.

Altro autorevole partecipante alla discussione è Claudio Tolomei, il quale nei suoi studi (in parte perduti, o rimasticí in compendio) vide o intravide parecchie di quelle verità che poi la linguistica ottocentesca scoprì per suo conto[96]. Senese, il Tolomei fiancheggia i Fiorentini nel

---

[96] Il Tolomei scrisse parecchio sulla lingua, ma forse per l'intenzione che ebbe di pubblicare una vasta opera complessiva non diede fuori nemmeno uno scritto linguistico con il suo nome: il *Polito* fu edito sotto altro nome, il *Cesano* senza sua

combattere la tesi arcaizzante e quella cortigiano-italiana, ma quando si tratta di scegliere tra la formulazione «fiorentina» e quella «toscana», sta per la seconda.

Nel *Polito*, scritto dal Tolomei e pubblicato nel 1525 sotto il nome di Adriano Franci, si tratta delle nuove lettere trissiniane, e non si discute del tipo della lingua né del suo nome: vi si parla però spesso di «Toscana lingua», «Toscane parole», «Toscana eloquentia».

Invece la questione è affrontata in pieno nel dialogo *Il Cesano*, scritto nella seconda metà del 1527 oppure nel 1528, e pubblicato nel 1555[97]. Il Tolomei finge di riferire un dialogo tenuto alla mensa del cardinale Ippolito de' Medici, fra l'aprile e il settembre del 1525 (infatti vi si sollecita la pubblicazione delle *Prose* del Bembo). Veramente, più che un dialogo, lo scritto è una serie di cinque discorsi successivamente tenuti dal Bembo, dal Trissino, da Baldassarre Castiglione, da Alessandro de' Pazzi e da Gabriele Cesano (amico e portavoce del Tolomei). Il Bembo difende il nome di *volgare*. Il Trissino, meravigliandosi che questa difesa sia fatta proprio da lui («chi fu mai tra' nobili spiriti, che cercasse tanto dal volgo allontanarsi, quanto il Bembo?»), sostiene che si debba parlare d'*italiano* o di *lingua di sì*. Il Castiglione è fatto portavoce del nome di *lingua cortigiana*, richiamandosi a Dante. Alessandro de' Pazzi fa appello al riscontro con la lingua parlata, perché la lingua letteraria fuori della Toscana è avventizia, e in Toscana stessa ha principal sede a Firenze («ella in Fiorenza è nata, ivi ha fatto il nido suo, ivi è nutrita, ivi cresciuta, ivi si parla, ivi s'usa perfettamente»).

Il Tolomei tratta poi, per bocca del Cesano, della natura del linguaggio, della funzione dell'uso, della formazione «della toscana nostra» che ritiene «assai» del latino, «un poco» dell'etrusco, e «parte» delle lingue dei barbari invasori[98]. In queste pagine, il Tolomei risponde a coloro che ritengono il toscano null'altro che la latina lingua corrotta, e come egli faccia merito al toscano di alcune peculiarità, quale l'articolo. Detto della natura del toscano, si viene a parlare della sua «escellenza». Poi il Cesano torna alla discussione sul nome, rispondendo agli argomenti di ciascuno dei predecessori. La parte più interessante della discussione è quella rivolta ad Alessandro de' Pazzi. Il Cesano (che è di Pisa e parla per il Tolomei senese) vuole che tutti i Toscani amorevolmente godano con i Fiorentini la gloria e il pregio della

saputa. Dei materiali rimasti inediti alla sua morte si valse largamente (anzi troppo largamente) Celso Cittadini.

[97] Cfr. Rajna, «Quando fu composto il *Cesano*?», in *Rassegna*, XXV, 1917, pp. 107-137.

[98] Probabilmente, il lungo escorso intorno alla lingua in generale e ai pregi del toscano risulta da un'inserzione nel dialogo di materiali tolti dal primo libro di un'opera *De l'escellenza de la lingua toscana*, che il Tolomei aveva cominciata, di cui perdette il secondo libro durante il sacco di Roma, e che a più riprese ebbe l'intenzione di completare.

lingua. Riconosce sì, parlando della lingua del Boccaccio, che

se fuora d'una sola città distender non la vogliamo, fiorentina era certamente; se conoscere quanto ella con pari forme si distenda, toscana senza dubbio; perché le differenze che sono tra le terre di Toscana nel parlar loro non son tali, che debbiano fare in guisa alcuna lingua nuova (p. 101 Daelli).

Non è il caso di tener conto di certe piccole differenze come tra *aggiunto* e *aggionto*, *bramarei* o *bramerei*: tanto più che, se no, si troverebbe a ridire anche su forme volgari fiorentine, come *i versi mia*, *i' vo' dargnene buona parte*, *sta sera*, ecc. Del resto anche Dante e il Ficino e l'Alamanni hanno parlato di *parole tosche* e di *lingua toscana*. Concludendo, egli augura che

in prosa, in versi, ragionando, disputando, scrivendo da ogni nobile spirito questa sì fiorita lingua, toscana sempre mai e si chiami e si stimi (p. 109 Daelli).

Lo scritto del Tolomei è importante, perché l'autore (che nel suo secolo precorse molte fra le conoscenze linguistiche le quali solo con l'Ottocento dovevano affermarsi) tien conto che una lingua esiste anche al di fuori delle esigenze letterarie («Prima certo sono le parole, poscia li scrittori, che s'ingegnano quelle con destrezza ed eleganza comporre insieme»: *Cesano*, p. 104 Daelli), benché, naturalmente, riconosca che «e' non fia mai, ch'una lingua abbia splendore, se ella illuminata non è da questo chiaro e quasi eterno sole delle scritture» (pp. 62-63 Daelli).

La tesi «fiorentina» è sostenuta con ardore, verso la metà del secolo, da un gruppetto di studiosi, Giovan Battista Gelli, Pierfrancesco Giambullari, Carlo Lenzoni, Benedetto Varchi[99]: quelli ai quali nel 1550 l'Accademia Fiorentina aveva dato l'incarico di scrivere una grammatica.

Pierfrancesco Giambullari (autore di un'opera dedicata al Gelli, e intitolata perciò *Il Gello*, 1546, dove espone la sua bizzarra idea della discendenza del fiorentino dall'etrusco e di questo dall'arameo) nel 1548 presentò manoscritto a don Francesco de' Medici, primogenito di Cosimo, il suo trattatello *De la lingua che si parla e scrive in Firenze*, pubblicato nel 1552 (1551 stile fior.), che è la prima grammatica di un autore toscano dopo le *Regole* quattrocentesche.

Il trattatello è accompagnato da un *Ragionamento sopra le difficoltà di mettere in regole la nostra lingua*, scritto da Giovan Battista Gelli in forma di dialogo fra il Gelli stesso e Cosimo Bartoli, e dedicato al Giambullari.

Ci sono differenze tra una città e l'altra di Toscana, e susciterebbe grande invidia cavar le regole solo da Firenze «non ci essendo cittade

---

[99] P. Fiorelli, «P. Giambullari e la riforma dell'alfabeto», in *St. filol. ital.*, XIV, 1956, pp. 177-210.

alcuna che signoreggi tutta Toscana», e peggio ancora «fare un composito di tutte quante». I «forestieri» non contano, e male han fatto quei Toscani che hanno accettato alcune parole abusivamente introdotte da quelli, e che hanno consentito a chiamarla lingua *italiana*.

Bisognerebbe considerar la lingua nel suo culmine, e mentre alcuni, specialmente non Toscani, ritengono a torto che essa abbia toccato il suo massimo nel Trecento, il Gelli e il Bartoli sono d'accordo nel pensare che «è molto più bella universalmente, che ella non era nei tempi loro», giacché «e la è viva e va all'insù». Se un'accademia è bene che non s'incarichi ufficialmente dello spinoso lavoro del fissare le regole, può farlo benissimo un privato, come appunto il Giambullari[100].

Carlo Lenzoni compose una *Difesa della lingua fiorentina* (pubblicata postuma nel 1556 da Cosimo Bartoli, dopo che il Giambullari se ne era preso l'incarico, ed anche lui era morto).

Nella Prima giornata dell'opera, partecipano al dialogo il Lenzoni, il Giambullari, il Gelli, Cosimo Bartoli e un gentiluomo forestiero che desidera consigli, e la discussione si svolge principalmente fra il Gelli e lo straniero, il signor Licenziado; le idee sostenute sono infatti vicinissime a quelle esposte dal Gelli nei suoi scritti.

Echi dei colloqui tenuti intorno al 1550 in Firenze, con argomentazioni ed esempi simili a quelli del Gelli e dei suoi amici, troviamo anche nei *Marmi* del Doni (1553): curiose le tre lettere scritte una «in toscano», una «in lingua volgare», una «in lingua italiana», lette da uno dei dialoganti (libro I, ragion. 8, disc. 4): quella in toscano è simile per lingua e per tono allo scrivere consueto del Doni, quella «italiana» è mescolata di dialettalismi (altrove nei *Marmi* egli disapprova questo «italiano» che consiste nell'usare «una parola orvietana, l'altra pugliese, l'altra calabrese»), quella «volgare» è in stile ricercato e boccaccevole.

Fautore della tesi fiorentina, ma con significativi accostamenti «tattici» alla tesi del Bembo, è l'*Hercolano* del Varchi, terminato nel 1564 e pubblicato postumo (nel 1570). Il dialogo si riferisce principalmente alla questione della lingua, e di scorcio alla disputa fra il Caro e il Castelvetro a proposito della canzone «Venite all'ombra de' gran gigli d'oro» (disputa che solo in piccola parte riguarda la lingua, e su cui perciò non ci soffermeremo).

Insieme con la tesi della fiorentinità, il Varchi vi discute parecchi argomenti di filosofia del linguaggio (tutta una prima serie di quesiti è dedicata agli argomenti affacciati da Dante nel *De vulgari eloquentia*), e l'esposizione è piuttosto farraginosa e pesante. Il Varchi definisce la

---

[100] Le idee del Gelli sono ribadite altrove nei suoi scritti: così nella lettera del 15 novembre 1551 a Bartolomeo Tolomei (*Opere*, Firenze 1855, pp. 445-446) e nei *Capricci del Bottaio*, dove il Gelli afferma che solo i Fiorentini scrivono con bellezza e con grazia: il Martelli ha dimostrato molto bene che la lingua è «fiorentina propria», e che «chi non è nato ed allevato in Firenze, non la impara perfettamente» (ivi, pp. 200-201).

lingua: «un favellare d'uno o più popoli, il quale o i quali usano, nello sprimere i loro concetti, i medesimi vocaboli nelle medesime significazioni, e co' medesimi accidenti» (p. 87 dell'ed. Venezia, Giunti, 1570), e giustamente dà parecchia importanza alle particolarità fonologiche e morfologiche («accidenti»). Essenziale per le lingue è che esse siano parlate:

lo scrivere non è della sostanza delle lingue, ma cosa accidentale, perché la propria, e vera natura delle lingue è, che si favellino, e non che si scrivano, e qualunque lingua che si favellasse, ancora che non si scrivesse, sarebbe lingua a ogni modo (p. 91).

Quindi «una favella la quale non habbia scrittori, si può, anzi si dee, solo che sia in uso, chiamar lingua» (p. 101): prova ne sia il basco («la favella biscaina»); è vero tuttavia che non sarà «lingua nobile».

Venendo a cercare in Firenze il modello della lingua, egli distingue quattro strati: i letterati, i non idioti (che possono essere anche nobili e ricchi, ma non hanno studi di greco e di latino), gli idioti, e infine «l'infima plebe e la feccia del popolazzo», e ritiene «vero, e buono uso principalmente quello de' letterati, e secondariamente quello de' non idioti» (p. 180). Egli non ritiene possibile che uno possa scrivere perfettamente una lingua viva senza averla imparata da coloro che l'hanno ricevuta per natura – almeno fino a tanto che in quella lingua non si sia scritto di tutti gli argomenti (p. 182). Quanto all'«oppinione di coloro, i quali tengono, che così si debba scrivere a punto come si favella», è «manifestamente falsissima» (p. 186).

Un lungo capitolo è destinato ai pregi che si possono attribuire alle lingue (ricchezza, bellezza, dolcezza, nobiltà, gravità, onestà), e al confronto del toscano con il latino e il greco.

A coronamento dell'opera, si viene a discutere l'argomento che fin dal principio (p. 21) il Varchi aveva annunziato (dicendo però che conveniva chiarire prima «molte e diverse cose intorno alle lingue»), e cioè «se la lingua volgare, cioè quella con la quale favellarono e nella quale scrissero Dante, il Petrarca e il Boccaccio si debba chiamare Italiana, o Toscana, o Fiorentina». Il ragionamento è del solito tipo scolastico, e non manca il tradizionale confronto con il nome delle persone: «chi la chiama Fiorentina, la chiama Cesare, chi Toscana huomo, chi Italiana animale: il primo la considera come individuo, il secondo come spezie, e il terzo come genere» (p. 258): quindi, secondo il Varchi, ha ragione il primo. Il *De Vulgari eloquentia* è respinto come probabilmente spurio, e al Trissino è opposto con lodi il Martelli.

Qua e là per tutto il libro il Varchi coglie le occasioni per elencare numerose serie di sinonimi e modi di dire fiorentini: per es. le pp. 39-86 sono dedicate alla sinonimia dei vocaboli che si riferiscono al *parlare*. Lo scopo che egli si prefigge è di mostrare la ricchezza della lingua, e specialmente del fiorentino parlato. Ma benché il Varchi si debba collocare tra i fiorentinisti, la sua posizione è notevolmente diversa da quella del Machiavelli e del Martelli. E la ragione sta principalmente in questo: che nei quarant'anni trascorsi tra il Bembo e il Varchi i letterati fiorentini hanno largamente accolto la codificazione bembesca, hanno accettato il principio che entro l'uso fiorentino, così ampio e variato, è necessario operare una scelta, secondo i modelli scritti del Trecento e la schematizzazione che i grammatici ne hanno fatta e ne stanno facendo.

Basta vedere le calde lodi che il Varchi fa del Bembo come scrittore e come storico; persino a proposito di quella frase che aveva destato tanto scandalo tra i fautori del fiorentino moderno, che non era cioè di giovamento l'esser nato fiorentino, il Varchi si sforza di scagionare il Bembo: non, s'intende, accettando il giudizio, ma riferendolo alle condizioni di quarant'anni prima.

Anche la divisione dei Fiorentini in quattro strati, abbozzata dal Varchi, è in servigio del compromesso che si sta delineando: i Fiorentini colti sono quelli che sanno di latino e di greco, e che hanno accettato la codificazione grammaticale. E il Varchi mette bene in chiaro che non chiede affatto che si scriva come si parla: vuol solo che si serbino i contatti con i «non idioti», con la lingua parlata dalla borghesia più alta.

Spira in tutta la vita sociale italiana aria di conformismo, politico, religioso, culturale: e non meno che altrove a Firenze, sotto Cosimo I, Francesco I, Ferdinando I. Abbondano gli storici, gli eruditi, i grammatici, mancano gli scrittori di primo piano. Tutto questo contribuisce a spiegare come i Fiorentini cólti sostanzialmente s'accostino alla formulazione bembesca. Parlando di *fiorentino* o di *toscano* s'intende ormai principalmente la lingua dei grandi trecentisti, e solo in via accessoria il fiorentino o il toscano parlato[101].

Contribuirono specialmente al prevalere del fiorentino arcaizzante Leonardo Salviati e l'Accademia della Crusca.

Il Salviati già nel 1564 aveva scritto un'*Orazione in lode della fiorentina lingua*, in cui sono grandi lodi per la lingua del Boccaccio, e biasimi per quelli che «maremmanamente parlando» pretendono che la lingua del Boccaccio sia «così loro come nostra». Egli ritiene che per «la dolcezza incomparabile» del fiorentino e la «dilettazione» che tutta l'Italia ne prende, in breve esso si divulgherà anche senza che vi contribuisca l'«imperio».

---

[101] Si ricordi che intanto, con l'annessione di Siena (1555), lo Stato fiorentino è divenuto Stato toscano, e Cosimo I ha ottenuto nel 1569 il titolo di Granduca di Toscana: quindi i motivi politici favoriscono la divulgazione del termine *toscano*, che salva meglio l'amor proprio dei Toscani non fiorentini (secondo l'argomentazione del Tolomei), mentre i Fiorentini tendono a interpretarlo come «il linguaggio parlato in tutto lo Stato, di cui il fiorentino è la varietà migliore». Il Granduca, scrivendo al Console dell'Accademia Fiorentina il 2 gennaio 1572, parla di «regole della lingua *toscana*» e di «parlar *fiorentino*». Nel 1589, Diomede Borghesi è nominato a coprire nello studio di Siena una cattedra di lingua *toscana*.

Molto studio dedicò il Salviati al testo e alla lingua del *Decamerone*, in occasione della famigerata «rassettatura». Nel 1573 i «Deputati» avevano preparato un'edizione dell'opera del Boccaccio, espurgata per ciò che concerneva la morale e la religione; né si erano potuti evitare troppo energici tagli. Alla cattiva accoglienza fatta all'edizione, il Granduca cercò di rimediare, con il consenso di Sisto V, incaricando il Salviati di medicare le ferite troppo profonde inferte all'opera; e la nuova edizione uscì nel 1582.

Gli studi filologici e le osservazioni grammaticali del Salviati sono esposti nei due volumi *Degli Avvertimenti della lingua sopra 'l Decamerone* (Venezia 1584; Firenze 1586; il terzo volume, che doveva completar l'opera, non fu mai scritto). Il Salviati discute, principalmente nel secondo libro del primo volume, i criteri dell'uso e la necessità della grammatica. L'ideale del Salviati è la lingua del Trecento, «il buon secolo»: essa da allora è decaduta, specialmente per il troppo latineggiare; la lingua scritta ha ricominciato a migliorare dacché il Bembo e il Casa si sono affisati nei classici, mentre «piccol racquisto» s'è fatto «nell'opera del favellar domestico». Chi vuole scrivere per le età che verranno, deve proporsi di imitare la pura e dolce e leggiadra lingua del Trecento, e malissimo fanno quei segretari che si attengono allo sconcio uso corrente.

Il Salviati annunziava negli *Avvertimenti* (I, p. 129) il suo proposito di compilare un vocabolario; nel 1589 egli morì senza lasciare quest'opera, ma presto si accinse a darla l'Accademia della Crusca.

Un po' diversa era la posizione di Bernardo Davanzati, che, osservando la differenza tra la lingua fiorentina viva e «quella comune italiana che non si favella, ma s'impara come le lingue morte in tre scrittori fiorentini, che non han potuto dire ogni cosa» (lettera a B. Valori, 20 maggio 1599)[102] e riconoscendo che «in quella italiana molti grandi hanno scritto mirabilmente», trovava tuttavia che «avrebber superato sé stessi, se avessero scritto in questa fiorentina come quei tre», e rivendicava a sé il diritto di scrivere in fiorentino «senza tagliare i nerbi alla lingua, che sono le proprietà», cioè le locuzioni vivacemente espressive. In una lettera al senese Belisario Bulgarini, egli professa «ch'ogni patria debba scrivere come ella favella, e favellare come usano i nobili, quantunque forse men bene che un'altra» (27 luglio 1602)[103].

I filologi senesi, dietro l'insigne esempio del loro maggior rappresentante, il Tolomei, professavano in genere la tesi della lingua toscana: così Diomede Borghesi e Celso Cittadini, l'uno dopo l'altro lettori di lingua toscana nello Studio senese. Orazio Lombardelli bilanciava i meriti delle due città, e concludeva che «a voler dir lingua Toscana perfetta, si dee dir, come si dice in Fiorenza per proverbio, Lingua

---

[102] *Opere*, Firenze 1853, I, pp. LXXIV-LXXV.
[103] II, p. 546 dell'ed. citata.

Fiorentina in bocca Sanese»[104]. Un guizzo di vivace campanilismo si ha invece in Scipione Bargagli (*Il Turamino*, Siena 1602), secondato da Adriano Politi e Belisario Bulgarini: ma avremo occasione di parlarne nel cap. IX.

Nei frontispizi di molte opere (specialmente delle traduzioni, dove è necessario dire in che lingua si traduce) troviamo spesso indicata la lingua con un nome che in qualche modo manifesta le opinioni dell'autore e dell'editore. Il nome più frequente è quello di *volgare*, *lingua volgare*, *volgar lingua*, non di rado accompagnato da epiteti complementari (*nostra vulgare*, *lingua volgare toscana*, *lingua vulgare fiorentina*) o laudativi (*buona lingua volgare*, *vulgare elegantissimo*). Alcuni altri preferiscono *questa lingua* o *lingua materna*. Parecchi parlano di *toscano*, *lingua toscana*, *lingua tosca*, *thosco idioma*: e si tratta sia di Toscani sia di non Toscani fautori della lingua trecentesca (per es. il Liburnio). Rara è l'affermazione di *lingua fiorentina* e di *lingua senese*; e anche piuttosto raro *lingua italiana*, *lingua regolata italiana*[105].

9. *Grammatici e lessicografi*

Il fiorire dell'umanesimo volgare faceva sentire la necessità di poter disporre anche per il volgare di regole precise[106]. Le *Regole della lingua fiorentina* rimasero manoscritte fino ai nostri giorni e quindi ebbero un'influenza insignificante. I primi grammatici furono veneti: mentre Pietro Bembo indugiava a presentare al pubblico le sue *Prose della volgar lingua* (che uscirono solo nel 1525), Gian Francesco Fortunio (un uomo di legge di origine dalmata, vissuto a lungo a Pordenone) chiedeva nel 1509 un privilegio al Senato di Venezia per pubblicare un libretto di «regule grammaticale di la tersa vulgar lingua, cum le sue ellegantie et hortografia», e nel 1516 pubblicava ad Ancona le *Regole grammaticali della volgar lingua*, molte volte poi ristampate negli anni successivi. L'operetta consta di due libri soltanto, che considerano «il variar delle voci» (morfologia) e «l'orthographia»: l'autore non pubblicò mai gli altri tre libri che prometteva, e che dovevano trattare «delli più riposti vocaboli, della construttione varia delli verbi, della volgar arte metrica». Il Fortunio si attiene al modello dei grammatici latini, specialmente di Prisciano, anche per la terminologia, e fonda l'esemplificazione sui tre grandi trecentisti. Le pagine sull'ortografia curano

[104] *I Fonti toscani*, Firenze 1598, p. 29.

[105] Ma si vede che questa espressione guadagna terreno: mentre don Pietro da Lucca delle proprie *Regole della vita spirituale* aveva detto (1538) che erano «in lingua materna, e toscana», l'editore di Venezia 1592 afferma che erano in «lingua italiana» (M. Regalil, *Dialogo del Fosso di Lucca e del Serchio*, Lucca 1710, p. 56).

[106] Le sommarie indicazioni di questo paragrafo si potranno approfondire per mezzo di Trabalza, *Storia gramm.* e di Kukenheim, *Contributions*.

particolarmente di istruire il lettore sulla scrittura semplice o geminata delle consonanti, difficoltà molto sentita dai settentrionali.

Nelle *Prose della volgar lingua* del Bembo (1525) la parte più propriamente grammaticale è contenuta nel terzo libro; ed è sempre in funzione di una retorica e di una poetica fondate sull'imitazione. Come chi vuol scrivere elegantemente latino imita Cicerone in prosa e Virgilio in poesia, così in italiano si dovranno seguire soprattutto il Boccaccio in prosa e il Petrarca in poesia. Ma l'esemplificazione non è limitata a questi due scrittori: spesso è citato Dante, anche se non sempre con lode; non di rado Guittone e altri duecentisti. I termini grammaticali, conforme al tono discorsivo che il dialogo porta con sé, sono limitati al minimo, e spesso sostituiti da indicazioni di apparenza meno tecnica: l'«infinito» per esempio, è chiamato *voce senza termine*, l'«imperfetto» *pendente tempo*. Del verbo il Bembo ammette quattro *maniere*, cioè «coniugazioni», come in latino.

L'effetto prodotto dalle *Prose* del Bembo, come abbiamo già accennato, fu grandissimo: molti letterati si posero a seguirne le norme, e minori grammatici a compilare manuali conformi ai suoi principii. Tali sono, per esempio, *Le Tre Fontane* di Nicolò Liburnio (1526), che contengono elenchi di voci ricavate dai tre grandi fiorentini, mescolate con osservazioni grammaticali e retoriche.

Nel 1529 il Trissino (che già nel 1524, entrando in lizza per la riforma ortografica, diceva di avere da «molti anni» pronta una grammatica) diede in luce la *Grammatichetta*, che (salvo l'applicazione dei principii ortografici dell'autore) è sostanzialmente descrittiva e fondata su paradigmi. Nell'anno medesimo il Trissino pubblicava i *Dubbii grammaticali*, dove si tratta principalmente di questioni ortografiche.

Il Veneto, come si vede, era all'avanguardia nel manifestare la necessità d'una codificazione grammaticale della lingua, e nel provvedervi. Ma anche nell'Italia meridionale usciva nel 1533 la *Grammatica volgar dell'Atheneo* (Marco Antonio Ateneo Carlino), contenente solo il primo ragionamento «Del Nome»: a fondamento del suo canone stanno il petrarca, il Sannazzaro e gli *Asolani* del Bembo[107].

Alla metà del secolo i trattati si moltiplicano (Jacomo Gabriele, *Regole grammaticali*, Venezia 1545; Rinaldo Corso, *Fondamenti del parlar toscano*, Venezia 1549; Lodovico Dolce, *Osservationi nella volgar lingua*, Venezia 1550); e solo allora troviamo la prima grammatica d'un autore toscano, dopo le quattrocentesche *Regole* laurenziane: e cioè quella del Giambullari *De la lingua che si parla e scrive in Firenze*. Nel trattato del Giambullari, pubblicato, come s'è detto (p. 323), nel 1551-52, troviamo parecchie innovazioni terminologiche. Anche il Giambullari chiama *pendente* l'imperfetto; *dimostrativo* l'indicativo, ecc.; egli conia tutta una serie di nomi nuovi per sostituire i nomi greci delle figure

---

[107] M. Corti, «M. A. Ateneo Carlino e l'influsso dei grammatici latini sui primi grammatici volgari», in *Cult. neol.*, XV, 1955, pp. 195-222.

grammaticali (non ancora, al tempo suo, entrati nell'uso): *aggiugnin-nanzi* (prostesi), *aggiugninmezo* (epentesi), *lev'innanzi* (aferesi), ecc. Fra i numerosi trattati della seconda metà del secolo va ricordata l'ampia e farraginosa compilazione grammaticale-retorica di G. Ruscelli, *De' commentarii della lingua italiana libri sette*, Venezia 1581.

Il problema più grave di fronte a cui i grammatici si trovano è la difficoltà di formulare in regole brevi, chiare, facilmente accessibili, un uso molto oscillante, sia per l'intrinseco carattere della lingua, sia per il mancato consenso nel riconoscere una norma unica. In molti casi i grammatici finiscono con lo scegliere l'una o l'altra delle forme in lotta, restringendo così la gamma delle opzioni: e la scelta cade per lo più sulle forme arcaizzanti. Ma specialmente quando si tratta di gramma-tici non toscani, non mancano di suscitare il malcontento di quelli che si ritengono i soli legittimi depositari del buon uso[108]. Tuttavia agisce fortemente la spinta «per ridur con le ragioni e con l'autorità gli studiosi à seguire il meglio, e così parimente la lingua ad unione»[109].

In alcuni studiosi, l'interesse per i problemi grammaticali s'inserisce in più vasti e ricchi interessi filologici. Già conosciamo l'ampiezza d'orizzonte di Claudio Tolomei[110]. Anche gli scritti del Castelvetro (*Giunta fatta al ragionamento degli articoli et de verbi di M. Pietro Bembo*, Modena 1563; *Correttione d'alcune cose nel Dialogo di B. Varchi, et una giunta* ecc., Basilea 1572), malgrado le sottigliezze e i cavilli, mostrano acume e vastità d'interessi.

In occasione della revisione ecclesiastica del Boccaccio, parecchi studiosi fiorentini avevano approfondito filologicamente le ricerche intorno alla lingua trecentesca. Importanti osservazioni sono contenu-te nelle *Annotationi et discorsi sopra alcuni luoghi del Decameron fatte dalli... Deputati sopra la correttione* (Firenze 1574), dovute alla penna di Vincenzio Borghini, il «priore degli Innocenti», che le poche opere pubblicate e i copiosi appunti inediti ci fanno conoscere come studioso competentissimo della lingua trecentesca[111]. Non meno importanti sono

---

[108] Per citar solo qualche esempio fra molti, N. Granucci nel suo *Specchio di virtù* (Lucca 1556) si lagna «delle regole e osservazioni, uscite allora intorno alla lingua quasi che fosse non più lingua dal nativo terreno data alla provincia; ma una scienza fatta con arte dagli huomini»; il Borghini rimprovera ai grammatici non toscani di appigliarsi all'analogia quando non conoscono abbastanza l'uso dei grandi scrittori e dei parlanti odierni: «analogia... è una cotal regola che va dietro al simile e vuol essere il riparo di chi è straniero in una lingua, o sa poco della propria natura» (*Annotazioni dei Deputati*, p. 45 Fanf.); «molto e' [il Ruscelli] s'appicca all'analogia, che gli è gioco forza, perché e' non ha l'uso» (*Ruscelleide*, I, p. 23), ecc. Nelle *Argute e facete lettere* (Brescia 1562, p. 165) C. Rao asserisce che «i Bergamaschi hanno scritto certe regole Toscane e l'hanno mandate ai Fiorentini, acciò fossero da quegli osservate».

[109] Ruscelli, *Commentarii*, p. 375.

[110] Il Tolomei si raccomandava agli amici perché gli facessero conoscere testi antichi (v. la lettera al Paganelli, 1546, in *Lettere*, Venezia 1547, c. 206 b).

[111] È sua l'edizione del *Novellino* del 1575, condotta in parte sul codice Panciatichiano.

i già citati *Avvertimenti della lingua sopra il Decamerone* a opera di L. Salviati (1584-86), che contribuirono all'orientamento arcaizzante della nascente Accademia della Crusca.

A Siena, l'insegnamento del Tolomei ha qualche eco in D. Borghesi (*Lettere familiari*, 1578-1603), O. Lombardelli (con molte opere, fra cui la più importante è l'*Arte del puntar gli scritti*, Siena 1585), C. Cittadini.

A questi interessi filologici (e ad analoghi studi e discussioni francesi) si ricollegano le prime e ancora barcollanti ricerche etimologiche: lasciando stare le bizzarrie per cui andò famoso il nome del Carafulla[112] e le aberrazioni del *Gello* del Giambullari, ricordiamo il Varchi[113] e Ascanio Persio, nel suo *Discorso intorno alla conformità della lingua Italiana con le più nobili antiche lingue, e principalmente con la Greca*, Venezia 1592.

Le stesse aspirazioni che diedero la spinta alla compilazione delle grammatiche condussero anche a redigere i primi lessici italiani.

Prescindendo dai repertori latino-italiani, i primi vocabolari veri e propri nascono solo dopo le *Prose* del Bembo. Abbiamo anzitutto dei glossari: *Le tre fontane* (1526) del Liburnio, già ricordate, constano principalmente di spogli lessicali; un *Vocabulario* è premesso da Lucillo (o Lucio) Minerbi alla sua edizione del Decamerone (1535).

Il primo repertorio complessivo è il *Vocabulario di cinque mila vocabuli Toschi*, pubblicato a Napoli nel 1536 da un bizzarro letterato, Fabricio Luna. Vi si leggono errori stranissimi, come quando il Luna, avendo letto nell'Ariosto che i Francesi bevono volentieri vino, rimanendo *come la lasca all'esca* (cioè presi come pesci all'amo), non capisce (perché non conosce quel pesce che si chiama *lasca*), e tira a indovinare spiegando «favilla del foco». Così egli scambia l'*estro* con l'*ostro* e *Delo* con *Delfo*, e scrive *limosina* e *luterano* con l'apostrofo. Ma queste ultime almeno sono probabilmente sviste del suo tipografo, «Giovanni Sultzbach alimanno».

Nella seconda metà del Cinquecento si susseguono diverse opere sempre meglio corrispondenti alle esigenze lessicografiche: quelle di A. Acarisio (*Vocabolario, grammatica, et orthographia della lingua volgare*, Cento 1543), di F. Alunno (*Le osservazioni sopra il Petrarca*, Venezia 1538, *Le ricchezze della lingua volgare sopra il Boccaccio*, Venezia 1543, *La Fabbrica del mondo*, Venezia 1546-48), di A. Citolini (*La Tipocosmia*, Venezia 1561), di G. Marinello (*La copia delle parole*, in due parti, Venezia 1562), di G. S. da Montemerlo (*Delle Phrasi Toscane*, Venezia 1566); più fortunato di tutti, il *Memoriale della lingua volgare* di G. Pergamini (Venezia 1601), che si continuò a ristampare anche dopo che la Crusca ebbe pubblicato il suo vocabolario[114].

---

[112] F. Ageno, in *Lingua nostra*, XX, 1959, pp. 1-3.

[113] L. Sorrento, *B. Varchi e gli etimologisti francesi del suo secolo*, Milano 1921.

[114] O. Olivieri, «I primi vocabolari italiani», in *Studi di filologia italiana*, VI, 1942, pp. 64-192, Id., in *Cultura neolatina*, III, 1942, pp. 268-275, C. Messi, in *Atti Ist. veneto*, CII, 1942-43, pp. 589-620.

Nel terzo decennio del secolo cominciano ad apparire anche i primi rimari, quello di Pellegrino Moreto o Morato, mantovano, *Rimario di tutte le cadentie di Dante e Petrarca* (Venezia 1528), seguito da quelli di Giovanni Maria Lanfranco (Brescia 1531), di Benedetto Di Falco (Napoli 1535) e poi da quello di Girolamo Ruscelli, il quale occupa gran parte del suo trattato *Del modo di comporre in versi nella lingua italiana* (Venezia 1559) e fu ristampato numerosissime volte nel Cinquecento e nei secoli seguenti[115].

L'interesse per i proverbi (che già nei secoli precedenti aveva dato luogo alla compilazione di serie proverbiali e a illustrazioni di tipo novellistico, come quella del Cornazzano) fa nascere alcune raccolte, come quella assai ampia del Serdonati, tuttora in gran parte inedita, e quella del Pescetti (Venezia 1598, più volte ristampata e rifatta).

10. Interventi di autorità. Opera di accademie

L'ordinanza di Villers-Cotteret del 1539, che ebbe tanta importanza nel promuovere in Francia l'uso del francese in luogo del latino, trovò per alcuni anni applicazione anche nella Savoia e nelle parti del Piemonte occupate dai Francesi[116].

Nel 1560 Emanuele Filiberto emana un analogo editto, prescrivendo che negli affari giuridici e amministrativi non si adoperi più il latino, ma la lingua volgare, ogni provincia la sua (cioè l'italiano e il francese secondo le reciproche posizioni)[117].

Nel 1561 egli precisa con un altro editto che nel ducato di Aosta si deve usare il francese[118], e rifiuta di aderire alle richieste di restaurare l'uso del latino[119].

I tentativi di influire per una soluzione unitaria della questione della lingua attraverso interventi consensuali o autoritari restano pii desideri. Un «concilio della lingua» tentato nel 1525 a Roma dal Tolomei e dal Firenzuola non poté aver luogo; e nemmeno un secondo tentativo, fatto nel novembre 1529 dallo stesso Tolomei[120], in occasione della presenza a Bologna del Bembo e di una «selva di gentili ingegni».

Né potevano avere miglior esito le speranze espresse dal Di Falco nel suo *Rimario* (Napoli 1535): «Piacesse al cielo... che alcuna romana segnoria, qual che oggi è la Venetiana, con la consulta de' dotti

---

[115] O. Olivieri, «I primi rimari italiani», in *Lingua nostra*, III, 1941, pp. 97-102.

[116] Il Gelli (*Ragionamento*, cit., p. 22) conosceva l'ordinanza, e lodava Enrico II di farla osservare.

[117] C. Duboin, *Raccolta per ordine di materia delle leggi, editti ecc. della Real Casa di Savoia*, III, I, p. 318.

[118] Duboin, cit., V, pp. 844-845 (cfr. Fiorelli, *Arch. Alto Adige*, XLII, 1948, pp. 370-371).

[119] Fiorelli, ivi, p. 370.

[120] Si veda la lettera al Firenzuola, erroneamente datata 8 novembre 1531 nell'edizione 1547 delle *Lettere*, c. 77 (Rajna, *La Rassegna*, XXIV, 1916, pp. 1-13).

riformasse l'idioma italiano, e che fosse una sola lingua comune a tutti, e che generalmente si potesse usare senza biasimo, come n'era una latina in tutto 'l mondo...».

Vanno qui ricordati i tenaci tentativi di Cosimo I per promuovere lo studio della lingua e per regolarizzarla. Il Davanzati, nell'orazione in morte del granduca, ne riassume così l'opera: «creò l'Accademia fiorentina, ottenne da Roma il Boccaccio[121], chiedeva il Machiavello[122]; voleva regolar la volgar lingua fiorentina» (II, p. 469 Bindi).

In questa «politica della lingua» Cosimo pensò dunque di valersi anzitutto di un'accademia.

L'opera delle Accademie a pro degli studi volgari non va sottovalutata: un'indagine minuta mostrerebbe che esse sono state, in molte città, centri importanti di diffusione della letteratura in volgare, e quindi della lingua.

Già negli Orti Oricellari si erano fatte discussioni sulla lingua, e già l'Accademia Senese, auspice il Tolomei, aveva avuto l'idea di una riforma dell'ortografia. Ora Cosimo pensa di servirsi di una privata adunanza di dotti (il Seggio degli Umidi, intorno al Padre Stradino) e di trasformarla in un organo del suo regime. Con decreto del 23 febbraio 1541-42 egli conferisce all'Accademia Fiorentina «autorità onore e privilegi, gradi salario ed emolumenti» del rettore dello Studio di Firenze (con un suo tribunale e giurisdizione su librai, scolari, ecc.), affinché gli Accademici seguitassero «i dotti loro esercizi, interpetrando, componendo, e da ogni altra lingua in questa nostra riducendo...»[123]. Cosimo voleva che l'Accademia fissasse per iscritto le «regole della lingua»; il 3 dicembre 1550 essa dà a cinque suoi membri (il Giambullari, il Gelli, il Lenzoni, il Varchi, il Torelli) l'incarico di redigerle; il Lasca punzecchiava i riformatori rendendo nota l'aspettativa del pubblico:

> Sono aspettate con gran sicumera
> queste regole vostre dalla gente,
> però che in breve tempo ognuno spera
> scrivere e favellar correttamente;

e ancora nel 1564 il Salviati, nell'*Orazione in lode della fiorentina favella*, le promette («Di qui gli scrittori usciranno, questa Accademia darà le regole della lingua»); avendo di nuovo il granduca espresso l'intenzione di far redigere le regole, da leggersi nelle scuole, il Borghini in una lettera a B. Baldini (28 dic. 1571) diede alcuni consigli[124], in seguito ai quali Cosimo, il 2 gennaio 1572, scrisse al consolo dell'Acca-

---

[121] Cioè ottenne il consenso alla nuova revisione del *Decamerone*.

[122] Cioè che il Machiavelli fosse tolto dall'Indice.

[123] I. Rilli, *Notizie... intorno agli uomini illustri dell'Accademia Fiorentina*, Firenze 1700, p. xxi; E. Bindi, prefazione alle *Opere* del Davanzati, I, p. xviii.

[124] Barbi, *Propugnatore*, n. s., II, 1889, t. ii, p. 37.

demia di «far intendere» a B. Barbadori, B. Davanzati e G. B. Cini di compilare le «regole della lingua toscana», man mano conferendo con V. Borghini e G. B. Adriani, «perciocché pare che la purità del linguaggio fiorentino sia oggi assai corrotta, e che si vada giornalmente corrompendo, il che non pare sia con onore della città»[125]. Ma neanche questa volta il desiderio del granduca fu esaudito.

Grande importanza per la lingua ebbe invece l'Accademia della Crusca[126]. Sorta da conversazioni amichevoli, meno compassate di quelle dell'Accademia Fiorentina, tra le varie occupazioni filologiche assunse quella che doveva poi diventare la sua principale, la compilazione di un grande vocabolario della lingua. Ci sfuggono le date delle prime riunioni amichevoli della brigata dei *Crusconi*, in cui si tenevano *cruscate* (termine che, come i sinonimi *pappolata*, *pastocchiata*, *favata*, voleva dire «discorsi senza capo né coda»); la data della fondazione è posta dai frammenti di diario del Trito (Piero de' Bardi) al 1582; ma importa molto di più la trasformazione avvenuta quando il Salviati (ammesso nell'ottobre 1583 fra i Crusconi), disse, secondo il citato diario: «Non più crusconi ci facciamo chiamare, ma *Accademici della Crusca*».

Fu lo stesso Salviati che interpretò in altro senso il nome di *crusca*: «quasi per dire che l'Accademia doveva procedere a una scelta fra il buono e il cattivo». I primi anni sono dominati dall'attività dell'Infarinato (il Salviati): basti ricordare quanto rumore fece la polemica tassesca da lui condotta. Egli trasfuse nell'Accademia non solo le sue opinioni sulla lingua (priorità del fiorentino trecentesco), ma anche l'idea di un'opera alla quale egli si era personalmente accinto e che non poté condurre a termine, per la morte che lo colse nel 1589: un vocabolario in cui contava di raccogliere e dichiarare «tutti i vocaboli, e modi di favellare, i quali abbiam trovati nelle buone scritture, che fatte furono innanzi all'anno del 1400»[127]. Il 6 marzo 1591 si discusse all'Accademia «del modo di fare un vocabolario» e si assegnarono agli accademici i primi spogli da fare.

Nel 1592 si erano messe insieme circa 1300 voci per la lettera A. Nel 1597 si dibattevano ancora numerosi quesiti tecnici («Se nelle parole dell'uso si debba citare l'autorità de' moderni», ecc.); intanto si era diffusa l'aspettativa per il vocabolario (Lombardelli, *I Fonti toscani*, p. 61). L'opera uscì in pubblico, come è noto, nel 1612, e avremo occasione di riparlarne nel cap. IX.

[125] R. Galluzzi, *Storia del granducato di Toscana*, rist. Capolago 1841, III, p. 135.

[126] G. B. Zannoni, *Storia dell'Accademia della Crusca*, Firenze 1845; C. Marconcini, *L'Accademia della Crusca dalle origini alla prima edizione del Vocabolario*, Pisa 1910, e l'opuscolo *L'Accademia della Crusca*, Firenze 1952.

[127] *Avvertimenti*, l. II. cap. XII.

11. Tentativi di riforme ortografiche

Dei mutamenti dell'ortografia, e di qualche singolo perfezionamento penetrato nell'uso durante il secolo (ad esempio l'apostrofo e il punto e virgola) ci occuperemo più oltre (v. § 14). Invece fallirono alcuni tentativi più massicci d'introdurre segni nuovi per rendere l'alfabeto latino più adatto alle necessità fonologiche dell'italiano.

Giangiorgio Trissino si accinse con fervore all'impresa, mirando a perfezionare l'ortografia italiana in tre punti: la distinzione tra le vocali *e* ed *o* aperte e quelle chiuse; la distinzione tra *i* ed *u* con valore di vocale e con valore di consonante[128]; la distinzione tra *z* sorda e quella sonora. Per la prima differenza ricorreva alle lettere greche ε ed ω; per le altre alle varianti già esistenti nella scrittura (*j, v, ç*). Rinunziava invece, per il momento, a distinguere la *s* sorda da quella sonora.[129]

Con queste innovazioni il Trissino fece stampare tra il maggio e il luglio 1524 la *Canzone* a Clemente VII, e la *Sophonisba*; e poi nel novembre l'*Epistola de le lettere nuωvamente aggiunte ne la lingua italiana*, che è il manifesto dell'ortografia riformata.

Negli altri punti, l'ortografia del Trissino è in complesso piuttosto conservatrice. Egli mantiene la *h* etimologica, pur essendo persuaso della sua inutilità funzionale, mantiene la *x* e parecchi gruppi consonantici nei latinismi ancor riconoscibili come tali, e anche *y th ph* nei grecismi. Conserva anche, in questa edizione, la *ti* etimologica e scrive *pronuntia, innovatione*, ecc. Del doppio suono, velare e palatale, di *c* e *g* non si preoccupa, e continua a scrivere *cia ce ci cio ciu, ca che chi co cu*, e similmente per la *g*. Anche per *gl, gn, sc* non ci sono proposte di innovazione.

Già della riforma trissiniana si era cominciato a discutere fin dalla primavera di quell'anno[130]; ma la bufera si scatenò subito dopo la pubblicazione dell'*Epistola*, con il *Discacciamento delle nuove lettere* del Firenzuola (1524), con la *Risposta alla Epistola del Trissino* del Martelli (1524) e col *Polito* del Tolomei, uscito (1525) sotto il nome di un giovanetto senese, Adriano Franci[131]. Contro la riforma trissiniana moveva l'anno dopo (1526) anche Nicolò Liburnio, in un breve dialogo in fine a *Le tre fontane*.

Unico sostenitore della dottrina del Trissino, e non molto valido né per forza di argomenti né per nitore di stile, fu il perugino Vincenzo

---

[128] Come abbiamo visto nel cap. VII, già L. B. Alberti aveva distinto la *v* dalla *u* proponendo, nel *De cifra*, di scriverla *hasta inflexa*, e il Nebrija nella *Gramatica de la lengua castellana* (1492) aveva applicato anche praticamente la distinzione.

[129] Rajna, *La Rassegna*, XXIV, 1916, pp. 257-262, Migliorini, *Lingua nostra*, XI, 1950, pp. 77-81.

[130] V. la lettera di Alessandro de' Pazzi a F. Vettori, riportata nei due articoli citati.

[131] Rajna, *La Rassegna*, XXIV, 1916, pp. 350-361.

Oreadini, in una lettera latina diretta al suo concittadino Tommaso Severo degli Alfani (Perugia 1525)[132].

Il Trissino non fu minimamente scosso dall'eco sfavorevole suscitata, tanto che negli ultimi mesi del 1528 e nei primi del 1529 ricominciò a pubblicare i propri scritti, per i tipi di Tolomeo Gianicolo (un bresciano stabilito a Vicenza), con alcune ulteriori innovazioni.

Solo l'*Epistola* fu ristampata dal Gianicolo con i caratteri della prima foggia[133]; nel *Castellano*, composto e stampato poco prima del gennaio 1529, nella traduzione del *De vulgari eloquentia*, nei *Dubbii grammaticali*, nella *Poetica*, nella *Sophonisba*, nella *Grammatichetta*, nel rarissimo *Alfabeto*, tutti man mano stampati nei mesi seguenti, sono adoperati i caratteri della seconda foggia. In essa:

ε   continua a valere *e* aperta;

ω   designa non più la *o* aperta come nella prima foggia, ma la *o* chiusa;

ʃ   è applicata per indicare la *s* intervocalica sonora;

ç   designa la *z* sonora;

j   serve per la consonante;

v   serve per la consonante;

lj   indica la linguale palatale (*dolja*, *lji*);

ki   vale *chi*, seguito o no da vocale (*ki, kiamo, kiodo, genocki*).

Anche per le maiuscole si hanno caratteri speciali. È confermato l'uso di *x, y, h, th, ph*, per le voci greche e latine. Nessuna innovazione per *ch, gh, sc, gn*.

Malgrado la pertinacia del Trissino, nessuno accolse, né allora né poi, le sue innovazioni per le due vocali *e* ed *o*[134]; la *j* e la *v* entrarono sì nell'uso, ma molto più tardi, e solo la *v* per rimanervi incontrastata; la ʃ fu accolta come segno ortofonico in qualche vocabolario moderno (ma in parallelo con la ʒ, ciò che mostra che l'innovazione dipende piuttosto dal Tolomei o dal Giambullari che dal Trissino).

Il più notevole fra gli scritti cui diede la spinta l'*Epistola* del Trissino fu il *Polito* di Claudio Tolomei, da cui è necessario prender le mosse per conoscere il sistema di riforma ortografica del dotto senese.

Il Tolomei era altrettanto convinto del Trissino che l'alfabeto latino s'adattasse imperfettamente alla lingua italiana; anzi egli rivendica a sé e ai suoi sodali dell'Accademia Senese l'averne disputato «già dodici anni o più sono» (*Polito*, c. 18 a). Si ordinò un intero alfabeto, alcuni lo adoperarono, e il Trissino poté averne notizia: «se quei giovani nobilissimi questa cosa punto apprezassero costringerebbono costui a

---

[132] Gli opuscoli della polemica sono tutti ristampati nell'edizione delle *Opere* del Trissino curata da Scipione Maffei (Verona 1729): ma negli scritti del dotto vicentino non sono adoperate le lettere speciali, e negli scritti degli altri la grafia è un po' modernizzata.

[133] Ma in questa edizione, il Trissino adopera nei latinismi *zi* e non *ti*: *pronunzia, innovazione*.

[134] Unica eccezione il repertorio annesso alle *Regole* del Gigli (v. p. 466).

spogliarsi quelle penne di che s'era vestito per parer Pavone» (*Polito*, c. 44 a).

Un privato non può arbitrarsi di introdurre così grandi innovazioni come a suo tempo non aveva osato l'Accademia: potrebbe portare all'auspicata riforma solo consenso di dotti e autorità di prìncipi.

Il Tolomei rileva difetti ed errori del Trissino (il non essersi accorto che le vocali atone sono chiuse, l'aver rivelato con le sue trascrizioni l'imperfetta conoscenza della pronunzia di alcune parole); non gli piacciono le lettere greche, ecc. L'atteggiamento incerto e contraddittorio del trattatello nasce dal contrasto fra il sostanziale consenso sulla desiderabilità della riforma ortografica, e il risentimento perché il Trissino aveva fatto la prima mossa; v'era inoltre un certo numero di dissensi tecnici.

Da lettere del Tolomei posteriori di parecchi anni risulta che egli aveva compilati due alfabeti diversi: «l'uno per tenerlo segreto e godermelo solamente con qualche caro amico, l'altro per allargarlo e lassarli correr la sua fortuna» (lettera a F. Figliucci, in *Lettere*, c. 224 b). Il primo era «del tutto nuovo... con bei misteri e sottili avvertimenti» (lettera ad A. Citolini, ivi, c. 121 b), con lettere tracciate in modo che si riconosceva subito se si trattava di vocale o di consonante, di muta, di liquida, ecc. (lettera di F. Benvoglienti a M. Celsi, 15 sett. 1547, ivi, c. 234 a), e non ebbe, anche per volere del Tolomei, applicazione pratica. Nel secondo non vi sono forme nuove di lettere, ma solo varianti scelte in modo da non disturbare chi non vuol saperne di questi problemi, e da aiutare invece chi si preoccupa di distinguere le due o, le due e, le due s, le due z, e qualche peculiarità, «tal che ogniuno starà a rischio di guadagnare, e non perdere» (ivi, c. 234 a). L'alfabeto fu applicato (salvo poche sviste) dal Benvoglienti nell'edizione giolitina delle *Lettere* (Venezia 1547); e lo illustra in pieno la chiave fornita dal Benvoglienti stesso all'inizio della *Tavola*. L'inopportuna inclusione nell'epistolario di alcune lettere politiche procurò gravi fastidi al Tolomei e al Benvoglienti, e li costrinse a giustificarsi faticosamente presso le autorità senesi[135]; nelle successive edizioni delle lettere non si ha più traccia delle peculiarità ortografiche introdotte nell'edizione del 1547.

Nel 1544 erano intanto uscite due opere con indicazioni ortofoniche. Un trattatello di Marsilio Ficino sull'amor platonico (scritto in latino da Marsilio e poi da lui stesso tradotto in volgare) intitolato *Marsilio Ficino sopra lo Amore o ver' Convito di Platone*, fu pubblicato a Firenze nel 1544: l'editore, sotto il nome di Neri Dortelata, in una lunga lettera agli «Amatori della lingua fiorentina» spiega perché si sia sforzato di fare «intelligibile la Pronunzia Fiorentina... senza avere alterato la scrittura in modo, ch'ogn'altro uomo non se ne possa valere come prima». Ma probabilmente un individuo col nome di Dortelata non è mai esistito, e la grafia del volumetto è dovuta a Pierfrancesco

[135] L. Sbaragli, *C. Tolomei*, Siena 1939, p. 93.

Giambullari e a Cosimo Bartoli (il quale apre il volume con una breve dedica al duca Cosimo, con un'esortazione a seguitare a «dare animo a gli studiosi di questa lingua»).

Le indicazioni ortofoniche riguardano anzitutto l'accento, che è segnato su tutti i polisillabi in forma di acuto; sulle parole tronche e sui monosillabi tonici si ha il circonflesso. La *e* aperta è indicata con un piccolo uncino in alto a destra, la *o* aperta con un carattere più largo. La *u* vocale è distinta dalla *v* consonante. La *i* senza punto è adoperata per la *i* semiconsonante o semplicemente diacritica (*bianco*, *piace*, *piaggia*). La *s* corta indica la sorda, la *s* lunga la sonora; e similmente la *z* corta. indica la sorda[136] e la *z* caudata la sonora. Il metodo, insomma, è intermedio fra quello del Trissino e quello del Tolomei, che in qualche modo poteva già esser giunto a cognizione del Giambullari e del Bartoli[137]. Pure sotto il nome di Neri Dortelata fu pubblicata nello stesso anno e con il medesimo alfabeto anche l'opera del Giambullari, *De'l Síto, Fórma & Misúre dello Infèrno di Dánte*[138].

Parecchi discussero il nuovo metodo, ben pochi vi si attennero.

Risalgono al metodo del Tolomei gli espedienti ortofonici adottati dal Citolini nella sua grammatica, tuttora in gran parte inedita, dedicata verso il 1565 a lord Hatton, ma probabilmente composta assai prima[139], e quello applicato da Giovanni Florio nelle sue opere per l'insegnamento dell'italiano agli Inglesi[140].

Anche il Ruscelli aveva preparato il manoscritto dei suoi *Commentarii* con indicazioni ortofoniche del tipo di quelle del Tolomei, ma l'opera fu pubblicata dopo la sua morte senza quelle indicazioni.

G. A. Gilio, nei suoi *Due dialogi* (Camerino 1564, cc. 32-33) proponeva di adoperare per le *e* ed *o* aperte i segni delle maiuscole (*huOmo*, *pOrto*, *lascerEbbe*, *farEbbe*).

V. Buonanni, probabilmente svolgendo uno spunto del Dortelata («alcuni de' nostri antichi... posero un *t* davanti al zeta, & scrissero

---

[136] Essa vale sia per le parole del tipo *amicizia* che per quelle del tipo *distruzione*, per cui l'autore della prefazione dichiara di non essersi «voluto risolvere a raddoppiarla» (p. 25).

[137] Il Tolomei, ringraziando il Lenzoni di avergli mandato il volumetto del Dortelata, constatava le somiglianze, astenendosi da un giudizio, ma non da un'insinuazione: basta ch'io non so s'egli è stato furto o imitazione, o simiglianza di spirito. Queste sono cose state trattate, disputate, e risolute in una nostra Academia, e comunicate con molti» (*Lettere*, cit., c. 80 b).

[138] Il Giambullari applicò parzialmente nel proprio autografo delle *Regole della lingua fiorentina* (cod. Magliab. IV, 59) e in altri manoscritti la stessa scrittura ortofonica (Fiorelli, in *Studi filol. it.*, XIV, 1956, pp. 193-198).

[139] L. Fessia, «Alessandro Citolini esule italiano in Inghilterra», in *Rend. Ist. Lomb.*, LXXIII, Lettere, 1939-40, pp. 213-243.

[140] Ma se egli distingue le *e* e le *o* aperte da quelle chiuse (*e* uncinata, *o* normale per le vocali aperte di contro a *e* normale, *o* corsiva per le chiuse), applica poi (p. es. nel *New World of Words*, Londra 1611) il segno della vocale aperta anche a quelle parole derivate in cui le *e* e le *o* vengono a trovarsi in posizione atona, ignorando la regola già messa in luce dal Tolomei nel *Polito*.

belletza, patzo, matza & spetzo», p. 25), stampò un *Discorso sopra la prima cantica del divinissimo theologo Dante d'Alighieri...* (Firenze 1572) in cui la sola peculiarità è l'uso del digramma *tz* per *z* (*gratzia, accortetza, altzare, metzo* ecc.)[141].

L'elenco di 29 lettere che troviamo in un manoscritto del Varchi (ms. Rinucc., filza 9, inserto 23), l'inventario delle 32 «pronunzie» dato dal Salviati negli *Avvertimenti* (l. III, cap. I, part. 3), l'elenco dei 35 «caratteri degli elementi de la favella Toscana» dato da Giorgio Bartoli nel trattato *Degli Elementi del parlar toscano*, Firenze 1584[142], non rappresentano tentativi di introdurre nell'uso generale nuovi segni, ma inventari dei fonemi italiani.

Per un insieme di circostanze, ma essenzialmente per il carattere fortemente conservatore dell'ambiente letterario, i tentativi di riforma dell'ortografia usuale fallirono.

12. *L'accettazione della norma*

Si è visto come la norma grammaticale e lessicale tende a un rigore crescente. Alcuni antesignani fissano i precetti, la grande maggioranza si sforza, con risultati or più or meno felici, di seguirli; solo una minoranza non obbedisce alla tendenza generale o addirittura reagisce.

L'importanza acquistata dall'editoria contribuisce in modo decisivo all'instaurazione sempre più rigorosa della norma: le opere degli autori vivi e ancor più quelle degli autori morti sono sottoposte a revisioni linguistiche talora assai forti. Agli inizi del secolo, gli interventi sono ancora saltuari, ma qualcuno è insigne e ricco di conseguenze (penso all'opera congiunta del Bembo e del Manuzio con le edizioni del *Canzoniere*, 1501 e della *Commedia*, 1502). Più tardi l'attività dei letterati di tipografia, editori essi stessi o stipendiati dagli editori, diventa una vera professione: il Dolce, il Domenichi, il Ruscelli, il Porcacchi, il Sansovino preparano per le stampe numerosi volumi, più o meno ritoccandoli secondo il loro gusto e secondo le loro opinioni grammaticali.

Non va dimenticato che anche i tre classici maggiori esercitano il loro influsso non in una veste genuinamente trecentesca, ma con un'ortografia in parte più umanistica. Per citar solo un esempio, ecco come si presenta un verso del primo sonetto del canzoniere petrarchesco nell'autografo del Petrarca:

   Quādera ī parte altruom da ǭl chi sono

---

[141] Il tentativo fu giudicato severamente dal Salviati, *Avvertimenti*, I, III, I, part. 14.

[142] L'operetta fu pubblicata postuma da un altro Cosimo Bartoli (omonimo di quello fin qui studiato), ed è di notevole importanza linguistica (E. Teza, «Un maestro di fonetica italiana nel Cinquecento», in *Studi filol. rom.*, VI, 1893, pp. 449-463).

ed ecco come si leggeva nell'edizione aldina del 1501 curata dal Bembo
e in quella del 1521 curata dal Vellutello:

> Quand'era in parte altr' huom da quel, ch'i sono.

Gli editori mirano in generale a rendere più regolare l'ortografia,
più ricca e razionale l'interpunzione; ma gli arcaismi, i dialettalismi, i
latinismi troppo spinti sono talvolta sostituiti[143], con un metodo che a
noi pare intollerabilmente arbitrario – benché talvolta sia coonestato
dall'asserzione gratuita che gli autori stessi avrebbero corretto così le
loro opere[144].

Non poche revisioni di testi sono dovute agli autori medesimi, e
spesso si arriva a discernere quali correzioni sono dovute a un
mutamento di concezione, quali invece all'adeguamento a un nuovo
gusto stilistico, quali all'accettazione di norme grammaticali prescritte
come tassative.

Ritoccano i loro testi alcuni scrittori meridionali, come il Sannazzaro e il Cariteo; tra quelli settentrionali le revisioni più note sono quelle
del Castiglione e dell'Ariosto.

La laboriosa formazione linguistica del Castiglione è stata ricostrui-
ta dal Cian con lo studio dei numerosi manoscritti castiglioneschi
pervenutici, fra i quali è particolarmente importante il manoscritto
Laurenziano del *Cortegiano* (che è un apografo del 1524, con correzioni
autografe del Castiglione e del Bembo)[145].

Ma l'esempio più insigne di passaggio da un volgare illustre di tipo
«padano» al toscano letterario è quello di Lodovico Ariosto, passaggio
sulle cui fasi siamo abbastanza largamente informati. Ci rimane
dell'Ariosto un ricco carteggio, e conosciamo parecchie delle modificazioni da lui apportate alle commedie e alle satire; ma soprattutto
possiamo confrontare le tre edizioni dell'*Orlando Furioso* compiute dai
tipografi sotto la sua vigilanza (ma senza che egli fosse soddisfatto) nel
1516, nel 1521, nel 1532[146].

---

[143] Nel son. 219 del Petrarca, «Il cantar novo e 'l pianger de li augelli – in su 'l
dì fanno *retentir* le valli...» si legge, dall'Aldina in poi, *risentir*.

[144] Si veda per es. la prefazione al *Laberinto d'amore* di Bernardo Giunta
(Firenze 1516): «ci ho usato tanta diligenza in emendarle, che io ardirò dire che il
Boccaccio stesso altrimenti non le harebbe racconce che elle si siano».

[145] V. Cian, *La lingua di Baldassarre Castiglione*, Firenze 1942 (v. specialmente
i capitoli III e IV «Le prime redazioni del *Cortegiano*» e «La lingua del *Cortegiano*
nel testo definitivo»).

[146] Il Debenedetti ha dimostrato che un certo numero di correzioni furono
introdotte mentre i singoli fogli si stavano tirando. Dei nuovi episodi entrati a far
parte della terza edizione, oltre che di alcune stanze rifiutate, abbiamo frammenti autografi. Per studiare le varianti si può ricorrere alla ristampa letterale di F.
Ermini (Roma 1909-1913); per la 3ª edizione bisogna tener presente l'ottima stampa
laterziana curata dal Debenedetti o quella ricciardiana del Caretti (che si
avvantaggia anche di schede lasciate dal Debenedetti). Dello stesso autore si
veda l'edizione dei *Frammenti autografi dell'Orlando Fur.*, Torino 1937. Importanti
anche per la lingua gli «Studi sui Cinque Canti» di C. Segre, in *St. di fil. ital.*, XII,

Il testo del 1516 risente ancora molto del padano illustre (benché sia molto più toscano dell'*Orlando Innamorato* o del *Mambriano*). Nel consonantismo si oscilla molto nell'uso delle doppie; nell'uso di *c* e *z* davanti a *e* e *i* (*roncino* è più frequente di *ronzino*); nell'uso di *sc*; comuni sono i tipi *giaccio*, *giotto* e *iusto*, *Iove*. Abbondano i latinismi lessicali: *cicada*, *crebro*, *dicare*, *difensione*, *mal dolato*, ecc. Qualche pentimento si manifesta nell'errata-corrige: l'Ariosto rifà due passi in cui aveva usato *mano* al plurale (un terzo gli sfugge, e lo correggerà nella seconda edizione).

I ritocchi per l'edizione del 1521 sono relativamente pochi: per es. *volgo* mutato in *vulgo*, *ciucca* in *zucca*, *perse* in *perdette*, ecc.; ma più interessanti che le correzioni introdotte nel testo sono le intenzioni espresse nell'errata-corrige: egli vorrebbe aver scritto non *summo* ma *sommo*, non *reverire* ma *riverire*, non *devere* ma *dovere*, non *volontieri* ma *volentieri*, non *parangone* ma *paragone*; vorrebbe *di* e *del* e non più *de* e *dil*, ecc.

Le correzioni dei frammenti autografi, quelle dei Cinque Canti e dell'edizione del 1532 sono fatte secondo questa medesima linea direttiva, ma con molto maggiore ampiezza e fermezza dopo la pubblicazione delle *Prose* del Bembo (1525). Per alcune peculiarità l'Ariosto procede con deliberata decisione, per altre con maggiore esitazione, tanto che qualche volta torna indietro. Tutta l'opera di correzione è dominata dall'adesione al gusto e alla grammatica del Bembo: ma quest'adesione non è né pedissequa né consequenziaria, perché l'Ariosto non è un grammatico ma un poeta (e i poeti spesso sono distratti!).

Egli introduce molte volte i dittonghi *uo* e *ie* (*ruota*, *scuola*, *figliuolo*, *truova*, e *viene*, *priego*, *tiepide*). *Dreto* è sempre mutato in *dietro*; viceversa egli corregge *schiena* in *schena*.

I raddoppiamenti sono molto più vicini che nelle due prime edizioni all'uso toscano (tuttavia mutò anche *comodità* in *commodità*, *uccellator* in *ucellator*, *verone* in *verrone*, ecc.).

È per lo più abbandonata la *x* (*esperimento*, *esempio*; nei frammenti autografi, *exempio* od *essempio*).

Persiste anche nell'edizione del '32 la serie *gianda*, *giotto*. Predomina il tipo *giumenta*, *giusto*, *Giove* (fuorché in alcuni prenomi: *Iocondo*, *Iulio*).

L'uso dell'articolo è quasi sempre conformato alle regole e alla prassi del Bembo[147]: *el* è abbandonato per *il*, e al plurale *e* per *i*; davanti

1954, pp. 23-76. Possono esser tuttora utili il saggio di M. Diaz, *Le correzioni all'Orlando Furioso*, Napoli 1900 e gli articoli ed edizioni comparative parziali di G. Lisio; il mio articolo «Sulla lingua dell'Ariosto», in *Italica*, XXIII, 1946 (rist. in *Saggi ling.*, pp. 178-186) cerca di cogliere i tratti essenziali; ma una monografia che considerasse tutti i materiali disponibili sarebbe molto opportuna.

[147] Il Dolce (*Modi affigurati*, cc. 300 b - 301 a) faceva osservare che il Bembo, dopo avere scritto «Una sol voce in allettando *il spirto*,» aveva corretto il verso in

a *s* impura è introdotto *lo*; i gruppi *in lo, in la, in l'* sono sostituiti da *nel ne lo, ne la* (o altrimenti, se il verso non lo consente).

Anche le particelle pronominali sono portate all'uso ancor oggi vigente.

Nel presente indicativo le forme in *-amo -emo -imo* sono di regola mutate in *-iamo*. Gli imperfetti di prima persona in *-o* (*ero, andavo, potevo*) sono abbandonati per quelli in *-a*, contrariamente all'uso del fiorentino parlato, ma conformemente alle prescrizioni del Bembo[148]. Ad esse è anche dovuto il mutamento di *presto* in *tosto*[149].

Di questa deferenza dell'Ariosto per il maestro insigne ci restano anche testimonianze dirette: la lettera indirizzatagli il 23 febbraio 1531 («io son per finir di riveder il mio *Furioso*: poi verrò a Padova per conferire con V. S., e imparare da lei quello che per me non son atto a conoscere»), e i versi in onore di lui aggiunti nell'edizione del '32:

> là veggo Pietro
> Bembo che il puro e dolce idioma nostro,
> levato fuor del volgar uso tetro[150],
> qual esser dee, ci ha col suo esempio mostro
>
> (XLVI, st. 15).

Se, terminata la revisione, nel poema è rimasto ancora qualche tratto padano o latineggiante, in complesso la fisionomia della terza edizione dell'*Orlando* è diventata conforme al tipo del toscano letterario. Uno scrittore maledico come il Lasca celebra dell'Ariosto anche la lingua:

> Ma dove, dove l'Ariosto resta
> che ben che non sia nato fiorentino
> sì fiorentinamente l'asta arresta
> che si può dir che sia tuo paladino?[151].

Accanto alle revisioni compiute dagli stessi autori (fra cui il più insigne esempio è quello che or ora abbiamo visto), sono numerosissime le revisioni di opere antecedenti compiute per adattarle alle nuove

---

«una sol voce in allettar *lo spirto*», e altrove «Et odo dir *in l'herba*» in «Et odo dir *ne l'herba*».

[148] Debenedetti, *St. rom.*, XX, 1930, pp. 223-225. Nei frammenti autografi si ha ancora *potevo*.

[149] Debenedetti, ivi, pp. 217-222.

[150] Il «volgar uso tetro» è quello dei poeti cortigiani dell'ultimo Quattrocento, come Serafino e il Tebaldeo; e certo ormai l'Ariosto includeva fra i poeti partecipi di quella tetraggine anche il suo insigne predecessore, il Boiardo.

[151] Solo più tardi, nell'acredine delle dispute fra i fautori del Tasso e quelli dell'Ariosto, Benedetto Fioretti censurerà con pedanteria le forme e le parole non toscane del *Furioso*.

esigenze stilistiche e grammaticali: ora con certa delicatezza, ora con pesante arbitrio[152].

Manca, purtroppo, una larga esplorazione delle edizioni cinquecentesche con l'occhio rivolto a questi ritocchi: i pochi esempi che qui daremo mostrano quale interesse potrebbe avere la ricerca.

Non è ancora definitivamente assodato se la lezione in cui l'imolese Girolamo Chiaruzzi (il Claricio) presentò nella sua edizione del 1521 l'*Amorosa Visione* del Boccaccio sia fondata su una seconda redazione di cui si sono perdute altre tracce[153], oppure se si tratti di un rifacimento dovuto al Claricio[154]: quel che è certo è che, anche nella prima ipotesi, numerosi mutamenti grammaticali, metrici e stilistici sono stati introdotti dall'Imolese[155].

Un ignoto nel 1526 introdusse nel manoscritto autografo della *Fenice* e del canzoniere di Lorenzo Spirito, tuttora conservato a Perugia, una serie di correzioni grammaticali e lessicali, dirette principalmente a eliminare i peruginismi e i latinismi (*ive*, *ogge* corretti in *ivi*, *oggi*; *longo* in *lungo*, *satisfare* in *sodisfare*, ecc.), e inoltre altre modificazioni suggerite da un gusto più raffinatamente petrarchesco[156].

Il testo delle *Istorie del Regno di Napoli* di P. Collenuccio fu pubblicato dal Ruscelli nel 1552 con molte modificazioni «trovandolo pieno di scorrezioni et errori nella lingua et in altre parti»: si ha così non più *exprobrare*, *eversioni*, *instrutti*, ma *rimproverare*, *rovine*, *informati*, ecc.[157]

Il testo ancora fortemente tinto di milanese e pieno di latinismi della *Patria Historia* di Bernardino Corio (Milano 1503) fu rimodernato con poco rispetto dal Porcacchi (Venezia 1554).

La *Spiritata* del Lasca può costituire un esempio delle correzioni che i tipografi usavano eseguire: nel 1561 i Giunti pubblicavano a Firenze la commedia, e subito dopo la ristampò a Venezia il Rampazetto, mutando *uffizio*, *benefizio* in *ufficio*, *beneficio*, *qualunche* in *qualunque*, *doppo* in *dopo*, *sopperire* in *sopplire*, ecc.[158]

Della *Chronica de Mantua* di Mario Equicola (s. 1., 1521) aveva intrapreso la correzione nel 1574 F. Sansovino; un testo «riformato

[152] «Chi diavol riparerebbe a certe sorte di stampature? Ché un correttore corregge in un modo e quell'altro a un altro, chi lieva, chi pone, certi scorticano e certi altri intaccano la pelle» (Doni, *I Marmi*, I, p. 94 Chiorboli). Per impedire tali sconci, Federigo Badoaro aveva proposto che l'Accademia della Fama vigilasse sui correttori (Maylender, *Storia delle Accademie*, V, Bologna 1930, p. 438).

[153] Come ha sostenuto il Branca, nella sua dotta edizione critica, Firenze 1944.

[154] Pernicone, *Belfagor*, I, 1946, pp. 474-486; Raimondi, *Convivium*, 1948, pp. 108-134; 258-311; 438-459.

[155] Contini, *Giorn. stor.*, CXXIII, 1946, pp. 75-83.

[156] I. Baldelli, «Correzioni cinquecentesche ai versi di L. Spirito», in *St. filol. ital.*, IX, 1951, pp. 39-122.

[157] V. la nota del Saviotti all'ed. Laterza, I, pp. 330-331, e C. Varese, *P. Collenuccio umanista*, Pesaro 1957, pp. 130-133.

[158] A. Grazzini, *Teatro*, ed. G. Grazzini, Bari 1953, p. 591.

secondo l'uso moderno di scrivere istorie» fu pubblicato a Mantova da B. Osanna nel 1607 (e poi di nuovo nel 1608 e nel 1610).

Molto al di là dei ritocchi grammaticali e lessicali vanno i rabberciatori del Boiardo: accanto al più famoso rifacimento, quello del Berni (compiuto nel 1531 e pubblicato nel 1541) che ebbe tre secoli di fortuna, va ricordato quello del Domenichi (1545)[159].

In altri casi, constatando che la lingua di testi antichi riesce difficile, l'editore vi unisce dei glossari.

Il desiderio di conformare la lingua alle regole grammaticali che si stanno sempre più rigorosamente prescrivendo fa sì che qualche scrittore sottoponga un proprio scritto a un competente: il Cellini richiese la revisione del Varchi, il Vasari quella del Caro, ma ambedue gli interpellati si limitarono a qualche consiglio. Il Guarini chiese sul *Pastor fido* il parere del Salviati, e mentre tenne scarso conto delle osservazioni concernenti l'azione, accettò quasi tutti i suggerimenti linguistici[160].

Se l'adeguamento alla norma grammaticale è una tendenza assai largamente sentita in tutta l'Italia periferica, non altrettanto entusiasti ne sono per lo più i Toscani: se c'è il Guicciardini che, come s'è visto, si preoccupa delle regole bembesche, molti riluttano: per es. l'Aretino protesta «per le notomie che ogni pedante fa su la favella toscana»[161], il Grazzini, nel Principio della *Strega*, si lagna che «la poesia italiana, toscana, volgare, o fiorentina che ella si sia, è venuta nelle mani di pedanti» (*Teatro*, p. 186 Grazzini).

13. L'italiano fuori d'Italia

Nella seconda metà del Quattrocento e per tutto il Cinquecento, raggiungendo forse l'acme in quella prima metà del secolo, quando eserciti francesi, spagnoli, svizzeri, imperiali calpestano la penisola, la cultura italiana in tutti i suoi aspetti (non solo l'arte e la letteratura, ma

[159] Mentre gli aspetti stilistico-letterari dei rifacimenti sono stati discretamente studiati (M. Belsani, in *Studi di letteratura italiana*, IV, 1902; V, 1903; P. Micheli, *Saggi critici*, Città di Castello 1906, ecc.), una precisa analisi linguistica comparativa non è stata ancora fatta. Si può notare che mentre la grande maggioranza delle correzioni del Berni è conforme alle tendenze generali del tempo, in qualche caso egli torna, per così dire, indietro, come quando corregge *giacere* in *iacere*.

[160] V. Rossi, *B. Guarini e il Pastor fido*, Torino 1886, pp. 212-213, 304.

[161] Lettera del 1531 (I, p. 31 Nicolini). Cfr. quel che dice di lui il Montemerlo: «uscito il primo liberamente fuori di alcuni legami di superstizione, non si è ritenuto più lungamente dentro a' carceri di quelle regole, che ad alcune voci e testure quotidianissime, et più che necessarie, freno ponevano, o interdicevano al tutto il farsi vedere: come sarebbe di non porre la voce *lui* nel caso primo: di non soggiungere l'articolo *il* dopo la particella *per*: non rifiutando per buona la voce *adesso* et altre cose facendo di simigliante maniera» (Montemerlo, *Delle phrasi toscane...*, Lettera ai lettori).

anche le scienze, la moda, i giochi) esercita un'enorme influenza su tutta l'Europa.

Gli scambi si esercitano per innumerevoli vie oltre alle due più importanti delle guerre e dei commerci: sono Italiani che emigrano mettendo le loro capacità a servizio di sovrani stranieri (Colombo, Vespucci, Caboto; Leonardo, il Cellini), sono principesse che vanno spose in corti straniere (Caterina de' Medici in Francia, Bona Sforza in Polonia), sono ecclesiastici e laici che emigrano abiurando il cattolicesimo (Ochino, Vergerio, la Morata, i Socini, i Burlamacchi, Alberico Gentile, il Citolini, Michelangelo Florio); sono Spagnoli o Francesi cui sono affidate funzioni di governo, che vengono a studiare nelle nostre università più famose, che viaggiano per istruzione, per cura, per diporto nella penisola, che esercitano le loro arti in Italia (come il belga Orlando di Lasso, maestro di cappella al Laterano). A Lione, a Londra, altrove, si stampano parecchi libri in italiano.

La letteratura italiana è riconosciuta come una delle grandi letterature classiche, allo stesso livello della latina e della greca, ed esercita un'influenza grandissima sulle letterature rigenerate dal soffio del Rinascimento. Si pensi, per la Francia, alla scuola lionese o a Margherita di Navarra, per la Spagna a Boscán e Herrera, per l'Inghilterra a Wyatt, a Sidney, a Spenser.

Dappertutto si petrarcheggia, e appaiono nuove forme metriche modellate su quelle italiane (sonetto, terza rima). Le traduzioni di libri italiani si moltiplicano: Castiglione, Bandello, Leone Ebreo, Machiavelli e tanti altri autori si possono leggere nelle principali lingue europee anche da chi non conosce l'italiano.

Ma, nelle classi più elevate, conoscere l'italiano è un segno di distinzione, di raffinatezza. Carlo V lo parla, e legge in italiano i libri del Giovio, Francesco I conversa in italiano con Benvenuto Cellini, Elisabetta d'Inghilterra è entusiasta della nostra lingua ed è in grado di scriver delle lettere in essa; Montaigne scrive il suo giornale di viaggio in italiano, a cominciare dal suo soggiorno a Bagni di Lucca fino al Moncenisio.

La moda dell'italiano giunge in alcuni sino all'infatuazione, e trova naturalmente degli impugnatori. Questi tuttavia non trascurano di valersi, in difesa delle loro proprie lingue e letterature, di quello che avevano imparato dai trattatisti italiani: nella rivendicazione dello spagnolo di Luis de León si sente l'eco del Bembo, nella *Deffence et Illustration de la langue françoyse* di Joachim du Bellay si ritrovano i ragionamenti del *Dialogo delle lingue* di Sperone Speroni.

In servizio degli studiosi d'italiano si cominciano a pubblicare grammatiche: Jean Pierre de Mesmes pubblica una *Grammaire italienne composée en françois* (Parigi 1548), modellata sul Bembo; W. Thomas compila le *Principal Rules of the Italian Grammer, with a Dictionarie for the better understandyng of Boccace, Petrarch and Dante*, Londra 1550; G. M. Alessandri traccia *Il Paragon della lingua toscana e castigliana*, Napoli 1560.

Poiché spesso la lingua più familiare agli stranieri quando scendono in Italia è il latino, il napoletano Scipione Lentulo (1567) e il fiorentino Eufrosino Lapini (1574) scrivono grammatiche latine ad uso dei forestieri; e il gallese John David Rhys (Rhoesus), vissuto alcuni anni in Italia, pubblica un *De Italica Pronunciatione et Orthographia libellus* (Padova 1569)[162].

Giovanni Florio (figlio di Michelangelo Florio, emigrato per motivi di religione e autore di una grammatica intitolata *Regole de la lingua thoscana*)[163] compose dei trattatelli per l'insegnamento dell'italiano, i *First Fruites* (1578), i *Second Fruites* (1591), e un dizionario italiano-inglese intitolato *A Worlde of Wordes* (1598)[164].

Già precedentemente erano usciti il primo vocabolario italiano-spagnolo e spagnolo-italiano, quello di Cristóbal de las Casas, *Vocabulario de las dos Lenguas toscana y castellana*, Siviglia 1570 (più volte ristampato), e il primo italiano-francese e francese-italiano, di Giovanni Antonio Fenice (Phénice, Félis), *Dictionnaire françois et italien* e viceversa, Morges e Parigi 1584 (altre edizioni, da quella di Ginevra 1598 in poi, portano il nome del revisore P. Canal).

Vanno anche ricordate le edizioni poliglotte del Calepino, e le raccolte di colloqui in più lingue[165].

A queste importanti posizioni dell'italiano sul continente europeo fanno riscontro quelle nel Mediterraneo. Anzitutto vi sono i possessi diretti di Venezia, specialmente nell'Adriatico[166]: ma anche più importante è il prestigio. Mentre nelle corti dei paesi continentali, osserva il Muzio, ci si può far intendere in italiano, e in alcune anche in latino, in Levante il latino non si conosce, e l'italiano predomina: «Andate alla Corte del Signor de' Turchi, ritrovate chi sappia Latino: ritrovatene appresso il Re di Tunisi, nel regno del Garbo, di Algier, & in altri luoghi; la nostra lingua ritrovarete voi per tutto»[167]. Nei paesi di diretto dominio, poi, i sudditi devono imparare il veneziano (o l'italiano tinto di veneziano) «per la necessità di comparire dinanzi a' tribunali de' magistrati in ragione»[168].

Nelle relazioni con i Turchi, l'italiano è di uso abbastanza comune: la cancelleria fiorentina, che aveva scritto in greco al Gran Turco nel

---

[162] Sul Rhys e sul Thomas, vedi T. G. Griffth, *Avventure linguistiche del '500*, Firenze 1961.

[163] Cfr. G. Pellegrini, *Studi di filol. ital.*, XII, 1954, pp. 77-204.

[164] F. A. Yates, *John Florio*, Cambridge 1934.

[165] La prima edizione dei *Colloquia* del Berlaimont che contiene anche l'italiano, è quella di Anversa 1558 (Emery, in *Lingua nostra*, VIII, 1947, pp. 36-38).

[166] Sulle coste dalmate, gli uomini sanno per lo più «parlar francamente», cioè farsi capire in italiano (N. Vianello, *Lingua nostra*, XVI, 1955, pp. 67-69). A Ragusa nasce in questo secolo una letteratura in lingua croata, plasmata su modelli italiani.

[167] *Battaglie*, c. 192 b.

[168] Castelvetro, *Correttione*, p. 224. Vedi, per le condizioni di Corfù, M. Cortelazzo, in *Lingua nostra*, VIII, 1947, p. 45.

1501, gli scrive in italiano nel 1508, nel 1528[169]: si hanno testi italiani anche per la corrispondenza e i trattati con altri paesi[170].

Date queste circostanze, la penetrazione di vocaboli italiani sia nelle lingue dell'Europa continentale che in quelle del Mediterraneo fu in questo periodo assai forte.

14. Grafia

Passeremo ora a esaminare rapidamente la principali caratteristiche grammaticali e lessicali di questa età, con particolare riguardo a ciò che appare di nuovo in confronto con i secoli precedenti. E incominciamo con la grafia (e l'interpunzione)[171].

Al principio del secolo, trent'anni dopo la stampa dei primi incunaboli, la situazione della grafia, sia negli scrittori che nei libri, è ancora assai caotica. Predomina decisamente la grafia che l'influenza umanistica ha imposto al volgare, cioè la grafia etimologica: *h* dove l'ha il latino, *ti* per *zi*, digrammi (*ch, th, ph*) nelle parole greche, gruppi consonantici (*ct, pt, x, ps*, ecc.) latini non assimilati, qualche esempio sporadico di *ae, oe*. Ma, principalmente per l'intervento di un grande editore e di un grande scrittore e filologo, le condizioni stavano per mutare. Nel 1501 escono presso Aldo Manuzio il Vecchio[172] *Le cose volgari di Messer Francesco Petrarca*: l'originale su cui fu condotta l'edizione ancora ci rimane, ed è il manoscritto Vat. 3197, curato da Pietro Bembo. In confronto con l'autografo del Petrarca, il Vat. 3195[173], l'Aldina è parte più latineggiante, parte meno. Il Bembo accolse dalla grafia umanistica l'*h* (*ho*; autogr. *o*), il *ti* (*spatio, gratia* come nell'autogr., ma anche *topati*; autogr. *topaçi*), i digrammi greci (*cethera* «cetra», autogr. *cetera*), ma invece rappresentò decisamente l'assimilazione dei gruppi consonantici (*tt*, non *ct, pt*): peculiarità che è, se si vuole, un ritorno a quella che era la grafia prevalente nel Petrarca, ma segna un

[169] G. Müller, *Documenti delle relazioni delle città toscane... coi Turchi*, Firenze 1879; Marzi, *La Cancelleria*, cit., p. 413.

[170] V. per es. E. de la Charrière, *Négociations de la France dans le Levant*, I, pp. 122-129, pp. 285-294. Ma di rado rimangono gli atti originali, e è difficile distinguere, senza particolari indagini, quale è la lingua in cui i documenti furono dapprima stilati.

[171] Ho compiuto un esame più serrato delle varie peculiarità della grafia nel mio articolo «Note sulla grafia italiana nel Rinascimento», in *Studi di filol. ital.*, XIII, 1955 (rist. in *Saggi ling.*, pp. 197-225).

[172] Nel 1499 era uscita dalla stessa tipografia l'elegantissima *Hypnerotomachia Poliphili*, latineggiante anche nella grafia (persino con *ae, oe*), nel 1500 le *Epistole devotissime de Sancta Catharina da Siena*, anch'esse con la solita grafia e punteggiatura.

[173] Che in quell'occasione probabilmente il Bembo adoperò solo per un riscontro, e molto più tardi acquistò: cfr. G. Salvo Cozzo, *Il cod. vaticano 3195 e l'edizione aldina del 1501*, Roma 1893, G. Mestica, in *Giorn. stor.*, XXI, 1893, pp. 300-334.

deciso distacco dalla grafia dominante in quegli anni. Ritroviamo questo metodo applicato dal Bembo anche negli *Asolani* (1505); e il metodo guadagnò man mano, sia pur lentamente, terreno, in modo che alla metà del secolo possiamo considerarlo in notevole prevalenza. Anche la *x* è quasi del tutto abbandonata in questo periodo, sostituita da *ss*: l'unico punto che dà luogo a divergenze notevoli è la serie di voci che avevano in latino *ex-* e che dapprima si trascrivono anch'esse con *-ss-* (*essempio*, ecc.), mentre poi, attraverso oscillazioni che durano tutto il secolo, si passa a *-s-*.

Invece le altre peculiarità, la *h*, il gruppo *ti*, i digrammi greci, specialmente nei nomi propri, si mantengono pressoché stabili nella prima metà del secolo, fuorché nei riformatori più radicali (il Trissino e il Tolomei tendono a eliminarli, pur con diversi metodi e con qualche contemperamento con l'uso; le stampe di Neri Dortelata seguono una grafia coerentemente fonetica: la *h* e i digrammi sono aboliti e si passa a *zi*). Ma, nella seconda metà del secolo, i Toscani man mano vengono abbandonando tutte queste peculiarità latineggianti; invece il Settentrione e il Mezzogiorno sono molto più restii ad abbandonare le grafie tradizionali, che offrono agli scriventi il vantaggio di appoggiarsi al latino. Per la *h*, già l'Ariosto, secondo la testimonianza del Giraldi[174], aveva detto che «chi leva la H all'*huomo* non si conosce uomo e chi la leva all'*honore* non è degno di onore. E s'*Hercole* la si vedesse levata dal suo nome, ne farebbe vendetta contro chi levata gliela avesse, col pestargli la testa colla mazza...». Il Bruno attribuisce a un pedante toscanofilo (*De la causa*, I, p. 167 Gentile) il proposito di sopprimere la *h*, e lo mette in cattiva luce. Per la *z*, sia nelle voci dotte che avevano in latino *ti* (come *gratia* = *grazia*), sia in quelle che avevano *ti* preceduto da consonante come *actione* (= *azzione* = *azione*), si discute acremente negli ultimi anni del secolo fra Toscani fautori della *z* e non Toscani, in generale avversari[175].

In conseguenza dell'abbandono delle peculiarità grafiche latineggianti, vengono a prodursi o piuttosto a rivelarsi parecchie omonimie. Certe distinzioni che erano mantenute, almeno per l'occhio, dalla grafia, spariscono, e di conseguenza o sussistono nella lingua due parole (omofone e omografe) con significati diversi (per es. *atto* da *acto* e *atto* da *apto*) ovvero gli inconvenienti dell'omonimia spingono a eliminare la meno usata delle due voci (spariscono *orto* da *ortus*, *esterno* da *hesternus*, *correzione*, *direzione* da *correptio*, *direptio*, mentre sopravvivono *orto* da *hortus*, *esterno* da *externus*, *correzione*, *direzione* da *correctio*, *directio*.

Le oscillazioni sono piuttosto frequenti nell'uso delle doppie, specialmente dove il toscano non concorda col latino. Non si dimentichi che nell'Italia settentrionale le doppie sono quasi sconosciute alla

[174] *Dei Romanzi*, negli *Scritti estetici*, rist. Daelli, I, pp. 141-142.
[175] V. specialmente O. Lombardelli, *La difesa del zeta*, Firenze 1586.

pronunzia dialettale: per questo i grammatici, a cominciare dal Fortunio, dedicano a questo punto una grande attenzione. Non si fa alcuna distinzione per tutto il secolo tra *u* e *v* e tra le diverse funzioni di *i*, malgrado i tentativi fatti a tal fine, benché in diverse direzioni, dal Trissino, dal Tolomei, dal Dortelata.

La separazione delle parole è ancora incerta al principio del secolo quando si tratta di proclitiche (*i libri* o *ilibri*).

Un notevole contributo alla chiarezza ortografica è l'introduzione dell'apostrofo, dovuta al Bembo e al Manuzio. Il segno, accolto secondo l'esempio del greco nella scrittura del volgare, per indicar l'elisione, appare la prima volta nel Petrarca aldino del 1501, e penetra assai lentamente nell'uso; alla metà del secolo è accolto generalmente, e solo restano oscillazioni fra l'ambito dell'elisione e quello del troncamento, e per qualche minore peculiarità (*su'l*, ecc.).

Anche gli accenti grafici sono esemplati sull'uso greco, come si vede dalla preferenza data all'acuto nell'interno di parola (nei rari casi in cui si scrive) e al grave in fine. Dopo qualche sporadica comparsa nel Quattrocento (v. p. 260), esso è introdotto dal Bembo e dal Manuzio[176] negli *Asolani* (1505), che hanno alcune volte il grave sulla finale (*menò*, *altresì*; ma anche *amista*, *castita*, ecc.) e qualche rara volta l'accento all'interno (*restìo*).

Anche l'interpunzione, scarsissima nei manoscritti e scarsa e caotica nelle stampe al principio del secolo, diviene man mano più ricca e regolare, e in complesso alla fine del secolo è ormai molto simile all'odierna, e ha trovato dei trattatisti che la regolano minutamente[177].

Nella scrittura, l'interpunzione rimane più a lungo scarsa e confusa. «L'Ariosto conosce il punto (che serve anche da virgola e da punto e virgola), la virgola e il punto doppio (che si equivalgono), l'interrogativo, la parentesi, l'accento e l'apostrofo; ma non li adopera quasi mai nello scrivere consueto»[178]. Il Guicciardini conosce solo la virgola (nella forma/), i due punti (applicati anche per il punto e virgola e per il punto in fine di proposizione), il punto fermo (solo in fine di periodo), il punto interrogativo, ma li adopera molto parcamente[179].

Sono i tipografi più autorevoli che anche in questo caso danno una spinta a una maggiore regolarità e uniformità: lo avvertono già i trattatisti come il Dolce e il Lombardelli.

Accanto ai testi con interpunzione sommaria (con soli punti e virgole; oppure con punti, due punti e virgole) troviamo testi con interpunzione elaborata. Nel Petrarca aldino appare, sembra, per la

---

[176] Il Petrarca e il Dante aldini avevano solo il verbo *è* con l'accento grave.

[177] Ampi e precisi spogli sugli autografi e sui testi a stampa sarebbero particolarmente desiderabili per questo secolo, in cui le norme si delineano in maniera ormai simile a quella poi accolta nell'italiano e nelle altre lingue moderne.

[178] S. Debenedetti, *I Frammenti autografi dell'Orl. Furioso*, cit., p. xxxvii.

[179] Spongano, nell'ed. dei *Ricordi*, pp. lxxix-lxxx.

prima volta[180] il punto e virgola, per indicare una pausa intermedia tra la virgola e i due punti. Il Bembo l'adopera (e l'adopererà nelle opere successive) in molti casi in cui oggi useremmo la semplice virgola, particolarmente davanti a proposizioni relative[181].

Nell'edizione aldina dei carmi latini dell'Augurello (1505) il punto e virgola è adoperato con una funzione diversa: esso appare alla fine di ogni lirica come pausa assoluta.

Si badi che il punto serviva a segnare due pause diverse: quella alla fine di una proposizione seguita immediatamente da un'altra (nel qual caso è chiamato «punto minore» o «punto mobile», e dopo di esso si può trovare la minuscola), e quella più lunga alla fine del periodo («punto fermo»).

Il punto esclamativo («affettuoso») arriva molto lentamente a distinguersi dall'interrogativo e a imporsi nell'uso. Lo descriveva chiaramente Aldo Manuzio[182], ma senza adoperarlo nelle proprie edizioni.

Dedicano alcune pagine all'interpunzione il Giambullari, il Dolce, il Ruscelli, il Salviati; con ampiezza e minuzia talvolta pedantesca ne tratta Orazio Lombardelli[183].

15. Suoni

Anche per ciò che concerne le peculiarità fonetiche le divergenze sono assai forti al principio del secolo, mentre si vanno in buona parte conguagliando man mano che una norma grammaticale s'impone. Differiscono i Toscani dai settentrionali e dai meridionali, i prosatori dai poeti; ma anche se confrontiamo l'uso di due Fiorentini di cui ci restano autografi, il Cellini e il Guicciardini[184], vi scorgiamo differenze sensibili.

---

[180] Come segno tipografico, esso già compariva negli incunaboli di alcune tipografie nell'abbreviazione dell'enclitica latina *que* (q;) e anche in italiano in *dunq*; e simili.

[181] Abbiamo, per es., nel Petrarca aldino, c. 9 a:

> Se l'honorata fronde; che prescriue
> L'ira del ciel, quando 'l gran Gioue tona;
> Non m'hauesse disdetta la corona...

O, nell'edizione principe delle *Prose della volgar lingua* (1525), c. III a: «Era per aventura quel di il giorno del natal suo; che a dieci di di Dicembre veniva; ne ad esso doveva ritornar piu; se non in quanto infermo e con poca vita...».

[182] «puncto scilicet ad imam litteram, supra posita linea, si interrogatio fuerit, retorta, si affectus recta»: *Institutionum grammaticarum*, p. 181 dell'ed. giuntina del 1516.

[183] Dapprima più brevemente nel trattatello *De' punti e de gli accenti che ai nostri tempi sono in uso...*, Firenze 1566, poi nel volumetto su *L'arte del puntar gli scritti* 1585. V. anche G. Vittorij, *Modo di puntare le scritture vulgari, et latine*, Perugia 1598.

[184] V. i buoni spogli di C. Hoppeler, *Cellini*, di R. Spongano, nella cit. ed. dei *Ricordi*; v. anche quelli di E. Raimondi, nella sua ed. dei *Dialoghi* del Tasso (vol. I).

Prevale ancora il dittongo nel tipo *truova, pruova* (anzi abbiamo un *trova* corretto in *truova* nel Guicciardini: Spóng. LXXXIII); *brieve* è nel Machiavelli e nel Cellini, ma nel Guicciardini predomina *breve*.

L'alternanza tra forme dittongate alla tonica e monottongate all'atona è abbastanza rispettata dai Toscani: hanno osservato la regola e la prescrivono il Varchi (*Hercolano*, p. 143) e il Salviati (*Avvert.*, I, III, III, 3)[185]. Invece fuori di Toscana l'analogia fa spesso violare l'alternanza[186].

L'esito di *-er-* da *-ar-* è normale a Firenze e nei dintorni, mentre già a Siena e ad Arezzo *-ar-* persiste[187]. Nella serie dei futuri e dei condizionali le forme in *-erò, -erei* s'impongono, conforme alle prescrizioni dei grammatici[188].

Qualche scrittore settentrionale o meridionale ancora si attiene alle forme in *-arò, -arei* (come il Giovio nelle lettere, ecc.); ma avendo il Vergerio adoperato *invocarò, pendarò, trovarete*, il Muzio lo rimprovera della trasgressione (*Battaglie*, c. 51 a): gli sfuggiva, evidentemente, che i futuri in *-erò* erano di origine fiorentina.

Se qui la serie si imponeva per il suo valore morfologico, invece negli altri casi (per es. nei tipi *-eria, -erello* ecc.) le forme in *-er-* avevano un cammino meno facile. I grammatici stessi non vi si raccapezzavano bene: per es. il Salviati (*Avvertimenti*, 1. III c. II, part. 11), pur trovando nel Boccaccio ambedue le forme, preferisce *Barberia* a *Barbaria* in quanto gli sembra che la seconda «abbia dello straniero». Il Castiglione scrive *vecchiarella*, il Valeriano parla dei *giovanotti dottarelli*, l'Ariosto nell'ed. del '32 usa *pescarecci* e *vecchiarel*, ma *Bulgheria*, il

<hr>

[185] Ma leggiamo un *huomaccio* nel Cellini (Hoppeler, p. 7).

[186] Vedo nel Bembo *inhispagnuolita* (*Prose*, Venezia 1525, c. XIII), *truovare* nel Sansovino, *vuolere* e persino *buontà* nell'Agostini, ecc.

[187] Il Tolomei distingue nel *Polito* fra *-arà* dei verbi in *-are* e *-erà* dei verbi in *-ere*. Sappiamo da Fabio Benvoglienti che il Tolomei volontariamente si atteneva ad alcune particolarità grammaticali, come *amarò* per *amerò*, *legge* imperativo per *leggi*, *vedeno* per *vedono* (Tolomei, *Lettere*, Venezia 1547, c. 234 b), probabilmente perché riteneva le forme senesi storicamente più giustificate di quelle fiorentine. Ma egli era tutt'altro che incline ad approvare altri senesismi, come risulta dalla lettera al Cinuzzi, del 1543: «Quanto a la grammatica, parmi che vi siate lassato trasportare un poco troppo da l'uso del parlar Senese, la qual cosa se ben si potesse difendere, dicendo che voi scrivete ne la lingua Toscana de la città vostra, come han fatto molti poeti, e prosatori Grechi ne la lingua de la lor patria: nondimeno egli è meglio fuggir sempre ogni scoglio, benche piccolo, che urtarvi, ancora che la nave non vi si rompa. E certo ne nostri tempi son cresciuti certi giudizii fastidiosi, li quali per troppa debilezza di stomaco non sopportano». (*Lettere*, cit., c. 10 b).

[188] «Era di necessità eziandio, che, in tutti i verbi della prima maniera, la *a* si ponesse nella penultima sillaba... Ma l'usanza della lingua ha portato che vi si pone la *e* in quella vece, e dicesi *amerò, porterò*» (Bembo, *Prose*, p. 131 Dionisotti). Il Trissino nella *Grammatichetta* dà solo *honorerò, honorerei*, ecc. Il Salviati (*Avvertimenti*, II, c. 16) biasima le forme *portarò, portarei*, «che alcuni scrittori a i nostri tempi hanno voluto introdurre, (il Nencioni pensa che alludesse al Varchi, eclettico nell'uso dei due tipi).

senese Piccolomini *vestarella*, Pietro Aretino *petrarchescaria*, mentre il Muzio conia il termine di *fiorentinaria*.

Un punto in cui si ha ancora forte oscillazione è l'adattamento dei latinismi con *u* breve: *vulgo / volgo, congiugazione / congiogazione, traduzione / tradozzione* (Contile), *suggetto / soggetto, sustanza / sostanza, facultà / facoltà, capitulo / capitolo*, ecc.

Nei latinismi che contenevano *au* s'era diffusa una pronunzia *al* (*laldare, aldace*) che il Castiglione, il Valeriano, il Muzio, il Lombardelli consideravano un vezzo fiorentino da non imitare.

La iod iniziale di parola nei latinismi ora è conservata, ora è resa con *g* palatale (*iocondo / giocondo, Iulio / Giulio* ecc.)[189].

Le alternanze nell'uso delle palatali sibilanti (*bacio / bascio*) sono ormai rare[190]; non mancano esitazioni tra sorda e sonora (*brugiare* per es. nel Caro; *straginare* nel Vasari); fuori di Toscana la *g* palatale scempia è spesso sostituita dalla doppia (*malvaggio, raggione* nella lettera di Raffaello e Baldassar Castiglione sulle antichità di Roma, *caggionare* in G. Bruno, ecc.).

Si hanno oscillazioni fra il tipo *cingere* e il tipo *cignere* (*aggiugnere, dipigne*: Guicciardini; *istignere*: Cellini; *cignerò*: Cecchi, ecc.), in cui i grammatici mal si raccapezzavano[191].

Il tipo *mugliare, ragliare, Figline* vince in questo secolo *mugghiare, ragghiare, Figghine*, come reazione alla pronunzia contadinesca del tipo *migghia* per *miglia*[192].

Lotta tra forme plebee e forme civili si ha in Toscana anche nelle serie *schiavo / stiavo, ghiaccio / diaccio* (*stiavo*: Mach.; *stiaccia, mastio*: Cellini; *diacere, diacitura*: passim; *diaccido*: Soderini, ecc.); e qualche traccia ne permane (*mastio* come termine di fortificazione, *diaccio*, ecc.).

Invece l'alterazione che a Firenze aveva cominciato a manifestarsi nei gruppi di *l* + cons. (*aitro*)[193] non lasciò tracce.

Dei fenomeni di fonetica sintattica alcuni sono un po' obliterati dalla stabilizzazione ortografica dovuta alla stampa (*a loro, il re*, anche se la pronunzia toscana è *alloro, irré*).

---

[189] Talvolta anche dove l'*i* era vocale: il Muzio rimprovera al Varchi d'aver scritto *gionica* perché l'*i* era vocale (*Battaglie*, c. 110) – e vuol'esser chiamato *Hieronimo*. Il Dortelata stampa invece *san Ghieronimo* e così pure *interghiezione; conghiettura* si trova dal Trecento al Cinquecento.

[190] Ma il Norchiati nella nota lettera al Varchi (1540) attesta che alcuni pronunziavano *rucello* in luogo di *ruscello*, e non più *bascio* e *camiscia* (*Prose fiorentine*, p. IV, vol. I, lett. 52).

[191] Il Sansovino (*Ortogr.*, s. v.) afferma che «*dipignere* dicono i poeti», ma poi dice anche che «*cingere* è del verso».

[192] Castellani, in *Lingua nostra*, XV, 1954, pp. 66-70.

[193] Il Muzio (*Battaglie*, c. 38 b) asserisce che «il Varchi maestro della lingua... pronontiava *ascoita* et *una aitra voita*». Ma si doveva trattare solo di una alterazione embrionale: il Salviati assicura che il suono «pare un i... a coloro a cui l'idioma è straniero» (*Avvertimenti*, vol. I, III, ɪɪɪ, part. 6).

Nei troncamenti, quando una *m* venga a trovarsi alla finale, di regola si muta in *n* (salvo che non sia davanti a labiale): *possian dire*, ecc.[194]. Con le enclitiche, l'assimilazione è ancora assai largamente praticata: per es. per *r + l*: *vedella, cascallo, fermallo* (Ariosto, *Orl. Fur.*, in rima); *pensallo, lasciallo, ristorallo* (Machiavelli, *Mandragola*); *vedello* (Lasca); *vedelle* (Tasso, *Ger. lib.*, in rima)[195].

In qual misura si possa o si debba troncare in prosa e in verso, è oggetto di molte discussioni, dato che è pressoché impossibile fissar regole. Nella prosa, mentre le spontanee consuetudini toscane sono rispecchiate nei testi di tono familiare[196], negli scrittori non toscani si sente talora l'influenza dei moduli boccacceschi: per es. «quella *perfezion*, qual ch'ella si sia» nella lettera dedicatoria del *Cortegiano*. Il Ruscelli trova che il dire «signore giusto» e simili senza troncamento «sarebbe bruttissimo, et come proprio del parlar' abbruzzese» (*Commentarii*, p. 155).

Per i versi si disputa sulla legittimità di troncamenti come quelli dell'Ariosto «Il signor, o 'l *tiran* di quel castello», «*Mirabil* voci e *sollazzevol* balli»[197], o quello del Tasso nella *Gerusalemme liberata* «Amico, hai vinto: io ti *perdon*..., perdona» (infelicemente mutato nella *Conquistata* in «Amico hai vinto; e perdono io, perdona»).

16. Forme

La eliminazione di varianti morfologiche è in complesso piuttosto forte, e dovuta in gran parte ai grammatici.

Nella morfologia del nome, notiamo il tardo stabilizzarsi del paradigma *la mano / le mani*: la forma etimologica *le mano*, usata dall'Ariosto nella prima redazione, è successivamente eliminata; la forma analogica *la mana / le mane* è usata dal Cellini[198].

Nel plurale dei sostantivi in *-ca* e *-ga*, e degli aggettivi corrispondenti, l'oscillazione, per influenza latina, è fortissima, e troviamo numerosi esempi contrari agli schemi che poi si consolideranno: *pratice* (Ariosto),

[194] Abbiamo così, ad es. *dipartianci* (canto carnascialesco «Quanto è dura...»), *recarenci* (Tolomei, Polito, c. 17 a), «lieta la *rivedren* di puro argento» (Alamanni, *Coltivazione*, l. VI, c. 99 b dell'ed. Firenze 1549), «*Aspettianlo* qui» (Gelli, *Sporta*, III, sc. 6), ecc. La regola è codificata dal Salviati (*Avvertimenti*, I, III, II, part. 37).

[195] Il Ruscelli avendo biasimato il verso del Petrarca «E chi nol crede vengh' egli a *vedella*», «il qual verso non fu molto più felice di lingua che di pensiero», il Borghini nelle sue postille difende il poeta: «Io non so per che cagione questa bestia biasimi il Petrarca qui nella lingua, parlando egli benissimo, e seguendo l'uso della buona vena» (*Ruscelleide*, I, p. 41).

[196] Un'ampia descrizione dell'uso celliniano in Hoppeler, *Cellini*, pp. 9-13.

[197] Il Giraldi (*De' Romanzi*, I, pp. 144-145 Daelli) faceva notare che analoghi troncamenti di plurali si hanno già nel Petrarca («sì mirabil tempre»).

[198] *Le mane* anche dal Machiavelli nella *Mandragola* e dal Casa in un capitolo (Hoppeler, *Cellini*, p. 49): ma qui si tratta del tipo non raro *le carne* (Bibbiena), *le ragione* (Guicc.), ecc.

famelice (Ariosto), *diabolice, filosofice, grece* (Doni), *Filippice* (Speroni), ecc.

Pure assai forte è l'oscillazione per i nomi e aggettivi in *-co* e *-go*: *equivochi* (Tolomei), *sindachi* (Nardi), *distichi* (Baldi), *dittongi, trittongi* (passim), *dialogi* (Contile); *pratichi* (Salviati), ecc.[199].

Per l'articolo, nella prima metà del secolo si ha qualche esempio di *el* anche nei fiorentini: Cosimo firma spesso *el duca di Fiorenza*. Ma poi finisce con l'imporsi l'uso di *il*, che è la forma consigliata dai grammatici[200]. La distribuzione di *il* e *lo* quale è codificata dal Bembo (*Prose*, p. 91) comprende anche i tipi *da 'l* e *lo' nganno*; davanti a *s* implicata i grammatici (Bembo, Varchi, Muzio, Salviati) raccomandano *lo*, ma di fatto troviamo numerose eccezioni. Davanti a *z*, si usa *il*. Il Bembo (*Prose*, p. 92) prescrive *lo* dopo *per* e *messer*; ma la norma è lungi dal trovare il consenso generale (*per il passato, per il futuro*, Gelli; *per il passato*, Lenzoni; *perilche*, Giambullari; *per il contrario*, Guicciardini; *per il fango* accanto a *per lo suo buon verso* nelle *Annotazioni* dei Deputati, ecc.; in altro nesso postconsonantico *far lo satrapo*, Caro); al Ruscelli (*Comm.*, p. 516) già *per lo papa* suona provinciale («abruzzese»); il Montemerlo loda l'Aretino d'esser sfuggito alla «superstizione» d'usare *lo* dopo *per*, mentre il Salviati (II, II, XXII) ammette *pel* «favorito dalla voce del nostro popolo, che altramente non dice mai» e biasima *per il* «del moderno stil cortigiano». *In la*, combattuto dal Bembo (*Prose*, p. 155), perde molto terreno: e spesso l'Ariosto lo eliminò nella sua revisione.

Per il plurale, la distribuzione è analoga al singolare: *e* è in forte regresso, ecc. Riguardo all'oscillazione fra *li* e *gli* il Salviati (II, II, XXII) contesta che il Bembo abbia ragione di preferire *per li* a *per gli*; il Ruscelli (*Comm.*, pp. 511-512) raccomanda di non usare *gli* quando sia vicino un altro *gli*.

Per i numerali, si hanno ancora numerose forme per indicare il 2: *duo, dui, doi, duoi, due, du', dua*. I vari autori usano per lo più due o tre forme ora promiscuamente, ora secondo il genere del nome che segue, secondo la collocazione del numerale (prima del sost. o dopo) e, qualche volta, secondo il suono iniziale del vocabolo seguente (*du'* davanti a vocale). Vi è una certa tendenza nei poeti a distinguere *duo* per il maschile e *due* per il femminile, secondo la regola latina e frequenti esempi del Petrarca (*duo amanti*, 115, 1; *due rose fresche*, 245, 1): è questa la regola seguita dall'Ariosto (non senza eccezioni, e con l'aggiunta che i plurali in *-a* per lo più vogliono *dua*: *dua dita, dua corna*) e dal Tasso. In prosa *dua* abbonda nei fiorentini (Machiavelli, Gelli, Guicciardini) e ad essi è rimproverato (cfr. Salviati, *Avvertimenti*, I, II, 19); anche *duoi* è

---

[199] Cfr. anche *domestichissimo* (Castiglione), ecc.

[200] Il Bembo (*Prose*, p. 91 Dion.) registra solo *il*, e così il Trissino; l'Acarisio (p. 1) conosce *el* solo «in compositione» (per *e il*); il Ruscelli (*Comm.*, p. 517) considera *el* (e il plurale *e*) «non solamente vitio, ma orrendo & spaventoso mostro nella lingua nostra».

piuttosto del fiorentino parlato. La Crusca, abbandonando ogni distinzione di genere, raccomanderà *due* in prosa e *duo* in verso.

Un punto su cui i grammatici non arrivano a imporsi è l'ostracismo da essi dato a *lui* e *lei* come soggetti. Anche l'ostilità con cui parecchi di essi impugnano il nuovo valore allocutivo di *Ella* e *Lei* non arriva a opporsi all'ondata dell'allocuzione in terza persona. Si possono distinguere tre fasi di espansione[201]: nella prima fase (che si svolge principalmente nel Quattrocento) si generalizza l'uso dei pronomi *quella, ella, essa, questa, lei*, in riferimento ad allocuzioni astratte come *Vostra Signoria, Vostra Magnificenza*, ecc. (allocuzioni che trionfano nell'uso cortigiano, mentre i letterati si sforzano di tener vivo, promiscuamente con esse, il *voi*); nella seconda fase (primi decenni del '500) divulgatosi per influenza spagnola l'uso di dar del *signore* a tutti (v. p. 359), e quindi generalizzatosi il trattamento di *Signoria*, spariscono le altre forme pronominali, *Quella, Essa*, ecc., lasciando posto a una sola, *Ella - Lei* (con *Ella* come soggetto e *Lei* per i complementi con preposizione; ma anche con *Lei* come soggetto); nell'ultima fase (metà del Cinquecento) l'allocuzione prende una fisionomia propria, intermedia tra il *Voi* e il *Vostra Signoria* completo[202].

Gli per «a lei», frequente nell'uso, è biasimato dal Ruscelli, dallo Strozzi e dal Salviati, *gli* per «a loro», pure frequente, è biasimato dal Varchi[203].

Gliele come forma per tutti i generi e numeri, è raccomandato dal Bembo (*Prose*, p. 110 Dion.) e si trova spesso (anche sotto la forma più popolare *gliene* o *gnene*); ma alla fine del secolo lo Strozzi raccomanda di evitarla (*Osservazioni*, pubblicate in appendice al Buonmattei).

Lo che entra nell'uso in questo secolo, specialmente nell'Italia meridionale (per es. in G. Bruno) ed è uno spagnolismo[204].

Il dimostrativo *cotesto* è dai non Toscani male adoperato: per es. il Bandello parlando dei propri scritti, parla di «*cotesta* sorte di novelle» (*Proemio*, I parte), oppure evitato (v. la testimonianza del Ruscelli, *Commentarii*, p. 132).

Il possessivo enclitico del tipo *fratelmo, màtrema*, che ormai nell'uso toscano è limitato a pochi esemplari e agli strati infimi della popolazione, compare solo in qualche testo di tono popolare (in commedie del Machiavelli e del Cecchi, in modi di dire citati dal Doni); i grammatici,

---

[201] Migliorini, «Primordi del lei», in *Lingua nostra*, VII, 1946 (rist. in *Saggi ling.*, pp. 187-196).

[202] Ciò risulta bene da G. M. Alessandri, nel *Paragone della lingua toscana e castigliana*, cit., c. 64: «Un altro mal uso regna oggi, ch'è di alcuni signori, i quali; parlando o scrivendo ad alcun che lor paia disonorarlo col *Voi* e di troppo honorarlo col dargli della *Signoria* gli parlano e scrivono in terza persona *egli, li, le, suo, sua, suoi*, sue, ed altri che molte volte non se ne può cavar sentimento alcuno».

[203] Ma, come nota la Labande - Jeanroy (*Question*, I, p. 185), si trova almeno una volta nell'*Hercolano*.

[204] D'Ovidio, *Varietà filologiche*, pp. 294-301.

che trovano qualche esempio in Dante e nel Boccaccio, spiegano le forme, ma le sconsigliano («bassissima voce»: Bembo; «per lo più parlare di volgo»: Varchi; «voci plebee»: Citolini); anche nell'uso toscano plebeo ben presto esse spariranno.

Quanto al verbo, alcune delle forme emerse nel '400 e che ancora al principio del secolo hanno una certa voga, sono man mano eliminate. Vengono ricacciate così le forme di 3ª persona plurale del presente di 1ª coniugazione in -*ono* (*pensono, s'ingannono*: Mach.; *prestono, somigliono*: Gelli ecc.)[205].

Gli imperfetti in -*o* (-*avo, -evo, -ivo, ero*) sono adoperati esclusivamente dagli scrittori fiorentini più spontanei (Cellini); altri scrittori oscillano fra -*o* ed -*a*, e i non Toscani volentieri obbediscono ai grammatici (Bembo, Trissino) che ammettono solo -*a*: fu così che l'Ariosto passò, nell'ultima revisione del *Furioso*, alle forme in -*a*. Alla 2ª persona plurale, la forma in -*avi, -evi, -ivi*, che è largamente attestata per l'uso vivo (*voi davi*, Cellini; *voi potevi*, Gelli; *voi havevi*, Doni; *voi gli volevi dare*, Bramante), è condannata dal Salviati.

Le forme di 3ª pers. del cong. imperfetto in -*assi, -essi, -issi* (*mancassi, volessi*, Machiavelli) sono aborrite dai grammatici (Tizzone Gaetano ne fa strage nella sua edizione del Poliziano).

Nel condizionale, le forme in -*ia* sono ormai limitate alla poesia, salvo pochi esempi in prosa (nel Cellini, nel Vasari: forse per aretinismo?).

Le forme dei perfetti forti in -*ono* (*scrissono*) cedono nella seconda metà del '500 alle forme in -*ero*, a cui il Bembo e altri grammatici avevano dato vigore[206].

I paradigmi sono molto meno stabili che quelli odierni, e le forme aberranti abbondano (perfetti deboli come *vivette*, Varchi; *morette*, Davanzati; participi come *fonduto*, Cellini, ecc.). E anche maggiore è la oscillazione negli scrittori periferici: per es. nel passato remoto e nel condizionale affiorano presso i settentrionali, malgrado il monito del Bembo, forme in -*assimo, -essimo, -issimo* (*noi andassimo* «andammo», *noi potressimo* «potremmo»); presso gli scrittori meridionali si trovano ancora infiniti, participi e gerundi con affissi di plurale («*per esserno* essi usciti in campo a spasso»: Bruno, *De la causa*, I, p. 150 Gentile; «*avendono* quelli a sue male spese imparato»: Bruno, *Cena delle ceneri*, I, p. 25 Gentile, ecc.).

Il costrutto *tranquilla e pacificamente*, che l'italiano antico aveva posseduto, ma che non era stato accolto dai maggiori scrittori trecenteschi, ricompare ora nell'uso, specialmente cancelleresco: il Varchi scrive, nel l. V della sua *Storia fiorentina* «molto *lunga e particolarmen-*

---

[205] Tizzone Gaetano sconciava il Poliziano pur di eliminare le forme in -*ono*: dopo aver mutato *erono* in *erano*, per salvare la rima doveva anche mutare *posa ferono* con *fine imperano*, e così via (v. l'Introduzione dell'ed. Pernicone, p. XXXIX); il Ruscelli e il Salviati danno pure l'ostracismo alle forme in -*ono*.

[206] Nencioni, *Fra grammatica e retorica*, passim.

te (per usare una volta ancor noi questo nuovo modo di favellare)», e questa nuova introduzione nell'uso ci rende certi che si tratta di un ispanismo[207].

17. *Costrutti*

È ancora molto usato nel Cinquecento nell'apposizione col *di*, accanto al tipo col dimostrativo («*quella* cicala della Brigida»: Gelli), il tipo col semplice articolo («*il* semplice dello istrice»: Firenzuola; «*il* beccone del marito»; «*il* fastidioso di suo cognato»: Bandello)[208].

L'uso dell'articolo con ellissi del sostantivo, quale può essere esemplificato da un passo della dedica dell'*Orazia* dell'Aretino a Paolo III (1547): «la vita di Gesù Cristo e *la* di Maria Vergine, e *la* di Tommaso d'Aquino» o da una lettera del Parabosco («Questa mattina ho avuto *la* di V. S....»: *Lettere*, Venezia 1546, e. 19 a), è certo uno spagnolismo.

Tutti può essere seguito dal sostantivo senza articolo: *tutti mali*, *tutti corpi* (Tasso).

I comparativi e i superlativi si presentano talvolta ancora con avverbi intensivi: «quella che *più* è *migliore*» (Bembo, *Prose*, p. 42 Dion.), «beono sempre *i più pessimi* vini» (Aretino, *Cortig.*, III sc. 6).

L'ènclisi pronominale all'inizio di proposizione è ancora predominante, specialmente negli scrittori arcaizzanti (per es. nel Bembo), ma ormai gli esempi negativi alternano con quelli positivi (*si può*, *ti ringrazio*, ma *dirotti* nella stessa scena della *Pinzochera* del Grazzini, I, sc. 6).

Nelle coppie pronominali, il tipo *se gli* (*se li*), *se le*[209] è più frequente di *gli si*, *le si*; il tipo *lo mi*, *la mi* ecc. è più raro di *me lo*, *me la*, ecc.[210]: esempi tuttavia non ne mancano[211].

Nelle costruzioni participiali assolute, il participio spesso rimane al maschile singolare: «fatto Pasqua» (Bembo, lettera del 1503), «stracciato la scritta e licenziato Nicodemo» (Grazzini, *Spiritata*, I, sc. 3), «restato la femmina contenta» (Doni, nov. XIII), «gli operai, vistosi in vergogna» (Vasari), «conchiuso le proposizioni a rovescio» (Davanzati), ecc.

---

[207] Migliorini, *Saggi ling.*, pp. 148-155.

[208] La spiegazione del Salviati che vede nel primo membro una sostantivazione astratta («dove l'addiettivo *infelice* per lo sustantivo *infelicità* è posto senza alcun fallo»: *Avvertimenti*, II, ii, cap. 10) non è accettabile: basti pensare a femminili come «la *trista* della volpe» (Firenzuola).

[209] Cioè il tipo V della classificazione del Lombard, in *Studier mod. spr.*, XII, 1934, pp. 19-76.

[210] Tipo III del Lombard. Il Bembo, opponendo un uso «italiano» a un uso «toscano» (*Prose*, p. 106 Dion.), si rende conto che questo secondo sta perdendo terreno (ma per suo conto preferisce attenersi all'uso arcaico).

[211] Molti nel Bembo; «perché *la le* diè Astolfo» (Ariosto, *Orl.*, XXXII, st. 48); «cercando pur di tor*lomi* davanti», (ib., XXIV, st. 39); «*la ti* chero» (Giraldi, *Hercole*, VIII); «dite*lemi*» (Lenzoni, *Difesa*, p. 20), ecc.

La tendenza a un periodare sostenuto, e perciò a una subordinazione complessa, è cosa troppo nota perché ne dobbiamo parlar qui (tanto più che un esame analitico richiederebbe troppo lungo discorso). Forti progressi fa la costruzione dell'accusativo con l'infinito[212]. L'azione conscia dei grammatici, con gli scrupoli di chiarezza che introduce, fa regredire fortemente le ellissi dei *che* relativi e dichiarativi; tuttavia se ne hanno ancora esempi («di quello vi sia di buono»: Machiavelli; «il tradimento aveva fatto al suo signore»: Vettori)[213].

Nelle proposizioni concessive, *sebbene* si usa quasi sempre con l'indicativo, *benché* col congiuntivo: «le quali cose *se bene piacevano* allo universale» (Guicciardini, *Ricordi*, C 21 Spongano), «[Guido] non poteva, *sebbene gli dispiaceva*, tenere le risa» (Vasari, *Vita di Buffalmacco*)[214].

18. Consistenza del lessico

In questo paragrafo e nei successivi, potremo toccare solo, come è ovvio, di alcuni fenomeni più generali, senza poterci soffermare sulla peculiare fisionomia che assume il lessico dei singoli secondo il timbro della loro personalità.

La conoscenza del lessico durante il Cinquecento si allarga notevolmente, sia per la quantità dei vocaboli dominati dalle persone di qualche cultura, sia per il numero crescente di tali persone.

I Toscani hanno il vantaggio di potersi appoggiare al loro lessico patrimoniale, e parecchi di loro vanno cercando con curiosità vocaboli e locuzioni colorite (che in parte riescono poco intelligibili ai non Toscani, e sono accolte da questi solo limitatamente). Settentrionali e meridionali indulgono in misura sempre minore ai loro dialettalismi. Per restare sul saldo terreno della tradizione scritta, essi inclinano molto più che gli scrittori toscani ad accogliere latinismi.

Le dichiarazioni programmatiche sono lungi dal coincidere con l'uso effettivo: il «lombardo» Castiglione ha, in complesso, pochi lombardismi e l'arcaizzante Bembo ha, come rilevava già il Caro, moltissime voci che non erano state adoperate dal Boccaccio.

La lingua del Cinquecento conserva molti vocaboli che, giudicati dal punto di vista di oggi, sembrano arcaici, ma che allora erano ben vivi e sono stati sostituiti solo nei secoli seguenti: si pensi a voci come *stufa* «bagno pubblico» o come *fornire* per «finire». Altre parole invece

---

[212] U. Schwendener, *Der Accusativus cum Inf. im Italienischen*, Säckingen 1923.

[213] Il Salviati, a proposito del passo boccaccesco «io credo, se più fosse perseverato... il mio duro proponimento si sarebbe piegato» (III, nov. 7), avverte che «il lasciare spesso il *che* è usanza del Boccaccio e graziosa proprietà della lingua» (*Avvertim.*, I, ɪ, c. 14).

[214] Altri es. ap. Spongano, ed. cit. dei *Ricordi*, p. cxxxvii, Scoti-Bertinelli, *G. Vasari scrittore*, Pisa 1905, p. 200.

già erano in decadenza, e rimanevano in uso soltanto nella lingua dei ceti inferiori.

Gli scambi tra regione e regione, assicurati da un'attiva civiltà letteraria, si mantengono sempre vivaci e contribuiscono a conguagliare le divergenze. Tuttavia i letterati tendono a staccarsi dalla vita, a fare quasi una casta a sé. L'ambiente diventa man mano sempre più chiuso, pesante, conformista: si ricerca il grave, l'eroico, il pomposo. Latinismi e spagnolismi spesseggiano.

L'importanza data ai modelli trecenteschi ha consolidato un notevole numero di doppioni, che i grammatici in qualche modo giustificano attribuendo a ciascuno una porzione dell'uso: quelle distinzioni tra forme popolari e forme più o meno letterarie per cui i grandi scrittori del passato si erano regolati secondo il loro gusto, ora diventano oggetto di prescrizioni più o meno rigorose. Non solo si distingue tra parole adatte alla prosa e parole adatte alla poesia, ma fra parole più o meno convenienti a dati generi letterari.

L'apparizione di nuove cose, la conoscenza che se ne acquista, la elaborazione di nuovi concetti, il mutamento dell'angolo visuale fanno sì che molti nuovi vocaboli compaiano e parecchi altri mutino di significato.

Per quel che concerne la vita civile e sociale, ecco alcuni esempi. *Stato*, che, riferito alla politica, aveva ancora nel Trecento il significato di «regime», dalla fine del Quattrocento in poi si riferisce sempre più al «territorio» su cui si esercita una signoria, e il Machiavelli contribuisce a precisare questo significato della parola, il quale diventa comune in Europa nel Cinquecento.

Di questo secolo è anche la diffusione di *ragion di stato*, ricalcata sulla locuzione classica *ratio reipublicae*[215].

Appare il termine di *democrazia*, contrapposto, nei primi esempi in cui appare (F. Baldelli, ecc.), a quelli di *monarchia* e *aristocrazia*, secondo la nota tripartizione aristotelica.

Signore, il titolo che prima si dava solo a quella o quelle persone che esercitavano il potere (la *signoria*), si estende molto largamente, per influenza spagnola: l'Ariosto si lagnava nella satira indirizzata a suo fratello Galasso (1519) che dessero questo titolo perfino agli stranieri e alle cortigiane:

> «Signor», dirò - non s'usa più «fratello»
> poiché la vile adulazion spagnuola
> messe la signoria fin in bordello! -
> «Signor» (se fosse ben mozzo di spuola)
> dirò...
>
> (vv. 76-80).

E *signora* poté nel Cinquecento significare, senz'altro epiteto,

---

[215] De Mattei, in *Lingua nostra*, II, 1940 pp. 97-100.

«cortigiana». Del resto, il termine stesso di *cortigiana* prende significato spregiativo proprio per l'uso eufemistico che se ne fece in quel secolo.

L'aggettivo *galante* (entrato in italiano nel '400, dal francese, ma non senza concomitanti influenze spagnole) esprime le molteplici qualità dell'uomo di mondo: alla cortesia si unisce l'eleganza, la raffinatezza, la probità, la gentilezza ora cerimoniosa ora ardita verso le donne; il *galantuomo* è tipo di perfezione sociale (e fra le qualità finisce poi col prevalere quella di probità).

In *contadino* la nozione di «lavoratore» predomina ormai su quella di «abitante del contado»[216].

Lo scadimento della vita monastica che ha portato alla collazione delle rendite di parecchie abbazie come benefici ecclesiastici fa sì che *abate* si riduca a un semplice titolo: «è qui un gentiluomo il quale ha un figlio di dieci anni *abate*» (Casa, *Prose*, II, p. 35).

L'aggettivo *bravo* sostantivato viene a indicare un «uomo manesco» (Giannotti), con «la coltella a cintola» (Doni): figura caratteristica della vita di questo tempo, spesso rappresentata nelle scritture[217]; sono di quest'età anche *bravare, bravata, bravura*[218].

Le capacità che più si apprezzano, in questa raffinata civiltà, sono considerate come altrettante *virtù*: di qui il nuovo significato di *virtuoso* nato nelle corti e applicato agli artisti, ai letterati, ai cantori[219].

L'instaurarsi di stabili usi teatrali porta al concretarsi di una precisa terminologia: nel *Negromante* dell'Ariosto i versi terminali della redazione del 1520 sono sostituiti, otto anni dopo, da altri in cui la forma è più spedita e la terminologia rinnovata:

> Or fateci
> con lieto *plauso*, o *spettatori, intendere*
> che non vi sia spiaciuta questa favola[220].

---

[216] «...la voce *contadino* è tutt'altra cosa, se ben da pochi anni in qua una parte de' nostri abusandola, la pigliano per "lavoratore"» (Borghini, *Discorsi*, II, p. 518).

[217] F. Nicolini, «I *bravi* nella letteratura del Cinque e del Seicento», in *Nuova Antol.*, gennaio 1945, pp. 33-42.

[218] Nell'Italia settentrionale, accanto al nome di *bravo* figura spesso quello di *bulo*. V., oltre alla nota di V. Cian in *Lingua nostra*, X, 1949, pp. 41-43 (il quale parla dei *buli* a proposito di una lettera dell'Aretino del 1549), il verso del Nelli (*Satire alla carlona*, II, p. 54): «E i *bravi* e i *buli* fanno star a segno».

[219] Isabella Estense – narra il Calmeta (*Vita di Seraphino*, p. 70 Grayson) – «non solo li *virtuosi* favoriva e remunerava, ma ancora di essercitarse con somma laude in ogni preclarissima *virtude* prendeva dilettatione»; «questo gentiluomo (dice il Cellini nel *Trattato dell'Oreficeria*, p. 77 Milanesi) amava sopra modo e favoriva gli uomini *virtuosi*, tanto esso era amatore delle virtù». Il riferimento alla musica e al canto (che prevarrà nei secoli seguenti) si ha p. es. nel Grazzini, *La Strega*, V, sc. 8: Taddeo innamorato vuol sonare il cembalo per mostrare d'esser *vertuoso*.

[220] Folena, *Crisi*, pp. 154-155.

Spettatori figura anche come termine ormai affermato, nel rifacimento del Berni, che è di quegli anni.

Peripezia, riferito dapprima alle vicende dell'intreccio teatrale in discussioni aristoteliche (Speroni, ecc.), viene poi applicato alle vicende della vita (Sassetti); probabilmente anche *catastrofe* risale alla *Poetica* di Aristotile.

Si concretano nel Cinquecento anche le figure ed i nomi di parecchie maschere teatrali: *Zanni*, che è la personificazione del contadino bergamasco avvenuta a Venezia, *il Magnifico*, personificazione del vecchio veneziano (cui poco dopo si attribuisce il nome di *Pantalone*), il *dottor Graziano*, con i tratti del dottore bolognese, *il Capitano* (*Cap. Spavento, Cap. Fracassa, Cap. Matamoros*) per lo più napoletano o spagnolo, ecc. Nella maschera di *Arlecchino* un comico dell'arte italiano che si trovava a Parigi verso il 1570-80 (forse il bergamasco Alberto Ganassa) fuse le caratteristiche della figura tradizionale degli *Herlequinis* (buffonesca degenerazione della *mesnie Hellequin*, processione di dannati, nota fin dal sec. XI)[221] con le caratteristiche degli *Zanni*.

Sorge in questo secolo il costume e il vocabolo dell'*improvvisare* (nel Varchi anche *provvisare*).

Si fissa al principio del'500, sembra, il significato musicale di *concerto*.

Molti nuovi nomi si danno a nuovi balli: ricordiamo la *moresca* e la *pavana* (v. p. 388).

Nascono a Roma le *pasquinate*, satire affisse al torso di Pasquino, e a Venezia i primi *avvisi* e le prime *gazzette* manoscritte (così chiamate dal nome della moneta che bastava per pagarne una copia).

Il ducato nuovo di zecca prende a Venezia il nome di *zecchino* (1543).

Il nome di *umanista*, destinato a prendere poi tanti significati, appare (in latino alla fine del Quattrocento, in volgare ai primi del Cinquecento) come termine scolastico per designare chi insegna le *humanae litterae*.

Rinascita prenderà solo nell'Ottocento il suo moderno significato periodicizzante: ma già il Vasari si propone di scrivere le sue *Vite* distinguendole in tre età, «da la *rinascita* di queste arti sino al secolo che noi viviamo» (prefazione II parte: II, p. 95 Milanesi).

Gotico, tratto dal nome dei Goti, considerati come i principali eversori della civiltà romana, viene applicato dagli umanisti all'architettura ogivale, da essi ritenuta «barbarica».

Pedante, foggiato come nome decoroso del ripetitore che accompagna gli scolari, può ancora avere valore obiettivo («Pierfrancesco pratese, stato *pedante* del duca»: B. Segni), ma i dileggi dell'Aretino, del Caro, del Grazzini finiscono col dargli una connotazione spregiativa; e

---

[221] Dalla quale anche derivano l'*Alichino* dantesco e l'*Alchino* ariostesco (*Orl. fur.*, VII, st. 50).

spregiativi sono tutti quanti i derivati (*pedantuzzo, -eria, -aggine, -esco, -are*).

Il termine di *gusto*, *buon gusto*, trasferito in Spagna dalle sensazioni corporee ai sentimenti estetici, e accolto anche in Italia in questo significato («l'aver avuto in poesia buon *gusto*» nel noto verso dell'Ariosto, *Orl. fur.*, XXXV, st. 26).

Mentre *Accademia* prende ora stabilmente, come abbiamo accennato, il significato moderno, *Liceo* e *Museo* muovono i primi passi dalle antiche carte alla realtà: si chiama *Liceo* una riunione di eruditi in Roma in casa di Claudio Tolomei[222], Paolo Giovio chiama *Museo* la propria villa di Como, con una raccolta di ritratti[223].

I sommovimenti portati dalla Riforma e poi la restaurazione cattolica hanno numerosi echi. Si foggiano nomi come *luterano* (dapprima anche *luteriano*), *ugonotto*, *protestante* (scelto come più obiettivo, meno «odioso» di quello di *luterano*)[224]; si designano nuove istituzioni cattoliche (per es. *cappuccino, gesuita*).

Il nome *ghetto* passa ora da Venezia ad altre città, man mano che si obbligano gli Ebrei a risiedere in un quartiere isolato.

Chi è poco osservante in fatto di religione è facilmente accusato di *ateismo*.

Il nuovo rigore instaurato dalla Controriforma porta a *espurgare* molti libri: i nomi di *destino, fato, fortuna* e simili sono talvolta eliminati o sostituiti da *Provvidenza*; *divino*, che era stato adoperato negli ultimi decenni del'400 e nei primi del '500 con incredibile abbondanza[225], regredisce rapidamente quando si fa sentire la Controriforma[226]; locuzioni come *per Dio, per la tua fede*, e persino *vatti con Dio* sono evitate per timore di fastidi; certi nomi odiosi vengono sostituiti da perifrasi (non si parla più del Machiavelli, ma del *Segretario Fiorentino*); in occasione della «rassettatura» del *Decameron*, i revisori romani volevano che si togliessero espressioni come *bellezze eterne* e *non potere*

---

[222] Contile, *Lettere*, Pavia 1564, I, c. 19 b.

[223] Lettera all'Aretino del 1538 (I, p. 207 Ferrero) e altre lettere, passim. Un altro *Museo* fu poco dopo istituito da Alberto Lollio.

[224] Viceversa quello di *riformatore* suscitava scrupoli cattolici (Speroni, *Orationi*, p. 67).

[225] Per es. «questi signori hanno formato un Cortigiano tanto eccellente, e con tante *divine* condizioni» (Castiglione, *Cort.*, II, § 98). Lo stesso Ariosto accredita l'epiteto dato all'Aretino: «il flagello – de' principi, il *divin* Pietro Aretino» (*Orl. fur.*, XLVI, st. 14) e a sua volta riceve il medesimo titolo (nell'edizione principe dell'*Erbolato*, ecc.). Ben legittimamente l'epiteto di *divino*, che era stato più volte riferito a Dante e al suo poema fin dal tempo del Boccaccio, prende definitiva consistenza nel titolo della *Divina Commedia*, a partire dal frontispizio dell'edizione giolitina curata dal Dolce nel 1555 (O. Zenatti, *La «divina» commedia e il «divino» poeta*, Bologna 1895).

[226] La dedica dei *Madrigali* del Cassola, fatta ancora nel 1544 al *divinissimo Signor Pietro Aretino*, è mutata l'anno seguente in una dedica all'*eccellentissimo Signore*. (Così, nella commedia *Aquilana* di Torres Naharro, «aquella *divina* mano», giorn. I, v. 58, è sostituito, in ediz. censurate, da *bendita* o *admirable*).

(che pareva negasse il libero arbitrio). Ma non mancano tracce linguistiche di reazione all'ipocrisia dilagante, come la coniazione di *collotorto* o la connotazione spregiativa data a *chietino*.

Nei vari stati, l'organizzazione degli uffici assume aspetti moderni: ma poiché ciascuno stato è autonomo, le istituzioni, anche analoghe, anche se di nuova creazione, hanno spesso nomi diversi. Le *congregazioni* istituite da Sisto V per il governo dello Stato della Chiesa non sono molto diverse da quelli che in altri stati si chiamavano *consigli*, *giunte*, *balie* ecc.; Emanuele Filiberto istituisce un *senato* a Torino e uno a Chambéry (corrispondenti ai «parlamenti» francesi).

L'estendersi dell'organizzazione burocratica fa sì che si coniino parecchi vocaboli e costrutti nuovi; e stile e lessico urtano i letterati tradizionalisti[227].

Anche l'abbondanza dei termini tecnici non piace ai letterati, i quali preferiscono ciò che è tradizionale e ciò che è generico: invece gli specialisti, che ne sentono la necessità, non mancano di difenderli. Avendo il Ramusio fatte certe osservazioni a un dialogo (latino) del Fracastoro (1548), questi si palesa contrario ad accoglierne alcune: gli sembra contro la verosimiglianza «dar' alla persona del Navagero, la sua eloquentia, e non usare alcune distintioni dialettice & scolastiche, le quali gli usati negli studii humani non ponno sentire, ma qui è da considerare se 'l Dialogo le patisse, o nò, però ch'io vedo Platone esserne pieno...»[228].

Il Lomazzo (nella conclusione del *Trattato dell'arte de la pittura*, Milano 1584, p. 680), si difende dall'accusa di aver adoperato termini tecnici, magari semidialettali: «Quanto alle parole meno approvate, elle sono così proprie di quest'arte e per consequenza così significanti appresso i pittori, che non si potevano in alcun modo tralasciare volendo essere inteso; poi che con un'altra parola sola non era possibile significare il medesimo e volendo circonscriverla con molte, si veniva anzi ad intricar le cose che ad esplicarle».

Mi piacerebbe poter presentare alcune di queste terminologie, considerando gli incrementi e i riassestamenti subiti durante il secolo; sia che si trattasse di arti figurative o di musica, di artiglieria o di metallurgia, i risultati sarebbero importanti[229].

Mi accontenterò di dare un breve cenno sulla terminologia grammaticale. Era ovvio che si trasportassero alla grammatica italiana i vocaboli che già si usavano per la grammatica latina: così troviamo nel

---

[227] Si legga il capitolo dedicato dal Salviati (*Avvertimenti*, I, II, v) alla lingua dei «moderni Cancellieri, o come oggi si dice loro, Segretari di corte», troppo incline alle voci « della novella stampa»; molte censure rivolge a singole voci D. Borghesi nelle *Lettere discorsive*.

[228] *Lettere di XIII uomini illustri*, Venezia 1560, p. 724.

[229] F. Chiappelli ha finemente dimostrato (*Studi sul linguaggio del Machiavelli*, Firenze 1952, passim) come il Machiavelli dia precisione terminologica a una serie di vocaboli politici concernenti la biologia degli stati.

Bembo *vocale* e *consonante, sillaba, nome, verbo, genere, numero, condizionale passato, passivo,* ma molti altri termini che pur figurano in grammatici contemporanei (*apocope, sincope, transitivo, avverbio,* ecc.) si cercherebbero invano nelle *Prose.* Invece è palese un certo sforzo di ricorrere a vocaboli della lingua comune per sostituire termini che dovevano sembrare troppo tecnici (*genere del maschio* e non *maschile; participante voce* per *participio; pendente tempo* per *imperfetto; proponimento* o *segno di caso* per *preposizione,* ecc.) (cfr. p. 329).

Anche il Giambullari accetta parecchi dei termini tradizionali (*nome, verbo, pronome, soggiuntivo, participio,* ecc.), ma per altri è restio: non parla di modo *indicativo,* ma di *dimostrativo* o *pronunziativo,* e conia tutta una serie di vocaboli nuovi per le figure grammaticali e retoriche (*aggiugninnanzi, aggiugninmezo, aggiugninfine* per *prostesi, epentesi, paragoge, rompiparole* per *tmesi,* ecc.) (cfr. p. 329-330).

Per quei capitoli della grammatica per i quali non esisteva una salda terminologia latina, vi sono molte incertezze: mentre il Dolce e il Salviati chiamano *coma* la virgola (e il Toscanella *comma*), il Giambullari e il Lombardelli chiamano *coma* i due punti. Il Salviati indica col termine di *mezzo punto* i nostri due punti, mentre il Lombardelli chiama *mezzo punto* il punto e virgola, ecc.

Invece quei termini che hanno l'appoggio dei corrispondenti vocaboli latini o greci guadagnano man mano terreno sulle innovazioni proposte, «perciocché il dir *pronome, participio, congiunzione,* meglio s'intende dalla più parte, che se tu dica *vicenome, partefice, giuntura,* e sì fatti» (Salviati, *Avvertimenti,* I parte, Proemio del 3 libro).

Nella coniazione dei termini nuovi, si attinge alle fonti consuete. Si hanno alcune nuove onomatopee: il gioco del *tric trac* ricordato dal Machiavelli, e «un *tric trac* di pianellette» nel Piccolomini; *bronfiare* nell'Aretino, *barbandrocco* in un sonetto del Caro, ecc.

Dei suffissi sono sempre fertili *-ezza* (*rarezza,* Caro), *-ità* (*medesimità,* Borghini; *petrarcalità,* Caro; *sororità,* Corbinelli), *-mento* (il Muzio, *Battaglie,* c. 54 a, si lagna dei troppi astratti in *-mento* del Castelvetro), *-eria* (*petrarcherie* e *bemberie,* Lasca), *-ale* (*invernale*), *-ario* (*bancario*) *-esco* (*concubinesco,* Davanzati), *-ile* (*fratile,* Nelli), ecc.

Imitando il Boccaccio, il Bembo aveva foggiato numerosissimi aggettivi in *-evole* (*difendevole, diportevole, noievole, sirocchievole,* ecc.); il suffisso è molto frequente anche nel Giovio (*cartellevole, salamandrevole,* ecc.); e appunto per satireggiare l'imitazione del Boccaccio si foggiò *boccaccevole* (Tasso, Cecchi, Salviati).

Tra i prefissi sono molto fertili *in-* (*indifeso*), *anti-* (*antisatira*), ecc. *Pseudo-* tende già a diventare prefissoide: *pseudogazza, pseudolaude* (Giovio).

Non mancano le formazioni parasintetiche (*attoscaneggiare,* Tolomei; *imparnasare, spoetarsi,* Caro; *svescovato,* Muzio) e quelle dirette (*complimentare, statuare,* Cellini; *ghiribizzare,* Vasari; *concerto* tratto da *concertare,* ecc.).

Tra i composti, accanto alle molte formazioni del solito tipo

imperativale («quei *minuzzapetrarchi, lambiccaboccacci* e altri *stracca-
lettori*»: Firenzuola), abbiamo parecchie formazioni latineggianti (*piovi-
fero*, Alamanni; *moltifronte*, Caro; *metallificare*, Biringuccio; *univalve*,
Citolini, ecc.). Anche elementi greci cominciano a essere adoperati sia
da soli, sia in combinazione con elementi latini, per formare neologismi: specialmente ma non esclusivamente[230] per nuove dottrine (la
filografia di Leone Ebreo, l'*ornitologia* di Ulisse Aldrovandi, ecc.) e per
nuovi strumenti scientifici (*grafometro, olometro, planisferio*, ecc.)[231]. La
formazione dotta di questi nomi facilita la loro circolazione internazionale: e infatti qualcuno dei termini citati è stato foggiato fuori d'Italia e
accolto fra noi[232].

Numerosissime sono anche le innovazioni lessicali cinquecentesche
dovute a mutamenti semantici: *scapolo*, che passa dal significato di
«libero» a quello di «celibe», *cotto* per «ubbriaco», *balaustro* trasportato dal bocciolo del melograno alla colonnina che ne imita la forma, ecc.
Le lingue speciali forniscono molte metafore: *contrattempo* attinto alla
equitazione o alla scherma, *dar nelle scartate* preso dai giochi di carte,
ecc. Le più difficili a interpretare sono le locuzioni riferite a persone o
luoghi di cui si sia perduto notizia: è un caso se sappiamo che *parere il
secento* per «pavoneggiarsi» trae origine dal soprannome di un cavallo
che era stato pagato seicento fiorini dalla famiglia Benci. Ma chi sarà
stato (anzi, sarà esistito davvero) quel *Buraffa* a cui si allude nella
locuzione *più dotto che il can di Buraffa*?[233]

19. Latinismi

Nel secolo precedente, latinismi e grecismi erano affluiti senza
misura nel lessico; ora l'afflusso è più regolato, per il maggior rispetto
che si ha per il volgare; ma i nuovi rami delle lettere e delle scienze che
si cominciano a trattare in italiano anziché in latino esigono numerosissimi termini nuovi, e la via più semplice, ove gli antichi avessero già
elaborato quelle nozioni, non è di coniare termini nuovi, ma di
attingerli alle due lingue antiche.

Così, dalle traduzioni di Euclide fluiscono nel lessico numerosi
termini che s'installeranno stabilmente nel lessico italiano: *cateto,
lemma*, ecc. Anche più importanti sono le traduzioni di Vitruvio[234], da

---

[230] Ho ricordato altrove (*Lingua e cultura* p. 241) il greco ἀϑεΐα rifatto in
ateismo.

[231] Ricordiamo, dopo il *Poliphilo*, il *Philolauro* (commedia, Bologna 1520) e i
nomi delle Accademie dei *Filarmonici*, Verona 1543, dei *Filomati*, Siena 1571, ecc.

[232] *Descrittione et uso dell'Holometro per saper misurare tutte le cose...* per Abel
Fullone valletto di camera del Re di Francia, Venezia 1564.

[233] Cfr. F. Ageno, «Nomignoli e personaggi immaginari, aneddotici, proverbiali» in *Lingua nostra*, XIX, 1958, pp. 73-78.

[234] Già nel secolo precedente, del resto, avevano accolto termini di Vitruvio L.
B. Alberti, Francesco di Giorgio Martini e l'autore del *Poliphilo*.

cui molti termini penetreranno anche nella pratica: *scenografia* (nel senso di «prospettiva»), *stria, vestibolo, voluta, euritmia, simmetria*, ecc.; le traduzioni da Dioscoride per la terminologia botanica, quelle da Tolomeo per le voci geografiche, ecc.

Qualche traduttore si rende ben conto del proprio compito rispetto alla lingua. Filippo Pigafetta, traducendo col titolo di *Le Mechaniche* il trattato di Guido Ubaldo del Monte (Venezia 1581), si giustifica d'aver conservato un certo numero di latinismi, promettendo di spiegarli man mano. Qualcuno attecchì poi definitivamente, come *equilibrio*[235], qualche altro sparì, come *trutina*[236].

Una miglior conoscenza del passato e un maggior rispetto per le sue istituzioni fanno sì che gli storici si adoperino ad evitare gli anacronismi. Nell'*Arte della guerra*, per es., il Machiavelli mette in rilievo alcuni termini antichi: «il *deletto* di essi [uomini], ché così lo chiamavano gli antichi; il che noi diremmo *scelta*, ma per chiamarlo per nome più onorato, io voglio gli serviamo il nome del *deletto*»; «l'ufficio del *tergiduttore*, che così chiamavano gli antichi quello che era preposto alle spalle dell'esercito». E si senta quello che il Borghini osserva in vari suoi scritti: «Io ho detto *equite* e *equestre*, e non *cavaliere* e *cavalleria*, perché... ci rappresenterebbe cosa assai diversa dall'uso e proprietà romana», «vi rinchiusero dentro, per usar le loro voci, la *palestra*, il *ginnasio*», «il vestimento di Cesare (che propriamente nell'espedizione dicevano *paludamento*)», «una deliberazione del senato pubblico, che si direbbe alla romana *senatoconsulto*», «quegli altri [Consoli] *Suffetti* (che noi diremmo per avventura o sostituiti, o surrogati)», ecc.

Numerosi sono anche i vocaboli come *collaudare, erogare, firmare, omologare*, che passano dalla latinità giuridica all'uso burocratico[237].

Anziché da opportunità tecniche (e anche gli scrupoli storici del Machiavelli o del Borghini rappresentano una forma particolare di tecnicismo) l'impiego di latinismi può dipendere da un desiderio di eleganza o di solennità. Così si spiegano molti dei latinismi usati dal Tasso[238]; e siccome un simile gusto era largamente diffuso al suo tempo,

[235] «Dove si legge questo vocabolo latino *equilibrio* intendasi per eguale contrapeso, cioè che pesa tanto da una banda quanto dall'altra in pari lance, ò libra, ò bilancia che si dica» (c. 29 a).

[236] «*Trutina* è quella cosa, che sostiene tutta la bilancia, laquale Trutina piglia il Perno, ovvero l'Assetto, & nomasi in questi paesi Gioa, altrove Giovola, overo l'orecchie della Bilancia, & in altre contrade Scocca, tal che non si trova sin hora vocabolo, che in Italia communemente vi si confaccia, ne alcuno di questi sarebbe inteso per tutto. Onde io ho scritto così la Trutina, sperando, che si habbia a fare termine, & parola generale a tutte le nationi d'Italia» (c. 2 a-2 b).

[237] Talvolta si tratta di voci di conio assai discutibile (per es. *interinare*, importato nel Piemonte e nella Lombardia al tempo di Luigi XII dal latino giuridico francese).

[238] Rimando ai due ricchi articoli di R. M. Ruggieri, in *Lingua nostra*, VI, 1944-45, 44-51; VII, 1946, pp. 76-84.

parecchi hanno saldamente attecchito. Si pensi all'aggettivo *precoce*, che il Tasso considerava una licenza stilistica: «con frutti di cortesia (se è lecito d'usare una parola latina) *precoci*» (lettera al march. Boncompagni, 1580, in *Lettere*, II, p. 87 Guasti), e che poi entrò nell'uso corrente.

Nell'adoperare singole parole spesso gli autori non attingono a un generico uso latino o greco, ma ricorrono (e talvolta alludono) a un passo preciso. Adoperando *offa* negli *Asolani* («al corpo quello che è bastevole si dà, quasi un'offa a Cerbero, perché non latri»), il Bembo allude a un notissimo passo dell'Eneide (VI, v. 420); Giordano Bruno nella dedica del *Candelaio* parla di *vitello saginato* riferendosi alla parabola del figliuol prodigo (*Luca*, XV, v. 23), e similmente in numerosissimi casi. Qualche volta si riadoperano latinismi o grecismi di Dante o del Petrarca, come quando il Davanzati in un sonetto chiama «infelice *entòma*» il baco da seta, o si usano *aspe* per «aspide», *cornice* per «cornacchia», *pave* per «teme», *serpe* per «serpeggia», ecc. per ricordo petrarchesco.

Persistono gli avverbi, le locuzioni avverbiali, le congiunzioni, che già abbiamo visto largamente accolti come briciole di latinità curiale nell'uso quattrocentesco (*autem, continuo, etcetera, solum* e così via): ma l'abusarne è considerato pedanteria[239].

Invece, salvo qualche caso di citazione o allusione, i nomi, gli aggettivi, i verbi[240] sono adattati agli schemi della flessione italiana. Quanto alla grafia, abbiamo già visto il contrasto fra le varie tendenze su alcuni punti importanti: gruppi consonantici (*absente / assente*), *h, ti,* lettere greche. A molti vocaboli d'impronta popolare vengono a contrapporsi le corrispondenti forme latine. In altri casi (*singolare / singulare, volgo / vulgo,* ecc.) si tratta di adattamenti più o meno radicali delle stesse voci dotte. Ecco alcuni esempi di queste coppie nelle quali di solito finì col trionfare l'una o l'altra forma: *adonco / adunco; ancella / ancilla; angosto / angusto; ariento / argento*[241]; *aumento / augumento; Campidoglio / Capitolio; carena / carina; celabro / cerebro; cerusico / chirurgo; cicala / cicada; Chimenti / Clemente; coltura / cultura; conchiudere / concludere; contempio /*

[239] Per es. nella *Cortigiana* dell'Aretino Alvigia dice al Rosso: «*al tandem* ella verrà», e il Rosso replica: «Dillo in volgare, ché il tuo *tamen,* il tuo *verbi gratia* e il tuo *al tandem* non lo intenderebbe il maestro delle cifere» (IV, sc. 19; cfr. le battute seguenti). A scherzi di questo tipo si devono espressioni come *conquibus* («Col *conquibus,* disse il Gonnella»: Aretino, *Ragion.*, p. I., g. III, p. 128), *fare il coramvobis;* cfr. gli avverbi in *-aliter, -iliter* che troviamo intercalati nella prosa volgare di Tommaso di Silvestro (*corruscaliter, processionaliter*) o del Giovio (*caldarostaliter, campaniliter*).

[240] L'ariostesco «Di quelle che non fan per te *intelligitur*» (*Lena*, III, s.c. 2) è un latinismo isolato, dovuto allo sforzo per finire il verso con una sdrucciola.

[241] «L'Ariosto ancora egli, nella prima impressione del suo *Furioso,* pose sempre *ariento.* Ma dapoi considerando, che la voce *argento* è più piena, oltre ch'è di nulla alterata dal Latino, lo levò, e vi ripose pure *argento*» (Dolce, *Modi affigurati,* cit., p. 227).

*contemplo; detto / ditto; degno / digno; Giorgio / Georgio; Girolamo /
Hieronimo; ingegnoso / ingenioso; lettere / littere; lio(n)fante / elefante;
loico / logico; maestrato / magistrato; òmero / ùmero; openione,
oppenione / opinione; oriuolo / orologio; ortolano / (h)ortulano; padre /
patre; padrone / patrone; partefice / partecipe; particolare / particulare;
pontefice / pontifice; premessa / premissa; prencipe / principe; propio /
proprio; quaresima / quadragesima; sagro / sacro; seno / sino; soave /
suave; soggetto / suggetto; squittin(i)o / scrutinio; volgo / vulgo,* ecc.*

Appunto su tali parole verteva principalmente la disputa tra fautori
della lingua cortigiana o italiana e fautori della lingua fiorentina o
toscana: i primi consigliavano di attenersi alle forme latineggianti[242], i
secondi difendevano le forme della tradizione popolare toscana[243].

Del diritto d'attingere più o meno largamente al lessico latino (e
greco) si disputa da molti, sia genericamente, sia riferendosi a singoli
vocaboli per difenderli o per oppugnarli.

I grammatici e i lessicografi dei primi decenni del secolo sono di
solito piuttosto favorevoli: il De Falco loda i latinismi dell'Ariosto e di B.
Martirano, l'Acarisio approva quelli del Boccaccio, ecc. Ma più tardi
sopravviene una forte reazione, e non solo nei Toscani come il
Borghini[244], il Salviati[245], il Borghesi, il Lombardelli[246], ma anche nei non
Toscani: il Castelvetro rimprovera al Caro alcuni latinismi della
famosa canzone, e il Muzio (*Battaglie*, cc. 46-49) viene elencando molti
latinismi del Machiavelli e del Guicciardini, considerandoli un loro
grave difetto.

Sono un indizio di questo mutato atteggiamento i latinismi sostituiti
in riedizioni o rifacimenti: ne elimina l'Ariosto[247], ne muta il Berni (che
scrive, per es., *stabilito* in luogo del boiardesco *statuito*), ne toglie il
Ruscelli (per es. *compilare, eversione, vilipendio*) nel pubblicare le
Historie del Collenuccio; il Tasso, dopo varie oscillazioni, si disse
disposto a togliere dalla *Gerusalemme* alcuni dei latinismi che gli
rimproveravano.

---

[242] Fra le molte affermazioni in questo senso (Equicola, Castiglione, Achillini,
Castelvetro), citiamo questa molto esplicita del Trissino: «Quando le parole sono
in dui o più diversi usi, secondo le diverse lingue d'Italia, quello uso a me pare,
che sia da elegere, e da stimare più Illustre e Cortigiano, il quale più al latino
s'accosta»: perciò è da preferire *nudrire* a *nodrire, sopra* a *sovra*, ecc. (*Dubbii
grammmaticali*, c. 11 b).

[243] Avendo il Ruscelli nel *Rimario* raccomandato: «*Scrutinio* bellissima voce,
se ben non so per qual fato di questa favella sia chi gode di dire *squitinio*», il
Borghini nella *Ruscelleide* (I, p. 71) replicava che «la lingua nostra ha più care le
sue voci che quelle d'altre», e trovava pedantesco *scrutinio*.

[244] Il Borghini se la prende contro il Ruscelli, non solo nel passo ora citato, ma
spesso altrove, per es. a proposito della voce *lance* (*Ruscelleide*, II, p. 50).

[245] Negli *Avvertimenti*, I, II, cap. 7; II, cap. 3, e passim.

[246] Il Lombardelli rimprovera al p. Cornelio Musso i troppi latinismi delle sue
prediche.

[247] Il Dolce (*Modi affigurati*, p. 366) cita l'esempio d'una voce «troppo Latina»
sostituita (*tuta*).

Una storia circostanziata dei latinismi dovrebbe tener conto, oltre che dell'introduzione e dell'espansione delle parole singole, anche delle ripugnanze e dei biasimi dei grammatici[248] e del regresso nell'uso.

Gli autori che adoperano una parola latina o greca non ancora penetrata nella consuetudine, talvolta credono opportuno spiegare perché sarebbe opportuno accoglierla, ovvero aggiungono qualche chiarimento: s'è già visto l'atteggiamento del Pigafetta a proposito di *equilibrio* e del Tasso a proposito di *precoce*, e molti passi analoghi si potrebbero aggiungere[249].

I vocaboli greci qualche volta si presentano in forma non adattata, scritti in caratteri greci[250] ovvero latini[251], e con qualche traccia di flessione greca[252]. Si notino anche alcune tracce della pronunzia cinquecentesca del greco: η proferito *i* (*rittorici*, Liburnio; *ritorico*, Castelvetro; *tecmirio* o *temmirio* da τεκμήριον, Caro; *sisamo*, Serdonati; ecc.), οι pronunziato pure *i* (*sinalife*, Tolomei), ecc.

Un breve elenco, solo esemplificativo, potrà dare un'idea dei latinismi (e grecismi) che si cominciano a usare nel Cinquecento (beninteso con la solita riserva della possibilità di retrodatazioni): *abolire* (Guicciardini), *aliquoto* (Firenzuola), *anfibologia* (Tolomei), *arguzia* («questi presso gli antichi ancor si chiamavano detti; adesso alcuni le chiamano *arguzie*»: Castigl., *Cort.*, II, cap. 43), *assioma* (Varchi), *attinente* (Caro, Guicc.), *canoro* (Ariosto), *circonflesso* (Firenzuola), *circospezione* (Guicc.), *clinica* (*clinice* nella versione di Vitruvio del Caporali), *comparabile* (Ariosto, Guicc.), *congenito* (Gelli), *congerie* (Zuccolo), *continente* (Giacomini), *crisalide* (Domenichi), *decoro*, *decore* sost. (Caro, Vasari)[253], *dialetto* (Salviati), *ecatombe* (Bern. Martirano, cit. in *Lingua*

---

[248] «*Affettare...* non si trovando in libro niuno, ne usandosi per niuno, se non per persone ignoranti, che parlano latino in vulgare, come sono notai & maestri da scuola, che insegnano le prime lettere a fanciulli, & simili» (Castelvetro, *Correttione*, p. 58); «il verbo *Espurgare* è stato fin qui meritamente sbandito, e si dee sbandir per innanzi d'ogni leggiadra, e nobile scrittura toscana» (Borghesi, *Lettere*, p. 345); e numerosi passi simili.

[249] Augusto «pregava li Iddii che concedessero tanto a lui, quanto a tutti i suoi simili *eutanasia...* che vuol dire buona morte» (Del Rosso, nella traduzione di Svetonio, 1554, p. 114); «Sono alcune voci Latine, che non si possono spiegar volgarmente: come peraventura è *equità*, che val giustitia, ma pure v'è non so che di differenza fra l'una e l'altra» (Dolce, *Modi affigurati*, p. 240).

[250] «A dir ' Ἁρπύια sarebbe cosa molto κακοφωικά (lettera di G. G. Trissino, 1507, ap. Morsolin, *Giangiorgio Trissino*, cit., p. 384); «alcune cose... che i Greci hanno chiamato τὰ προλεγόμενα (Segni, *Ethica*, Firenze 1550, c. 11); «gli chiamano ἀναχόλουϑα» (Borghini, *Annotazioni dei Deputati*, Ann. XIV); [il Bembo] «χορυφαῖος et invero degnio di esser da tutti lodato» (Borghini, ms. Magliab., II, X, 80, c.5), ecc.

[251] «quel segno con che si dimostrano alcune trapposizioni, Grecamente chiamato *Parentesis*; voce, che si pronuntia con l'acuto nell'antepenultima» (Dolce, *Osservationi*, p. 171 dell'ed. 1566); il *Pantheon* (Serlio, passim).

[252] Rimanendo all'esempio di προλεγόμενα, il Gelli (*Espos. di Dante*, lez. I) scrive: «l'hanno chiamate alla greca *prolegomena*»; il Varchi (nelle *Lezioni*, II) adatta la parola: «si chiamavano da loro grecamente *Prolegomeni*».

[253] Il concetto di «decoro» tratto dalla *Retorica* di Aristotele, è diventato un

nostra, III, p. 99), *eccentrico, eccentricità, elocuzione* (Muzio), *entusiasmo* (G. Camilla, *Enthosiasmo de misterii*, Venezia 1564), *esagerare* (nel significato moderno, Davanzati), *etra* (Ariosto), *gimnico* (Segni), *illiberale* (Caviceo), *industre* (o *industrio*) (Ariosto), *minatorio* (Guicciardini), *mirteto* (B. Martirano), *munifico, munificenza* (Caro), *nenia* (Firenzuola), *obeso* (Salviati, Soderini), *omonimo* (Caro), *ottica* (Della Porta), *parafrasi* (Firenzuola), *parossismo* (Sanudo), *penisola* (Giambullari; *peninsola*, Caro), *peripezia* (Speroni), *plastico* agg. (Garzoni), *plastica* (Lomazzo), *preferire* (Firenzuola), *pugile* (Caro), *questuare* (Guicciardini), *rapsodia* (Giraldi), *scenografia* (Barbaro), *somministrare* (Firenzuola), *stolido* (Davanzati), *tirocinio* (D. Guidalotti, *Tyrocinio de le cose vulgari*, Bologna 1504), *trilingue* (Caro), *tripode* (Caro), *utero* (Ariosto), *villoso* (Caro), ecc.

Altre parole, che nei secoli precedenti avevano fatto qualche sporadica apparizione, ora entrano nell'uso corrente: *educare, elegante, frivolo, peculiare*, ecc.

Naturalmente bisogna anche tener conto di particolari accezioni latineggianti: per es. *numero* nel senso di «ritmo». *Forcipe* è ancora usato al femminile e preso nel senso latino di «tenaglia» (G. Rucellai), non in quello specificamente ostetrico. *Interpellare* ha ancora il significato d'«interrompere» nel Calmeta (quello giuridico è nel Varchi). Il lat. *seminarium* «vivaio» è trasferito all'uso di «scuola per futuri ecclesiastici» dalle disposizioni del Concilio di Trento, mentre a Genova *seminario* indica (dal 1576) quei 120 cittadini dai quali si dovevano estrarre a sorte i magistrati (Rezasco, s v). *Eccentrico, eteroclito* già figuratamente designano persone e cose «strane».

Richiedono un cenno a sé numerosi calchi sul latino e sul greco. Cito qualcuno di quelli che in definitiva non hanno attecchito: *aia* nel senso in cui invece prevarrà il latinismo *area*[254], *errante* per *pianeta* (πλανήτης)[255] ecc.[256].

Un elenco di latinismi e grecismi che in definitiva non attecchirono riuscirebbe estremamente lungo, per la forza con cui agivano i motivi che abbiamo illustrati[257]. Ne daremo un brevissimo saggio: *aligero* (Ariosto), *allicere* (Bembo, Tasso), *amurca, amorca* (Alamanni), *apro*

---

luogo comune in tutti i critici del Rinascimento (Spingarn, *La critica letteraria nel Rinascimento*, Bari 1905, p. 87).

[254] «Casa nuova si stima ancora che sia sull'*aia* della vecchia formata» (Tolomei, *Cesano*, p. 65 Daelli); «chiunque ha il diametro di qualsivoglia tondo, sa ancora l'*aia*, cioè il suo pieno» (Varchi, *Lezioni su Dante*).

[255] *Stella errante* è usato spesso; il Tasso adopera la parola sostantivata al maschile: «i sette *erranti*» (*Mondo creato*, g. IV).

[256] Abbiamo già visto tutta una serie di calchi nei termini grammaticali e rettorici foggiati dal Giambullari con l'intenzione di sostituire i termini greci corrispondenti.

[257] L'abbandono di alcune particolarità grafiche latine che porta non solo all'omofonia ma anche alla omografia (*orto* da *ortus* e *orto* da *hortus*, *direzione* da *directio* e *direzione* da *direptio*, ecc.: v. p. 348); il costituirsi d'un gusto classico, che vede malvolentieri i troppi latinismi cancellereschi (v. p. 368), ecc.

(Ariosto), *arto* («orsa», Tansillo), *àtavo* (Firenzuola, Speroni), *bibliopòla* (Caro), *bure* (Alamanni), *càlato* (Molza), *clade* (Ariosto), *clivoso* (Bruno), *coalire* (Soderini), *còmpedi* (Machiavelli), *contennendo* (Machiavelli), *cospissarsi* (Quattromani), *culţro* (Caro), *demolcere, demulcere* (Calmeta, Achillini), *direptione* (Mach., Guicc.), *discrime* (Bruno), *displicenza* (Paruta), *efficere* (Cesariano), *efflagrare* (Cariteo), *èlego* («verso elegiaco»: Ariosto, Firenzuola), *erugine* (Giovio), ecc.

20. Voci dialettali e regionali

Se scorriamo un'antologia di testi letterari cinquecenteschi, vi troviamo pochissime peculiarità di carattere dialettale: ma ne troveremmo molte di più, specialmente nella prima metà del secolo, se sfogliassimo testi di carattere pratico. Non sarebbe difficile continuare fino al 1550 e anche un po' oltre una raccolta di «testi non toscani» (analoga a quella che con un giovane collega ho messo insieme per il '300 e per il '400).

Abbiamo già visto (nel § 7) come la persuasione che si sia ormai giunti a una lingua letteraria comune abbia portato a una netta decantazione fra lo scrivere in italiano e lo scrivere in dialetto: sorge in molti luoghi una letteratura dialettale riflessa, e per converso si cerca sempre più di far sparire dalle scritture in italiano le tracce locali.

Quelle che ancora possiamo trovare vanno considerate secondo il vario ambiente culturale di ciascun autore, cioè anzitutto secondo il luogo, poi anche secondo il tempo (tenendo conto cioè dell'abbandono sempre più rapido delle peculiarità locali), e infine secondo l'argomento: se nella lirica o, poniamo, nella prosa filosofica non c'è da aspettarsi di trovar tracce dialettali[258], più se ne troveranno nella poesia satirica e giocosa e, in prosa, nei bandi, negli inventari, nei diari, nelle lettere, ecc.: tanto più appariscenti e numerosi quanto più ci si accosta alle contingenze della vita pratica, che trova ancora la sua espressione in vocaboli spesso diversi secondo i luoghi.

In Toscana stessa, è possibile scorgere qualche differenza lessicale (oltre che grammaticale) negli scrittori senesi, come il Tolomei, il Biringucci, il Mattioli. Ma per parecchi scrittori toscani, specialmente fiorentini (Berni, Doni, Varchi, Cecchi, Davanzati), bisogna anche tener conto di una particolare ricerca di idiotismi lessicali (metafore, locuzioni colorite): quasi un'ostentazione di una peculiare ricchezza del fiorentino.

Citiamo qualche esempio di particolarità dialettali in scrittori del primo Cinquecento. L'Equicola ha qualche vocabolo meridionale (come

---

[258] Aveva buon gioco l'Aretino nel deridere (*Cortig.*, II, sc. 11) quel Cinotto patrizio bolognese che scriveva:

> Fa che tu *sippa*, Padre santo, in mare,
> el Turco *deroccando* e *tartusando*...

roscio «rosso») e termini padani (*scarana* «seggiola», *zenzala* «zanzara»). Il Castiglione ha numerose voci specificamente mantovane o genericamente padane: *angonia, cerasa, fodra, sentare, varola*[259]. Il Trissino scrive e stampa, per es., *acciale, cappa* «bica», *faglia* «covone», *di sbrisso* «di scancio», ecc.; il suo concittadino Antonio Pigafetta scrive *armellino* «albicocca», *braghessa, garbo* «acido, aspro», *guchiarollo* «agoraio», *occato* «papero», ecc.[260]. Il Bembo ha parecchie voci veneziane, soprattutto nelle lettere: *calmo* (di vite) «innesto», *coppo* «tegola», *frezzoloso, frisetto, zenzala*, ecc. L'Ariosto, che ha qualche vocabolo ferrarese nelle commedie (per es. *bigonzoni* – rimproveratogli dal Machiavelli – nei *Suppositi, bambola di specchio* nel *Negromante*), nel *Furioso* adopera pochi dialettalismi lessicali. Il Giovio, nelle estrose sue lettere, non solo è attaccato ai propri settentrionalismi (*ponteghe vecchie*, lett. 262 Ferrero), ma va cercando volentieri espressioni dialettali colorite («maturare presto questo *bugno*, come dicono li Bolognesi», lett. 262). Pietro Nelli, senese, vissuto a lungo a Venezia, ha nelle sue *Satire alla carlona* molti venezianismi (*cazza* «mestola», *galozza* «zoccolo», *gàttolo* «fogna», *morbino* «ruzzo», *santolo* «padrino», ecc.) e indulge volentieri a peculiarità fonetiche veneziane che coincidono con quelle senesi (*onto* «unto», nomi in *-aria*).

Giovanni Mauro, di Arcano (Udine), passò invece gran parte della sua vita a Roma e nei *Capitoli* adopera dei romaneschismi:

> Tal che fu già *pizzicaruolo* od oste
> or è gentile; e tal che già poc'anni
> gridava *calde alesse* e *calde arroste*...

Nel diario autobiografico (1535-41) dell'architetto militare G. B. Belluzzi, detto il Sammarino, troviamo vocaboli locali come *carabina* «puledra», *lasta* «striscia», *mercatale* «luogo di mercato», ecc.

Un po' diverso è il carattere delle voci regionali che troviamo in Annibal Caro, perché è dovuto a un preciso disegno stilistico. Gli piace d'inserire nei suoi testi per dar loro vivacità non solo termini dell'Italia mediana, specie marchigiani (*catollo* «grosso pezzo», *scomberello* «recipiente», ecc.) ma anche vocaboli del fiorentino parlato (*colleppolarsi, incapperucciare* «farsi frate», ecc.).

Nella seconda metà del secolo, benché la screziatura dialettale sia minore, troviamo lombardismi nel Lomazzo (*anta, civiera* «attrezzo agricolo», *scosso* «grembo», *sferlo* «ramoscello», *zibra* «pantofola»), venetismi nel Palladio (*arpice* «gancio», *gorna* «gronda»), umbrismi nel Caporali (*biocca* «chioccia», *cerqua* «quercia», *chiòchena* «chiavica», *pigna* «pentola», *vettina* «recipiente»), napoletanismi nel Bruno (*balice*

---

[259] V. il paragrafo sui «dialettalismi» in V. Cian, *La lingua di B. Castiglione*, Firenze 1942, pp. 80-86.

[260] Sulle peculiarità del Pigafetta, v. D. Sanvisenti, in *Rend. Ist. Lomb.*, LXXV, 1941-42, pp. 469-504, LXXVI, 1942-43, pp. 3-33.

«valigia», *iùiuma* «giuggiola», *lescìa, streppare, verzaglio*, ecc.): per lo più in testi di carattere realistico o tecnico.

I singoli hanno bisogno di mantenersi a contatto con il loro ambiente; la circolazione fra città e città, fra regione e regione, aperta per ciò che concerne le nozioni più elevate, per le quali del resto il lessico è già consolidato, è invece scarsissima per molti campi della vita pratica.

Consideriamo due casi estremi. Come potrebbe il Bembo nelle sue lettere toccando di istituzioni veneziane, dire altrimenti che *daìa, pieggerìa, podestaressa, pregadi, procuratìe*? E si capisce bene che tale necessità rimarrà ancora viva nei secoli seguenti.

Viceversa vediamo quello che accade per i nomi dei giorni della settimana. Il tipo senza *-dì* è ancora prevalente nell'italiano settentrionale nei primi decenni del secolo (il Bembo, il Pigafetta, il Castiglione ancora adoperano *luni, marti, mèrcore, giove* o *giobia, vènere*). Ma la corrispondenza di questi nomi con quelli di tipo toscano con *-dì* era ovvia, e la lingua scritta non poteva far altro che accettare una norma unica[261], e ben presto i nomi in *-dì* si generalizzarono.

In numerosi casi, intermedi fra questi due, si fece qualche passo verso l'unificazione, ma solo qualche breve passo, tant'è vero che ancor oggi sono numerose le coppie o le terne di parole equivalenti ma con diversa base territoriale («geosinonimi»): *cacio / formaggio; filugello / baco da seta; merletto / trina / pizzo*, ecc.

Accanto ad *arancio* (*-a*) si ha ancora *narancio* (*-a*) (Ariosto, Tasso, ecc.), e poi *melarancia* (Cecchi, ecc.), *melagrancia* (Grazzini), *poma rancia* (Alamanni).

Insieme col più comune *zanzara* si ha *zenzara* (Tasso), *zenzala* (Equicola, Nelli, ecc.), *zampana* (nei *Viaggi in Moscovia* del viterbese R. Barberino, 1565).

Il desiderio di farsi capire ampiamente (e talvolta un certo gusto di sfoggiare vaste conoscenze) fa sì che alcuni scrittori elenchino più nomi di uno stesso oggetto[262]. Assai frequenti sono tali equazioni onomasiologiche nelle trattazioni naturalistiche[263] e nei vocabolari.

---

[261] Non c'era, cioè, la possibilità di adibire le due forme diverse a due diverse sfumature di significato, come in altri casi fu fatto.

[262] «una di queste *putte*, che voi chiamate *ghiandaie*» (Firenzuola, *Disc. anim.*); «e intanto fece fare le *bisciaccole* a due suoi cittoletti; quello che noi chiamiamo a Firenze l'*altalena*; e a Pisa *anciscocolo*; a Colle il *pendoio*; a Roma la *prendifendola*; a Genova lo *balsico*; a Napoli la *salimpendola*; e a Milano *lidoca*, accioche meglio intendiate» (Doni, *La seconda Libraria*, lett. I); «un *legnaiolo*, che gli altri dicono *fa legname*, ò *marangone*» (Varchi, *Hercolano*, p. 48); «quegli animaletti che son detti *vermicelli*, o *bacchi* (sic), o *cavalieri*, o *bigatti*, o *brache*, o *bargelli*, o *mignati*, o *bombici*, o *cuculli*, secondo i luoghi d'Italia diversi» (Garzoni, *Piazza universale*, Disc. CL), ecc.

[263] Per es. nei *Discorsi* del Mattioli a commento della *Materia Medicinale* di Dioscoride («Chiamiamo noi in Toscana il Ligustro, Guistrico, altri lo chiamano Olivetta, altri Olivella, et altri Ghambrossene», l. I, cap. 105; «Chiamano

I vocabolari, i quali mirano a far comprendere al lettore un vocabolo che non capisce piuttosto che a suggerirgli come deve scrivere, sono in genere molto aperti a registrare vocaboli regionali. I vocabolari del Valla e dello Scobar sono pieni di sicilianismi, quello dello Scoppa di napoletanismi, ecc.

Gli autori di vocabolari latino-italiani, più o meno adattando il Calepino, aggiungono voci dialettali in veste italianeggiante: per es. nel Calepino del 1592 troviamo alla voce *stilla* tutta questa serie di varianti: *goccia, ghiozza, goccio, ghiozzo, gozza, gocciola*. I compilatori di vocabolari italiano-latini, oltre che servirsi dei vocaboli che usano spontaneamente, attingono a questi materiali ibridi, cosicché troviamo per es. nei lemmi del *Dittionario* (italiano-latino) del Minerbi (1554) numerosi vocaboli regionali, specialmente veneti ed emiliani, e parecchie equazioni di questo tipo: «Buttiro val smalzo, burro et onto sottil. *Buthyrum, ri*».

Il Sansovino, nella sua *Ortografia... o vero Dittionario volgare et latino* (1568), dopo aver tradotto *Refe* con *filum*, aggiunge «Voc. fiorentino, *accia* dicono a Venetia»; traduce *Ritorte* con *vincula* e aggiunge altri sinonimi: «*legami, vincigli*, disse il Bocc., *stroppe*, a Padova».

Anche i primi vocabolari esplicativi, sempre a scopi pratici, adoperano, sia nei lemmi che nelle interpretazioni, molte voci dialettali[264] e equivalenze sinonimiche[265].

A questo criterio si attengono spesso anche i compilatori di manuali per l'insegnamento dell'italiano agli stranieri o di lingue estere agli italiani. Valga per tutti l'esempio delle opere di Giovanni Florio, che già nei *First Fruites* aveva incluso molti vocaboli regionali (*àmeda, nezza, soppiare*, ecc.), e nel *Worlde of Wordes* (1598) fece esplicita professione di includere quante più parole potesse, non solo dei linguaggi tecnici ma anche dei dialetti[266].

Per completare il quadro degli scambi interregionali bisogna anche tener conto dei vocaboli dialettali accolti nell'uso generale o nell'uso tecnico per la divulgazione delle «cose» corrispondenti. Citiamo il *carosello* napoletano, che in origine era un gioco in cui cavalieri vestiti alla moresca lanciavano agli avversari palle di creta piene di cenere. Il gioco fu importato a Napoli dagli Spagnoli, ma il nome è di origine dialettale (*carosiello* «salvadanaio», ricalcato sullo spagnolo *alcancía* «id.»), e presto si divulgò in tutta l'Italia (il Tasso nel dialogo *Il Romeo*

---

volgarmente il Periclimeno chi Matriselva, chi Vincibosco e chi Caprifoglio», l. IV, cap. 14; e passim), o nei trattati agricoli del Soderini («l'*appio* è quella pianta d'erba che dai volgari si chiama *selino*, e dai più idioti *sedano*»).

[264] Olivieri, in *Studi fil. it.*, VI, passim.

[265] Per es. «*Taccola* proferito breve, come fiaccola, in Lombardia è quell'uccello, che noi domandiam *mulacchia*, e in molti luoghi chiamano *pola...*» (Porcacchi, *Vocabolario nuovo* in appendice alla *Fabrica* dell'Alunno).

[266] Spampanato, *Sulla soglia del Seicento*, Milano 1926, pp. 93-120.

dice che «giuoco è quel delle canne e de' *caroselli*»[267]. Così s'imparò a conoscere l'usanza veneziana delle *regate*. E si deve all'arte libraria veneta la diffusione di termini come *proto*.

Il *corridore* che a Roma congiungeva Castel Sant'Angelo con San Pietro era così noto che anche a Firenze il Vasari chiamava così il corridoio da lui costruito dal Palazzo degli Uffizi a Palazzo Vecchio[268].

Qualche raro vocabolo si divulga anche dal gergo, per es. *la mongioia* «denaro».

21. *Voci antiquate*

In una lingua in cui per ipotesi (ma sappiamo che è un'ipotesi irreale) vigesse come sola norma l'uso parlato, la scomparsa di una parola dall'uso porterebbe come conseguenza l'impossibilità d'adoperarla letterariamente. Ma per l'italiano l'esistenza dei tre grandi scrittori trecenteschi e il culto votato ad essi e al loro secolo ha mantenuto aperta la possibilità di ricorrere entro certi limiti alle parole da loro adoperate.

Anzitutto, però, dobbiamo vedere fino a che punto l'uso parlato toscano ha lasciato cadere in disuso le parole trecentesche, e fino a che punto i letterati sono riusciti a farle rivivere. Molte centinaia erano scomparse nella stessa Toscana, come *agenzare*, *assempro*, *baratta*, *brollo*, *caleffare*, *casso*, *croio*, ecc.; il Gelli nota nel Boccaccio «una infinità di parole, che sono oggi aborrite e fuggite da gli scrittori, come verbigrazia *buona pezza*, *la bisogna*, *gravenza*, *abitanza*, *niquitoso*, *avaccio*, *autorevole*, *contezza*, *deliberanza*, *sezzaia*» (*Ragionamento* premesso alla grammatica del Giambullari, p. 35). Vediamo invece che alcune altre voci antiche hanno qualche resto di vitalità, pur essendo ormai confinate all'uso plebeo o all'uso rustico, come possiamo ricavare dalle testimonianze o dai contesti: tali sono *atanto* (Cellini, Giambullari, Sassetti), *avale* (Cecchi), *calla*[269], *dónora* (Firenzuola, Cecchi), *finare* (Cecchi), *gina* (Lasca), *maisì*, *mainò*, *otta* (specialmente nelle locuzioni *otta catotta*, *otta per vicenda*), ecc. Molte altre, sparite dall'uso parlato, si sono invece mantenute soltanto nell'uso letterario, specialmente poetico: *aita*, *alma*, *feruta*, *u'*, ecc.

L'andazzo dell'imitazione trecentesca sulle orme del Bembo tende a rimettere in vigore anche molte voci diventate rancide (*prossimano* negli *Asolani*, e simili); e non finiremmo più se volessimo elencare le proteste suscitate da quelli che vanno adoperando a sproposito voci toscane antiche. Già nel dialogo del Valeriano il Marostica protesta contro gli «strani galavroni» che passeggiano per Parione usando *sovente*, *eglino*, *uopo*, *chente*, e biasimando gli altri per «accenti o vocaboli

---

[267] *Dialoghi*, III, p. 513 Raimondi.
[268] Per es. in una lettera del 1564, ap. Scoti-Bertinelli, *Vasari*, p. 137.
[269] Borghini, *Ruscelleide*, I, p. 92.

o figure di dire che non sono toscane» (cioè di classici toscani). Il Citolini, nella sua *Lettera in difesa della lingua volgare* (Venezia 1540) protesta contro quelli «i quali non si stimano poter'essere tenuti buoni scrittori, se le lor carte non puzzano di *uopo, testé, hotta, altresì, guari, costinci, sezzai, e se non ficcano unquanco* in un sonettuzzo». Il Gelli (*Capricci*, rag. V) protesta contro l'uso di *guari, altresì, sovente, adagiare, soverchio*; il Lenzoni (*Difesa*, p. 22) contro *guari, altresì,* i participi accorciati (*gonfio, pago, scaltro*), *amar meglio,* ecc.; il Marcellino (*Diamerone*, Venezia 1565, pp. 29-30) non vuole *alpostuto, peritoso, mora, meslea, burbanza, atare,* e meno che mai *altresì.* Anche un fautore del '300, mons. Della Casa, che il Salviati loda per essersi fedelmente attenuto ai trecentisti, biasima (*Galateo*, xx) *epa, spaldo, uopo, primaio, sezzaio.*

La satira, così ampiamente diffusa, del toscaneggiare arcaico, dà origine all'espressione di *favellare per quinci e quindi*[270].

Va ricordato l'atteggiamento particolare del Davanzati, che mirando al popolaresco e al caratteristico, tende soprattutto a salvare quegli idiotismi che sono sul punto di sparire, del tipo di quelli citati più su: *atanto, finare, gina.* In complesso, la tendenza a rimettere in circolazione i toscanismi arcaici non ebbe effetti molto vistosi: tuttavia un certo numero di vocaboli, come *altresì, guari, autorevole, sovente, soverchio, testé, uopo* e qualche altro, rientrano in questo periodo nell'uso letterario, e alcuni addirittura torneranno per questa via a radicarsi nell'uso quotidiano.

22. *Gerarchie di parole*

Per vie diverse, sono venute ad affluire nel lessico letterario un gran numero di forme plurime: varianti fonetiche e morfologiche e doppioni lessicali, dovuti a diversa origine territoriale, all'affluenza dei latinismi, al ravvivamento di peculiarità e di vocaboli arcaici per imitazione letteraria.

Ricordiamo come esempio di oscillazioni tra forme provenienti da vari luoghi, *burro* e *butirro*[271]; *ciliegia, ciriegia* e *ciregia; fatica* e *fatiga*[272], *freccia* e *frezza;* la terna già citata *legnaiuolo, falegname* e *marangone*[273], ecc. Grammatici e lessicografi si ritengono spesso in obbligo di ammonire contro l'uso di forme da considerarsi dialettali[274].

---

[270] *Quinci* è citato fra le parole arcaizzanti in un capitolo del perugino Alfano Alfani, del 1545 circa (ed. da A. Rossi, Perugia 1887).

[271] «*Burro* per *butirro* pur di Dante – osservava il Ruscelli – ma da lasciarlo rancire per non lo metter mai nelle vivande di scritti buoni»; e il Borghini lo compassionava: «O poveretto, i' ti vo' dire, che tu sei arrivato bene: come se queste voci si usassino mai altrimenti in Toscana nostra!» (*Ruscelleide*, II, p. 23).

[272] *Fatiga* è frequente nei Senesi (A. Piccolomini, ecc.).

[273] Tutte e tre queste voci sono registrate dal vocabolario del Bevilacqua.

[274] «Usarono i Thoscani *poppa...* e non *poppe*: come noi Vinitiani diciamo...» (Dolce, *Modi affigurati*, c. 225 b). Una parola che dà luogo a molte discussioni è *adesso;* l'accolgono il Tolomei e l'Aretino, ma altri la considerano abusiva.

La tendenza ai latinismi, viva particolarmente, come s'è visto, fuori di Toscana, oppone per es. *cerebro* a *celabro*, *chirurgo* e *chirurgia* a *cerusico* e *cirugia*, *officio* a *ufficio*, ecc.

L'autorità degli antichi oppone *diede* a *dette*, *renduto* a *reso*, *feruta* a *ferita*, ecc.

I singoli autori, posti di fronte a una quantità di scelte stilistiche forse maggiore che in qualunque altro periodo della storia della lingua, tenderebbero ad attenersi alle abitudini culturali del loro ambiente; ma non di rado si lasciano dominare dal prestigio di riconosciuti maestri di stile e di lingua: così vediamo il Castiglione e l'Ariosto seguire le prescrizioni del Bembo[275].

Non di rado i consigli che davano i grammatici, fondati su criteri diversi, erano discordi: basta sfogliare i *Tre discorsi* del Ruscelli contro il Dolce, o i libri del Castelvetro, o le *Lettere discorsive* del Borghesi, per immaginare l'imbarazzo in cui dovevano trovarsi i lettori, che ansiosi di affidarsi a una norma si trovavano invece in presenza di affermazioni e consigli contraddittorii.

Poiché la norma che tendeva a predominare era l'imitazione dei trecentisti, e i trecentisti presentavano forme diverse, è ovvio che le difficoltà di giungere a forme uniche erano insuperabilmente grandi.

Se i modelli erano letterari, letterari erano anche i criteri di scelta: grammatici e retori consigliano di attenersi alle parole «belle», «gentili», «oneste», «vaghe», «illustri», e di evitare quelle «brutte», «vili», «disoneste», ecc.

Nell'impossibilità di decidere tra due o più varianti, appoggiate ad autori diversi ma tutti autorevoli, i grammatici e i lessicografi tendono in molti casi ad attribuire a ciascuna una sua propria sfera, riconoscendo una specie di gerarchia tra le forme e le voci da riserbare alla prosa e quelle da adoperare nei versi.

I critici più sensati additano gli esempi, e lasciano all'arbitrio degli scrittori il seguirli più o meno rigorosamente[276]; ma c'è una distinzione che spesso si fa con precise intenzioni normative, quella fra parole prosastiche e parole poetiche. Si distinguono così, non senza arbitrio, *anche* (prosa) da *anco* (verso), *gastigare* (p.) da *castigare* (v.), *fraude* (p.) da *frode* (v.), *maraviglia* (p.) da *meraviglia* (v.), *menomo* (p.) da *minimo* (v.), *mutolo* (p.) da *muto* (v.), *spirito* (p.) da *spirto* (v.), *veduto* (p.) da *visto* (v.), ecc.[277].

---

[275] Il primo muta, per es., *palagio* in *palazzo* (Cian, *La lingua di B. Castiglione*, cit., p. 63), il secondo *presto* in *tosto* (v. p. 376).

[276] V. per es. le pagine del Minturno, nell'*Arte poetica*, Venezia 1563, pp. 301-304, 321-322.

[277] E ancora: «*Dopo* si doppia da Prosatori; ma nel verso non si pone altrimenti, che con sola P» (Dolce, *Osservationi*, ed 1566, p. 145); «*Buio*, voce popolaresca, e non da versi leggiadri, se ben molto Toscana» (Ruscelli, *Del modo di comporre in versi*, s. v.); «*soffre* è de' Poeti, e non de' Prosatori» (Borghesi, *Lettere disc.*, p. 197), e similmente in molti autori, moltissime volte.

Frequenti sono poi le discussioni sul grado delle parole, sulla loro convenienza alle circostanze, e per lo più i grammatici tentano d'imporre il loro parere. Il Gelli fu censurato per aver intitolato una sua commedia la *Sporta*, nome «troppo vulgare e basso» (v. la dedica della commedia), il Varchi usò la parola *ciurma* nel discorso in cui rendeva il consolato dell'Accademia e fu biasimato; e piene di tali censure a singole parole e costrutti sono le polemiche sul Caro, sul Tasso, sull'Ariosto.

Quelle differenze che nel Poliziano o in Lorenzo de' Medici erano gradazioni liberamente scelte dall'autore in una gamma tonale sono ormai sottoposte a norme estrinseche: ciò che i grandi scrittori del passato avevano scritto diventa non più un luminoso esempio, ma un limite e una rèmora.

Non diversamente nascono ora, da una miope interpretazione di Aristotile, le regole delle unità teatrali. È la tendenza di quest'età, in tutte le sue manifestazioni.

In questo modo un certo numero di parole ricevono la qualifica di parole «poetiche» (e alcune peculiarità grammaticali si ritengono ammissibili solo nei versi), e per oltre tre secoli domineranno nell'alta poesia.

Che poi questo lessico speciale e quest'«alta poesia» venissero così a essere straniati dalla vita quotidiana, è la dolorosa conseguenza della limitatezza di questa civiltà letteraria cinquecentesca, la quale anziché inserirsi in una unità sociale e pratica conseguita da tutti gli Italiani, è solo il frutto raggiunto da una cerchia relativamente ristretta di letterati, in nome d'un ideale di bellezza considerato accessibile a pochi eletti.

23. Forestierismi

Le lingue che influiscono più fortemente sul lessico italiano in questo periodo sono il francese e lo spagnolo; ma per la grande apertura d'orizzonte dovuta alle scoperte geografiche dobbiamo tener conto di numerose altre fonti.

I contatti bellici e culturali con la Francia fanno sì che un numero non trascurabile di francesismi entri in questo periodo in italiano.

Naturalmente, gli scrittori che parlano di cose francesi ne adoperano molti di più di quanti sono poi effettivamente entrati nell'uso: e tale impiego è ovvio quando si tratti di titoli, di istituzioni, di peculiarità francesi.

Il Machiavelli, per es., nel *Ritratto delle cose di Francia* (scritto nel 1510, dopo tre missioni a Luigi XII) parla di «*fauta* d'*argento*», del «*preposto* dello *ostello*», dei *lingi* «cioè tovaglie e tovagliuoli», ecc. L'Equicola in una lettera da Blois (1505) parla di «*tucte le gendarme*». E. occupandosi più tardi nel *Libro de natura d'amore* di poeti nelle due lingue di Francia, parla di *trovadori* e *giocolari* che componevano

chanson[s], senvantes (sic) *coupeletz et lettres et ballades d'amour* (c. 181 a
dell'ed. 1531), e ricorda un poeta che canta «in laude de sua *maestressa*»
(c. 185 b). Federigo Fregoso, che viveva in un'abbazia presso Digione,
donde si mosse nel 1526 con la speranza di riprendere autorità in
Genova sotto l'egida francese, scrive al Montmorency con qualche
francesismo assai forte («che non m'avessero tenuto per così *sotto*»)[278].
Invece che dire «re di Francia» si dice spesso *Roy*[279].

Gli ambasciatori in Francia danno frequenti notizie di cose e
istituzioni di là: Giuliano Soderini parla del re di Francia che riceve
l'ambasciatore imperiale «in una grande sala o *galleria* bene ornata di
tappezzerie» (cioè di «arazzi»: lettera 1528, in Sanudo, *Diarii*, XLVII, col.
238), e più tardi il Cellini narra come il re volesse mettere il Giove «nella
sua bella *galleria*. Questo si era, come noi diremmo in Toscana, una
loggia, o si veramente un androne...» (*Vita*, II, cap. XLI): si tratta di un
uso caro a Francesco I, e il fatto che ci sia bisogno di spiegare la parola
mostra che essa non era ancora nota in Italia. Gli oratori veneti in
Francia parlano dei *lacchè* del sovrano (M. Soriano, 1562), del *gabinetto*
in cui il re riceve i più stretti consiglieri (G. Michiel, 1572), della notte di
S. Bartolomeo in cui «fu fatto, come dicono i francesi, il *massacro*, cioè
l'uccisione» (ib.), della «porzione di beni» del principe ereditario «o
(come dicono in Francia) del suo *appannaggio*» (G. Michiel, 1578)[280], dei
«nobili postnati, ch'essi dicono *cadetti*» (P. Duodo, 1598)[281] voci ancor
riferite a cose francesi, mentre più tardi le troveremo adoperate anche
con riferimento a usanze penetrate in Italia[282].

Ludovico Guicciardini, nella *Descrittione di tutti i Paesi Bassi* (1567)
spiega che cos'è la *Borsa*, termine originario di Bruges[283], che cosa sono
i *demaines*, cioè i beni dello stato[284], che cos'è il *doario*, cioè la rendita
della regina vedova.

Più importa vedere come alcuni vocaboli francesi siano già penetrati nell'uso italiano. Si hanno parecchi termini militari: *batteria*, *convoio*
o *convoglio*, *foriere* o *furiere*[285], *marciare*, *petardo*, *picca*, *trincea* o
trincera, ecc. Il Machiavelli, nei *Discorsi sopra le deche*, osserva che al

---

[278] Molini, *Documenti di storia italiana*, I, Firenze 1836, p. 216.

[279] «Martedì mattina il Signor nostro sul far del giorno andò a corte con dui o
tre cavalli con falcone in pugno, perché così aveva ordinato *lo Roy*» (lettera di
Bald. Castiglione, 8 ottobre 1499); così anche «Si come io so senza dubio, ò *Sire
Roy* di Navarre» (Speroni, in *Orationi*, Venezia 1596, p. 40).

[280] Già in questo primo esempio la parola è travisata nell'ortografia (dovrebbe
propriamente essere *appanaggio* « ciò che serve per procurarsi il pane»).

[281] V. le rispettive relazioni nella raccolta dell'Albèri.

[282] Nel *Gianluca* del Tasso troviamo *lecchè* riferito a condizioni italiane
(*Dialoghi*, ed. Raimondi, I, p. 305).

[283] Henry, in *Lingua nostra*, XIV, 1953, p. 19.

[284] Evidentemente il termine di *demanio*, che era stato importato dai Normanni nell'Italia meridionale, gli era ignoto.

[285] Già usato nel secolo precedente da ambasciatori fiorentini in Francia
(Zaccaria, *Raccolta*, p. 295)

termine di *fatti d'arme* si sta sostituendo il «vocabolo francioso *giornate*» (p. 162 Mazzoni-Casella). In *rollo* (più tardi *ruolo*) e in *tropa* (più tardi *truppa*) convergono e lottano influenze spagnole e francesi[286].

C'è qualche termine di marineria, come *equipaggio*.

Per l'abbigliamento, citiamo il nome di un drappo, il *grograno*. Il termine di *dorura* non è, come si potrebbe credere, un francesismo individuale del Cellini («gioie e *dorure* franzese», nella *Vita*), ma è comune a Firenze nel tardo Cinquecento (v. gli esempi del Tommaseo-Bellini).

per cibi e bevande ricordiamo il *potaggio* (*potagio* nel Tansillo) e il *gigotto* (*zigotto* nello Scappi), il *claretto* e la *birra* (*bira* nel Sanudo).

Qualche francesismo importato in questa età (come *busta* «borsa, guaina», *pacchetto* «plico di lettere») si riferisce alle comunicazioni. E appaiono anche termini generali come *regretto*, *risorsa*.

Potremmo arricchire di molto questa esemplificazione se v'includessimo anche voci regionali, specialmente piemontesi (per es. *desbauciarsi* «andar appresso a follità» nel *Promptuarium* del Vopisco; *brisa* nel Botero – e nel Giovio –; ecc.).

Anche più numerosi dei francesismi sono in questo periodo gli iberismi[287].

Molti si riferiscono alla vita sociale: *baciamano*, *complimento* e il relativo *complire* (cioè «complimentare»), *creanza* («parola nuova tratta di Spagna»: Lenzoni, *Difesa*, p. 135) e anche *creare* nel senso di «allevare, educare» e *creato* «famiglio», *privanza* «familiarità», *impegno* e *disimpegno*, *sforzo* «ardire, bravura» e *sforzato* «energicamente operoso», *disinvoltura*, *sussiego*, *sfarzo*; anche il nuovo significato di *flemma* («calma, lentezza») è di provenienza spagnola. Al suscettibile senso dell'onore si riferiscono *disdoro* e *puntiglio* (il «piccolo punto» d'onore). Tra le persone che aiutavano i signori, oltre a *creato*, ricordiamo *aio* e *mozzo* «che l'Ariosto offre italianizzato, ma ancor caldo della sua provenienza straniera: *se fosse ben mozzo da spuola*»[288].

Non mancano, come accade spesso, termini d'insulto: *marrano*, *fanfarone*, *vigliacco*; agli Spagnoli, per il loro frequente intercalare, si dà l'epiteto di *Juradios*.

Si diffondono largamente, secondo l'esempio spagnolo, i titoli di *signore* (cfr. p. 395) e di *don* («quel *don* sì caro allo Spagnuol ventoso»: Caporali). *Marchese* fa al femminile *marchesa* per influenza spagnola.

[286] Il primo esempio fin qui additato di *rollo* è di influenza spagnola, perché si riferisce a un elenco di ufficiali spagnoli catturati dai Veneziani nell'aprile 1528 (M. Sanudo, *Diarii*, XLVII, col. 383).

[287] Il cit. saggio del Croce, *La lingua spagnuola in Italia*, Roma 1895, e il compendio da lui stesso datone il volume su *La Spagna nella vita italiana durante la Rinascenza*, Bari 1915 (4ª ed., 1949) inquadrato mirabilmente gli iberismi nella storia della cultura del tempo; materiali ricchi ma non sempre sicuri offre E. Zaccaria, *L'elemento iberico nella lingua italiana*, Bologna 1927.

[288] Croce, *La Spagna*, cit., p. 156.

Si apprezza il titolo di *grande di Spagna*, si accoglie anche in Italia l'istituto del *maiorasco* o *maggiorasco*.

Per quel che concerne la casa, penetra in Italia il termine di *appartamento* («copia di stanze o, come oggi li chiamano, *appartamenti*»: Borghini). Si hanno nomi di stoffe (*laniglia* «tela fine»), di guarnizioni (*can(n)utiglia*), di vesti (*faldiglia, zamarra* o *zimarra, montiera* «specie di berretta»), di ornamenti (*maniglia* «braccialetto»; ma anche «manico» e «manetta»), di profumi (*ambracane*), ecc.

Giungono poi nomi di cibi: il *bianco mangiare*, il *mirausto* o *miragusto*, la *sopressata* (spagn. *sobreasada*), il *torrone* (fatto con mandorle tostate), la *marmellata* (dal portoghese *marmelada* «cotognata»).

Parecchi vocaboli si riferiscono alla vita militare: *continuo* «guardia del viceré», *bisogno* «soldato nuovo»[289], *guerriglia, casco, morione, zaino, parata, quadriglia* «schiera di quattro uomini», ecc. Ricordiamo anche i molti termini riferiti ai cavalli: *alazano* «sauro» (Giovio), *rabicano, ro(v)ano, ubèro, pariglia* «coppia di cavalli», ecc.

Molti sono pure i termini di marina: *almirante, flotta, rotta, baia, cala, tolda, babordo, arpone*, ecc.; e molti più se contiamo anche le voci imparate nelle imprese marittime compiute sotto gli auspici della Spagna e del Portogallo (v. qui sotto). Anche i nomi dei punti cardinali, *nord, est*, ecc., pur essendo, come è noto, di remota provenienza anglosassone, giungono ora in italiano per tramite spagnolo[290].

Alcuni termini si riferiscono all'amministrazione: *azienda, dispaccio* e *dispacciare*, ecc.

Ricordiamo anche alcune misure (*quintale, ton(n)ellata*) e oggetti vari (*astuccio*, dal catal. *estoig, cartiglio*, ecc.).

Ci si rende conto della forza di penetrazione esercitata dagli iberismi sul nostro lessico anche attraverso le molte parole generali che allora vi penetrarono: *accudire, buscare, render la pariglia*, ecc., *grandioso, lindo*, ecc. In qualche caso lo spagnolismo incide addirittura

---

[289] Lo Zaccaria registra *bisogno* fra gli iberismi; mentre il Terlingen (*Los italianismos en español*, Amsterdam 1943 s. v.) lo considera un italianismo: si tratterà di un vocabolo nato in Italia dal contatto fra truppe spagnole e popolazione italiana secondo la spiegazione che ne dava nella *Comedia soldadesca* Bartolomé de Torres Naharro, che trascorse a Napoli e a Roma la seconda metà della vita, al principio del Cinquecento:

> ¿ Y por qué causa o razón
> los llamáis bisoños todos?
> ....
> Porque si quieren pedir
> de comer a una persona
> no sabrán sino decir:
> «Daca el bisoño, madona»

(II, vv. 46-47, 51-54; cfr. la ricca nota del Gillet, alla sua ed. della *Propalladia*, III, pp. 418-420).

[290] Sono dapprima più frequenti le forme ispanizzanti *norte, oeste*, ecc., poi sopraffatte dalle forme preferite in Francia.

sulla grammatica: abbiamo già ricordato l'uso di *lo che*, particolarmente vivo negli scrittori meridionali.

Numerosissimi altri esempi di spagnolismi si potrebbero citare in quegli autori che hanno avuto più stretti rapporti con la vita spagnola (per es. il Sassetti) e in passi di scrittori che parlano di cose o di persone spagnole: «la regina *duenna* Elisabel» (Guicciardini); «molti spagnuoli quando vivono a le spese loro... d'uno *ravaniglio* e di pane e d'acqua si pascono» (Bandello, *Novelle*, I, p. 141 Flora); *maravedì*, ecc.

Come sempre accade in queste irresistibili ondate della moda, il flusso portò parole in quantità enorme, e dopo il riflusso molte meno rimasero stabilmente installate nell'uso[291].

I contatti con i paesi di lingua tedesca (Svizzera, Germania, Austria) danno origine all'importazione di vocaboli militari: si conoscono i *lanzi*[292], i *raitri*, le *alabarde*.

Le lotte religiose si svolgono per lo più in latino e insignificanti sono gli echi linguistici tedeschi: possiamo ricordare solo un termine come *ugonotto* (passato dalla Svizzera, attraverso Ginevra, alla Francia; e di qui giunto sino a noi con riferimento ai calvinisti).

I commerci fanno conoscere anzitutto dei nomi di monete: *talleri*, *bezzi*, *craice* (nome riadattato in *crazie* quando se ne coniano anche in Toscana). Non attecchì saldamente il nome di *postemastro* (Franzesi).

Ha origine nei paesi tedeschi l'uso dei *brindisi*: il nome oscilla parecchio fra *brindis*, *brindes*, *brinzi*, e resta a lungo viva la notizia che si tratta di usanza esotica[293]; a bevute di lanzi si riferisce la locuzione *alla trinchesvaina*[294].

La metallurgia, che ha come centri principali i paesi di lingua tedesca, influisce attraverso i maestri dell'arte e i trattatisti (come l'Agricola): ecco *bis(e)muto*, *confrustagno* (*Kupferstein*), *mergola*, forse *copparosa*.

Alcuni termini di istituzioni si conoscono come propri dei paesi germanici: «le terre hanno i loro *borgomastri*» (Machiavelli), nel Tirolo

[291] Spariranno i più fra i termini di amministrazione, allora entrati nell'uso delle province soggette alla Spagna: per es. *arrendamento* «appalto delle imposte», *veedor(e)* «sorvegliante», ecc. Fra i moltissimi altri termini usati nel '500 e caduti poi in disuso ricordiamo *almuada* «guanciale» (Giovio), *primor* «cura, sollecitudine», *posata* «fermata», *cagliare* « tacere», *nada* «nulla», *a pesare di* «malgrado» (Giovio), *opera di* «circa» (Sassetti), ecc.

[292] Convergono in questo nome due diversi vocaboli tedeschi, come si vede dalle due forme, pure attestate, di *lanzimanni* (*Lanzmann*) e di *lanz(i)chinech* (*Landsknecht*).

[293] Il Casa (*Galateo*, XXIX) parla di «vocabolo forestiero», e ancora nel secolo seguente B. Corsini (*Torracchione desol.*, II, st. 51) parla del «sì caro uso tedesco – di farsi *brindis*». Hanno contribuito al divulgarsi della voce anche gli Spagnoli: non solo troviamo *brindis* in spagnolo – e non dal 1609 (Corominas), ma fin dal 1532 circa (Gillet, *Propalladia*, III, p. 531) – ma il verbo *brindare* imita l'analoga formazione spagnola.

[294] *Lingua nostra*, XIII, 1952, pp. 44-45.

si paga la *steura* (Sanudo, *Diarii*, XXXIX, col. 15), ecc. L'autorità di Uri e di Svitto nel Ticino è esercitata dai *lanfogti*.

Gli stretti rapporti commerciali con i Paesi Bassi danno luogo all'importazione di *droga*, termine che sarà molto adoperato nei commerci d'oltremare, e alla conoscenza di vocaboli come *caramessa* («fiera», *kermesse*), *stapula* «deposito». Si ha notizia anche delle *dune* e dei *dicchi* «dighe» («che dentro i dicchi della bassa Olanda»: Chiabrera) e della *turba* o *torba*.

Gli anglicismi sono scarsi, e quasi tutti riferiti a cose dell'isola di cui trasmettono la conoscenza quelli che vi sono stati (gli ambasciatori, gli esuli rifugiati in Inghilterra, come il Bruno e il Florio). Citiamo, per es., *ala* «specie di birra», *smalto* «malto». C'è spesso, nell'adattamento di voci inglesi, oscillazione, come si vede per es. dal nome dell'ordine della Giarrettiera: l'ordine «del *Gartier*» (Castiglione, *Cortegiano*, III, II), «della *Giarrettiera*... una cinta delle gambe, addomandata in lingua inglese *garter*» (Giacomo Soranzo, ap. Alberi, VIII, p. 56), «della *Gartiera*» (Sansovino, *Della origine de Cavalieri*, Venezia 1570), «il Nobile Ordine de la *Garatjèra*» (Florio, dedica dei *First Fruites*, 1578), «Niccolò Careo, cavalier *gerrettiero*» (Davanzati, *Scisma*, in *Opere*, II, p. 378 Bindi), ecc.

Quanto all'Europa centro-orientale, le parole slave e ungheresi che ne provengono passano spesso attraverso il tramite tedesco (*cocchio*, *pistola*, *trabanti*, *usseri*). Ma qualcuna vien direttamente dal croato: *sciabola* («quelle che i Corvatti chiamano *sabglie*»: Sansovino)[295], *stravizzo* «invito a bere»[296], forse *tacchino*, oltre a vocaboli di color locale come *bano*, ecc.

Dai Greci viene la moda dei *mustacchi*[297]. Voci arabe, turche, persiane penetrano attraverso i fitti contatti con il prossimo Oriente: *sofà*, *divano* (che nel Levante significa «luogo d'udienze» e «lettuccio»; naturalmente il primo significato si ha solo nelle descrizioni di color locale, metre il secondo viaggia con l'oggetto stesso). *Chiosco* e *serraglio* sono noti come palazzi del Sultano. Tra le vesti orientali tornano frequenti il nome del *dolimano* e quello del *turbante*[298]. Giunge notizia dei *sorbetti* (sotto la forma di *tzerbet*, *scerbet*, presto trasformata per raccostamento a *sorbire*) e del *caffè*, col nome arabo di *buna* (P. A. Michiel) e con quello turco di *cavè* (*caveè* nella relazione di G. F. Morosini, 1585). Ricordiamo anche un nome di colore preso dal turco, quello di *mavì*.

L'influenza araba si fa ancora sentire in alcune scienze: abbiamo per es. *alcohol* «solfuro di antimonio» (per influenza di Paracelso, il

---

[295] Zaccaria, *Raccolta*, p. 330.

[296] Vidossi, in *Lingua nostra*, XIII, 1952, p. 108.

[297] Reichenkron, *Zeitschr. franz. Spr.*, LVIII, 1934, pp. 48-55.

[298] E si sa che *tulipano* non è che una trasposizione metaforica del nome del *turbante* (Migliorini, *Lingua e cultura*, p. 286).

termine assumerà poi anche il significato oggi usuale), *loc* «sostanza medicinale semifluida», *rob* «sugo di frutta concentrato», ecc.

L'aprirsi dell'era delle grandi scoperte ha conseguenze importanti per la lingua: anzitutto per l'importazione, o almeno per la conoscenza di animali e di piante prima ignoti, che fa entrare nel lessico nuovi nomi, o attinti alle lingue indigene, o coniati nelle lingue dei popoli esploratori, o foggiati in Italia.

Le novità più importanti vengono dall'America[299], per tramite spagnolo o portoghese, più di rado francese[300]. Ecco alcuni nomi di animali come *caimano, condor, iguana, vigogna* (parole indigene) e *cocciniglia* (parola spagnola), ecc. Si hanno nomi di piante e frutti, come *ananas, batata* e *patata, cacao, mais, tomate, coca, guaiaco*, ecc. Ma talvolta invece della parola esotica, o accanto ad essa, si conia una parola o una locuzione nuova: accanto a *mais* si ha *granturco* (nel senso di «grano di provenienza esotica»), accanto a *tomate*, si conia *pomodoro*, accanto a *guaiaco* si ha *legno santo*, accanto a *tabacco* si ha in Toscana *erba tornabuona* (da mons. Niccolò Tornabuoni che importò la pianta sotto Francesco I dei Medici), ecc.

Ricordiamo poi nomi di oggetti vari come la *canoa* e la *piragua* (più tardi *piroga*), l'*amaca* e la *cicchera* (più tardi *chicchera*: «recipiente fatto col guscio d'un frutto», poi «tazza»).

Nelle navigazioni s'incontra il *salgazo* o *sargazo* (più tardi mutato per influenza francese in *sargasso*); attirano l'attenzione certe formazioni geografiche, come le *zavane* (più tardi *savane*) e i *vulcani* (il cui nome, tratto ovviamente da quello mitologico, e localizzato dapprima nella più meridionale delle isole Eolie, si divulga in Europa a proposito dei vulcani dell'America centrale) e fenomeni atmosferici (gli *uragani*, tipici nel golfo del Messico, che gli indigeni chiamavano col nome del dio delle tempeste Hurakan, «quello con una sola gamba»).

L'errore cosmografico di Colombo dà all'antico nome di *India, indiano* un'estensione abnorme. Il nome etnico dei Caribi si divulga, sotto la forma di *cannibali*, con il valore di «antropofagi» («earum terrarum incolae *Canibales* esse affirmant, *sive Caribes*, humanarum carnium edaces»: Pietro Martire d'Anghiera, dec. VIII, cap. 6).

---

[299] Molti passi di scrittori, e discussioni sull'origine dei vocaboli singoli si troveranno in G. Friederici, *Amerikanistisches Wörterbuch*, Hamburg 1947; per le prime attestazioni italiane si ricorrerà principalmente a E. Zaccaria (*Raccolta* e *Elemento iberico*). Una ricca serie di articoli di L. Messedaglia ha portato preziosi chiarimenti.

[300] Gli Spagnoli attinsero una prima serie di parole dall'aruak delle Grandi Antille (ed essi stessi diffusero per tutto il continente alcune di queste voci, per es. *canoa*); altre ne presero nel Messico dall'azteco, altre nell'America meridionale dal quechua. I Portoghesi attinsero nel Brasile numerosi termini dal tupi e dal guaraní; i Francesi nell'America Settentrionale dall'algonchino e dall'urone. È accaduto non di rado che voci penetrate in questo periodo in Italia sotto forma spagnoleggiante siano state più tardi sostituite da doppioni di forma francese o inglese (v. cap. X).

Anche le spedizioni nell'India propriamente detta e nell'Estremo Oriente portano nuove conoscenze e nuove parole[301]: si tratta anche qui ora di vocaboli indigeni fortemente deformati (il nome del tè, che appare sotto la forma di *qua* nel Sassetti e di *chia* nel Maffei tradotto dal Serdonati, *pagodo* «idolo», *bonzo, monsoni, tifone*, ecc.), ora di vocaboli portoghesi con nuovi significati, talvolta presi tali e quali (*casta, cocco*), talvolta ricalcati (*venti generali* «venti periodici»). Anche *zebra*, adoperato dai portoghesi per un animale da essi scoperto nel Congo, non è voce indigena ma ibero-romanza[302]. *Banana* proviene dall'Africa equatoriale.

24. *Italianismi accolti in altre lingue*

Già nei secoli precedenti, l'importanza dell'italiano, specialmente nel campo marittimo e nel campo commerciale, aveva avuto come conseguenza una notevole penetrazione d'italianismi in varie lingue europee; ora che tutti i paesi occidentali vedono nell'Italia un modello di più alta civiltà, l'afflusso nei loro lessici si fa molto più copioso, e ci permette di vedere questo ideale di superiore civiltà incarnato in una serie di nozioni i cui nomi si attingono all'italiano.

Nella vita sociale assistiamo all'espandersi del termine di *cortigiano* (accolto in spagnolo nel 1490, in francese nel 1539, in inglese nel 1587); anche più largamente è accolto il femminile *cortigiana*, col significato spregiativo che ben presto ha assunto (il femm. si ha anche in tedesco nel 1566).

Fra i nomi di vesti si possono ricordare il *cappuccio* (fr. *capuchon*, sp. *capucho*, ted. *Kapuze*, ecc.). Tra i cibi, indichiamo i *maccheroni* (franc. *macarons*, 1552, più tardi *macaroni*; sp. *macarrones*; ted. *Macaronen*; ingl. *macaroni*, 1599)[303]; la *cervellata* (fr. *cervelat*, 1552, poi *cervelas*), la *mortadella* (fr. *mortadelle*, 1505); tra le piante da orto, citiamo il *carciofo* (it. settentr. *articiocco*, da cui fr. *artichaut*, 1530, ingl. *artichoke*, 1531, ted. *Artischocke*, 1556). Tra gli accessori dell'eleganza, citiamo il *profumo* (rifatto in francese in *parfum*, e dal francese diramato all'ingl. e al ted.) e la *pomata* (fr. *pommade*, 1540, ecc.).

Dei termini riferiti ai trasporti ricordiamo *facchino*[304] (fr. *faquin*,

---

[301] Si consulteranno con frutto (oltre agli spogli dello Zaccaria): H. Yule-A. C. Burnell, *Hobson-Jobson*, Londra 1903, R. Dalgado, *Glossario Luso-asiatico*, Coimbra 1919-21.

[302] L'etimo è probabilmente *equifer*.

[303] I maccheroni potevano ancora essere di forma sferica, una specie di gnocchi (Paoli, in *Lingua nostra*, IV, 1942, pp. 97-99), tant'è vero che dal medesimo termine italiano nasce anche il nome degli «amaretti», che degli antichi «maccheroni» hanno la forma (fr. *macarons*, ingl. *macaroons*, ted. *Makronen*).

[304] Troviamo la parola anche con significato spregiativo, come in italiano, non solo in francese e spagnolo, ma pure in polacco, dove si ha *fakin* e *facin* anche per «garzone di pasticceria» e per «buono a nulla».

1534; sp. *faquín*). Molti vocaboli riferiti al commercio e alla circolazione del denaro (*banco, bancarotta*, ecc.) già si erano diffusi prima del Cinquecento: ora si divulgano *bilancio · bilancia, tariffa, numero*, e anche *zero*, che passa al francese, allo spagnolo, all'inglese (mentre il tedesco nel significato di «zero» ricorre all'italiano *nulla: Nulle*, più tardi *Null*).

Parecchi termini riferiti alla vita militare sono stati largamente accolti all'estero: *soldato* (fr. *soldat*, 1548; sp. *soldado*; ted. *Soldat*, 1522, ecc.), *caporale* (fr. *caporal*, 1552; sp. *caporal*, 1537; rifatto in ted. in *Corporal*, 1608), *colonnello* (fr. *coronel*, 1542, e poi *colonel*; sp. *coronel*, 1511; ingl. *colonel*, 1548), *sentinella* (fr. *sentinelle*, 1546; sp. *centinela*, 1525) e così via. Non meno numerosi sono quelli riferiti all'architettura militare: *casamatta* (fr. *casemate* 1539; sp. *casamata*, 1536; ingl. *casemate*, 1575), *bastione, parapetto, terrapieno*, ecc.

Anche per la navigazione già parecchi termini si erano diffusi nei secoli precedenti; ora altri ne seguono. *Piloto* già si trova in francese sotto la forma *pilot* nel sec. XIV, e in spagnolo era entrato nei primi decenni del sec. XV, ma ancora in una lettera del 1502 Cristoforo Colombo ha bisogno di spiegare la parola (*Scritti*, II, p. 162, ap. Terlingen, p. 241); *portolano* dà al fr. *portulan*, 1578, e allo spagn. *portulano*, 1512; *bussola* dà allo spagnolo la forma, alterata dall'etimologia popolare, *brúxula*, 1492 (mod. *brújula*) e al fr. *boussole*, 1564; il nome della *calamita* si presenta nel fr. *calamite*, 1512, e nello sp. *calamita*, 1520; *tramontana* (nel senso di «vento del nord») appare nello spagn. *tramontana*, 1502, nel fr. *tramontane*, 1549, nell'ingl. *tramontane*, 1615.

I termini concernenti cose religiose dipendono più spesso da vocaboli latini della Curia (fr. *nonce, caudataire*, ecc.) che da vocaboli italiani: ecco tuttavia *cappuccino* (fr. *capucin*, sp. *capuchino*, ted. *Kapuziner*, ecc.).

Il contingente più ricco e importante di italianismi nelle lingue europee è quello che concerne le lettere e le arti. Le forme italiane di poesia che penetrano in questa età nelle altre letterature portano con sé i loro nomi: il *sonetto* (sp. *soneto*, s. XV; fr. *sonnet*, 1525; ingl. *sonnet*, 1589), il *madrigale* (fr. *madrigal*, 1542, ingl. 1588, ted. 1596, spagn. 1615), la poesia *maccheronica* (fr. *macaronique*, 1546; sp: *macarrónico*; ingl. *macaronic*, 1611), ecc.

C'è anche qualche termine musicale, come *fuga* (sp. *fuga*, 1553; fr. *fugue*, 1598; per tramite francese, ingl. *fugue*, 1597; ted. *Fuge*, 1619).

Si divulgano parecchi nomi di maschere: *zanni* (fr. *zani*, 1550, ingl. *zany*, 1588) e *pantalone* (fr. *pantalonnade*, 1597, ingl. *pantaloon*, 1590); s'è già visto (p. 361) che *arlecchino* è di origine italo-francese.

Fra i termini di belle arti, assai numerosi, citiamo *facciata* (fr. *façade*; sp. *fachada*), *piedestallo* (fr. *piédestal*, 1545; sp. *pedestal*, 1539; ingl. *pedestal*, 1563), *balcone* (fr. *balcon*; sp. *balcón*, 1591; ingl. *balcony*, 1618), *cartone* (fr. *carton*, 1570; sp. *cartón*), ecc.

Bastano questi pochi esempi fra i molti che si potrebbero citare per dare un'idea dell'ampia penetrazione culturale dell'italiano nelle lingue occidentali.

Con la scorta delle ricerche fin qui compiute[305] si vede che l'influenza in Francia e in Spagna si è svolta principalmente attraverso le classi colte, ma non senza una notevole partecipazione popolare; in Inghilterra la mediazione compiuta dagli «italianati» colti, principalmente durante l'età elisabettiana, si limita ai ceti più alti; nei paesi di lingua tedesca e olandese l'azione è molteplice, ma discontinua; in Polonia il principale contingente è dovuto alla corte della regina Bona.

Quanto ai paesi scandinavi, gli italianismi vi arriveranno più tardi, quasi sempre per mediazione francese o tedesca.

Del tutto diverso è il quadro che traspare dagli italianismi accolti nel Levante, in prima linea in greco, e poi, per lo più per tramite greco, in turco: si tratta nella grande maggioranza di vocaboli concernenti la vita materiale. Abbiamo parole attinenti alla casa (ἀλτάνα, χαντίνα, σοφίτα), il mobilio (βάζο, λαβέτσι, μβρόκα), le vesti (βέστα, κάλτσα, ὀμβρέλα), la cucina e i cibi (κουζίνα, πινιάτα, σαρδέλα, φροῦτα). Altre concernono la guerra (ἀρτελλαρία, μουσχέτο) e la marineria (τραμοντάνα, στίβα). Ma alcune di queste voci sono penetrate nel neoellenico dopo il sec. XVI[306], e abbiamo creduto opportuno di farne cenno solo per delineare il diverso carattere dell'espansione degli italianismi in Levante.

Quanto alle voci italiane accolte nelle lingue occidentali, numerosi problemi che le concernono meriterebbero d'esser studiati davvicino. Si dovrebbe esaminare da quali centri esse si diramano, e si vedrebbe

---

[305] Cenni panoramici sull'espansione degli italianismi danno B. E. Vidos, *La forza di espansione della lingua italiana*, Nimega-Utrecht 1932, e C. Battisti, «Risonanze italiane nel vocabolario europeo», in *Italiani nel mondo*, Firenze 1942, pp. 389-414.
Per le singole lingue, oltre ai vocabolari storici ed etimologici e ai repertori di forestierismi, si può ricorrere a queste monografie: per il francese B. H. Wind, *Les mots italiens introduits en français au XVIe siècle*, Deventer 1928, B. E. Vidos, *Storia delle parole marinaresche italiane passate in francese*, Firenze 1939; per lo spagnolo, J. Terlingen, *Los italianismos en español*, Amsterdam 1943; per il tedesco non esiste una monografia, ma abbiamo ricche notizie negli articoli di E. Öhmann, negli *Annales Ac. Scient. Fennicae*, B, LI, 2 e B, LIII, 2, e nelle *Neuphilol. Mitteilungen*, XL, 1939 e segg. e nello studio di M. Wis, nei *Mém de la Société Neophil de Helsinki*, XVII, 1955; per l'olandese, E. Öhmann, in *Verslagen en Med. K. Vlaamse Academie*, 1955, pp. 131-152; per le lingue scandinave, K. Nyrop, *Italienske Ord i Dansk*, Copenaghen 1922, P. Höybye, «Nogle norditalienske laaneord», in *In memoriam K. Sandfeld*, Copenaghen 1943, pp. 94-100; per l'ungherese, F. Karinthy, *Olasz Jövevényszavaink*, Budapest 1947; per il neogreco, G. Meyer, *Neugr. Studien.*, IV, in *Sitzungsber. Ak. Wiss. Wien*, Ph.-hist. Kl., CXXXII, 1895; H. Kahane, in *Arch. rom.*, XXII, 1939, pp. 120-135; per il turco, H. e R. Kahane e A. Tietze, *The Lingua Franca in the Levant*, Urbana 1958; per altre lingue basterà rimandare ai miei cenni bibliografici in *Un cinquantennio... V. Rossi*, II, pp. 25-26 e a quelli del Battisti, art. cit. pp. 414-15.

[306] Anche se ci è difficile, sia per il carattere stesso di questi vocaboli, attestati in gran parte da fonti dialettali, sia per le condizioni della lessicografia greca, dire con sicurezza da quando datano.

l'importanza di Roma (da cui parte per es. *corridore* in luogo di *corridoio*) e dell'Italia settentrionale (abbiamo già ricordato *articiocco* per *carciofo*); può anche accadere che diversi prestiti risalgano a varianti territoriali della stessa parola: il ted. *Pomeranze*, s. XV, il polacco *pomarańcza* provengono da *pomarancia*, il greco ναράντσα, l'ungherese *naranch* (1481), mod. *narancs*, riproducono il veneziano *naranza*. Ma non possiamo qui addentrarci nei particolari[307] come potrebbe fare un'auspicabile monografia sugli italianismi europei, con un ampio glossario in cui l'espansione dei vocaboli italiani dovrebbe esser considerata non lingua per lingua, ma nel suo complesso. Si vedrebbe così, ad es., che *pavana*, nome di un ballo italiano rustico del contado di Padova[308], giunto in Spagna, prese colà carattere aristocratico, e la Spagna diventò, qualche decennio dopo, un nuovo centro d'espansione del vocabolo (come può mostrare la forma *pavaniglia*, che è certo un ispanismo).

Del resto si potrebbero citare numerosi altri esempi di vocaboli che, nati in un paese ed emigrati in un altro, trovano in questo un nuovo centro di espansione: *fregata* è greco ma è dall'Italia che giunge in francese, ecc.; *schizzo* dà origine all'ingl. *sketch* non direttamente ma per il tramite dell'oland. *schets*, ecc.

Il complicato intreccio di scambi tra le varie lingue d'Europa va di volta in volta dipanato considerando la *concordia discors* con cui le varie nazioni hanno per secoli operato.

---

[307] Non si dimentichi inoltre, che la maggiore o minore accoglienza fatta a certe parole dipende in parte dalla struttura delle lingue accipienti: lo spagnolo, per es., accoglie con facilità parole sdrucciole (*ándito*, *esdrújulo*) che al francese riescono ostiche e, se accolte, vengono deformate (per es. *boussole*).

[308] A. Messedaglia, in *Atti Acc. Agric., Scienze e Lettere di Verona*, s. 5ª, XXI, 1942-1943, pp. 91-103. Il primo esempio fin qui indicato è del 1508: J. A. Dalza, *Pavana alla venetiana cioè danza padovana scritta secondo il sistema dei musicisti di Venetia*.

CAPITOLO IX
IL SEICENTO

1. Limiti

Termini più ragionevoli che anni secolari potrebbero essere per l'inizio quelli che sono stati indicati delimitando il Cinquecento (1563, data della chiusura del Concilio di Trento; 1582-83, fondazione e riforma salviatesca dell'Accademia della Crusca), per la fine quella data del 1670 circa che segna un mutamento nella filosofia, nella letteratura, nelle stesse mode[1]; sintomatica è anche la data della fondazione dell'Arcadia (1690).

2. Eventi politici

La carta politica dell'Italia rimane pressoché immutata, in confronto con i lineamenti fissati dal trattato di Cateau Cambrésis. Qualche cambiamento si ha solo nell'Italia settentrionale, in seguito alle due guerre di successione di Mantova e Monferrato. Dopo Ferrara (1598), Urbino (1631) entra a far parte integrante dello Stato Pontificio. La Valtellina, dopo aver suscitato contesa, rimane per questo secolo e il seguente in possesso dei Grigioni.

Le lotte tra Francia e Spagna toccano la penisola solo episodicamente (lo stato che più ne risente è il Piemonte, spesso coinvolto nella guerra), ma le ripercussioni sono continue e fortissime: i territori soggetti alla Spagna devono sempre fornire contingenti di uomini e di denaro; negli stati indipendenti il dilemma se appoggiarsi all'una o all'altra potenza domina la politica e la diplomazia.

Il trattato dei Pirenei (1659) segna la fine della Spagna come grande potenza europea; Luigi XIV a moltissimo aspira e parecchio consegue.

Venezia è soprattutto impegnata nelle guerre del Levante; perde Candia, ma conquista il Peloponneso. La sua resistenza all'espansione turca verso Occidente non è meno importante delle lotte che si sostengono allo stesso scopo sul continente (vano assedio dei Turchi a Vienna, 1683; liberazione di Buda, 1686).

La divisione d'Italia in staterelli ostacola, ma non impedisce, una

[1] Croce, *Storia dell'età barocca*, Bari 1929, p. 211.

larga circolazione di uomini e di libri. Il sentimento di appartenere a una stessa nazione è diffuso, ma non tanto che, specialmente alla periferia, non si senta qualche voce discorde[2].

La decadenza economica è grave, specialmente nelle province soggette alla Spagna.

3. *Vita sociale e culturale*

All'età baldanzosa delle scoperte umanistiche, al maturo e sereno equilibrio del Rinascimento segue un'età di ristagno: è una civiltà soprammatura, che vive delle rendite accumulate nelle età precedenti.

Nella vita sociale dominano le questioni di forma, per cui si rivolge una attenzione grandissima alle precedenze, ai titoli, al cerimoniale. Al fasto esterno va unita l'ostentazione. E alla pressione politica e religiosa fa riscontro la dissimulazione.

L'ondata controriformistica è ancora forte nei primi decenni del secolo; la censura ecclesiastica è di solito piuttosto severa[3].

Il gusto mondano coinvolge fortemente la vita ecclesiastica: basti ricordare la sensualità di tante pitture e statue sacre, e le molte prediche conformi al gusto del secolo; può anche capitar che si senta «cantar su la ciaccona il miserere» (Rosa, *Satire*, I, v. 204).

L'esistenza di numerosi stati e di altrettante capitali fa progredire il conguaglio nell'àmbito delle singole regioni, piuttosto che quello fra regione e regione. A Milano, a Napoli, a Palermo la vita autonoma è schiacciata dal peso della dominazione spagnola. Venezia e Genova mantengono la loro indipendenza con fermezza (questione dell'interdetto a Venezia) anche se non sempre con fortuna (resistenza di Genova a Luigi XIV). Firenze non ha più una posizione di primato

---

[2] Alessandro Segni alla corte di Torino nel 1665 si sentiva dire continuamente «Loro altri Italiani» ed era «nauseato di tanta franzeseria» (G. Imbert, *Seicento fiorentino*, 2ª ed., Milano 1930, p. 312).

[3] Sono comunissime nelle prefazioni di opere letterarie avvertenze come le seguenti: «Chiunque avrà sano giudizio e sarà versato nelle forme poetiche intenderà per Fato, Fortuna, Destino, Sorte, Fatale, Destinare e sì fatti vocaboli, le seconde cagioni ministre della somma Provvidenza; e sotto le parole Paradiso, Dea, Idolo, Divino, Beato, Santo, Sacro e Adorare, non altro che luogo delizioso, donna bella, oggetto amato, creatura perfetta, uomo felice, cosa onesta, cosa gloriosa e con umiltà reverire» (Marino, *Lira*, 3ª parte, Venezia 1625); «Pregoti poi à scusare le parole Fato, Sorte, Destino, Fortuna, Gloria, Deità, Adorare, Paradiso, Dio, e somiglianti parole applicate a persone perverse, e vitiose; perché si dovranno ricevere in semplice senso di poetico scherzo, senza pregiudicio della Catolica purità; in traduttione massime di Poeta Gentile» (Lalli, *Eneide travestita*, 1634). Nelle *Poesie* del Melosio le parole *divino* e *cristiano* sono sostituite da puntini, e l'Eritreo narra nella sua *Pinacotheca* che lo stampatore del poeta Romolo Paradiso sostituiva con tre stelle la parola Paradiso tutte le volte che si riferiva a cose profane. Si parla generalmente del *Segretario Fiorentino* per evitare l'odiato nome di Machiavelli (cfr. p. 399), e il Buonmattei preferisce dire l'*autor della Giunta* anziché nominare l'eretico Castelvetro.

letterario né artistico, ma la sua tradizione di pacata compostezza costituisce una remora all'ondata barocca che muove da Napoli e da Roma; Galileo e i suoi discepoli ne fanno un importantissimo centro scientifico.

Roma, centro politico e diplomatico del mondo cattolico, e centro della nuova attività delle missioni (istituzione della Congregazione *De propaganda fide*, 1622) è anche centro di notizie, «ricovero di tutti gli avisi del mondo»[4], e centro linguistico di grande importanza, in quanto i cortigiani si spogliano delle loro peculiarità linguistiche locali accostandosi ai Toscani, e lo stesso fanno a Roma i Toscani medesimi[5].

Le arti figurative (Bernini, Borromini, Caravaggio) hanno caratteri facilmente paragonabili con quelli della letteratura, fatta sempre ragione della diversa «materia» e della diversa tecnica: tant'è vero che dalle belle arti si è modernamente trasportato alla letteratura l'epiteto di *barocco*.

Il predominio che nel gusto barocco i suoni hanno preso sui concetti fa sorgere un nuovo tipo di spettacolo, il dramma musicale: nei libretti di O. Rinuccini (*Dafne*, 1594; *Euridice*, 1600; *Arianna*, 1608), e negli innumerevoli che seguono, la parola è al servizio della musica. L'opera in musica prende radici così salde che si fondano teatri appositi, in cui una spettacolosa scenografia contribuisce al diletto del pubblico.

L'osservazione e il raziocinio si vanno applicando non più soltanto a catalogare i fatti, ma a chiarire l'andamento della Natura. L'esigenza, di cui è antesignano il Galilei, di arrivare a formulare leggi obiettivamente constatabili, porterà a un nuovo abito scientifico radicalmente diverso da quello dei peripatetici, filosofi *in libris*. Prospereranno scienze come l'ottica e la meccanica, feconde di risultati teorici e pratici, e saranno invece definitivamente screditate pseudoscienze come l'astrologia e l'alchimia. Il nuovo spirito d'osservazione porterà a nuovo rigoglio anche le scienze biologiche.

La vecchia erudizione e le nuove scienze s'incontrano e talora si scontrano nelle Accademie, che si moltiplicano in questo secolo come non mai. Sono, per lo più, salotti che si allargano ad accogliere le persone «letterate» delle città, le quali vi dissertano secondo regolamenti più o meno rigorosi.

Hanno segnato tracce durature l'Accademia della Crusca, della cui opera diremo più oltre, quella dei Lincei, antesignana della ricerca scientifica, quella del Cimento, utilmente operosa nella sua breve vita.

Per tutta l'Italia si diramarono subito dopo la fondazione dell'Arcadia (1690) le sue «colonie»: più che i vantaggi e i danni portati dal gusto arcadico, c'interessa questa larga diffusione livellatrice.

Gli eruditi non solo vengono accumulando nei loro repertori vaste

---

[4] M. Bisaccioni *L'Albergo*, Venezia 1637 (cit. da Croce, *Storia dell'età barocca*, p. 99).

[5] L'osservazione è di A. Politi, in fine all'introduzione (datata 1613) al *Dittionario toscano*, Roma 1614.

raccolte di notizie sulle età passate, ma accumulano libri; alcuni dei più ricchi depositi librari italiani (l'Angelica, la Casanatense, la Magliabechiana, ecc.) risalgono a questo secolo.

Oltre alla sempre fitta corrispondenza politica e diplomatica, s'intrecciano ora carteggi fra dotti di tutta la «repubblica letteraria», i quali si scambiano le ultime notizie in fatto di libri, di scoperte, ecc.

È questo anche il secolo in cui gli «avvisi», che prima correvano manoscritti, si cominciano a stampare periodicamente, con notizie di avvenimenti politici e di fatti di cronaca. Cominciano anche rassegne erudite come il *Giornale dei Letterati* (Roma 1668 segg.) o la *Galleria di Minerva* (Venezia 1695 segg.).

4. *Latino e italiano*

Il latino ha ancora una posizione di privilegio in molti campi. L'insegnamento universitario è impartito esclusivamente in latino, e solo le lezioni private[6] e certi compendi paragonabili alle nostre dispense sono in italiano. Quanto all'insegnamento meno elevato, ricordiamo che ancora la *Ratio studiorum* della Compagnia di Gesù nel 1661 non considera affatto la lingua materna.

Le trattazioni filosofiche e scientifiche sono nella loro assoluta maggioranza in latino. Nel 73° *Ragguaglio* della I centuria del Boccalini, i «virtuosi d'Italia» chiedono ad Apollo di «abilitare la bellissima lingua italiana a trattare cose di filosofia»; ma Apollo rifiuta, consenzienti le scienze, che «in modo alcuno non volevano ridursi alla vergogna di esser trattate con le insipide circonlocuzioni italiane, ma che volevano esser disputate co' loro ordinari termini latini». Il Fioretti è biasimato da «persone di gran letteratura» di aver scritto in toscano anziché in latino i suoi *Proginnasmi*; e se ne difende (I, prog. 14).

Di capitale importanza a questo riguardo è la presa di posizione del Galilei. Ancora nel 1610, egli aveva pubblicato in latino il *Sidereus nuncius* per rivendicare i propri diritti di priorità davanti a tutti i dotti; dopo essersi trasferito a Firenze, comincia a scrivere di preferenza in italiano: del 1611 è la lettera a mons. Dini sui pianeti medicei, del 1612 il *Discorso intorno alle cose che stanno sull'acqua* e le tre lettere al Welser sulle macchie solari; e in italiano saranno poi tutte le sue opere maggiori. È suo dichiarato disegno[7] allontanarsi dalla lingua della scuola, chiusa e senza contatti con la vita, e parlare a uomini vivi e veri, uomini d'arme, politici e tecnici. E questo pur rendendosi conto del pericolo di affievolire i contatti con i dotti d'altri paesi: non gli

---

[6] Abbiamo notizia che Gustavo Adolfo volle da Galileo «nell'istessa casa di lui (con l'interesse di esercitarsi insieme nelle vaghezze della lingua toscana) sentire l'esplicazione della sfera, le fortificazioni, la prospettiva» (*Opere*, ed. nazionale, XIX, p. 629).

[7] V. specialmente la lettera a Paolo Gualdo (16 giugno 1612) e gli altri passi citati nel mio volume *Lingua e cultura*, pp. 137-144.

mancherà infatti il rimprovero del Keplero, il quale l'accusa di *crimen laesae humanitatis*; e editori e librai stranieri continueranno a chiedere traduzioni in latino dei suoi scritti.

I peripatetici dicono che egli si serve del volgare per far presa sugli indotti; la loro cultura è talmente legata al latino scolastico che fuori di essa si sentono pesci fuor d'acqua: ancora nel 1640 l'erudito Fortunio Liceti (ligure, professore a Bologna) dovendo replicare al Galilei, che ha contestato (nella Lettera sopra il candore della luna) le conclusioni del suo *Litheosphorus*, preferirà continuare a servirsi del latino, «sendo a me più facile per esplicare li miei concetti di cose scientifiche»[8].

L'esempio del Galilei e quello dei suoi diretti discepoli, come il Castelli, il Torricelli, il Viviani, ebbero notevole efficacia. Mentre le pubblicazioni dei Lincei, ai principio del secolo, erano in latino, i *Saggi di naturali esperienze* del Cimento sono in italiano[9].

Nelle scienze mediche, accanto alla preponderante produzione in latino, abbiamo qualche scritto in italiano; in latino sono le opere di Marcello Malpighi e così pure quelle di Lorenzo Bellini; i *Discorsi anatomici* del Bellini (che furono pubblicati, si noti, solo nel secolo seguente da A. Cocchi) hanno un tono di estrosa divulgazione («Vi mostro qui... Guardate qui quanti muscoli... Gl'intendenti di notomia chiamano la parte porporina di ciascun muscolo, ventre di esso...»).

Ovviamente in volgare sono molti manuali di medicina pratica, di ostetricia (S. Mercuri, *La commare o raccoglitrice*, stampato più volte), di veterinaria, ricettari farmaceutici, ecc.

L'uso del volgare fa progressi nella legislazione e nella procedura dei diversi Stati italiani: la Toscana è all'avanguardia[10], mentre il più restio ad abbandonare il latino è lo Stato della Chiesa. Il card. De Luca, nella sua interessante dissertazione *Difesa della lingua italiana* (Roma 1675), propugna, con vivo senso di concretezza, l'uso dell'italiano, in connessione con quella specie di enciclopedia legale che è il *Dottor volgare* dello stesso autore (Roma 1673).

Nella vita pubblica l'uso delle due lingue è continuamente giustapposto. Scegliendo a caso due cerimonie simili, vediamo che in occasione della nomina a doge di Venezia di Leonardo Donà (1606) vari oratori, mandati da città del dominio veneto e da altri stati, parlano in volgare, ma l'oratore del duca di Mantova parla in latino; per la nomina di Pietro Durazzo a doge di Genova (1620) si stampa un volume onorario, con poesie italiane e poesie latine.

---

[8] Lettera 3 agosto 1640, in *Opere*, ed. naz., XVIII, p. 222.

[9] Ma, ancora nel secolo seguente, P. van Musschenbroek li tradurrà in latino (*Tentamina experimentorum naturalium*, Leida 1731).

[10] Marc'Antonio Savelli di Modigliana, auditore della ruota criminale di Firenze, si scusa nella prefazione della sua *Pratica universale* (Venezia 1697; 1ª ed. 1665) di non aver scritto in latino, per essersi «conformato agli Originali all'uso de' Tribunali, e Archivi di questi Stati», e per aver scritto *sapientibus et insipientibus*.

Dal pulpito i predicatori parlavano per lo più in volgare, ma ce n'erano che preferivano il latino, tant'è vero che, per es., i capitoli della Congrega dei Cento di Empoli, a cui partecipava il Buonmattei, stabilivano l'obbligo di far la predica in volgare e non in latino[11].

Anche alcune recite teatrali si facevano in latino, principalmente a scopo di esercitazione scolastica. Ma se, in occasione di una recita di una tragedia del p. Stefonio al Collegio Romano, gli uditori[12] si misero a gridare contro i malvagi «Dagli! Dagli!», il Fagiuoli narra di aver sentito da fanciullo un *San Genesio* in latino, e che i più se ne andarono senza aver capito nulla.

5. *Scritti letterari e scritti pratici*

A chi consideri nell'insieme come si scriveva nel Seicento, sùbito si presenta il vistoso fenomeno della letteratura barocca, accompagnato dalle resistenze attive e passive che essa suscitò.

La moda stilistica instaurata dagli scrittori barocchi trovò seguaci e ammiratori[13], ma non durò molto a lungo. Le sue innovazioni ebbero (per intrinseca necessità della poetica della «meraviglia», che esigeva continue esplosioni di novità) carattere occasionale: metafore ardite, collocazioni vistose per parallelismo o contrapposizione, ecc. Di conseguenza, non appena la moda barocca venne a noia, essa non lasciò nell'uso linguistico stabile quasi alcun sedimento.

Se gli architetti barocchi rimaneggiano senza scrupolo le chiese romaniche e gotiche sovrapponendovi i loro svolazzi, l'atteggiamento dei letterati loro contemporanei è altrettanto irrispettoso verso la tradizione letteraria italiana, che è misconosciuta e in complesso disprezzata. Essi sono entusiasti di sé e fermamente convinti che le loro opere sono molto migliori di quelle dei secoli precedenti, e che la loro lingua è molto più elegante[14].

---

[11] Nel 1640 non avendo il predicatore designato voluto riscrivere in volgare una predica latina già pronta, oppure scriverne una nuova, il Buonmattei lo dové sostituire (*Diario della Congrega*, tenuto dal Buonmattei, ms. Magl. VI, 161, c. 210).

[12] Anzi «il popolo di buon senno» dice S. Pallavicino, che narra l'episodio (Croce, *Nuovi saggi sulla lett. del Seicento*, 2ª ed., Bari 1949, p. 150).

[13] Il Marino si appellava all'«universal gusto del mondo, il quale è ormai stufo delle cantilene secche» (lett. allo Stigliani), e il Minozzi (*Impazienze d'amore*, Firenze, 1633, p. 122, cit. da Croce, *Storia dell'età bar.*, p. 176), asseriva che «le rose d'un puro stile, che oggidì si chiama semplice e goffo, non piacciono se non sono attorniate dalle frizzanti spine di sottilissime arguzie, d'ingegnosi lambiccamenti dell'intelletto...».

[14] Il Tassoni, posto il quesito «Se trecento anni sono meglio si scrivesse in volgare o nell'età presente» (*Pensieri*, l. IX, quisito 15), confronta il proemio del Villani con quello del Guicciardini, e conclude raccomandando di evitare gli arcaismi; il Beni fin dal sottotitolo della sua *Anticrusca o Paragone dell'italiana lingua* si propone di «mostrar chiaramente che l'Antica sia inculta e rozza, e la Moderna regolata e gentile»; il Pallavicino (*Considerazioni sopra l'arte dello stile*, Roma 1646, p. 353) ritiene i moderni superiori ai trecentisti; il Tesauro, nel

Le poetiche continuano a distinguere uno «stile nobile», ma a differenza dei lirici e degli epici cinquecenteschi, il cui lessico ammetteva esclusivamente vocaboli alti e decorosi, i versificatori barocchi non hanno grandi scrupoli a adoperare parole concrete, corpose e magari termini scientifici o tecnici.

L'*Adone*, col carattere enciclopedico che prende in molti luoghi, accoglie lunghi elenchi di cose, tutt'al più abbelliti con qualche epiteto o complemento[15], e non evita termini filosofici o scientifici[16].

Vi sono lirici che adoperano senza scrupolo termini come *atomo*, *epiciclo*, *genealogia*, *iperbole*, ecc.[17]; il Lubrano, in un sonetto sul baco da seta, intreccia latinismi e locuzioni perifrastiche con termini tecnici della tessitura:

> Trasforma il cibo in stame; e torce e spreme
> da le viscere sue globo lucente;
> fatto subbio del sen, spola del dente
> ordisce in trame le salive estreme[18].

Il gioco caleidoscopico delle immagini, la ricerca artificiosa di concetti arguti «rassembra una coda di pavone spiegata in faccia al Sole: tanto varia ne' colori, quanto incostante»[19]; quei «sensi spiritosi» sono «più habili a pizzicare il cervello che a muovere il cuore»[20]; e gli stessi scrittori concettisti non potevano non rendersene conto[21].

Il barocco imperversò un po' dappertutto: ma suscitò anche reazioni severe in scrittori di varia provenienza (Stigliani, Rosa, Schettini) e soprattutto in Toscana: a Firenze filologi e non filologi erano compenetrati di rispetto per i grandi trecentisti, considerati glorie della città; e l'atteggiamento sobrio e razionale – quello stesso che favorì lo sviluppo

---

Cannocchiale aristotelico, dopo aver paragonato Dante, il Petrarca e il Boccaccio a Ennio, Cecilio e Plauto, conclude «la perfetta Virilità dell'Italiano Idioma esser' questa che incominciata nel passato Secolo, và tuttavia maturando» (p. 164 dell'ed. di Bologna 1675). Altre asserzioni analoghe cita il Croce, *Storia dell'età barocca*, pp. 206-208.

[15] V. per esempio gli elenchi di uccelli nel c. VI, st. 26-38, o gli elenchi d'armi nel c. XII, st. 36-37 e nel XIV, st. 16.

[16] «In quel gesto pietoso ed *attrattivo* – Con cui ride languendo occhio lascivo» (III, st. 111); «Vedi per la *rascetta* a passo dritto – Due parallele andar non molto grosse» (XV, st. 77; termine di anatomia e di chiromanzia), ecc.

[17] Getto, *Marinisti*, Torino 1954, p. 73.

[18] Ivi, p. 410.

[19] Bartoli, *Dell'huomo di lettere*, Firenze 1645, p. 175.

[20] Ivi, p. 178.

[21] Il Marino, parlando d'un suo discorso, riconosce che egli tende per natura all'ornato e alle «frasche»: «in esso ho tenuto stile da menante per essere popolare, e in ciò ho durata fatica, poiché la mia penna eziandio in prosa pende più tosto all'ornato che al triviale; ma bisogna variar l'idea dello scrivere secondo le materie, e qui ho voluto premere più nelle dottrine che nelle frasche» (*Epistol.*, I, p. 226 Borzelli-Nicolini).

in Firenze del metodo galileiano – era poco sensibile al turgore barocco.

Scarso valore artistico e scarsa importanza linguistica ebbe la lirica tradizionalista. Più importa la melica, svoltasi nella voluttuosa atmosfera musicale dell'ultimo Cinquecento, con il fraseggio più studiato d'un Chiabrera o quello più andante delle villanelle. Il Chiabrera tenta vari accorgimenti metrici e ritmici: versi brevi fortemente ritmati, versi sciolti, sdrucciole non rimanti fra loro, versi tronchi in consonante[22]; dei «ditirambi» diremo fra un momento.

Un'altra moda secentesca fu quella della poesia eroicomica e giocosa: anch'essa fondata sulla poetica della meraviglia (ottenuta in questo caso per mezzo di accostamenti incongrui), anch'essa tutta artificiosa, ma confessatamente tale. La *Secchia rapita* del Tassoni, lo *Scherno degli Dei* del Bracciolini, l'*Eneide travestita* del Lalli, l'*Asino* del Dottori, il *Malmantile* del Lippi, la *Presa di Saminiato* del Neri, il *Torracchione desolato* del Corsini hanno maggiore interesse stilistico e linguistico che le decine di poemi epici scritti nel Seicento. L'accentuata espressività nasce per lo più da raccostamenti inaspettati di antico e moderno, di solenne e di triviale, di italiano e dialettale: è aperta quindi la strada a una grande varietà lessicale.

I Toscani (e più degli altri il Lippi) ne approfittano per spargere a piene mani nei loro versi parole e locuzioni popolari, che non essendo state adoperate dai classici non avevano ancora trovato posto nei vocabolari.

Questa preoccupazione estranea, di portare dei contributi a un ideale Museo della lingua toscana, non conferisce certo alla spontaneità e sincerità di questi poemi. Ma se il loro valore artistico è scarso, la documentazione raccolta per questa via indiretta non è senza interesse, e non rimase senza effetto sull'ulteriore svolgimento della lingua, in quanto attraverso la lettura di questi testi e dei commenti che se ne fecero[23] e attraverso gli esempi che ne furono tratti per la Crusca e per gli altri vocabolari, una larga serie di parole e locuzioni toscane finirono col penetrare nell'uso generale.

I legami di questa letteratura ribobolaia con la Crusca sono palesi nella persona di Michelangelo Buonarroti il giovane, che lavorò alla 1ª e alla 2ª edizione del *Vocabolario* e compose, oltre a un poema giocoso, l'*Aione*, due commedie, la *Fiera* e la *Tancia*[24]. La *Fiera* (1618) rappresenta, in cinque giornate di cinque atti ciascuna, una moltitudine di scenette, spesso vivaci, che l'autore immagina accadute durante una

---

[22] Talvolta l'influenza delle *Odelettes* di Ronsard si combina con quella delle villanelle: si ricordi quel che s'è già detto nel cap. VII a proposito delle *giustiniane*.

[23] Il *Malmantile* ebbe un ampio commento di Paolo Minucci, amico dell'autore, e nel secolo seguente altre erudite postille di A. M. Biscioni (Firenze 1731).

[24] Anche la *Fiera* e la *Tancia* ebbero un ampio commento a cura di A. M. Salvini (Firenze 1726).

fiera; viceversa altre scene allegoriche sono freddissime. La *Tancia* è una commedia rusticale: il «rusticale» è la varietà toscana del «dialettale», ed è noto che la letteratura riflessa in dialetto ha avuto nel Seicento uno sviluppo amplissimo (v. qui sotto, § 7).

La poesia fidenziana, che anch'essa si presentava ormai come un esercizio giocoso piuttosto che come una satira dell'eccessivo latinismo, ebbe numerosi cultori.

Altra forma capricciosa, cara al Seicento per la sua caricata espressività, è il ditirambo. I primi che composero ditirambi in italiano furono il Chiabrera e il Fioretti (*Polifemo briaco*, 1627); il più felicemente riuscito, o piuttosto il solo che meriti d'essere ricordato dal punto di vista artistico, è il *Bacco in Toscana* del Redi; ma dal punto di vista linguistico pure i minori c'interessano perché contribuirono a divulgare un nuovo tipo di parole composte (*ebrifestoso*, ecc.) (v. p. 439).

Anche la satira ebbe una notevole vitalità, e merita d'esser ricordata perché i satirici, nei loro frequenti tratti realistici, adoperano volentieri parole plebee o dialettali: ciò che del resto è ammesso per tutta la poesia faceta[25].

I danni portati alla poesia barocca dalla poetica della meraviglia spinta alle estreme conseguenze inficiano più o meno anche una notevole parte della prosa. Nell'oratoria sacra furoreggiano i «concetti predicabili» giunti dalla Spagna attraverso Napoli[26]. Si tratta, com'è noto, di prediche che da cima a fondo svolgono una metafora principale attraverso tutte le sue possibili diramazioni.

Ben altra intrinseca serietà hanno le prediche del Segneri, la cui «sveltezza potente» piaceva al Tommaseo.

Nella prosa descrittiva eccelle Daniello Bartoli, importante oltre che per l'interesse stilistico e per il valore d'esempio che ebbe presso i neoclassici (il Giordani lo giudicava «terribile, stupendo, unico, singolare»), per la sua ricchezza terminologica[27].

Nei più insigni rappresentanti della prosa scientifica ancora non è

[25] Il Menzini codifica questa norma nell'*Arte poetica*: «Tu che dell'umil stil contento sei – gl'idiotismi, et i proverbi, e i motti – pur della Plebe in mente aver tu dei» (l. III, vv. 280-282).

[26] «Quei Pensieri de' Sacri Oratori, che volgarmente chiamar si sogliono *Concetti Predicabili*: con tanto favore; & con tanta ammiration ricevuti dal Sacro Teatro, che la Divina parola pare hoggimai scipida, & digiuna, s'ella non è confettata con tai dolcezze» (Tesauro, *Cannocchiale aristotelico*, p. 43 dell'ed. Bologna 1675). Più oltre, egli dedica una buona metà del cap. IX a un «Trattato de' concetti predicabili»: egli dice come «alcuni Ingegni Spagnuoli naturaimente arguti; e nelle Scolastiche Dottrine perspicacissimi, trovarono or non è gran tempo, questa novella maniera d'insegnar dilettando, e dilettare insegnando, per mezzo di questi argomenti ingegnosi; detti volgarmente *Concetti Predicabili*» (ivi, p. 333); «debbesi dunque a gli Spagnuoli la gloria di quelle novelle merci; le quali per cagion dell'Hispano commercio per terra e per mare, di colà parimente sbarcarono a Napoli; onde in Italia, che non ancor le conosceva, fur chiamate *Concetti Napolitani*» (ivi).

[27] Cfr. G. Gamba, in *Arch. glott. it.*, XLII, 1957, pp. 1-23.

avvenuto quel divorzio che nei secoli venturi separerà radicalmente le scienze dalle lettere: si pensi al Galilei, che pur facendo qua e là qualche concessione al gusto del tempo, conduce dimostrazioni scientifiche in cui il «discorso» è chiaro e sobrio senza esser arido e impersonale. Il proposito di Galileo di tenere un tono accessibile alle persone colte, anche se non specialiste, ha per corollario il metodo che egli segue quando ha bisogno di termini tecnici: anziché ricorrere al greco o al latino per trarne vocaboli nuovi, preferisce ricorrere a parole usuali, stabilmente adibendole a una nozione specifica[28]. La via scelta da Galileo è ancor oggi, in complesso, quella preferita dai fisici: e una sua influenza in questo campo ci sembra certa. Altri scienziati in altri campi preferirono la strada opposta: si pensi, per avere dei punti di confronto, alla proporzione enorme che gli elementi greci e latini hanno in terminologie come quella medica.

Quelli che s'ispirarono a Galileo come maestro di metodo ne risentono anche l'efficacia stilistica: la «chiarezza», l'«evidenza» a cui aspira il Redi sono aspirazioni galileiane prima che cartesiane.

Al desiderio di chiarezza il Magalotti unisce un vivo gusto per il sapore delle parole; la severità contro i forestierismi che vediamo nei suoi scritti giovanili è vinta più tardi da un misurato cosmopolitismo.

Se, in tutte le edizioni secentesche del Vocabolario, la Crusca fu sempre molto aliena dall'accogliere i termini scientifici e tecnici, promosse tuttavia (con quei modesti effetti che un intervento estrinseco può produrre) una letteratura scientifica di tono tradizionale: attesta Orazio Rucellai in una lettera del 1665[29]: «[la Crusca] perché in nostra lingua non ci abbiamo scrittori di materie scientifiche, ha dato la cura al Sig. Carlo Dati, al Sig. March. Vincenzio Capponi, al Sig. Lorenzo Magalotti, e a me, che c'induchiamo di provarci»[30].

Gli scritti legali in volgare, come si è accennato, ormai non mancano, e spesseggiano di termini tecnici trasportati dal latino curiale.

I termini dottrinali abbondano anche nelle compilazioni erudite (come i *Proginnasmi* del Fioretti o le *Stuore* del Menochio), in cui si ostentano larghe cognizioni antiquarie.

Sciatta e pur pretenziosa è, salvo rare eccezioni, la prosa dei romanzi, scritti «con locuzione monca e storpiata», come lamentava lo Stigliani[31].

Negli scrittori storici e politici la necessaria aderenza ai fatti e alle

---

[28] V. gli esempi che ne ho dati nelle pp. 145-152 del mio saggio su «Galileo e la lingua italiana», in *Lingua e cultura*.

[29] *Saggio di lettere* di O. Rucellai, Firenze 1826, p. 5.

[30] E il Panciatichi derideva lo sfoggio di terminologia scientifica fatto dal Rucellai: «Vuoi con dotta ambizione esser tenuto per un altro Bartolini (...del notomista favello), pasteggiando a tutt'andare co' gli *esofagi*, *mesenteri* e *peritonei*...» («Contraccicalata», in *Scritti vari*, Firenze 1856, p. 97).

[31] Lettera del 4 marzo 1636, in Marino, *Epistolario*, II, p. 345.

istituzioni molteplici fa sì che abbondino di vocaboli finora estranei alla lingua letteraria.

Ciò si nota tanto più nelle scritture di argomento pratico, amministrative e simili, stese dai segretari. Sappiamo quanto il Salviati disprezzasse quel modo di scrivere; invece il Politi, nella prefazione alla sua traduzione di Tacito, scritta sotto il nome di Orazio Giannetti (1603), trova che i loro contributi al lessico sono stati utili, «dovendosi dare un equilibrato incremento ai vocaboli, a cui molto impulso hanno pur dato i segretari de' nobili e de' prelati». Coniatori di neologismi amministrativi, i segretari si dilettavano anche d'usare parole «illustri» e qualche volta arcaismi.

Quanto più gli scritti pratici scendono di livello per tenersi a contatto col popolino, dobbiamo aspettarci di trovarvi tracce di vernacolo. Riportiamo, fra gli innumerevoli esempi che si potrebbero citare, due frammenti di scritti burocratici pieni di termini dialettali. Ecco un passo di una relazione scritta a Napoli nei primi anni del secolo: «... tutte le taverne che faranno *cocina* e teneranno tavola de comodità da *mangniare*, pagaranno un tanto per ciascheduna taverna, accausa che per li soverchi forestieri... faranno soverchio guadangnio; tutti li *potecari* de l'arte lorda, come sono quelli che vendeno lardo, *cascio*, *presotta*, *salcicioni*, ovvero altra *robba* salata che si conviene a lo loro mistiero, pagaranno un tanto per ciascheduna *poteca*...»[32]. Un bando pubblicato dal capitano di Palazzolo (Siracusa) nel 1613 prescrive: «A lettere di S. E. date in Palermo a 31 gennaio p. p. tutti i maestri *corvisieri* di questa terra non presumano vendere l'opera di *cojro* a più *preczo*, v. d. scarpi di *cordovano* alla francesa a *dui soli*, a *tarì* 5.10, li *calzeroni* di *agnilotto* a *tarì* 5.10...»[33].

Anche certe trattazioni di arti strettamente connesse con nomi e usanze locali abbondano di vocaboli dialettali: per es. il traduttore veneto di un trattato sull'*Arte di tagliar gli alberi* di Monsù della Quintinyè (cioè Jean de la Quintinie)[34], distinguendo le varie specie di innesti, ci dice che «l'*Incalmo* a *Subiotto* serve per i Maroni, Castagne e *Figheri*», ecc.

6. Artifici del concettismo

Tutti gli scrittori, anzi tutti gli uomini si sono sempre serviti del parlar figurato; ma negli scrittori concettisti le figure non rampollano spontanee: essi le vanno a cercare, le ostentano, le accumulano, le prolungano.

Il principale teorizzatore del parlare ingegnoso, il Tesauro, dà questa definizione della metafora: «parola pellegrina, velocemente

---

[32] Spampanato, *Sulla soglia del Secento*, cit., p. 312.
[33] *Boll. Centro St. Fil. Sic.*, II, 1954, p. 405.
[34] Nella *Galleria di Minerva*, II, 1696, p. 345.

significante un obietto per mezzo di un altro»[35], e poi la divide in otto specie (metafora di proporzione, di attribuzione, di equivoco, d'ipotiposi, d'iperbole, di laconismo, di opposizione, di decezione) con dovizia d'esempi latini e italiani e con applicazioni pratiche. «Se tu chiami l'Amore un *fuoco*: volendolo tu esagerare, puoi tu per *semplice hiperbole* chiamarlo una *Fornace portatile*, una *Face di Megera*, e non d'Amore, un *Fulmine di Cupidine*..., una *Bomba animata*, un *Mongibello del petto*, una *Zona torrida*... Et così puoi andar discorrendo tutto l'Indice delle Sostanze Naturali, ò Artefatte, Vere o Fabulose; trahendone altresì gli Epitetti, i Verbi, gli Avverbi, i Superlativi...». Per fabbricar poi «Propositione Hiperboliche», si può ricorrere all'indice delle categorie, e attingere alla quantità (per es. *Il Vesuvio è una piccola favilla di quella fiamma*), alle relazioni di somiglianza e contrarietà (*A paragon di quel fuoco, ogni altro fuoco è neve*), ecc.

Le metafore già petrarchesche (*fiamma* per «amore» e per «persona amata») e quelle foggiate dai corifei del barocco costituiscono una serie di equivalenze quasi stabili: l'«occhio» è una *stella* o un *sole*, i «capelli» sono dei *ruscelli*, una *pioggia* o una *selva*, le «lacrime» sono *perle*, l'«acqua» è un *cristallo*, le «bianche membra nude» sono *nevi* o *avori* o *alabastri*, ecc. Per la natura stessa della lingua, la costante ripetizione tende a far perdere a queste immagini ogni valore espressivo (come per es. quando il Marino dice di un guercio che era «del destro *sole* orbo rimaso»: *Adone*, XIV, st. 123), e ciò spinge gli scrittori barocchi a cercare metafore sempre nuove. «Sol mundi mensor dictum est perantiquum. Ingeniosius iam videatur – ironizza Famiano Strada nelle sue *Prolusiones Academicae* (Roma 1617, p. 346) – si plusculum audeas, eumque appelles *coeli tabellarium, pistoremque lucis, umbrarum carnificem, arvorum coelestium aratorem*»[36]. E Salvator Rosa può lamentarsi (*Sat.*, II) che «le metafore il sole han consumato».

Se una metafora sola non sembra abbastanza espressiva, se ne accumulano parecchie: «Questa picciola dimostrazione della mia devota osservanza... è scintilla della fornace, stilla dell'oceano, scarsissima ricognizione degl'infiniti obblighi miei» (Marino, *Epistolario*, I, p. 176).

Altro modo per riattizzare la vivacità d'una metafora già un po' consunta è il prolungarla, deducendone una serie di metafore collaterali. «Se tu chiami la Rosa *Reina de' Fiori* – insegna il Tesauro (*Cannocchiale*, p. 321) – puoi tu raffrontar tutte le Circostanze della Rosa con quelle d'una Reina: facendo da quella sola Metafora di proportione, come da feconda radice coltivata con ingegno, pullular mille rampolli di pellegrini Traslati per ciascuna Categoria:

---

[35] *Cannocchiale*, p. 203 dell'ed. cit. Cfr. E. Raimondi, in *Lingua nostra*, XIX, 1958, pp. 34-39 e *Il Verri*, agosto 1958, pp. 53-75.
[36] Cit. da Belloni, *Giorn. stor.*, XXXI, 1898, p. 380.

Rosa	Reina	
Pianta eminente	Dignità sublime	(Substantia)
Rossor delle foglie	Porpora del manto	(Quantitas)
Odori	Profumi	(Qualitas)

Così si costruivano i «concetti predicabili» già ricordati: per es. l'azione della penitenza come lavacro salutifero è minutamente confrontata con le operazioni della lavandaia, descritte una per una, in una nota predica del p. Emmanuele Orchi, «Penitenza differita alla morte»[37].

Grande importanza ha per i concettisti la scelta degli epiteti, per completare, rinforzare, correggere gli effetti ottenuti con i sostantivi[38]. Uno schema largamente adoperato dai barocchi è il rovesciamento del rapporto fra sostantivo e aggettivo, per cui invece di *uccello canoro* si parla di *canto volante*, o di *violino alato*, con innumerevoli altre variazioni[39]. Una «fitta foresta» è per il Marino (*Adone*, VIII, st. 23) un *horror frondoso*; le «lepri» in un sonetto del p. Lubrano[40] diventano *animati tremori*, ecc.

L'antica metafora «cristallo» = «ghiaccio» prende nuovo aspetto in un sonetto dell'Artale[41], per cui gli occhiali sono *nevi addensate* («Non per temprar l'altrui crescente ardore – sugli occhi usa costei nevi addensate»).

In un caso come questo la piacevole meraviglia che l'autore vuol dare al lettore è simile al piacere di chi risolve un enigma: e del resto la moda degli enigmi nasce e fiorisce proprio nel Seicento. Si ricordino le perifrasi con cui il Testi (canzone «Con artificj egregj») parla del papiro e della pergamena adoperati come materie scrittorie:

> Dall'egizia palude
> con bel furto involò frondi straniere
> e di fosco color note vi pinse;
> lanosa greggia estinse
> e con penna sagace in varie guise
> segnò le spoglie dell'agnelle ancise...

Un altro fra gli espedienti che producono meraviglia è il contrasto di due espressioni vicine: contrasto che può assumere forme diversissime. Le tre ottave in cui il Marino dà una serie di definizioni dell'Amore (VI, st. 172-174) sono quasi tutte formate di antitesi:

---

[37] *Prediche quaresimali*, Venezia 1650 (cfr. p. Giovanni [Pozzi] da Locarno, *Saggio sullo stile dell'oratoria sacra del Seicento esemplificata sul P. Emmanuele Orchi*, Roma 1954).

[38] Un apposito repertorio, quello di G. B. Spada, *Giardino degli epiteti*, ebbe due edizioni (Bologna 1648 e 1665).

[39] J. Rousset, *La littérature de l'âge baroque en France*, Parigi 1954, pp. 184-189

[40] Getto, *Marinisti*, p. 413.

[41] Getto, *Marinisti*, p. 403.

>   lupo vorace in abito d'agnello...
>   lince privo di lume, Argo bendato,
>   vecchio lattante e pargoletto antico...

Altre volte gli autori puntano sul contrasto fra concreto ed astratto: per es. Valeriano Castiglione (*Statista regnante*, c. XLV) parla di Carlo Emanuele I, che «co' cumuli del formento nelle sue Città, conseguisce... cumuli di eterna lode».

La molla principale della poesia eroicomica e in genere giocosa consiste nel contrasto fra il solenne e il triviale, come p. es. nella st. 54 del I canto della *Secchia rapita* del Tassoni:

>   gli Anzïani appo lui col lucco in dosso
>   seguivano a cavallo in lunga schiera
>   sopra certe lor mule afflitte e grame,
>   che pareano il ritratto della fame.

I due ultimi versi chiudono burlescamente un'ottava che pareva solenne. Inattesa, anche se non sempre contrastante, scoppia spesso la chiusa nei sonetti del Marino e dei marinisti: ecco per es. in un sonetto caudato (*Murtoleide*, fischiata 36) il Marino che enumera, con la gioia di un pittore di «nature morte», una congerie di vegetali:

>   Onor de l'insalata inclito, erbette
>   rose, borace, cavoli fronzuti

e così va in diciotto versi: poi i due ultimi scoccano una frecciata contro l'avversario, e ne vien fuori un quadro secondo la maniera dell'Arcimboldi:

>   tessete voi la laurea trionfale
>   onde si faccia il Murtola immortale.

Contano sulla meraviglia prodotta dalle rime difficili non solo il Marino e i suoi seguaci –

>   Ma se nato di quercia aspra e villana
>   fossi là tra' Rifei, tra gli Arimaspi,
>   e se bevuto dell'estrema Tana
>   l'onde gelate avessi o i ghiacci Caspi,
>   se te di sangue e di velen l'Ircana
>   tigre e'n grembo nutrito avessi gli aspi...
>   (*Adone*, XII, st. 247)

– ma anche un antimarinista come Salvator Rosa (*Anassimandri: Alessandri: Licandri*, sat. II, v. 905 ss.; *iride: Busiride: Osiride*, sat. III, v. 41, e passim).

Dove più i secentisti sfoggiano, è nelle paronomasie o bisticci: parole uguali o parzialmente simili collocate di proposito in posizioni vicine:

I pria sì *grati* e poi sì *gravi* affanni
                    (Marino, *Adone*, I, st. 4)
De la *bella rubella* in voce amara
                    (IV, st. 34)
Fa de le proprie infamie *oscena scena*
                    (VII, st. 184)
O mia *dorata*, et *adorata* Dea
                    (XV, st. 99)
Corsi a le labra, e, quant'*ardente ardito*
con *grata* allor non *grave*
violenza soave
                    (*Poesie varie*, ed. Croce, 47)

e così via. Talvolta le due parole sono della medesima famiglia e abbiamo la «figura etimologica»: li cani di Atteone! «al lor re *sconosciuto* - si mostrar *sconoscenti*» (*La Sampogna*, «Atteone», vv. 199-200).

L'uso di una parola di origine latina nel suo significato etimologico è un altro artificio non raro:

Di smeraldi cader vezzo *serpente*
si lascia al sen con negligenza accorta
                    (*Adone*, VIII, st. 33)
            [l'onda lucente]
che 'n sì ricco canal mentre s'aggira
le sue delizie *ambiziosa* ammira
                    (*Adone*, VIII, st. 51).

Una figura non rara anche nei secoli precedenti, ma che ora si adopera con singolare frequenza, è l'antonomasia: «gli Homeri moderni non havranno fra le tenebre dell'antichità a mendicar gli *Achilli*» (Achillini, lettera a Luigi XIII, 1629), «l'*Achille* degli argomenti» è «il più forte»[42], «le buone lettere... fanno divenir *Arghi* gl'intelletti ciechi» (Boccalini, *Ragguagli*, cent. I, rag. 89), «Chi fa dell'opre sue virtù l'*Arturo*», «a chi la libertà ha per *Arturo*» (Salv. Rosa, *Sat.*, I, v. 501; V, v. 213), «Scudo faceano ai due felici amanti - con torte braccia i *Briarei* selvaggi» (gli alberi della foresta: *Adone*, VII, st. 107), «tu del ciel, non del mar *Tifi* secondo» (cioè Galileo: *Adone*, X, st. 45), «il *Zoilo* della poesia» (cioè lo Stigliani: Herrico; *L'Occhiale appannato*, p. 51), ecc. Altre antonomasie sono tratte da nomi di luogo: «Un *Caucaso* di nevi ho su le chiome» (son. di G. Battista, in Croce, *Lirici marinisti*, p. 432), «il crin s'è un *Tago*...» nel noto sonetto di Giuseppe Artale sulla Maddalena («Gradir Cristo ben dee...»).

La smoderatezza barocca si vede nelle enumerazioni: «Son que' *Zerbinotti*[43], quegli *Adoni*, que' *Ganimedi*, che han per nobil vanto...»

---

[42] Migliorini, *Dal nome proprio*, p. 139.

[43] Anche *zerbino*, come si sa, viene da un nome proprio, lo *Zerbino* dell'Ariosto (Migliorini, *Dal nome proprio*, p. 163), ma ormai nel Seicento la parola è divenuta usuale, come si vede dai derivati (*zerbinotto*, *zerbineria*) e dal passaggio del vocabolo nel lessico francese.

(Brignole Sale, *Il Satirico innocente*, Genova 1648, p. 263), magari combinate con giochi verbali «La *Medea*, la *Medusa* e la *Megera* - che ne l'alba al mio dì portò la sera» (*Adone*, XIV, st. 237).

I titoli dei libri danno ricchissimi esempi di metafore vistose[44]. Le raccolte erudite s'intitolano *Giardino, Tesoro, Teatro*[45], *Galleria, Scena* (D. Calvi, *Scena letteraria degli scrittori bergamaschi*, Bergamo 1614), *Cornucopia, Officina, Miniera* e via dicendo. Opere più specifiche indicano il loro contenuto con metafore più o meno pertinenti: la *Pietra del paragone politico* del Boccalini si propone di saggiare l'oro e l'orpello della politica dei principi, l'*Astrolabio di stato* del Della Torre (Genova 1647) vuol «raccoglier le vere dimensioni dei sentimenti di Cornelio Tacito»; la *Visiera alzata* dell'Aprosio (Parma 1689) indica gli autori di numerose opere pseudonime; la *Chiave della Toscana Pronunzia* dell'Ambrogi (Firenze 1674; la 1ª ed. s'intitolava *Lucidoro*; cfr. p. 459) serve «al chiudere ed aprire delle vocali E, ed O» e così via. L'iperbole tien poco conto della modestia: si pensi all'*Oracolo della lingua d'Italia* del Franzoni (Bologna 1645).

Spesso si ha irradiazione sinonimica, cioè una metafora dà origine ad altre analoghe: la *Bilancia* va con la *Stadera* e con la *Libra* (e anche il galileiano *Saggiatore* volutamente si rifà al titolo della *Libra* del p. Sarsi: «E tanto è più esquisita una bilancia da saggiatori, ch'una stadera filosofica!»).

Nel titolo stesso, oppure nelle divisioni in capitoli, si ha qualche volta una continuazione della metafora iniziale: G. B. Racani scrisse una *Navicella grammaticale, nella quale chiunque s'imbarcherà con corso felice, e breve, arriverà al bramato Porto di quest'Arte* (Venezia-Macerata 1686), la *Bottega dei Ghiribizzi* di C. Giudici (Milano 1625) si divide in «scatole», le *Ghirlande vaghissime di canzonette musicali* di G. Lirinda (Pavia 1659) si dividono in «intrecci», la *Biblioteca volante* di G. Cinelli (1677 segg.) consta di più «scansie», il *Cane di Diogene* di F. F. Frugoni (Venezia 1687 segg.) si fa sentire in sette «latrati» (cioè altrettanti volumi), e così via. Anche qui abbondano i nomi mitologici e storici presi per alludere all'argomento dell'opera: ricordiamo l'*Euterpe*, raccolta di canzonette di D. Brugnetti bolognese (1606), la *Flora overo cultura di fiori* di G. M. Ferrari (stampata prima in latino, 1633, e poi in traduzione italiana, 1638), il *Mercurio, storia dei correnti tempi*, pubblicato per molti anni (dal 1635) da V. Siri[46], e così via[47].

[44] Già nel tardo Cinquecento se ne avevano esempi, anche se non così numerosi e ostentati. T. Garzoni aveva dato, per es., alle sue opere una serie di titoli metaforici bizzarri: *Il Teatro dei veri e diversi cervelli mondani* (Venezia 1583), la *Piazza universale* (Venezia 1585), la *Sinagoga degli ignoranti* (Venezia 1589), l'*Hospidale dei pazzi incurabili* (Venezia, 1589), ecc.

[45] Numerosi esempi in Calcaterra, *Parnaso in rivolta*, Milano 1940, pp. 167-168.

[46] Il primo esempio fin qui citato di applicazione del nome di «Mercurio» a raccolte di notizie è il *Mercurius gallo-belgicus* di M. van Iselt, Colonia 1592. *Mercurio* divenne anche nome generico per indicare un «periodico» (*Dal nome*

Un altro campo in cui ebbe libero gioco l'ingegnosità fu la scelta dei nomi accademici: di solito essi «debbono aver riguardo al concetto generale significato dall'impresa dell'Accademia»[48]: così, per es., alla Crusca gli accademici si scelsero (dal 1590 in poi) nomi che avessero riferimento al grano, alla crusca, al pane, al forno e concetti affini: l'*Inferigno*, il *Lievitato*, il *Macinato*, ecc.; gli Apatisti ricorsero invece agli anagrammi (*Ostilio Contalgeni*, nome accademico di Agostino Coltellini, ecc.); gli Arcadi a un nome greco o finto greco di pastore, accompagnato da un etnico pure greco (*Alfesibeo Cario*, nome accademico del Crescimbeni), e così via.

L'amore di novità dei secentisti li rende piuttosto favorevoli alla coniazione di parole nuove: ma di questo accenneremo più oltre. Piuttosto, diremo qui di un modo particolare di usare scherzosamente le parole che fu per qualche tempo di moda, la cosiddetta *lingua ionadattica*[49]. Si tratta della sostituzione di molte parole con altre che cominciano con le stesse lettere: invece di *fagioli* si diceva *fagiani*, invece di *gote rosse*, *gomita rotte*, e per dire a uno *vi riverisco di tutto cuore* si poteva dire *vi rivesto di tutto cuoio*. Su questo «scioperatissimo idioma» (come lo chiamava lo stesso Panciatichi) fecero alla Crusca una cicalata e una contraccicalata, nel 1662, Orazio Rucellai e Lorenzo Panciatichi[50]: esso non fa che esagerare fino alla mostruosità quelle mascherature di parole che troviamo diffuse nell'uso popolare e qua e là affiorano nella letteratura fin dai primi secoli[51]. Queste mascherature per lo più si facevano con nomi propri di persona e di luogo, e così era ancora nel primo Seicento[52].

proprio, pp. 145-146), ed è tuttora adoperato e adoperabile come titolo.

[47] Altri titoli invece, anche di opere non scientifiche, si ammantano di parole dotte, specialmente greche: ricordiamo la *Partenodoxa* di C. Cittadini (Siena 1604), cioè l'esposizione della canzone del Petrarca alla Vergine, i *Proginnasmi* di B. Fioretti, la *Cefalogia fisiologica* di C. Ghirardelli (Bologna 1630), la *Cronoprostasi felsinea* del Montalbani (Bologna 1653), ecc. (cfr. p. 487).

[48] B. Buonmattei, cit. nella *Vita* di lui scritta da G. B. Casotti.

[49] «Reputano i migliori... esser questa favella della lingua Ionica, e sì dell'Attica fedelissimo ritratto» (cicalata di O. Rucellai).

[50] *Prose fiorentine*, ed. 1723, parte III, I, pp. 132-161; L. Panciatichi, *Scritti vari*, Firenze 1856, pp. 91-107.

[51] Per es. nella tenzone con Orlanduccio il rimatore duecentesco Pallamidesse (cod. Vat., n. 699) ha *venire al Batastero* per «venire a battaglia»; Dante nella tenzone con Forese usa *cortonese* per «corto»; e via via nel Sacchetti, nel Burchiello, nel Pulci, ecc.

[52] V. la finta lettera del Pupolo alla Pupola e la risposta della Pupola al Pupolo scritti dal Marino: «Signora, io son sì fattamente nel labirinto d'Amore che mi veggo *Persio*, né per uscirne so ritrovare il *Varchi*, se la vostra cortesia non mi fa il *Guidoni*», ecc. (*Epistol.*, II, pp. 93-96). Ne danno esempi (quasi sempre con nomi propri) A. Monosini, *Flos Linguae Italicae*, Venezia 1604, pp. 423-428 e N. Villani, *Ragionamento dell'Accademico Aldeano sopra la poesia giocosa*, Venezia 1634, p. 80 (*anima Petrarca* «di pietra», *leggere il Mattioli* «essere un po' matto», *mandare a Legnaia* «bastonare», *stare a Bellosguardo* «star a guardare gli altri senza far nulla», ecc.

Anche da questo esempio vediamo che non c'è, si può dire, un solo tipo di artificio secentesco che non sia stato adoperato in altre età: solo che in questa se ne è fatto uso senza discrezione. E poco o nulla è riuscito a sopravvivere.

7. *Uso effettivo e uso riflesso dei dialetti*

I dialetti ancora vigoreggiano: dobbiamo presumere che, all'infuori della Toscana e di Roma, il toscano letterario fosse scarsamente divulgato nell'uso parlato quotidiano, e che in ciascun luogo predominasse il rispettivo dialetto, fin che si parlava fra concittadini. Qualche sforzo lo facevano solo le persone più elevate[53]. Ma scrivendo è di regola usare l'italiano, anche se qua e là rimanga qualche traccia dialettale. Sappiamo dai suoi biografi che Salvator Rosa, il quale scrivendo in versi e in prosa adoperò solo l'italiano (pur rendendosi conto di incespicare ogni tanto: «il tosco mio guasto idioma», egli dice), anche a Roma e a Firenze parlando continuò a servirsi del proprio dialetto, e le sue satire agli amici le commentava con frasi napoletane («*Siente chisso vè, auza gli uocci*»).

I molti scritti dialettali che troviamo nel Seicento vanno considerati quasi tutti non come stesi da popolani per il popolo, ma come opera conscia di persone colte, che utilizzano il dialetto quale pimento espressivo, quale colore letterariamente inconsueto[54]: qualche cosa di simile a un ballo mascherato con costumi di popolani[55].

Abbiamo numerosi poemi giocosi, spesso con scene di vita locale (per es. il *Maggio romanesco* del Peresio), traduzioni in vari dialetti di poemi classici e moderni (fra cui parecchie versioni intere o parziali della *Gerusalemme liberata*), novelle e dialoghi in prosa (meritamente famoso è il *Cunto de li cunti* del napoletano Basile)[56], commedie con personaggi dialettali[57].

[53] Il Testi scriveva nel 1641 a Francesco I d'Este: «Loderei bensì, che colla lettura de' più scelti autori toscani o coll'assidua conversazione di persone o fiorentine o senesi o lucchesi, il signor Principe s'impossessasse esattamente della nostra lingua o volgare o italiana o toscana, che vogliano chiamarla, non tanto per lo scrivere, quanto per quella politezza del parlare ordinario, che sta così bene nella bocca de' personaggi grandi».

[54] Abbiamo qualche sacra rappresentazione con scene in italiano di colorito regionale e scene in dialetto, opera di persona colta o semicolta per il popolo: risale al Seicento la composizione del *Gelindo* piemontese, sacra rappresentazione pastorale (v. il testo datone da R. Renier, Torino 1896), e così pure il poemetto in versi siciliani con molti elementi semidotti, intitolato *Historia siciliana supra lu riccu Epuloni cu Lazzaru*, di Vito Di Renda, Messina 1668.

[55] Su questa letteratura, v., oltre all'articolo fondamentale di B. Croce, «La letteratura dialettale riflessa», in *Critica*, XXIV, 1926 (rist. in *Uomini e cose della vecchia Italia*, Bari 1927, I, pp. 222-234), la bibliografia cit. a p. 308.

[56] Oltre a ciò che ne ha detto il Croce, v. L. Häge, «*Lo cunto de li Cunti*» *di G. Basile: eine Stilstudie*, tesi, Tubinga 1933.

[57] Fu anche esumato qualche testo dialettale più antico: la *Vita di Cola* venne pubblicata la prima volta a Bracciano nel 1624.

Non di rado nei poemi giocosi in italiano appaiono passi in dialetto messi in bocca a singoli personaggi.

Testi di questa letteratura dialettale riflessa si hanno in quasi tutte le grandi città, centri di vita intellettuale. In Toscana invece essa prende un aspetto leggermente diverso: il linguaggio che il poeta stilizza è la parlata «rusticale». Anche qui non mancavano i precursori, dalla *Nencia* in poi: ma ora i testi si moltiplicano (la *Tancia* del Buonarroti, il *Cecco da Varlungo* del Baldovini, ecc.).

Mentre i componimenti rusticali accentuano la caricatura del villano attribuendogli una gran quantità di parole storpiate, gli scritti dialettali non di rado attenuano il colorito dialettale accostandosi ora più ora meno all'italiano usuale. Esempio tipico è il *Maggio romanesco* del Peresio, che nell'edizione a stampa (Ferrara 1688) è sensibilmente meno dialettale che in una precedente redazione[58], *Il Jacaccio overo il Palio conquistato*: l'autore ha temuto (o l'editore gli ha messo la paura) di sembrare troppo plebeo.

In qualche caso l'uso conscio del dialetto, oltre che dalla ricerca di color locale, nasce dall'attaccamento alla patria regionale: come quando il Boschini nella sua *Carta del navegar pittoresco* (Venezia 1660) dichiara: «Mi che son venezian in Venezia, e che parlo de pitori veneziani, ho da andarme a stravestir?». Una *captatio benevolentiae* fondata sul valore patriottico del dialetto voleva essere quella di Carlo Emanuele I, quando, dopo la morte di Enrico IV, scriveva in veneziano ai Veneziani per sollecitarne l'alleanza:

> Havemo el sangue zentil e no villan,
> credemo in Dio, et si semo cristiani
> ma sopra tutto boni Italiani...
> Semo insieme ligai et si ben stretti
> come conviene a nostra libertae...

Amor di campanile e antitoscanesimo convergono nelle lodi che Milanesi[59], Bolognesi, Napoletani, Siciliani fanno dei loro dialetti come più antichi e importanti del toscano[60].

8. Il vocabolario della Crusca

Tra le varie esercitazioni letterarie e filologiche a cui si dedicò l'Accademia della Crusca nei primi decenni della sua vita (v. p. 334),

[58] Rimasta per secoli inedita, e pubblicata di sul manoscritto da F. Ugolini (Roma 1939).

[59] *Il Prissian de Milan de la parnonzia milanesa* (nel *Varon Milanes...*, Milano 1606) vanta il parlar milanese come «el più bel che sia al Mond»: quanto a «la lengua Fiorentenna», «l'è nassù da la nosta, ma lor ai l'an lecà inscì on pochin», ecc. (p. 57).

[60] Trabalza, *Storia gramm.*, p. 344.

l'attività lessicografica venne emergendo sempre più. Il 31 maggio 1606 il vocabolario era quasi pronto, e l'attesa, degli Accademici e di molti letterati italiani, era ormai grande. Il titolo, con cui l'Accademia pensava di riaffermare la sua posizione nella questione della lingua, fu a lungo discusso: nel 1608 si pensò d'intitolare l'opera *Vocabolario della lingua toscana degli Accademici della Crusca*; nel 1610 si decise d'aggiungere un inciso importante: *Vocabolario della lingua toscana cavato dagli scrittori e dall'uso della città di Firenze dagli Accademici della Crusca*; nel 1611, alla vigilia della pubblicazione, si preferì una dicitura meno compromettente: *Vocabolario degli Accademici della Crusca*; e con questo titolo il volume uscì il 20 gennaio 1612 presso il tipografo G. Alberti a Venezia, dove Bastiano de' Rossi era andato a vigilare la stampa.

La prefazione e il modo con cui l'opera è condotta permettono di vedere la stretta aderenza al criterio del fiorentinismo arcaizzante. L'opera mira soprattutto a «conservare la lingua», appoggiandosi all'uso scritto, specie a quello del Trecento. Gli accademici professano di attenersi al canone preconizzato dal Bembo: «Nel compilare il presente Vocabolario (col parere dell'Illustrissimo Cardinal Bembo, de' Deputati alla correzion del Boccaccio dell'anno 1573 e ultimamente del Cavalier Lionardo Salviati) abbiamo stimato necessario ricorrere all'autorità di quegli scrittori, che vissero, quando questo idioma principalmente fiorì», cioè nel Trecento. Per l'elenco degli scrittori gli Accademici si riferiscono pure al Bembo, al Borghini e principalmente al Salviati. In prima linea si citano Dante e il Petrarca, il Boccaccio e il Villani, e comunque scrittori fiorentini o che hanno voluto scriver fiorentino: dei non fiorentini si citano solo le parole «belle, significative, e dell'uso nostro».

Le voci di minore autorità (tratte da cinquecentisti o dalla lingua parlata) sono citate in coda alle voci più autorevoli: così *calappio* o *galappio* sotto *accalappiare*; *carota* e *carotaio* alla voce *cacciare*, sotto la quale è citata la frase *caccaiar carote*; *cifera* e *gergo* sono ricordati alla voce *enigma*, ecc.

Vengono registrate numerose varianti di parole (*avolterio - adulterio*, *notomia - anatomia*, *cecero - cigno*, *spelda - spelta*, ecc.), ciò che si spiega dati i criteri di spoglio, ma dà molto imbarazzo a chi ricorre al vocabolario per averne consiglio in caso di dubbio.

Per ciascun significato si citano, ove sia possibile, esempi di poesia e di prosa. I modi di dire e i proverbi sono registrati con una certa larghezza, anche se non documentati negli autori.

Il *Vocabolario* rappresentava un notevole progresso sulle opere dei predecessori, per il maggior numero di vocaboli, la ricchezza di suddivisioni, lo sforzo di definire anziché spiegare per mezzo di sinonimi. L'impostazione salviatesca gli dava un aspetto complessivo piuttosto arcaizzante: ne furono delusi quelli che si aspettavano di trovarvi una codificazione del miglior linguaggio contemporaneo; ma la notorietà dell'Accademia e i meriti intrinseci diedero al vocabolario una posizione di preminenza che gli procurò (come meglio vedremo nel paragrafo seguente) adepti fedeli e avversari accaniti.

Poche sono le modificazioni introdotte nella seconda edizione, uscita pure a Venezia nel 1623, presso Iacopo Sarzina (sempre a cura di Bastiano de' Rossi): vi furono aggiunti alcuni vocaboli dimenticati, sia della tradizione letteraria (come *eroe*), sia dell'uso.

Negli anni seguenti l'Accademia ebbe un periodo di scarsissima attività; una energica ripresa si ebbe quando entrò fra gli Accademici (1640) e ne divenne segretario Benedetto Buonmattei. Il lavoro per il Vocabolario fu ripreso nel 1641; rallentatasi un'altra volta l'opera, ebbe nuovo impulso nel 1663, quando fu eletto segretario Carlo Dati. Il principe Leopoldo, protettore dell'Accademia[61], fece raccogliere per questa edizioni voci scientifiche, voci nautiche, voci d'arti e mestieri[62], ma poche ve ne entrarono, perché il parere d'escludere i termini di professioni e d'arti prevalse sempre.

Nel 1664 il Vocabolario si cominciava a copiare per la stampa; ma poi di nuovo per la morte del Dati i lavori rallentarono, e si ripresero nel 1677 col nuovo segretario Alessandro Segni. Uno dei più dotti e aperti fra gli Accademici, il Magalotti, espose ad alcuni colleghi (l'ab. Strozzi, il Redi, il can. Bassetti) certi criteri che, se fossero stati applicati, avrebbero molto giovato al Vocabolario[63]. Gli stranieri si dolgono, egli dice, «di trovarsi ingannati delle dieci volte le otto dal Vocabolario della Crusca, perché include troppi arcaismi» (lett. al Redi, 7 nov. 1677); «perché il Vocabolario non serve solamente per i toscani, ma per i romani, i milanesi, i napoletani, i franzesi, gli svizzeri, e gl'indiani ancora, come sapranno questi che si può dire *datemi lo specchio*, e non si dee dire *datemi lo speglio*, quando troveranno che *speglio* e *specchio* è tutt'uno?». Egli vorrebbe dunque che per distinguere se si tratta di voci arcaiche, poetiche, plebee, «si aggiungessero diversi contrassegni, come si fa alle città nelle carte geografiche, che all'episcopali si mette un pastorale sul campanile», ecc. Va bene accoglier le voci con larghezza, ma per non meritare il rimprovero di dar «mescolata la crusca, o più tosto le reste e la paglia istessa, con la farina» bisogna che siano date, a Italiani e a stranieri, tutte le debite avvertenze (lett. al can. Bassetti, cit.). Ma era troppo tardi per applicare questi criteri senza sconvolgere il lavoro già fatto, e troppo presto perché si potesse sperare di vincere la forza della tradizione.

La 3ª edizione uscì nel 1691, in tre volumi, pubblicata dalla «Stampe-

---

[61] Nel 1641 Leopoldo aveva inaugurato, nelle seggiole degli Accademici, l'uso della gerla con la pala da grano per spalliera.

[62] «Il Principe Leopoldo fece venire un popolo di Tintori per sapere la scala de' colori pel Vocabolario, ma questi non s'accordavano tra loro». Così una nota dell'edizione Cambiagi a una lettera del Redi (*Lettere familiari*, I, Firenze 1779, p. 22).

[63] V. spec. la lettera al can. Bassetti, in Magalotti, *Lettere familiari*, II, Firenze 1769, pp. 66-70.

ria dell'Accademia della Crusca». Erano stati spogliati, in più delle edizioni precedenti, una cinquantina di autori antichi e altrettanti moderni: s'era finalmente incluso il Tasso e anche il Pallavicino[64]. Si andarono cercando, per arricchire il numero dei lemmi, esempi di astratti verbali, si aggiunsero come voci a sé molti diminutivi, accrescitivi, superlativi[65].

Nessun'altra lingua moderna aveva, alla fine del Seicento, un vocabolario che potesse degnamente competere con quello della Crusca.

9. Discussioni sulla norma linguistica

«Si vedon hoggi – scriveva nel 1629 da Messina Scipione Herrico a Gaspare Trissino[66] – più opinioni contrarie, & diverse intorno questa grammatica, & ortografia, che non sono quelle che nelle scuole si sentono: & è più facile apprendere le regole d'ogni altra più forestera lingua, che non di questa, nella quale communemente si parla...». Che si fossero fatti molti passi verso una relativa unità della lingua letteraria, non c'è dubbio: ma permanevano ancora forti dissensi sui criteri fondamentali.

Naturalmente, le discussioni si facevano solo tra persone colte, nei ceti più alti[67]. Le opinioni erano polarizzate principalmente pro o contro la Crusca, fattasi antesignana di una toscanità di colorito arcaico. Già prima dell'uscita del Vocabolario, G. B. Pinelli nel volgarizzamento dei Salmi di san Bonaventura (1606) dice di rimettersi quanto alla lingua al giudizio della Crusca, di cui era stato nominato accademico. Quando il Vocabolario fu pubblicato, trovò dei seguaci che si ritennero in dovere di seguirlo arcaizzando. «Conosco io di quelli, che le vanno cercando [le voci antiche], come suol dirsi, col fuscellino, per adornarne, come essi credono (e bene, se con giudizio lo fanno), i loro componimenti. E non hà guari, che io una orazione vidi d'un valent'huomo, nella quale ve n'erano incastrate al numero di quindici, ò venti». Così ci attesta il Pescetti, che nella *Risposta*

---

[64] Ma ciò parve soverchio ardimento ai compilatori della quarta edizione, che ne espunsero gli esempi.

[65] Fu anzi questa ricerca di voci da aggiungere che diede a Francesco Redi, compilatore di numerose schede per questa edizione, la tentazione di foggiare alcuni esempi fittizi, attribuiti ad autori di cui il Redi stesso asseriva di possedere codici. La storia di queste falsificazioni fu tracciata da G. Volpi, in *Atti della R. Accademia della Crusca*, anno 1915-16, pp. 33-136.

[66] Herrico, *L'Occhiale appannato*, Napoli 1629, p. 84.

[67] «Hoggidì tutta la Nobiltà d'Italia si è assuefatta a parlar, e scriver assai Toscanamente. Dico la Nobiltà: che per altro ben si sa che ogni Città ritiene i suoi Idiotismi della gente popolare, e plebea»: così affermava, verso la fine del secolo, il marchigiano L. Mattei, *Teorica del verso volgare e prattica di retta pronunzia*, Venezia 1695.

all'*Anticrusca* si era mosso a difendere l'accademia dalle accuse del Beni[68].

Il Beni, professore a Padova[69], contrario all'impostazione arcaistica del *Vocabolario* e offeso per gli scarsi riguardi che Bastiano de' Rossi aveva avuti per i letterati veneti[70], l'anno stesso della pubblicazione diede in luce *L'Anticrusca overo il Paragone dell'italiana lingua: nel qual si mostra chiaramente che l'Antica sia inculta e rozza: e la Moderna regolata e gentile*, Padova 1612. Il Beni sostiene la superiorità dei cinquecentisti sui trecentisti; difende strenuamente il Tasso, e invece combatte il Boccaccio, biasimandone forme e costrutti (e per esperimento riscrive in stile cinquecentesco il principio della novella dei tre anelli). Contesta la superiorità del fiorentino («o perche fia meglio dir *mandorlo* e *mandorla*, che *mandolo* e *mandola*, o pur, *amandolo* e *amandola* come costuma quasi il restante d'Italia?», p. 13), e soprattutto si lagna che i Cruscanti, «intanto che lo stile e de' Cari e de' Tassi lor pute», abbiano esumato «le *Tavole ritonde*, i Giacoponi, i *Morganti*» e persino i «*Quaderni de' conti*» (p. 81).

La Crusca rimase incerta se difendersi o no; poi si decise per il no: non solo non venne pubblicata la risposta già abbozzata col titolo di *Antiminosse*, ma Bastiano de' Rossi indusse il Fioretti a sopprimere il *Frullone dell'Anticrusca* che aveva preparato. Intervenne invece personalmente Orlando Pescetti, di Marradi, con la sua *Risposta all'Anticrusca* (Verona 1613), in cui difende il Boccaccio e il nome di «lingua fiorentina». Il Beni replicò con un altro volumetto *Il Cavalcanti overo la Difesa dell'Anticrusca*, scritto sotto il nome di Michelangelo Fonte e dedicato ad arte al granduca Cosimo (Padova 1614): ribadendo i propri argomenti, accusa il Salviati di avere vantato l'assoluta superiorità della lingua e degli autori fiorentini; a favore dei moderni, allega i *Pensieri* del Tassoni recentemente pubblicati; contesta poi gli argomenti che contro di lui aveva adoperati il Pescetti.

Alessandro Tassoni, che era stato nominato accademico della Crusca, e ad essa aveva dedicato nel 1608 la prima parte dei suoi *Pensieri diversi*, quando fu pubblicato il Vocabolario fu deluso: troppe le anticaglie, troppe le voci moderne mancanti. Qualche anno dopo il 1612, mandò all'Accademia un fascicolo intitolato *Incognito da Modena contro alcune voci del vocabolario della Crusca*, e si adirò molto quando, all'uscita della seconda edizione, vide che non ne avevano tenuto conto. Il fascicolo mandato alla Crusca è andato perduto, ma il Muratori aveva visto e citato una copia della minuta; inoltre tre

---

[68] Più di mezzo secolo dopo il card. De Luca (*Difesa della lingua italiana*, p. 34) afferma di non pretendere di professare «la favella Italiana culta» o di «essere uno degli assistenti ò magnati dell'Accademia della crusca (frenesia oggidì resa tanto comune a molti)».

[69] U. Cosmo, in *Giorn. stor.*, XLII, 1903, pp. 132-137; A. Belloni, «Un professore anticruscante all'università di Padova», in *Arch. veneto-trid.*, I, 1922, pp. 245-269.

[70] *Il Cavalcanti*, p. 44.

redazioni di postille fatte dal Tassoni alla seconda edizione ci permettono di conoscere bene il suo atteggiamento, che traspare anche da alcune delle note apposte alla *Secchia rapita* col nome di Gaspare Salviani[71].

Egli biasima gli idiotismi fiorentini, come *abituro, agghiadare, contradio, guari, testé,* e domanda: «perché *moccichino, popone,* se tutt'Italia dice *fazzoletto, melone*?». Biasima le voci arcaiche e pedantesche come *abbagliore, abbassagione, abitaggio, accalappiare,* ecc., nota «*despitto* oggi è un rancidume», e al titolo del *Vocabolario* aggiunge «delle voci arcaiche». Avverte la mancanza di molte voci come *accanto, amaranto, anemone, azzardare, circospezione, cumulo, davvero, decoro, delitto, equestre, lusso, nazionale, orrendo, plurale, regalare, scena, vigliacco,* e tante altre. Trova a ridire sulle definizioni, per es. a proposito di *secchia* «vaso cupo di rame, o di ferro, col quale s'attigne l'acqua»: annota «perché no di legno?».

Una nota alla *Secchia* a proposito della voce *pitale* sottolinea l'importanza che il Tassoni dà all'uso colto romano: «egli ebbe opinione che la favella della corte romana fosse così buona, come la fiorentina, e meglio intesa per tutto».

Un'altra serie di *Annotazioni* alla prima edizione della Crusca, benché sia stata pubblicata dal Fontanini sotto il nome del Tassoni (Venezia 1698), è invece opera di G. Ottonelli.

Un altro focolare di opposizione alla norma fiorentina si ebbe al principio del secolo a Siena. Il Tolomei, il Borghesi, il Cittadini, il Lombardelli nel Cinquecento si erano sforzati di mantenere Siena allo stesso livello di Firenze, ma senza troppo insistere sulle peculiarità differenziali: invece Scipione Bargagli (*Il Turamino, ovvero del parlare e dello scriver sanese,* Siena 1602) sottolinea molto le divergenze, anche quelle che ormai erano obliterate o si stavano obliterando: contrappone alle forme e alle voci di Firenze quelle corrispondenti di Siena: *povaro, dipegnare, longo, lassare, bacoca, citta, rantacare, stare a gallo,* ecc.; e insiste perché «da' Cittadini di Siena si metta in carta tuttavia (non pur si parli e si ragioni), nella pura forma, e nella schietta maniera, ch'a quelli porge, & insegna la propria Natura» (p. 115).

Uscito il *Vocabolario* della Crusca, il senese Adriano Politi (1542-1625), che non ne era affatto entusiasta, pensò tuttavia di valersene, riassumendone lemmi e definizioni e ponendo accanto alle voci spiccatamente fiorentine il loro equivalente senese (cfr. pp. 479-480). Il volume del Politi fu vistosamente intitolato, non sappiamo se per volere dell'autore o dell'editore, *Dittionario toscano, Compendio del Vocabolario della Crusca* (Roma 1614), ma l'Accademia protestò vivacemente, e

---

[71] T. Casini, «Il Tassoni e la Crusca», in *Riv. crit. lett. ital.*, II, 1885, coll. 93-94; U. Renda, «A. Tassoni e il Vocabolario della Crusca» in *Miscellanea Tassoniana*, Modena 1908, pp. 277-324.

nelle successive ristampe (che dal 1615 seguitarono fino al 1691) l'opera portò solamente il titolo di *Dittionario toscano*[72].

   Parole e frasi in toscano arcaizzante sono fatte oggetto di satire da parte di scrittori non toscani[73].

Altri s'accontentano di esprimere il loro dissenso esponendo i criteri a cui vogliono attenersi: così Pietro della Valle, nel pubblicare le lettere intorno ai suoi viaggi: «Non devo lasciar di dirti, curioso lettore, che queste lettere io non ebbi mai presunzione di scriverle in un linguaggio toscano puro, scelto ed elegante, che potesse servire altrui di esempio o fare autorità nella lingua, di quella fatta che ad un oratore o a buoni istorici senza dubbio sarebbe stato dicevole; ma che solo mi bastò di dettarle *secondo il materno mio dialetto romano*, senza errore, con parlar tuttavia ordinario e corrente, senza neanche affettazione alcuna di squisitezza, quale appunto in lettere familiari si vuole usare e si ricerca».

Marc'Antonio Savelli, nella *Pratica universale* (cit. a p. 434) si scusa di non aver «osservato le regole della Crusca, e bel parlare Toscano», parendogli «la materia, e fine non comportare siffatta ostentazione».

Dei grammatici faremo cenno più oltre. In genere, essi accolgono il canone toscano e attingono largamente i loro esempi agli scrittori trecenteschi: lo fa anche il p. Daniello Bartoli, che, accettando il nome e il concetto di «buon secolo», biasima tuttavia l'affettazione d'arcaismo[74] e rivendica il diritto di usar parole e modi di dire al di fuori dell'italiano trecentesco (*Il Torto e il Diritto del Non si può*, Roma 1655, cap. LXXX).

Abbiamo visto che anche qualche accademico di mente aperta, come il Magalotti, si rendeva ben conto delle due distinte funzioni che adempiva la Crusca: la registrazione delle voci arcaiche, plebee ecc., e il sigillo di autenticità che conferiva al «più bel fiore» delle voci classiche.

Persisteva, nell'insegnamento retorico, la divisione tradizionale dei vocaboli in «tre schiere». Così ne traccia la distinzione, per es., il Pallavicino (*Considerazioni sopra l'arte dello stile, e del dialogo*, Roma 1666, cap. XXI): «La prima è de' vocaboli consueti ascoltarsi da noi nelle bocche, e nelle scritture di persone risguardevoli... La seconda schiera è di quelle parole, che hanno ritenuto egualmente commercio colla

[72] C. Neri, «Il *Dittionario toscano* di A. Politi», in *Lingua nostra*, XII, 1951, pp. 5-10.

[73] Per es. nella *Secchia rapita* del Tassoni (X, st. 6) nei *Ragguagli* del Boccalini (III, ragg. 82), nel *Viaggio di Parnaso* di G. Cesare Cortese (Venezia 1621, V, pp. 21-29), nelle *Rivolte di Parnaso* di S. Herrico (Venezia 1626, II, v), nella commedia *Il Servo finto* di G. C. Monti (Viterbo 1634), nelle *Satire* di Salvator Rosa (II, vv. 487-495), ecc.

[74] Per satireggiarlo, egli inventa una frase: «Chi non fa le piacimenta della divina volontà uopo è che vadia alle luogora dello scuro nabisso del Ninferno», ecc.

nobiltà, e col popolo... La terza finalmente è di quelle voci, le quali si sono tanto avvilite nella domestichezza colla sola plebe degli huomini, e de' concetti, che contaminerebbon le penne, e i pensieri più signorili».

Una delle censure che più spesso lo Stigliani rivolge al Marino, conformemente ai principii retorici, è quella di aver adoperato «voci basse»: per es. *accattare, asticciuola, guercio, scarmigliato.* Il Fioretti (Nisieli) nel compilare il suo *Rimario* (Venezia 1644) si propose di raccogliere solamente parole «confacenti allo stile sublime». Il Menzini, dopo aver adoperato, nel terzo libro dell'*Arte poetica*, la voce *muso*, annota: «Parola bassa, e del volgo. Ma qui si serba il carattere delle Poesie familiari, e facete», e dopo aver citato Dante e l'Ariosto delle *Satire*, aggiunge: «Ai poeti satirici le parole tolte di mezzo alla Plebe vagliono altrettanto, che le nobili agli Eroici» (*Opere*, II, p. 208).

Ma, nella difficoltà di stabilire una volta per sempre le diverse «schiere» di parole, i trattatisti (per fortuna!) si rimettevano al «gusto», al «giudicio» dei parlanti e degli scriventi.

Tornando al filo principale del nostro discorso, ricordiamo che verso il 1680 Lionardo di Capua, medico e naturalista, antiaristotelico e antimarinista, iniziava a Napoli una scuola filotoscana e arcaizzante, che fu chiamata dei «capuisti» ed ebbe fra i suoi seguaci il Vico[75].

Si può dire, insomma, che per tutto il secolo la Crusca sia stata la pietra di paragone nelle numerose discussioni sulla norma linguistica.

Quanto al nome della lingua, benché le designazioni di «fiorentino», «toscano», «italiano» appaiano tutte e tre, la seconda è di gran lunga predominante, adoperata qualche volta anche da chi non accetta la disciplina della Crusca[76]. Primo, che io sappia, Loreto Mattei parla della «nostra national favella»[77].

10. Grammatici e lessicografi

Ci basterà accennare alle trattazioni grammaticali più importanti: chi desideri maggiori particolari potrà ricorrere all'opera del Trabalza[78].

Il *Trattato della lingua* di Giacomo Pergamini di Fossombrone (Iª ed., Venezia 1613) ha una impostazione chiara e abbastanza adatta all'insegnamento. Più ricco di interessi generali e di finezza nell'analisi dei fenomeni grammaticali è il trattato *Della lingua toscana* di B. Buonmattei (Firenze 1643; edizioni parziali erano state prima pubblica-

---

[75] F. Nicolini, *La giovinezza di G. B. Vico*, Bari 1932, passim.

[76] Il bizzarro Lepòreo professa di adoperare vocaboli «Etruschi sì ma non già Cruschi identici» (*Raccolta di ingegnose, vaghe e varie composizioni*, Roma 1698, p. 73).

[77] *Teorica del verso volgare*, cit., p. 127.

[78] *Storia gramm.*, capitoli IX-XI. Si veda anche il paragrafo dedicato agli studi di lingua nel sec. XVII, nelle *Ricerche letterarie* di F. Foffano, Livorno 1897, pp. 288-312.

te col titolo *Delle cagioni della lingua italiana*, Venezia 1623; *Introduzione alla lingua italiana*, Venezia 1626). Il Buonmattei non accetta la riduzione delle parti del discorso a 7, come aveva fatto il p. Sanchez, ma le porta a 12, considerando anche le interiezioni.

Importanti sono anche le *Osservazioni della lingua italiana* del p. Marcantonio Mambelli detto il Cinonio, che trattano delle Particelle (cioè l'articolo, il pronome, l'avverbio, la preposizione, la congiunzione, l'interiezione) (Ferrara 1644) e del Verbo (Forlì 1685). Benedetto Menzini discusse con finezza i rapporti fra grammatica e stile nel trattato *Della costruzione irregolare della lingua toscana* (Firenze 1679).

Il Torto e il Diritto del Non si può pubblicato dal p. Daniello Bartoli sotto il nome di Ferrante Longobardi (Roma 1655, con 150 osservazioni, portate a 270 nell'ed. Roma 1668) si oppone alle censure troppo sollecitamente pronunziate in nome dei principii della Crusca: non vanno considerati come criterio esclusivo «le decisioni de' grammatici, non l'uso o sia del popolo o de' più eletti, non le prerogative del tempo», ma «un buon gusto proveniente da un buon giudizio».

Una serie di *Avvertimenti grammaticali per chi scrive in lingua italiana* furono pubblicati dal card. Sforza Pallavicino sotto il nome di Francesco Rainaldi (Roma 1661).

Vanno anche ricordati alcuni trattatelli dedicati a singoli campi della grammatica, specialmente a quelli di maggiore interesse pratico: l'ortografia, l'interpunzione, la pronunzia[79].

Le numerose edizioni che si fecero di parecchi di questi scritti mostrano quant'era vivo l'interesse per la lingua e quant'era sentito il bisogno di aver delle regole.

Più volte ristampato, anche dopo la pubblicazione del Vocabolario della Crusca, fu il *Memoriale della lingua volgare* di G. Pergamini (Venezia 1601), con discreti spogli d'autori, e notazioni come «nob.», «pop.», «di verso», «di prosa». Della Crusca abbiamo già detto, e anche del *Dittionario toscano* del Politi[80].

A. Monosini, nei farraginosi *Floris Linguae Italicae libri IX*, Venezia 1604, dà una larga raccolta di proverbi e modi di dire.

---

[79] Lo scritto del p. Bartoli, *Dell'ortografia italiana* (Roma 1670) è eclettico come *Il Torto e il Diritto*. La *Prosodia italiana* del p. Placido Spadafora (Palermo 1682, più volte ristampata) dà un lessico delle parole di accento dubbio, e regole di pronunzia. G. M. Ambrogi nel dialogo *Lucidoro* (Roma 1634; poi B. Ambrogi, *Chiave della toscana pronunzia*, Firenze 1674) e L. Mattei, *Teorica del verso volgare e prattica di retta pronunzia*, cit., danno regole per la pronunzia delle parole con le vocali *e* ed *o*. (Insieme con osservazioni ragionevoli, troviamo nel Mattei freddure come questa: «E così *tetto*, chi può indovinare perché vada proferito chiuso? forse chi fu il primo a proferirlo, temeva non gli piovesse dentro la casa, se il *tetto* non era ben chiuso»: op. cit., p. 101).

[80] Scarsa diffusione ebbe invece il repertorio «delle men note, e più importanti voci», opera postuma del p. Pio Rossi, pubblicata sotto il titolo di *Osservazioni sopra la lingua volgare* perché conteneva anche due trattatelli grammaticali (Piacenza 1677).

Sono andati perduti i materiali che G. B. Doni aveva raccolti per un grande Onomastico, i cui venti libri dovevano comprendere tutti i vocaboli delle scienze, delle arti, degli usi domestici[81]. Ci rimane, invece, un importante dizionario speciale, il *Vocabolario toscano dell'arte del disegno* del Baldinucci, Firenze 1681.

Cominciano anche ad apparire i primi vocabolari etimologici. Carlo Dati aveva iniziato, in collaborazione con altri accademici della Crusca, un *Etimologico toscano*, ma Egidio Menagio (Gilles Ménage) prevenne i colleghi fiorentini con le sue *Origini della lingua italiana* (Parigi 1669; II[a] ed., Ginevra 1685)[82]. Vi sono parecchie etimologie assurde; ma molte sono giuste: dalla erudizione si sta lentamente enucleando la filologia[83].

11. Rapporti con altre lingue

La lingua straniera di gran lunga più nota in Italia nella prima metà del secolo era quella dei dominatori, la spagnola, e sappiamo di autori italiani che scrissero in spagnolo (per es. Pier Salvetti), di compagnie teatrali che recitavano a Napoli in spagnolo, ecc.[84] Il francese dapprima era poco noto[85]: vediamo che solo man mano i commediografi che mettono in scena il personaggio di *Claudio* o *Claudione* o *Raguetto* o *Raguetta*, che rappresenta il francese,[86] si fidano a fargli adoperare parole di quella lingua[87].

[81] I. B. Doni, *Lyra Barberina*, Firenze 1763, I, pp. 184-185.

[82] J. Zehnder, *Les «Origini della lingua italiana» de Gilles Ménage*, Parigi 1939; F. Branciforti, «Carlo Dati... e i suoi appunti di *Origini*», in *Siculorum Gymnasium*, n.s. III, pp. 126-143.

[83] Di gran lunga inferiori le *Origines linguae Italicae* di O. Ferrari, Padova 1676.

[84] In Sardegna la vita culturale si svolgeva quasi esclusivamente in spagnolo: sintomatico il fatto che i drammi sacri scritti in campidanese dal cappuccino Antonio Maria di Esterzili avessero le didascalie in spagnolo (cfr. R. M. Urciolo, nella sua edizione della *Comedia de la Passion*, Cagliari 1959).

[85] La lettera scherzosa a don Lorenzo Scoto con cui il Marino esprime la meraviglia su quel che ha visto arrivando a Parigi (1615), fa vedere che il suo interlocutore conosce poco o nulla il francese: «Infino il parlar è pieno di stravaganze. L'oro s'appella *argento*. Il far colazione di dice *digiunare*. Le città son dette *ville*. I medici, *medicini*. I vescovi, *vecchi*. Le puttane, *garze*. I ruffiani, *maccheroni*. Il brodo, un *buglione*; come se fussero della schiatta di Goffredo...» (*Epistolario*, ed. Borzelli-Nicolini, I, p. 201). Carlo Umberto di Savoia (1626) ricevendo una comunicazione di un ufficiale in francese, rispondeva di non saper scrivere in quella lingua (Calcaterra, *Il nostro imminente risorgimento*, Torino 1936, p. 486). Il p. Segneri, in una lettera a Cosimo III, diceva di non conoscere il francese (Viani, *Diz. di pretesi francesismi*, I, p. xlv).

[86] Croce, *Nuovi saggi sulla lett. it. del Seicento*, 2[a] ed., pp. 217-224.

[87] V. Verucci, nella commedia *Li diversi linguaggi* (1609), ricorre quasi soltanto alla storpiatura delle parole italiane per mezzo di una *e* finale; F. Richelli, nella *Serva astuta* (1632) fa dire per es. a Monsù delle Scarpette: «Che diable è possibile, che non le posse tener dantre la masone queste pultrone».

Più tardi il fulgore del Re Sole si riverbera in prestigio culturale e conoscenza della lingua. Salvatore Rosa chiude una lettera a un amico (1654) con la formula «con queste e con molte altre belle *sciose*» (ed. De Rinaldi, p. 70); il Redi nel *Bacco in Toscana* fa che Bacco, lodato il «Regio Senato» della Crusca, dica al segretario Segni di scriverne gli atti «e spediscane *courier - A monsieur l'abbé Regnier*», e che continui dicendo della malvasia: «È buona per mia fé - e molto *a gré* mi va». I segni di una larga divulgazione del francese non mancano: e il Menzini nelle *Satire* se ne lagna.

Vedremo più oltre (§ 19) un saggio delle serie piuttosto numerose di spagnolismi e di francesismi penetrati allora in Italia.

Quanto alla conoscenza dell'italiano fuori d'Italia, essa è ancora notevole. Molti stranieri vengono a studiare nelle università più famose della penisola, e v'imparano l'italiano[88]. Per la corrispondenza scientifica i dotti stranieri adoperano più spesso il latino, ma talvolta anche l'italiano[89].

Nella Francia di Luigi XIII e Luigi XIV vi sono molti che conoscono bene l'italiano e apprezzano le commedie recitate dai nostri attori e le opere di maestri italiani (si ricordi come il Lulli s'ambienta a Parigi). Il Baldinucci nella biografia del Lippi[90] narra che quando Lorenzo Panciatichi andò a ossequiare Luigi XIV, questi «lo ricevé con queste formali parole: " Signore Abate, io stavo leggendo il vostro grazioso *Malmantile*"». Conoscevano egregiamente l'italiano il Ménage, lo Chapelain[91], il Régnier[92]; e così pure alcune gentildonne[93].

Fiero avversario della nostra lingua fu invece il p. Bouhours (autore degli *Entretiens d'Ariste et d'Eugène*, Parigi 1671 e della *Manière de bien penser sur les ouvrages de l'esprit*, Parigi 1687), il quale trovava l'italiano sdolcinato con tutti i suoi diminutivi (cfr. p. 437 n. 163): «si l'Espagnol est propre à représenter le caractère des matamores, l'Italien semble fait pour exprimer celui des charlatans».

A. Oudin e il ginevrino N. Duez avevano compilato discreti vocabolari (Parigi 1639-40; Leida 1641); e i dotti padri di Port-Royal, Lancelot e

---

[88] V. quello che dicono per Siena il Bargagli (*Turamino*, p. 68) e il Politi (*Lettere*, p. 397).

[89] M. Welser (di Augusta, già scolaro a Padova) scriveva in italiano non solo a Galileo, ma anche ad altri dotti tedeschi residenti in Roma, come il p. Clavio e Giovanni Faber.

[90] *Notizie de' professori di disegno*, t. XVIII, Firenze 1773, p. 14.

[91] Fu sottoposta alla Crusca la disputa fra i due sull'interpretazione del verso del Petrarca «Forse (o che spero) il mio parlar le duole»; e fu decisa (nel 1654) a favore del secondo.

[92] Il Régnier, secondo il Panciatichi, parlava «troppo bene» la lingua toscana, con complimenti alla boccaccevole e frasi del Petrarca stemperate in prosa (lettera al Magalotti, 2 gennaio 1671, p. 266 Guasti).

[93] Lo stesso Panciatichi dice che la duchessa di Vitry parlò con lui «nella nostra lingua meglio di quello che scrive in essa il Prior Rucellai» (lett. 24 ottobre 1670, p. 260).

Arnauld, redassero una *Nouvelle Méthode pour apprendre facilement et en peu de temps la langue italienne* (Parigi 1660).

Nei paesi di lingua tedesca la conoscenza dell'italiano era relativamente abbastanza diffusa nel ceto più elevato. Abbiamo già ricordato Marco Welser, di cui il Guarini diceva «che le sue lettere gli paiono dettate da huomo nato, & allevato in Firenze»[94]. A Vienna, scriveva il Magalotti nel 1675, «non c'è chi abbia viso e panni da galantuomo, che non parli correntemente e perfettamente l'italiano». L'imperatore Ferdinando III lodava Antonio Abati, autore delle *Frascherie*, «con un madrigale acrostico, il cui italiano tien qualche cosa d'imperiale sapor tedesco»[95]; e suo figlio, l'arciduca Leopoldo, fondava un'Accademia italiana[96].

L'italiano si studiava con manuali di conversazione, grammatiche, vocabolari, in latino o in tedesco[97].

In Inghilterra, l'interesse per le cose italiane accesosi nel Rinascimento è tuttora vivo[98]. Si può ricordare che Shakespeare adoperava i manuali e i vocabolari di Giovanni Florio, e che Milton compose alcuni sonetti in italiano. Un diplomatico inglese, che aveva soggiornato qualche tempo a Zurigo, dopo tornato in Inghilterra tenne (nel 1649 e anni seguenti) con il capo della chiesa di Zurigo un carteggio italiano[99].

Il vocabolario del Florio, pubblicato la prima volta nel 1598, apparve di nuovo ampliato dall'autore nel 1611, e rimaneggiato da G. Torriano, nel 1659 e nel 1687-88[100].

12. *I fatti grammaticali e lessicali*

Le accanite discussioni sulla norma grammaticale ci mostrano che si è ben lontani da un uso compatto o almeno relativamente uniforme della lingua.

Il Torto e il Diritto del Non si può del p. Bartoli, che appunto si sofferma a discutere dei problemi grammaticali più controversi, dà un'idea delle oscillazioni nell'uso; anzi dobbiamo ritenere che fossero anche più ampie nell'uso effettivo, se teniamo conto di ombreggiature dialettali che un grammatico poteva ritenersi dispensato dal registrare, come manifestamente erronee.

[94] Pescetti, *Risposta all'Anticrusca*, p. 16.

[95] Carducci, *Opere*, VI, p. 247.

[96] De Gubernatis, in *Atti Acc. Crusca*, 1905-06, pp. 35-37, Santoli, in *Problemi e orientamenti*, IV, p. 233.

[97] V. la serie d'articoli di L. Emery, «Vecchi manuali italo-tedeschi» in *Lingua nostra*, VIII-IX-X.

[98] Informazioni, specialmente sui testi per l'apprendimento della lingua, dà R. C. Simonini jr., *Italian Scholarship in Renaissance England*, Chapel Hill 1952.

[99] Calgari, in *Lingua nostra*, XVI, 1955, pp. 69-73.

[100] Simonini, op. cit., pp. 55-68 e 74-80, A. L. Messeri, in *Lingua nostra*, XVII, 1956, pp. 108-111.

Anche nel lessico troviamo varianti in numero assai notevole: e la Crusca, anziché spingere a sopprimerle, con i suoi larghi spogli da scrittori antichi contribuì piuttosto ad aumentarle.

Si oscilla ancora fra *dopo*, *dopò* e *doppo*, si discute se *truppa* si debba scrivere o no con due *p*; accanto alla forma toscana *crogiuolo* v'è chi scrive *crocciuolo* (Marino) o *cruciolo* (Vannozzi). *Prencipe* si legge frequentemente accanto a *principe*. C'è chi scrive *butirro* (Buonarroti), chi *butiro* (Redi), chi *biturro* (Tassoni). I Senesi preferiscono ancora *fadiga* a *fatica*, a Roma si scrive spesso *abbrugiare*, *defonto*, *lograre*, *sagro*; e così via. Il tipografo romano che stava per stampare il trattato di Galileo sulle *Macchie solari* aveva composto *intiero*; il Galilei vuole che stampi *intero* (*Opere*, V, p. 18).

Talvolta l'una variante è caratterizzata rispetto all'altra con notazioni ambientali: forma plebea, voce poetica, ecc. Specialmente ampia è la serie di forme e di vocaboli qualificati come «poetici»; usciti dall'uso parlato, hanno esempi nel Petrarca, nel Tasso, ecc., e sono perciò tuttora ammissibili nel verso[101].

Chi desideri studiare nei particolari questi fenomeni non può dispensarsi dal ricorrere direttamente ai manoscritti e ai testi a stampa, perché le grammatiche e i vocabolari contemporanei sono tutti, più o meno, redatti con intenzioni normative, e quindi presentano un tipo di lingua molto meno variegato di quanto fosse in realtà; e gli spogli moderni, per la scarsa considerazione in cui è stata tenuta la letteratura barocca, comprendono ben poco di più che gli scrittori fiorentini.

13. Grafia

I casi più importanti di oscillazione nella grafia secentesca sono quattro: in tre (l'uso della *h*, l'uso di *ti* o *zi*, la *s* scempia o doppia da *ex-*) vediamo la resistenza fatta alla periferia cedere man mano alla grafia della Crusca; nel quarto (la distinzione tra *u* vocale e *v* consonante) il suggerimento trissiniano è accolto da qualcuno qua e là, e trionfa solo dopo che si è generalizzato presso gli stampatori d'oltralpe.

La *h* etimologica nella prima e nella seconda edizione del Vocabolario della Crusca figura solamente in *ho*, *hai*, *ha*, *huomo* e derivati; per *huopo*, *huosa*, *huovo*, *huovolo* si rimanda alle voci senza *h*. Nella terza edizione persistono solamente *ho*, *hai*, *ha*, *hanno*, mentre per *huomo* e derivati non c'è che un rinvio a *uomo*.

I grammatici e gli stampatori toscani seguono per lo più la Crusca, e il Fioretti dice d'essere stato per ciò «lacerato da molti Aristarchi». Il Magalotti vorrebbe andare anche più in là: egli è fautore di *ò*, *à* in luogo di *ho*, *ha*, che a loro favore non hanno altro motivo che la

---

[101] Per es. il Marino ha ancora *havièno* «avevano» (e M. Zito, *La bilancia critica*, Napoli 1685, pp. 30-33, difende il Tasso che ha usato *uscieno*).

consuetudine[102]. Anche il bolognese Lampugnani è «disdevoto dell'H», e il romano Pallavicino la conserva solo in tutta la coniugazione di *havere* e in *huomo*. Ma la difendono D. Franzoni, Domenico d'Aquino; non ne parla, ma continua a adoperarla il Bartoli. E in complesso, i tipografi non toscani la preferiscono ancora[103].

L'uso di *h* nei digrammi greci è quasi scomparso: ma il Marino scrive ancora *theatro, thesoro, christallo*[104]; e qualche volta salta fuori qualche *h* inattesa[105].

Anche per la *z* (in *grazia*, ecc.) l'esempio del Salviati e della Crusca è accolto dai Toscani, e solo man mano da altri. Ricordiamo che con il problema della sostituzione di *ti* con *zi* se ne intreccia un altro, quello della scempia o della doppia: i conservatori in genere scrivono *ti* dove in latino c'era *ti*, ma *tti*, dove c'era *cti* o *pti*; gli innovatori si dividono in due schiere: chi distingue *zi* da *zzi*, chi scrive come la Crusca sempre *zi*.

Nella polemica fra il Beni e il Pescetti, vediamo che il Beni anticruscante scrive *ti* e *tti* (*gratia, construttione*), il Pescetti sempre *zi* (*locuzione, dizionario*). Galileo fa stampare nel 1606 le *Operazioni del compasso*; ma nel rileggere una sua lettera al Nozzolini dove l'amanuense aveva scritto *affetione* sovrappone *zz*; e negli autografi troviamo per lo più *zz* anche dove s'aspetterebbe *z* (*confutazzioni, dimostrazzioni*, ecc.).

Il De Luca accetta la grafia con *z*, ma distingue la *z* scempia (*alterazione*) da quella doppia (*erezzione, adozzione*): non sappiamo se anche nella pronunzia.

I grammatici toscani e pochi altri stanno per la *z*: il Buonmattei raccomanda la sola *z* (*grazia*), escludendo sia *gratia* che *grazzia*. Al Lampugnani rimproverano la sua *zettazione*; invece il Franzoni difende la grafia con *ti*, e il Bartoli, pur lasciando libera la scelta (conforme alla linea consueta del suo *Torto e diritto*), parteggia per *ti* e vi si attiene nei suoi scritti (*osservatione*, ma *scorrettione*). A favore della *ti* si pronunzia anche il Menagio, che, rispondendo nel 1657 alle censure della Crusca sulle osservazioni all'*Aminta*, si difende allegando il Muzio[106].

Quanto alla distinzione fra *z* scempia e *z* doppia tra vocali per distinguere *z* sonora e *z* sorda (*gaza, rozo* di contro a *asprezza, bellezza*) v'è ancora qualcuno che l'osserva (per es. il Marino; vi aveva rinunziato la Crusca scrivendo, per es., *azzimo, gazza, rozzo* come *asprezza, bellezza, polizza*, ecc.[107]. Non aveva alcuna probabilità di attecchire la

---

[102] Lettera a O. Falconieri (1664), in *Lettere famil.*, cit., I., p. 88.

[103] Non senza qualche abuso: per es. «a mense abhominande e crude» (Graziani, *Conquisto di Granata*, c. XXII).

[104] La *Partenodoxa* del Cittadini (Siena 1604) porta questa grafia nel frontispizio, ma i titoli correnti hanno *Parthenodoxa*.

[105] Il Mattei, che nella *Teorica del verso volgare* pur scrive *teorica, ortografia, ditirambo*, scrive poi *etherogeneo* ed *etheroclito*.

[106] *Mescolanze*, Venezia 1736, p. 108.

[107] L'Ottonelli nelle *Annotazioni* (che però nel titolo corrente sono sempre chiamate *Annotationi*) difende la grafia *poliza*.

proposta dell'ignoto autore di una *Neagrammalogia* di ricorrere, come aveva già fatto il Trissino, alla ç[108].

Nelle parole con *es-* o *ess-* iniziale da *ex-*, l'uso ha ancora qualche oscillazione al principio del secolo: Galileo scrive nei due modi *essempio* o *esempio*, ecc.; il Marino di regola *essaltare, essangue, essercizio, essule,* ecc. La Crusca adopera nel Vocabolario soltanto *es-*; e il Bartoli (*Ortografia*, c. IX, § 5) pur allegando numerosi esempi antichi con *ess-*, si dice fautore della grafia e della pronunzia con *es-*; lo Spadafora nella sua *Prosodia*[109] rinvia da *essala, essarcato, essodo, essotico* a *esala, esarcato, esodo, esotico* (non così per *essagono*).

Quanto alla distinzione tra la *u* vocale e la *v* consonante, essa s'impone assai tardi: nella prima metà del secolo la grafia quasi costante è *v* (o *V*) all'iniziale, *u* all'interno di parola, sia con valore vocalico che consonantico. Poi comincia ad apparire qualche sporadico esempio di spartizione: per es. il p. Aprosio in un suo opuscolo (C. Galistoni, *Il Buratto*, Venezia 1642) distingue modernamente *u* e *v*. L'esempio viene principalmente dall'estero: parecchie edizioni italiane degli Elzeviri (*Il Nipotismo di Roma* del Leti, Amsterdam 1667, *Il Pastor fido*, 1678, *Il Goffredo*, 1678) distinguono la vocale dalla consonante[110].

Mentre l'edizione del *Quaresimale* del Segneri di Venezia (1685) segue il vecchio metodo, il *Cristiano istruito* di Firenze (1685) segue quello nuovo[111]; nel 1695 il Mattei[112] nota come ormai la distinzione «si osservi nelle Stampe più corrette, nel modo anco che rigorosamente l'osservano tutte le Stampe Oltramontane»[113].

Nella terza edizione della Crusca, le *u* e le *v* sono distinte secondo l'uso moderno nel testo, ma sono ancora considerate come un'unica lettera nei lemmi in maiuscoletto e nell'ordine alfabetico (AVARO, AVDACE, AVELLO...)[114].

La *j* serve principalmente come variante della *i* dopo un'altra *i*: principalmente in fine di parola (*incendij*), ma anche all'interno (*proprijssimo, pronuntijno*). Guadagna terreno l'uso di considerare la *j* finale come compendio di *i* + *j*, purché la *i* sia atona e il gruppo conti come una sola sillaba: nell'*Arte poetica* del Menzini (ed. 1688) troviamo *incendj, precipizj*, ma «ne' *Pierij* campi» (di quattro sillabe).

---

[108] V. la discussione del Mattei, *Teorica del verso volgare*, cit., pp. 223-240.

[109] Lo Spadafora ci dà anche la curiosa testimonianza d'una pronunzia *discit* per *dixit* «di certi vecchi, che talora si fa sentire, non senza riso, e scherno»: è certo una pronunzia siciliana dovuta al valore che anticamente si attribuiva alla *x* in spagnolo.

[110] Ma nel volume galileiano *Discorsi e dimostrazioni matematiche*, 1638, vi è ancora *nuoue scienze, centro di grauità*.

[111] G. Hartmann, in *Rom. Forsch.*, XX, 1905, p. 213.

[112] *Teorica del verso*, pp. 230-231.

[113] Per la doppia *v*, troviamo qualche volta la grafia *uv* (per es. *auviene, auvilite*, ecc., nello stesso libro del Mattei).

[114] Anche il *Bacco in Toscana* del Redi (Firenze 1685) ha solo *V* nelle maiuscole, mentre distingue *u* e *v* modernamente nell'interno delle parole.

Si sostituisce sempre più frequentemente nella scrittura alla *et* latina, rappresentata dal compendio &, l'una o l'altra delle forme italiane *e* o *ed*: ma c'è chi insiste per mantenere il segno latino[115].

L'accento è segnato molto di rado all'interno delle parole: c'è chi indica così qualche parola inconsueta, adoperando di regola l'acuto (per es. *lúcere*, *intrépido*, *giúe* nel *Mondo nuovo* dello Stigliani, Roma 1628, *Quadrúpedi*, *malédici*, *Decóro*, *asílo* nella *Vergine trionfante* del Tesauro, Torino 1673, ecc.), ma qualche volta anche il grave (*ancòra*, *sèguito*, *metròpoli* nel *Turamino* del Bargagli, Siena 1602).

Piuttosto abbondante è l'accentazione dei monosillabi, benché il Buonmattei ne abbia rilevata l'inutilità, e la riservi esclusivamente a distinguere i monosillabi omofoni (*e* - *è*, *di* - *dì*, *la* - *là*, *sì* - *sì*).

Nell'interpunzione, notiamo l'uso quasi costante della virgola davanti a *e*, *o*, *che*.

La gonfiezza secentesca trova espressione nell'abbondanza delle maiuscole, invano combattuta nel Marino dallo Stigliani[116]. Esempi ad apertura di libro: «Tanto corrotta è la Historia in questo Secolo, che appresso a molti horamai di Arte Liberale, è divenuta Mecanica: deposta la Tromba, suona dell'Arpa» (E. Tesauro, *Apologia contra la esamina del dottor Capriata*, Torino 1673, p. 1); «L'Humana loquela è proprietà sì naturale della Ragionevol Creatura, che meglio dell'esser Risibile distingue l'Huomo da' bruti, che perciò muti animali si dicono» (L. Mattei, *Teorica del verso volgare*, cit., p. 87)[117].

14. Suoni

Le varianti fonetiche che notiamo in alcune serie sono dovute in parte a oscillazioni antiche non eliminate nella codificazione dell'italiano letterario, in parte all'affioramento di peculiarità locali, in parte al vario modo tenuto nell'assimilare i latinismi.

L'esito fiorentino *-er-* da *-ar-* nei futuri e condizionali è di gran lunga predominante, anche nei non Toscani (piuttosto rare le forme come *soverchiarebbe*, Salvator Rosa; *spiegarà*, L. Mattei)[118]. Più frequenti sono le eccezioni fuor del sistema verbale: per es. *sonnarello*, Marino;

[115] M. A. Severino, *La querela dell'& accorciata*, Napoli 1644.

[116] «Scrive di più Giardino colla prima maiuscola, e Nume, e Garzone, e Vecchio, e Giovane, e sì fatti altri nomi appellativi, che deono ordinariamente andar tutti con minuscola...» (*Occhiale*, p. 503).

[117] E tutti ricordano il profluvio di maiuscole, nel passo attribuito alla goffaggine ambiziosa dell'anonimo secentista nell'Introduzione ai *Promessi Sposi* manzoniani: imitazione molto felice, salvo forse un *a meno*, che mi pare un francesismo entrato in Italia un po' più tardi, quando il barocco spagnoleggiante cede il campo al francesismo (i primi esempi sono nel Magalotti).

[118] Il Gagliaro ammette una forma *peccareste* «benché sanese» per evitare il susseguirsi di troppe *e*, lasciando prevalere il criterio retorico dell'eufonia su quello grammaticale (Trabalza, *Storia gramm.*, p. 317).

zàccare, S. Rosa; *ballarina*, G. L. Sempronio, ecc.; l'uso cancelleresco romano ha *Cancellaria, Dataria*, ecc.

Il dittongo *uo* in posizione libera si mantiene bene a Firenze, mentre a Roma si ha una spiccata tendenza a monottongare: nel glossarietto pubblicato dal Baldelli[119] si oppone l'uso fiorentino di *cuori, camiciuola, lenzuola* a quello romano di *cori, camiciola, lenzola*.

La regola del dittongo mobile è spesso male osservata, come si vede dai molti esempi contrari[120], e dal modo stesso con cui parlano i difensori della regola (Pallavicino, Mattei).

L'aferesi dell'*i* iniziale (*lo 'nvocare* e sim.) è applicata dalla Crusca, ma trova freddissima accoglienza[121].

L'apocope nella sequenza del discorso è soggetta molto più al gusto che alle regole: la libertà allora concessa non solo nel verso[122] ma anche in prosa, era maggiore di quella che non si abbia ora: «uomini da bene e *buon* Cristiani» (lett. N. Lorini, 1615, in Galileo, *Opere*, XXIV b, p. 297), «que' *buon* Padri» (lett. Redi al p. Kircher), ecc.

L'apocope in fin di verso è propria della melica.

Nel consonantismo è forte l'oscillazione tra scempie e doppie; e il caso più difficile è quello in cui l'uso fiorentino, vivo o codificato sui classici, si scosta dall'uso latino, sia per aver scempiato sia per aver rafforzato. I grammatici in questi casi sono tolleranti: «in alcune voci (nota il p. S. Pallavicino, *Avvertimenti gramm.*, p. 46) la pronunzia fiorentina è diversa da quella del rimanente della Toscana e dell'Italia; come in dire *Abate, Ufizio, Roba*, con le consonanti semplici: *Immagine, Innalzare, Ovvidio*, con le raddoppiate. In questi e simili casi non sarà degno di riprensione chi seguirà l'una o l'altra maniera». Lo stesso Pallavicino adopera, per es., *immitare, immitazione, scommunica*.

Le lettere per cui si ha maggiore incertezza sono *b* e *g* palatale (specie per la tendenza meridionale a proferirle rafforzate): *preggia* (Herrico), *palaggi, Pariggi, naufraggio* (Rosa) e viceversa *sogetto* (Rosa), *esagerare*, generalizzatosi di contro a *esaggerare* (cfr. pp. 428-429), ecc. Ma si oscilla anche per altre consonanti: abbiamo *zuffolo*, e invece *pifero* (Marino): c'è un sonetto della *Murtoleide* (XXXVI) in cui il Marino parla di *popponi, carcioffi, carotte, tartuffi* e *spinacci*: tutte parole per cui non esisteva, si può dire, una tradizione letteraria.

Si discuteva sui casi in cui si dovesse rafforzare nell'unire un'enclitica a una parola tronca: avendo lo Stigliani adoperato *votti* «ti voglio» (nel verso «Roldano, con mia man punir non *votti*»), la Crusca ebbe a censurarlo, ed egli si difese abbastanza bene (lett. 1619, in Marino, *Epistolario*, II, pp. 276-288).

[119] *Lingua nostra*, XIII, 1952, p. 38.

[120] Nel *Malmantile* del Lippi si ha per es. *giuocando* (I, st. 42).

[121] Il Politi nell'Introduzione al *Dittionario* trova *l'invocare* «maniera non solamente più sicura, ma più naturale, e più ordinaria di questa lingua».

[122] Al Tasso fu rimproverato il troncamento di qualche plurale (« Espugnar di Sion le *nobil* mura»): lo Zito, *Bilancia critica*, Napoli 1685, p. 9, lo difende.

Oscillazioni si hanno anche nel rafforzamento dopo prefissi: *sopra-naturale* (Galileo), *traffiggere* (Marino), ecc.

I due esiti popolari toscani *sti-* per *schi-* e *di-* per *ghi-* figurano in qualche parola messa in circolazione da scrittori toscani: oltre a *mastio* già usato dal Cellini, che appare ora in significati tecnici, si ha per es. *mustio*, *stidione* (Buonarroti il giov.); *diaccio*, *diacciare* non destano scrupoli, mentre *diacere* è sentito come solo popolaresco.

La prostesi vocalica davanti a *s* impura (*non istare, per isposa*) è bene osservata nell'uso popolare, mentre qualche volta si sgarra nella scrittura.

Nei nomi poco frequenti l'accento non sempre è conforme alla quantità latina: *frammèa* «framea» (Rosa), *Pegàso* (Marino, Herrico; lo Spadafora l'ammette come licenza), *Archilòco, Gorgìa* (Rosa), *Inarìme* (Marino), ecc. Accanto a *dissenterìa*, si sentiva a Firenze *dissentèria* (Menzini; cfr. Spadafora, s. v.).

15. Forme

Per l'articolo, davanti a *z* si usa di regola *il*, mentre al plurale prevale *gli*. Si trovano esempi di *li* davanti a consonante, specialmente fuori di Toscana; ammette ancora la variante il Buonmattei, mentre Pio Rossi la condanna recisamente. Insieme con la preposizione *per* i grammatici più rigorosi richiedono l'articolo *lo* (*per lo*, plurale *per li*), ma il Politi, il Bartoli, il Mambelli, il Menagio dichiarano ammissibile anche *per il*.

Nella morfologia del nome, è sempre molto incerto il trattamento dei nomi in *-co* e *-go*, che a parere del Buonmattei (tratt. VIII, c. xxiv) «non si può ridurre a regola»: in molti casi l'uso è diverso da quello poi prevalso: *aprici, bifolci; fantastichi, reciprochi, stitichi, teologichi*[123], *dialogi*, ecc. Analoghe oscillazioni troviamo nei superlativi (*cattolichissimo, laconichissimo, diabolichissimo*)[124].

I plurali in *-ei* da *-ello* (*bambinei, ruscei*) sono ormai confinati all'uso poetico, il quale ammette anche alcuni plurali in *-a* ormai non accetti in prosa (*le poma*).

Nei numerali, *due* prevale decisamente (ma ancora si hanno esempi di *dua*, non raro nel Galilei, di *duo*, di *doi*).

Lui, lei, loro come soggetti sono frequenti nell'uso, ma quasi tutti i grammatici li combattono: non solo il Buonmattei, ma anche il Bartoli (*Torto*, c. xxxxii)[125].

---

[123] Il Beni, *Anticrusca*, p. 117, biasimando il *filosofichi* del Boccaccio e affermando che «ora si amerebbe *filosofici*» sembra accennare al prevalere di *-ci* negli aggettivi dotti.

[124] E anche in alcuni derivati, come *cattolicismo* (Panciatichi) o *cattolichismo* (De Luca, Baldinucci).

[125] Il Politi, nell'*Apologia* premessa al suo volgarizzamento di Tacito, avverte che a Siena sono preferiti.

Lei ha preso ormai fisionomia a sé come trattamento allocutivo staccato da *Signoria Vostra* (cfr. p. 390)[126]. Ma sia *Lei* che *Signoria Vostra* stentano a penetrare nell'uso popolare[127].

Cotesto stenta ad essere accolto fuori di Toscana, e spesso è inteso a sproposito (Buonmattei, *Della lingua toscana*, tr. XI, cap. x; P. Rossi, *Osservazioni*, p. 243).

Gli è adoperato spesso sia per «a lei» che per «a loro» («la natura... mai non trascendente i termini delle leggi imposte*gli*»: Galileo, lettera alla grand. Cristina: *Opere*, V, p. 316; «alli padri Gesuiti... *gli* potrà dar la copia della lettera»: *Opere*, V, p. 295), malgrado l'opposizione dei grammatici (Buonmattei, ed anche Bartoli). La forma *gnene* per *gliene* affiora anche in qualche scrittura non plebea («io *gnene* darò un tocco martedì prossimo»: lettera di F. Redi, 5 genn. 1681-82). Troviamo ancora qualche esempio dell'ordine accusativo + dativo nelle sequenze di pronomi atoni («non si può dubitare, nè *se gli* può contradire»: Galileo, *Nuove scienze*, in *Opere*, VIII, p. 130, e passim).

Abbiamo ancora qualche esempio di *mia* come plurale di *mio* («*mia* affezionati padroni»: Galileo, lett. 19 nov. 1629; «E io cheto, e vo a fare i fatti *mia*»: P. Salvetti).

Nelle coppie avverbiali, si perde non di rado, secondo l'esempio spagnolo, il primo dei due -*mente*: «favellando poetica, ed amatoriamente risponde il poeta a Laura...» (Tassoni), ecc.

Venendo a dare qualche cenno sulle peculiarità secentesche della morfologia verbale, troviamo al presente indicativo della 1ª coniugazione che la desinenza in -*e* della 2ª pers. sussiste solo in poesia (*apprezze*, *ti vante*); la desinenza in -*ono* della 3ª plur. (*trovono*) è ancora viva, ma biasimata dai grammatici.

Quanto alle forme in -*isc*- della 3ª coniugazione, se ne ha qualche esempio anche nelle voci arizotoniche (*rapischiamo*, Neri, al cong.); il Buonmattei ammette senza -*isc*- soltanto la 2ª persona plur. ind. *nutrite*, ma vorrebbe evitare la prima pers. plur. dell'indicativo e la prima e seconda persona plurale del congiuntivo di questi verbi, considerandoli tutti difettivi: «non si dirà mai non solo *ambischiamo* nè *colpischiamo*, ecc. ma nè anche *ambiamo*, nè *colpiamo*, nè *ambiate*, nè *colpiate*», e suggerisce di sostituirli con sinonimi (*siamo ambiziosi* e simili): «solo *finiamo* par che alcuna volta si lasci sentire, almeno dalle bocche del popolo, e in particolare in quell'affisso *finianla*, o *finiamola*...» (tratt. XII, cap. xxxxii).

---

[126] Se ne lagna il Vannozzi, *Suppellettile degli Avvertimenti politici*, ecc., III, Bologna 1613, pp. 300-301: «Usano alcuni parlare in terza persona con quelle persone, alle quali non voglion dare, ò dell'Illustrissimo, ò dell'Eccellenza, e pare ad essi, che ciò sia un gran rimedio, e molto acconcio, per sbrigarsi d'un grande intrigo: ma io non l'hò mai tenuto, ne per bello ne per buon rimedio».

[127] La *Tancia* (II, sc. 5) mette in caricatura una curiosa giustapposizione di *Signoria Vostra* al *voi* contadinesco. Cecco comincia impacciatamente un discorso: «Se voi voleste la signoria vostra...».

Notiamo anche, alla 1ª persona plur. (ind. e cong.), le forme *tenghiamo*, *venghiamo*, *ponghiamo*, *salghiamo*, esclusive o di gran lunga prevalenti.

All'imperfetto, la forma in *-a* per la 1ª persona è di regola nello stile più solenne; altrove accanto ad essa si trova frequentemente, specie negli scrittori toscani, la forma in *-o* (per es. nel *Saggiatore* del Galilei si ha *solevo*, *dicevo*, ma *aveva*). Tra i grammatici, il Buonmattei ammette le due forme, mentre il p. Bartoli, di solito tollerante, considera arbitraria la *-o*. Il tipo *avea* è ammissibile non solo nel verso ma anche in prosa. Alla 2ª persona plurale, è frequente il tipo *eri*, *meritavi*, *desideravi* (Galilei); ma il Buonmattei lo giudica «volgare».

Al futuro, accanto alle forme in *-erò* per la 1ª coniugazione appare qualche esempio in *-arò* nei Senesi o nei non Toscani (cfr. p. 467); ma i grammatici li rifiutano recisamente[128]. Qualche volta si ha la *-rr-* del fiorentino parlato (*troverremo*, Galilei). *Avrò* prevale su *arò*, che pure ha qualche esempio (Galilei).

Nel passato remoto abbiamo un certo numero di forme forti in luogo delle deboli o viceversa (*veddi*, Galilei; *creddi*; *volsi*, ecc.), forme ignote ai grammatici o da essi sconsigliate (il Bartoli sconsiglia anche *persi* e raccomanda *perdei*).

Alla 1ª persona plurale i settentrionali, e qualche volta anche i meridionali, continuano a adoperare le desinenze in *-assimo*, *-essimo*, *-issimo* applicate al tema debole (*vedessimo* «vedemmo», S. Rosa), e anche *-imo* applicato al tema forte (*discorsimo*, S. Rosa). Alla 3ª persona plur. le desinenze in *-orno* e *-orono* stanno sparendo (*pensorno*, *si fermoron*, Galilei).

Al presente congiuntivo della 2ª e 3ª coniugazione, le desinenze in *-i* per la 3ª sing. e *-ino* per la 3ª plurale sono ancora adoperate (*possi*, *debbi*, *vadino*, *eschino*, *intendino*, Galilei; *aggiunghino*, Politi; *ferischino*, N. Villani), ma i grammatici le condannano.

Non mancano formazioni anomale, diverse da quelle poi prevalse: *vadia* «vada» (Galilei), *vaglia* «valga», *togga* (Galilei), *sagga*, *sagghiate* «salga, saliate» (Magalotti), ecc.

All'imperfetto congiuntivo, oscilla specialmente la 2ª persona plur.: *se voi l'avesse*, *se voi mi dicesse* (Galilei); dialettale è *vorrei che mi spiegassivo* (S. Rosa).

Al condizionale, il tipo in *-ia* è frequente nel verso: ma si trova usato in prosa, anche familiare («mi *bisogneria* liberarmi di alcuni obblighi»: lett. del Galilei, 18 giugno 1610; «per farne quel capitale che si *dovrebbe*, si *richiederia*...»: lett. del Panciatichi, agosto 1674). Come per il futuro, abbiamo qualche *-rr-* fiorentina (*crederrei*, Galilei). Alla 1ª pers. plur.,

---

[128] Il Buonmattei dichiara: «non si dice che *amarò* non sia voce toscana; giacch'ella si usa da persone erudite, e da popoli numerosi della Toscana; ma ch'ella non è di quella Lingua, della quale qui si ragiona», e ricorre alle norme date dal Bembo e dall'Acarisio, i quali, come non toscani, non possono sembrare parziali (*Della lingua tosc.*, tratt. XII, cap. 37).

troviamo anche una forma con -*ebb*- nella desinenza (*lauderebbamo*, Galileo), oltre alle solite forme settentrionali in -*aressimo*, -*eressimo*, -*iressimo* (considerate dal Bartoli «peccato mortale di lingua»).

16. Costrutti

Ci limiteremo anche qui a pochi casi salienti.

L'accusativo con l'infinito è in regresso: il Beni, dopo aver citato parecchi esempi boccacceschi, avverte che «tal maniera di ragionare, come quella che hora vien'assai meno usata, non può non offender l'orecchie» (*Anticrusca*, p. 37).

Sono frequenti i costrutti di *in* (senza articolo) con l'infinito (*in dipigner*: Dati; «*In sentirvi* lodar le nostre donne»: Rosa) e con il gerundio («Siccome i fiumi *in ricevendo* i rivi»: Corsini; «*in sentendole* leggere a me»: lett. del Redi).

In un secolo incline all'enfasi troviamo abbondanza di forme e costrutti elativi. Abbiamo superlativi di sostantivi: *padronissimo* (Allegri; Fagiuoli), *elefantissimo* (Galilei), «questa mia *spadissima*» (un capitano smargiasso, in D. Cini, *Desiderio e Speranza*), *mulissima* (Marino), *bricconissimo* (Bellini); superlativi relativi e assoluti di aggettivi che hanno già valore elativo: «le fortezze *più principali*» (Bentivoglio), «*ottimissime* sono state le tre mutazioni» (Redi), «*arciscioperatonaccissimo*» (Redi); superlativi di locuzioni avverbiali: «Dante *a propositissimo*» (Fioretti). Entra ora nell'uso anche *stessissimo*, foggiato, a quel che dichiara il Fioretti (introduzione al *Polifemo briaco*) su modello greco.

Tipico è il rafforzamento dell'aggettivo e del sostantivo per mezzo della ripetizione della stessa parola munita di un affisso elativo: «vera arcinegghientissima negghienza» (lett. Redi 1656); «affetti casti, castissimi» (Magalotti, lett. al Redi 1679); «chiara, evidente, evidentissima, arcievidentissima» (Redi, lett. al Magalotti, 1683); «è dovere arcidovere consolarlo» (Redi, lett. ad A. Segni, 1680): «è una frottola frottola frottolissima» (Redi, lett. al Segneri, 1682); «una scodella scodellissima tonda» (Magalotti, lett. sui buccheri, 1695); «quell'acqua di fior d'aranci... si è poi trovato che era di ginestra ginestrissima» (Magalotti, *Lettere scient.*, ed. 1721, p. 95), «un vero taglio taglissimo» (Bellini, *Disc.*, XI)[129].

Altro tipo elativo frequentemente usato è quello di origine biblica «re dei re»: troviamo nel Marino, oltre a «la reina de' regi» (IV, st. 15) e «reina... de le reine» (XI, st. 95), «il bel del bello in breve spazio accolto»

---

[129] Il Redi inventò l'esempio di *luissimo*, incluso per sua testimonianza nel vocabolario della Crusca (« Si accorse esser lui *luissimo*»), attribuendolo a Giordano da Rivalto, il quale aveva adoperato un curioso superlativo del gerundio: «Andronne in ninferno ? Sì bene, ritto, ritto, correndissimo» (Volpi, *Atti Acc. Crusca*, 1915-16, p. 49).

(III, st. 196); «quel piacer de' piacer ch'al mondo è solo» (VIII, st. 40), ecc. E ricordiamo il titolo dell'opera del Basile, *Lo Cunto de li cunti*.

È probabile che sia giunto dalla Spagna, e che abbia attecchito anzitutto nell'italiano settentrionale, il costrutto esclamativo formato da *che* davanti all'aggettivo isolato: «Che bello!», costrutto ancor oggi male accetto in Toscana. Lo troviamo, per es. nell'Orchi: «che beato l'orecchio...»[130].

17. Consistenza del lessico

Il lessico ereditario subisce parecchi mutamenti e riceve da varie parti aggiunte numerose, per soddisfare alle varie esigenze del tempo: di una società formalistica e dissimulatrice, di una letteratura enfatica e cercatrice di novità, di una erudizione saccente, e anche dei mirabili passi fatti dalle scienze sperimentali.

Dove più forte pulsa la vita di quell'età notiamo parole prima rare che diventano consuete e talora prendono significati nuovi; parole di nuovo conio; parole assunte da lingue classiche e straniere.

Effìmera è, in complesso, l'influenza del concettismo, perché lo sforzo stilistico che porta a impiegare una parola in un significato nuovo e sorprendente è sentito come momentaneo; non si perde la coscienza di un uso normale, stabile, al di sotto e al di là della brillante sforzatura; e la continua ricerca di produr nuove meraviglie impedisce a queste accezioni momentanee di prender salda consistenza.

In questo secolo dev'esser nato l'uso di *foriero, foriere* nel senso di «chi, che precede e annunzia» («l'aprile - vago *forier* d'un odorato maggio»: Achillini; «Fin che col terzo di l'Alba *foriera* - da l'onde uscì: Ghelfucci, *Rosario*, XXV, 4) per metafora dai procacciatori di foraggi che precedevano gli eserciti.

Dalle riflessioni e dalle polemiche sul modo di parlare e di scrivere nascono numerosi significati o vocaboli nuovi: *concetto* passa dal significato filosofico a quello di «argutezza», e se ne traggono, oltre che alterati come *concettuzzo* (Rosa) e *concettino* (Magalotti), i verbi *concettare* (Pallavicino) e *concettizzare* (Tesauro). *Brillante* si applica a chi sa ben concettizzare e alle sue capacità (persona «di spiriti vivaci e *brillanti*»: Redi), mentre *freddura* prende il senso di «argutezza mal riuscita» («le medesime voci, che col discreto uso paiono scintille, con l'abuso saran freddure»: Tesauro, *Cannocchiale*, p. 170). È facile che uno sia ritenuto *manierato* o *ricercato* o *lambiccato*[131]. *Travestire* per «parodiare» prende le mosse dall'*Eneide travestita* del Lalli (1634). *Esagerare*[132]

---

[130] P. Giovanni da Locarno *Saggio*, cit., p. 111.

[131] *Lambiccare, porre in lambicco* nasce ora, probabilmente per irradiazione sinonimica dalla locuzione già antica *distillarsi il cervello*.

[132] Secondo l'etimo latino (*exaggerare*, da *agger*), si ha per lo più nel Seicento *esaggerare*, ridotto in Toscana per falsa regressione a *esagerare* (questa è la grafia data dalla Crusca fin dalla 3ª edizione): cfr. p. 423.

era un termine di retorica che voleva dire «amplificare»: la parola ora si adopera nelle più varie circostanze: l'Achillini con l'intenzione di «celebrare» l'altezza dell'Appennino intitola un sonetto «Altezza *esaggerata* del Monte Appennino»; di eserciti che hanno conseguita la vittoria si dice che debbono «pubblicarla, *esagerarla*, proseguirla, incalzar le reliquie dell'esercito battuto» (Montecuccoli); i comici dell'arte *esagerano* quando sfogano rumorosamente sulla scena i propri sentimenti («Valerio mentre *esagera* lascia il figlio in disparte»...; «Valerio dopo l'*esagerazione* dice al figlio *Vien* ecc.»)[133].

In questo secolo in cui si dà tanta importanza alle formalità esteriori, si trasporta *cerimoniale*, dal precedente significato di «libro che elenca le cerimonie prescritte», a «insieme di cerimonie» e «sovrabbondanza di cerimonie»; si attinge allo spagnolo il termine di *etichetta*[134].

Penetrano nell'uso anche *formalizzarsi* e *formalista*. *Omaggio* non ha ormai più che il senso estensivo di «manifestazione di ossequio».

L'aspirazione a sempre nuovi e sempre più alti titoli dà luogo a numerosi interventi di autorità (per es., Urbano VIII nel 1630 dà il titolo di *Eminenza* ai cardinali, ecc.); ma l'officiosità continuamente estende i titoli oltre i limiti legittimi («è venuta a tal segno questa vanità, che s'è cominciato a chiamare qualcuno *Marchese* per adulazione, e molti se lo lasciano dare senza replicare niente»: così i ricordi di T. Rinuccini a proposito di Firenze per gli anni intorno al 1670).

Nella vita religiosa si moltiplicano le *missioni* interne ed esterne e i *missionanti* (poi *missionari*). Ma è anche il secolo in cui l'antica piaga del *nepotismo* risorge, e già la coniazione del nuovo nome suona condanna. *Lubrico*, che secondo l'esempio latino significava solo «sdrucciolevole», prende il nuovo significato di «impudico»; e si foggia una parola che serva come aggettivo accanto a *peccato*, cioè *peccaminoso*. La meditazione sulla morte si fissa con insistenza sul *punto*; il Chiabrera dichiara nella sua autobiografia che non cessò di «pensare al *punto* della sua vita», e il Bartoli considera *L'Huomo al punto*, cioè *l'huomo in punto di morte* (Roma 1667). Gli uomini religiosi condannano i *libertini* (nel doppio senso, intellettuale e morale); ma viceversa c'è chi deride l'esagerata devozione coniando i nomi di *bacchettone* e *baciapile*.

Fra i termini d'arte ricordiamo la *pittura di genere* (cioè, originaria-

---

[133] A. Bartoli, *Scenari inediti della Commedia dell'arte*, Firenze 1890, p. 38 e passim.

[134] Il francese *étiquette* «cartellino», giunto alla corte spagnola per il tramite della casa di Borgogna, aveva preso la forma di *etiqueta* ed il significato di «protocollo scritto in cui è fissato il cerimoniale di corte», e poi in genere di «costume, stile». Il Magalotti narra come, giunto nel 1668 in Spagna, cominciò ad adoperare lui stesso la parola; e così fecero altri in quegli anni, cosicché «quattro giovanotti tornati di Spagna furono buoni, si può dire, a far la fortuna d'una voce» (*Lett. scient.*, ed. 1721, pp. 238-239).

mente, quella che si limita a un solo genere di cose)[135], la *bambocciata*, pittura realistico-burlesca sul tipo di quelle del Bamboccio (P. van Laer), e la *caricatura*, a cui probabilmente il nome fu dato da Annibale Carracci[136].

Sui teatri trionfa l'*opera*, che era, propriamente, uno spettacolo in cui cooperavano la recitazione, la musica e varie macchine sceniche[137]: per chi attende a queste macchine si conia il nome di *macchinista*[138].

Gli *scenari* della commedia dell'arte descrivono quello che gli attori devono fare, compresi i *lazzi*. E alle vecchie maschere se ne aggiungono di nuove, come *Meneghino* e *Pulcinella*.

Entrano in circolazione nuovi mezzi di trasporto: le *portantine* (introdotte a Genova nel 1645)[139], i *calessi* o *sedie rullanti* giunti dalla Francia[140]. Le *poltroncine* vennero pure dalla Francia nel 1672, secondo la testimonianza di T. Rinuccini, ma ebbero nome italiano (propr. «carrozze adatte per chi vuol essere trasportato con comodo», con riabilitazione semantica del vocabolo *poltrone*).

Non potremmo certo enumerare tutte le innovazioni della moda: ma vanno anzitutto ricordati i termini di *moda* e di *modante*, e qualche nome come *marsina*, *pastrana* (poi *pastrano*), *ciamberga*, tutti e tre, sembra, dai nomi dei personaggi che ne iniziarono l'uso.

Tra i colori, piace a un certo punto l'*amaranto*[141]. La moda dei profumi imperversa: di qui il nome dei *bùccheri* «recipienti di argilla profumata»; quello di *moscardino* («pastiglia profumata di muschio», da cui «zerbinotto») e tutti quelli ben noti alla setta degli *odoristi* (Magalotti).

Alcune bevande di cui si era avuto nel secolo precedente notizia come di cose esotiche entrano ora nell'uso familiare, e se ne divulgano i nomi: il *cioccolato*[142], il *caffè*, il *tè*[143].

L'uso del tabacco porta all'introduzione della *pipa*.

Nelle operazioni militari si comincia a parlare di *reggimenti*, e di singoli corpi (*fucilieri*, *granatieri*); le *partite* sono invece «corpi irregolari».

---

[135] Croce, *Nuovi saggi*, 2ª ed., pp. 336-337; Id., *La Critica*, XXVI, 1928, pp. 385-390.

[136] Lo afferma G. A. Mosini, nella prefazione a *Diverse figure... disegnate... da A. Carracci*, Roma 1646.

[137] Calcaterra, *Poesia e canto*, Bologna 1951, pp. 238-240.

[138] La parola è usata, per es., nella Prefazione alla tragedia musicale *Irene* di G. Frigimelica, Venezia 1695.

[139] Bianchini, nota alle *Satire* del Soldani, Firenze 1751, p. 111.

[140] Panciatichi, *Scritti*, p. LXXI e 177-178.

[141] «'Dichiaratela amaranto, e sarà alla moda', disse pochi anni sono il Connestabile al Principe di Belvedere, che non si risolveva a comprare una carrozza di velluto rosino pel figliuolo sposo» (Magalotti, *Lett. scient.*, ed. 1721, p. 109).

[142] Migliorini, *Lingua e cultura*, pp. 245-251.

[143] Dei due nomi *cià* e *tè* (che risalgono a due diversi dialetti cinesi) prevale ora il secondo (anche per influenza francese).

La curiosità per i monumenti antichi e i luoghi celebri fa sorgere i *ciceroni*[144].

Quanto alle singole discipline, in molte di esse le singole terminologie si precisano e si ampliano; e parecchi termini tendono a penetrare nella lingua quotidiana.

L'impiego sempre più frequente dell'italiano a usi giuridici fa sì che gran parte della vasta terminologia dei vari rami del diritto riceva ora una traduzione, che è per lo più un semplice adattamento: molti termini giuridici hanno come prima testimonianza italiana quella vasta compilazione che è *Il Dottor volgare* del card. De Luca (1673).

Tuttavia la lingua letteraria non accoglie volentieri i termini spiccatamente giuridici. Avendo il Politi adoperato nella sua traduzione di Tacito la voce *patrocinio*, un critico gli disse che era da lasciare «a' procuratori e agli avvocati», ed egli rispose: «Ha forse ragione di non volere ammettere l'uso di questa voce (l'adopera anche il Malavolta e il Guicciardini), perché come egli dice essendo voce di dottori non conviene agli idioti»[145]. Carlo de' Dottori fu rimproverato per aver usato nell'*Aristodemo* le voci curialesche *competente* e *incompetente*[146]. Altrettanta era l'ostilità per i termini filosofici: lo avverte esplicitamente il Pallavicino: «addomesticandosi i termini sopradetti nelle più scelte scritture, potrebbono a poco a poco deporre quella viltà, la quale ora nel concetto degli huomini, più che i termini d'ogn'arte meccanica, hanno quelli della filosofia; per essere stati ricevuti meno che tutti gli altri nella familiarità della dicitura elegante»[147].

Nel diritto si trattava essenzialmente di attingere a un lessico già saldamente concresciuto sulle fonti antiche e medievali. Invece nelle scienze fisiche e naturali, è tutto un fervore di novità: gli oggetti dell'osservazione, le spiegazioni che se ne danno, gli apparecchi scientifici che si escogitano spingono a coniare nuovi nomi. E, malgrado lo sforzo compiuto dal Galilei e dalla sua scuola per dar vigore all'uso del volgare nel campo delle scienze, permane vivissima la necessità di intensi scambi con gli scienziati che si occupano degli stessi argomenti in altri paesi, e che continuano a servirsi del latino.

Per designare nuove nozioni e nuovi oggetti, Galileo preferisce parole di stampo popolare: *momento*, *candore*, *ancora*, *bilancetta*, *pendolo*, ecc. Questa preferenza, che già risulta chiara dagli esempi, è esplicitamente professata nel carteggio con Federico Cesi: quando i

[144] Migliorini, *Dal nome proprio*, pp. 141-142.

[145] *Apologia*, nell'edizione 1604 della sua versione di Tacito. La Crusca include *patrocinare* ma non *patrocinio* nella prima ed. del *Vocabolario* (invece nella 3ª appare anche *patrocinio*); nel *Dittionario* il Politi include *patrocinare* e *patrocinio* con brevi spiegazioni. Cfr. p. 489.

[146] N. Busetto, *Carlo de' Dottori*, Città di Castello 1902, p. 320.

[147] *Considerazioni sopra l'arte dello stile*, p. 398. Cfr. quello che dice il Politi contro *anagogia* e derivati: «*Anagogia*, *anagogicamente* e *anagogico* sono termini teologici, e non di questa lingua» (*Dittionario*, s. v.).

Lincei stavano per pubblicare le osservazioni sulle macchie solari, malgrado la preferenza del Cesi per *Celispicio* o *Helioscopia* l'opera fu intitolata, certo secondo il volere di Galileo, *Istoria e dimostrazioni intorno alle macchie solari e loro accidenti*[148].

Di questa preferenza galileiana il lessico delle scienze fisiche presenta ancora tracce; inoltre gli scambi con la scienza degli altri paesi portano all'accettazione di numerosi latinismi e grecismi.

Si pensi alle parole tecnificate oppure foggiate al principio del secolo da Keplero: *axis* «asse» (come termine ottico), *convergere*, *divergere*, *meniscus*[149], *satelles*[150], *penumbra*.

Accanto ai due nomi che Galileo dava alla sua principale invenzione, *cannone*, oppure *occhiale*, sorgono molti altri nomi, e quelli di *telescopio* e di *microscopio*, coniati dai due accademici lincei G. Demisiani (1611) e G. Faber (1624), per designare i due tipi di apparecchio ottico[151], ebbero larga fortuna.

Analoga è la storia di moltissimi termini di varie scienze tecnificati o coniati in questo secolo: *spettro* come term. di ottica (*spectrum*, Newton), *elettrico* (*electricus* è attribuito a W. Gilbert, autore del *De Magnete*, 1600, ma documentato solo più tardi), *elastico* (*vis elastica* è in Pecquet, *Dissertatio anatomica de circulatione sanguinis*, 1651)[152], *logaritmo* (coniato da J. Napier, *Mirifici Logarithmorum Canonis descriptio*, 1614), *trigonometria*, *dinamica* (la dinamica fu fondata da Galileo, approfondita da Huygens e Newton, ma solo alla fine del secolo Leibniz le attribuì questo nome), *pantografo*, *barometro* (ne ebbe l'idea il Viviani, l'esperimentò il Torricelli, il nome fu dato dal Boyle), e così via.

Accade così non di rado che si abbiano l'uno accanto all'altro un termine popolare e uno dotto: *bilancetta*, come diceva Galileo, o *idrostammo*, preferito dagli accademici del Cimento; *specola* o *osservatorio*, ecc.

Anche quando il cercatore si trova a dover fissare una nozione, attribuendole un nome, si domanda anzitutto se una parola per designarla già esista. Donato Rossetti torinese chiede al Redi di trovare un titolo a certo suo libro degli *Agghiacciamenti*, e il nome avrebbe dovuto comprendere il ghiaccio, la neve, la brinata, la nebbia ghiacciata, l'umidità ghiacciata, ecc.; il Redi risponde: «Io per me non

---

[148] Migliorini, *Lingua e cultura*, pp. 146-148.

[149] Ronchi, in *Lingua nostra*, V, 1943, pp. 15-16.

[150] Quando Galileo ebbe scoperto i pianetini intorno a Giove, da lui detti *stelle Medicee* (1610), l'astronomo e geografo G. A. Magini, nel darne notizia a Keplero, li chiamò *famuli Joviales*, e Keplero (in una lettera del medesimo anno e poi nella *Narratio* della scoperta di Galileo) cominciò a chiamarli *satellites* (per metafora dal lat. *satelles* «guardia del corpo, scherano»).

[151] G. Gabrieli, in *Lingua nostra*, II, 1941, pp. 87-91; Migliorini, *Lingua e cultura*, pp. 149-150; E. Rosen, *The Naming of the Telescope*, New York 1947 (la coniazione del nome di *telescopio* è dovuta al Demisiani, e fu attribuita al principe Cesi per inesatta informazione o piaggeria del Della Porta).

[152] Vacca, *Rend. Acc. Lincei*, Cl. scienze fisiche, s. 5ª, XXV, 1916, pp. 30-37.

saprei, che cosa me le dire. Un nome generale, che comprenda e specifichi il tutto, non parmi che in nostra lingua vi sia; ed il comporre di voci greche una parola lunga un mezzo miglio, mi parrebbe una pedanteria» (lett. 31 gennaio 1685-86, in *Lettere*, ed. 1779, I, p. 132).

Lo stesso Redi pubblica (sotto il nome di G. Cosimo Bonomo) le *Osservazioni intorno a' pellicelli del corpo umano*: sono quelli che nel secolo seguente gli scienziati chiameranno piuttosto con il nome greco di *acari*.

Nei consulti e nelle lettere del Redi troviamo spesso, come è ovvio, le voci usate dai medici e dalle farmacopee del tempo; ma non senza qualche protesta contro «i termini reconditi e misteriosi, che usa l'arte medicinale» e contro i «suoi greci, e arabici, e barbari *nomi da fare spiritare i cani*» (*Consulti*, p. 41 dell'ed. Manni), «con quelle Iere, con quelle benedette lassative, con que' Diacattoliconi, con quei Diafiniconi, Diatriontonpipereoni, ed altri *nomi da fare spiritare i cani*» (lett. 12 giugno 1688: I, p. 186, ed. 1779).

La lingua scritta non è disposta ad accogliere l'afflusso di vocaboli di lingua parlata se non con molte cautele, e limitatamente ad alcuni «generi». Piacevano i poemi eroicomici, piaceva a Firenze (ma non altrettanto altrove) la letteratura ribobolaia (la *Fiera* del Buonarroti, il *Malmantile* del Lippi). Molti vocaboli popolari furono accolti nel *Vocabolario* della Crusca per questa via; per il fatto stesso d'esser registrate, parole come *ammazzasette*, *lestofante* acquistavano maggiori possibilità di entrare nell'uso letterario e poi nell'uso generale.

Ciò accadeva anche se molti si ribellavano all'egemonia fiorentina sulla lingua, come abbiamo già visto. Del resto, se il Fioretti asseriva che soltanto i Fiorentini avessero «dispensa ampliativa», il Magalotti si rendeva ben conto di non poter adoperare senza spiegarlo un vocabolo come *sollo*, e infatti aggiungeva tra parentesi (nei *Saggi di naturali esperienze*, p. 111) «così diciamo a Firenze della neve quando ella fiocca, e avanti dell'agghiacciare». Quando Ottavio Falconieri (a cui il Magalotti mandava a rivedere i fogli dei *Saggi* prima della stampa) criticò come toscanismo affettato la voce *asolare* per «rigirare intorno a un luogo frequentemente», il Magalotti la difese come parola viva nell'uso toscano: «Credo che qualche parola non sarà intesa da' non Toscani: ma se questo dovesse attendersi, servirebbe a poco il nascere in Toscana, e apprender la più perfetta favella d'Italia, se in occasione di scrivere si dovesse uno astenere dalle sue maggiori bellezze, per farsi intender a quelli che parlano una lingua inferiore». Tuttavia il Magalotti non si rifiutava di venire a un compromesso: «Sappiate però, che tutte quelle maniere nostre, che, senza scapito di chiarezza a noi Toscani, posso levare, le levo» (lettera 5 agosto 1664: I, pp. 89-90 dell'ed. 1769). In un altro punto dei *Saggi*, si legge *cenquaranzeesima*: ma l'avevano voluto gli Accademici, renitente il Magalotti (ivi, p. 92).

Alcune testimonianze, che contrappongono l'uso senese e quello romano all'uso fiorentino, ci permettono di conoscere parecchie delle differenze che davano nell'occhio. Per Siena abbiamo le notazioni del *Dittionario* del Politi, del tipo delle seguenti:

camperello. Sen. campitello, dim. di campo.

camporeccio. Fior. per selvaggio.

grattugia. Sen. anco grattacacia.

malato. Fior. per ammalato.

marchio. Fior. per marco, contrassegno.

moscio. Sen. dicesi d'erbe, di frutto o d'altro, che s'appassisca, e si faccia languido.

nullo. Fior. per niuno.

pimaccio. Sen. capezzale.

Nel giudicare di queste notazioni, si ricordi tuttavia che spesso l'indicazione di «fiorentino» non si riferisce al fiorentino vivo, ma al fiorentino trecentesco registrato dalla Crusca.

Più genuina, anche se più sommaria, è la raccoltina di un anonimo, conservata a Roma nella Biblioteca Angelica, e pubblicata da I. Baldelli[153]. Si tratta di notazioni tratte dalla vita quotidiana, che prescindono in complesso dall'uso scritto e si riferiscono all'uso parlato di Firenze e di Roma. Esse concernono per la maggior parte varianti fonetiche: (F.) *camiciuola* - (R.) *camiciola*; *cuori* - *cori*; *lenzuola* - *lenzola*; *abate* - *abbate*; *gabella* - *gabbella*; *moscadello* - *moscatello*; *cucchiaio* - *cucchiaro*; *guantaio* - *guantaro*, ecc.; altrove si tratta di varianti lessicali: *beccaio* - *macellaro*; *burro* - *butirro*; *ciottoli* - *selci*; *galletto* - *pollastro*; *giubba* - *giustacore*; *grembiule* - *zinale*; *guanciale* - *cuscino*; *legnaiolo* - *fallegname*; *magnano* - *chiavaro*; *oriuolo* - *orologio*; *pesche* - *perziche*; *pesciaiuolo* - *pescivendolo*; *pezzuola* - *fazzoletto*; *pizzicagnolo* - *pizzicarolo*; *popone* - *melone*; *sarto* - *sartore*[154], ecc.

Si osserverà che in alcuni casi le due varianti ancora sussistono; per lo più è prevalsa la forma fiorentina, più raramente quella romana.

L'incertezza della nomenclatura costringe qualche volta gli scrittori, anche toscani, a tener conto delle sinonimie territoriali: «quel che a Firenze si chiama Vaiuolo e a Roma dicesi Morviglioni» scrive il Redi in un consulto[155].

Notizie e indizi vari ci permettono di renderci conto della provenienza di vocaboli e locuzioni oggi comunemente accettate. Dallo Stigliani sappiamo che *alzarsi* usato assolutamente per «levarsi di letto» è un napoletanismo; dalla testimonianza del Redi (*Voci aretine*) e dall'uso del *Malmantile* («*folla* di gente») sappiamo che *folla* voleva dire ancora a Firenze soltanto «calca, moltitudine», mentre ad Arezzo e a Roma *folla* già voleva dire «calca di gente».

Varianti dialettali (non crudamente vernacole ma riportate a una veste fonetica italianeggiante) affiorano con particolare abbondanza

---

[153] *Lingua nostra*, XIII, 1952, pp. 37-39

[154] *Sartore* è osservato come del «parlar romano» anche nella *Fiera* del Buonarroti, II, IV, sc. 13.

[155] *Consulti*, in *Opere*, t. VI, Firenze 1726, p. 6.

nei testi pratici (lettere, verbali, inventari, statuti): a Bologna abbiamo per es. gli *Statuti dell'Honoranda Compagnia de' Gargiolari...* (1667)[156], a Roma gli *Statuti dell'antica e nobile arte de' Ferrari* (1690), ecc. Nelle lettere di Vincenzo Gonzaga[157] si parla indifferentemente di *césani*[158] o di *cigni*.

Salvator Rosa adopera parecchi dialettalismi nelle lettere, e qualcuno anche nelle *Satire*: per es. lo spregiativo *faldone* nella lettera del 23 febbraio 1653 («Comedie non ne ho voluto sentir nessuna, attesoché sono troppo *faldone*...», p. 105 Limentani) e nella Satira III, v. 236 «talun che col pennel trascorse · a dipinger *faldoni* e guitterie»[159].

Anche il Marino è piuttosto largo nell'accogliere, non solo nella corrispondenza ma anche nei versi, varianti fonetiche (*librazzo*, *poemazzo*, *scaramuzza*, *seguso*, *trutta* «trota») e voci regionali (*alare* «anelare», *letturino* «leggìo», ecc.). Eppure i teorici che ammettevano nello «stile umile» (per es. nella satira) parole familiari, non le consentivano nell'epica e nella lirica.

L'accoglimento di vocaboli regionali che non fossero già sanzionati dall'uso letterario è molto più scarso in questo secolo che nei secoli precedenti. Ma se l'affiorare dei dialettalismi «di sostrato» è represso, vi sono scrittori che si compiacciono di colorire l'espressione ricorrendo a dialettalismi di altre regioni, come quando Salvator Rosa adopera in una lettera il venetismo *spegazzo* «sgorbio» («semplice *spegazzo* del pensiero», lettera del 1663, p. 130 Limentani) o il Magalotti ricorre in una cicalata al napoletanismo *smaferare*.

Una via per cui un certo numero di dialettalismi emergono e tendono a diffondersi nell'uso è il divulgarsi della conoscenza di peculiarità locali, fenomeni naturali, modi di vita, cibi, procedimenti usati in dati luoghi. Il fiorentino A. Neri nel descrivere la tecnica della lavorazione del vetro (*L'Arte vetraria*, Firenze 1612) si serve di alcuni termini veneziani (*pùliga* «bollicina», *riàvolo* «rastrello del vetraio»), che si spiegano col prosperare dell'arte vetraria a Venezia. Quando Geminiano Montanari descrive le isolette di canne che si staccano dal fondo delle lagune e galleggiano alla superficie, le chiama[160] col nome veneto di *quore* (*cuora*, femm., dal lat. *coria*). Il Boccone (*Osservazioni naturali*, Bologna 1684, p. 368) conosce «la *Sciara*, o quella massa ferruginea prodotta dalla materia ignivoma, che vomitò il Monte Etna». Il Magalotti (*Lettere*, I, p. 9) parla della «*Zolfatara* di Pozzuoli». E così via.

[156] È il bolognese *garzulàr* «canapaio».

[157] Nell'ed. Laterza dei *Ragguagli di Parnaso* del Boccalini, pp. 348 e 352-354.

[158] Cfr. le forme dialettali citate nel *REW*, n. 2435, s. v. *cycnos, cycinus*.

[159] Sulle voci napoletane di S. Rosa abbiamo un articoletto di E. Rocco, nel periodico *Giambattista Basile*, VII, pp. 75-76. Il Baldinucci (*Notizie dei professori...*, XIX, p. 7) parla degli «*spassosi* trattenimenti» di Salvator Rosa, e inclino a vederci un napoletanismo introdotto dal Rosa stesso fra gli amici fiorentini.

[160] *Il Mare Adriatico*, in *Raccolta di autori italiani che trattano del moto dell'acqua*, IV, Bologna 1822, p. 467.

Quanto ai vocabolari, se quello della Crusca professa di registrare solo voci di buona fiorentinità, quelli compilati a scopi pratici abbondano, sia nei lemmi sia nelle spiegazioni, di termini non toscani: G. Vittori (Victor) nel *Tesoro de las tres lenguas* [francese, italiana e spagnola], Ginevra 1609, per tradurre voci francesi o spagnole adopera parole come *fioppa* «pioppo», *lasina* «ascella», *regabio* «rigogolo», e così altri compilatori forestieri di vocabolari poliglotti. Anche il p. Spadafora, nel registrare nella sua *Prosodia Italiana* voci il cui accento può lasciar dubbi, abbonda nell'accogliere lemmi dialettali: *bonìgolo*, *cótica*, *grancévola*, *mammana*, *pirone*, *ràgano*, ecc., talvolta aggiungendo che si tratta di voci «lombarde» o dicendo da che scrittore le attinge.

Quanto agli arcaismi, bisogna distinguere tra quelle numerose parole che, scomparse da tempo dalla lingua parlata, costituivano invece parte integrale della lingua poetica; e l'esumazione di voci del Duecento o del Trecento. Mentre l'uso delle voci della prima serie non destava scrupoli nei poeti, solo pochi scrittori (e in verso piuttosto che in prosa) ardiscono ricorrere a voci veramente arcaiche. Qualcuno vi è indotto dall'ammirazione per quei secoli e quegli scrittori a cui la Crusca dava la palma: come quando il Dati scrive (*Dell'obbligo di ben parlare*) «le *diffalte* della plebe ignorante»; qualche altro per virtuosismo linguistico o opportunità di rima: anche il Marino nell'*Adone* adopera *feruta*, *maternale*, *visaggio* (e anche, per erronea reminiscenza, *ammiraglio* nel senso di «specchio», VIII, st. 29). Ma quando il Fioretti adopera nel suo ditirambo *Polifemo briaco* voci come *approccia*, *allegranza*, *faraggio* (e non manca di segnalarlo, nel «Documento» che illustra il *Polifemo*, *Proginn.*, III, lo fa principalmente per la loro stranezza.

Il Lepòreo, pur professando in un sonetto di cercare «parole nuove», di fatto si attiene piuttosto a voci antiche ravvivate:

> Vo a caccia, e in traccia di parole, e pescole,
> dal Rio del Cupo Oblio le purgo, e inciscole
> ....
> da ferrugine e rugine rinfrescole
> e da la muffa, e ruffa antica spriscole...[161]

I più sono contrari agli arcaismi: il Tassoni (*Pens. diversi*, IX, quisito 15) dichiara che vanno usati estremamente di rado, e nella *Secchia* (X, st.7) mette in burla il conte di Culagna che esalta così la sua donna:

> – O, diceva, *bellor* dell'universo
> ben meritata ho vostra *beninanza*.

Gli stessi cruscanti trovano che molte voci boccaccesche sono ormai morte: O. Rucellai dice (*Lettere*, pp. 5-6 Moreni) che nei propri

---

[161] *Raccolta*, cit., p. 24.

scritti filosofici non si troveranno «molte affettazioni toscane alla foggia del Boccaccio», «nè *chente*, nè *neghienza*, nè *tracotanza* o somiglianti».

Il desiderio di nobilitare il linguaggio, oltre che con parole illustri e sonore, con parole antiquate, tentava anche i non letterati: Panfilo Persico (*Del Segretario*, Venezia 1620, p. 88) ammette che voci «dal commun uso del parlare... intermesse, ritornino quasi dall'antichità a fargli gratia, ornamento, quali sariano *malore, retaggio, arroge, trapelare*».

In complesso, l'enorme maggioranza dei vocaboli ricordati come arcaici rimasero tali: ma qualcuno riuscì a riprender vigore, come *malore* o *tracotanza* o *trapelare*.

La formazione di vocaboli nuovi, specie come vezzo stilistico, è in questo secolo assai abbondante, anche se quelli che attecchiranno non siano particolarmente numerosi.

Si ha qualche voce onomatopeica, come *cicisbeo*. Si hanno spostamenti di categoria semantica, come *pendolo* agg. preso da Galileo come sostantivo[162], formazioni immediate (senza suffisso) di sostantivi (*il gonfia, una deroga*), di aggettivi (*concia frangipana, tela sangalla*), di verbi (*romanzare, velocitare; accipitrare, cespugliare, mongibellare*: Tesauro).

La formazione dei femminili si estende a nuovi nomi, anche di animali (*augella, corsiera*, Marino e di cose (*vocessa*, spreg., Tassoni).

Frequentissimi gli alterati, che ben si adattavano a trasformare le parole pur mantenendo i legami con la tradizione: si pensi a un triplice alterato come lo *scrupolettucciaccio* del Redi[163].

Nella formazione suffissale di nuovi sostantivi, si hanno numerosi nomi di agente (*missionante; fuciliere*, ecc.) fra cui molte formazioni in -*ista* (*Ariostista*, Fioretti; *bombista; caffeista*, Redi; *casista; fattista*, De Luca; *galenista*, Redi; *galileista; marinista*, Stigliani; *odorista*, Magalotti; *quietista*, e innumerevoli altri). Per gli astratti, se ne hanno parecchi in -*ismo* (*eroismo, nepotismo, quietismo*, ecc.), in -*aggine* (*sanesaggine*, Bargagli), in -*eria* (*franceseria; romanzeria*, Tassoni).

Anche per gli aggettivi, accanto alle molte formazioni di carattere intellettuale (*calamitico*, Galileo; *geografico*, Galileo; *algebraico; cicloide* agg. e sost.; ecc.) ne abbiamo innumerevoli di carattere affettivo

---

[162] *Lingua e cultura*, pp. 146-147 (per un riscontro con alcuni usi popolari toscani della parola, v. *Lingua nostra*, VII, 1946, p. 19).

[163] Nelle note al *Bacco in Toscana*, il Redi, a proposito dei versi «O di quel che vermigliuzzo – brillantuzzo – fa superbo l'Aretino» avverte: «Un gentilissimo e pulitissimo Scrittore esalta la moderna lingua Franzese, perché non ammette i Diminutivi; biasima l'antica, perché gli costumava; non loda la Italiana, perché ne ha dovizia. Io per me sarei di contrario avviso, e crederei, che i Diminutivi fossero da annoverarsi tra le ricchezze delle lingue, e particolarmente, se con finezza di giudizio, e a luogo, e tempo sieno posti in uso. La Lingua Italiana si serve non solamente de' Diminutivi; ma usa altresì i diminutivi de i diminutivi, e fino in terza, e quarta generazione» (p. 53 dell'ed. Firenze 1685).

(*moscareccio*, Lalli, *metaforuto*, di cui lo Stigliani attribuisce la formazione al Marino, ecc.).

Tra le formazioni prefissali, abbondano per la tendenza all'iperbole gli *arci-* (*arcasino*, Vannozzi; *arcimusa*, ironico, Stigliani; «*arcinasarca di tutti i nasi*», Marino; *arcifreddissimo*, *arcilunghissimo*, Redi), gli *oltra-*, i *sovra-* (lo Stigliani biasimava *oltrabello*, *oltramortale*, *sovramortale* usati dal Marino; abbondano gli *anti-* (A. Guarini, *Anticupido*, Ferrara 1610; P. Beni, *Anticrusca*, Padova 1612) e i *vice-* (*Vicefebo*; il papa è chiamato *Vicedio* nella canzone del Testi a Innocenzo X, mentre il Bartoli chiama *Vicedio* Mosè). Sono anche numerose le formazioni negative con *dis-* e *in-* (*disartifizio*, Fioretti; *disamabile*, Chiabrera; *disappassionato*, Redi; *impassibile*, *inconspicuo*, *indispensabile*, *infrangibile*, usato da Galileo nei *Massimi sistemi*, e sentito come nuovo da G. Paganino, secondo egli dichiarava in una lettera del 1633 al Buonmattei).

Tra i nuovi verbi formati con suffissi, se ne hanno alcuni in *-izzare*, (*concettizzare*, *famigliarizzarsi*, *fraternizzare*)[164] e innumerevoli in *-eggiare*: qualcuno nato per opportunità terminologiche (*anticheggiare*, Fioretti; *fraseggiare*, Menzini; *ritmeggiare*, G. B. Doni), molti foggiati occasionalmente (*ametisteggiare*, *augelleggiare*, *asineggiare*, *colombeggiare*, *coralleggiare*, *cristalleggiare*, *cuccioleggiare*, *ederreggiare*, *gondoleggiare*, *isoleggiare*, *labbreggiare*, *usignoleggiare*...: «ve ne sono le miniere inesauste» avvertiva L. Mattei, *Teorica del verso*, p. 102) per esprimere apparenze cangianti («aver colore di ametista») o azioni momentanee metaforiche («baciarsi come le colombe»). Si vede come questo filone neologico ben convenga al secolo che ama le cangianti apparenze: ma poche erano, come è ovvio, le probabilità che simili coniazioni momentanee attecchissero stabilmente.

Numerose sono anche le formazioni parasintetiche: qualcuna nominale (*correligionario*, Magalotti), molte verbali (*disanellare*, *discifrare*, *disviscerare... immedesimare*, *imporporare*, *inarenare*, *inartigliare*, *infielare*, *ingarzonire*, *instellare*...; *sfilosofarsi*, *sgemmare*...)[165]. Al Fioretti queste parole piacevano molto: «se in nostro idioma componessimo *interribilire*, per la sua ruvidezza sarebbe magnifico, e attonato al

---

[164] Inoltre, verbi in *-izzare* già antichi si divulgano: *organizzare*, che esisteva nella lingua fin dai tempi di Dante, prende ora il significato estensivo di «ordinare, disporre»; *cristallizzarsi* entra nell'uso come termine di fisica (il Nuovo Testamento aveva χρυσταλλίζειν nel senso di «esser trasparente come cristallo»; e forse il *cristallizzarsi* è formazione moderna e indipendente).

[165] Lo Stigliani, in un sonetto in cui satireggia lo stile allora di moda, abbonda in versi di questo tipo:

il baldo nibbio.... scorre indi e boemi
e l'arrostita zona e l'*annevata*;
poi giù piombando ove il terren *s'imprata*
....

(Croce, *Lirici marinisti*, p. 19)

subbietto; per la sua novità, avrebbe del pellegrino» (*Proginnasmi*, IV, prog. 37).

Molto fertile è la composizione, la quale soddisfa bene la duplice esigenza sentita in tutti i tempi e più che mai in questo: la «necessità» delle scienze e la «leggiadria» o «piacevolezza» dei poeti (Fioretti, *Proginnasmi*, III, prog. 164).

In complesso sono più in auge i procedimenti dotti che quelli popolari. Si ha qualche composto imperativo come *scalzacane, scalzagatto, sputaincroce* «ateo», *facibene, facimale, facidanno*: il Chiabrera, che nel dialogo *Il Bamberini* trova «senza leggiadria» il procedimento, e cita come esempio «il reo *tagliaborse*», nel suo ditirambo adopera tuttavia *cacciaffanni, spezzantenne*.

Le giustapposizioni di due sostantivi sono spesso sfruttate a scopo scherzoso: *pesciuomo* (Stigliani), *donnadragone* (Tesauro): anche più artificioso l'*asinibbio* (*asino* + *nibbio*) del Peresio.

Numerosi composti artificiosi sorgono con la poesia ditirambica. Aristotile nell'*Arte Poetica* aveva detto che «i nomi composti massimamente convengono ai ditirambi», e quando in una scena della *Fiera* del Buonarroti (1618) uno studente parla del carro *perlismaltato* di Teti, un altro lo interrompe dicendo «Or così: fammi un po' del ditirambico · com'oggi è più che mai stil de' poeti» (Giorn. III, atto II, sc. 13).

Il Chiabrera nell'autobiografia si fa un merito d'aver introdotto nella poesia ditirambica l'uso di parole composte come *oricrinita fenice, crocaddobbata aurora*. Il suo «Ditirambo all'uso dei Greci» è probabilmente anteriore al *Polifemo briaco* (1627) del Fioretti[166]; sovraccarichi di composti sono i ditirambi di F. M. Gualterotti, di C. Marucelli (1628), di N. Villani (1634); più misurato, e più fortunato, fu quello del Redi (1673, finito nel 1685).

Troviamo in questi ditirambi diversissimi tipi di composti e di giustapposti. Abbiamo un certo numero di sostantivi di formazione verbale («Bacco *cacciaffanni*», Chiabrera; *una struggicuori*, Gualterotti), o in cui un primo elemento è coordinato al secondo (*liricetra*, Gualterotti) o retto dal secondo (*ventipreda*, Gualterotti). Abbiamo verbi copulativi (*cantipiange* «canta e piange», Gualterotti) o formati con un complemento, il quale può essere diretto (*sonniprendere*, Gualterotti) o anche riferirsi al verbo in modo più vago («*infernifoca* il mio core», Redi). La maggioranza dei composti ditirambici è costituita da aggettivi: coppie di aggettivi coordinati (*lietofestoso, leggiadribelluccia*, Redi); coppie con riduzione di suffisso (*musimagico* «musico + magico», Gualterotti, *homicavallico*, Marucelli), composti in cui il primo elemento ha valore di avverbio, come nei composti latini del tipo *altitonans* (*dolcipungente*, Gualterotti), ecc.

---

[166] V. del Fioretti, oltre al prog. 164 del l. III, il ditirambo e il «Documento lo sopraddetto Ditirambo», in fine al l. III: egli vi afferma che «principalissimo privilegio del ditirambo è la composizione di più voci in una dizione, com'è *cimbalicrotalitimpanizzando*».

Questo allargamento arbitrario delle possibilità compositive della' lingua[167]conduce spesso a risultati mostruosi, e va considerato come un breve capriccio stilistico dei poeti ditirambici e in minor misura, di quelli eroicomici, non come un effettivo arricchimento del lessico.

Ma anche la lingua filosofica, quella giuridica, quella scientifica hanno crescente bisogno di parole composte, le quali attecchiranno se si tratta di necessità permanenti. Ricordiamo solo qualcuno dei numerosi elementi compositivi che già avevano questo valore in latino ma che ora danno largamente origine a parole nuove: tra i nomi formati con *-cida* appaiono e scompaiono *coricida* (Fioretti) e *fioricida* (Marucelli), sparirà anche *amanticida* (Neri), mentre resterà *ussoricida* (Allegri), in quanto legato a un concetto giuridico; *moschicida*, foggiato per gioco dal Lalli, tornerà a servire quando si metteranno in commercio dei prodotti moschicidi.

Analoghe considerazioni potremmo fare per vocaboli coniati in questo secolo i quali hanno il primo elemento latino: i molti con *semi-* (termini ecclesiastici come *semidigiuno*, *semiluterano*, *semipelagiano*, «concistoro *semipubblico*», o voci scherzose come *semidottore*, Tesauro; *semifilosofo*, Buonarroti; *semigigante*, Mascardi; *semilibro*, Galilei, ecc.), quelli citati (p. 484) con *vice-*, quelli con *onni-* (*onnivoro*, Oudin; *onnifecondo*, Bellini) e con *uni-* (*unisillabo* o *unisillabico*, Fioretti), ecc.

Ma, come è noto, in latino la composizione era limitata a poche serie; invece il greco aveva possibilità illimitate. Nella coniazione di terminologie scientifiche si ricorre spesso al greco per foggiare nomi di scienze, nomi di strumenti, titoli di libri: anzitutto in latino (*ornithologia*, Aldrovandi, 1599, *giologia* «geologia», Aldrovandi, 1603; *phytoiatria*, nelle *Tabulae phytosophicae* dei Lincei; *kosmologia*, O. Boldoni, 1641; *telescopium*, *thermometrum*, ecc.), poi anche in volgare (si pensi per es. all'*Etopedia* del Menzini o alla *Ginipedia ovvero avvertimenti civili per donna nobile* di V. Nolfi, Bologna 1662; cfr. p. 447).

Non si contano i termini con *proto-* e con *(p)seudo-* foggiati ora. Ma più importante è l'installarsi in italiano dei composti del tipo *toscano-romano*, *melico-comico*, *heroico-satirico*, *cefalo-faringeo*, la cui vocale copulativa, che è *-o-* secondo l'esempio dei composti greci, rimane di regola invariabile nella flessione: p. es. C. C. Scaletti, *Scuola mecanico-speculativo-pratica*, Bologna 1611, M. Kramer, *Ragionamenti Tedesco-Italiani secondo la favella Toscano-Romana*, Norimberga 1679. Meno frequente è il metodo di considerare i due aggettivi come meramente giustapposti, anche se uniti con un trattino: G. Torriano, *Della lingua Toscana-Romana*, Londra 1657, *Dimostratione Historica-Astronomica* (Tesauro, *La Vergine Trionfante* p. 97)[168].

---

[167] Non mancano, nei poeti ditirambici, forti arbitrii nella derivazione: per es. il Gualterotti (*Morte di Orfeo*, v. 121) foggiò *altissimevolmente*, su cui poi fu modellato *precipitevolissimevolmente* (Moneti, *La Cortona convertita*, III, st. 65): v. Natali e Migliorini, in *Lingua nostra*, XVIII, 1957, p. 55.

[168] Si veda, oltre al mio cenno in *Saggi sulla lingua del Novecento*, pp. 26-27, la

Ma non mancano esempi di composti, anche non burleschi, con la vocale copulativa *-i-* (*amante stoltisavio*, Stigliani, *traduzione prosipoetica*, Fioretti); gli aggettivi in *-e* restano semplicemente giustapposti (*favola morale-politica*, 1617).

18. Latinismi

È sempre largamente spalancato al lessico italiano il serbatoio della latinità (e, in limiti un po' più ristretti, quello della grecità), per attingervi vocaboli nuovi[169]. Scienziati e letterati ricorrono alla latinità classica, a quella cristiana e a quella scolastica, e inoltre a quella che le scienze di recente costituzione si vengono foggiando.

I latinismi sono accolti nel lessico italiano anzitutto per servire come termini dottrinali per le discipline più varie (specialmente quelle che prima si trattavano in latino, come i vari rami del diritto).

Mentre non v'è remora, si può dire, all'assunzione di termini tecnici finché si rimanga nell'ambito delle singole discipline, per i vocaboli più generali v'è una certa resistenza, e quelli che adoperano latinismi nuovi sentono di dover mettere le mani avanti: Buonarroti il giovane nel proemio all'*Aione* parla delle «ore che un buon pedante chiamerebbe *sussecive*»; il Villani, nel *Ragionamento sulla poesia giocosa*, p. 101, parla delle lodi che il Lalli sta per acquistarsi risultando «*Olimpionice*, per così dire, nello stadio della poesia»[170]; *intransitivo* è ancora nuovo quando se ne serve il Segneri nella *Manna dell'anima*: «in senso, come dicono, *intransitivo*»; ecc.

La resistenza è variamente testimoniata. Uno dei biasimi che frequentemente muove lo Stigliani al Marino è di adoperare nello stile «nobile» parole latine, che hanno un tono troppo tecnico: per es. *biblioteca*, *cute*, *disco*. Quando l'epiteto che Benedetto Fioretti si era scelto, *apatista*, fu col suo consenso applicato da Agostino Coltellini all'Accademia degli Apatisti, qualcuno non ne voleva sapere, dicendo «ch'ei la poteva chiamare degli *Spassionati*, nome più intelligibile, & a noi più naturale, che quello di Apatisti»[171].

Specialisti che si rivolgono a non specialisti qualche volta si soffermano a spiegare i loro termini: «[una giovinetta] dotata di un abito di corpo carnoso, e che da' Medici con vocabolo greco vien chiamato *pletorico*» (Redi, *Consulti*, I, p. 6).

Un breve elenco di termini scientifici entrati nel lessico italiano in

solida monografia di A. G. Hatcher, *Modern English Word-Formation and Neo-Latin*, Baltimore 1951, dove l'origine di questa *-o-* dal greco per il tramite del latino scientifico è molto ben documentata.

[169] «Ognuno può cavarne [dal latino] quel che gli fa bisogno, salvo il suo dovere al giudizio e all'uso» (Bartoli, *Il Torto e il Dir.*, oss. CCXIII).

[170] Il p. Spadafora, nella *Prosodia*, dà *Olimpionice* come parola piana.

[171] [F. Cionacci], «Vita di B. Fioretti», premessa alle *Osservazioni di creanze*, Udeno Nisieli autore, Firenze 1675, p. XXIII.

questo secolo (salvo retrodatazioni, sempre possibili) varrà a dare un'idea dell'importanza di questo afflusso, anche se l'elenco sia meramente esemplificativo: *anfratto, antenna, antictoni, apogeo, bubbone, bulbo* (dei peli), *caruncula, cellula, coerente, condensare, conoide, crostaceo* (*crustaceo*, Redi), *cuticola, deferente* (anat.), *digressione* (astron.), *estrudere, fecola, ignicolo, iniezione, iperbole* (mat.), *molecola* (dalla filosofia di Gassendi), *obbiettivo* (ott.), *oculare* (ott.), *ovidutto, papilla, patologia, placenta* (anat.; da *placenta uterina*), *pleura, pleuritide, podice, precessione, prisma* (cristall.), *proietto, pube, rarefazione, scheletro, scroto, sfacelo* («cancrena»), *stratificare, vortice,* ecc.

Accanto a questi, vanno ricordati numerosi altri latinismi che, adoperati dall'uno o dall'altro scienziato nel tentativo di farne termini tecnici, non hanno avuto fortuna, essendo state preferite altre parole: *distrarre* e *distraibile* nel senso di «dilatare, dilatabile», *eiaculazione* come termine elettrico, *incalescere* (med.), *labefattare* («labefattata la virtù concottrice del medesimo stomaco», dice senz'ironia il Redi, *Consulti*, I, p. 194), *lazione, lubricare, perspicuità* (ott.), *stertore, titubazione,* ecc.

Un'altra serie notevole è quella dei termini giuridici che ora cominciano a penetrare in italiano: *aggressione, agnazione, censire, condominio, consulente, dirimere, grassatore, patrocinio* (cfr. p. 431), *premorienza, prescindere, subornare, società* (commerciale), *tergiversare, usucapione,* ecc.[172].

Dalle più varie discipline ricevono l'aire innumerevoli altri latinismi: *acrostico, allidere, analfabeto, ascitizio, assurdità, convellere, cospicuo, cromatica* (mus.), *elaborare, elogio, emanazione* (teol.), *incongruo, incongruenza, incutere, indagare, indagine, letale, monotono, -ia, notula, onomastico, oriundo, panegirico, parodia, posticipare, sintassi, sintesi* (gramm.), *taumaturgo, tesi,* ecc.; oltre a innumerevoli altri che hanno attecchito poco o nulla: *anile, esardere, esoleto, espiscare, fasce, ferrugine, novercale, parergo, sinoride,* ecc.

Alcuni latinismi, già sporadicamente adoperati nei secoli precedenti, ora si diffondono parecchio: per es. *atomo, entusiasmo, escandescenza,* ecc.

Poiché questo attingere ai latinismi è un fenomeno comune a tutta

---

[172] Vogliono deridere l'abuso dei termini legali questi versi del *Malmantile* del Lippi (VI, st. 87-88):

> ed io sarei stimato anc'un Marforio
> a acconsentire a un atto perentorio.
> Perché sempre de jure pria si cita
> l'altra parte a dedur la sua ragione;
> poi s'ella è in mora viensi a un'inibita
> e, non giovando, alla comminazione,
> che in pena caschi delle forche a vita:
> e se la parte innova lesione,
> allor può condannarsi, avendo osato
> di far, causa pendente, un attentato...

l'Europa colta, accade ormai spesso, e sempre più accadrà nei secoli seguenti, che i vocaboli siano attinti non direttamente alla lingua antica, ma ad una lingua moderna che a sua volta è ricorsa al latino: cosa che si ricava ora da diretta testimonianza, ora da qualche peculiarità di forma o di significato. Per es. lo Stigliani (*Arte del verso*, p. 162) ci dice che il termine *assonante* (nel senso metrico moderno, per indicare un tipo di rima imperfetta) è stato attinto allo spagnolo («chiamasi da gli Spagnuoli Rima assonante, cioè di suono non medesimo ma vicino»). E che un altro latinismo, *pòcolo*, sia di provenienza spagnola si vede dalla semantica («bevanda» anziché «tazza»). I numerosi latinismi (e grecismi) scientifici coniati, come abbiamo accennato, nei vari paesi dell'Europa colta, circolano liberamente: Galileo non avrebbe parlato di *selinografia*[173] se già Bacone non avesse adoperato il termine (sotto la forma *selenographia*).

La pressione delle voci latine si esercita anche sulla forma di parecchie voci italiane, specialmente scientifiche: *anatomia* guadagna terreno su *notomia* (anche perché l'agg. è soltanto *anatomico*), *chirurgo* è preferito a *cerusico* e *cirugico*, *clistere* vince *cristeo* o *cristero*, *emorroidi* è preferito a *moroide* o *morice*, ecc. La forma *proprio*, che corrisponde meglio al latino che *propio*, si legge ormai nella maggioranza degli scrittori[174].

Una certa preferenza per le forme latineggianti si scorge nei non Toscani: il Marino scrive, per es., *ebeno* e *Africa*; fra *oriuolo* e *orologio* i Romani preferiscono *orologio* (v. il glossario citato a p. 434), ecc.

I grecismi vengono di solito adattati attraverso le forme latine, con poche eccezioni di scrittori più eruditi («qualche ἀνέκδοτα di Prisciano»: [Villani], *Considerazioni di Messer Fagiano*, p. 257; «questa figura da' Greci è chiamata παρωδία»: Redi, *Annotazioni al Ditirambo*, p. 53).

19. Forestierismi

In un periodo di soggezione politica e di scarsa indipendenza culturale è ovvio che i forestierismi abbondino nella vita comune. Alcuni scrittori li accolgono senza tanti scrupoli, e talvolta lo dichiarano[175]; al contrario, i conservatori più rigorosi protestano contro quest'affluenza[176].

---

[173] *Lingua e cultura*, p. 151.

[174] Franzoni *L'Oracolo della lingua d'Italia*, cit., pp. 110-111.

[175] «Affermo di essermi valuto di molte voci straniere: ma non già inavedutamente; ma percioche mi sono parse esser più significanti dell'altre, e di maggior forza ad esplicar i Concetti delle materie, che io tratto...» (G. Frachetta, *Il seminario dei governi*, Venezia, 1613, Introduzione).

[176] M. Buonarroti il giovane in una cicalata (*Prose fior.*, III, I, p. 28) fa che i Barbarismi, i quali desiderano entrare in un corteo mascherato, siano tenuti a schifo dagli Accademici «che rigorosi, siccome voi sapete, veggon per la loro

Nella prima parte del secolo continua quell'afflusso di spagnolismi che già si era aperto la strada nel '500[177].

Abbiamo, anzitutto, voci concernenti la vita sociale: entra allora, nel primo quarto del Seicento, la voce *brio*; abbiamo già ricordato (p. 474) *etichetta*; aggiungiamo *paraguanto* nel senso di «mancia».

Citiamo, fra i termini di moda, il *guardinfante*, introdotto a Napoli nel 1631 e cantato da F. Frugoni nel poemetto *La Guardinfanteide* (Perugia 1643)[178], la *marsina*, la *pastrana*, la *ciamberga* già ricordate, la *mantiglia*, la *pistagna*, ecc.

Fra gli oggetti domestici, ecco la *posata* (nel senso di «posto a mensa» e di «strumenti da tavola»), i recipienti di *bucchero* (o *buccheri*), allora tanto in uso, lo *scarabattolo*, il *baule*, ecc.

Tra i cibi, ricordiamo l'*ogliapodrida*; si divulga il nome di *baccalà*, prima usato solo in traduzioni dallo spagnolo[179].

Si accolgono il *cioccolato* e le *pastiglie*.

Il nome di *scorzonera* (che sembra a prima vista un composto italiano) viene dallo spagnolo *escorzonera*, catal. *escurçonera*, perché la radice della pianta era considerata un antidoto contro gli animali velenosi.

Numerosi sono anche in questo secolo gli ispanismi riferiti alla vita militare: *recluta* (che lo Spadafora considera parola piana e definisce «riempimento, o rifornimento d'una squadra»), *borgognotta*; ai volteggi del cavallo in pace e in guerra si riferiscono *caracollo* (sp. *caracol* «chiocciola»; fig. «volteggio»)[180] e *caracollare* (*caracolear*).

Piuttosto numerosi sono i termini di marina come *nostromo* (dallo spagn. *nuestramo*) o *risacca*.

Fra i nomi di giochi e di passatempi abbiamo la *pilotta* o *pillotta* (spagn. *pelota*), la *ciaccona* e la *sarabanda*, il gioco dell'*ombre* (*hombre*, un gioco di carte).

Lazzarone si diffuse a Napoli al tempo della rivoluzione di Masaniello[181] e divenne ben presto noto al resto d'Italia (mentre *guappo* ebbe più scarsa diffusione).

Anche termini generali come *floscio* giungono a imporsi.

Molti degli iberismi che pure in questo periodo avevano raggiunto

introduzione andar la lingua per la malora, ed hanno una stizza con queste nuove parole *regali, viglietti, stipi, gabinetti, bauli...*». E il Dati (nel discorso *Dell'obbligo...*): «Vada per alcuni moderni che tratto tratto senza bisogno e senza grazia infilzano ne' loro componimenti voci prette Latine, Spagnuole, Franzesi, Romanesche e Lombarde».

[177] Ricorriamo principalmente ai citati scritti del Croce e dello Zaccaria (*Elem. iberico*).

[178] Croce, *Storia dell'età barocca*, pp. 389-390; *Nuovi saggi... Seicento*, 2ª ed., pp. 247-248.

[179] Zaccaria, *Elem. iberico*, pp. 39-40 e 429-430.

[180] Già C. Corte, *Il cavallerizzo*, 1573, ha: «insegnare il *caragolo*, over lumaca».

[181] Croce, in *Arch. trad. popol.*, XIV, pp. 187-201 (rist. in *Aneddoti di varia letter.*, III, pp. 198-211).

una certa circolazione, nei secoli successivi scomparvero. Qualche volta si tratta di parole legate a usanze o oggetti poi spariti: per es. *candiero* «bevanda di uova, latte e zucchero» (dallo spagn. *candiel*), *polviglio* «droga in polvere», *sciotta* «polvere che si versava sulla cioccolata» (da *achiote*) (Magalotti), ecc. Altre volte si tratta di vocaboli usati per lusso, per eleganza, per scherzo, come *amariglio* «giallo» (Marino), *ammucciarsi* «coprirsi col manto», *mogno* «crocchia di capelli», *lastima* «dispiacere», *cotorera* «pettegola»[182], *corazzone* («Forato avea già il petto e 'l *corazzone*»: Lalli, *Eneide trav.*, IV, st. 2), ecc.

Molti dei termini burocratici erano anch'essi destinati a sparire: per es. *aiuto di costa* «soprassoldo» o *stimar preciso*, usato nei Gridari milanesi nel senso di «ritenere necessario».

Altre parole si riferivano a persone e cose di Spagna: per parecchio tempo tutti conobbero il tipico «mendicante briccone» reso celebre dal romanzo di Mateo Alemán, *Vida del pícaro Guzmán de Alfarache* (trad. it. di B. Barezzi, 1615): *piccaro, piccaresco, piccariglio*.

La penetrazione degli spagnolismi fu notevole nel dialetto lombardo e ancor più forte nel napoletano. In qualche caso, le parole sopravvivono in qualche dialetto: per es. *ammuinare*, che ha parecchi esempi di scrittori secenteschi in lingua, vive tuttora nel napoletano. L'aggettivo comparativo *masgalano*, sostantivato in locuzioni come *combattere il masgalano, portare il masgalano*, e simili, indica tuttora uno dei premi del palio di Siena. E deve risalire a quest'età anche *papello, papiello*, voce scherzosa per «documento», benché non se ne abbiano esempi antichi.

Qualche voce tedesca o fiamminga penetra in Italia per via spagnola (per es. *bellicone* «specie di bicchiere», attraverso lo spagn. *velicomen*). E, per tramite spagnolo o, molto più di rado, portoghese, continuano a giungere nel lessico italiano voci americane (*chinachina, sassafrasso*, ecc.) e orientali (*mandarino* «alto funzionario cinese», Carletti).

Passando ora a dare un cenno sui gallicismi, notiamo anzitutto il fatto che in molti casi l'influenza spagnola e quella francese convergono: per es. il significato astratto di *carriera* o il nome del *bompresso* (fr. *beaupré*, catal. *bauprès*, spagn. *bauprés*) sono dovuti alla spinta concomitante delle due lingue. *Viglietto*, che appare ora accanto a *biglietto*, sembra dovuto alla pronunzia spagnola del vocabolo. *Caserma* viene dalla Francia nella prima metà del secolo, e a Milano troviamo parallelamente la forma italiana *case herme* e quella spagnola *casas yermas*, con raccostamento di *caserne* all'aggettivo *ermo* (*yermo*)[183].

L'influenza francese, che nei primi decenni del secolo si sentiva ancora debolmente, al tempo di Luigi XIV diventa predominante e sopravanza di gran lunga quella spagnola, che è in forte regresso.

---

[182] *Lingua nostra*, XIII, 1952, p. 56.
[183] Prati, *Voc. etim.*, s. v.; in Spagna *caserma* appare solo più tardi (Corominas, *Dicc. etim. critico*, s. v.).

Citeremo qualcuno dei principali termini penetrati in italiano in questo periodo. Alcuni vocaboli che precedentemente si adoperavano solo in riferimento a cose francesi entrano anche nell'uso comune: per es. *lacchè* e *gabinetto*.

Per la vita sociale ricordiamo la semantica di *obbligante* e di *suscettibile*; *libertino* e *libertinaggio* nel senso di «libertà di spirito»[184].

Per la moda citiamo anzitutto il termine medesimo di *moda*, e poi le *chincaglie*, la *coccarda*, i *galloni*, la *lingeria*, il *giustacuore*, e aggettivi di colore come *dorè*, *gridelino* (*gridelin*, *gris de lin*), *ponsò*.

Dalla Francia si diffonde in Italia l'uso della *parrucca*, portando a un cambiamento di significato del vocabolo, che nei secoli precedenti significava in Italia «capigliatura naturale», e passato in Francia vi aveva preso il nuovo significato[185] di «capigliatura posticcia».

Tra i mobili appaiono il *buffetto* e il *canapè*; nelle città si hanno le *barriere*.

Nel campo dei trasporti entrano i termini di *convoio* (*convoglio*), di *treno*, e di *equipaggio* (che già nel secolo precedente si era diffuso come termine di marina); appaiono, insieme con le cose, i nomi di *calesse* e di *sedia rullante* o *rollante*.

Fra i termini militari citiamo *plotone*, *reggimento*, *distaccamento*, *blocco*, *bivacco*, *tappa*, *ramparo*[186], *decampare*, *bandoliera*. Reparti di *gendarmi* furono istituiti in Piemonte nel 1676.

Piattaforma compare come termine militare e marittimo; ricordiamo anche l'altro termine marittimo di *brulotto*.

Entra il nome di *parrocchetto*, applicato sia al pappagallo sia a un tipo di vela.

Tra i balli ebbe voga la *burè*; nei giochi si cominciano a adoperare i *gettoni*.

Numerose sono le parole generali: *azzardo*, *contraccolpo*, *dettaglio* (Magalotti), *rango*, *rimarchevole*, *salvaguardia*; se per queste vi è chi fa sentire obiezioni, più facilmente attecchiscono i latinismi esemplati sul francese, come *agire*, *installare*, *progettare*; e così pure i calchi di locuzioni figurate, come *fare il diavolo a quattro* (Redi), *valer la pena*

---

[184] Il Frugoni, *Del cane di Diogene*, Venezia 1687 segg., III, p. 363, VII, p. 309 biasima la cosa; il Magalotti, in una lettera del 1690, difende la parola.

[185] Nel 1615 il Marino notava la cosa a Parigi come una costumanza bizzarra: «tengono un'altra testa posticcia con capelli contraffatti, e si chiama *parrucca*» (*Epist.*, I, p. 198).
Nel 1681 il Redi, scrivendo a Carlo de' Dottori (*Opere*, IV, Firenze 1731, pp. 112-113) dà come normali a Firenze il significato di «zazzera posticcia» e le forme di *parrucca* e *parruca*: «Egli è bensì vero, che vi sono alcuni giovanotti leziosi, i quali dicono *perruca* per più avvicinarsi all'originale franzese: imperocché fa loro nausea qualsisia cosa che non venga dalla Francia, e che non odori di franzese». Ma i timori che questa forma avesse a prevalere risultarono poi infondati.

[186] *Ramparo* «terrapieno» è accolto da molti, ma respinto da altri (il Redi scrive al Magalotti: «Ma perché vuol ella [in una canzone] dire *rampari*, essendoci la voce *ripari*?», lett. 1 marzo 1682-83), e in definitiva non attecchì.

(Magalotti), *mettere sul tappeto*[187], ecc., e così anche *a meno che, presso a poco.*

Ancora si preferisce, di regola, «addomesticare» (Fioretti, *Proginn.*, IV, prog. 37) i francesismi, cioè adattarli alla fonetica italiana; ma cominciano ad apparire con una certa larghezza le parole scritte e pronunziate alla francese: il Marino adatta *parterre* in *perterra* («vaghi perterra di grottesche erbose»: *Adone*, XI, st. 21)[188], il Neri (*Presa di Saminiato*, V, st. 8) parla di *fare il rendevosse*; ma il Magalotti scrive *parterre* e *rendez-vous*, e altrove *resource, calzoni aux bas roulés, pigliar le contrepied, guardare de haut en bas*, ecc.

Molti dei francesismi insinuatisi in questo periodo furono più tardi eliminati: *alea* nel senso di «viale» (Marino)[189], *allianza* per «matrimonio» (Marino), *agrimani* (Lippi), *buona mina* (Magalotti), *menageria* (Magalotti), ecc.

Più ricettivo in confronto delle altre regioni è sempre il Piemonte, dove troviamo già per es. nell'uso burocratico il termine di *intendente* (1696: legge citata dal Rezasco, s. v.).

Senza confronto meno numerosi e meno importanti sono i forestierismi giunti in Italia da altre fonti: per es. *patrona* e *provianda* (Montecuccoli) dal tedesco, *renna* dallo scandinavo, *musulmano* dal persiano (già *musliman*, 1623, in Pietro della Valle), ecc.

Si conoscono prodotti orientali, come il *cacciù, capòc,* il *ginsèng,* e giunge notizia di alcune costumanze di quei paesi, con i relativi nomi, per es. *palanchino.*

20. *Italianismi diffusi in altre lingue*

Il grande prestigio di cui godeva l'Italia del Rinascimento è affievolito ma non estinto negli altri paesi d'Europa: continua soprattutto l'ammirazione per le opere d'arte antiche e moderne; e aumenta il fascino esercitato dalla musica italiana.

Vediamo, così, numerosi termini d'arte entrati in francese e in altre lingue: *attitude* «atteggiamento (plastico)» (fr. 1653, ingl. 1668), *calquer, costume* («un peintre qui ignore ce qu'on nomme *il costume*...»: Fénelon), *coupole* (fr. 1666; l'ingl. ha *cupola* già nel 1549), *filigrane* (fr. 1673; ingl.

[187] «Vorrei ancora che non fossimo tanto dispettosi di non voler ammettere molte espressioni nobili cavate dalle lingue straniere, le quali tutti quelli che sanno quelle tali lingue, veggo che vien loro fatto il tradurle nella nostra, argomento della lor forza, o nobiltà. Mi sovviene adesso: *mettere un negozio sul tappeto*, che i Franzesi dicono dal tappeto della tavola del consiglio, mi pare un poco più nobile, che il nostro *mettere in tavola*» (Magalotti, lettera 1677 al Redi: I, p. 223).

[188] Altri adattamenti del Marino sono molto più arbitrari: *fusetta* per *fusée, pavese* per *pavé*. Ricordiamo che il Baldelli vede nei francesismi «la novità più forte nel lessico dell'*Adone*» (*Atti 2° congr. Studi ital.*, Firenze 1958, pp. 148-151).

[189] Che troviamo tuttavia ancor vivo nel piem. *la lea.*

1668; ted. 1688), *fresque* (1669; l'ingl. ha *fresco* già nel 1548; ted. *a fresco malen* nel 1697), *fronton* (fr. 1653; ingl. 1698), *miniature* (fr. 1653; per l'ingl. è registrato un es. fin dal 1586), ecc.

Fra i termini di teatro ricordiamo l'*opera* (che in Francia fu introdotta dal card. Mazzarino verso il 1646; ingl. 1644; ted. 1680); in francese entrano anche *comparse* e *virtuose* (ingl. *virtuoso*, *virtuosa*). Il tedesco e lo svedese accolgono *violin* (che in inglese era entrato già nel secolo precedente); l'inglese *adagio*, *grave*, *largo* come termini musicali (Purcell, 1683).

Tra i nomi di maschere che ebbero fortuna all'estero ricordiamo *Pulcinella* (fr. *Polichinel*, poi *Polichinelle*; ingl. *Polichinello* e *Punchinello*, da cui l'abbreviato *Punch*). Anche lo *Scapin* di Molière risale alla maschera di *Scappino* (derivato di *scappare*).

Comincia a diffondersi il mito del dolce *far niente* degli Italiani («personne n'est plus touchée que moi du *farniente* des Italiens»: lettera di Madame de Sévigné, 1676). La conoscenza delle feste italiane fa che si accolgano il nome della *girandola* (fr. *girandole* 1642, ingl. *girandola* 1644) e della *regata* (ingl. *regatta*, 1642, fr. *régate*, 1679).

Fra i cibi ricordiamo il nome dei *sedani*, che emigra sotto la forma romana di *sèlleri* (fr. *céleri*, 1680; ingl. *celery*; ted. *Sellerie*), e quello dei *vermicelli* (fr. *vermicelle*, 1675, ingl. *vermicelli* 1669).

Passano ad altre lingue anche alcuni termini commerciali, come *agio* (fr. 1679, ted. 1695), *fattura* (ted. *Factura*, 1662; il fr. ha *facture* in questo senso fin dal 1611, e sarà forse da considerare anch'esso come italianismo), *franco* (ted. 1695).

Nei paesi tedeschi si diffondono anche alcuni termini militari (*Granate*, 1616; *Kaserm*, *Kasarm*, ancora mantenuto in dialetti bavaresi e svevi, mentre altrove prevalse il francesismo *Kaserne*) e voci riferite ai trasporti (*Carotze*, poi sostituito da *Karrosse*).

In lingue più periferiche giungono soltanto ora italianismi già prima diffusisi nelle lingue limitrofe: per es. nello svedese entrano nel '600, oltre a *violin* già citato, *bandit*, *altan*, *gondol*, *lasarett*, *bastant*. Tuttavia molto in questo campo resta ancora da esplorare.

CAPITOLO X
IL SETTECENTO

1. Limiti

Per Settecento, intendiamo col Croce «culturalmente, a un dipresso il secolo che va dall'ultimo quarto del decimosettimo alla fine del terzo del decimottavo»[1] Data caratteristica – e che potrebbe essere considerata come iniziale – è quella della fondazione dell'*Arcadia* (1690), mentre alla fine vanno sottolineate la data della soppressione della Crusca per decreto di Pietro Leopoldo (1783) e, capitale, quella dell'invasione francese (1796).

A mezzo il secolo, segna un'importante demarcazione l'anno della pace di Aquisgrana (1748): da allora la penisola persegue più attivamente la ricerca d'una migliore vita civile; finché non la getteranno di nuovo nel turbine le conseguenze della Rivoluzione francese.

2. Eventi politici

Nei primi decenni del secolo l'Italia è coinvolta in numerose vicende belliche, mentre dal trattato di Aquisgrana all'invasione francese si ha un lungo periodo di pace. I territori della casa di Savoia si allargano fino al Ticino; importante è l'annessione della Sardegna (1718), perché la vita amministrativa e culturale dell'isola, che prima si svolgeva in spagnolo, si viene orientando, seppur molto lentamente, verso la lingua italiana.

Si estinguono in questo secolo le dinastie dei Gonzaga, dei Farnesi, dei Medici, dei Cybo, degli Estensi, con spostamenti dell'assetto politico-territoriale.

Il ducato di Milano e quello di Mantova passano in mano degli Austriaci (mentre la Valtellina è tuttora in possesso dei Grigioni). A Parma (1731) e a Napoli (1734) si installano due dinastie borboniche. In Toscana diventa granduca (1737) Francesco Stefano di Lorena, ma l'influenza linguistica francese dei suoi cortigiani lorenesi ha breve durata: predomina presto in Toscana l'orientamento politico austriaco,

[1] *La letteratura italiana del Settecento*, Bari 1949, Avvertenza.

dovuto al legame matrimoniale fra il Lorenese e l'asburgica Maria Teresa.

Mentre la Lombardia, la Toscana, il Napoletano più o meno celermente si mettono sulla via delle riforme, i vecchi stati non dinastici (lo Stato della Chiesa, Genova, Lucca, Venezia) non possono o non vogliono accedervi. Genova, impotente a domare l'ennesima insurrezione della Corsica, più pericolosa perché condotta da un uomo di forte tempra, Pasquale Paoli, cede l'isola ai Francesi (1768); ma forse i Corsi non avrebbero voltato le spalle alla cultura e alla lingua italiana, fino allora esclusivamente predominanti, se non fosse nato in Corsica colui che doveva cambiare il volto all'Europa in nome della Francia.

Gran parte dell'Istria, parte della Dalmazia e dell'Albania, le Isole Ionie sono ancora in mano della repubblica di Venezia.

Si risente ormai sui mari italiani il peso dell'Inghilterra, diventata potenza mediterranea. La guerra d'indipendenza americana (1776-1783) suscita echi notevoli; e ben più forti la Rivoluzione francese. Ma lo sconquasso comincia con la campagna d'Italia di Bonaparte (1796) e tutte le sue conseguenze.

3. Vita sociale e culturale

Il cosmopolitismo di cui tanti si fanno un vanto vuol dire, in sostanza, un riconoscimento che l'Italia ha perduto il primato culturale in Europa e che è necessario mettersi al passo con gli altri paesi europei, e soprattutto con la Francia, accogliendone le opinioni e le usanze. Ma questa corrente generale tocca direttamente soltanto le persone più colte, e in modo tutt'altro che uniforme: agli strati inferiori della società ne giunge solo ciò che filtra attraverso le classi colte.

Il confronto con la situazione della Francia e dell'Inghilterra fa sentire la scarsa coesione degli Italiani, la mancanza di una capitale, di un centro a cui tutti facciano capo[2].

Le divisioni fra stato e stato ostacolano la circolazione delle persone e delle idee. Se l'Alfieri vuole «spiemontizzarsi», cioè piena-

---

[2] «La vera accademia è una capitale, dove i comodi della vita i piaceri la fortuna vi chiamano da ogni provincia il fiore di una gran nazione, dove otto in novecentomila persone si elettrizzino insieme... Ci sarà allora un'arte della conversazione; si scriveranno lettere con disinvoltura e con grazia, la lingua diverrà ricca senza affettazione»: Algarotti, lettera a Voltaire (1746, in *Opere*, IX, pp. 85-86); «In Italia ogni provincia ha un Parnaso, uno stile, un gusto, e secondo il genio del clima un partito, una lega, un giudizio separato dall'altre... Mi pareva ben dilettevole andar cambiando nazione e costumi cambiando i cavalli da posta, e trovare della novità, ch'è il premio d'un viaggiatore, ad ogni passo. Ma mi nojava eziandio il non saper mai dove fosse l'Italia, e dove prenderne giusta idea... A dire il vero io penso, che se in fatti l'Italia avesse un centro, un punto d'unione, sarebbe più ricca d'assai nell'arti, nelle lettere e forse nelle scienze, che non qualunque altra nazione...»: Bettinelli, *Lettere inglesi*, II (*Opere*, 2ª ed., XII, pp. 157-159).

mente italianizzarsi, nella commedia piemontese *Il conte Pioletto* «affiora il senso della lontananza, del distacco e del contrasto verso gli abitanti delle altre parti d'Italia. Il *Cont Piolett* dà un sobbalzo nel veder Pippo che fa un gesto come se metta mano alla spada: "Alla larga! D' volte *sti italian* a pôrto d' stilet..."»[3].

Il razionalismo in vari aspetti (cartesianismo, illuminismo, sensismo) è la corrente di gran lunga predominante, non solo nei pensatori, ma in quelli che li ripetono e li rimasticano. Il metodo sperimentale ha il sopravvento sugli attardati peripatetici, e la concezione del mondo è prevalentemente naturalistica e razionalistica.

I miti che dominano il secolo sono quelli della Ragione, della Natura, del Genere umano. Viene ora elaborata e penetra nel pensiero e nel parlar quotidiano l'opposizione fra *ragione* e *sentimento*.

Alcuni gruppi, fra cui va ricordato specialmente quello del *Caffè*, sono all'avanguardia nel promuovere una cultura fondata sulle «cose» e non sulle «parole», che diffonda i «lumi» e faccia sparire gli abusi e i pregiudizi. I filantropi intendono il miglioramento sociale soprattutto come avviamento al benessere materiale.

Il cattolicesimo subisce attacchi da varie parti: dai razionalisti, dai giansenisti, dai giurisdizionalisti; e un fiero scacco è la soppressione dell'ordine dei Gesuiti, a cui il papa deve consentire. Penetra in Italia la massoneria, dapprima con prevalenza di fini umanitari, all'inglese; più tardi invece con intenti giacobini e attività decisamente filofrancese.

Le riforme richieste dagli illuministi trovano eco in alto, nei prìncipi riformatori: si aboliscono istituzioni e costumanze ormai sorpassate, con notevoli progressi nella vita civile, specialmente in Lombardia e in Toscana. Mentre per lo più i nobili riluttano, e le plebi assistono passive, la borghesia è in ascesa. C'è un accentuato ritorno alla terra, con numerose opere di bonifica (Val di Chiana, ecc.) e miglioramenti nelle colture.

Nella vita culturale le Accademie locali continuano a esercitare una certa influenza. Ma accanto ad esse è sorta l'*Arcadia*, che con le sue «colonie» adempie per prima il compito di accademia nazionale, propagando nelle varie città il suo insegnamento stilistico e il suo garbato edonismo. Nella seconda metà del secolo si moltiplicano le accademie che mirano all'utilità sociale con studi agrari, economici, civili (ricordiamo almeno i Georgofili, Firenze 1753, e quell'accademia di nuovo stile che era la Società dei Pugni, Milano 1761).

La vita sociale si manifesta vivace nelle «conversazioni» tenute nei salotti della nobiltà e della borghesia. Alla divulgazione della cultura provvedono numerosi saggi, talvolta in forma di dialogo. E acquista sempre maggiore importanza l'opera dei *giornali* e delle *gazzette* (nasce a Venezia il primo quotidiano, la *Gazzetta di Venezia*).

Con la moda delle raccolte (in occasione di nozze, di monacazioni,

---

[3] Croce, *La letteratura ital. del Settecento*, cit., p. 129.

ecc.) la poesia e l'esercizio della lingua poetica diventano in qualche modo un obbligo sociale; e del resto anche la voga degli improvvisatori fa della poesia un gioco di società.

Per la musica va ricordata l'importanza grandissima assunta dal melodramma: il Metastasio dà l'esempio di una lingua estremamente semplice e chiara.

Il commercio è in tale sviluppo che il Baretti lo considera «la malattia del secolo», e l'Alfieri dedica una satira (la XII) al «nume di questo secolo borsale» (v. 2).

Nelle industrie, è appena all'inizio il passaggio dalla fase artigianale alla fase meccanica. Si comincia ora l'uso del carbon fossile.

Si attende con fervore alle scienze naturali e sperimentali, in alcune con risultati cospicui (Galvani, Volta). E stretti contatti si mantengono con gli scienziati di altri paesi (con notevoli ripercussioni sulle nomenclature di varie scienze, che attraverso gli scambi diventano molto simili in tutti i paesi colti).

Non v'è ancora quella separazione fra uomini di lettere e uomini di scienze che la specializzazione più tardi imporrà: si pensi a un Manfredi o a un Mascheroni, scienziati e poeti.

In medicina entrano in uso nuovi procedimenti, come l'inoculazione (di vaiolo umano) e, alla fine del secolo, la vaccinazione (di vaiolo bovino).

I primi esperimenti aeronautici destano grande curiosità.

Molti stranieri viaggiano in Italia, molti Italiani viaggiano e soggiornano all'estero. Alla curiosità per le cose francesi e inglesi (che in taluni diventa francomania o anglomania) s'aggiunge la curiosità per i paesi esotici (Cina, ecc.).

4. *La lingua parlata*

In qual misura e in qual modo si parlava l'italiano fuori di Toscana? Poco, per la predominanza dei dialetti; e male, per la dipendenza dell'uso parlato da un uso scritto molto oscillante. Sentiamo quel che dice il Baretti, anche se la testimonianza sia estrosa e un po' troppo colorita:

Dov'è la città, la corte, il luogo in Italia, nel quale si parli con qualche soltanto mediocre correttezza, brio, varietà e sceltezza di vocaboli e di frasi? In ciascuna terra nostra, dalla Novalesa appiè dell'Alpi giù sino a Reggio di Calabria, v'ha un dialetto particolare, di cui ogni rispettivo abitante, sia grande, sia piccolo, sia nobile, sia plebeo, sia dotto, non lo sia, fa costantemente uso nel suo quotidiano conversare sì nella propria famiglia che fuori. E quando accade che qualcuno voglia appartarsi dagli altri favellando, a qual spediente s'ha egli ricorso? Aimè, ch'egli toscaneggia quel suo dialetto alla grossa, alla grossa bene! E non s'avendo fregata di buonora la memoria colla studiata lettura de' nostri buoni scrittori, viene a formare una lingua arbitraria, perché senza prototipo: una lingua tanto impura e difforme e bislacca sì nelle voci, sì nelle frasi, sì nella pronuncia, che fa pur d'uopo, sentendola, ciascuno si raccapricci, o abbrividi, o frema, se possiede il minimo tantino di quella cosa, che già dissi, chiamata "gusto di lingua"[4].

A Roma, basta sentire la «linguacciaccia» che parlano tra loro gli Arcadi nel Bosco Parrasio (e poi il discorso devia sulla «lingua oggidì parlata e scritta in Roma»). Nelle altre grandi città chi vuol «parlare un po' meno plebeamente del solito» fa un suo «toscaneggiamento di ca' del diavolo». In Francia, anche nei «più bassi individui» «il cianciar familiare va molto di rado senza la sua sufficiente porzione di proprietà e di eleganza» (p. 335); non così in Italia; dove per di più «chi fa sforzo fuor di Firenze di parlar toscano, come ogn'uom dabbene dovrebbe fare... viene considerato dai più un affettato, un tuttesalle, uno sputacuiussi» (ivi). In Toscana stessa il popolo, non numeroso e non «grande», poco dedito alle letture, è decaduto, e con esso la lingua «in guisa tale che il conversar comune di Firenze mi riesce al dì d'oggi di una snervatezza, d'un dolciato, d'un floscio tanto miserabile, da vergognarsene un popolo d'eunuchi, se ve n'avesse uno» (p. 337). Ma il giudizio che il Baretti dà di questa «linguerella» (p. 338) è evidentemente ormai un giudizio stilistico-letterario, non linguistico.

Altre testimonianze sull'italiano parlato ci rimangono, purtroppo meno numerose di quanto vorremmo[5].

Per la Toscana, il Salvini si lagna della pronunzia *béne*, *témpo* con vocale chiusa, di «alcuni affettatuzzi» fiorentini (nota alla *Tancia*, I, sc. 4), deplora che *magnare* tenda a sostituire *mangiare* (ivi)[6] e che *fazzoletto*, *uffiziolo*, *saccoccia* tendano a soppiantare *pezzuola*, *libriccino della Madonna*, *tasca* (nota alla *Fiera*, III, IV, sc. 11).

Nel famoso scritto che suscitò tante polemiche, il padre Onofrio Branda esalta la pronunzia dei Toscani:

nè mi saziava di pascere... l'orecchio di quel parlare, che in bocca ancora de' famigli degli osti, e de' lettighieri, che ci conducevano, sembravami di tanto vincere in dolcezza, in leggiadria e in ogni grazia quel linguaggio pedantesco, che sentiva da noi chiamarsi Toscano, quanto più grato e soave il suono d'armoniosa cetra, che lo strepito di scordati tamburi[7].

A Pisa, l'Algarotti coglieva espressioni del toscano parlato che gli

---

[4] *Scelta delle Lettere familiari*, Parte II, 26, p. 332 Piccioni.

[5] Il Parini, negli «Appunti per il Vespro e per la Notte», nota che ai forestieri «le milanesi... rispondono con lingua e pronunzia milanese»; mentre il marito d'una dama «ancor fa sonar la pronunzia de' monti onde scese» (*Poesie*, ed. Bellorini, I, pp. 269, 271).
Una moda franceseggiante di pronunziare la *r* con l'ugola e la *u* come *ü* è biasimata da Carlo Gozzi (cfr. § 13).

[6] Il Regali, *Dialogo del Fosso di Lucca e del Serchio*, Lucca 1710, p. 42, raccosta *magnare* all'oscillazione fra *giungere* e *giugnere*: ma la provenienza di *magnare* è certamente romanesca.

[7] *Della lingua toscana*, Milano 1759, p. 6.

sembravano «vive e prette»: *cima* (di cavolo), *cesto d'insalata, raspìo, tramenìo, schioppettìo,* ecc. (lett. ad A. Nicolini, gennaio 1763)[8], e dell'Alfieri sappiamo quanto ammirasse e si sforzasse di imitare il fiorentino e il senese parlato[9]. Ma quasi sempre le lodi o i biasimi al toscano parlato vanno collegati all'uso che se ne può fare nella lingua scritta, e a lodi o a biasimi dati al fiorentino trecentesco, al fiorentino di Crusca[10].

Nelle città e nelle campagne del Settentrione e del Mezzogiorno, si parla di regola in dialetto[11]: e non soltanto i popolani (Balilla – seppure esisté – gridò in genovese e non in italiano la sua frase di incitamento), ma anche i borghesi e i nobili: solo eccezionalmente (in presenza, ad es., di forestieri) la lingua della conversazione è l'italiano venato di dialetto[12]; nelle occasioni più solenni (orazioni, prediche, arringhe e simili) predomina l'italiano quale si scriverebbe[13].

Non manca tuttavia qualche notevole eccezione: nei tribunali veneti le arringhe si fanno in un veneto illustre, intermedio tra la lingua e il dialetto[14].

[8] In *Lettere filologiche*, Venezia 1826, pp. 180-182.

[9] Si pensi, oltre che al sonetto in cui dichiara che «al vago dir che l'alma Flora inonda, – e *labro* e penna ed anima volgea» (son. «Uom, che barbaro...», II, XXXIX), all'altro notissimo, a proposito del verbo *ragnare*, su madonna Nera («Che diavol fate voi...», II, LIV), oppure alla testimonianza del suo segretario Francesco Tassi: «Aveva l'Alfieri ottima pronunzia, parlava fiorentino volentieri... Quando l'abate Caluso veniva in Firenze, l'Alfieri discorreva con lui talvolta in piemontese, ma più spesso e volentieri in fiorentino, e molto si studiava di parerlo quanto alla parlata» (G. Barbera, *Memorie*, p. 87). Il 5 ottobre 1786 egli scriveva all'amico Mario Bianchi per chiedergli segretario, cameriere e servitore senesi, per non trovarsi attorno «altro che pezzi di vocabolario vivi» (*Lettere*, ed. 1903, CXXII).

[10] Così per es. nel Salvini, passim.

[11] E c'è già chi si rende conto del valore intrinseco di quest'uso spontaneo: il Parini in polemica con il p. Branda (*Prose*, I, p. 55 Bellorini) si lagna che l'antagonista derida il dialetto (cfr. più oltre, § 9).

[12] Cfr. più oltre il cenno sui dialettalismi (§ 19).

[13] Le prime lezioni universitarie, tenute volontariamente e regolarmente in italiano, quelle del Genovesi (1764), erano lette (v. § 8).

[14] *L'Avvocato veneziano* del Goldoni professa di voler arringare col suo «veneto stil, secondo la pratica del nostro foro, che val a dir col nostro nativo idioma, che equival nella forza dei termini e dell'espressione ai più colti e ai più puliti del mondo». E le *Tre azioni criminali a difesa*, di M. Barbaro, Venezia 1786, ci danno una chiara idea di questo «veneto stil»: «*Correo, Compartecipe, Provocator*; ste parole che per parte del Fisco contesta principalmente il ponto in question, ste parole che ha formà il soggetto della disputa dell'Eccell. Sior Avogador le me permetta, che le analizemo, che cerchemo cossa che le significa...» (pp. 41-42). Vedi N. Vianello, in *Lingua nostra*, XVIII, 1957, pp. 68-73. Il Galiani si lamentava che le condizioni a Napoli fossero diverse, e sperava che potessero mutare: «Chi sa che un giorno il nostro dialetto non abbia a inalzarsi alla più inaspettata fortuna: difendervisi in esso le cause, pronunciarvisi i decreti, promulgarvisi le leggi, scriversi gli annali e farsi infine tutto quello che al patriotico zelo de' veneziani sul loro niente più armonioso dialetto è riuscito di fare?» (*Del dialetto napoletano*, p. 7 Nicolini).

E anche i predicatori, se vogliono farsi intendere dai fedeli, debbono tenersi fra la lingua e il dialetto[15].

5. *Scritti in versi e scritti in prosa*

Si mantiene, in pratica e in teoria, una distinzione assai netta fra gli scritti in versi e gli scritti in prosa, attraverso parecchie peculiarità grammaticali, lessicali, stilistiche, ammissibili solo nell'una o nell'altra categoria: e i trattatisti considerano che questa distinzione sia una dote cospicua dell'italiano, in confronto col francese che non ne ha quasi traccia[16].

I primi decenni sono dominati dall'Arcadia, la quale ha grande importanza per i principii che essa propugnò: la reazione al secentismo e quindi all'abuso dei traslati, il ritorno al canone dell'imitazione (dei classici e del Petrarca), il culto della perizia formale; ma ancora più per l'aver diffuso questo programma fra i letterati di tutta Italia introducendo la poesia nel costume sociale. Se non ne nacquero capolavori, ne nacque un operare ben concertato, che giovò a ridurre le tendenze particolaristiche.

Fiorisce ora la canzonetta, poesia di ben lieve consistenza, che però con l'aiuto della musica può giungere fino al popolo. Nobilitata da poeti di maggior respiro, la canzonetta si muterà in ode (e i versi sdruccioli favoriranno l'adozione di latinismi).

Dopo il «rimbombo» del Frugoni e dei suoi seguaci, la poesia diventa sempre più largamente «neoclassica», decorosa e ricca di allusioni al mondo greco-romano (Savioli, Parini, poi Monti).

La reazione all'Arcadia scredita nel gusto generale alcuni fra i moduli del suo armamentario poetico: certi luoghi comuni mitologici, come *le caste suore*, *il biondo Apollo*, ecc.[17], l'abuso di languidi diminutivi[18], e in genere tutte le *pastorellerie*[19].

---

[15] «Già secondo voi, o Becelli, i predicatori non deono in sì perfetta lingua italiana favellare per non essere fraintesi dagli uditori...»: così uno degli interlocutori del 3ª dialogo di G. C. Becelli (*Se oggidì scrivendo si debba usare la lingua Italiana del buon secolo*, Verona 1737, p. 58) rinviando al 6ª libro della *Retorica* dello stesso Becelli.

[16] Valga per tutti il Parini: «ciò che chiamasi *linguaggio poetico*, per il quale la lingua italiana si distingue così notabilmente dalle lingue moderne, e si agguaglia colle antiche greca e latina»: *Corso di belle lettere*, II, vi (in *Prose*, I, p. 299 Bellorini).

[17] Baretti, *Frusta*, n. XIII: I, p. 351 Piccioni.

[18] «È sciocca e ridicolosa... la presunzione di chi tutto il vezzo di vaga e graziosa Poesia in altro consister non crede che nel mentovare... l'*erbetta* e l'*agnelletta*, le *quadrella* e la *pastorella*» (G. B. Casti, col nome arcadico di Niceste Abideno, nella prefazione a *I tre giulj*, Roma 1762, p. xii); «Oltre alle *pecorelle* che pascono l'erbe *tenerelle*, voi venite via con le *rugiadose stille*, coi *teneri agnellini*» ecc. (Baretti, *Frusta*, n. XXIV: II, p. 227 Piccioni).

[19] La parola, com'è noto, è del Baretti (II, p. 382 Piccioni).

I verseggiatori descrittivi e didascalici oscillano fra un certo realismo e il gusto delle perifrasi. Nella lirica politica qualche tocco realistico si contempera con travestimenti classici[20]. E non di rado vi appaiono, talora con desinenze italiane, ma per lo più nella forma originaria, nomi stranieri[21].

Le traduzioni in versi hanno un'importante funzione mediatrice: più ancora che quelle dalle lingue classiche[22], quelle dalle lingue straniere. Il Cesarotti ricorda quali sforzi dovette compiere per tradurre i canti di Ossian:

senza un esempio che mi servisse di scorta, con una lingua feconda sì, ma isterilita dalla tirannide grammaticale, dovetti ricorrere ad uno schermo particolare ed inventare scorci ed atteggiamenti di nuova specie[23].

Il linguaggio teatrale del Maffei (*Merope*, 1714) presenta un lessico poetico sostenuto eppur semplice. Questa semplificazione è massima nei melodrammi del Metastasio: il vocabolario poetico è quello tradizionale, ma, allo scopo di riuscire intelligibile a un più vasto pubblico, il poeta evita i vocaboli rari ed arcaici; le parole ancora hanno la loro importanza, e non sono ridotte, come più tardi avverrà, a semplice sostegno per la musica. Non dobbiamo dimenticare l'immensa fortuna che i melodrammi metastasiani ebbero per molto tempo: ancor oggi alcuni lacerti di strofette metastasiane rimangono nell'uso comune[24].

---

[20] Già del Codano sen (= del golfo di Finlandia) tocco le sponde
....
    di velivoli abeti ecco le ingombra
    il non pieghevol Mosco, orror del Trace,
    ma, benché stampi il mar di minor ombra
    non è lo Sveco di timor capace.
                    (C. C. Rezzonico, «Musa, le spiagge artoe...»

[21] «Nella succinta ed elegante stanza oraziana del Fantoni le dissonanze di nomi francesi e inglesi – specie inglesi – crudamente allegati, stanno ad attestare, con evidente civetteria, i diritti imprescindibili della realtà immediata quale ci viene da un mondo anticlassico per eccellenza, in seno a una poesia che ha gravità d'intenti e classica intonazione. Al Fantoni servì la nomenclatura storica, come ad altri Arcadi, Rezzonico della Torre e compagni, servì la peregrina nomenclatura scientifica; come ai tanti autori, in quel tempo, di poemi didascalici, servì lo stretto tecnicismo di questa o quell'arte; come al Parini, preoccupato d'intenti civili e sociali, ma anche come principalissimo tra essi, della restaurazione della letteratura, servì, fuori d'ogni affettazione, quel realismo di lingua che il Carducci stesso ha in parte già documentato»: De Lollis, *Saggi forma poet.*, pp. 105-106.

[22] Parecchie ne compié il Salvini, indulgendo alla coniazione di innumerevoli parole composte.

[23] E nel *Dizionario di Ossian* (*Opere*, V, tomo IV) raccoglieva alcune locuzioni più difficili, per lo più perifrastiche: *le tempeste dell'acciaro* per «battaglie», *le figlie dell'arco* per «cacciatrici» ecc.

[24] È la fede degli amanti
    come l'Araba fenice:

Agli antipodi del linguaggio armonioso e qualche volta vacuo dei melodrammi del Metastasio è quello delle tragedie dell'Alfieri, denso, scabro, spiccatamente individuale.

Nella prosa, avvertiamo anzitutto la minore importanza che hanno in questo secolo le opere che aspirano alla bellezza formale in confronto con le opere storiche, politiche, economiche, giuridiche, naturalistiche: quelle insomma che mirano all'utilità sociale[25]: e si badi che anche gli autori di queste opere si chiamano *letterati*.

Questa attività si svolge in tutta l'Italia: ma con particolare intensità nell'Italia settentrionale e a Napoli.

Il vacuo scintillare della prosa secentesca è abbandonato, ma c'è chi mira al Trecento (come molti Napoletani, fra cui il Vico), chi al Cinquecento (come il Muratori). Il Baretti, sempre estroso nella scelta e nella coniazione delle parole, serba un sentore delle sue giovanili esercitazioni bernesche.

In tutti si fa sentire, man mano che ci si inoltra nel secolo, l'influenza francese; anche quelli che se ne vorrebbero difendere riescono magari a evitare i francesismi lessicali, ma accolgono i periodi brevi e la costruzione diretta.

Sintomatico è il caso dell'Algarotti, sensibilissimo alla spinta delle mode: attraverso le sue stesse dichiarazioni e attraverso le tre stesure del *Newtonianismo* vediamo le varie fasi attraverso cui passò: allievo dapprima dei cinquecentisti, poi sedotto «dalla disinvoltura oltramontana e dal fantastico degli oltremarini»[26], più tardi diventato «sollecito della proprietà» studiando i trecentisti (ivi), ma insomma sempre fautore del principio che «chi dice... delle cose utili e buone alla civile società, può fare senza le belle parole»[27].

Alla fine del secolo predominano ormai i colori preromantici.

La storiografia va diventando opera di erudizione anziché esercizio oratorio: basti ricordare il nome del Muratori. E abbondano le opere antiquarie, e in genere, di erudizione.

La lingua forense è di solito assai barbara, per abbondanza di

---

dove sia nessun lo sa.

(Demetrio, II, sc. 3)

Passò quel tempo, *Enea*,
che *Dido a te pensò*.

(Didone abbandonata, II, sc. 4)

Se a ciascun l'interno affanno
si leggesse in fronte scritto,
quanti mai che invidia fanno
ci farebbero pietà.

(Giuseppe riconosciuto, parte I)

[25] «Sono oggimai mancati quei pochi che qui facevan professione di seguitar le Muse... Tutto ci è diventato politica e filosofia»: così una lettera del Parini del 1768 (*Prose*, II, p. 161 Bellorini).

[26] Lettera a F. M. Zanotti, 10 dic. 1752, in *Opere*, IX, 251 (e in *Lettere filol.*, cit., pp. 116-117).

[27] Lettera a Antonio Zanon, in *Lettere filol.*, cit., p. 186.

latinismi e di termini tecnici e per complicatezza di subordinazione[28]; collegata com'è con le consuetudini e le legislazioni dei singoli stati, presenta notevoli varietà di termini nei diversi luoghi[29].

Un nuovo campo di attività è quello dell'economia; negli scrittori di questa disciplina è sensibile lo sforzo per superare la lingua tradizionale, con i suoi periodi complessi e il suo lessico generico, mirando a un linguaggio concreto e preciso, piano e accessibile[30].

Si scrive largamente di ogni genere di scienza e d'ogni ramo di tecnica, con concreta aderenza alle mille cose di cui si tratta. I naturalisti mirano alla semplicità e alla intelligibilità, lasciando da parte le «pompose descrizioni e le frasi ricercate e turgide»[31]. D'altronde, il linguaggio scientifico non ha ancora quella concisione a cui giungerà più tardi[32], né è così staccato dal linguaggio letterario da non permettersi alcune eleganze[33].

Il Vallisnieri, il Cocchi, lo Spallanzani hanno pagine di prosa scientifica scritte con gusto d'arte. I tre eleganti dialoghi di F. M. Zanotti *Della forza dei corpi che chiamano viva* (Bologna 1752) si ricollegano alla tradizione dei dialoghi galileiani, mentre il *Newtonianismo* dell'Algarotti si richiama piuttosto al Fontenelle.

La commedia ha scarso vigore: e la causa ne sta soprattutto nella mancanza di una lingua della conversazione valida per tutta l'Italia

---

[28] Valga come esempio un passo in linguaggio curiale napoletano del 1717: «fare la causa pro ut de jure con processo e recognitione del carattere di detto biglietto, usque ad sententiam diffinitivam inclusive, precedenti le trine pubbliche citazioni ad comparendum» (*Critica*, XXXV, p. 472). Nel *Dialogo fra un Mandarino chinese e un sollecitatore* di P. Verri (nel *Caffè*, tomo II, p. 39), il Sollecitatore si esprime così: «Questi due punti brocardici sono: il primo per vedere se il maschio dalla femmina debba essere preferito nel fedecommesso in concorrenza d'un estraneo; l'altro è per fare la graduazione d'un concorso fra i chirografari e gl'istromentari, e distinguere la pozinità, e liquidare le doti e i beni vincolati...»; e il Mandarino non capisce.

[29] Mentre, come abbiamo visto, nel fòro veneto le arringhe si tenevano in veneto illustre, le sentenze sono in italiano, naturalmente con qualche termine speciale: nell'*Avvocato veneziano* del Goldoni la sentenza è di questo tenore: «Omissis etc. Consideratis considerandis etc. Decretò e sentenziò, e decretando e sentenziando *tagliò*, revocò e dichiarò nulla la donazione fatta dal fu *Domino* Anselmo Aretuso a favore di *Domina* Rosaura Balanzoni...».

[30] A. M. Finoli, «Osservazioni sulla lingua degli economisti italiani del Settecento», in *Lingua nostra*, VIII, 1947, pp. 108-112.

[31] G. Santi, *Viaggio per le due provincie senesi*, Pisa 1798, pp. 4-5 (cit. da F. Rodolico, *La Toscana descritta dai naturalisti del Settecento*, Firenze 1945, p. 11).

[32] «In questo mese [agosto 1778] il caldo è stato grandissimo... e nel 18 fu il maggiore, essendo asceso lo spirito di vino nel termometro di Reaumur a gradi $31\frac{1}{2}$ sopra il segno del gelo»: G. L. Tilli (ap. F. Rodolico, *La Toscana*, cit., p. 213).

[33] «Pare che il confine posto dalla natura alla pietra, sia anche quello prescritto dall'arte a una piena ed estesa regolare coltivazione. Tutto infatti verso Trespiano è nel più florido stato di cultura; non vi è angolo di terreno, che a Cerere, a Bacco, a Pomona non sia consacrato»: V. Chiarugi, «Osservazioni georgiche», in *Atti Acc. Georgofili*, V, 1798 (ap. F. Rodolico, *La Toscana*, cit., p. 129).

(cfr. § 4). Le commedie del Fagiuoli, del Gigli, del Nelli hanno il solo pregio della toscanità; a quelle del Goldoni manca – diversamente che nelle sue commedie in dialetto – la spontaneità. Nella prefazione alla prima raccolta delle sue commedie (1750) egli afferma di non essersi fatto «scrupolo d'usar molte frasi e voci Lombarde» (= italiane settentrionali) «ad intelligenza anche della plebe più bassa» delle città settentrionali in cui si dovevano rappresentare; quanto allo stile ha cercato che fosse «qual si conviene alla Commedia, vale a dire semplice, naturale, non accademico ed elevato» (I, p. 773 ed. Mondadori). Malgrado l'affiorare di molti dialettalismi[34] e di forme letterarie rare e pedantesche[35], egli riesce a infondere anche nelle commedie il suo mirabile senso del «parlato»[36].

Le traduzioni dal francese sono innumerevoli e per quantità superano di gran lunga quelle da qualunque altra lingua. Ve ne sono di ogni genere, dalla letteratura amena ai testi di scienza, e certo contribuirono molto a divulgare costrutti e vocaboli di provenienza francese.

6. Discussioni sulla norma linguistica

L'elaborazione di un nuovo gusto linguistico generale è estremamente faticosa, né quegli stessi che disputano intorno alla norma linguistica si rendono sempre conto del carattere ideale di essa norma[37] e dell'ampiezza dei mutamenti che si vengono preparando.

Fermiamoci un momento a indicare i punti su cui più si discusse[38].

La disputa principale è tra i fautori e gli avversari dello «scriver toscano» (cioè del toscano trecentesco, quale si presentava principalmente nel Boccaccio ed era codificato nel *Vocabolario della Crusca*, uscito intanto nella sua quarta edizione, 1729-1738).

Malgrado l'azione restauratrice dell'Arcadia in favore del principio

[34] P. es.: «a poco a poco si andò *smarrindo*» (lett. 2 maggio 1752), «non posso vedere *a* penar nessuno» (*Innam.*, I, 2); ecc.

[35] Per es.: «la dispiacenza che in casa mia originata siasi l'infermità del vostro cuore» (*Un curioso accidente*, I, sc. 8); «Non mi eccitaste voi a ritornar dalla zia, dicendomi che colà sarebbesi introdotto il signor tenente?» (ivi, III, sc. 5); «Dove mai saranno eglino andati?» (*Pamela mar.*, II, sc. 8); «Vadasi a precipitar quest'indegni» (ivi, III, sc. 6); «Vi torno a dire che io non amo donna veruna» (*Il bugiardo*, I, sc. 7); «un fazzoletto di seta, che era l'unico mobile che m'era restato» (*Il poeta fanatico*, I, sc. 8); ecc.

[36] G. Folena, «L'esperienza linguistica di C. Goldoni», in *Lettere ital.*, X, 1958, pp. 21-54.

[37] Importante, a questo riguardo, un passo del Parini: «la lingua nobile comune italiana è deposta... nel complesso delle buone scritture; essa adunque, nella sua essenza, non depende più punto dall'arbitrio del popolo: ella è fissa, ella è, per questa parte, della natura di quelle che chiamansi 'morte'» (*Corso di belle lettere*, parte II, cap. vi).

[38] Si consulterà utilmente la ricca antologia di *Discussioni linguistiche del Settecento* curata da M. Puppo, Torino 1957.

di imitazione, molti si domandano perché l'imitazione debba volgersi a scrittori così remoti e disformi dal gusto dominante. Il toscanismo interessa per due aspetti, quello lessicale (gli arcaismi dei duecentisti e trecentisti e la possibilità di adoperarli ancora) e quello sintattico (complessità e lunghezza dei periodi, ordine inverso spesso seguito dai trecentisti).

Altro punto molto controverso è quello dei francesismi. Si parte da uno stato di fatto, che è la fortissima penetrazione nell'uso comune (parlato e scritto) di forme e costrutti francesi. Contro questo consenso, assai largo e non ragionato, muovono alcuni valentuomini: non v'è, invece, si può dire, chi prenda esplicitamente posizione in difesa dei francesismi. Ma i risultati definitivi furono in complesso contrari ai rigoristi.

Nell'Italia meridionale, la scuola di Lionardo di Capua, a Napoli, aveva suscitato un largo movimento filotoscano. In conseguenza di esso, narra il Galiani[39], «fu risoluto abbracciar con fervore, non già il comune italiano, ma il pretto stringato idiotismo toscano...; tutti si dettero a rivoltar vocabolari, grammatiche, regole di ben parlare toscano». A questa corrente si devono il trattato di Niccolò Amenta, *Della lingua nobile toscana*, Napoli 1724[40] e la ristampa di alcuni autori trecenteschi e degli *Avvertimenti* del Salviati (Napoli 1712); ad essa si deve anche una forte spinta all'atteggiamento che Giambattista Vico ebbe verso il Trecento[41]. «L'eruditissimo signor Lionardo da Capova – dice il Vico (*Autobiografia*, p. 21) – avea rimessa la buona favella toscana in prosa, vestita tutta di grazia e di leggiadria...». Nella «necessità» che egli sentiva «di farsi una spezie di favellare sua propria» (*Autobiogr.*, p. 227) il Vico ricorre studiatamente, oltre che ai latinismi, alle voci trecentesche quali parole dell'età «eroica» della lingua. «Di qui il carattere particolare del purismo vichiano, che non è soltanto il purismo di L. di Capua e di N. Amenta, ma il purismo di uno spirito rivolto al passato e desideroso di serbarne nella sua pagina la voce»[42]. Di qui l'uso di parole arcaiche come *appellagione, assemprare, avacciare, avolio, calogna, calognare, danaio, negghienza*, ecc.; di qui le correzioni che il Vico fece nella *Scienza nuova prima* e che passarono poi nelle successive: egli muta *anatomia* in *notomia, delicato* in *dilicato, magistrato* in *maestrato, proprio* in *propio* ecc.[43].

Questa studiata ricerca di flosculi trecenteschi non andava a genio a un cruscante come A. M. Salvini, il quale si lagna di alcuni

[39] *Del dialetto napoletano*, ed. F. Nicolini, Napoli 1923, pp. 197-198 (si tengano presenti le ricche note).

[40] *Niccolò* alla toscana, si noti, non *Nicola*.

[41] Fra i dotti napoletani di quegli anni, si ribellava invece alla Crusca il Giannone come si ricava da un libretto di *Osservazioni* (cfr. Cian, in *Bibl. delle scuole italiane*, agosto-sett. 1900).

[42] M. Fubini, *Stile e umanità di Giambattista Vico*, Bari 1946, p. 122.

[43] *Scienza nuova prima*, ed. F. Nicolini, pp. 333-334, Fubini, op. cit., pp. 122-123.

Napolitani del suo tempo che «vorrebbero la Lingua Toscana, Lingua morta, per non avere la pena di studiare, se non i Libri d'un solo secolo», senza considerare che l'affettazione è sempre vizio; e che «Sallustio fu criticato come affettatore di voci antiche»[44].

In Toscana stessa i lucchesi D. A. Leonardi e M. Regali, nel *Dialogo dell'Arno e del Serchio* e nel *Dialogo del Fosso di Lucca e del Serchio*, Lucca 1710, disputavano sull'autorità della Crusca intorno a vari punti di ortografia (*pruova, esercizzi, giugnere*, ecc.); e un Senese litigioso e bizzarro, Girolamo Gigli, moveva in guerra contro la Crusca con il suo *Vocabolario Cateriniano* (1717 segg.). Egli accusava l'Accademia, che aveva accolto tante voci fiorentine antiche, di aver invece trascurato affatto le opere di S. Caterina da Siena, pure includendola fra gli autori citati[45].

Nell'Italia settentrionale, il veronese G. C. Becelli precorre il Cesari domandandosi in cinque dialoghi *Se oggidì scrivendo si debba usare la lingua italiana del buon secolo* (Verona 1737), e conclude che «quasimente tutti al dì d'oggi nelle rime imitano la lingua de' maggiori nostri; dunque si dee altresì nelle prose la lingua de' maggiori nostri imitare».

In quell'anno stesso, un avvocato veneziano, G. A. Querini, ci testimonia che «il Secolo, com'è delicato nel lusso, così lo è anche nelle lettere; vuol Crusca, vuol stile, vuol quel che mal sa di volere»[46].

Satireggia questa voga la scipitissima tragicommedia attribuita a B. Marcello, *Il Toscanismo e la Crusca* (Venezia 1739), la quale mette in scena Cruscanzio, Seicentuccio, Neutralio e Anticrusco, che rivaleggiano per ottenere la mano di Cruschetta figlia di ser Toscanismo: il simulacro del Boccaccio finisce poi col dar ragione a Neutralio...[47].

Altri coltivano piuttosto i cinquecentisti: secondo una lettera dell'Algarotti (15 maggio 1747) «quella divozione che era una volta nelle classi di filosofia verso Aristotele, pare che sia presentemente passata nelle classi di grammatica e di rettorica verso il Bembo e quella scuola».

In parecchie lettere ad amici l'Algarotti si sofferma sulle tendenze a cui egli medesimo obbedì, e che si rispecchiano nelle tre redazioni del *Newtonianismo* (cfr. p. 457). Rispetto alla Crusca, il suo atteggiamento rimase sempre sostanzialmente ostile, come si può vedere da molte allusioni delle sue lettere[48].

---

[44] L. A. Muratori, *Della perfetta poesia*, Annot. di A. M. Salvini, Venezia 1730, II, p. 136.

[45] Migliorini, in *Lingua nostra*, II, 1940, pp. 73-80 (rist. in *Lingua e cultura*, pp. 167-189).

[46] G. A. Querini, *Il foro all'esame*, Venezia 1737, Prefazione.

[47] Il Goldoni nel *Torquato Tasso* (1755) mette in scena un Cavalier del Fiocco cruscante che imperversa con locuzioni fiorentine (*far celia, tornare a bomba*) e con voci arcaiche (per es. *utole* «utile»); nella prima redazione dell'*Impresario delle Smirne* (1760) una certa Lucrezia affetta espressioni fiorentine che vengono spiegate (c'è di nuovo *celia*).

[48] V. specialmente quella a F. M. Zanotti del 2 marzo 1764 (*Opere*, X, pp. 203-220; anche in *Lettere filol.*, pp. 204-217).

Anche l'oratoria forense e quella ecclesiastica andavano volentieri a cercar fronzoli nei Toscani del Trecento e del Cinquecento.

Il Baretti (lettera a C. A. Tanzi del 19 aprile 1758) attribuisce il toscaneggiare di alcuni ecclesiastici alla loro vanità: «Non senti tu que' loro vocaboli cruscantissimi? quelle loro frasi cinquecentesche? que' loro bei periodi alla certaldese?». Si senta come satireggia il Bettinelli tali predicatori:

> Altri, la guancia
> polita sempre e sempre crespo il crine
> leggiadramente in numero comparte
> l'intinte in Arno parolette accorte[49];

e più severamente il Mascheroni:

> Altri ha studiato in un decennio intero
> chi ha molta feccia in pure frasi accolta,
> di Certaldo e d'Etruria onor primiero;
> e fa di fiorentin motti raccolta,
> e 'l pan celeste adulterando incrusca
> all'orrevol brigata, che l'ascolta.
> Ammiro la leggiadra lingua etrusca;
> biasimo quel noioso infrascamento
> che ogni pensier d'ignote frasi offusca.
> Il gran Vocabolario ogni momento
> squadernar converria per risapere
> del Vangelo che corre il sentimento[50].

Il milanese p. Onofrio Branda, nel dialogo *Della lingua toscana* (Milano 1759), dopo aver lodato l'uso vivo toscano (cfr. la citazione a p. 453), proclama la necessità di evitare gli arcaismi, e sceglie a modello per la prosa due cinquecentisti assai vicini all'uso vivo: il Casa e il Caro[51].

Ma l'opposizione più radicale al culto del Trecento e alla Crusca proviene dal gruppo illuministico milanese. Alessandro Verri fa nel *Caffè* (luglio 1764) la sua «solenne rinunzia alla pretesa purezza della *toscana favella*» dichiarando la sua ostilità ai «riboboli noiosissimi» (tomo I, pp. 30-31)[52]; e altri articoli suoi ed altrui gli fanno eco[53].

---

[49] *Versi sciolti di tre eccellenti autori*, Venezia 1758, poemetto IX. Altrove (nelle *Raccolte*, c. II, st. 60-61) il Bettinelli se la prende con quelli che danteggiano (v. § 18).

[50] Nel sermone *Sopra la falsa eloquenza del pulpito*, 1779, v. 175 segg.

[51] La lunga polemica che il dialogo suscitò (e a cui partecipò, come si sa, il Parini) fu principalmente dovuta all'ostilità manifestata dal Branda verso i dialetti, specialmente il milanese. Cfr. G. Salinari, «Una polemica linguistica a Milano nel sec. XVIII», in *Cult. neol.*, IV-V, 1944-45, pp. 61-92.

[52] Il titolo dell'articolo è *Rinunzia avanti Nodaro degli Autori del presente Foglio periodico al vocabolario della Crusca* (nell'errata corrige del tomo I *Nodaro* è corretto in *Notajo*).

[53] Tuttavia in una lettera del 1768 manifestava una certa resipiscenza: «se il

Altro fiero oppositore è Giuseppe Baretti, in vari dei suoi scritti su quella che dovrebb'essere la norma della lingua[54]. Il suo gusto, le riflessioni sulle altre lingue europee che conosceva, l'influenza dei suoi amici inglesi lo spingono a invocare anche per gli Italiani una lingua vivace, spedita, atta a esprimere i bisogni di tutta la nazione. Ma bisogna per questo che essi mirino alle cose e non si esercitino solo a coprire il vuoto con mere eleganze di lingua.

L'aperto riconoscimento della essenziale toscanità della lingua letteraria, e del fatto che a Firenze si parli un dialetto più elegante e più «scrivibile» non gli impedisce di biasimare i Fiorentini quando scrivono[55], e di scagliare alla Crusca frecce non meno acute di quelle che a più riprese scaglia all'Arcadia; Secondo il Baretti, il Vocabolario è pieno di «stomachevoli vocaboli e modi di dire, parte tratti da molti de' loro ribaldi prosatori e poeti, e parte raccolti ne' chiassi e lupanari di Firenze» (*Frusta*, n. XVIII); esso ha una vacua ricchezza di parole non adoperabili perché arcaiche, o vili, o troppo specificamente locali, o sconce; ha troppi vocaboli duplicati o magari triplicati (come *abbadessa*, *abadessa*, *badessa*). La Crusca ha il torto di prescrivere come modello «non solo ogni paroluzza che esce attualmente dalle bocche di quelle genti, ma sino ogni minimo ette trovato in que' loro tanti meschinissimi scrittorelli». E l'ammirazione che non a torto i primi accademici hanno prestata al Boccaccio ha avuto per conseguenza che egli, «senza sua colpa però, è stato la rovina della lingua d'Italia, anzi è stato la cagione primaria che l'Italia non ha ancora una lingua buona ed universale»: «l'artificiale carattere latino» del Boccaccio e di altri antichi scrittori fa sì «che non v'è stato e non vi sarà modo di farla leggere universalmente e con piacere al nostro popolo» (*Frusta*, n. XXV).

Il Baretti motiva in vario modo il fatto da lui tanto rimproverato al Boccaccio e agli altri antichi, di «non seguire *l'ordine naturale delle idee* ne' loro rispettivi stili» (*Frusta*, n. IV): ora ne dà la colpa all'«indole della lingua toscana» (ivi), ora, più correttamente, all'influenza latina[56].

De Felice vuol tradurre il *Caffè* bramerei che non traducesse del mio la *Rinuncia alla Crusca*, *Le leggi sul Pedantesimo*, ...nelle quali produzioni tutte regna un cattivo tono, e bisognerebbe purgarle assai dal mal umore e da una certa inquieta infelicità, che vi traspare» (*Carteggio*, I, II, p. 225).

[54] Si vedano specialmente la lettera al «Signor Filologo Etrusco» nella *Frusta*, n. XVIII (II, pp. 57-66 Piccioni) e la «Diceria di Aristarco Scannabue da recitarsi nell'Accademia della Crusca il dì che sarà ricevuto accademico», nella *Frusta*, n. XXV (II, pp. 252-262). Cfr. anche, sugli arcaismi, il § 18.

[55] «Nè i toscani in generale, nè i fiorentini in particolare quando si fanno a comporre opere d'inchiostro, le compongono in questo o in quell'altro dialetto della provincia loro, ma sibbene in una lingua che per saperla fa d'uopo d'esser qualche cosa di più che non toscano o fiorentino» (*Prefazioni e polemiche*, p. 194 Piccioni).

[56] L'«ordine *naturale* delle idee» nella costruzione del periodo è uno dei pregi che molti grammatici francesi rivendicarono alla loro lingua: cfr. A. Viscardi, in *Paideia*, II, 1947, pp. 193-214.

Al toscano parlato, al «bell'idioma», si era volto l'Alfieri fin dal 1776 nella sua strenua ricerca tecnica per avvezzarsi «a parlare, udire, pensare e sognare in toscano» (*Vita*, IV, 2); e alternò letture di classici e osservazioni sulla lingua viva[57].

Quasi tre anni dopo il decreto di Pietro Leopoldo che aboliva l'Accademia della Crusca (v. § 7), l'Alfieri componeva a Colmar, il 18 marzo 1786, il noto sonetto:

> L'idioma gentil sonante e puro,
> per cui d'oro le arene Arno volgea,
> orfano or giace, afflitto, e mal sicuro;
> privo di chi il più bel fior ne cogliea.
> Boreal scettro, inesorabil, duro,
> sua madre spegne; e una madrigna crea
> che illegittimo omai farallo e oscuro,
> quanto già ricco l'altra e chiaro il fea.
> L'antica madre, è ver, d'inerzia ingombra,
> ebbe molti anni l'arti sue neglette:
> ma per lei stava del gran nome l'ombra.
> Italia, a quai ti mena infami strette
> il non esser dai Goti appien disgombra!
> Ti son le ignude voci anco interdette!

Non si può dire che il sonetto contenga un'accettazione del punto di vista dei Cruscanti[58], bensì un accorato rimpianto per un nobile edificio vandalicamente demolito.

L'antirigorismo trova il suo più tipico rappresentante in Melchior Cesarotti. Nel 1785 uscì a Padova un trattatello saldamente concepito che ebbe larga eco, il *Saggio sopra la lingua italiana*, ristampato poi nel 1800 con il nuovo titolo di *Saggio sulla filosofia delle lingue* e l'aggiunta di alcune note.

Il trattato, breve e concettoso, mirava soprattutto a rompere certi vieti pregiudizi e a rendere la lingua «saggiamente libera». Il primo e il secondo libro costituiscono un trattatello di linguistica generale; nel terzo l'autore considera più davvicino le condizioni italiane. «La lingua scritta – egli dice (III, 3, 4) – dee considerarsi come il dialetto particolare d'una nazione non ristretta a veruna città, ma diffusa per ogni parte d'Italia, nazione composta dal fiore degli uomini colti delle diverse provincie, che si regge a repubblica, che ha per tutto gli stessi principj regolativi, e la di cui libertà non riconosce altri vincoli che quelli della ragione». «L'uso fa legge, qualunque siasi, quando sia universale e comune agli scrittori e al popolo..; Ma se una nazione separata in diverse provincie, senza una capitale ch'eserciti veruna giurisdizione monarchica sopra le altre, avrà un dialetto principale e una lingua comune, l'uso anche generale del dialetto primario non potrà dirsi

---

[57] V. gli *Appunti di lingua* pubblicati da C. Jannaco, Torino 1946.
[58] E del resto, nella satira «I pedanti», l'Alfieri deride Don Buratto: «Ed io gliel dico, che il verbo *vagire* – non è di Crusca...».

autorizzato dal consenso della nazione, e accolto nella lingua comune»
(III, 11, 1).

Dimostrato che l'Italia deve «affrancarsi per sempre dalla gabella
delle parole bollate come gl'insurgenti d'America si affrancarono da
quella della carta» (IV, 13), e quindi rifiutare l'ossequio al Vocabolario
della Crusca, finisce col proporre un Consiglio nazionale della lingua,
in cui all'Accademia fiorentina si affianchino dei Consigli provinciali, e
tutti insieme risolvano le questioni attinenti alla lingua, per «depurare
e accrescere l'erario di essa e mantenerla in uno stato di giudiziosa
libertà e di sana e florida vitalità»; Si sarebbe dovuto compilare un
grande vocabolario fondato su nuovi principii. Fra l'altro, ove si fosse
osservata la mancanza di un vocabolo per esprimere un dato concetto,
si sarebbe dovuto scegliere tra i vari termini dialettali «il più chiaro, il
più comune, il meglio dedotto, il più espressivo, il più conveniente».

Fu osservato che così si tornava a un'altra «gabella», se pur più
ragionevole e moderata. Ma è anche vero che fin che non si fosse
formato naturalmente, in tutta l'Italia, un uso linguistico vivo, era bene
cercare di promuoverlo, sia pure per via accademica.

Le maggiori critiche vennero al Cesarotti per il suo atteggiamento
rispetto al francesismo. Benché a più riprese egli si pronunzi contro
l'afflusso di tanti francesismi inutili, benché egli trovi che il seguir
troppo davvicino il gusto francese nella costruzione diretta dei periodi
rende la lingua soverchiamente logica[59], pure l'illustrazione dei principii secondo i quali un popolo che riceve da un altro alimenti di pensiero
ne riceve anche parole, sembrò un'approvazione data a ogni licenza[60].

Contro il Cesarotti è principalmente rivolto il trattato *Dell'uso e dei
pregi della lingua italiana* (Torino 1791) del conte Gianfrancesco
Galeani Napione, il più noto tra i letterati che partecipavano alle due
Accademie torinesi dette la Sampaolina e la Filopatria[61]. L'opera è
principalmente rivolta a far adoperare l'italiano in luogo del latino e
del francese per tutti quanti gli usi: ma non vi mancano considerazioni
sia contro il lassismo del Cesarotti, sia contro l'Accademia della
Crusca, che «si pretese di esercitare la più dura tirannide che mai si
fosse».

Altro fiero avversario del lassismo è Carlo Gozzi, il quale aveva
fondato l'Accademia serio-faceta dei Granelleschi per «tener fermo lo
studio in su gli antichi maestri, ferma la semplicità e l'armonia
seduttrice dell'eloquenza sensata, e ferma scrupolosamente la purità
del nostro litterale linguaggio»[62]. Queste sono le idee fondamentali

---

[59] Tuttavia il Cesarotti è anche più severo contro le trasposizioni di tipo
boccaccesco (cfr. Viscardi, art. cit., p. 214).

[60] Il *Saggio* va integrato con i *Rischiaramenti apologetici* e con la lettera al
Napione (*Opere*, I, pp. 158-197 Ortolani).

[61] Sull'attività filologica delle due accademie, v. C. Calcaterra, *Il nostro
imminente Risorgimento*, Torino 1935, pp. 447-519.

[62] *Memorie inutili*, parte I, c. XXXIII.

della sua *Chiacchiera intorno alla lingua litterale italiana* e dei
Ragionamenti sopra una causa perduta, che rimasero a suo tempo
inediti[63].

Sulle polemiche suscitate dall'irruzione dei gallicismi, ci soffermeremo più oltre (§ 10). Queste discussioni sulla norma da tenere in fatto di
lingua (toscanismo e antitoscanismo, simpatia o antipatia verso l'arcaismo, rigorismo o lassismo nell'accogliere termini nuovi, specialmente
francesi, ecc.) naturalmente non si presentano sole, ma legate a
problemi stilistici (Arcadia e Antiarcadia, frugonianismo o no) e
culturali (espandersi delle scienze e nascita di nuovi termini scientifici);
ma in sostanza le dispute ci rivelano quanto profondi erano i dissensi
fra quelli che erano meglio in grado di riflettere sul passato e l'avvenire
della lingua italiana, quanto grave insomma era la crisi di essa.

7. *Grammatici e lessicografi*

I grammatici e i lessicografi, per lo più legati a concezioni rigidamente conservatrici, presentano assai scarse novità.

In mezzo a numerose compilazioni trascurabili notiamo le due
grammatiche di Girolamo Gigli, l'anticruscante: *Regole per la toscana
favella*, Roma 1721, e *Lezioni di lingua toscana*, Venezia 1724, la prima
in forma di dialogo, seguita da alcuni esercizi in cui sono corrette le
espressioni errate o discutibili, e da un repertorio ortofonico, la
seconda in forma di trattato, con i medesimi esercizi. I due volumi di N.
Amenta, *Della lingua nobile d'Italia*, Napoli 1723-24, discutono minutamente problemi grammaticali e lessicali, con principale riguardo al
fiorentino trecentesco. D. M. Manni tratta di molti punti grammaticali
e retorici controversi (con discussioni su passi di scrittori, lezioni di
codici e di edizioni) nelle *Lezioni di lingua toscana*, Firenze 1737 (3ª ed.
rinnovata, Lucca 1773).

La grammatica descrittiva che ebbe maggior fortuna fu quella del
p. S. Corticelli, *Regole ed osservazioni di lingua toscana ridotte a
metodo*, Bologna 1745.

Poi, specialmente per influenza di Port-Royal e dei sensisti[64],
incomincia la voga delle grammatiche ragionate: ricordiamo quella del
p. F. Soave, *Grammatica ragionata della lingua italiana*, Parma 1770, e,
con insistenza ancor maggiore sui rapporti fra grammatica e logica,
quella dell'ab. I. Valdastri, *Corso teoretico di Logica e Lingua italiana*,
Guastalla 1783[65].

---

[63] V. l'ed. di N. Vaccalluzzo, Livorno 1933, e cfr. A. Accame Bobbio, «C. Gozzi e
la polemica su la lingua italiana», in *Convivium*, 1951, pp. 31-58.

[64] È l'età in cui l'algebra è considerata modello delle lingue: «nous raisonnons
avec des mots comme nous calculons avec des chiffres, et les langues sont pour
les peuples ce qu'est l'algèbre pour les géomètres» (Condillac, discorso preliminare al *Cours d'études*).

[65] Per notizie più minute si veda C. Trabalza, *Storia gramm.*, capp. XI-XIV.

Al centro dell'attività lessicografica è tuttora l'Accademia della Crusca, benché la sua autorità, come s'è visto, sia contestata da molti. La quarta edizione uscì in Firenze in sei volumi, dal 1729 al 1738: vi avevano lavorato principalmente A. M. Salvini (che cita assai largamente esempi tratti dalle sue proprie opere), Giuseppe Averani, Giovanni Bottari, Domenico Maria Manni e molti altri, servendosi anche di spogli del Redi e del Cionacci. Fu allargata la serie degli autori citati, divisi in due classi (quelli del buon secolo, e quelli allegati per aggiunta o per conferma); molte definizioni furono migliorate.

L'uscita della nuova edizione rinfocolò le dispute fra partigiani e avversari. Fu più volte ristampata (non so se mai recitata, perché mi pare impossibile che regga sulla scena) la tragicommedia attribuita a B. Marcello, *Il Toscanismo e la Crusca o sia Il Cruscante impazzito*, Venezia 1739 (v. p. 461). Il p. G. P. Bergantini iniziò, quasi in gara con l'Accademia, spogli copiosissimi. Rimase in tronco il suo immenso repertorio *Della volgare elocuzione*, essendone uscito solo il primo volume con le lettere A e B (Venezia 1740). Una certa utilità, benché le citazioni siano troppo sommarie, hanno anche le altre sue raccolte: *Voci italiane d'autori approvati dalla Crusca nel Vocabolario d'essa non registrate, con altre molte appartenenti per lo più ad arti e scienze*, Venezia 1745; *Voci scoperte e difficoltà incontrate sul Vocabolario ultimo della Crusca*, Venezia 1758; *Raccolta di tutte le voci scoperte sul Vocabolario ultimo della Crusca*, Venezia 1760; *Scelta d'immagini o saggio d'imitazione di concetti*, Venezia 1762.

La Crusca stessa pensava a una nuova edizione, ma ancora rimanendo molto attaccata al suo tipo tradizionale: nel 1741 Rossantonio Martini teneva un *Ragionamento... per norma di una nuova edizione del Vocabolario toscano* (stampato più tardi, Firenze 1813). Si fecero anche ristampe non ufficiali del Vocabolario, con un piccolo numero di giunte, a Napoli (1746-48)[66] e a Venezia (1763).

Poi le voci dei malcontenti finirono con l'avere il sopravvento, e Pietro Leopoldo il 7 luglio 1783 soppresse l'autonomia dell'Accademia della Crusca, fondendola con l'Accademia Fiorentina e con quella degli Apatisti, sotto l'unico nome di Accademia Fiorentina[67]. L'ab. Giulio Perini, vicesegretario, nel discorso inaugurale inneggiava alla «nuova libertà», e nell'anno seguente il p. Ildefonso Frediani presentava un *Piano... per la nuova compilazione del Vocabolario*[68], in cui proponeva di far larga parte alle voci tecniche, mentre dei barbarismi si sarebbe semplicemente compilata una tavola, indicando le equivalenti «voci buone». Nel 1786 gli Accademici a ciò deputati scelsero parecchi

---

[66] Cfr. anche la *Giunta di vocaboli raccolta dalle opere degli autori approvati dall'Accademia della Crusca*, [Napoli] 1751.

[67] Si veda il testo del motuproprio di P. Leopoldo in *Atti Acc. Crusca*, 1909-10, pp. 73-75.

[68] Anch'esso pubblicato solo più tardi (Firenze 1813).

scrittori da spogliare per la futura ristampa[69]. Ma il progetto non ebbe alcun séguito.

Invece un privato, l'abate nizzardo Francesco D'Alberti di Villanuova, che già aveva tradotto dal francese il *Dictionnaire du citoyen* di H. Lacombe de Prezel, Parigi 1761 (*Dizionario del cittadino*, Nizza 1763, più volte rist.)[70] e compilato un ampio dizionario francese-italiano e viceversa (1772, molte volte rist.), riusciva a portare a compimento, benché non a vedere interamente edito prima della sua morte, un *Dizionario universale critico-enciclopedico* (Lucca 1797-1805). Gli spogli nuovi sono molti, ma le citazioni sono non di rado inesatte e incomplete. Sono anche incluse numerose voci dell'uso, senza attestazioni di scrittori. La maggior novità consiste nella larga inclusione delle voci scientifiche e di arti e mestieri: il D'Alberti aveva percorso la Toscana intrattenendosi con artieri e maestranze; e così il suo è il primo grande vocabolario italiano che rimedii alle lacune della Crusca in questi campi del lessico.

Molti già si erano lamentati della mancanza di vocabolari speciali[71] e alcuni avevano cercato di provvedervi direttamente, come il Vallisnieri (del *Vocabolario filosofico-medico* da lui iniziato ci resta il *Saggio alfabetico d'istoria medica, e naturale: Opere*, III. Venezia 1733, pp. 364-481) e il Pasta (*Voci, maniere di dire e osservazioni di toscani scrittori ... che possono servire d'istruzione ai giovani nell'arte del medicare...*, Brescia 1749)[72]; molti si erano dati a tradurre vocabolari speciali francesi[73].

Tenta un diverso ordinamento lessicale G. A. Martignoni nel *Nuovo metodo per la lingua italiana la più scelta*, 2 voll., Milano 1743-50, in cui sono distribuite in paragrafi metodicamente ordinati tutte le voci della Crusca.

Merita anche ricordare la raccolta di S. Pauli, *Modi di dire toscani*, Venezia 1740, e il vocabolario dei sinonimi di C. Rabbi, *Sinonimi ed aggiunti italiani*, 2 voll., Venezia 1751.

Fra i dizionari bilingui vanno menzionati almeno quei due che ebbero numerose ristampe sia nel Settecento sia nel secolo successivo: quello italiano-inglese e viceversa del Baretti (1760) e quello già citato di F. D'Alberti, italiano-francese e viceversa (1772).

---

[69] Da varie parti si insisteva per l'allargamento del canone, e specialmente per una più larga inclusione nei futuri lessici di spogli di scrittori non toscani: v. specialmente Cesarotti, *Saggio*, IV, xvi, 9.

[70] P. Ciureanu, «Il *Dictionnaire du citoyen* e la sua traduzione italiana», in *Boll. Fac. econ. e comm. Univ. Genova*, III, 1954, pp. 69-87.

[71] Ne parla ad es. Antonio Vallisnieri iunior nell'edizione degli scritti di suo padre (*Opere*, III, p. 363).

[72] Il *Dizionario delle arti e dei mestieri* di G. Griselini, continuato poi dall'ab. M. Fassadoni, 18 voll., Venezia 1768-1776, è, più che un dizionario, un'enciclopedia tecnica.

[73] C. Battisti, *Note bibliografiche alle traduzioni italiane di vocabolari francesi enciclopedici e tecnici francesi nella seconda metà del Settecento*, Firenze 1955.

8. *Latino e italiano*

L'italiano continua a guadagnar terreno sul latino[74], ma la lingua antica ha ancora in molti campi posizioni fortissime.

Nelle belle lettere, dove l'italiano ormai predomina, si scrive in latino persino di argomenti che per la loro attinenza con la vita quotidiana sembrano richieder piuttosto il volgare: si pensi alle satire del Cordara (che continuano la tradizione del Sergardi). Quasi solo in latino sono redatte le iscrizioni; il Gravina scrisse in latino arcaizzante le leggi dell'Arcadia.

Nelle opere di erudizione storica il latino è largamente adoperato: il Muratori si serve dell'una e dell'altra lingua (e dopo aver scritto in latino le *Antiquitates Italicae Medii Aevi*, Milano 1738-43, le compendia egli stesso in italiano nelle *Dissertazioni sopra le antichità italiane*, pubblicate postume, Milano 1751-55); il Vico scrive dapprima di preferenza in latino e solo tardi passa all'italiano; il Fabroni scrive in latino biografie di secentisti e settecentisti (*Vitae Italorum doctrina excellentium qui saec. XVII et XVIII floruerunt*, Pisa 1778 segg.), ecc. Nell'antiquaria, A. F. Gori pubblica in latino le sue raccolte, mentre G. Lami scrive in italiano le sue *Lezioni di antichità toscane*, Firenze 1766 e L. Lanzi il *Saggio di lingua etrusca*, Roma 1789.

In molti campi delle scienze, parecchie opere fondamentali sono ancora scritte in latino. Gli atti dell'Istituto di Bologna sono redatti per molti anni in quella lingua da F. M. Zanotti (*De Bononiensi Scientiarum et Artium Instituto Commentarii*, Bologna 1731-1791); persone note anche nel campo delle lettere italiane scrivono opere scientifiche in latino: E. Manfredi, *Ephemerides motuum coelestium*, Bologna 1715-1750, L. Mascheroni, *Adnotationes ad calculum integrale Euleri*, Pavia 1790-92.

Quasi tutte le trattazioni botaniche sono in latino (P. A. Micheli, *Nova plantarum genera*, Firenze 1720, ecc.), pochissime in italiano (per es. l'*Istoria delle piante che nascono ne' lidi intorno a Venezia* di G. G. Zannichelli e di suo figlio, Venezia 1735: cfr. pp. 499-500, n. 204).

Qualche opera si presenta con un testo bilingue: così per es. l'*Istoria dell'incendio del Vesuvio accaduto nel mese di maggio dell'anno 1737*, scritta per l'Accademia delle Scienze, Napoli 1738, è redatta per ordine del re Carlo III (VII) «non solo in volgare, ma in latino ancora... per soddisfare al genio de' Signori Oltramontani».

Nel diritto, le opere teoriche sono spesso in latino: si ricordi ad es. il trattato del Gravina, *Originum iuris civilis libri tres*, Lipsia 1708. La legislazione dei vari stati è di regola in volgare: una codificazione bilingue (latino-italiana) si cominciò a elaborare nel regno di Napoli per ordine del re Carlo III (VII) ad opera di Giuseppe Pasquale Cirillo e

[74] Si ha un maggior numero di opere scritte in latino al principio che alla metà del secolo (G. Maugain, *Essai sur l'évolution intellectuelle de l'Italie de 1657 à 1750*, Parigi 1909, p. 372).

di altri giureconsulti, ma questo *Codice carolino* non fu poi mai promulgato[75].

Negli Stati Sabaudi, la legislazione è in italiano per i paesi cisalpini. Si sa che qualche giudice persisteva ancora nel Settecento a scrivere sentenze in latino[76].

Nella Chiesa, l'uso del latino è sempre larghissimo; esclusivo nel campo liturgico, anche se qualche voce si faccia udire per richiedere la celebrazione della Messa in volgare[77]. La lettura della Bibbia in versioni approvate è ormai consentita da un decreto di Benedetto XIV (1757)[78].

Nell'insegnamento secondario il latino ha una parte grandissima, sia come materia di studio, sia come lingua strumentale. Molti vorrebbero far sì che l'italiano non gli rimanesse addietro: il Muratori lo chiede[79]; nel Piemonte il Magistrato della Riforma ordina nel 1729 che nelle scuole fuori dell'Università lo studio della lingua latina proceda di pari passo con quello dell'italiana[80]; in Lombardia A. Volta si lagna (1775) perché lo studio della lingua italiana «non meno a torto che imperitamente si è trascurato, e si trascura tuttavia dai nostri Fidenzj, vaghi solo dell'idioma in *or* e in *us*»[81]; a Napoli il p. N. Onorati[82] si lagna che nelle scuole «tutta l'applicazione si circoscriva a' rudimenti della lingua del Lazio», trascurando lo studio ben più doveroso della lingua materna.

Chiedono che l'italiano abbia la preminenza sul latino il Carli, il Gorani, il Filangieri, il Gozzi[83].

Nelle università l'insegnamento continua a essere impartito di regola in latino[84]; e fece molto scalpore a Napoli il fatto che Antonio

---

[75] P. Del Giudice, *Storia del diritto italiano, Fonti*, II, Milano 1923, pp. 55-57.

[76] Galeani-Napione, *Dell'uso e dei pregi*, I, p. IX.

[77] IG. M. Isotta], *Della Messa in lingua volgare*, Vercelli 1788. I giansenisti italiani, com'è noto, volevano che i fedeli partecipassero attivamente alle cerimonie sacre rispondendo al clero in italiano.

[78] E i giansenisti raccomandavano una quotidiana lettura della Sacra Scrittura in italiano (cfr. C. A. Jemolo, *Il Giansenismo in Italia*, Bari 1928, p. 253 e 283).

[79] «...via maggior profitto si recherebbe al pubblico da chi ha cura in Italia d'ammaestrar nelle lettere la gioventù, se nell'insegnar la lingua latina si volesse, o sapesse nel medesimo tempo insegnar l'Italiana»: Muratori, *Della perfetta poesia ital.*, Modena 1706, p. 106.

[80] T. Vallauri, *Storia delle Università degli studi del Piemonte*, III, Torino 1846, p. 90.

[81] Relazione al Firmian, pubbl. da M. Gliozzi, in *Rassegna di cultura e vita scolastica*, novembre 1953, p. 10.

[82] Nella sua mediocre compilazione *Dizionario di voci dubbie italiane*, Napoli 1783.

[83] G. Calò, *Dall'umanesimo alla scuola del lavoro*, I, Firenze 1940, p. 221, 225-26, 228, 231, 267.

[84] A Torino la persistenza del latino ha una particolare giustificazione: frequentano l'università sia studenti che provengono dai territori cisalpini dello stato, di lingua italiana, sia studenti che provengono dai territori transalpini, di

Genovesi nel novembre del 1754 tenesse in italiano le lezioni della nuova cattedra di Economia civile, fondata da B. Intieri con la precisa condizione che le lezioni si dovessero tenere in italiano[85].

Naturalmente, secondo la tradizione delle diverse città, la posizione del latino è in ciascuna di esse più o meno salda. Si pensi al modo in cui vede la situazione bolognese il Goldoni: egli dice, in una lettera del 1762: «*nihil inveni*. Detto qualche parola latina perché sono in Bologna, dove parlano latino ancora le donne, ed intendono i cani e i gatti» (*Opere*, ed. Mondadori, XIV, p. 250).

Gaetana Agnesi, dovendo discutere di matematica e di fisica con un collega francese, si trova più a suo agio a parlare latino che francese[86]. Non mancano le lettere, gli articoli, le dissertazioni sull'opportunità di scrivere o nell'una o nell'altra lingua, specie in quei campi come la filosofia, l'erudizione, le scienze, in cui ancora la partita era incerta: il Vallisnieri[87] e l'Algarotti[88] sostengono che si debba preferire l'italiano, il p. G. Lagomarsini[89] difende l'uso del latino[90]. Ma più che queste dispute, per loro natura un po' declamatorie, è l'uso effettivo che conta.

9. Uso scritto dei dialetti

Mentre le parlate locali vigoreggiano, l'uso scritto dei dialetti non è una manifestazione di popolani, ma di letterati, ben consci di servirsi a fine d'arte di un mezzo particolare che offre determinate risorse e che permette di rivolgersi, sia pure in un àmbito geograficamente più ristretto, a strati un po' più profondi (se non proprio al popolo).

lingua francese (Calcaterra, *Il nostro imminente Risorgimento*, cit., p. 489).

[85] «Grande fu la meraviglia in sentir dettare Italiano, finché essendomene accorto nello incominciare la spiegazione, dovetti incominciare de' pregi della lingua Italiana, e urtar di fronte il pregiudizio delle scuole d'Italia...»: lettera a G. De Sanctis, 23 nov. 1754, nella biografia premessa alle *Lezioni di economia civile*, ed. Custodi, Milano 1803, p. 11. Le opere filosofiche del Genovesi sono per la maggior parte in latino; ma nel 1765 egli scriveva a un amico di star componendo un trattato di storia della filosofia per provare che la scienza e la filosofia possono «così parlare Italiano, come una volta parlarono Greco, e poi Latino» (*Lettere familiari*, Venezia 1787, II, p. 36).

[86] De Brosses, *Lettres d'Italie*, I, Dijon 1927, p. 87.

[87] Lettera ad A. Pegolotti, in *Opere fisico-mediche*, III, Venezia 1733, pp. 254-268.

[88] *Opere*, IV, Venezia 1794, pp. 3-28.

[89] In una *Oratio pro Lingua latina* del 1737, stampata nella *Raccolta d'opuscoli scientifici e filol.* del Calogerà, t. XVI.

[90] Il Salvini (*Disc. accademici*, III, Firenze 1733, pp. 62-63), dopo aver difeso l'italiano, consiglia tuttavia di scrivere in latino di cose scientifiche «per aver più gran Teatro, che ascolti». E il Denina nella *Bibliopea* (Torino 1776, p. 53): «Scrivendo unicamente per le persone dotte, e di materie assolutamente non popolari, dovrebbero usare piuttosto la lingua latina». V'è anche qualche difesa dell'utilità del latino contro le opinioni del D'Alembert (Girolamo Ferri, *Pro linguae latinae usu*, Faenza 1771).

Il carattere spiccatamente letterario di quest'uso scritto risulta anche dalla influenza della lingua poetica toscana ed aulica sui lirici dialettali, quasi tutti arcadici: influenza sensibile nei Veneti (Gritti, Lamberti), fortissima nel Meli[91]. Abbondano – e anche ciò conferma, se ce ne fosse bisogno, il carattere riflesso della letteratura dialettale – le satire (si ricordino i *toni* piemontesi), i poemi eroicomici, originali o tradotti in dialetto. Intenzioni popolaresche hanno gli almanacchi (G. Pozzobon di Treviso inizia il suo *Schiesón*).

Il teatro, mettendo in scena personaggi delle varie classi sociali, si accosta maggiormente al dialetto parlato in tutte le sue varietà: specialmente in un osservatore della realtà come il Goldoni. Ma piuttosto artificioso è l'alternarsi sulla scena di personaggi che parlano in dialetto con altri che parlano in lingua (quale si ha nel Goldoni, nel Chiari, in Carlo Gozzi). Anche nelle commedie toscane troviamo qualche personaggio con caratteri dialettali accentuati: per es. il Gigli nella commedia *Il marito più onorato del suo bisogno* abbonda in idiotismi fiorentini e senesi nei personaggi di Ser Lapo notaio e di Prizia servetta. La figura del contadino Ciapo, che il Fagiuoli introduce in parecchie sue commedie sottolineandone le caratteristiche rusticali, piaceva a Firenze ma non fuori[92].

Quanto alla possibilità di un uso «serio», «nobile», «ufficiale» del dialetto scritto, esso è incompatibile con la posizione che l'italiano ha ormai acquistato. Se a Venezia esiste ancora un uso nobile e ufficiale, esso si ha solo nell'uso forense parlato, ed è antistorico appellarsi al confronto col «patriotico zelo de' veneziani» per tentar di sollevare il dialetto napoletano a uso analogo, come auspicava il Galiani (*Del dialetto napoletano*, rist. Nicolini, p. 7; v. qui addietro al § 4). Né più consistente era stato il proposito dell'Accademia dei Pescatori Oretei di Palermo, fondata nel 1745 con lo scopo di «raffinar sempre più la siciliana favella»[93]: basti dire che era prescritto che i discorsi si facessero in italiano.

Sul valore e la funzione dei dialetti, fu discusso specialmente nella polemica suscitata dal p. Onofrio Branda: e il Parini giustamente lo rimproverò d'aver deriso «quel linguaggio, che essendo e il più naturale e il più puro e incorrotto della nostra città, è conseguentemente da riputarsi il più bello» (*Prose*, I, p. 55 Bellorini; v. qui addietro al § 6).

Parecchi dizionari dialettali si pubblicano nella seconda metà del secolo: il *Vocabolario bresciano e toscano* attribuito all'abate Gagliardi

---

[91] «Il Meli era persona colta e scriveva per persone colte: come la sua lingua poteva non essere colta?»: S. Santangelo, «La lingua di G. Meli», in *Studi su G. Meli*, Palermo 1942, pp. 81-163 (spec. p. 97).

[92] In un biglietto scritto al Fagiuoli per ordine della granprincipessa Violante si dice che essa «viene pregata da due nobili Veneziani del favore di due belle sue commedie... ma con questo però, che non vi sia Ciapo, che loro non se ne fanno altro» (M. Benci, *Il vero G. B. Fagiuoli*, Firenze 1884, p. 159).

[93] S. Santangelo, in *Studi su G. Meli*, cit., p. 102.

(Brescia 1759), l'anonima *Raccolta di voci romane e marchiane* (Osimo 1768), il *Vocabolario veneziano e padovano* del Patriarchi (Padova 1775, 2ᵃ ed. 1796), l'ampio *Vocabolario etimologico siciliano, italiano e latino* del Pasqualino (Palermo 1785-95), il *Vocabolario delle parole del dialetto napoletano che più si scostano dal dialetto toscano* di F. Galiani e F. Mazzarella Farao (Napoli 1789). Essi obbediscono, oltre che a scopi pratici, a un interesse almeno embrionalmente scientifico. Né mancano autori, come il Bettinelli e il Cesarotti, che vedono nella raccolta di voci dialettali la via per possibili incrementi del lessico nazionale.

10. Rapporti con altre culture e lingue europee

In un secolo cosmopolita è ovvio che la conoscenza di qualche lingua straniera sia indispensabile alle persone colte. Molti Italiani si rendono conto che restar fermi non è possibile: anche senza rinnegare le tradizioni della cultura rinascimentale che proprio in Italia e dall'Italia aveva sparso tanta luce, è necessario mettersi al passo con la cultura europea.

Per far questo, occorreva anzi tutto prender contatto con quella civiltà e quella lingua che nel Settecento avevano dilagato e tenevano l'egemonia in Europa, ritenendo d'aver raggiunto addirittura l'«universalità», cioè la civiltà e la lingua francese[94].

Convergono a creare quest'atmosfera fattori di vario ordine e di varia importanza. In primo luogo, l'ammirazione per la nuova filosofia razionalista, prima cartesiana, più tardi sensistica ed enciclopedistica; poi, la grande influenza politica, rafforzata da alcuni fatti importantissimi: l'installazione della dinastia lorenese a Firenze (1737) e quella di Filippo di Borbone (marito di Luisa Elisabetta, figlia di Luigi XV) come duca di Parma (1749). Ancor più forte sarà l'efficacia delle invasioni degli eserciti della rivoluzione, negli ultimi anni del secolo[95].

La letteratura francese è in auge: si leggono nel testo originale e si traducono gli scrittori dell'età di Luigi XIV e i contemporanei (Voltaire, Rousseau, Diderot e innumerevoli autori minori, di ogni genere, ma specialmente romanzi e novelle). Nei vari campi delle scienze si consultano opere francesi, si traducono, si riassumono in periodici fondati a tale scopo. L'Algarotti, lagnandosi del soverchio «clamore che levano i libri francesi», afferma che «ad essi si ha ricorso per ogni materia di studio; essi solo si leggono, ad essi si dà fede»[96]. «Dimandate

---

[94] Ci basti rinviare all'eccellente panorama di H. Bédarida e P. Hazard, *L'influence française en Italie au dix-huitième siècle*, Parigi 1934, e, con particolare riguardo ai problemi linguistici, alle ricche e lucide pagine di A. Schiaffini, *Momenti*, pp. 91-132.

[95] «La lingua francese, già stata la lingua dei *belli spiriti*, diventa la lingua dei patriotti e degli eroi» (Natali, *Il Settecento*, Milano 1929, p. 343).

[96] Lettera del 1752, in *Lettere filologiche*, cit., p. 115.

a un Libraio Opere Italiane – si lamenta Matteo Borsa[97] –; ei vi chiede perdono, ma per la difficoltà dello smercio questa classe è affatto mancante. Proponete una stampa: se non avrà tutta l'aria di una traduzione, o di copia perfin nel titolo spirante vezzi francesi, parrà che chiediate l'elemosina; tanto lo Stampator troverete superbamente fastidioso. Scorrete finalmente le case; v'incontrerete in libri stranieri ad ogni angolo, mentre i nostri buoni Italiani dormon coi Greci nelle pubbliche librerie». E il Cesarotti[98]: «la lingua franzese è ormai comunissima a tutta l'Italia: non v'è persona un poco educata a cui non sia familiare, e pressoché naturale: la biblioteca delle donne e degli uomini di mondo non è che francese»[99]. Non a torto perciò il Devoto ha intitolato «il nuovo bilinguismo» il capitolo dedicato al Settecento nel suo *Profilo*.

Per avere un'idea della parte considerevole che ebbero nella cultura italiana le compilazioni lessicografico-enciclopediche francesi, basta consultare il diligente repertorio che ne ha dato il Battisti (cfr. p. 519 n.): vi troviamo dizionari (talora pubblicati in più edizioni) di geografia, di erudizione storica (religiosa e profana), di matematica, di fisica, di chimica, d'industria, di commercio, d'agricoltura, di marina. E si sa che l'*Encyclopédie* di D'Alembert e Diderot fu per ben due volte ristampata in Italia in francese (con postille che miravano a smorzarne la tendenza anticristiana).

L'influenza francese si estende per tutta l'Italia, ma è particolarmente forte in due stati: il Piemonte, per la maggior vicinanza e per la struttura bilingue degli Stati Sabaudi[100], e Parma, diventata un centro d'irradiazione francese sotto Filippo di Borbone e il suo ministro Du Tillot.

Un potente tramite per la conoscenza del francese tra gli Italiani è lo stanziamento di numerosi Francesi nella penisola, specialmente in alcune città (come Parma) e per certe professioni (come i cuochi, i parrucchieri, i maestri di ballo, le modiste), la presenza di numerosi viaggiatori, ecc.

D'altronde molti Italiani viaggiano e si stabiliscono in Francia, o percorrendo vari paesi d'Europa, si valgono del francese come lingua internazionale. Fra essi non pochi lasceranno importanti scritti in francese, come il Galiani, il Goldoni, il Denina, il Lagrange.

[97] *Del gusto presente in letteratura italiana*, Venezia 1784, p. 18.

[98] *Saggio sulla filosofia delle lingue*, IV, XIII.

[99] Cesare Beccaria, facendo al suo traduttore, il francese Morellet, la storia della propria conversione dal «fanatismo» alla «filosofia» arriva a dichiarare: «Io debbo tutto ai libri francesi» (lettera del 1766, citata da Natali, *Il Settecento*, p. 269).

[100] Per ricordar solo un esempio, il savoiardo padre Gerdil, poi cardinale, passò molti anni della propria vita a Torino, come professore all'Università e precettore del futuro Carlo Emanuele IV: la maggior parte della sua opera d'insegnante e di scrittore si svolse in francese. Sappiamo dall'Alfieri, dal Galeani Napione, e da tante altre testimonianze che a Torino le classi più elevate si servivano quasi soltanto del francese o del dialetto.

Nei carteggi dell'epoca spesseggiano le lettere in francese, non solo con Francesi o con persone di altre nazioni, ma persino, qualche volta, tra Italiani[101].

L'influenza della cucina e della moda, specialmente femminile, si esercitò molto più per tramite di persone (e di cose) che per mezzo di libri. La *piàvola de Franza* («bambola francese»), esposta in Merceria a Venezia serviva come modello indiscusso. E, benché tutte queste manifestazioni vadano connesse tra loro, può ben accadere che l'aborrimento per i regicidi e i massacratori non tolga la curiosità per le ultime mode francesi, come in quelle dame satireggiate in un sonetto del Parini del 1793:

> Madamm, gh'ala quaj noeva de Lion?
> Massacren anch'adess i pret e i fraa
> quij soeu birboni de franzes, che han traa
> la legg, la fe e tutt coss a monton?
>
> ....
>
> A proposit; che la lassa vedé
> quel capell là che g'ha dintorna on vell:
> eel staa inventà dopo che han mazzaa el re?
> Eel el primm, ch'è rivaa? Oh bell! oh bell!
> Oh i gran franzes! Besogna dill, non gh' è
> popol, che sappia fa i mej coss de quell[102].

Fautori delle mode e dei vocaboli francesi sono anzitutto i giovani eleganti. P. M. Doria fa in un dialogo[103] «il ritratto di un petit maître italiano affettato laudatore delle massime e dei costumi dei *petits maîtres* oltramontani e cicisbei»; «certi giovanotti leziosi – avverte il p. Corticelli[104] – hanno introdotto nella lingua Italiana tante maniere oltramontane, che muovono a sdegno, ed a riso le persone di buon gusto»; il p. Rosasco[105] deplora «le parole franzesi, che tratto tratto uscendo di bocca, ricevute sono e ammirate come tante perle, e segnali di un bello spirito».

Due giovanotti di questo tipo ci sono presentati nel *Raguet*[106] di Scipione Maffei (1747). Ecco come parla Alfonso, nell'atto II sc. 3ª :

> Ed io *mi do l'onore*
> signor, di rendergli *un million di grazie.*

---

[101] Si vedano, per es., nel carteggio del Cesarotti, lettere in francese al Taruffi e al Toaldo. Il mineralogista Giorgio Santi teneva un diario in francese. Ecc.

[102] «El magon dii dam de Milan per i baronad de Franza», in *Poesie*, II, p. 278 Bellorini.

[103] *Lettere e ragionamenti varii*, t. II, parte 1ª, Perugia 1741.

[104] S. Corticelli, *Della Toscana Eloquenza*, giorn. I, disc. 2ª, Bologna 1752, p. 34.

[105] G. Rosasco, *Della lingua toscana*, Torino 1777, dial. VII.

[106] Sulle prime apparizioni del tipo del *Raguet*, v. il cap. IX, § 11. Per un'analisi dei francesismi della commedia del Maffei, v. M. Cigna, in *Lingua nostra*, XVIII, 1957, pp. 63-68.

È una gran *proprietà* la sua, di fare
agli stranier tanta *onestà*. Ciò *marca*
la bontà del suo cuore: *io farò in sorte*
che mi conosca sempre *tutto a lei.*

O Ermondo, nell'atto III, sc. 2ª:

Non le darò cibi plebei: guazzetti,
manicaretti, intingoli, stufati

....

Io le darò *ragù, farsì, gattò,*
cotolette, crocande; e niente cotto
sarà mai nello spiedo, ma *allo spiedo*
anzi *alla brocca.* Non farò la mala
creanza mai di far portare in tavola
un cappone, se non in *fricandò.*
Non mangerà fritelle, nè presciutti,
nè vil vivanda d'anitra, ma sempre
canàr, sambòn, bignè...

Un personaggio dell'anonima commedia *Lo spirito forte* (Venezia 1772) – irreligioso e franceseggiante – lusinga così una ragazza: «Occhi *bleu*, capelli biondi, è un prodigio in Italia; il vostro *teint* così bianco, e vermiglio, sorpassa quello delle Moscovite; la *taille* non ne ho veduta l'uguale».

Nella commedia di G. Gherardo De Rossi *Le sorelle rivali*, I, sc. 5 (*Commedie*, II, Bassano 1791) una contessa si rivolge ad altri due personaggi: «Luigia voi qui? Voi in *rendevù* col Marchese? E non *vengo di avervi detto* ieri sera ch'egli non è per voi? e tu (*a Colombina*) che *rollo* giocasti fra loro?» ecc.

In testi di questo genere, l'intento satirico porta a esagerare il numero e la qualità degli esempi (si sarà detto davvero qualche volta *alla brocca* per *à la broche*?), ma un'idea possiamo farcela lo stesso[107].

La penetrazione nella lingua quotidiana si valuta bene attraverso testi poco letterari, come i carteggi[108], gli appunti personali[109], e simili.

Notevole è la presenza di numerosi francesismi nei dialetti[110], ma

---

[107] È interessante notare che qualche volta i personaggi meno colti fingono di non capire: così spesso nel *Raguet;* così in Goldoni (*Figlia obbediente*, I, sc. 13): «Tiò, Lumaga averzi quel *cofrefort.* – Che significa questa parola? – Eh poverazzi! Vualtri in Italia non savé gnente. Cofrefort è parola tedesca, vuol dir... Quel coso che là – Uno scrignetto, un bauletto».

[108] I francesismi pullulano, ad esempio, nel carteggio dei fratelli Verri, mentre sono molto rari nelle lettere del ministro B. Tanucci, toscano di nascita e antifrancese in politica: tuttavia anche lui adopera ad es. *rotina* (lett. al Galiani del 1767, II, p. 72 Nicolini) e, a proposito dell'Arno, il verbo *debordare* (lettera al Viviani del 1769, p. 178 Viviani).

[109] «*Bandò* o nastro da notte o ricamato a caratteri amorosi dalla bella», negli appunti del Parini per il *Vespro* e la *Notte* (I, p. 269 Bellorini).

[110] Lo Schiaffini (*Momenti*, p. 114) ricorda numerosi esempi milanesi, mantovani, veneziani. Per l'Italia mediana, dà molti francesismi la citata *Raccolta di voci romane e marchiane*, Osimo 1768.

anche ai Fiorentini se ne rimproverava l'abuso[111]. L'influenza è così generale, che non c'è chi vi sfugga. Si potrebbe, sì, fare una lista di francofili e di francofobi, in politica e in letteratura, ma non sempre le intenzioni dichiarate collimano con la maggiore o minore accoglienza fatta ai francesismi. L'Algarotti, in una lettera del 1756[112], biasima il Redi e il Salvini che hanno adoperato *fare il diavolo a quattro*, *mettere una cosa sul tappeto*, rimprovera il Magalotti che avrebbe voluto accogliere *faire les yeux doux, le petit maitre, la prude*; si lagna, nel *Discorso sopra la ricchezza della lingua italiana ne' termini militari*, dell'abbondanza dei francesismi nelle scritture d'argomento militare; in un'altra lettera del 1763[113] deplora che i Fiorentini usino *dettaglio, regretto, debosciato*, ecc. Eppure a sua volta egli scrive *capo d'opera, colpo d'occhio, cochetta, il poema il più galante che ci sia*, ecc. Il Bettinelli, che nel poemetto sulle *Raccolte* biasima che siano venuti

> i franzesismi in abito italiano
> ....
> *fripponi* armati di stranier *ramaggio*
> a *culbuttare* tutto il buon linguaggio[114]

e altrove se la prende contro «i Targioni, i Grazzesi... e tali altri nei quali trovo or parole, or frasi franzesi»[115], ne adopera a sua volta a decine.

Queste osservazioni non vogliono essere postumi rinfacci personali, ma solo mostrare quanto permeata di francesismo fosse tutta la cultura del tempo[116].

L'influenza inglese, per quanto senza confronto meno ampia di quella francese, è pure assai considerevole[117], e dovuta a un'ammirazione (che in alcuni diventa addirittura una mania) per molti aspetti della vita inglesi: le istituzioni, la filosofia (Newton è universalmente ammirato, Locke e Hume suscitano contrasti), le scienze, la letteratura, l'industria. Contribuiscono a diffonder notizie (e quindi vocaboli) i

[111] «Un giardino – quale il Toscano anch'ei *Parterre* chiama – da poi che l'Arno è fatto parigino» (T. Valperga di Caluso, *Il Masino*, Torino 1791, XI, 57).

[112] *Lettere filologiche*, cit., pp. 126-129.

[113] *Lettere filologiche*, cit., p. 183.

[114] *Opere*, XVII, p. 48.

[115] *Opere*, I, p. 62.

[116] Altri molti, oltre a quelli che abbiamo avuto occasione di citare, polemizzano contro l'irruzione dei francesismi: Matteo Borsa, Carlo Gozzi, ecc. Alla fine del secolo interveniva a sostenere le tesi puristiche anche un critico tedesco, F. Haupt (la cui *Lettera sull'infranciosamento della lingua italiana* fu ripubblicata da P. Fanfani, Firenze 1871, e studiata da A. Buck, *Zeitschr. rom. Phil.*, LXIX, 1956, pp. 123-129).

[117] La esaminò con ricca informazione e con acume A. Graf, *L'anglomania e l'influsso inglese in Italia nel sec. XVIII*, Torino 1911.

viaggi degli Inglesi in Italia (nel «giro d'Europa», di moda nei ceti più ricchi) e i viaggi e talvolta lunghi soggiorni di non pochi Italiani in Inghilterra (Cocchi, Rolli, Angiolini, Rezzonico, Alfieri e tanti altri); l'influenza più efficace nell'una e nell'altra direzione fu forse quella del Baretti. Cresce rapidamente in Italia il numero di quelli che sanno l'inglese[118].

Si traducono Pope (più volte), Addison, Defoe, Richardson, Swift, Sterne, Young. Si comincia (piuttosto tardi) a conoscere e a tradurre Shakespeare. Dilagano le traduzioni di romanzi, per lo più, tuttavia, fatte senza conoscere l'inglese[119]. Si divulgano le compilazioni enciclopediche (la *Cyclopaedia* del Chambers fu tradotta tre volte).

Soprattutto negli ultimi decenni del secolo i preromantici sono sotto l'influenza dei motivi dominanti allora nella letteratura inglese: la melanconia, la notte, la morte.

Non meno che ai letterati, l'inglese diventa necessario ai commercianti, per l'importanza presa appunto in questo secolo dal commercio dell'Inghilterra nel Mediterraneo. Circolano sui mercati italiani, stoffe, ceramiche, orologi di produzione inglese.

La conoscenza dello spagnolo, in confronto col secolo precedente, è in regresso, benché gruppi filospagnoli non manchino. Poca influenza hanno le due dinastie borboniche trapiantate dalla Spagna: quella di Parma è promotrice d'influenze francesi, presso quella di Napoli lo spagnolo scompare definitivamente dagli atti della cancelleria dopo che Ferdinando IV si è emancipato (1767) dalla tutela del padre[120].

In Sardegna, dopo il passaggio alla casa di Savoia, lo spagnolo perde terreno, ma lentissimamente: solo nel 1764 l'italiano diventa lingua ufficiale nei tribunali e nell'insegnamento[121]. Una raccolta di *Editti, pregoni ed altri provvedimenti...*, 3 voll., Cagliari 1775, dà a tutte le leggi emanate nell'ultimo cinquantennio in testo italiano, comprese quelle che erano state emanate in spagnolo[122].

Ricevettero più che non dessero (linguisticamente) i gesuiti spagnoli stabilitisi in Italia dopo la soppressione della Compagnia di Gesù.

La conoscenza del tedesco è molto scarsa, malgrado la potente influenza politica esercitata dall'Austria, e il conseguente scambio di persone e i viaggi non rari nelle due direzioni. Solo tardi, in età preromantica, si comincia ad aver notizia di alcuni autori tedeschi e se ne fanno traduzioni[123].

---

[118] Per citar solo un esempio, ricordiamo la lettera del Baretti al canonico Agudio (aprile 1754), in cui dice di aver saputo «che in Milano si è introdotta ora la moda per le dame di studiar la lingua inglese» (*Epistol.*, I, p. 98 Piccioni).

[119] «Le traduzioni italiane erano, nove volte su dieci, traduzioni di traduzioni francesi» (Graf, *L'anglomania*, cit., p. 242).

[120] F. Nicolini, nota a F. Galiani *Del dialetto napol.*, cit., p. 114.

[121] M. L. Wagner, *La lingua sarda*, Berna [1951], p. 187.

[122] P. Del Giudice, *Storia del diritto ital.* cit., *Fonti*, II, p. 18.

[123] Ma G. Gozzi traduce la *Morte di Adamo* di Klopstock da una versione

Quanto alla conoscenza dell'italiano nelle altre nazioni europee, essa è tuttora discreta tra le persone colte. In un secolo musicale come il Settecento, era bello conoscere la lingua in cui erano scritti i libretti di quasi tutte le opere: «Qui – scrive il Baretti da Londra al can. Agudio (8 agosto 1754) – la lingua italiana va ripigliando terreno, mercé dell'Opera che si è finalmente ristabilita». E vi era chi imparava l'italiano per leggere gli scritti scientifici[124].

Numerosi avventurieri e alcuni uomini di prim'ordine – un Baretti a Londra, un Goldoni a Parigi, un Metastasio a Vienna – contribuiscono a far conoscere la nostra lingua.

Per la Francia, Voltaire giudicava l'inglese e l'italiano «les deux langues de l'Europe nécessaires à un journaliste»[125] ed egli stesso (benché il Baretti lo contestasse) conosceva discretamente l'italiano[126].

Il Goldoni, stendendo nel 1783 un manifesto per un *Journal de Correspondance Italienne et Françoise* (che poi non vide la luce) dichiarava: «Cette Langue est en vogue en France plus que jamais. Le goût de la nouvelle musique y a beaucoup contribué; les Bibliothèques à Paris abondent en Livres Italiens, on les lit, on les goûte, on les traduit, et les voyages des Français sont devenus plus fréquens» (*Mémoires*, III, cap. 35)[127].

Non molto diversamente vanno le cose in Inghilterra[128], in Olanda[129], in Baviera, in Austria, ecc.[130]. Non si dimentichi che alla corte di Vienna è viva la tradizione del «poeta cesareo», che deve scrivere melodrammi in italiano.

---

francese, e il Monti (lettera a C. Vannetti, luglio 1778: *Epistolario*, I, pp. 51-52) crede che sia possibile tradurre Klopstock senza sobbarcarsi a studiare quella «lingua aquilonare».

[124] V. la testimonianza del Santi, cit. da F. Rodolico in *Lingua nostra*, V, 1943, p. 14.

[125] *Oeuvres complètes*, XXII, p. 261 (cit. da Brunot, *Hist. de la langue française*, VI, p. 1224).

[126] E. Bouvy, «Voltaire et la langue italienne», in *Voltaire et l'Italie*, Parigi 1898. Di recente sono state scoperte, e pubblicate dal Besterman, delle *Lettres d'amour de Voltaire à sa nièce*, Parigi 1957, in un italiano molto scorretto.

[127] E altrove aveva testimoniato: «El linguaggio italian, con mio contento – caro deventa a la nazion francese, – e tutti i cortigiani e i parigini – cerca maestri e compra l'Antonini» (*La Piccola Venezia*, 1765): cfr. Folena, in *Lettere ital.*, X, 1958, p. 32.

[128] V. il capitolo di A. Graf, «Lingua e letteratura italiana in Inghilterra», nel citato volume su *L'anglomania*, pp. 80-104.

[129] Una lettera del banchiere lucchese Ottavio Sardi (1773) avverte che ad Amsterdam «la toscana favella... è moltissimo onorata e ben voluta, non essendovi, per così dire, dama o cavaliere di condizione che non ne sappia qualche cosa, o che non procuri di saperne. Già molte e molti la parlano molto bene, in particolare quei cavalieri che han viaggiato in Italia. Il Metastasio è in gran voga, ed è cognito tanto quanto in Italia...» (*Miscell. Lucch. di studi storici*, Lucca 1931, p. 333).

[130] V. le testimonianze raccolte da V. Santoli, in *Problemi e orientamenti*, IV, pp. 237-238.

Nell'Europa danubiana e nel Levante l'italiano ha funzioni di lingua internazionale: sappiamo per es. che il boiardo romeno Ienăchitză Văcărescu si servì dell'italiano scrivendo al feld-maresciallo russo Rumjancev che l'aveva fatto prigioniero (1770) e facendo da interprete ad altri boiardi presso Giuseppe II (1773)[131].

11. I fatti grammaticali e lessicali

Nel presentare i fatti più salienti della lingua del Settecento dobbiamo ancora una volta ripetere che le oscillazioni nell'uso scritto (e, tanto più, a quel che possiamo congetturare, nell'uso parlato) erano molto maggiori di ciò che possa ritenere uno che legga in edizioni moderne i soliti autori scelti fra i più noti. Un'ampia lettura di libri nelle edizioni originali (e più ancora di manoscritti del tempo) mostra che le disformità sono ben più notevoli.

Affiorano ancora largamente, nella lingua scritta dell'Italia settentrionale e di quella meridionale, peculiarità ricalcate sui rispettivi vernacoli; quanto al canone toscano, esso rimane assai incerto non tanto per la differenza che gli usi locali presentano, quanto perché le varianti della lingua scritta registrate dalla Crusca sono numerose e per lo più senza una netta dichiarazione di preferenza: vediamo per es. (nel primo volume della 4ª impressione) *acquidotto* e *aquidoccio*; *apostolo* e *appostolo*; *circonstanza* e *circostanza*, *circonstanzia* e *circostanzia*, *circunstanza*, *circunstanzia* e *circustanza*. Qualche volta la preferenza è indicata per mezzo di un rinvio: sotto *cirimonia*, vi è semplicemente un rimando a *cerimonia*.

Citiamo fra gli innumerevoli esempi di oscillazioni nell'uso che si potrebbero elencare, quelli che ci vengono sottomano. Ecco *principe - prencipe*; *delicato - dilicato*[132]; *miscuglio - mescuglio*; *burrasca - borrasca* (per es. in P. Chiari); *sbocciare - sbucciare* (sempre nel senso di «sbocciare»: per es. C. Gozzi, G. Meli); *unzione - onzione* (Vallisnieri); *diritto - dritto* (sost.); ecc. *Tremuoto* prevale di gran lunga su *terremoto*, *tuono* su *tono*.

O, per dare alcuni esempi di varianti consonantiche, abbiamo: *sacro - sagro*; *bruciare - abbrucciare* (Vallisnieri) - *brugiare* (Gigli, Algarotti) - *abbruggiare* (*Caffè*); *glandula - glandola - ghiandola*; *pranzo - pranso* (per es. Vallisnieri, Lazzarini, Chiari, Algarotti); *gengiva - gengìa*; *chirurgia - cirurgia - cirusia*; *congettura - conjettura - conghiettura*; *paralello - parallelo*, ecc. La *c* e la *z* davanti a vocale anteriore si scambiano in numerosissimi vocaboli, specialmente negli scrittori settentrionali: *francese - franzese*; *socio - sozio*; *commercio - commerzio*;

---

[131] R. Ortiz, *Per la storia della cultura ital. in Rumania*, Bucarest 1916, pp. 230-231.

[132] V. la discussione in [M. Regali], *Dialogo del Fosso di Lucca e del Serchio*, cit. pp. 33-35.

specie - *spezie* (nel senso di «spezie»); *speciale* - *speziale* (in ambedue i significati); *sufficiente* - *suffiziente* (Cesarotti); *bilanciare* - *bilanziare* (C. Gozzi); *pernicioso* - *pernizioso*; *Confucio* - *Confuzio* (S. Maffei), ecc.

Nel raddoppiamento consonantico vi era oscillazione specialmente nelle serie in cui l'uso toscano era diverso da quello latino: *academia* - *accademia*; *imagine* - *immagine*; *femina* - *femmina* (e viceversa *grammatica* - *gramatica*, *commodo* - *comodo*); *mattematica* - *matematica*; *opio* - *oppio*; *camelo* - *cammello*; *tolerare* - *tollerare*, ecc. Non era ancora stata fatta una scelta definitiva tra *procurare* e *proccurare*, *provedere* e *provvedere*; né fra *inalzare* e *innalzare*, *inoltrare* e *innoltrare*, *inondare* e *innondare*. Accanto a *autore*, *pratico* c'è chi scrive *auttore*, *prattico*, più conformi all'etimologia[133].

Nello scrivere le particelle composte (*sì che* – *sicché*, *tanto più* – *tantopiù*) i Toscani e i Meridionali potevano regolarsi sulla pronunzia per sapere se raddoppiare o no, mentre i Settentrionali spesso erravano. Di solito ormai s'ignora che *viepiù* non è altro che un *via più*[134] e si scrive *vieppiù* (Baretti, ecc.).

Ma anche in innumerevoli altre parole, dove la norma toscana era stabile e regolarmente registrata dai lessici, gli autori e i tipografi settentrionali raddoppiano o scempiano con estrema incuria (con particolare frequenza in posizione protonica e dove si susseguono due coppie di consonanti, ma anche altrove). Ecco, per es., *drapello* (Algarotti), *ippocondriaco* (Patriarchi), *trappellare* «trapelare» (C. Gozzi), *disabbitato* (Vallisnieri), *beffana*, *schiffo*, *soffà*, *zuffolare* (C. Gozzi), *stroffinare* (A. Verri), *Catterina* (*Caffè*), *reatino* «reattino» (Vallisnieri), *succido* (p. Branda), *flacidità* (Vallisnieri), *sfogio* (Beccaria), *diriggere* (Cesarotti), *compaggine* (Parini), *sceleragine* (Parini), *valetto* (Parini), *barille* e *regallo* (biasimati dal Baretti nel poemetto giocoso *La barcaccia di Bologna*), *guereggiare* (Beccaria), ecc. L'abate Chiari nelle sue commedie scrive *plebbe* per rimare con *vorebbe*, *vacche* con *lumacche*, *stuffa* con *baruffa*, *malvaggio* con *coraggio*, *non calle* con *spalle*, e, sicuro che gli attori veneti conguaglieranno recitando, mette insieme *quattro* con *teatro*, *brutto* con *aiuto*, ecc.

Forme facoltative si hanno spesso anche nelle terminazioni: *lapide* - *lapida*, *addome* - *addomine*, *mestiere* - *mestiero*, *pensiere* - *pensiero*, *magistero*- *magisterio*, *alveare* - *alveario*, *calesse* - *calesso*, *cioccolata* - *cioccolato* - *cioccolate* - *cioccolatte*, ecc.

S'intende che tutte queste varianti non sono del tutto indifferenti: un autore secondo la sua formazione culturale adopererà costantemente l'una piuttosto che l'altra, ovvero sceglierà l'una o l'altra secondo il proprio gusto o la conformità a un certo modello, ecc. Così il

---

[133] Il Maffei (*Rime e Prose*, Venezia 1719, Al Lettore) rifiuta esplicitamente *pubblico*; il Denina (*Bibliopea*, cit., pp. 107-108 n.) consiglia *imaginazione*, *rinovare*, *procurare*, *academia*; il Gigli (*Regole*, Prefazione) vuole *grammatica* e non *gramatica*.

[134] Ma nel Benvoglienti (*Opuscoli diversi*, Firenze 1721, p. 56) leggiamo *viapiù*.

Vico scrive *iconomia* piuttosto che *economia*, forse per amore di arcaismo; il Baretti adopera *lapida* perché trovava questa forma nel Berni e nel Cellini; il Parini preferisce *mercadante* perché questa variante gli sarà sembrata più adatta alla poesia (o forse per un preciso ricordo dell'Ariosto), ecc.

12. *Grafia*

Dagli ultimi decenni del Seicento si ha ormai una grafia non molto oscillante, essendosi placate le principali controversie.

L'espediente di distinguere le *e* e le *o* toniche aperte per mezzo di un accento circonflesso, proposto da A. M. Salvini all'Accademia della Crusca il 10 febbraio 1723-24[135] e applicato nella sua versione di Oppiano (Firenze 1728), non ha carattere generale, ma vuol solo essere un espediente didattico per facilitare la pronunzia ai non Toscani.

Si distinguono ormai costantemente la *u* dalla *v*[136] e quasi sempre la *j* dalla *i*: troviamo *j* per lo più in parole come *jattura, gennajo, conjugale*, quasi sempre nel plurale dei nomi e aggettivi in *-io*: *proprj, municipj, vizi, vestigj*[137].

La *i* meramente ortografica qualche volta sovrabbonda, specie in scrittori settentrionali: *cappuccietto* (Goldoni), *pregievole* (Vallisnieri), *scielta* (Becelli), ecc.

La *y* è scomparsa, salvo che in qualche raro caso di mancato adattamento in voci greche (per es. C. Gaudini, *Gli elementi dell'arte sfygmica*, Genova 1769; G. Arduino, «Saggio fisico-mineralogico di Lythogonia (*sic*) e Orognosia», in *Atti Acc. delle scienze di Siena*, V, 1774).

L'*h* non si adopera ormai che nelle interiezioni e, per lo più, nelle quattro voci del verbo *avere*[138]; la farsetta del Martelli *Il piato dell'H*, pubblicata in appendice al *Vocabolario cateriniano* del Gigli, non è che uno sfogo anticruscante[139]. Solo in rari casi di voci dottissime si ha

[135] Vedi il «ragionamento» nelle sue *Prose toscane*, I, Firenze 1725, pp. 189-192.

[136] Strano il metodo di qualche tipografo di scrivere *v* in parole come *noccivolo, givochi, vova* (ma *suoi, uomo*): questo è l'uso seguito nelle *Opere* del Vallisnieri, Venezia 1733.

[137] La *Celidora* del Casotti (Firenze 1734) ha *ossequj*, ma invece *arcolaio, buiosa*.

[138] Ma vi è chi cerca di evitarla in questa seconda funzione: nel *Newtonianismo* dell'Algarotti (Napoli 1737) si legge ò, à, ànno; il p. Ildefonso Fridiani, che di solito scrive *ho, hai, ha, hanno*, non osa tuttavia introdurre l'*h* pubblicando le opere di fra Girolamo da Siena, *e preferisce scrivere* ò, à, ma ài, ànno (*Delizie degli eruditi toscani*, I, Firenze 1770, p. CLV).

[139] Ma che ha fatto quest'H sì inerme e sì innocente
    alle fauci dell'Arno, dov'abita sovente,
    che dagli scritti altrui voglion cacciarla in bando,
    mentre giammai non sanno scordarsene parlando?
                        (p. 362, dell'ed. datata da Manilla)

qualche *h* etimologica, quasi mantenendo nel testo italiano la voce latina o greco-latina: P. M. Gabrielli scrive un trattato su *L'Heliometro*, Siena 1705; in un consulto il Vallisnieri parla di «un'apoplesia parziale, detta *Hemiplexia*» ma poco sotto usa «Emiplegia»[140]. Si ha anche qualche raro caso di mantenimento di *h* in digrammi greci: il Salvini (*Oppiano*, p. 5) scrive *Parthi*, il Vallisnieri (*Opere*, II, p. 215) *Lapathj* (nome di pianta); G. B. Sottovia tratta *Della Loica*: *l'Ideografia* e *l'Alethologia*, Mantova 1748; per eufemismo e per evitare l'equivoco con *fallo* il Parini scrive «il turpe *Phallo*» (*Mattino*, v. 544).

Nessuna traccia si ha più di *k* se non nel vocabolo *kavaliere* (come titolo cavalleresco) a Venezia. La *c* e la *q* sono spartite come ancor oggi facciamo (salvo pochi esempi aberranti: per es. *risquotere* nella *Celidora* del Casotti o nelle *Commedie* del Fagiuoli).

La grafia con *zi* ha sostituito interamente quella con *ti*: *orazione*, ecc. Qualche incertezza rimane ancora nell'uso della *z* doppia, sia in parole come *vizi* (*vizzi* come plurale di *vizio* è combattuto dal Leonardi)[141], sia nei casi in cui il gruppo latino *ti* era preceduto da consonante[142].

Gli accenti grafici si scrivono, di regola, in forma d'accento grave, sulle parole tronche; solo in rari casi si ha l'accento nel corpo della parola (ora in forma d'accento acuto, ora d'accento grave: *ironía* o *ironìa*); in qualche opera di carattere didattico sono usati con maggiore abbondanza[143]. Molto oscillante è l'uso sui monosillabi (*fù*, *sà*, *quì* più spesso sono accentati).

Si comincia a usare in poesia qualche segno (per lo più l'accento acuto) per indicare la dieresi[144].

L'uso dell'apostrofo è molto simile a quello odierno; il Corticelli dà la regola che si deve scrivere *un uomo* (*Regole*, l. III, cap. 4), mentre ancora il Gigli (*Lezioni di lingua toscana*, cit.) scrive *un'uomo*. Le maiuscole sono adoperate ancora con notevole frequenza. Ecco, per scegliere a caso qualche esempio, da un Capitolo di G. Gigli (nelle *Lezioni* ora citate):

Disse un di lor: Ch'entrare alfin possiate

---

[140] *Opere*, III, p. 522.

[141] *Dialogo dell'Arno e del Serchio*, cit., p. 18; *lezzi* è nella *Celidora* del Casotti, VIII, st. 30.

[142] Negli scritti del Vallisnieri leggiamo *decozione* o *decozzione*; il Rolli ha *traduzzione*; il Baretti, nel primo numero della *Frusta*, censura il p. Morei che scrive *produzzioni* «con due zete alla romana»; l'Amenta, *Della lingua nobile*, cit., I, p. 59, difende le grafie *lezione*, *concezzione* (da *ct*, *pt* latini) «contra l'uso degli stessi Accademici Fiorentini»; il Gigli dice che chi volesse scrivere *lezzione*, *concezzione* «non potrebbe tacciarsi siccome esse derivano dal *ct* e *pt*, in latino, e molti Scrittori così han fatto» (*Lezioni*, cit.).

[143] Per es. nella *Scelta di lettere familiari*, curata dal Baretti (Londra 1779) per uso delle «damine» inglesi.

[144] Camilli, in *Lingua nostra*, XIX, 1958, pp. 24-26.

Come all'Inferno i Dottori di Legge.
Allora quelle Bestie spiritate
Entraron nello stabbio a cento, a cento,
Quasi 'l Pastor l'avesse scongiurate.

O, dal trattato del Maffei *Della scienza chiamata cavalleresca*, Roma 1710, p. 39: «Quest'Onor Cavalleresco è un Idolo vano, un nome senza soggetto, ed una mera invenzione di questi Autori». O, dal *Newtonianismo* dell'Algarotti (Napoli 1737, p. 2): «La Penisoletta di Sirmione, Patria del Vezzoso Catullo, e i Monti che tante volte ripeterono i bei versi di Fracastoro, due punti dirò così tanto famosi nella Carta Poetica faceano di lontan prospetto all'elegante Palagio sù di questa gentil Collina piantato».

Nei decenni successivi troviamo ancora abbondanza di maiuscole, per es. nell'*Alimurgia* del Targioni Tozzetti, Firenze 1767, I, p. 218 («le Piante Arboree e Fruticose che stanno sempre vestite di foglie, producono nell'estate le nuove Gemme, o Occhi, che nella susseguente Estate devono mandar fuori i rami e i frutti»), nel trattato di M. Borsa *Del gusto presente in letteratura italiana*, Venezia 1784, p. 14 («attesa la costituzion nostra politica il Neologismo Straniero dev'essere il primo Carattere Costitutivo del presente Gusto Italiano in fatto di Lettere»), nel *Saggio sopra la lingua italiana* del Cesarotti, Padova 1785, p. 54: «rende sempre meno gustabili gli Autori delle Lingue Dotte», «qualche altro Cinquecentista, adattando le frasi idolatriche dei Romani alla Liturgia del Cristianesimo», ecc.

Una riforma generale della grafia fu proposta dal bergamasco Ferdinando Caccia[145]. La sua «ortografia filosofica di soli diecinove caratteri» vorrebbe abolire la *j*, la *v*, e la *z*. Egli manterrebbe la *h* solo in *ho, hai, ha, hanno, oh, ahi, deh*. Scriverebbe *otsio, gratsia, petso* e anche *metsto*; toglierebbe la *u* dopo *q* (*aqa*), abolirebbe la *g* in *palia, filio*; vorrebbe scrivere *inprudente, bonba* e abolirebbe le doppie prima dell'accento (*scritore*, ma *scritto*). Non si avrebbe più alcuna interpunzione, nemmeno il punto fermo, né l'apostrofo, né il trattino in fine di riga. Persino gli accenti sarebbero aboliti, se si scrivesse, come egli consiglia, *bateo* per *batté*, *virtute* per *virtù*. Inutile dire che la riforma del Caccia, da lui stesso applicata senza molta coerenza, non ebbe alcun séguito.

13. Suoni

Qualcuno dei grammatici toscani cerca di fornire schiarimenti sulle quattro lettere di pronunzia ambigua (*e, o, s, z*): il Gigli nella «Raccolta di tutte le voci italiane di buon'uso» (inclusa nella sue *Regole per la*

[145] Si veda il volumetto composto di più opuscoli usciti in date diverse e pomposamente intitolato *Opere*, Bergamo 1762-66.

toscana favella, Roma 1721) distingue (ma con numerose sviste) le parole di incerta pronunzia; invece gli altri grammatici non fanno che accennare al problema: per es. il Corticelli: «*E...* presso i Toscani ha due suoni, l'uno più aperto, come in *mensa*, *remo*; l'altro più chiuso, e assai frequente, come in *refe*, *cena*. Cotal suono però appresso i Poeti non fa noja alla rima. Petrarca, canz. 24: *Fa subito sparire ogn'altra stella, Così pare or men bella*. E pure *stella* ha il suono chiuso e *bella* aperto» (l. III, cap. I; un analogo paragrafo si ha per la *o*).

Le congiunzioni *e* e *nè* hanno ancora suono aperto, come si vede dalla trascrizione (ê, nê) che ne dà il Salvini nella sua versione di Oppiano.

La moda franceseggiante fa che parecchi accolgano la pronunzia uvulare della *r* alla francese, e la testimonianza di Carlo Gozzi ci fa sapere che qualcuno proferiva alla francese anche la *u*[146].

La regola del dittongo mobile è largamente ignorata, anche dai Toscani (*risuonasse*, Cocchi; *cagnuolina*, Minzoni; *scuolare*, *scuolaretto*, Baretti), benché i grammatici continuino a prescriverla (il Gigli, nei racconti che corregge per esercizio nelle *Lezioni*, muta *suonando* e *muoveva* in *sonando* e *moveva*).

La riduzione del dittongo *uo* a *o* nel toscano parlato, che ancora nei primi decenni del secolo non è avvertibile (a giudicare dalle battute in fiorentino di G. Gigli)[147], si dev'essere divulgata più tardi: il p. Ildefonso Fridiani documenta «*Omo* secondo il tronco pronunziare del volgo anche presente»[148].

Non mancano le incertezze di accento: per darne qualche esempio, i Toscani preferiscono *prepàro*, *sepàro*, mentre altrove si sentono spesso i latinismi *prèparo*, *sèparo* (Rosasco, *Della lingua toscana*, Torino 1777, II, p. 463); si oscilla fra *dìssipa* e *dissìpa*, *dìsputa* e *dispùta*, *proìbito* e *proibìto* (Salvini, Annot. alla *Fiera*, V, III, 4); il Chiari (*Il Medico viniziano al Mogol*, II, I) accenta *ipocòndria* alla latina anziché alla greca. Poiché la comune scrittura non dà consigli sul modo di accentare le parole, quelle più rare vengono qualche volta imparate, e quindi ripetute, con accenti erronei: così il *coltrìci* del Parini[149] o il *Megàra* del Cerretti («Talia») o il *Peripàto* del Mascheroni («O mio Vigan...»).

Il troncamento della vocale finale assoluta dopo liquida e nasale è ammesso in poesia («È la colpa e non la pena – che può farmi impallidir»: Metastasio, *Temistocle*; «Muggir di mare e rimbombar di

---

[146] «Bello è sentire la lettera *u* pronunciata alla bergamasca, che ci faceva ridere, la lettera *r* pronunciata nell'ugola, ch'era difetto d'organo viziato, divenuti grazie e vezzi di pronuncia in Italia» [per influenza francese]: Gozzi, *Chiacchiera intorno alla lingua litterale italiana*, p. 65 Vaccalluzzo (cfr. *Lingua nostra*, XVII, 1956, pp. 80-81).

[147] Migliorini, *Lingua e cultura*, p. 182 n.

[148] *Delizie degli eruditi toscani*, I, Firenze 1770, p. CLIV.

[149] «Il Sonno – ti sprimàcci le morbide coltrìci» (*Mattino*, vv. 85-86); più tardi il Parini si accorse dell'errore, e nelle varianti inserì un *coltrici* sdrucciolo.

tuon»: Mazza), ma suona falso dove i versi sono prosaici («Per or non vado a spasso, vado per un affar»: Goldoni).

Quanto ai troncamenti della vocale finale quando una parola si connette alla seguente (*volgar lingua, ragion che sopravvenga*), non soltanto essi sono frequentissimi nel verso, ma abbondano in parecchi prosatori del secondo Settecento; il Foscolo a più riprese se la prenderà contro questo «vizio di troncar le parole», che considerava «atticismo degli ultimi gesuiti»[150].

Quando alla parola troncata si affigge un'enclitica, non si ha assimilazione, almeno nella scrittura: *passiamla* (Fagiuoli, *Il cavaliere parigino*, II, sc. 6).

14. Forme

Le oscillazioni che osserviamo nelle forme grammaticali sono ancora a un dipresso le medesime che nel Seicento. Davanti alla *z* prevale ancora l'articolo *il*: ma nei passi del padre Segneri ritoccati dal p. Bandiera, questi corregge *'l zelo* in *allo zelo*. Un po' più rispettata è la regola che prescrive *lo, gli* davanti a *s* impura: il Baretti commentando un sonetto di un poeta frugoniano (*Frusta lett.*, n. X) avverte: «*ai scritti* (doveva dire *agli scritti*)». Il Cesarotti, che nota queste particolarità fra quelle su cui «i timorati grammatici fanno schiamazzo» (*Saggio*, III, 1), adopera liberamente ambedue le forme. La forma *li* per il plurale dell'articolo sta perdendo terreno, ma è ancora tutt'altro che rara, specie davanti a consonante: il Gigli dice che della scelta fra i due articoli *i* e *li* «sarà giudice l'orecchia» (*Lezioni*, p. 42), mentre il Mirapelli (*Delle parti del volgare parlamento*, Casale 1728, p. 26) dice che *li* è «più del Poeta che del Prosatore». Solo del verso è *lo* davanti a consonante («i migliori che *lo* ver non sanno»: Gozzi, *Serm.*, XIV), salvo che non si tratti della preposizione articolata *per*, ché in questo caso i grammatici continuano a prescrivere *per lo* (plur. *per li*), ascoltati da parecchi (ma ad es. il Genovesi scrive *pel desiderio*). *Ai, dei, nei* sono quasi sempre sostituiti da *a', de', ne'*. Nei versi c'è chi preferisce scrivere staccate le preposizioni articolate quando non siano apostrofate: p. es. il Parini scrive (in poesia, non in prosa) *ne le Gallie*, ma *dell'opre*. La preposizione *fra* qualche volta è scritta congiunta («qualche rosa *fralle* mie spine», Fagiuoli).

Nel plurale dei nomi e aggettivi in -*co* e -*go* continuano le incertezze: *intonachi* (Targioni Tozzetti), *ittiofaghi* (Cesarotti), *filologhi* (Becelli), *paralitichi* (Fagiuoli), *astrologhi* (Gozzi), *reciprochi* (C. Gozzi, Casti), *lombrici* (Cocchi), *bruci* (Targioni Tozzetti), *catalogi* (Zannichelli), *omologi* (Galiani); il Cesarotti, che nel *Saggio* aveva scritto *teologhi*, nella 3ª ed. corresse in *teologi*. Anche nei superlativi, abbiamo *cattolichissimo*

---

[150] Seconda lezione pavese, in *Opere*, Ed. naz., VII, pp. 93-94; *Discorso storico sul testo del Decamerone*, in *Opere*, Ed. naz., X, p. 357.

(Manni), *filosofichissima dissertazione* (Baretti), *ascetichissimo e teologichissimo* (p. Fridiani), ecc. Qualche plurale in *-a* è esumato per arcaismo (*le coltella*, G. Gozzi, *le pugna*, C. Gozzi)[151]. Per il plurale dei nomi in *-ello*, troviamo non solo *capegli*, ma anche *campanegli* (Baretti); in verso anche *-ei* (*augei*, Cerretti).

Qualche numerale composto con *sei* o *sette* appare ancora in forma contratta: *cinquansei* (Saccenti), *cinquanzettimo* (Cocchi), *venzett'anni* (Baretti).

I grammatici continuano a discutere il vecchio argomento, se *lui* e *lei* siano ammissibili come soggetti; il Bertini (*Giampagolaggine*, p. 140 Bacci) e il Salvini in una cicalata[152] li ammettono in parecchi casi, il Gigli (nella prefazione al *Don Pilone*) chiede che «si doni ciò allo stesso idiotismo plebeo di Toscana, il quale riesce quanto più proprio, tanto più grazioso».

Nelle forme oggettive atone *li* e *gli*, *lo* e *il* si adoperano ancora promiscuamente. Probabilmente per influsso francese, si comincia a adoperare *lo* riferito a una frase precedente: «l'Accademico è un personaggio distinto dal Professore, come *lo* mostrò egregiamente il mio valoroso Collega» (Cesarotti, «Riflessioni sui doveri accademici», in *Opere scelte*, I, p. 330 Ortolani).

Gli atono con significato plurale è adoperato anche da un purista come C. Gozzi: «né vergogna - *gli* prende [= agli uomini] a dare il core alle più vili» (*Turandot*).

Il toscano *gliene* per «glielo, gliela, ecc.» è adoperato per es. dal Fagiuoli e, per arcaismo, da G. Gozzi («Presemi ella la mano. Vorrei che aveste veduto con qual garbo io *gliene* baciai»: *Osservatore veneto*, XXIX).

Accanto alle forme enclitiche normali *mi*, *ti*, *si* sono ammissibili nei versi le forme *me*, *te*, *se*; anzi il Parini spesso, correggendo il suo poema già stampato, mutò *saettarti* in *saettarte* e simili.

Al plurale, *ne* per «ci» è frequentissimo anche in prosa. Qualche scrittore settentrionale, ricalcando il dialetto, confonde *ci* con *si*: «ci serviamo dello stile familiare... per non distaccarsi del verisimile» (Goldoni, *Teatro comico*, II, sc. 2).

Nelle sequenze di pronomi atoni, ancora persistono, in verso e in prosa, *se gli*, *se le* per «gli si», «le si»: «In questo mentre Gano *se gli* getta - ai piedi» (Forteguerri, *Ricciardetto*, XXIV, st. 69); «*se gli* facciano [al fanciullo] tirar due righe di scrittura» (Genovesi, *Lez. civ. econ.*, I, p. 203); «gode che *se le* presenti un'occasione» (Spalletti, *Saggio sopra la bellezza*, p. 27 Natali), «non si obbedisce al medico e non *se gli* chiede» (Goldoni, *Finta ammal.*, II, sc. 2ª).

Ci e *vi* come avverbi di luogo, che prima significavano «in questo

---

[151] Nei prosaici versi della *Notte critica* (II, sc. 10), il p. Chiari accanto a *dell'ova* scrive *degli ovi* e *l'ove*.
[152] Nella *Raccolta di prose fiorentine*, Firenze 1741, parte III, II, p. 200.

luogo» e «in quel luogo», ormai sono venuti a confondersi, come testimonia il Gigli nel *Vocabolario cateriniano*, s. v. *Particelle*; il p. Bandiera raccomanda *vi* anche per indicare «in questo luogo»; invece il Parini difende la distinzione di significato.

Frequentissimo nel Settecento è il costrutto *il di cui libro, la di cui lettera* («Ei si lusinga, che siate un giorno *la di lui* sposa»: Goldoni, *Le smanie per la vill.*, I, sc. 11). Pure frequente è *lo che* («S'egli pur ti piacesse, *lo che* sperar non osa»: Chiari, *La Veneziana in Algeri*, V, sc. 2).

Qualche si può ancora adoperare come un plurale: «un mazzo di *qualche* belle operazioni di lingua»: Salvini, *Prose toscane*, I, p. 210); «*qualche* offerte d'impiego» (Parini, lettera 1769 al conte Firmian), «*qualche* sgrammaticature» (Alfieri, *Vita*, anno 1783), ecc.

L'aggettivo possessivo *suo* è talvolta adoperato con riferimento a un plurale: così per es. il Gigli («tante Eccelse, e robuste Monarchie dalle *sue* fondamenta divelte», orazione 1714, in *Lezioni*, p. 161[153], il Becelli («[né il Bembo né l'Ariosto] lasciarono di scrivere Toscanamente, perché in altra guisa parlassero i terrazzani *suoi*»: *Se oggidì scrivendo...*, p. 74), il Goldoni («Le Muse, che non abbandonano i *suoi* divoti»: *Il Poeta fanatico*, II, sc. 7): all'influenza latina si assomma in questi ultimi esempi quella dialettale.

Dialettale è anche il rafforzamento con *che* dei pronomi e avverbi relativi: «Pazzi, pazzi quanti *che* siete» (Goldoni, *I malcontenti*, II, sc. 8), «Povera me, in che condizione miserabile *che* mi trovo!» (Goldoni, *Le smanie per la vill.*, I, 7), «come *che* fanno i cani» (Chiari, *Il Tesoro*, I, sc. 2), «dove *che* c'è del male» (Chiari, *La bella pellegrina*, II, sc. 1), ecc.

Nella flessione verbale è grande l'abbondanza delle varianti, tra le quali i grammatici si sforzano di mettere ordine. Il Gigli, nelle *Lezioni di lingua toscana*, accanto alla colonna in cui registra le forme «corrette», ne ha altre tre, di cui una è dedicata alle forme «antiche», una a quelle «poetiche», l'ultima a quelle «corrotte». Senza discutere sull'opportunità di questa classificazione[154] notiamo l'importanza data alle forme poetiche: in genere si tratta di forme arcaiche ancora adoperabili nei versi. Naturalmente il giudizio sull'appartenenza di una forma all'una o all'altra categoria è in parte opinabile: per es. il Gigli registra, accanto a *vediamo* e *veggiamo* corretti, *vedemo* come forma arcaica. Non ci meraviglia di trovare la terminazione in *-emo* nel Vico che, com'è noto, arcaizza («il di più che noi *godemo* sopra gli antichi»), e nemmeno di trovarla in poesia («Veder ciò che *vedem* tu solo ed io»: Manfredi).

Gli scrittori in versi approfittano largamente della libertà di servirsi di forme «poetiche»: troviamo la *-e* nella terza persona del congiuntivo

---

[153] Cfr., nelle stesse *Lezioni*, p. 57: «resta talora qualche dubbiezza intorno al Pronome *suo*» ecc.

[154] La quadripartizione del Gigli è accolta da G. B. Pistolesi, *Prospetto di Verbi Toscani*, Roma 1761; e una divisione simile daranno, nel secolo seguente, il Mastrofini e il Compagnoni.

dei verbi in -*are*, non solo dove il poeta aspira a un tono nobile («E l'amo ancor che il suo destin l'*annode* - con sacro laccio a più felice amante»: Zappi; «nè perché roco ei siasi, o dolce ei *cante*»: Zappi, «Il gondolier...»; «quanta avvien che olezzante aria *rinnove*»: Varano, *Visioni*, I; «Una certa grandezza - splende, che si può dir che nulla *manche*»: C. Gozzi, *Marfisa bizzarra*, VI, st. 85)[155] ma anche in passi di andamento prosaico, in cui la forma è prescelta soltanto per trovare più facilmente la rima («A sé mi chiama il Duca; fa che l'udienza *aspette*»: Goldoni, *T. Tasso*, II, sc. 1; «Si cangi quanto vuole; ma trovi chi l'*ascolte*»: Chiari, *Il poeta comico*, III, sc. 2). Se ai versificatori è riconosciuto il diritto di servirsi delle forme poetiche, perché privarsene? Così il Chiari arriva a esumare un arcaico *sièno* per *siano*, quando gli serve una rima in -*eno*: «Non dico che insoffribili gli uomini tutti *sieno*» (*Il filosofo viniziano*, I, sc. 1).

Tra le varianti generalmente ammissibili ricordiamo le due forme della prima persona singolare dell'imperfetto. Accanto alle forme *era*, *amava*, *vedeva* ecc., di gran lunga predominanti, si hanno le forme *ero*, *amavo*, *vedevo*, ecc. (usate per es. dal Chiari e da P. Verri). Altra forma oscillante è la 2ª persona singolare del congiuntivo presente: *che tu abbia* o *che tu abbi*[156]

Le forme di terza persona plurale del congiuntivo del tipo *vadino*, *venghino* sono largamente diffuse, ma proscritte dai grammatici[157]

Per le seconde persone plurali dell'imperfetto indicativo i Toscani preferiscono alle pesanti terminazioni regolari (*voi andavate*, *voi facevate*) le forme più brevi *voi andavi*, *voi facevi*, ma, salvo il Fagiuoli, v'è pochi che osino scriverle[158]

Al condizionale, le forme di terza persona in -*ia* sono frequenti nel verso, ma si hanno anche nella prosa. Quelle di prima persona plurale in -*aressimo*, -*eressimo*, -*iressimo* appaiono qua e là, ma i grammatici non le tollerano: *correressimo* (Vico), *vedressimo* (C. Gozzi), *saressimo* (Cesarotti), *potressimo* (Alfieri). Alla terza persona plurale le forme in -*ebbono* sono ancora ammissibili.

Non termineremmo più, se volessimo elencare la maggiore o minore osservanza delle forme di verbi meno regolari: notiamo tuttavia che gli

[155] Il Parini, che nel *Mattino* aveva scritto «Sì temerario che in suo cuor ti *beffi*» (v. 633), «E chi vuoi ch'*osi*» (v. 650) ecc., ritoccando il poemetto correggeva *ti beffe, ose*, ecc.

[156] Il Cesarotti, nell'un caso e nell'altro, si pronunzia almeno teoricamente per la forma «inserviente alla distinzion delle persone» (*Saggio*, III, II, 2), cioè per *amavo* e *abbi*. Anche il Rosasco (*Rimario*, alla terminazione -*oschi*) preferisce *che tu conoschi* a *che tu conosca*.

[157] Il Natali, nel ripubblicare il *Saggio sopra la bellezza* di G. Spalletti (1765), avverte (Firenze 1933, p. 82) di aver eliminato forme come *convenghino*, *apparischino*, *rimanghino*.

[158] In una scena del *Cavaliere Parigino* del Fagiuoli (II, sc. 17, in *Commedie*, III, Firenze 1735, p. 116), un personaggio domanda: «... lo *volevate*?» e un altro risponde: «Eh, io non lo *volevavo*... questo signore lo *volevava*».

scrittori non toscani hanno una certa tendenza ad applicare i paradigmi regolari: *potiamo* (passim), *anderà, averà, goderà* (Goldoni), *s'opponerà* (Chiari), *veniremo* (C. Gozzi), ecc.

L'ausiliare dei verbi riflessivi impropri è ancora *avere*: «*si hanno preso* la briga» (Galiani), «se *si avesse seguito* l'ampio campo» (A. Conti), «mio fratello *se l'ha sposata* [la Bergalli]» (C. Gozzi), «mi pare che *abbiasi fatto* più onore di quel che meritava» (Mazzuchelli), «io penso che... l'acqua vi *si abbia scavato* il canale più angusto» (Targioni Tozzetti), «l'idea che codesti Signori *si hanno* di me *formato*» (Melì), ecc.

Della flessione personale delle forme indefinite, propria un tempo dei dialetti meridionali e dell'italiano scritto fondato su di essi (*essereno, essendono*) non vi sarebbe più traccia, se il Vico non l'avesse adoperata con voluto arcaismo.

15. *Costrutti*

In questo campo si fa molto sentire l'influenza francese. Francese è il tipo «pollo *allo spiedo*» (biasimato come tale nel *Raguet* del Maffei, III, sc. 2; cfr. p. 476) Il *di* partitivo si estende al di là di quel che era l'uso tradizionale: «con più *di* energia», «il troppo *di* varietà» (Algarotti).

Al francese si appoggia la fortuna del superlativo relativo con l'articolo ripetuto: «le anime *le* più sonnacchiose» (Genovesi), «il poema *il* più galante che ci sia», «le verità *le* meglio dimostrate» (Algarotti), «la musica *la* più eccellente» (Goldoni), «l'uomo *il* più grave, l'uomo *il* più plumbeo della terra» (P. Verri), «l'uomo *il* più sensitivo della terra» (Parini), «l'arte *la* più necessaria» (Filangieri), ecc.

Sul francese è modellato il costrutto «*È Antonio* (o *È lui*) *che* me l'ha scritto» con valore enfatico: «*È* da così lungo tempo ch'io non ho nuove di lui» (Algarotti, *Opere*, XVII, p. 27), «fors'è per ciò che vengono spesso a trovarmi» (Bettinelli, *Opere*, V, p. 89), ecc.[159]

E anche il costrutto «*Non* gli ho dato per elemosina *che* un quattrino» risente dell'influenza francese[160].

Lo stesso si può dire del tipo *per poco che* («per poco ch'io cambi non sono più io»: Bettineili, *Opere*, V, p. 123) e del tipo *troppo... per* («egli è troppo saggio e prudente per approvare»: Fontanini)[161].

Si divulgano ora (e li biasima il Maffei nel *Raguet*) i due costrutti perifrastici *vengo di dire, vado a fare*.

[159] Già l'italiano possedeva costrutti come «È Antonio, che è venuto a salutarmi» e «È manifesto che ha ragione», sui quali il nuovo tipo ha potuto facilmente appoggiarsi.

[160] Così il Gigli, *Lezioni*, cit., p. 63: «si adopera per *altro che, fuor che, più che* alla Franzese» (il costrutto antico era *non.. se non..*: «le gru *non* hanno *se non* una coscia»: Bocc., *Dec.*, VI, 4, 10).

[161] Cfr. per quest'ultimo costrutto il biasimo di G. G. Orsi (*Considerazioni sopra un famoso libello franzese*, I, Modena 1735, p. 720) e di G. C. Becelli (*Se oggidì scrivendo...*, cit., p. 80).

Il gerundio preposizionale *in leggendo* (Algarotti, G. P. Zanotti) è promosso dall'analogo costrutto francese, ma ha esempi antichi negli scrittori del Trecento (*in aspettando*: Petrarca) e del Cinquecento, e perciò è considerato legittimo[162]. *Malgrado* («malgrado la lontananza», Zanotti; «malgrado le gelosie frequenti»; Bettinelli) tende a sostituire, secondo l'esempio francese, il costrutto tradizionale *a malgrado di*. Anche la ripresa col relativo («il dialetto particolare d'un popolo illustre dell'Italia, *il quale dialetto*...»: Parini) sembra dovuta all'influenza di analoghi costrutti francesi[163].

Ma, più ancora che nei costrutti nuovi o rinfrescati, l'influenza francese si sente nella scelta d'un periodare diverso da quello tradizionale. La frase lineare tende a sostituire quella architettonica: molti preferiscono ai periodi lunghi, ricchi di nessi subordinati («stile periodico»), periodi brevi scarsamente sindetici («stile spezzato» o «interrotto»). Inoltre, prima l'ordine delle parole era ricco d'inversioni, e regolato in un ampio giro preferibilmente concluso da un verbo, secondo i modelli latini e quelli latineggianti del Boccaccio o del Casa; ora invece molti scrittori preferiscono l'ordine diretto. I due problemi sono diversi, benché strettamente connessi[164]; in Francia i grammatici ne discutono a lungo, sotto l'influenza delle idee di Cartesio e di Port-Royal, mirando soprattutto a raggiungere la massima chiarezza; in Italia i novatori come l'Algarotti, i Verri, il Cesarotti, non perdono occasione di lodare i pregi dello stile spezzato e dell'ordine diretto[165]; il Beccaria ironizza sull'«arte soprafina di stemprare un pensiero, anche comune, con qualche centinajo di parole, e poi impastarne tutto il composto in un bel periodone di mole gigantesca, e tutto cascante di vezzi, e sostenuto da tante minutissime particelle, che fanno poi il secreto dell'arte» («Lettera sulla lingua», *Il Caffè*, tomo I, Brescia 1765, p. 70)[166]. Invece il Galeani Napione difende i periodi che spaziano

[162] M. V. Setti, in *Lingua nostra*, XIV, 1953, p. 12.

[163] G. Folena, in *Lingua nostra*, XVIII, 1957, pp. 22-23.

[164] Vedi, specialmente sul secondo argomento, A. Viscardi, «Il problema della costruzione nelle polemiche linguistiche del Settecento», in *Paideia*, II, 1947, pp. 193-214; e M. Puppo, «Appunti sul problema della costruzione della frase nel Settecento», in *Boll. Ist. lingue estere Genova*, V, 1957, pp. 76-78.

[165] Si senta l'Algarotti nella prefazione al *Newtonianismo* del 1737: «Lo stile che io ò procurato di seguitare, è quale io ho creduto convenire al Dialogo, netto, chiaro, preciso, interrotto, e sparso d'immagini e di sali. O' schivato più che ò potuto quell'intralciati e lunghi periodi col verbo in fine nemici de' polmoni e del buon senso, che sono, assai meno che non si pensa, del genio della nostra Lingua, e che non devono essere guari del genio di quelli, che vogliono essere intesi. Gli ò lasciati affatto a coloro, che ânno abbandonato il *Saggiatore* per la *Fiammetta*...»; oppure la sua lettera a E. Zanotti da Potsdam, 15 maggio 1747, in cui professa di schivare «a tutto potere quegli intralciati e lunghi periodi col verbo in fine, nemici dei polmoni e del buon senso...».

[166] I grammatici francesi, e specialmente il Condillac, avevano insistito sull'inutilità delle particelle subordinanti nelle numerosissime frasi in cui la dipendenza era già ovvia.

ampiamente[167], e ritiene un vantaggio dell'italiano quello di ammettere sia la costruzione diretta che quella inversa; G. Gozzi non può soffrire lo stile spezzato[168]. Il Baretti più volte insiste sui pregi dell'ordine diretto[169], ma non è molto favorevole al periodare spezzato[170].

Tende sempre più a fissarsi la sequenza moderna per cui l'attributo con valore limitativo segue il nome a cui si riferisce: in particolare i participi, gli aggettivi etnici, gli aggettivi indicanti la materia o la forma o il colore. La regola è lungi dall'avere carattere assoluto: vi si può contravvenire sia nella lingua poetica, che non rinunzia alla sua antica libertà, sia anche in prosa per influenza latina. Il Metastasio ricorda l'*araba fenice* nella notissima quartina del *Demetrio* (II, sc. 3); la *Veneta Marina* è dell'uso ufficiale della Repubblica Veneta; il Parini parla della *cimmeria nebbia*, dell'*itale voci*, dell'*italian Goffredo*, e così via; il Baretti parla di «alcune *settentrionali isole*»; l'Alfieri nella *Vita* ricorda un suo periodo «di *logorate grammatiche* e *stancati vocabolari*... e di *raccozzati propositi*»[171], ecc.

Fra le trasposizioni più o meno ardite, di cui la lingua poetica conserva il privilegio, ricordiamone una frequente soprattutto nel Parini[172], l'incastro di un complemento tra l'aggettivo attributivo (o anche il semplice articolo) e il nome: «e le gravi per molto adipe dame» (Parini, *Notte*, v. 268); «le dal sol percosse - del suo fiotto inegual spume d'argento» (Bettinelli, «All'abate Benaglio»), «Su la d'olivo inghirlandata prora» (Fantoni, «Sorgi Laware...»), «la rauca di Triton buccina tace» (Mascheroni, *Invito a Lesbia Cidonia*, v. 88), ecc.

Le rudi trasposizioni dell'Alfieri colpivano lettori e ascoltatori: prova ne sia quel verso parodistico che un bello spirito coniò nel teatro dei Dilettanti a Roma, una sera di scarso concorso: «Oh poca quanto nel teatro gente!»[173].

---

[167] *Dell'uso e dei pregi della lingua ital.*, l. II, cap. II, § 10.

[168] «Oggi è usanza che non si usano più periodi ma singhiozzi; e quello è periodare meglio gradito, ch'è più spesso rotto... Quando [il fanciullo] studia le novelle scelte del Boccaccio, gli farei notare la purità, la varietà e la proprietà del suo stile; ma l'armonia di quel periodare non è più intesa dagli orecchi nostri, divenuti ritrosi pel continuo stile interrotto, smanioso e a singhiozzi, che s'usa oggidì, per grazia delle traduzioni dal francese e per colpa de' traduttori» (*Scritti scelti... da N. Tommaseo*, Firenze 1849, II, p. 225 e 240).

[169] V. i passi della *Frusta letteraria* (15 novembre 1763, 1 aprile 1764, 15 gennaio 1765) e della *Scelta delle lettere famil.* (lett. XXVI) ricordati da Viscardi, art. cit.

[170] O almeno a quello stile molto spezzato che Voltaire adoperava nella lettera indirizzata al Goldoni «figlio della natura»: «egli non sa finalmente che noi non scriviamo a periodetti spezzati, come fa egli in questa sua grama letteruzza, usando noi di legare i nostri pensieri e i nostri periodi con un poco di garbo e d'armonia» (*Frusta*, n. XXII, 15 agosto 1764: I, p. 187 Piccioni).

[171] Cfr. le osservazioni di M. Fubini, in *Lingua nostra*, XV, 1954, p. 109.

[172] Ma di cui già si avevano esempi nel Martelli (Carducci, *Opere*, XVII, pp. 154-155).

[173] I. Bernardi - C. Milanesi, *Lettere inedite* di V. Alfieri, Firenze 1864, p. 74.

16. Consistenza del lessico

Se guardiamo qual era, al principio del secolo, il lessico che gli Italiani avevano ricevuto per tradizione, vediamo che nei suoi elementi essenziali era quello medesimo dei secoli precedenti. Ma alla tendenza conservatrice si contrappongono forti tendenze novatrici, conformi alla inclinazione generale del Settecento di ribellarsi alla tradizione ove non corrisponda alla «natura» e alla «ragione». E poiché antesignana di questo movimento è la Francia, una larga parte delle innovazioni è data dai francesismi: sia vocaboli propriamente francesi, sia vocaboli di formazione greco-latina che muovono dalla Francia per divulgarsi in tutte le lingue europee.

Diamo una rapida occhiata ad alcune fra le parole che cominciano ad essere adoperate o che assumono nuovi significati e nuova voga in questo secolo[174].

Filosofo e *filosofico* hanno un significato molto generale, riferendosi non specificamente alla scienza dei primi principii, ma a ogni attività che implichi riflessione. Per es. il Targioni Tozzetti avverte: «considerando attentamente con occhio Filosofico questa Pianura orizzontale di Pisa, si vede che l'Arno negli antichi tempi l'ha dominata in varj luoghi» (*Relazioni d'alcuni viaggi*, 2ª ed., Firenze 1768, II, p. 94); P. Verri parla del «filosofico pellegrinaggio d'America» del La Condamine (*Il Caffè*, tomo II, Brescia 1766, p. 273). Molti parlano del *filosofismo* (e anzi l'abate Cataneo espone *Il filosofismo delle belle*, Venezia 1753); e si designano vari rami e varie scuole della *filosofia* (per es. *psicologia*; *fatalismo*, *materialismo*, *monismo*, ecc.).

La persuasione d'essere giunti all'età del trionfo della ragione dà valore di mito alle espressioni *lumi* (*secolo dei lumi*, *filosofia dei lumi*), *illuminato*, ecc., che appaiono frequentissime, sia nei fautori dello spirito nuovo, per es. sotto la penna degli scrittori del *Caffè*[175], sia, ironizzate[176] nei lodatori del tempo antico[177].

Anche *letterato* ha un senso molto più ampio di quello odierno: non essendo ancora approfondita la scissione fra le lettere e le scienze,

[174] Vanno tenute presenti le osservazioni e le ricche note di A. Schiaffini, nel V cap., già cit., dei suoi *Momenti*.

[175] «Più l'uomo è illuminato, e minore è il numero degli avvenimenti che attribuisce alla fortuna»: Verri, *Il Caffè*, tomo II, p. 153; «illuminatasi la pubblica opinione venga stabilito un modo più ragionevole e meno feroce per rintracciare i delitti»: Id., «Osservazioni sulla tortura», in *Opere varie*, I, p. 357 Valeri, ecc.

[176] «Benedetti i scrittori illuminati!»: C. Gozzi, *Marfisa bizzarra*, XI, st. 33; [costumi e caratteri] «riformati da' scrittori perniziosi e dalla scienza del nostro secolo detto illuminato»: Id., note alla *Marfisa*; «una scienza che anima la corruttela sotto l'ipocrita veste di illuminatrice»: Id., *Chiacchiera* p. 78.

[177] Su queste espressioni, cfr. P. Hazard, *La pensée européenne au XVIIIᵉ siècle de Montesquieu à Lessing*, III, Parigi 1946, pp. 26-31; Fubini, in *Problemi e orientamenti*, III, p. 590; in particolare su *illuminismo*, A. Natta, in *Belfagor*, I, 1948, pp. 603-607.

letterato si riferisce alle une e alle altre, vuol dire insomma «dotto» (il *Giornale dei letterati* corrisponde al *Journal des Sçavans* francese).

Concetto proprio della filosofia del tempo, ma ben noto anche ai non filosofi, è quello del *buon gusto*: ne discettava, come è noto, il Muratori (Lamindo Pritanio, *Riflessioni sopra il Buon Gusto intorno le Scienze, e le Arti*, Venezia 1708).

Se la *ragione* è uno dei miti del secolo, non meno importante è la funzione che si attribuisce al *sentimento*[178]: nasce allora il termine di *sentimentale*[179], mentre *sensibile* viene a significare «che si commuove facilmente», «che ha sensi di umanità».

Entra nell'uso *emozione*, acquista voga *sublime*.

La distinzione già esistente fra *genio* e *ingegno* viene approfondita nel '700, e *genio* viene applicato non solo agli spontanei impulsi dell'animo, ma a una forza creatrice eccezionale, e poi anche all'uomo in cui questa forza si manifesta: «Siamo qui (*sic*) alla presenza, sotto gli occhi, per così dire, di... sì gran genio qual fu Dante» (Salvini, *Prose tosc.*, III, p. 2)[180]. Altra esigenza settecentesca è quella della tolleranza, opposta al *fanatismo*[181]. Gli increduli estendono l'ambito di *pregiudizio* fino a includervi ogni manifestazione religiosa[182], e si protestano *spregiudicati, spiriti forti, liberi pensatori*[183]. Molti si professano *filantropi* e *cosmopoliti*.

Persiste ancora il vecchio significato di *patria* e di *nazione* riferito alla città o al piccolo stato a cui uno appartiene; ma sempre più frequente è il riferimento all'Italia intera[184]. *Patriota, patriotto*, che nel Seicento voleva dire «compatriota», ora prende il significato di «amante della patria»; seguono *patriot(t)ico* e *patriot(t)ismo*[185].

Entrano in circolazione nel Settecento anche *democrazia* e *despotismo*. Nella seconda metà del secolo, appare il termine di *risorgimento*,

---

[178] Lerch, in *Archivum Roman.*, XXII, 1938, pp. 338-349; Fubini, in *Problemi e orientamenti*, III, p. 569.

[179] Introdotto in Italia, sembra, nel 1792, con la prima versione del *Viaggio sentimentale* di Sterne (A. L. Messeri, in *Riv. lett. med.*, n. 15-16, 1954, pp. 102-103).

[180] V. gli echi della reazione puristica in Viani, *Dizionario di pretesi francesismi*, s. v.; per il francese, v. Zumthor e Sommer, in *Zeitschr. rom. Phil.*, LXVI, pp. 170-201, Matoré e Greimas, in *Franç. mod.*, XXV, 1957, pp. 256-272.

[181] F. G. Morelli nel *Gentiluomo istruito*, Padova 1746, preferiva adoperare, conforme al suo modello inglese il Dorell, *fanaticismo*.

[182] *Pregiudizio*, secondo C. Gozzi (*Memorie inutili*, parte I, c. XXXIII), è il termine con cui gli «innovatori filosofi» hanno creduto di poter deridere la religione, la giustizia severa, la morigeratezza delle donne, ecc.

[183] Diventano irreligiosi (osserva il Genovesi, *Lezioni di economia civile*, p. 268) «coloro i quali si credono *gran pensanti*».

[184] Si confrontino i diversi significati di questi due passi del Baretti, ambedue del 1764: «ogni buon cittadino d'ogni italiana patria»: *Frusta lett.*, n. 7 (I, p. 173 Piccioni), «Questo ragguaglio non vi parrà troppo onorifico a questa mia cara patria»: ivi, n. 13 (I, p. 343); nel tomo II del *Caffè* (1765), pp. 9-13, apparve (anonimo) il noto articolo *Della patria degli Italiani* di Gian Rinaldo Carli.

[185] Schiaffini, *Momenti*, p. 112.

come espressione della volontà di uscire dallo stato di inferiorità in cui l'Italia allora si trovava; più che altrove, in Piemonte la parola è permeata di pensiero politico («il nostro imminente risorgimento»: conte di San Raffaele, 1769)[186].

Alle discussioni sulla lingua è legata l'apparizione di *linguaio*, *parolaio*, *purista* e di *neologismo*.

Il significato estensivo di *abate*, riferito in genere a qualsiasi ecclesiastico (cfr. p. 360), e la divulgazione di *cicisbeo* sono tipici di questo secolo. E così pure la moda degli *improvvisatori* e quella delle *raccolte*.

L'introduzione dell'uso del doppio settenario è ricordata traendone il nome da quello dell'autore: *martelliano*, da P. I. Martelli. «Il Settecento distinse la *gazzetta* dal *giornale*, e il *gazzettante*, compilatore di notizie cittadine e politiche, dal *giornalista*, compilatore di notizie letterarie: mestierante il primo, letterato, o *savant*, dotto di scienze e di lettere, il secondo»[187].

Da opere letterarie del Settecento prendono origine alcuni nomi: *vanesio* dal nome del protagonista della commedia del Fagiuoli *Ciò che pare non è* (1724), *ciana* dalla protagonista del melodramma di A. Valle *Madama Ciana* (1738), *lillipuziano* dai *Viaggi di Gulliver* di Swift, e altri ancora[188].

Le parole dell'opera in musica sono consegnate a un *libretto*: può darsi che il termine risalga al tardo Seicento, ma comunque non era ancora ben consolidato al principio del Settecento, perché il Muratori nel trattato *Della perfetta poesia* (1706) scrive: «Mancando all'uditore il *libricciuolo* (come suol chiamarsi) dell'Opera...».

Numerosi vocaboli nuovi appaiono nel campo delle dottrine storiche e critiche: *biografo*, *editore*, *diploma* (insieme con *diplomatico* e *diplomatica*) ecc.

Secentismo e *secentista* prendono senso spregiativo nella prima metà del Settecento[189]. *Romanzesco*, che al principio del secolo non era

---

[186] Calcaterra, *Convivium*, 1947, pp. 5-32. Cfr. anche: «Amo la mia patria, compiango i suoi mali, e morirò prima che ne disperi il *risorgimento*» (P. Verri, «Pensieri sullo stato politico del Milanese», 1790).

[187] G. Natali, *Il Settecento*, p. 39, cita la definizione dei *giornali* data dal Maffei nell'Introduzione al *Giornale dei letterati* d'Italia: «quell'opere successive, che regolatamente di tempo in tempo ragguagli danno de' varii libri, ch'escono di nuovo in luce, e di ciò che in essi contiensi» (ciò che oggi diremmo «rassegna bibliografica»).

[188] Migliorini, *Dal nome proprio*, pp. 188-190, dove sono però incluse anche voci nate nell'Ottocento per riferimento a personaggi settecenteschi: per es. *pamela* «cappello di paglia a larga tesa per donna», ecc. Si può aggiungere il nome di *clelia*, dato dal matematico p. Guido Grandi a una curva, per onorare la contessa Clelia Borromeo.

[189] Cfr. la lettera del Metastasio all'Algarotti del 1 agosto 1751: «da mezzo secolo in qua, non v'è barcarolo in Venezia... che non detesti, che non condanni, che non derida questa peste, che si chiama fra noi *secentismo*»; o la *History of the Italian Language* del Baretti: «Nor can we give a more opprobrious character to a

altro che un aggettivo di relazione di *romanzo*, se mai con una sfumatura spregiativa[190], verso la fine prende quel significato per cui poi prevarrà il vocabolo *romantico*: «un misto di culto e di selvaggio, d'ameno e d'orrido, di ridente e sublime forma una scena veramente mirabile e *romanzesca*»: così il Pindemonte, nel romanzo *Abaritte* (1790)[191]. Pure in voga tra i Preromantici sono *patetico* e *pittoresco*.

Ebbero fortuna alcune locuzioni con *bello*: *bell'ingegno*[192], *belle arti*, *bel mondo* (v. § 21).

Negli ultimi decenni del secolo si divulga l'aggettivo *barocco*, riferito all'architettura e alla scultura secentesca[193].

Abbondano i nuovi vocaboli riferentisi a nuove mode, per lo più provenienti d'oltralpe: *andrienne*, *falpalà*, ecc. (ne enumereremo parecchi nel § 21).

Appare qualche nuovo veicolo, come lo *svìmero*.

Numerose invenzioni, italiane e straniere, danno origine a oggetti nuovi, che entrano in circolazione con i nomi rispettivi: ricordiamo il *pianoforte*, chiamato dapprima dal suo inventore, il padovano Bartolomeo Cristofori, il *clavicembalo col piano e forte* (la notizia della scoperta fu divulgata da S. Maffei nel *Giornale dei letterati d'Italia* nel 1711)[194]. E poi il *ventilatore*, lo *scafandro*, l'*aerostato*, ecc. La tendenza alla praticità si manifesta con l'apparizione dell'aggettivo *tascabile*, che l'Algarotti (lettera del 1 gennaio 1763) dice d'aver appreso dall'uso parlato toscano.

Appaiono nuovi giochi (come il *faraone*); si divulga in Italia il gioco del *lotto* (da Genova, dove si scommetteva sul *seminario*, cioè sull'estrazione a sorte dei nomi dei magistrati maggiori di tra i 120 già approvati in prima scelta).

Nel campo giuridico qualche vocabolo nuovo è dovuto specialmente ai provvedimenti di carattere giurisdizionalistico; si pensi a *manomorta*. Persistono forti differenze di nomenclatura per istituti analoghi, dovute al mantenersi delle diverse tradizioni nei singoli stati. Ma per qualche termine che ha significati diversi secondo i luoghi si ha ogni tanto qualche intervento normalizzatore: sappiamo per es. che nel 1706 a Roma il Tribunale della Rota, dovendo decidere se *majorasco*

---

bad modern scribbler, than by calling him *un secentista*» (*Prefazioni e polemiche*, p. 137 Piccioni).

[190] «è più facile, che i giovani a' cattivi [libri], e a' Romanzeschi s'appiglino, che a' buoni»: Vallisnieri, *Opere*, III, p. 259.

[191] Bosco, in *Problemi e orientamenti*, III, p. 621.

[192] Su cui cfr. Baretti, *Frusta*, n. VIII: I, p. 213 Piccioni.

[193] Esso risale all'agg. franc. *baroque* (di provenienza portoghese) sovrappostosi al termine *baroc(c)o*, già esistente in italiano come vocabolo mnemonico artificiale per indicare una forma di sillogismo (Getto, *Letteratura e critica nel tempo*, Milano 1954, p. 148; Kurz, in *Lettere ital.*, XII, 1960, pp. 414-444; Migliorini, in [Accademia dei Lincei], *Manierismo, Barocco, Rococò*, Roma 1962, pp. 39-49).

[194] Ma un *istrumento* «piano e forte lavorato tutto a rabeschi d'hebano con il suo organo sotto» era già in un inventario-estense del 1598.

significasse «eredità che tocca al fratello maggiore» come si usava a Firenze e la Crusca aveva codificato, o invece «primogenito» come si usava a Siena, si pronunziò per il secondo significato[195].

Il nuovo fervore da cui sono animati i traffici tra i vari paesi, e l'interesse che si manifesta per gli studi economici portano a innovazioni notevoli nella terminologia[196]. Ecco termini come *economia politica* (con i sinonimi *pubblica economia* e *economia civile*) e il derivato *economista*; *monetaggio*, *materie prime*, *monopolio*, *(libera) concorrenza*[197], *esportare* e *importare*[198]; *biglione* «argento di bassa lega», *milionario*[199], *aggiotatore*, *cambia-valute*, *(lettera) cambiale*, *tassabile*, *capitalista*, ecc.

Manifattura e *stabilimento* passano, secondo l'esempio francese, dal significato astratto di nomi d'azione a quello concreto.

I nomi delle istituzioni vecchie che spariscono e di quelle nuove che si istituiscono nel periodo delle riforme andrebbero elencati stato per stato: a Milano, per esempio, sotto Maria Teresa si effettua il primo *censimento* nel 1749, si mette in opera il *catasto prediale* nel 1760, si aboliscono le *ferme* e i *fermieri* nel 1771; sotto Giuseppe II vengono create in Lombardia le *camere di commercio*, ecc. Oltre ai nomi delle istituzioni pubbliche, vanno ricordati quelli di importanti istituzioni private: per es. l'*asilo d'infanzia* istituito a Genova nel 1757 da Lorenzo Garaventa.

Il grande sviluppo delle scienze nel secolo XVIII fa sì che le terminologie della botanica, della zoologia, della fisica, della chimica ecc. subiscano modificazioni grandissime. Appaiono migliaia di voci nuove, di cui molte arrivano a penetrare nell'uso comune; parecchi termini, accanto al significato comune, ne prendono uno tecnico; altri spariscono dall'uso, e così via. Mentre per alcune scienze siamo esattamente informati, purtroppo per altre lo siamo molto meno, perché gli specialisti non sempre hanno curiosità per la storia delle discipline rispettive.

[195] C. Lucchesini, *Della illustrazione delle lingue antiche e moderne*, 2ª ed., Lucca 1826, I, p. 67. Si ricordi anche l'amplissimo *Parere intorno al valore della voce Occorrenza* di P. F. Tocci, Firenze, 1707.

[196] V. le considerazioni e gli spogli di A. M. Finoli, in *Lingua nostra*, VIII, 1947, pp. 108-112, IX, 1948, pp. 67-71.

[197] Nel significato di «concorrenza» il Baretti aveva tentato il neologismo *competenza*: «far valere i vini nostrani in competenza, dirò così, con quelli di Francia» (*Frusta*, n. VII: I, p. 174 Piccioni).

[198] «*Esportare* ed *esportazione* sono frequenti, ma accanto a questi gli economisti usano anche i più generici *estrarre*, *estrazione*. Raro è *importare*, cui si preferisce *immettere*, *introdurre*, *intromettere*; ma *importazione* prevale su *immissione*, *introduzione* e il rarissimo *intromissione*» (Finoli, *Lingua nostra*, IX, p. 69; in nota i rinvii ai singoli autori). Aggiungiamo che il Bettinelli adoperando *esportazione* (*Opere*, XXI, p. 211) lo scrive in corsivo.

[199] La parola è ancora legata al ricordo dell'inflazione seguita alle operazioni di Law: «tutti coloro che a tempo del sistema di Parigi furono chiamati *milionarj*» (Genovesi, *Lezioni di economia civile*, Parte II, cap. VII, § 14).

Il progresso scientifico e la conseguente rivoluzione terminologica ha luogo parallelamente nei vari paesi d'Europa: e se il contributo dell'Italia è molto notevole in alcuni campi, per es. l'elettrologia, per altri essa è piuttosto ricettiva che espansiva. La cooperazione di scienziati di vari paesi alla elaborazione sistematica di concetti e di nozioni si presenta in modi diversi, le cui tracce si possono vedere nelle rispettive terminologie. Talvolta il rinnovamento è legato a singole personalità di travolgente influenza (si pensi a Linneo per la botanica e la zoologia, o a Guyton de Morveau e Lavoisier per la chimica), talaltra invece a un lento e paziente lavoro di più scienziati, che vengono tessendo per più generazioni la trama delle loro discipline.

L'immane vastità di queste terminologie e l'impossibilità di ricorrere per molte di esse a lavori preparatorii ci sconsiglia dal dare un'esemplificazione anche ridottissima dei termini nuovi o mutati di significato; cercheremo piuttosto, ricorrendo ai campi che sono stati meglio esplorati[200], di dare un'idea dei procedimenti principali a cui assistiamo nella formazione di queste terminologie, e dello sforzo degli scienziati di giungere a sempre maggior rigore e sistematicità di nozioni.

L'osservazione della natura porta alla conoscenza di oggetti e di fenomeni sparsi per tutto il mondo. S'accettano così numerose voci straniere (come *platina*) e particolarmente esotiche (come *orango* o *urango*); ma soprattutto si attinge a vocaboli dialettali finora limitati a un uso strettamente locale. Si pensi a termini come *lava* (Magalotti, Della Torre)[201] o *mofeta*. Lo Spallanzani osserva il fenomeno del *calòfaro*, nome che a Messina indicava un «incrocio di correnti» presso Cariddi[202]. A Livorno il Targioni Tozzetti visitando due laboratori in cui si tagliava il corallo raccoglie dalla voce dei lavoranti quattordici nomi con cui si designavano altrettante sfumature di rosso: *schiuma di sangue*, *fior di sangue*, ecc.[203].

D'altro lato tante scienze si sono servite e tuttora si servono così largamente del latino per le loro terminologie che è ovvio attingerne molte voci. Si pensi al lento adeguarsi dei nostri scienziati alla nomenclatura di Tournefort e poi a quella di Linneo per la botanica[204], e

---

[200] Cito in prima linea gli ottimi articoli che F. Rodolico ha dedicato in *Lingua nostra* a numerosi termini di geografia fisica, geologia mineralogia, e specialmente gli articoli «Terminologia geomorfologica settecentesca» (*Lingua nostra*, XVII, 1956, pp. 91-94, 112-116, XVIII, 1957, 12-14, 52-55). Allo stesso Rodolico dobbiamo la preziosa antologia *La Toscana descritta dai naturalisti del Settecento*, Firenze 1945, con un utile glossario.

[201] Prati, *Voc. etim.*, s. v.; Rodolico, art. cit., XVIII, pp. 12-13.

[202] *Viaggi alle Due Sicilie*, ap. Bonora, *Letterati, memorialisti e viaggiatori del Settecento*, Milano 1951, p. 957.

[203] *Lingua nostra*, XVI, 1955, p. 28.

[204] Nella *Istoria delle piante che nascono ne' lidi intorno a Venezia* di Gian Girolamo Zannichelli e di suo figlio Gian-Jacopo (Venezia 1735) le piante sono elencate in ordine alfabetico, con i nomi latini con cui erano state fino allora

a quella dello stesso Linneo per la zoologia[205]. Gli innumerevoli termini della nuova chimica – in cui i nomi degli elementi sono coniati per lo più con elementi greci o latini, e i composti sono ingegnosamente indicati per mezzo di prefissi e suffissi – passano con facile adattamento dal francese all'italiano, grazie alla loro struttura latina moderna, cioè internazionale[206].

I fenomeni che notiamo in italiano spesso trovano esatto riscontro nelle altre lingue europee occidentali: *platina* entra dallo spagnolo come voce femminile, ma poco dopo è sostituito di *platino* maschile, per analogia con i nomi degli altri metalli[207].

Non solo nei repertori di termini scientifici, come in quello già citato del Vallisnieri (*Opere fisico-mediche*, III, ma anche negli scrittori troviamo non di rado elencate coppie, terne, quaterne di sinonimi. Spesso si tratta di varianti di diverse regioni d'Italia (o talvolta anche di lingue straniere). «*Calmella* chiamano gli Agricoltori quel ramicello che si adopera per innestare *a sfera... Innesto, nesto* lo chiamano i Fiorentini... *Marza* è lo stesso, che *calmella*» (Vallisnieri, III, p. 282); «*Mignatta,* [Lat.] *Hirudo, Sanguisuga*. I Lombardi la chiamano *sanguettola*» (ivi, p. 423); «la loro *galletta* o *bozzolo*, che egli [l'autore torinese] chiama *coccone*» (ivi, p. 574); «a questi uccelli mi sia lecito di unire il *braviere*, che nel Pisano si chiama *stiattaione* e dai Romani *strillozzo*» (Targioni Tozzetti, *Relazioni*, V, ap. Rodolico, *La Toscana*, p. 226),

---

[205] indicate, con particolare riguardo alle *Institutiones Rei herbariae* del Tournefort, Parigi 1700; la trattazione è in italiano, ma mentre per il nome più note è usato il nome volgare usuale (*Chamaemelum* = *Camomilla*; *Sonchus* = *Cicerbita*) per quelle meno note viene italianizzato il nome latino (*Cicorea, Ciperoide, Dissaco, Melanoscheno, Pseudocipero, Xanzio*); solo rarissimamente il nome latino è mantenuto invariato («La *Bursa pastoris* porta i suoi fiori...»). Nella descrizione abbondano i termini scientifici attinti ai botanici precedenti: *petalo* (*apetalo, monopetalo, polipetalo*) da Tournefort, *corimbifero* da Vaillant, ecc. Vedi B. Di Tullio, in *Lingua nostra*, XVIII, 1957, pp. 97-100.

[205] F. L. Gilii, ΦΙΣΙΩΓΕΝΩΓΡΑΦΙΑ (sic) o sia *Delineazione dei generi naturali in VI classi a norma del sistema di Linneo*, Roma 1785-87, dà, all'inizio di ogni paragrafo, i termini linneani, ma poi nell'interno o li traduce (talora con le voci proprie dell'Italia mediana: per es. *Lanius* = *macellaio* o *castrica, Torpedo* = *occhiatella*) o li italianizza (*Ginnoto, Pleuronetto, Teute*).

[206] La terminologia della vecchia chimica è registrata da P. G. Macquer, *Dizionario di chimica*, con note di A. Scopoli, Pavia 1783-84; quella nuova si ha nella versione del *Trattato elementare di chimica* del Lavoisier, con note di V. Dandolo, Venezia 1792; e troviamo per es. nel *Viaggio al Montamiata* di G. Santi, adoperati termini come *acido carbonico, nitrato d'argento, acetito di piombo*, ecc. Il p. E. Pini combatte la nuova nomenclatura (e la teoria da cui dipende): «Osservazioni sulla nuova teoria e Nomenclatura chimica come inammissibile in Mineralogia», in *Mem. di Mat. e Fisica della Soc. It. delle Scienze*, VI, 1792, pp. 309-368; gli risponde, difendendola, l'ab. Tomaselli. Lo Spallanzani è favorevole alla nuova nomenclatura «aujourdhui enseignée dans toutes les écoles célèbres de l'Europe» (*Ann. de Chimie*, XXVI, 1798, p. 335, cit. da Guareschi, *Suppl. Enc. Chim.*, 1909-10, p. 427).

[207] Rodolico, *Lingua nostra*, XVI, 1955, pp. 117-118.

«un'enorme *lavina*, o *smotta* di terreno» (Id., *Relazioni*, X, ap. Rodolico, *La Toscana*, p. 191); «*turfa* o *torba*» (Id., ibid., p. 209); «tumoletti chiamati da noi *tomboli* e dagli oltramontani *dune*» (id., p. 173). Al divulgarsi della patata, alla fine del Settecento, la Società Patria di Genova pubblica un opuscolo *De' pomi di terra ossia patate*, Genova 1793.

Nella citazione di nomi di animali o di piante, le opere destinate a un pubblico piuttosto ampio citano spesso le forme latine italianizzate accanto a quelle italiane[208]; invece le opere più strettamente scientifiche, anche se scritte in italiano, si attengono alla terminologia sistematica latina: gli Zannichelli, nella *Istoria delle piante... ne' lidi intorno a Venezia*, or ora citata, prendono le mosse dai nomi latini, salvo poi a italianizzarli; B. Bartalini, nel *Catalogo delle piante che nascono spontanee intorno alla città di Siena*, Siena 1776, dà gli elenchi di piante secondo le nomenclature di Tournefort e di Linneo; L. Spallanzani cerca sempre di aggiungere il nome scientifico a precisazione del nome volgare: «il lago di Orbitello, feracissimo di grosse anguille (*Muraena anguilla*), la cui pesca si fa in ogni stagione» (*Viaggi alle Due Sicilie*, V, p. 42), ecc.; e lo fa anche un poeta come il Mascheroni, il quale, dopo i versi «Dal calice succhiato in ceppi stretta - la mosca in seno al fior trova la tomba» (*Invito*, vv. 491-92), aggiunge in nota il nome scientifico della pianta, *Muscipula Dionea*.

Accade non di rado che un naturalista delimiti esattamente, di tra le varie forme e significati che l'uso popolare presenta[209], quello che propone come valevole per l'uso scientifico: per es. lo Spallanzani nel II e nel III Opuscolo di appendice ai *Viaggi alle Due Sicilie*, definisce esattamente il *rondicchio* e il *rondone*: rondicchio: «così denominasi in più luoghi dell'Italia e così chiamerò io la rondine neroazzurrognola nel dorso e biancheggiante nel ventre, che è l'*hirundo urbica* di Linneo»; «Per *rondone* s'intende in diverse provincie dell'Italia quella specie di rondine che è più grossa delle due antecedenti (rondine comune e rondicchio), che foscamente biancheggia sotto la gola, e che nel rimanente del corpo è nericcia»[210].

Gli scienziati si sforzano di far corrispondere a una nozione che viene scientificamente fissata un vocabolo determinato. Può qualche volta servire un termine del lessico usuale, a cui si attribuisce un significato delimitato: poniamo *saturo* «satollo», a cui i chimici danno una nuova accezione (*saturo* è il liquido in cui è sciolto il massimo possibile d'una data sostanza).

Si prestano bene a esprimere nozioni scientifiche che si vengono

[208] Per es. *Relazione dell'erba detta da' Botanici Orobanche e volgarmente Succiamele, Fiamma e Mal d'occhio*, Firenze 1723; P. Moscati, *Saggio di storia naturale dell'Alopecuro chiamato in Lombardia Covetta*, Milano 1772.

[209] Qualche difficoltà nella tecnificazione di termini volgari può venire dalla semantica: osserva per es. il Ferber che *peperino* ha significato diverso sul Monte Amiata e presso Roma (Rodolico, *Lingua nostra*, V, 1943, p. 14).

[210] Bonora, *Letterati, memorialisti e viaggiatori*, cit., p. 960 e 962.

precisando vocaboli latini e greci di significato vicino; si pensi a *corolla* o a *polline* nella loro accezione botanica speciale, diversa da quella antica.

Nuove concezioni scientifiche portano ad allargare o a restringere il significato di certe parole: per es. *ovaia* è esteso dagli animali ovipari ai vivipari dai «Moderni Anatomici» (Vallisnieri, *Opere*, III, p. 429).

In altri casi, serve meglio la coniazione di vocaboli nuovi: dopo che Giovanni Arduino è giunto alla conclusione che gli strati terrestri vanno divisi in «quattro ordini generali e successivi», è ovvio che egli venga a parlare di *ordine terziario* e di *ordine quaternario*.

La fissazione o creazione di termini nuovi non sempre ha buon esito. Può accadere che essi sorgano in funzione di sistemi scientifici che poi vengono abbandonati (cfr. *flogisto*, ecc.: p. 515). Può accadere che, nei tentativi che vari scienziati fanno per chiarire scientificamente una nozione, si adoperino allo stesso fine più sinonimi, di cui uno solo finirà col persistere: si pensi alla molteplicità di nomi con cui gli scienziati settecenteschi designano i vulcani: *vulcano, monte vulcano, volcano, monte ignivomo* o anche solo *ignivomo, monte fiammifero, vesuvio, mongibello*[211]. *Duna* ha vinto *tombolo* e anche *montone* e altri sinonimi regionali[212]; *lava*, che ancora nel Targioni Tozzetti ha il duplice significato di «frana», «lavina» e di «colata vulcanica», resterà vivo solo in questo secondo significato.

Lo sviluppo delle scienze fisiche e naturali incide fortemente sulla cultura e sulla vita. Certe applicazioni penetrano subito nella vita pratica: basti pensare alle scienze mediche con le nuove specializzazioni (*oculista, ostetricia*), l'identificazione di nuove malattie (*pellagra, scarlattina*), l'applicazione di nuovi metodi di cura (*innesto, inoculazione* o anche *inserzione*; solo più tardi si avrà la *vaccina*).

Nei trattati destinati agli specialisti è ovvio che si ammettano largamente i termini tecnici: tuttavia è molto sentita anche l'esigenza sociale, che consiglia di evitare i vocaboli speciali quando si vuol essere intesi largamente: il Baretti (*Frusta*, n. XI: I, p. 301 Piccioni) rimprovera a un naturalista modenese, D. Vandelli, di non aver risparmiato in un suo trattato (*Analisi di alcune acque medicinali nel Modonese*, Padova 1760) «certi vocaboli affatto ignoti a novantanove in cento de' più eruditi leggitori: come sarebbe a dire *glossopetre, patelle, dentali, spatose...* ed altri tali diabolici aggettivacci e sostantivacci da far impazzare le brigate a indovinarne i significati».

Ancor più delicata è la posizione dei poeti didascalici: ora essi inseriscono nei versi qualche termine tecnico:

> Or gli *epicicli* de' pianeti, e il vasto
> *eccentrico* rotar laberinteo

---

[211] Rodolico, in *Lingua nostra*, XVII, 1956, p. 115, XVIII, 1957, p. 12 e 14.
[212] Rodolico, in *Lingua nostra* XI, 1950, pp. 88-91.

> fremendo osserva...
>
>   (Rezzonico, *Il sistema de' cieli*)

> Il *nautilo* contorto a l'aure amiche
> aprì la vela...
> La solcata mammella arma di spine
> il barbarico *cacto*
>
>   (Mascheroni, *Invito*)

ora preferiscono le descrizioni allusive e le studiate perifrasi (cfr. § 17). I vocaboli scientifici pullulano negli oratori sacri alla moda:

> E mentre d'Eloquenza ambisce il regno,
> di Fisica, di Storia e d'Aritmetica
> non senza sforzo il suo discorso è pregno.
> L'eterna Grazia alla *virtù magnetica*
> l'odi agguagliare, l'*attrazion* spiegando,
> schernendo la follia peripatetica[213].

E nella società elegante gentiluomini e dame affettano di conoscere le scienze e le rispettive terminologie. Si senta il Parini:

> Se alcun di Zoroastro o d'Archimede
> discepol sederà teco a la mensa,
> a lui ti volgi: seco lui ragiona;
> suo linguaggio ne apprendi, e quello poi,
> quas'innato a te fosse, alto ripeti.
>
>   (*Mezzogiorno*, vv. 876-880);

> Te con lo sguardo e con l'orecchio beva
> la Dama da le tue labbra rapita;
> con cenno approvator vezzosa il capo
> pieghi sovente: e il *calcolo*, la *massa*,
> e l'*inversa ragion* sonino ancora
> su la bocca amorosa. Or più non odia
> de le scole il sermone Amor maestro.
>
>   (ivi, vv. 983-989).

Anche il Cordara deride l'affettazione dei grecismi scientifici in una satira latina che citiamo nella versione del Carducci (*Opere*, XVII, pp. 145-146):

> ...Egregiamente
> tu parlerai se ad ogni passo ne le
> favole conte un ellenismo piova,
> ed una doppia e pur di greca stirpe
> vocetta nuova. Né oggimai più tonda

---

[213] Mascheroni, sermone «Sopra la falsa eloquenza del pulpito», vv. 119-124. Anche l'Algarotti, il Bettinelli, il Gozzi biasimano questa moda.

ma *ciclica* per te sia la padella
ed *ellittico* l'uovo e *microcosmo*
l'uomo...

Frequentissimi sono infatti, negli scrittori d'ogni genere, gli usi estensivi o metaforici fondati su nozioni scientifiche: «luna capitale! dove otto in novecento persone si *elettrizzino* insieme», scrive per es. l'Algarotti (lettera a Voltaire, 1746); il Baretti dice che i pensieri del p. Buonafede «non hanno soverchia *elasticità*»: e non c'è bisogno di dire che l'immagine al p. Buonafede non piacque (*Frusta*, n. XXXII: II, p. 384 Piccioni). Brighella, nel *Mostro turchino* di C. Gozzi (IV, sc. 6), parla non senza ironia dell'«*inoculazion* del bon senso». In un opuscolo intitolato *Italia* (1778) si dice che a Firenze si usava una *cicisbeatura matematica* per cui in colloqui galanti si sentivano frasi come queste: *in ragion composta del vostro affetto, in ragione inversa del vostro languore, i quadrati dei tempi della mia speranza sono come i cubi della distanza del vostro consenso*, ecc.[214]. P. Verri (nelle «Meditazioni sull'economia politica», § 22) dice che «la Capitale è alle Città quello che esse sono alla provincia», con ovvio riferimento alle proporzioni matematiche.

Alle pretese degli schizzinosi, i quali in nome della tradizione biasimavano le metafore scientifiche[215], il Cesarotti rispondeva: «Se la lingua soffre l'elettricità nei corpi, dovrà ben permettere che si *elettrizzi* lo spirito: se la virtù della calamita ha il nome di magnetismo, come impedire al cuor d'un amante di sentir la forza *magnetica* negli occhi della sua bella?» (*Saggio*, III, xiv, p. 109 dell'ed. 1785)[216].

Può accadere che ancor oggi sopravviva nell'uso qualche termine scientifico settecentesco, abbandonato invece dagli scienziati: il Vallisnieri e il Targioni Tozzetti adoperano con preciso valore naturalistico l'aggettivo *antediluviano*, mentre oggi *antidiluviano* non è altro che un sinonimo iperbolico di «antico».

Altra serie di vocaboli che prendono un posto nel lessico italiano, sono i vocaboli che si riferiscono a oggetti e costumanze di altri paesi: vocaboli che in alcuni casi resteranno rari e di carattere solo enciclopedico, in altri penetreranno saldamente nella vita e nell'uso linguistico italiano. Si pensi alle notizie sulla guerra d'indipendenza americana (*insurgenti*, ecc.) o sulla rivoluzione francese (*notabili, Stati generali*, ecc.), quel che relazioni di viaggi divulgavano sugli altri paesi (*copicco*

---

[214] C. Cantù, *L'abate Parini*, Milano 1854, p. 400.

[215] Per es.: «Scorrano infine tutta quant'è la moderna Letteratura, e troveranno ad ogni tratto, e a proposito di niente un frastuono di frasi tecniche tolte dalla Chimica, dalle Matematiche, e dalla Teologia, una frenesia di adoperare paragoni scientifici cento volte più oscuri della cosa, che dovrebbero illustrare» (M. Borsa, *Del gusto presente*, cit., p. 41).

[216] Senza confronto meno numerose sono le metafore tratte da altri campi, come quando il Cesarotti ricorre a un termine teologico parlando di «timorati Gramatici, che in cose tanto gelose non ammettono *parvità di materia*» (*Saggio*, III, i, p. 74).

«copeco»: Algarotti; *vampiro*; i *sachemi* dell'America settentrionale; la *ciccia* «specie di bevanda fermentata» e il *poncio* dell'America meridionale, ecc.).

All'origine di molti singoli vocaboli o accezioni si troverebbe, cercando accuratamente, l'onomaturgo: sappiamo di parecchi scrittori che ebbero grande fecondità verbale. Il Vico, più che nel coniare neologismi, manifesta la propria personalità nella scelta di parole arcaiche o rare (*degnità, eroe*, ecc.)[217]. Anton Maria Salvini nelle sue traduzioni dal greco e da altre lingue foggiò innumerevoli parole nuove, specialmente composte[218]; ma, benché la Crusca ne abbia accolte parecchie, probabilmente da lui stesso fornite, ben poche ne sopravvissero.

Per il Baretti la coniazione di neologismi momentanei, specialmente con certi suffissi, è un vezzo stilistico: *barbitondere, boccacceria, brunocchiuto, cinquecentesco, creanzuto, cruscheria, donnaio, eglogaio, etruscaio, fazzolettata, frugoneria, giovanesco, illustrità, incatalettarsi, incavallarsi, insignità, magistratesco, malmantilesco, medagliesco, pastorelleria, posereccio, ragazzeria, ragazzesco, scarabocchiatorio, scredente, subarcadico* («delle colonie provinciali dell'Arcadia»), *versiscioltaio* (*-ato, -eria*), *vossignorare*, ecc.

Gran coniatore di neologismi (più volentieri con prefissi) è anche l'Alfieri, specialmente in alcuni scritti (nella *Vita*, anzi piuttosto nella seconda redazione; nelle *Satire*): *banchieresco, berlinale, disappassionarsi, disebriare, disferocire, disinventore, distemere, disvassallarsi, domacavalli, galanteismo, gallicheria, gallicume, gallume, gazzettario, giovesco, immilanarsi, incalessato, induchessato, inreticellato, infrangi-legge, italichesco, madrignale, microscopo, misogallo, odiosamato, omiccino, oltremontaneria, repubblichino* (spreg.), *sbastigliato, scuriosarsi, semipollo, semi-tiranno, serventismo* («cicisbeismo»), *sesquiplebe, smetrizzare* («sbagliare nel metro»), *sparruccarsi, spensare, spiacevolezza, spiemontizzarsi, sprotetto, sreligionato, tragediabile, tragediessa, tramelogedia, vendi-sangue, vicetiranno, vocaboliera*[219], ecc. Qualche alfierismo è entrato nell'uso letterario (*misogallo, odiosamato*); par verosimile che anche *snaturato* debba la sua fortuna all'Alfieri[220], contando poco i rari esempi duecenteschi e trecenteschi di *snaturato* e *disnaturato*.

[217] Qualche saggio su singoli termini vichiani è stato dato da G. Aliprandi, in *Lingua nostra*, V, VI, sullo stile, v. M. Fubini, *Stile e umanità di G. Vico*, cit. (spec. i primi due capitoli).

[218] «Il Salvini nelle sue malaugurate traduzioni ne inventò molti [aggettivi composti], atti ben più a screditarne l'uso che a raccomandarlo» (Cesarotti, *Saggio*, III, IX, p. 98 dell'ed. 1785).

[219] Si ricordi il *rispondiero, -diera* che l'Alfieri doveva aver sentito in Toscana (è nella serie dei «Modi francesi e toscani», p. 49 Jannaco) in corrispondenza a «Une femme, servante ou Fille qui répond à son père, mari, ou maître»).

[220] F. Torti, *Il purismo nemico del gusto*, Perugia 1818, p. 166; Id., *Antipurismo*, Foligno 1829, p. 170.

Non vi sono novità particolari nella formazione delle parole, se sappiamo prescindere dall'illusione di trovar strani i molti vocaboli che non hanno attecchito, mentre un numero certo minore si è stabilmente installato nell'uso.

Non mancano i sostantivi deverbali (*usurpo* «usurpazione», *villeggio* «villeggiatura»), né i verbi denominali (*dilazionare, parodiare, stilare*).

Nomi di formazione suffissale si continuano a formare via via per indicare persone (*cambista*), cose, astratti (*cicisbeismo*); ora per moventi obiettivi[221], ora per moventi affettivi (*sonettaio*).

Si coniano anche molti aggettivi con i suffissi consueti, *-ale* (*settimanale*, Casti; il Cesarotti foggia *nozionale*, che Carlo Gozzi ironizza[222]), *-ico* (*centaurico*, Targioni Tozzetti; *nordico*, Cesarotti), *-esco* (si ricordino i numerosi esempi barettiani citati), *-abile* ed *-ibile* (*capibile*, Vallisnieri, *riflessibile*, Algarotti), di contro a quelli in *-evole* che per lo più sono tratti da sostantivi e hanno una connotazione arcaizzante o scherzosa, ecc.

Tra i verbi formati con suffissi abbondano quelli in *-eggiare* (*inneggiare, tantaleggiare*) e quelli in *-izzare*, qualche volta di formazione nostrana (*panizzare*), ma più spesso modellati su analoghi verbi francesi.

Si hanno parecchie formazioni prefissali del tipo di *antiscorbutico* (Vallisnieri), *co-academico* (Gozzi), *condeputato, incombattibile, innegabile, insalvabile* (Salvini), *protogiornale, sottoscala, vicepiè* (nella locuzione scherzosa *un vicepiè di legno*, Gigli).

Abbondano anche i parasintetici: *antediluviano, ingesuitato* (Muratori), *scocollato* (Martinelli), ecc.

Fra i composti, ricordiamo anzitutto quelli del solito tipo imperativale: *guardaportoni* o, scherzosamente, *parastrepito* (G. B. Vasco). Sulle lingue classiche sono modellati composti come *occhi-pietoso* (Fantoni), *occhi-azzurro* (Cesarotti) o anche *vini dolcepiccanti* (Rolli), *brunocchiuto* (Baretti), ecc. Continuano le arbitrarie formazioni di tipo ditirambico: «*amorarmicantante* filastrocca» (Saccenti), «della *fiorbellaccoglitrice* Crusca» (Arisi), ecc.

Alcuni suffissoidi sono parimenti adoperati nella lingua poetica e nelle terminologie scientifiche: cfr. da un lato *ondifero* (Varano), *racemifero* (Lamberti), e lo scherzoso *quaglifero* (Saccenti), dall'altro lato *bilifero*, ecc. (Vallisnieri). Ma ne riparleremo fra poco, accennando ai latinismi.

---

[221] Parlando di *coralloide* il Vallisnieri spiega come il suffisso venga a manifestare la frequenza delle forme di transizione nella natura: «Sono anch'esse un anello, per così dire, della connessione de' generi o delle spezie, e di quell'ammirabile progressione, e legame che hanno insieme tutte le cose create» (*Opere*, III, pp. 395-396). Il Vallisnieri usa la parola come sost. masch. (nel *Museo di fisica* di P. Boccone, 1697, la parola era usata come agg.).

[222] *Chiacchiera*..., p. 77 Vaccalluzzo.

17. Il «linguaggio poetico»

Il Settecento ha ereditato dai secoli precedenti, come s'è visto, il canone che alla poesia convengano certi vocaboli diversi da quelli della prosa. *Alma, augello, etra, frale, guardo, ostro, prence, pria, rai, suora*, sono le parole che vanno adoperate nel verso, a preferenza o addirittura a esclusione dei loro equivalenti prosastici.

D'altra parte, molti dei vocaboli normali non sarebbero ammissibili nel verso (o solo in certi «generi» considerati inferiori, come la satira). Il Maffei biasimava C. M. Maggi di aver adoperato nei suoi versi parole come *appetito, confutare, congratularsi, dimenticarsi, misericordia, operare, tribolato*[223]. E il Metastasio scriveva all'Algarotti: «Voi talvolta (benché non frequentemente) pur che una parola esprima la vostra idea, e goda la cittadinanza fiorentina, non avete repugnanza a valervene, ancorché essa sia straniera a' poeti. Come *imbriacare, rinculare, banderuola, molla* o altre simili, sono parole ottime e sonore: ma non impiegate finora affatto, o pochissimo ne' lavori poetici, fanno una tal quale dissonanza dal tenore di tutto il rimanente, e presentano i pensieri non rivestiti di tutta quella decenza che (come appunto dalle vesti) dipende in gran parte dal costume»[224].

Interpretando formalisticamente la norma accade così che, per il solo fatto di scrivere in versi anziché in prosa, un autore si ritenga autorizzato a servirsi di parole riservate ai versi. Le commedie in versi del Chiari e del Goldoni contengono, anche in passi assai pedestri, esempi come questi:

> Non temete violenze; rasserenate i *rai*
> (Chiari, *L'innamorato di due*, I, sc. 4)

> Se il suo dinar rimando, egli è perch'io nol *merto*
> (Goldoni, *Il filosofo inglese*, III, sc. 17).

D'altra parte, se non manca qualche tentativo «realistico» di poeti che non esitano a servirsi di parole prosaiche o addirittura tecniche, è frequente lo sforzo di sostituirle con perifrasi. Nel sonetto di G. F. Zappi sul Mosè di Michelangelo («Chi è colui...», nelle *Rime*, Venezia 1723), la barba è indicata così:

> Quest'è Mosè. Ben mel diceva il folto
> *onor del mento*, e 'l doppio raggio in fronte;

e la perifrasi rimase poi in circolazione.

Zaccaria Betti nel poemetto *Il baco da seta* nomina così la rugiada:

---

[223] Fubini, *Dal Muratori al Baretti*, p. 84.
[224] Nell'ed. Palese delle *Opere* dell'Algarotti, XIII, pp. 16-17.

E però quando il Sol dal verde moro
col suo calor tolse *de l'Alba il pianto*
(c. IV, vv. 30-31).

Il Parini definisce il caffè nel *Mattino* (vv. 141-42):

il legume... d'Aleppo
giunto e da Moca[225].

La «pasta di mandorle » è (ivi, vv. 268-271):

il macinato di quell'arbor frutto
che a Ròdope fu già vaga donzella,
e chiama in van sotto mutate spoglie
Demofoonte ancor Demofoonte.

Il Chiari nella commedia *Il poeta comico* (II, sc. 5) chiama lo «schioppo» la *ferrea canna*, e chi sa quanti altri si saranno serviti di questa perifrasi prima che l'adoperasse il Leopardi.

Uno che serve la «cioccolata in tazza» è per il Frugoni («Sermone la conte A. Bernieri»):

abil coppier che lieto
d'indiche droghe, e d'odorata spuma
largo conforto mi recava in nappo
di cinese lavoro.

Il Bondi nella *Giornata villereccia* parla così del «macinino da caffè»:

altri in ordigno addentellato il trita
e polvere ne trae minuta e molle.

Il Cesarotti, volendo evitare di nominare le «mule», le chiama:

le padreggianti figlie
di bigenere prole.

Il Mascheroni, che pur non esita nell'*Invito* a adoperare termini tecnici anche rari, abbonda di perifrasi e descrizioni allusive; del galvanismo parla così:

con sottil argomento di metalli
le risentite rane interrogando;

il nome della conchiglia *Venus literata* è trasposto in questi versi:

---

[225] Nell'*Invito* del Mascheroni tornerà «il legume d'Aleppo».

a quelle
qual Dea del mar d'incognite parole
sparse l'eburneo dorso?

Come si vede da parecchi di questi esempi, l'intenzione di evitare il vocabolo proprio non è che il punto di partenza per un raffinato gioco di eleganza.

18. Arcaismi

Se il linguaggio poetico ammette o addirittura richiede un largo impiego di arcaismi, spariti dalla lingua comune e rimasti a loro modo vivi soltanto nella tradizione poetica, la prosa spontanea per sua natura non li ammette. Ma la prosa ricercata, studiata, leccata ne abbonda, e se pensiamo all'ancor scarsa conoscenza di un lessico comune, e al modo in cui si veniva apprendendo la lingua (lettura del Boccaccio, consultazione della Crusca) non ci meraviglieremo nel vedere affiorare qua e là parole trecentesche attinte dai libri. E ciò con particolare frequenza in quelle cerchie in cui maggiore era il rispetto per l'italiano trecentesco.

A Firenze il culto domestico per gli scrittori di Crusca era temperato dall'uso nativo; ma a Napoli aveva séguito la scuola capuista, ai cui principii aderiva Giambattista Vico; nel Veneto troviamo il veronese Giulio Cesare Becelli e Carlo Gozzi coi suoi Granelleschi. Ma anche Pietro Verri scrive (*Osservazioni sulla tortura*): «Levò, col passarvi il mantello, la *polve*».

Avrebbe poco significato il mettere insieme un ampio elenco di arcaismi lessicali staccati dal loro contesto stilistico (e di quegli arcaismi grammaticali che fan loro riscontro: *vosco, mel darete, mancheranti* e simili); basterà a dare un'idea del fenomeno una brevissima lista esemplificativa: *apparare* (C. Gozzi), *avacciare* (Vico), *a bistento* (Di Gennaro), *calogna* (Vico), *continovare* (Parini), *daddovero* (Cesarotti), *danaio* (Vico, Gozzi), *diffalta* (Becelli), *durazione* (Becelli), *entragne* (Vico), *erbolaio* (Gozzi), *gualoppare* (Gozzi), *lunghesso* (biasimato in più autori dal Baretti), *maestrato* (Vico), *negghienza* (Vico), *orrevole* (Gozzi), *ricadìa* «molestia» (Gozzi), ecc. Gasparo Gozzi ricordandosi di una novella del Sacchetti (CLIII) in cui si parla di un «uomo grande e grosso di sua persona, e molto giallo, e quasi *impolminato*» (cioè «gialliccio come chi è malato di polmoni») rifà la parola secondo l'etimo: «giallo che parea *impolmonato*» (*Gazzetta Veneta*, 29 maggio 1760).

Ma, come già abbiamo ricordato (§ 6), agli zelatori della Crusca, del «buon secolo», dei fiori di lingua, si oppongono, più numerosi, gli avversari: principale fra tutti il Baretti, che a più riprese censura scrittori inclini all'arcaismo (il Genovesi, nel n. II della *Frusta*, il Di Gennaro, nel n. IV, ecc.). Forse la parola più invisa al Baretti e agli anticruscanti e *conciossiaché*, con le sue varianti *conciossiacosaché*[226], *conciofossecosaché*[227], *conciossiamassimamenteché*[228].

I poetastri che danteggiano urtano il Bettinelli, il quale si lagna (*Le Raccolte*, III, st. 41) dei

> mille stolti
> ch'han *repleta* di *bolge* ogni canzone

e vengono esumando

> e *le berze* ed *il sene* e peggior molti
> tai rancidumi.

Poco ricaveremmo, per conoscere gli arcaismi tentati in questo periodo, dagli scritti dei parodisti: la già ricordata «tragicommedia» *Il Toscanismo e la Crusca*, in cui Ser Toscanismo e il Signor Cruscanzio parlano una lingua caricatamente trecentesca, le battute anticruscanti di qualche commedia del Goldoni, ecc.[229]

Che alcuni degli arcaismi siano in definitiva riusciti a vincere la loro battaglia (o che i critici non li avessero definiti esattamente come tali) si vede dal fatto che oggi adoperiamo correntemente parole allora biasimate: così *altezzoso*, *nonpertanto*, *smagato*, *Ferragosto*, che il Baretti (I, p. 93, II, p. 257 Piccioni) trovava intollerabili; o *caparbio*, *carezzevole*, *dappoco*, *tiepido*, *istigare*, *tutti e due*, *tenere in bilico* (che leggiamo in un elenco del *Toscanismo*, atto I, sc. 9)[230].

Il Baretti stesso, tanto avverso agli arcaismi, se ne usa qualcuno lo fa per scherzo o per ironia: per es. *sirocchia* («m'accommiai da quella

---

[226] Leggendo *conciossiacosaché* all'inizio del *Galateo*, l'Alfieri getta il libro dalla finestra (*Vita.* ep. IV, c. 1). Errata, e non rara la forma *conciossiacosacché*: così scrive il Becelli (*Se oggidì...*, p. 86), così il Genovesi (sec. Baretti, *Frusta*, I, p. 40).

[227] Il Casti, nella *Congiura di Catilina*, mette la parola in bocca a Cicerone, e fa che nasca confusione in Senato ogni volta che egli la pronunzia.

[228] Nel *Toscanismo*, cit. (atto I, sc. 9), e in una parodia dello stile arcadico del giovane Galiani (D'Ancona e Bacci, *Manuale*, IV, p. 403).

[229] Il p. M. Carmeli in una nota «A' leggitori» delle sue *Storie di vari costumi*, 3ᵃ ed., Venezia 1778, scrive parecchi periodi pieni di modi di dire cruschevoli: «Dio pur guardi da coloro, i quali stanno a pancaccia in oziose dimoranze, s'eglino muovono parole della tua opera, è cosa da strasecolare, quando se ne tragga un fil di netto», e poi spiega d'aver avuto giusta cagione di favellare «con questi modi di lingua, che cercati paiono col fuscellino...».

[230] Va avvertito che sia nelle discussioni di critici, sia nella pratica, non è facile distinguere fra espressioni arcaiche e «fiorentinismi» giacché per «fiorentinismi» non s'intendeva alludere al fiorentino modernamente parlato ma al fiorentino registrato dalla Crusca. Quando il Goldoni dice (*Il teatro comico*, III, sc. 3): «Questo giovane ha del brio. Pare un poco girellajo, come dicono i Fiorentini...» probabilmente non ha sentito lui stesso la parola, ma l'ha letta nel *Malmantile* (o in un vocabolario che la citava dal *Malmantile*).

angiolella e dalla sua formosissima *sirocchia*»: *Lett. fam.*, xxxvii),
calonaco (nelle lettere al can. Agudio).

19. Dialettalismi e regionalismi

Si sa bene che la lingua dell'alta lirica è ormai da secoli conguagliata, e non c'è da aspettarsi di trovarvi alcuna sfumatura di carattere
locale; e lo stesso si può dire per la prosa più elevata ed astratta. Ma
già abbiamo visto parlando della lingua scientifica, e specialmente
delle terminologie naturalistiche, come si comportano gli autori rispetto alle voci locali.

Giacché la nomenclatura agricola, poniamo, o quella marinaresca
presentano molti vocaboli diversi da regione a regione o addirittura da
luogo a luogo, gli autori d'un trattato di agricoltura o di un glossario di
marina, i quali si rivolgono anzitutto alle cerchie più prossime a loro, è
ovvio che usino anzitutto i termini della propria regione. Il Baretti, nel
recensire *L'Agricoltura* di C. Trinci pistoiese (*Frusta*, n. 24: II, pp. 239-241
Piccioni), s'accorge che l'editore ha aggiunto all'opera un trattato che
parla di *morari*, ma senza avvedersi che esso ripeteva quanto era stato
già presentato dal Trinci nel trattato dei *gelsi*, e inoltre che ha aggiunto
una memoria di Z. Betti *intorno la ruca de' meli*. Che cos'è questa *ruca*?
non è altro che la voce veronese per *bruco*. Ora, «chi non vuole
scrivendo servirsi della lingua toscana in certi casi, dovrebbe almeno
dirci come si chiami in Toscana quella tal cosa di cui vuole scrivere,
acciocché ricorrendo al vocabolario, possiamo capire quale è la
materia di cui scrive. Come, senza essere veronese, si può egli sapere
che chi scrive delle *ruche* scrive de' *bruchi*?...»[231].

Il grande sviluppo della produzione della seta nel Piemonte, con
una ricca nomenclatura propria, fa che il conte Felice San Martino
asserisca francamente: «Quando si parla di seta, si possono adottar
senza scrupolo le voci piemontesi»[232].

Per la marineria, Venezia, Genova, Napoli non sentono ancora il
bisogno di abbandonare i loro vocaboli: per es. nella traduzione del
Dizionario istorico, teorico e pratico di marina del Savérien, pubblicata
a Venezia nel 1769, abbondano i venetismi; l'Algarotti parla
dell'«angustia de' *cantieri* dell'arsenale vecchio», ma anche del «falegname di uno *scoerro* di Amsterdam». Le parti della città, le parti della
casa hanno nomi vari nei vari luoghi, e il Goldoni parla delle *calli* di
Venezia e del suo *mezà*.

I vari stati hanno istituti che portano nomi loro propri: per es. quella
magistratura che nel Piemonte e a Nizza va sotto il nome di *consolato*

---

[231] Il Baretti applica anche per proprio conto questa regola quando scrive:
«noi, che avevamo nosco una tacchina, come dicono i Fiorentini, o un gallinaccio,
come diciamo noi» (*Lett. fam.*, xxxvi).
[232] C. Calcaterra, *Il nostro imminente Risorgimento*, cit., p. 489.

del commercio corrisponde ai *cinque savi della mercanzia* di Venezia e al *supremo magistrato di commercio* di Napoli e di Palermo. E i bandi, le notificazioni delle autorità adoperano, come è ovvio, i termini dell'uso locale: per es. nei *Manifesti del Consolato di S. M. R. sovra Cambij, Negotij et Arti*, Torino 1720-27, i «bozzoli» vengono chiamati *cocchetti*, certe stoffe di lana vengono chiamate *ratine*, ecc.; a Ferrara nel 1747 si pubblica una *Tarifa o calmiero perpetuo per il pane che si fabrica dalli fornari di Ferrara*: cioè emerge nell'uso scritto la voce *calmiere* o *calmiero*, finora propria dei dialetti dell'Italia nord-orientale. E come avrebbero potuto il Goldoni o il Gozzi chiamare i tagliandi rilasciati a chi giocava al lotto altrimenti che *firme del lotto*, se quello era il nome ufficiale e usuale a Venezia? E non doveva sentirsi autorizzato il Galiani a scrivere (nella *Moneta*, passim) *coniata, impronto, zeccare*, se quelli erano i termini usati ufficialmente nella zecca di Napoli?

Negli scritti del Beccaria i termini economico-amministrativi variano secondo il pubblico a cui egli si rivolge: mentre nelle «consulte», che hanno un orizzonte solo regionale, egli parla di *prestinari*, di *sfrosi*, di *melgone*, in altri scritti, che si rivolgono a un pubblico non soltanto lombardo, parla di *fornai, contrabbandi, grano turco*[233].

Nelle narrazioni di cose familiari, nelle lettere private, negli appunti personali, affiorano spesso voci regionali o dialettali. Il Cesarotti parla nelle lettere del suo *brolo* e dei suoi *spàresi*; il Parini negli «Appunti per il Vespro e per la Notte» registra: «*Cavagnola*, fichetti, cartelle...» e più oltre «Dialetto della *cavagnola*»[234], ma il nome dialettale del gioco (una specie di tombola con cartelle figurate) non comparirà dove il poeta ne darà la descrizione in versi (*Notte*, vv. 564-681).

Nelle commedie (anche in versi) di scrittori non toscani troviamo ogni tanto qualche dialettalismo: per es. nel Martelli (*Che bei pazzi!*, II, sc. 1) «e inviarmi al prosciutto, al cacio, ai *bigoli*», nel Chiari (*Il poeta comico*, II, sc. 1) «abbiam nelle finanze - agenti che per scrivere patiscon le *buganze*»; nell'*Augellin belverde* di C. Gozzi si parla della *spazzacucina* («retrocucina») e della *scaffa* («acquaio») oppure delle *cottole* («sottane»), E quando lo stesso Gozzi nelle *Memorie inutili* scrive *muraio* in luogo di *muratore* non fa che ricalcare con un suffisso italiano il veneziano *murèr*.

Da un dialetto settentrionale entra nell'italiano (e nel latino) scientifico la voce *pellagra*.

Insomma, i dialetti ancora floridi nelle regioni settentrionali e meridionali forniscono numerosi vocaboli alla lingua scritta in quanto non esistano o non siano abbastanza noti vocaboli di lingua: e ciò per esprimere nozioni piuttosto terra terra, che di rado sono state espresse nella letteratura (nomi di parti della casa, di utensili domestici, di cibi,

---

[233] Folena, «Lombardismi tecnici nelle *Consulte* del Beccaria», in *Lingua nostra*, XIX, 1958, pp. 41-49.

[234] *Poesie* I, pp. 269, 273 Bellorini. Il nome appare in una grida del 1739, in cui si elencano dei giochi «pregiudizievoli» (Cantù, *L'abate Parini*, cit., p. 129).

di vesti ecc.). Abbiamo insomma molti affioramenti spontanei di sostrati dialettali.

In quanto poi qualcuno si renda conto che accanto alla singola voce dialettale o regionale ne esistono altre sinonime, e qualcuna che ha maggior diritto d'imporsi nell'uso nazionale, si hanno quelle coppie o terne che abbiamo già viste, specialmente presso i naturalisti.

In qualche caso è l'affettività che dà l'abbrivo alla parola dialettale: così si spiega la fortuna di *birichino* (originariamente *birichino di Bologna*)[235].

Talora, in scritti letterari, è visibile l'intenzione di dar risalto alla voce dialettale per favorirne l'accoglimento nell'uso generale: si ricordi che il Cesarotti (*Saggio sulla fil. delle lingue*, III, x) contava molto sui vocaboli dialettali per venire «in supplemento di altri che mancano nel dialetto principale»[236]. Così il Vallisnieri difende la distinzione «lombarda» fra *crine* dell'uomo e *crena* del cavallo (*Opere*, III, pp. 396-397).

Forse a un semplice scherzo è dovuto il fatto che Pietro Verri e i suoi amici diano il titolo *La Borlanda impasticciata* (Milano 1751) – cioè «bazzoffia, broda» – a una loro raccolta satirica in più lingue e dialetti[237].

Un uso conscio di voci dialettali si ha anche quando qualche scrittore si ritiene autorizzato a adoperarle trovandole in autori antichi. Per es. in un suo sermone (il II) Gasparo Gozzi parla di quelli che non sanno far altro che «le oziose *lacche* - ripiegar sui sedili». Le *lacche* sono le «gambe», secondo l'uso veneto, che qui trovava appoggio in un verso del Burchiello.

E così quando il Gozzi scrive *puttina* (*Gli Osservatori veneti*, n. VII) o quando (in una lettera al Seghezzi) parla della *scuriada*, cioè dei colpi di frusta dati ai cavalli, egli ritiene che l'uso dialettale sia convalidato da quello arcaico. Non diversamente troviamo nel Genovesi (*Lezioni di econ. civile*, I, p. 30 Custodi) *pezzire* per «chieder l'elemosina», che è insieme napoletanismo e arcaismo.

Lentamente e faticosamente i vocaboli nazionali guadagnano terreno su quelli locali: il Muratori, che nell'edizione 1714 del suo trattato *Del governo della peste* aveva scritto «le *Persiche*, o sia i *Persici*» (p. 151), nell'ed. 1722 corregge «le *Pesche*, o sia le *Persiche*» (p. 128). Ma ancora alla fine del secolo si pubblicava un *Trattato della Cultura dei Persici e degli alberi da frutto* (Venezia 1792).

Emergono, per lo più, le voci toscane, ma in qualche caso si espandono anche i vocaboli di altre regioni. Sappiamo dal Salvini[238] e dal Regali[239] che il vocabolo romanesco *magnare* era preferito a Firenze

---

[235] Folena, in *Lingua nostra*, XVII, 1956, p. 66.

[236] Analoghe intenzioni manifestava il Bettinelli (*Opere*, IX, p. 53).

[237] Il Verri amava scherzare coi dialetti: scrisse una *Cronaca di Cola de li Piccirilli* (1763) parodia del volgare degli antichi cronisti meridionali.

[238] Nota alla *Tancia*, IV, sc. I.

[239] *Dialogo del Fosso di Lucca e del Serchio*, p. 42.

e a Lucca a *mangiare*, perché sembrava più elegante. Ma, se questo vezzo scompare, rimasero i romaneschismi *cocciuto*, *pupazzo* e il gioco delle *bocce*. Dal dialetto napoletano si divulgarono i nomi del *malocchio* e della *iettatura*.

20. Latinismi

In un secolo in cui le correnti antitradizionaliste predominano, non ci si aspetterebbe che apparissero molti latinismi di nuovo conio. E invece si può tranquillamente asserire che essi sono in numero non minore che nei secoli precedenti.

E si ricorre principalmente al latinismo nei due campi in cui più vibra la vita culturale del secolo: in quello delle scienze e in quello della poesia neoclassica.

Naturalmente, ogni singolo scrittore ha un suo particolare atteggiamento rispetto ai latinismi e ai grecismi. Il Vico, ad esempio, che vagheggia una prosa maestosa, ricorre ad ogni passo a latinismi: *edurre*, *perrompere*, *urente*, ecc., *infermo* nel senso di «debole», ecc.[240]. Il Salvini, nella sua molteplice opera di traduttore, abbonda di parole latine (*hiattola*, *inspergere*, *irsuzia*, *sagena*, ecc.) e molte altre ne conia su modelli latini e greci. Numerosi latinismi adopera il Parini[241], per lo più felicemente: *accenso*, *capripede*, *cucurbita*, *lituo*, *pàtera*, *pàtulo*, *ridolente* (lat. *redolens*), *scutica*, *solvere*, *testudo*, *venenoso*, ecc.; talora si tratta di parole usuali a cui egli ridà significato antico: *esaurire* «vuotare suggendo», *flagello* «frusta», ecc.[242]; va notato che qualcuno ha avuto fortuna, e non solo poetica, per es. *àlacre*.

Qualche latinismo troviamo persino negli scrittori illuministi: per es. nel *Caffè* del 1764, P. Verri scrive che sebbene l'uomo «non sia per lo più sensibile alle attrattive della verità per sé stessa, pure per un secreto *niso* la sente»[243]; e l'anno dopo C. Beccaria nota che «vi è un maggior *niso* verso l'uguaglianza che non era per lo passato»[244]. Ma esso dev'essere stato suggerito dal *nisus* degli illuministi francesi.

Le discipline antiquarie hanno bisogno di parecchi vocaboli attinti alle lingue classiche, come *latercolo* (Gori) o *loculo* (F. Buonarroti).

Nelle scienze l'affluenza di nuovi latinismi e grecismi e la coniazione di nuovi vocaboli formati con elementi classici sono dovute alle sempre crescenti esigenze terminologiche, all'approfondirsi di nuovi

---

[240] V. l'esemplificazione e il commento di M. Fubini, *Stile e umanità di G. B. Vico*, cit., pp. 115-120.

[241] Con fine gusto ne commenta stilisticamente alcuni il Carducci nel «Glossario del *Giorno*» (*Opere*, XVII, pp. 261-268).

[242] In qualche caso il Parini stesso si persuase d'aver latineggiato troppo: nelle sue correzioni al *Mattino* si proponeva di eliminare il *versar de' libri amati*, *sobole*, ecc.

[243] *Il Caffè*, tomo I, p. 21.

[244] *Il Caffè*, tomo II, p. 5.

rami di singole scienze, al sorgere di nuove discipline specializzate[245]. Ne notiamo solo qualcuno come esempio: *animalcolo; corolla, gluma, laciniato, monopetalo, pistillo, polipetalo, rizotomo; stalagmite; acidulo* (-*olo*), *clinico, diagnosi, prognosi, patema, profilattico, rachitide* (dal lat. scient. *rachitis*), *scarlattina* (dal lat. scient. *scarlatina*), *specillo, tòrmini; aberrazione* (t. ott.), *centrifugo, centripeto, coesione, eolipila, ondulazione, oscillare* (-*atorio*, -*azione*); *eliocentrico, geocentrico; catenaria, ellissoidale.*

I neologismi formati con elementi latini o greci sono specialmente frequenti per le nuove invenzioni: *aeronautica, aerostato, scafandro, ventilatore.*

Mentre nell'assunzione o nella coniazione di vocaboli scientifici e tecnici prevalgono, come è ovvio, le spinte di ordine intellettuale, i latinismi letterari sono spesso dovuti a spinte affettive: quando il Parini parla nel dialogo *Della nobiltà* dei familiari «che udivano e vedevano le vostre sciocchezze taciti e *venerabundi*», è ovvio che ironeggia; quando il Baretti nella *Frusta letteraria* (n. XII: I, p. 316 Piccioni) dice che «il Goldoni ha la διάρροια teatrale», mescola scherzo ed eufemismo.

L'uso di qualche frammento di lingua cancelleresca in lettere, commedie, satire, poemi eroicomici è anch'esso affettivo, giocoso-ironico: «*Quare* quell'albergo da masnadieri sia chiamato Venta o alloggio del Duca...» (Baretti, *Lett. famil.*, 20 sett. 1760); «Il Padre in far *quotidie* l'apparecchio - dicea...» (Fagiuoli, *Rime*); «ma questo in quel *protunc* non le fa pro» (Casotti, *Celidora*, VI, st. 24), ecc.[246].

I versi sdruccioli, frequenti in certi schemi metrici, inducono a ricorrere a parole sdrucciole latine: «Ha colmo il sen *tornàtile* - che neve par non tocca» (A. Mazza, «Il talamo»), «Laide erudita *pèllice* - del bimare Corinto» (Cerretti, «La vendetta»).

Voci classiche già apparse nei secoli precedenti sono ancora nel limbo dei vocaboli ignoti ai più: *miriade*, vocabolo già cinquecentesco, si sta divulgando ora, per testimonianza del Vallisnieri («parola barbara, che ora da non pochi si mette in uso»: *Opere*, III, p. 423). Altre parole, destinate a larga fortuna, appaiono timidamente con significati speciali. Il Salvini sente ancora il bisogno di glossare *erotico* quando parla dei «libri *erotici*, ovvero amorosi, de' Greci» (*Discorsi*, II, p. 140). *Inaugurare* e *inaugurazione* hanno ancora solo il significato di «eleggere solennemente, elezione solenne», mentre nell'Ottocento prenderanno significato più ampio[247]. *Adepto* o *adetto* significa essenzialmente «ritrovatore, o cercatore della pietra filosofale» (D'Alberti, s. v. *Adetto*), e comincia appena ad assumere maggior estensione: «[i libri stampati]

---

[245] Il D'Alberti, nella prefazione al suo *Dizionario universale*, appellandosi al Bellini e al Lami, difende il diritto degli scienziati di coniar nuovi vocaboli, e quello dei lessicografi di registrarli.

[246] Con scherzo ancora più vistoso, la regina Celidora emana *un sfrattetur* (ivi, st. 32).

[247] Goidanich, in *Lingua nostra*, IV, 1942, pp. 56-57.

tolsero dalle mani di pochi *adepti* le cognizioni» (Beccaria, in *Caffè*: tomo II, p. 9). Invece *sofo*, adoperato con predilezione dal Rezzonico («l'Ilisso] - baciò de' *sofi* ossequioso il piè»: «Per la coronazione di Corilla Olimpica»; «d'altri *Sofi* antichissimo drappello»: «Il sistema de' cieli»)[248] e accolto anche dal Parini («I nuovi *sofi* che la Gallia e l'Alpe - esecrando persegue»: *Mezzogiorno*, v. 941) non ebbe poi fortuna.

Anche i termini scientifici non erano tutti destinati a sopravvivere: *flogisto, orittogenia, orittologia*, per citar solo qualche esempio, spariranno nell'Ottocento dall'uso scientifico.

La diversità di significato che talvolta si nota tra la parola antica e quella italiana è dovuta spesso all'uso che ne era stato fatto nel latino medievale, o rinascimentale, o anche sei-settecentesco: così si spiega, per es., il significato già visto di *adepto*, o il significato fisico di *etere* (dovuto a Newton) o quello chimico (dovuto a Frobenius); così *fecola* indica ormai l'«amido ricavato da varie piante» («estrarre la *fecola* o amido dalle patate»: Targioni Tozzetti) e non, come il vocabolo latino *faecula*, il «tartaro» o un «certo decotto medicinale».

I latinismi e i grecismi, come è risaputo, spesso riproducono non direttamente i vocaboli classici, ma una mutuazione che già un'altra lingua moderna ha fatto al latino o al greco.

Immorale potrebbe essere attinto al latino (è documentato l'avverbio *immoraliter*), ma il Salvini lodando *immorale* come voce propria degli Inglesi e «di gran forza»[249] ci attesta che essa non è un latinismo ma un anglo-latinismo[250]. Il Baretti[251], parlando dell'aggettivo *terraqueo* (composto copulativo che l'inglese aveva attinto al latino scientifico fin dalla metà del Seicento), ne difende la legittimità («o fiorentina o non fiorentina che quella voce si sia»).

Ecco un sommario elenco di latinismi e grecismi giunti per tramite francese[252]: *analisi, aneddoto, belligerante, biografo, cariato, coalizione- concorrenza, contingente, cosmopolita, deferenza, duttile, egida* (fig.: *sotto l'egida di*), *emozione, epoca, esportare, importante, industria* nel senso di «operosità» ma in quello di «utilizzazione delle materie prime», *irritabile, materia prima* (in significato economico), *niso* (v. p. 513), *patriot(t)a* (anteriormente la parola esisteva in italiano col significato di «compatriotta»), *progresso* (in significato assoluto: «progresso della civiltà»), *refrattario, tecnico*, ecc.

Ed ecco alcuni anglo-latinismi: *adepto, colonia* (nel senso di «gruppo

---

[248] Il Rezzonico vedeva nella *sofia* «l'unione di tutte le umane dottrine e virtù» (*Ragionamento sulla filosofia del sec. XVIII*, 1778, cit. da Natali, *Il Settecento*, p. 261).

[249] Annotazioni alla *Fiera* del Buonarroti (II, v, sc. 3), p. 428.

[250] Uno dei primi esempi (come notò il Bergantini) è nel *Gentiluomo istruito* del Dorell tradotto da F. G. Morelli, Padova 1746.

[251] In una nota a una delle *Lettere familiari* (ed. Piccioni, p. 431).

[252] Può darsi che in alcuni casi il francese a sua volta abbia ricevuto il vocabolo (o la nuova accezione del vocabolo) dall'inglese.

di stranieri abitanti in una città»: «la colonia inglese che è in Livorno»: Algarotti), *esibizione*[253], *immorale, imparziale, insignificante*[254], *inoculare*[255], *rebus, transazione* («memoria scientifica»)[256], ecc. V'è poi la serie dei vocaboli politici: *costituzionale, legislatura, sessione, petizione,* ecc. All'*insurrezione* americana si deve il nuovo significato di *presidente* «capo d'uno stato repubblicano».

Meno frequenti sono i germano-latinismi: ricordo per es. *dicaster(i)o*[257], *estetica*[258], *etere* (nel significato chimico, dovuto a Frobenius), *inaugurale,* ecc.

Qualche altro latinismo sarà pervenuto all'italiano per altre vie: per es. la terminologia botanica e zoologica italiana risente della nuova sistemazione data a tutta la terminologia botanica latina dallo svedese Linneo.

Non si possono disgiungere dai latinismi e dai grecismi in senso stretto gli innumerevoli composti e derivati in cui letterati e scienziati hanno ricorso a elementi latini e greci per coniare nuove parole. I vocaboli foggiati per ischerzo (*lettericidio,* Gigli; *nasologia,* Baruffaldi; *bibliotafio,* Targioni Tozzetti; *quaglifero,* Saccenti; e sim.) o per momentanea opportunità stilistica (*nubiaduna, procellipede, profondigorgo,* ecc., Salvini) non sono entrati nella tradizione; invece si sono imposti parecchi termini generali: *anglomania, bibliofilo, bibliomane;* hanno avuto fortuna *aeronauta* ed *aerostato;* e si sono affermati molti termini scientifici: *bilifero* (Vallisn.) e molti altri composti in *-fero; anguilliforme, proteiforme* e molti altri composti in *-forme; xilologia* (Algarotti) e altri nuovi nomi di scienze in *-logia*[259], ecc.

Anche più numerosi dei composti sono i derivati formati dai latinismi con prefissi e suffissi: si moltiplicano più che mai in questa età le formazioni in *-ismo, -ista, -izzare;* talvolta secondo il modello di

---

[253] Non nel senso di «offerta», che è già nel Redi, ma in quello di «esposizione»: «A Londra, all'*Esibizione,* vidi rappresentata assai bene in un quadro questa celebre abbazia» (Rezzonico, nel giornale del suo viaggio in Inghilterra, 1787-88, ap. Bonora, *Letterati,* ecc., p. 1004).

[254] V. il luogo del Salvini or ora citato, e, ivi, p. 439.

[255] «li avrebbe fatti, come dicono là [in Inghilterra] *inoculare*» (Baretti, lettera del 27 sett. 1760).

[256] Gibelin, *Compendio delle Transazioni filosofiche della Soc. Reale di Londra,* Venezia 1793-98.

[257] È citato come «voce tedesca» nell'anonimo *Paralello* (sic) *della lingua italiana colla franzese,* Vercelli 1769, p. 25.

[258] Nel significato fissato da A. G. Baumgarten nel titolo del suo trattato (*Aesthetica,* 1750).

[259] Molti grecismi troviamo nei titoli dei libri: *Alimurgia* di G. Targioni Tozzetti; *Bibliopea* di C. Denina; *Diceosina* di A. Genovesi; *Gamologia* di Di Cerfool; *Gerotricamerone* del p. A. Bandiera; *Nomotesia* di F. M. Pagano (è un vocabolo che Platone usò nella *Repubblica*); *Oenologia toscana* di S. Manetti (già il Béguillet aveva pubblicato una *Oenologie*); *Orizonomia* di A. Chinaglia; *Ornitogonia, ovvero la cova de' canari* del p. Basilio della Concezione, ecc.; si ricordi anche la *Musogonia* del Monti (1793).

analoghi vocaboli già foggiati in altre lingue europee, talvolta autonomamente. Abbiamo così, per es., *dispotismo, fratismo, moderantismo, neologismo, purismo*, ecc.; *botanista, cambista, capitalista, cinquecentista, deista, economista, materialista, secentista*, ecc.; *caratterizzare, divinizzare, elettrizzare, legalizzare, tranquillizzare, umanizzare*, ecc. Il tramite forestiero qualche volta si può documentare solo attraverso l'esame critico dei più antichi esempi: vediamo per es. *purista* apparire la prima volta nella versione di G. A. Costantini dei *Caractères* di La Bruyére (1758), e l'Algarotti conferma che è «vocabolo tolto dal francese per significare i protettori della purità del linguaggio»[260]. Altre volte la provenienza esotica si vede dalla forma stessa dei vocaboli. *Fanatismo* in luogo di *fanaticismo* è dovuto alla tendenza francese a sopprimere *-ic-* davanti a *-isme*[261]. *Analizzare* e *paralizzare* sono dovuti a un erroneo adattamento delle analoghe voci francesi *analyser* e *paralyser*, come se contenessero il suffisso *-iser* = *-izzare* e non fossero invece tratti senza suffisso da *analyse* e *paralys(i)e*. *Estasiare* è ricalcato sul franc. *extasier*. Abbondanti esempi si hanno anche di formazioni aggettivali tratte con suffissi da voci latine e greche; anche qui non senza oscillazioni dovute in parte all'esempio di altre lingue europee: accanto a *embrionico* (Cocchi) s'afferma *embrionale*; *energico* probabilmente prevalse per l'aiuto dell'analoga forma francese (il Fioretti aveva adoperato *energiaco*, il Salvini e il Genovesi *energetico*).

L'adattamento dei vocaboli latini e greci agli schemi italiani si fa di regola come nei secoli precedenti per ciò che riguarda le desinenze: così ad es. il Mascheroni ha *cacto* (*Invito*, v. 468), il Parini *Odeo*. È rarissimo che si mantenga il latinismo crudo: per es. quando il Vallisnieri (*Opere*, III, p. 454) chiama *Chelae* le pinze dei gamberi.

Le vocali latine sono anch'esse adattate secondo gli schemi consueti: eccezionale è qualche *y* (v. p. 482) e qualche *ae oe* etimologico (abbiamo ricordato l'*Oenologia* del Manetti, 1773). Oscilla molto, invece, specialmente nelle parole di nuova assunzione, il trattamento dei gruppi consonantici: si ha così *adepto* o *adetto, anecdoto* o *aneddoto*. Nel Seicento il Dati scriveva *sinossi*; ora l'Algarotti e il Baretti, forse secondo il modello inglese, preferiscono *sinopsi*. La Crusca, fondandosi su un volgarizzamento trecentesco, scrive *epilessia*, mentre il Vallisnieri (*Opere*, III, p. 509) ha *epilepsia*. Il Pallavicino e il Magalotti avevano adattato il latino *captiosus* in *cazioso*, mentre il Salvini (*Discorsi accad.*, III, p. 143) scrive etimologicamente *captioso* (con *t*!). Quando ai non rari *ginnastico* e *ginnastica* si aggiunge *ginnasta* «acrobata», appare con *-mn-*: G. Borassatti [= G. B. De' Rossi], *Il gimnasta*, Venezia 1753.

Si può affermare che in complesso, malgrado un certo numero di

[260] F. Neri, «Purista», in *Atti Acc. Sc. Torino*, LXXVIII, 1942-43, pp. 52-56 (rist. in *Letteratura e leggende*, Torino 1951, pp. 118-122).
[261] Migliorini, *Saggi linguistici*, p. 147.

eccezioni, i Toscani preferiscono le forme assimilate (*pimmeo*, Saccenti; *ennico*, Manni; *ammosfera*, Targioni Tozzetti), mentre i non Toscani si attengono più volentieri alle forme etimologiche, senza assimilazione[262].

21. Francesismi

Se numerosi francesismi erano penetrati in italiano già negli ultimi decenni del Seicento, ora l'ondata si fa ancora più ampia, e va a toccare tutti, si può dire, i campi della vita e della lingua.

La penetrazione è vastissima, ma tuttavia non uniforme. All'avanguardia sono, per i motivi già accennati, il Piemonte e Parma. Abbondano maggiormente i francesismi in certi scrittori e in certi generi; forte è, come s'è visto, la penetrazione anche nella lingua quotidiana e nei dialetti.

Vediamo, raggruppati per campi semantici, i principali francesismi entrati nell'uso (o, almeno, che tendevano a entrare nell'uso) nel Settecento[263].

Ecco[264] alcuni vocaboli riferiti alla vita sociale: *abbordo*[265] e *abbordare*, *coc(c)hetta* (Algarotti, Bettinelli, Cerretti) e *cochetteria*, *cotteria*[266]. *Madama* e *madamosella* si estendono largamente.

Molte voci si riferiscono alla moda: *disabigliè*[267]; *andrienne* «veste da camera femminile lunga e chiusa», messa di moda dall'attrice Thérèse Dancourt recitando l'*Andrienne*, rielaborazione dell'*Andria* di Terenzio fatta dal Baron (1704)[268], *bonè*, *dominò*, *falbalà* o *falpalà*, *fisciù* o *fissù*, *ghette*, *mariage* «vestito da nozze», *mantò*, *roclò*, *surtù* «soprabito»; *bottoniera*, *ciniglia*, *flanella*, *mollettone*; *brelocco*, *buccola*; *cignone* o

---

[262] Il Vallisnieri parla di *Capsola* in senso botanico, e aggiunge: «Meglio potrebbon dire Cassetta, per istar lontano dal Latinismo, che farà fare le braccia in croce a chi si diletta di parlar Toscano» (*Opere*, III, p. 383).

[263] Si confrontino gli elenchi dati dal Brunot (su appunti di G. Maugain) nell'*Histoire de la langue fr.*, VIII, pp. 132-37 (ma gli autori hanno avuto il torto di attingere all'«insipido» *Raguet* anche voci francesi travestite per far ridere: *bel padre* «suocero», *scatola di bosco* «di legno», *volare* «rubare» e sim.), e gli esempi dati dallo Schiaffini nel cit. capitolo sui *Momenti*.

[264] Altre parole e locuzioni già in uso in italiano, le quali ora prendono per influenza francese nuovi significati, saranno elencate più sotto.

[265] La parola è usata dal Salvini e dall'Algarotti; il Maffei la biasima nel *Raguet*, ma l'usa nel suo epistolario.

[266] Il Bettinelli difende la parola nelle *Lettere inglesi*: «Nè in Italia v'ha miglior voce di *cotteria* che s'è tolta dai Francesi, ed è usata tra noi per esprimere certe compagnie di colte persone unite insieme al caffè o altrove» (*Opere*, XII, p. 221).

[267] Così, per es., nella *Relazione alle mode correnti fatta ad una dama che ne fa istanza da un cavaliere per sua istruzione* (1703), ed. A. Albertazzi, Bologna 1889; invece il Goldoni parla di *una donna disabbigliata* (lettera 28 aprile 1759, in *Opere*, XIV, p. 216 Mondadori), e il Baretti avverte che «alla corsa non si va se non *disabbigliato*, come dicono i francesi» (*Lettere fam.*, XI, p. 48 Piccioni).

[268] Migliorini, *Dal nome proprio*, p. 188.

«crocchia»[269], *frisare, frisatura, frisore, papigliotti*, ecc. Ricordiamo anche il profumo *sanspareille*, e qualche nome di colore: *bleu* (o *blo*, o *blu*), *lillà, sucì*[270].

Ecco alcuni vocaboli concernenti la casa e il suo arredamento: *bidè, burò* «tipo di scrivania», *cabarè, etichetta* «cartellino», *flac(c)one, ghiridon* «tavolino con un piede solo», *fr. guéridon*: C. Gozzi, *Memorie inutili*, II, XVIII), *ridò, surtù* «trionfo da tavola», *tirabussone, trumò*, ecc.

Si riferiscono alla mensa: *bignè, cotoletta, fricandò, ragù; dessert; framboesia* o *frambuè, sciampagna*, ecc. Ricordiamo anche il tabacco *rapè*.

Fra i mezzi di trasporto citiamo *cabriolè, cupè, fiàccaro* (Martelli), *landò; malla* è la «valigia di posta»; alle strade si riferisce *marciapiede*.

Concernono la vita militare: *baionetta, mitraglia, montura, bloccare, ingaggiare, picchetto, ranzonare*.

Qualche termine di navigazione: *manovra, scialuppa, andare alla deriva*.

Per le arti e mestieri e le industrie si ricordino: *calotta, cerniera, ghisa, tombaca* o *tombacco*[271], *zinco*.

Per l'economia s'importano parecchi vocaboli[272]:*aggiotaggio, aggiotatore, beni-fondi, billon, bureau* o *burò* «ufficio», *conto corrente, ferma, fermiere*, ecc. Alcuni termini amministrativi appaiono qua e là nei diversi stati: per es. *dipartimento* in Piemonte, e in Toscana al tempo dei Lorenesi, *visare* per «vistare» in Piemonte. Una fiumana ne verrà dopo il 1796.

Per le arti va ricordata anzitutto la locuzione stessa di *belle arti*[273]. È in voga l'uso delle *roccaglie*.

Per il teatro, la musica, i balli si ricordi *parterre* nel senso di «platea», *marionetta; overtura, rondò; oboe* o *oboè; minuetto, rigodone*, ecc.

Nei giochi di carte, come il *faraone*, s'adoperano le *fisce*.

Nelle scienze s'importano moltissimi termini dalla Francia, ma sono quasi sempre latino-francesi o greco-francesi. Degli altri, ricordiamo

---

[269] Non solo nel *Raguet* (V, sc. 6: *cignon*), ma anche in C. Gozzi (*Marfisa bizzarra*, VIII, st. 69: *cignone*) e nel Bettinelli (sotto la forma *chignone*).

[270] Dal franc. *souci* «calendola»: «la Ruggine... comparisce d'un bel giallo chiaro, il quale presto diventa ranciato, o *suci*, come dicesi in oggi, poiché la moda necessita a barattare i buoni nomi antichi Toscani, nei moderni Franzesi» (Targioni Tozzetti, *Alimurgia*, Firenze 1767, I, pp. 289-290).

[271] «Oro di dodici carati (detto dagli antichi *electrum*, e che è forse la nostra *tombaca*)»: Galiani, *Della moneta*, II, VI, p. 140 Nicolini; diversa definizione in altre fonti (cfr. *DEI*, s. v. *tombacco*).

[272] A. M. Finoli, in *Lingua nostra*, VIII, 1947, pp. 108-112, IX, 1948, pp. 67-71.

[273] Già il Vasari aveva parlato di *bellissime arti* e il Baldinucci di *arti belle ove s'adopra il disegno*, ma il nome di *beaux arts* si cristallizza in Francia alla fine del Seicento, ed in Italia l'espressione tornò dalla Francia, come si vede dal fatto che si parla di *belle arti* e non di *arti belle*. Cfr. L. Venturi, *La Cultura*, VIII, 1929, pp. 385-388.

cretino, *cretinismo* (da *crétin*, *crétinisme*[274]), *marna*. Per la tecnica, citiamo l'uso transitivo del verbo *montare* (un meccanismo e sim.).

La profondità della penetrazione è mostrata dall'abbondanza di termini generali: *allarmante*, *cicana*, *debordare*, *invironare*[275], *papà* (aiutato nel suo espandersi dal simbolismo fonetico), *regrettare*, *rimarco*, *rimpiazzare*, *risorsa*, ecc.

In parecchi casi derivati nuovi vengono ad aggiungersi a francesismi già penetrati nei secoli precedenti; accanto al francesismo antichissimo *giardino* si conia ora *giardinaggio*; e così *chincaglierie*, *congedare*, ecc.

Molte alterazioni semantiche per calco in parole che già l'italiano possedeva, sono meno appariscenti, ma non meno sicuramente dovute a influenza francese: *abile* (usato assolutamente, senza complemento), *addrizzare* («indirizzare»), *adorare* (iperbolico, di donna o di cosa), *affascinare* (estensivo, per calco di *charmer*), *affiorare* (come term. geol.), *alleanza* («matrimonio, parentado»), *autorizzare* (che voleva dire «dare autorità», e ora prende il significato di «permettere»), *caffè* (nel senso di «bottega del caffè»), *canna* («bastone»), *chimera* («ideale irraggiungibile»), *concorrenza*, *consolante*, *deperimento*, *egida* («protezione»), *embrione* (fig.), *estrazione* («origine»), *felicitare* (è in regresso il vecchio significato di «render felice», in auge quello nuovo di «congratularsi»), *furiosamente* (iperbol.), *genio* («uomo di alto ingegno»), *genti di lettere* («letterati»), *giocare* («sonare; recitare»), *giurare* («bestemmiare»), *grossezza* («gravidanza»), *guadagnare* «vincere (al gioco, in guerra)», *illuminato* («colto, senza preconcetti»), *incantare* (estensivo, per calco di *charmer*), *interessante*, *intraprendente*, *intrapresa*, *liquore* (che significava prima soltanto «liquido»), *lusingarsi* (calco di *se flatter*), *manifattura* (che passa dal significato di «fabbricazione a mano» a quello di «luogo dove si esercita un'industria»), *marca* (per es. d'amicizia), *marcia* «andamento», *materia prima* (in significato industriale), *mescolarsi* (di qualche cosa, fr. *se mêler de*), *misura* («provvedimento»; e nella locuzione *a misura che*), *molla* (nel significato figurato di *ressort*)[276], *mondo* («gente»), *obbligante*, *obbligato* («riconoscente»), *patriot(t)a* (nel senso di «amatore della patria»), *piano* («disegno di un edificio, di un'opera»), *essere portato* («avere inclinazione»), *pregiudizio* («preconcetto»), *prevenire*, *prevenzione* («preconcetto»), *prodotto* (sost.), *progresso* (usato assol. nel significato di «progresso della civiltà, dell'umanità», nozione tipicamente illuministica)[277], *pubblico* (sost., «quelli a cui si rivolge un libro o uno spettacolo»), *qualità* (in espressioni come *personaggio di qualità*), *rapito* («contento»), *rapporto* («relazione fra

---

[274] Proveniente dai dialetti franco-provenzali: cfr. Migliorini, *Dal nome proprio*, pp. 326-327.

[275] È registrato nell'*Ortografia moderna italiana*, Venezia 1796, p. 99.

[276] Cfr. quel che ne dice il Metastasio in due lettere all'Algarotti (Algarotti, *Opere*, XIII, p. 17 e 22).

[277] Cfr., per il francese, Brunot, *Histoire de la langue fr.*, VI, p. 109.

persone»), *saggio* («articolo»), *scolo* (nel senso di «smercio», fr. *écoulement*: Genovesi), *sensibile* («che si commuove facilmente»), *sensibilità*, *sfumatura* (che prende il significato del fr. *nuance*[278]), *soffrire* (assol.: *ho sofferto molto*), *superficiale* (fig.), *toccante* («commovente»), *toccare* («commuovere»), *torno* o *tornio* («giro [di frase]», ricalcato su *tour*)[279], *trasporto* («entusiasmo»), *travaglio* «lavoro», *truppa* («compagnia teatrale»), *umanità* («genere umano»), *vignetta*, *vista* («mira, disegno»), ecc.

Penetrano ora più o meno profondamente nell'uso anche locuzioni che ricalcano con parole italiane le analoghe locuzioni francesi: *belle arti* (cfr. p. 519 n.), *bel mondo, buon tono, colpo d'occhio, colpo di mano, gioco di parole, presenza di spirito, sangue freddo, spirito forte; avere un bel dire, dar carta bianca, far la corte, mostrarsi difficile, essere al fatto di* qc., *guardare il letto* («restare a letto per malattia»), *fare delle onestà* («fare delle cortesie»), *aver l'onore, pescar nel torbido, saltare agli occhi; a misura che, in séguito, a testa a testa*, ecc.

Nascono per calco anche parole nuove: *approfondire* («non si profondano nelle materie; non *approfondiscono*, come dicono i Francesi»: Salvini, nota alla *Fiera*); *faniente* (da *fainéant*: Algarotti), *impagabile* (la risposta «è veramente, direbbe un Franzese, *impagabile*»: Cesarotti, *Saggio*, III, xi), *passabile* («mediocre»), *riserbatoio* (da *réservoir*: Algarotti), *sviluppamento* (da *développement*: Algarotti), ecc.; e già abbiamo visto numerose formazioni in *-ismo, -ista, -izzare*, in cui l'analoga voce francese è servita di modello.

Negli elenchi che precedono, abbiamo registrato anche francesismi oggi scomparsi; e molti altri avremmo potuto registrarne che non ebbero che una vita effimera: *apprentici* («apprendisti»: *Dizionario del cittadino*, *badino* (Bettinelli), *blé delle Indie* (Vallisnieri), *degaggiato* (biasimato da Carlo Gozzi), *glissato* (id.), *griffa* («artiglio»: Bettinelli), *malonesto* (P. Verri), *peaggio* (Algarotti), *plagiato* (id.), *rilieffo* (P. Paoli), *tracasseria* (A. Verri), e infiniti altri.

Meriterebbe, accanto alle parole che s'affacciano e tendono a metter radice in italiano, registrare le opposizioni che incontrano presso le persone più fedeli alla tradizione, il Maffei, il Gozzi, il Galeani-Napione, ecc. Alcuni mutarono opinione col tempo: abbiamo visto, per es. (p. 457), che l'Algarotti, dapprima noncurante di qualsiasi remora, divenne poi molto più rigoroso[280].

Nell'accogliere i francesismi, si poteva procedere in tre modi: o

---

[278] E. W. Bulatkin, in *Publ. Mod. Lang. Ass. Am.*, LXXII, 1957, pp. 823-853.

[279] Cfr. una lettera del Manfredi (8 gennaio 1738) a proposito del *Newtonianismo*: «ha il genio di quella lingua [francese] nei modi di attaccare insieme le cose e nel dar loro ciò che essi chiamano *le tour*».

[280] Tuttavia ritenne lecito d'adoperare quei francesismi che avessero una documentazione antica, anche se modernamente disusati: per es. *allumare, altra volta, amar meglio, avvantaggio, prender guardia, aver ricorso, tutto giorno*, ecc.: cfr. M. V. Setti, in *Lingua nostra*, XIV, 1953, pp. 8-13.

adattarli alla fonologia e alla grafia italiana, o accettarli tali e quali, con la loro grafia, o, infine, riprodurli con un calco.

L'adattamento è, in genere, un segno che la parola è giunta per via popolare o è penetrata largamente nel popolo; gli altri due modi sono indizio di provenienza più colta. Già nel Magalotti abbiamo parecchie parole o locuzioni citate tali e quali; e molte di più ne troviamo nel Bettinelli: *négligé, petit maitre, badinerie, bon mot, impromptu, joli, piquant, charmant, art de plaire*, ecc.; e così ancora *à notre tour* (Baretti), fare *amende honorable* (A. Verri), ecc.

Ma per parecchi vocaboli si oscillò, e anzi per qualcuno ancor oggi si oscilla. Tipico è l'esempio di *toilette*, che alcuni scrivono alla francese, altri adattano in *tueletta, toeletta, toletta, teletta*[281]; qualcuno infine ricorre alla (falsa) traduzione *tavoletta* (Parini, C. Gozzi): ancor oggi la parola si scrive in almeno cinque modi: *toilette, toletta, teletta, toelette, toeletta*. Vistose varianti presenta anche *dettaglio*: questa è la forma predominante (Goldoni, Bettinelli, Beccaria, Parini, ecc.), ma si ha anche *detaglio* (Maffei), o, per evitare il male adattato francesismo, *ritaglio* («questa sorte di critica minuta, o critica di *ritaglio*, come vogliam chiamare»: Baretti, *Frusta*, n. XV. I, p. 397 Picc.)[282]. E così troviamo che alternano: *bleu / blu* e *blo* (v. le testimonianze nel *Vocabolario etimol.* del Prati); *bureau / burò, burrò* (Raguet; Goldoni, Chiari); *chicane / cicana* (a Lucca: Bianchini; P. Paoli); *débauche / deboscia* (Fagiuoli), *debocciato* (Raguet); *fiche / fiscia* (Algarotti); *framboise / flambuese* (Trinci), *framboesia* (Raguet), *frambuè* ecc. (cfr. Prati, *Voc. etim.*); *pièce / pezza* (A. Verri); *ragoût / ragù* (G. Gozzi, Algarotti); *sans pareille / sampareglie* (Bettinelli); *pot pourri* (*potpourry*, P. Verri) / *popurì* (Salvini), ecc.

Altre volte prevalgono le forme italianizzate, ma con molte varianti, per es. *amuerro, amoerre, moerro, moerre, muerre* (franc. *moire*); *tup(p)è, top(p)è* (franc. *toupet*).

Non va dimenticato che il francese ha servito di tramite, più o meno facilmente riconoscibile, per l'introduzione in italiano di molte altre voci, europee ed esotiche. Il nome dei «massoni» si presenta rare volte in forma inglese (*Frimesson* nella ritrattazione del Minerbetti, 1740), più spesso in forma francese, adattata o no (*franmassone*: L. Pascoli, citato dal Bergantini, 1745), e anche non di rado in forma tradotta (*liberi muratori*; *congregazione... detta dei Muratori*, in una lettera del Diodati al Nicolini, 1737, a proposito del processo contro il Crudeli). Così il

---

[281] V. le forme nel *Voc. etim.* di A. Prati, s. v. *toelette*. Le forme con *ua* citate dal Prati (*tualette, tualetta*) sono ottocentesche (*oi* nel Settecento sonava ancora *ue*).

[282] Il D'Alberti, nel *Dizionario universale*, giudica *Dettaglio* «Pretto franzesismo, che l'uso, sovrano signore della lingua, ha cominciato a stabilire, ed anche ad introdurre negli scritti di persone colte». Anteriormente, nel dizionario francese-italiano (cito dall'edizione di Bassano, 1777) lo stesso autore aveva tradotto *détail* «a minuto, a ritaglio, particolarmente»; nel dizionario italiano-francese non registrava *dettaglio*.

vocabolo inglese *riding-coat* diventa in francese *redingote*, donde l'italiano *redengotto*, *rodengotto*; *packet-boat* attraverso *paquebot* si italianizza in *paccheboto* (Algarotti), ecc.; il nome di *contraddanza* rispecchia l'adattamento francese *contredanse* e non la forma originale *country-dance*.

Lo spagnolo *platina* probabilmente è passato attraverso il francese prima di diventare *platina* e poi *platino*[283]. *Azione*, in senso economico, è registrato dall'Alberti come «francesismo commerciale», ma è, sembra, di origine olandese[284]. Dalle lingue nordiche giunge *narvalo*, per tramite di compilazioni naturalistiche francesi[285], e per la stessa via giunge *steppa* che è il russo *step'* passato attraverso il francese *step*, *steppe*. Le voci indigene americane, che nei secoli precedenti giungevano spesso in forma spagnola, ora si presentano per lo più in adattamento francese: *canoto* (Targioni Tozzetti), *piroga*. E per lo stesso tramite giungono altre voci esotiche: *kaulin* «caolino» è nella traduzione del *Dizionario del cittadino*, Nizza 1763, s. v. *porcellana*. L'Algarotti adoperò *mussoni* (dal franc. *moussons*) per *monsoni*, ma la voce precedentemente usata finì col prevalere.

22. *Altri forestierismi*

In un capitolo al p. Angelico Martignoni il Passeroni si lamentava che

> oltre ai molti vocaboli francesi
> adottando si van di giorno in giorno
> voci e frasi di varj altri paesi[286].

Il principale contingente viene dall'Inghilterra, anche se la parte maggiore di essi non è immediatamente riconoscibile, o perché essi sono anglolatinismi (si veda qui addietro, p. 516) o calchi (*biglietto di banco*, *insorgere* «ribellarsi», *libero muratore*, *libero pensiero*, *senso comune*, *verso bianco*, ecc.), o perché sono alterati dalla mediazione francese.

Tra i vocaboli che si riferiscono alla vita sociale vanno citati

---

[283] Si veda per i primi esempi italiani, F. Rodolico, in *Lingua nostra*, XVI, 1955, pp. 117-118.

[284] E, remotamente, italiana: cfr. *azione* nel glossario dei *Nuovi testi fiorentini* del Castellani.

[285] «I Danesi, e gli altri popoli del Nord vanno a caccia d'un grossissimo pesce, da loro detto *Narwal*»: [Pluche], *Spettacolo della Natura*, 2ª ed., II, 1745, p. 121. Il Prati, *Voc. etim.*, cita un esempio tratto dal vocabolario siciliano del Del Bono.

[286] *Raccolta di poesie satiriche scritte nel sec. XVIII*, Milano 1827, p. 251.

Milord(o) e *Miledi*, che si divulgano sia come titolo di personaggi inglesi, sia figuratamente per indicare chi fa vita larga e dispendiosa[287].

Si imparano a conoscere parecchi termini propri della vita politica: il *Giornale dei letterati d'Italia*, XVIII, 1714, spiegava ai suoi lettori il significato di *whig* e *tory*.

E si sa chi sono i *quaccheri*. Si conoscono i *pamphlets*[288] e si dà il titolo di *Magazzino* ad alcuni periodici[289].

Fra i cibi e le bevande possiamo ricordare il *pudding*[290] i *toasts*[291] il *punch*[292].

Fra le vesti citiamo il *redengotto* (v. p. 523) e lo *schincherche*. Una lega metallica inventata dall'orologiaio *Pinchbeck* si chiamò *princisbech* (Goldoni).

Attraverso la letteratura inglese s'imparano a conoscere i *silfi* e gli *gnomi* (nomi coniati da Paracelso, ma divulgati in Europa dal *Riccio rapito* di Pope); dai *Viaggi di Gulliver* di Swift si apprendono *Lilliputte* (Baretti) e *lillipuziano* (Algarotti). Dal noto romanzo di Richardson il nome di *Pamela* si divulga nei romanzi e nei drammi; dal *Joseph Andrews* di Fielding il nome di *Fanny* (pronunziato alla francese) passa anche all'uso comune.

Poche voci giungono ormai dai paesi di lingua spagnola: *flottiglia*, *fandango*, *seguidiglia* (*zighediglia*, Baretti), *platina* (cfr. p. 523)[293].

Dai paesi tedeschi viene la moda dei *caffeàus*[294] quella degli *svìmeri* «specie di carrozza», dei cani *mùfferle*, dei *chifel*, ecc. Vengono di lì

---

[287] Graf, *L'anglomania*, pp. 119, 120, 135. Già il Chiabrera aveva scritto *milorte* (*Serm.*, V), e un esempio di *milord* del 1643 è registrato dallo Zaccaria, *Raccolta*, p. 317.

[288] Sia con il loro nome inglese («un libricciolo... del genere di quelli che gli inglesi chiamano *pamphlets*»: Algarotti, *Opere*, V, p. 413), sia in forma italianizzata: *panfletti* («innumerabili *panfletti*, e magazzini, e fogli a imitazione dello *Spettatore*»: Baretti, *Frusta*, n. IX: I, p. 245 Picc.) o *panfleti* (che sono «fogli giornalieri di Londra che non perdonano a chicchessia»: Bettinelli, *Opere*, XIV, p. 190).

[289] *Magazzino toscano*, Livorno 1754; *Magazzino italiano*, Venezia 1767; *Magazzino enciclopedico Salernitano*, 1798, ecc. Alcuni titoli di periodici sono ricalcati sullo schema di *Spectator*: *L'Osservatore*, ecc.

[290] Ora in forma inglese (Baretti), ora adattato in *pudino* o *puddingo* (Algarotti); più tardi piuttosto *budino* o *bodino*, per incrocio col franc. *boudin*.

[291] «preclaro - Dottor di *tosti* e thè, di ponchi e birre» (I. Pindemonte, *I viaggi*, poco dopo il 1796); cfr. *tostare* (le donne «noi le *tostiamo*, è vero, ma anche le accommiatiamo ai frutti»: Bettinelli, *Lettere inglesi*, I: *Opere*, XII, p. 150).

[292] Sotto le forme *ponc* (Goldoni), *puncio* (Baretti), *ponchio* (Pindemonte), e altre ancora (cfr. Prati, *Voc. etim.*, s. v. *ponce*).

[293] Ne potremmo dare lunghi elenchi se spogliassimo opere concernenti la Spagna o l'America spagnola: molte ne adopera per color locale il Baretti nelle sue lettere (*goliglia*, *posadera*, *quinta*, ecc.); il Muratori (*Il Cristianesimo felice nelle missioni... del Paraguay*, Venezia 1743-49) ha parecchi termini concernenti la vita nelle missioni dell'America meridionale, come *cascabel* «sonaglio», *poncio*, *rancheria*, *riduzione*, ecc.

[294] Ma a sua volta il ted. *Kaffeehaus* è ricalcato sull'ingl. *coffee-house*.

anche alcuni termini mineralogici: *cobalto* o *cobolto*, *feldspato*, *nickel* o *nìccolo*, *scorillo* o *scorlo* da *Schorl*[295] *spizio* «cuspide» da *Spitz*[296].

Dalle lingue slave viene la notizia e il nome dei *vampiri*: se direttamente dal serbocroato o per mediazione tedesca o francese è difficile dire. I viaggi nei paesi slavi portano alla conoscenza di termini locali: per es. l'Algarotti usa *czar* (femm. *czara*), *copicco*, ecc.

E così giungono, attraverso relazioni di viaggi ecc., vocaboli orientali (*nabab*, Cesarotti, 1792; *tattow*, nella traduzione dei *Viaggi* del Capitano Cook, Napoli-Livorno 1787, IV, p. 222) e vocaboli americani (*maogano*, Baretti, *Frusta*, n. XIV: I, p. 369 Picc.; oppure *maogani*, Id., lett. 10 nov. 1796, in *Epist.*, I, p. 421 Picc.; i *sachemi*. Algarotti, lettera del 4 luglio 1757).

23. Italianismi in altre lingue

La cultura italiana continua ad essere presente nella cultura europea: e ciò si vede anche dal discreto numero di italianismi passati nelle principali altre lingue.

Alcuni si riferiscono alla vita sociale, come *cicisbeo* (entrato in spagnolo nel 1717, in francese nel 1765 come *sigisbé*, poi *sigisbée*, ted. 1784, ingl. 1718), *casino* (franc. 1740, ted. 1775, ingl. 1789), *villa* (franc. 1743, ingl. 1755, ted.)[297]. Si divulga in Europa la locuzione (*dolce*) *far niente*, ora rinfacciata ora invidiata agli Italiani[298].

Fra i termini d'arte ricordiamo *pittoresco*, riferito soprattutto a paesaggi di natura selvaggia, come ad esempio quelli di Salvator Rosa (franc. *pittoresque* 1721, ingl. *picturesque* 1703, ted. *pittoresk* 1768).

Per la musica citiamo *pianoforte* (franc. 1774, e accorciato in *piano* 1798; ingl. 1767; il ted. oscilla tra *Fortepiano* 1775 e *Pianoforte* 1786; lo svedese, evidentemente attraverso il ted., ha pure *fortepiano* 1779), *mandolino* (franc. 1762, ingl. 1708; il ted. ha *Mandoline*, 1795, attraverso il francese), *violoncello* (franc. *violoncello* 1709, *violoncelle* 1743; ingl. 1724; ted. 1739, anche *Cello* 1784); e poi *barcarola* (franc. 1798, ingl. 1779), *bravo* come acclamazione (franc. 1782, ted. 1774, ingl. 1761).

Dilettante era principalmente, nel Settecento, un «virtuoso» di musica, e, all'estero, l'appassionato per la musica italiana (franc. 1740, ted. 1764; ingl. 1733, nel significato più generico di «amatore di belle arti».

Cicerone, nel senso di «guida alla visita di oggetti antichi o altre curiosità», passa in franc. (1773), in ted. (1729), in ingl. (1726).

---

[295] «rene piene di piccoli *scorilli*»: G. Santi, *Viaggio secondo*, Pisa 1798, p. 13; «cristallizzazioni di *scorlo* verdastro»: Bertola, *Viaggio sul Reno*, p. 249 Baldini.

[296] Rodolico, in *Lingua nostra*, VII, p. 65.

[297] Entra in francese anche *villeggiatura* (*villégiature*, 1761), eco delle «smanie per la villeggiatura» che imperversavano in Italia.

[298] B. Gerola, in *Festskrift A. Boëthius*, Göteborg 1949, pp. 31-47.

Protagoniste compare la prima volta in francese nei *Mémoires* del Goldoni[299].

L'*improvvisatore* (e l'*improvvisatrice*) presentano un aspetto tipico della letteratura settecentesca (fr. 1765, ted. 1787, ingl. 1795).

Due epidemie di «grippe» (nel 1743 e nel 1782) diffusero largamente il nome italiano di *influenza* (ingl. 1743, fr. e ted. 1782, sved. *influensa* 1783).

Abbiamo scelto alcuni esempi tipici, che attraverso le date di prima apparizione (con tutto quello che di casuale vi può essere in questo elemento di prova) ci mostrano la penetrazione all'ingrosso contemporanea in tre grandi lingue europee.

Per le singole lingue si hanno, o si potrebbero redigere, elenchi di vocaboli molto più ampi[300] e solo parzialmente concordanti; molto varie sono particolarmente le date in cui singoli viaggiatori o scrittori presentano alla loro nazione peculiarità di colore locale[301].

---

[299] Folena, in *Lettere ital.*, X, 1958, p. 48.
[300] V. per es. per il francese Brunot, *Hist. de la langue franç.*, VI, II, pp. 1236-1238.
[301] Per es. il *maraschino* (di cui parla il presidente de Brosses) o i *grissini* (che Rousseau nomina nelle *Confessions* e nell'*Émile* sotto la forma di *grisses*).

CAPITOLO XI

IL PRIMO OTTOCENTO
Dall'invasione francese
alla proclamazione del Regno d'Italia
(1796-1861)

1. Limiti

Poco prima dell'inizio del secolo, l'anno 1796 segna, con l'invasione francese, l'inizio di un nuovo periodo storico. Con l'unione del Settentrione al Mezzogiorno, e la proclamazione del regno d'Italia (1861), l'unità politica è virtualmente compiuta, anche se Venezia e Roma e Trento e Trieste mancano ancora al concerto delle città politicamente italiane. Per la sua importanza, la data del 1861 potrà valere come limite di questa trattazione. Come date intermedie vanno specialmente sottolineate quella che segna la nuova prevalenza delle forze reazionarie, il 1815, e la grande fiammata del '48.

2. Eventi politici

Dopo le grandi, improvvise novità portate dall'invasione francese del 1796, e dopo le lotte e gli alternati passaggi di truppe straniere in molte parti della penisola, si ha un consolidamento della potenza francese in tutta l'Italia peninsulare: accanto ai territori soggetti direttamente alla Francia, che comprendevano il Piemonte, Genova, Parma, la Toscana, Roma, stavano gli altri due stati vassalli, il Regno Italico e il regno murattiano di Napoli. Malgrado questa dipendenza, e il tributo di denaro e di sangue che la dominazione francese costò all'Italia, gli Italiani incominciano a godere dei benefici dell'uguaglianza civile e a ritenere possibile l'avvento di un'Italia libera e indipendente. La caduta di Napoleone porta con sé la soggezione al predominio austriaco e il ristabilimento di quasi tutti gli antichi staterelli. La Liguria è annessa al Piemonte, e il Veneto è assoggettato all'Austria. La Valtellina resta ormai unita alla Lombardia. Il Canton Ticino non è più vassallo dei cantoni tedeschi d'oltre il San Gottardo, ma è diventato cantone sovrano nell'àmbito della Confederazione Svizzera.

I moti del '21 e del '31 mostrano il progressivo maturarsi dell'idea nazionale, specialmente attraverso l'opera delle società segrete. Molti esuli vivono rifugiati in Toscana, dove il governo è più tollerante che altrove.

Grandi speranze si accendono nel '48-'49, e per pochi mesi Milano, Venezia, Firenze, Roma, Palermo vivono in libertà e credono imminente la palingenesi italiana. Funzionano dei parlamenti, si costituiscono dei partiti politici. Triste è la ricaduta sotto le forze reazionarie: ma ormai il Piemonte è diventato il centro dell'azione per l'indipendenza, e l'asilo degli esuli. E nel '59 la campagna franco-piemontese contro l'Austria porta all'unione fra Piemonte e Lombardia, ben presto seguita dai plebisciti della Toscana e dell'Emilia. La fulminea impresa di Garibaldi (1860) congiunge al regno di Vittorio Emanuele II la Sicilia e il Napoletano. Liberate anche le Marche e l'Umbria, la nazione è ormai quasi tutta unita in un unico stato: è proclamato (14 marzo 1861) il regno d'Italia, e pochi giorni dopo Roma è acclamata come sua prossima capitale.

Tuttavia è perduta Nizza, che, pur avendo un dialetto di tipo provenzale, fino all'annessione alla Francia (1860) aveva adoperato l'italiano come lingua culturale.

Malta, occupata dagli Inglesi nel 1800, resta in loro possesso; nelle Isole Ionie, nella Dalmazia, nell'Istria cessa, con la caduta della repubblica, il dominio veneto.

3. *Vita sociale e culturale*

Non esisteva nell'Italia ancora divisa, un «tuono sociale» comune[1] ma grandi passi per conseguirlo furono fatti negli anni del Regno Italico, e poi negli anni decisivi per l'unità nazionale. Si pensi alle vicende degli anni fra il 1796 e il 1815, che travolgono come un turbine migliaia di uomini, i quali, se non so, sarebbero probabilmente rimasti nei loro luoghi d'origine; si pensi ai numerosi esiliati che stringono relazione fra loro nelle città dove vivono, a Firenze, a Torino, a Parigi, a Londra, altrove.

Anche i contatti fra classe e classe in senso «verticale» hanno molta importanza, benché ancora il «popolo» minuto conti assai poco: il Risorgimento, come è risaputo, è essenzialmente opera della borghesia, la quale acquista un grande slancio negli anni del Regno Italico, principalmente in Lombardia, ma anche nei Ducati e nelle Legazioni. Roma invece è statica; nel regno di Napoli si risentono le conseguenze della reazione del 1799, che ne ha stroncato i migliori rappresentanti.

Maggiore importanza che nelle età precedenti ha su tutta la vita civile l'amministrazione, la quale ormai nel Regno Italico prende molti tratti moderni, che le rimarranno acquisiti.

Nei primi anni del secolo s'introduce secondo il modello francese il sistema metrico, il quale persisterà (mentre presto sparisce il calendario repubblicano).

Il codice civile redatto (per ordine di Napoleone) su salde basi romanistiche viene promulgato nel Regno d'Italia nel 1806 in testo

[1] Leopardi, *Zibaldone*, 3546-47, 28 sett. 1823.

bilingue, italiano e francese[2] testi analoghi sono messi in vigore in tutta l'Europa soggetta all'egemonia francese. La sua influenza permarrà anche dopo la caduta del Bonaparte.

Acquista crescente importanza la stampa periodica. L'Austria protegge la *Biblioteca Italiana*, e vigila il *Conciliatore* con una censura rigorosa[3].

Moltissime benemerenze ebbe per la cultura italiana l'*Antologia* del Vieusseux. Né minori furono quelle del *Politecnico*, iniziato dal Cattaneo nel 1839, e poi del *Crepuscolo* del Tenca. La stampa quotidiana esercitò principalmente la sua influenza in regime di libertà nel '48-'49: in Toscana i giornaletti «da una crazia», nel divulgare le opinioni politiche, si attengono a una prosa meno aulica di quella che si usava nei tempi «codini».

Si hanno i primissimi inizi della pubblicità, riferiti dapprima a specialità medicinali.

La vita teatrale è assai fervida: e il Rosini assai giustamente nota come il teatro di prosa potrebb'essere «il primo passo, onde giungere a render comune sulle labbra delle colte persone d'Italia la lingua»[4]. Ai melodrammi più divulgati si attingono facilmente nomi e allusioni.

L'insegnamento influisce solo sulle classi più elevate, e giunge scarsamente e di rado al popolo. L'istruzione elementare è resa obbligatoria per tutti fino ai 9 anni (ma ancora senza sanzioni) dalla legge Casati (13 nov. 1859). Nelle scuole medie l'insegnamento dell'italiano è spesso posposto o subordinato a quello del latino, malgrado l'ammonimento di M. Gioia di «non invertire l'ordine naturale delle cognizioni, come si fa insegnando il latino prima dell'italiano»[5]. Nelle università s'insegna ancora prevalentemente in latino: ne riafferma l'uso per l'università di Roma Leone XII; nelle università dello Stato Sardo l'uso dell'insegnamento in latino è abolito solo nel 1852.

Poche sono le Accademie veramente attive: ricordiamo l'Accademia delle Scienze di Torino e l'Istituto Italiano, con sede a Milano sotto il Regno Italico (più tardi, sotto l'Austria, diviso in Istituto Lombardo e Istituto Veneto). L'Accademia Fiorentina nel 1808 è ridivisa in tre classi (del Cimento, della Crusca, del Disegno): riappare così il nome della Crusca, la cui piena autonomia è ripristinata nel 1811 da Napoleone. Si

---

[2] La traduzione italiana fu fatta a Milano; quando poi i giuristi del regno di Napoli furono consultati per proporre le modificazioni necessarie prima d'applicarla nei territori napoletani, la giudicarono «barbara, né sempre fedele» (N. Rodolico, *Storia degli Italiani*, Firenze 1954, p. 592).

Poiché il lessico giuridico italiano subì fortemente la sua influenza, meriterebbe studiarla davvicino.

[3] Si arrivò persino ad impedire la pubblicazione di queste parole del Pellico: «il nobile bisogno della pubblica stima e l'appoggio dell'opinione pubblica».

[4] Rosini, *Risposta ad una lettera del cav. V. Monti sulla lingua italiana*, Pisa 1818, pp. 81-82.

[5] Anche per il pregiudizio che non sia necessario «d'imparà l'itajjano a un itajjano» (Belli, son. «La lezione del padroncino», 8 aprile 1834).

fa molta attenzione ai premi letterari che essa distribuisce, mentre la sua attività lessicografica è piuttosto fiacca (v. § 9).

Notevoli progressi fanno le scienze, pure e applicate. E i Congressi degli scienziati (a cominciare da quello di Pisa, 1839) hanno importanza per i contatti che suscitano e il lievito unitario che li pervade.

Nuove invenzioni vengono a incidere sulla vita civile. Le applicazioni del vapore danno origine, soprattutto nell'Italia settentrionale, a nuove industrie, e modificano profondamente il traffico terrestre (prime strade ferrate, 1839) e quello marittimo (battelli a vapore). Al telegrafo ottico tien dietro il telegrafo elettrico. Le città vengono illuminate a gas (Milano, 1845). Appaiono i fiammiferi fosforati (1832), e s'introduce la fabbricazione dei sigari.

Si divulga in Italia la stenografia; si esperimenta il cembalo scrivano (G. Ravizza, 1855), che precorre la macchina da scrivere. Ha molto successo la litografia; appare la fotografia.

Nelle belle arti, il gusto neoclassico predomina nell'età napoleonica e seguiterà assai a lungo, accanto a manifestazioni romantiche (in architettura, per es., il neogotico).

È ovvio che cenni così sommari non possono dare un'idea del progresso delle idee e delle cose nella loro complessità: abbiamo citato alcuni esempi solo per ricordare che dovrà riferirsi a premesse di questo genere chi voglia studiare l'apparizione di nuovi vocaboli e di nuovi significati durante questa età (cfr. § 16 segg.).

4. Principali tendenze nel mutamento linguistico

Illuminismo e francesismo avevano fortemente inciso sulla lingua quotidiana, che alla fine del Settecento era quanto mai andante e franceseggiante. L'invasione francese porta nuovi francesismi, neologismi amministrativi – e un'ondata di retorica.

Ma come ben presto nella politica la soggezione fa nascere un nuovo spirito d'indipendenza, così la generale incuria stilistica e il dilagare delle voci francesi e delle voci burocratiche porta i letterati a una reazione. Protesta il Botta, all'Accademia di Torino, con un sonetto di stampo alfieriano (1803); protesta il Monti, nella *Prolusione agli studj dell'Università di Pavia per l'anno 1804*:

> Mi sentirei tentato di inveire alcun poco contro il barbaro dialetto miseramente introdotto nelle pubbliche amministrazioni, ove penne sciaguratissime propagano e consacrano tutto il dì l'ignominia del nostro idioma. Ma tu qualunque ti sia che intendi a procacciarti impiego politico, se hai cara la voce di meritarlo, fa di dar opera, finché n'hai tempo, allo studio dell'eloquenza; bada che col troppo indugiare non si rinforzi l'infelice abitudine dello scrivere e parlare viziosamente....

Di contro alle esigenze meramente pratiche i letterati riaffermano, secondo la tradizione italiana che dà tanta importanza al culto della forma, l'importanza del bello scrivere[6]. Si tende a rimettere in vigore il principio d'imitazione, richiamandosi alle glorie del passato: i classicisti si attengono principalmente al Trecento e al Cinquecento, mentre quella più rigorosa loro schiera che fu chiamata dei puristi insiste soprattutto sul Trecento.

Nel 1816 ha inizio la polemica sul romanticismo: i romantici rinnegano il principio d'imitazione, proclamano morta la vecchia mitologia e vorrebbero una letteratura e una lingua che esprimessero le idee di un'Italia giovane e fresca, all'unisono col resto d'Europa. Di qui la necessità di stretti contatti fra la lingua scritta e la lingua parlata, per meglio aderire alla realtà delle cose.

Un problema che si fa sentire in questo periodo (specialmente per opera dei romantici) è quello dell'unità della lingua come strumento sociale d'una nazione spiritualmente unita.

Manzoni vagheggia un'Italia

una d'arme, di lingua, d'altare,
di memorie, di sangue e di cor,

il Poerio la auspica

fiorente · possente
d'un solo linguaggio.

Ma le vie per accostarsi a questo ideale sono ancora più difficili per i romantici che per i classicisti e i puristi. Per questi, che rivolgevano gli occhi al passato, si trattava di scegliere fra vari modelli più o meno illustri; ma i romantici, che miravano alla lingua parlata, a che modello dovevano attenersi?

Alcune delle esigenze espressive potevano essere ben soddisfatte per mezzo dei singoli dialetti (e infatti il Porta ne dava luminoso esempio, e difendeva la legittimità del dialetto contro il Giordani); ma altra via si doveva evidentemente tenere per una letteratura e una lingua nazionale. Ricorrere al toscano parlato? Fu la via per cui s'incamminò sempre più risolutamente il Manzoni, trovando si parecchi seguaci, ma anche obiezioni e riluttanze[7].

---

[6] E ne ottengono qualche riconoscimento ufficiale: il decreto napoleonico del 1809 «per la conservazione della lingua» (vedine il testo negli *Atti dell'Acc. della Crusca*, 1909-10, pp. 97-98), le raccomandazioni del Vaccari, ministro dell'interno del Regno Italico, contro l'uso dei barbarismi burocratici (G. Bernardoni, *Elenco di alcune parole...*, Milano 1812, p. III), e così via.

[7] Possiamo, schematizzando, parlare di istanze classicistiche e di istanze romantiche, mentre ci guardiamo bene dal dividere i classicisti e i romantici in due schiere: è ormai trita osservazione che il Monti e il Leopardi classicisti sono intrisi di romanticismo, e di classicismo il Manzoni capo della scuola romantica. Così pure è ozioso discutere se vi sia o no parallelismo fra tendenze letterario-linguistiche e tendenze politiche, e chiederci se aveva ragione il Pellico quando asseriva che a Torino «per dire un liberale si dice romantico» (lettera 18 agosto

Mentre il numero di quelli che miravano all'unità territoriale (fra le varie regioni d'Italia) viene crescendo rapidamente fino a farsi valanga, ben pochi ancora sono quelli che pensano a una possibile unità sociale, che unisca agli strati più alti quelli più bassi: il «popolo» di cui si parlava andava di rado più giù che il «terzo stato»[8]. Come, del resto, poteva essere altrimenti se, alla fine del periodo di cui stiamo discorrendo, i quattro quinti degli Italiani erano ancora analfabeti?

Si potrebbe mettere insieme un interminabile elenco di lamentele di scrittori contro lo scrivere andante di giornalisti, di burocrati, di scienziati, barbari nel lessico, quando non anche nella grammatica, e incuranti di stile[9]: rimproveri assai fondati, anche se spesso sproporzio-

---

1819), o se aveva ragione il Botta (1828) nel chiamare i romantici «traditori della patria» (gli faceva eco ancora nel 1853, in una lettera al Gargani, il Carducci giovane); né è meno ozioso discutere se il Puoti fu «borbonico» o «patriotta»: la sua scuola contribuì molto alla formazione d'una profonda coscienza civile, ed è questo che conta. «V'era lì – dice il De Sanctis, – tutta una rivoluzione ignorata e dagli attori e dagli spettatori e dalle vittime. E rivoluzioni siffatte sono le meno reprimibili e le più efficaci» («L'ultimo dei puristi», in *Saggi critici*).

[8] Bosco, in *Probl. e orientam.*, III, p. 623. Il desiderio d'una «letteratura popolare» torna più volte nelle meditazioni del Leopardi; paradossalmente egli addirittura pensava, per conciliare la riconosciuta aulicità della letteratura e il desiderio d'una letteratura popolare: «Avere due poesie e letterature, l'una per gli intendenti, l'altra pel popolo. Così quelli non perderebbero, mentre questo ricupererebbe», ecc. (*Zibaldone*, 4388, 21 settembre 1828).
Una precisa definizione di ciò che il Tommaseo intendeva per «popolare» riguardo alla lingua la troviamo nelle *Memorie poetiche*, dove ci parla dell'inchiesta fatta interrogando la Geppina Catelli sulle parole registrate dalla Crusca: «una donna scelsi, e non un letterato, perché già quello che i letterati dicono, troppo io lo so: scelsi una donna per sapere l'uso appunto di quel popolo ch'è tra il volgo laureato e il volgo pezzente».
Quando il Bonghi si domandava «perché la letteratura italiana non sia popolare in Italia» intendeva per tono «popolare» il tono «conversevole» di «un ben educato salotto borghese» (Muscetta, pref. a F. De Sanctis, *La scuola Cattolico-liberale*, Torino 1953; cfr. anche Vuolo, in *Società*, XII, 1956, pp. 897-914).

[9] Pilucco in campi svariati. Il Foscolo satireggia (1813) il «giornalista» che

> un pasticcio latino-italo-greco
> rivomita indigesto dalla gola
> (capitolo a L. Cicognara).

Si ricordi la definizione che dà il De Sanctis, della lingua propria e dei suoi coetanei, nella Napoli del 1830-32: «scrivevo l'italiano con uno stile pomposo e rettorico, un italiano corrente, mezzo francese, a modo del Beccaria e del Cesarotti».... «Nelle scuole della capitale v'era maggior progresso negli studi. Il latino passava di moda; si scriveva di cose scolastiche in un italiano scorretto, ma chiaro e facile» (*La Giovinezza*, p. 15, 29 Russo). Agli stessi anni si riferiva l'Amari scrivendo nel 1886 della propria giovinezza: «Laggiù in Sicilia, come nella penisola, le aspirazioni politiche ci portavano a reagire, tra tante altre cose, contro quel certo italiano, che si scriveva comunemente: povero, basso e pur fiacco, pieno di vocaboli e modi stranieri» (cit. da N. Rodolico, *Dalla vita e dalla storia contemporanea*, Città di Castello 1913, p. 297). Non meglio che altrove si scriveva in Toscana: «così scrivono in Toscana come possiamo scrivere noi in Lombardia, senza nulla di speciale, di vivo, che proprio uno non se ne sa dar

nati, perché da un giornalista o da un segretario non si può pretendere che scriva come uno scrittore d'arte.

Eppure non rimasero senza effetto sulla prosa quotidiana né l'insegnamento dei classicisti e puristi, né quello del Manzoni. Valsero i puristi soprattutto come antidoto contro la sciatteria e il francesismo, mentre l'esempio manzoniano molto giovò «a estirpar dalle lettere italiane, o dal cervello dell'Italia, l'antichissimo cancro della retorica» (Ascoli, *Arch. glottol. ital.*, I, p. xxvIII).

Ma ancora verso il '60 è possibile distinguere non solo negli scrittori che sanno tener la penna in mano, ma anche nella prosa usuale, un filone piuttosto classicheggiante e un filone piuttosto semplice e spedito[10]. Sarà compito dei decenni successivi, soprattutto per i più fitti scambi dovuti all'unità nazionale, il ridurre, nella prosa corrente, la differenza fra questi due filoni.

Molti scienziati non rimasero indifferenti a questi problemi; ma più li preoccupava il tumultuoso moltiplicarsi delle terminologie scientifiche, che, secondo il Breislak minacciava «una confusione grande nelle idee di una scienza la quale non potrà progredire giammai con sicurezza e rapidità, fino a tanto che non se ne stabilisca il linguaggio»[11].

5. *La lingua parlata*

Benché gli scambi fra regione e regione siano parecchio più intensi che nei secoli precedenti, l'italiano è ancora essenzialmente lingua scritta, e, fuori dell'Italia centrale, pochissimo parlata. Sentiamo il Foscolo: «Le persone educate negli altri paesi d'Europa si giovano della lingua nazionale, e lasciano i dialetti alla plebe. Or questo in Italia è privilegio solo di chi, viaggiando nelle provincie circonvicine, si giova

pace, e non dico se il Manzoni ci s'arrabbia» (D'Azeglio, lettera 8 ottobre 1844 al Giusti, in *Epistolario* del Giusti, Firenze 1859, p. 449).

Non parliamo poi delle lamentele da cui prendono le mosse gli elenchi e i repertori di modi errati. Prendiamone uno qualsiasi: «a farne ricolta [di voci e modi barbari] non vi vuol certo erculea fatica, imperciocché basta solo entrare fra le nostre più alte brigate (e più alte sono esse, di maggiore dovizia ne forniranno), basta por piede nelle opere che vengono oggidì a stampa, e ben poche vorrei eccettuarne, e basta infine prendere in mano i nostri grandi fogli periodici e in questi soli, che in ogni altra lingua scrivono che italiana, troverem tanto da comporre un'altra biblioteca alessandrina» (G. Valeriani, *Vocabolario di voci e frasi erronee*, Torino 1854, p. 14).

[10] Talvolta le due maniere convivono nello stesso autore e magari nella stessa pagina: lo nota il De Sanctis nei *Saggi critici*, a proposito delle *Memorie* (1853) del Montanelli, che pure egli ascrive a «quella scuola che dietro le peste del Manzoni ha gittato via dalla prosa italiana tutta quella vacua sonorità, tutti quei riempimenti e giri e perifrasi e leziosaggini, che chiamano eleganza, e le ha dato un fare franco e spedito».

[11] *Mem. dell'Ist. del Regno Lombardo Veneto*, III, 1824, p. 39 (cit. in *Lingua nostra*, XVII, p. 92).

d'un linguaggio comune tal quale tanto da farsi intendere, e che potrebbe chiamarsi *mercantile* ed *itinerario*. Bensì chiunque, dimorando nella sua propria, si dipartisse appena dal dialetto del municipio, affronterebbe il doppio rischio e di non lasciarsi intendere per niente dal popolo, e di farsi deridere nel bel mondo per affettazione di letteratura»[12].

Il Manzoni ci descrive[13] quello che nei primi decenni del secolo si chiamava a Milano *parlar finito*: «voleva dire adoprar tutti i vocaboli italiani che si sapevano, o quelli che si credevano italiani, e al resto supplire come si poteva, e per lo più, s'intende, con vocaboli milanesi, cercando però di schivar quelli che anche ai milanesi sarebbero parsi troppo milanesi, e gli avrebbero fatti ridere; e dare al tutto insieme le desinenze della lingua italiana».

Per farsi capire dal popolo, nell'Italia settentrionale e meridionale, non si poteva far altro che parlare dialetto (o un italiano intriso di dialetto): e così si faceva spesso nella predicazione e nell'insegnamento catechistico[14].

Pochissimo sentita era la necessità di por rimedio a questo stato di cose. Qualcuno bensì ammirava il fiorentino o i parlari delle campagne contigue e cercava di conformarvisi. Il Foscolo dice, parlando di sé sotto la figura di Didimo Chierico, che «si tornò a stare a dimora nel contado tra Firenze e Pistoia, a imparare migliore idioma di quello che si insegna nella città e nelle scuole»[15]. Il conte Carlo Vidua piemontese consigliava a un amico, nel 1815, di andare al Mercato Vecchio ad ascoltarvi pizzicagnoli e contadini[16]. E in alcune famiglie piemontesi era tradizione di mandare a studiare i figli a Siena, nel Collegio Tolomei[17]. Nella sua lettera al Giordani del 30 aprile 1817, il Leopardi, oltre agli esercizi e alle letture, si proponeva «forse anche (che a me pare necessarissimo) qualche anno di dimora in luogo dove si parli la buona lingua, qualche anno di dimora in Firenze». Ma il Giordani, nella sua lettera del 16 maggio 1817, replicava in un reciso poscritto: «Non ci è paese in tutta Italia dove si scriva peggio che in Toscana e in

[12] «Discorso III sulla lingua italiana», in *Prose letter.*, IV, Firenze 1851, p. 187 (con poche diversità anche nel «Discorso storico sul testo del Decameron», Ed. naz. delle *Opere*, X, p. 337).

[13] In un foglio di scarto del suo trattato *Della lingua italiana*: v. *Opere inedite o rare*, V, p. 348.

[14] Il Galeani Napione, scrivendo al Rosini (27 marzo 1819) parla d'un sacro oratore che predicando a Torino in piemontese «emula il Grisostomo» (Rosini, *Nuove lettere sulla lingua italiana*, Pisa 1820, p. 83); d'insegnamento del catechismo in dialetto per il Piemonte, per Genova, per Bologna parla il Biamonti, *Lettere di Pamfilo a Polifilo*, Firenze 1821, pp. 8-9.

[15] «Notizia su Didimo Chierico», § V (*Opere*, Ed. naz., V, p. 176). In una lettera del 1813 leggiamo che il suo «barbitonsore» l'«aiutava ad imparare la pronunzia toscana» (*Epistol.*, Ed. naz., IV, p. 297).

[16] Mazzoni, *Ottocento*, 2ª ed., p. 330.

[17] Rodolico, *Storia degli Italiani*, cit., p. 679.

Firenze; perché non ci è paese dove meno si studi la lingua, e si studino i maestri scrittori di essa (senza di che in nessuno si potrà mai scriver bene): ed oltre a ciò non è paese che parli meno italiano di Firenze. Non hanno di buona favella niente fuorché l'accento[18]: i vocaboli, le frasi vi sono molto più barbare che altrove». E il Leopardi acquietandosi «alla sua sentenza» lodava la pronunzia di Recanati (lettera 30 maggio 1817).

Non c'è bisogno d'insistere sull'importanza che Firenze ebbe nella concezione del Manzoni, e sul valore di mito che egli contribuì a darle. Il suo ideale è la lingua parlata dai Fiorentini colti; altri insistono piuttosto sulla schiettezza del parlar popolano e campagnolo. Ma c'era molto e molto da fare perché, in una forma o nell'altra, l'italiano diventasse veramente una lingua parlata[19]. Quando nel Parlamento di Torino i deputati si sforzavano di parlare in italiano, parlavano una lingua morta, nella quale non avevano l'abitudine di conversare[20].

E più volte l'aneddotica ci serba notizie di frasi dialettali di uomini illustri: del Prina, che consigliato di nascondersi nei tumulti milanesi del 20 aprile 1814 rispondeva: *I saria nen piemonteis*; di Cavour che in un momento d'ira, alla vigilia dell'elezione di Rattazzi a presidente della Camera, esclamava *A l'è na ciula, a l'è na ciula!*; di Vittorio Emanuele II, di Leopoldo II, di Ferdinando II.

[18] L'«accento» che il Giordani lodava, irritava invece lo Stendhal: «Je vole au théâtre du Hhohhomero, c'est ainsi qu'on prononce le mot *cocomero*. Je suis furieusement choqué de cette langue florentine, si vantée. Au premier moment, j'ai cru entendre de l'arabe»... «la prononciation arabe du florentin vous dessèche le coeur»: Stendhal, *Rome, Naples et Florence*, 2ª redaz., rist. Calmann-Lévy, p. 211 e 229.

[19] Abbiamo parecchie testimonianze su singoli individui. Di Carlo Alberto, per es., sappiamo che parlava bene, per le sue lunghe residenze in Toscana. Pasquale Galluppi impartiva le sue lezioni «con l'accento tagliente del suo dialetto» (Settembrini, *Ricordanze della mia vita*, I, p. 53 Laterza).

Il Manzoni si meravigliava che il Giordani «ritenesse la gallica sua pronunzia piacentina» (Tommaseo, *Colloquii*, p. 107), mentre per conto proprio s'era sforzato di proferire fiorentinamente, e quando il Salvagnoli lodò la sua pronunzia migliorata, se ne compiacque (ivi).

Il Tommaseo aveva imparato benissimo la pronunzia di Firenze: ci dice Ariodante Le Brun, che fu suo segretario: «Io, fiorentino, in tanti anni trovai che due sole parole non pronunziava come qui si suole: *bosco* e *apposta* con o stretto» (*Di N. Tommaseo*, Torino 1875, p. 12).

Un napoletano scolaro del De Sanctis, Nicola Marselli, ci dice che il maestro pronunziava la *s* di *chiosa* «in modo veramente barbaro» (cit. da Russo, nel suo commento a *La Giovinezza*, p. 125): vuol dire che la pronunziava sonora, mentre il Marselli e i suoi compagni ignoravano che questa era la pronunzia toscanamente corretta.

[20] L'osservazione è della marchesa Arconati, in un suo colloquio con uno studioso inglese (N. W. Senior, *L'Italia dopo il 1848: colloqui* ecc., ed. A. Omodeo, Bari 1937, p. 34).

6. Il linguaggio della prosa

Sulla prosa quotidiana andante, quale può essere quella d'un giornale, d'una relazione amministrativa, d'una lettera confidenziale, si solleva la prosa con intenzioni d'arte. Tra la prosa di un «attuario di tribunale e quella di un Giordani passano infinite gradazioni, dipendenti, oltre che dalla capacità dei singoli, dal maggiore o minor desiderio di scrivere bene, elegantemente.

Il classicismo ottocentesco[21] mira a una lingua altamente decorosa, che si scosti dalle «bassezze del moderno idioma» (Giordani), di «quell'italiano servile e maccaronico che i più fra gli odierni italiani parlano o scrivono ognidì» (Botta), per ricollegarsi invece alla lingua dei più nobili autori del '300 e del '500; fra i più insigni modelli è annoverato Daniello Bartoli, mentre il Settecento è considerato una vergogna. Per il lessico i classicisti si attengono, per quanto possono e sanno, a parole appartenenti alla tradizione nobile: non dunque forestierismi degli ultimi secoli, non neologismi, ove non siano strettissimamente necessari. Il Leopardi insiste sul fascino delle parole «vaghe» (mentre sono da evitare i «termini» scientifici e tecnici, troppo precisi). È lecito attingere moderatamente anche al lessico poetico.

Uno studio particolare è rivolto all'arte del periodo, il quale va costruito con membri di misurata ampiezza, accuratamente connessi in modo da ottenere una gradevole armonia.

Queste aspirazioni generali naturalmente si atteggiano nei modi più vari nei singoli scrittori. Il Botta, nell'attingere non solo agli scrittori di tono più alto (specie al Guicciardini) ma anche al Davanzati popolareggiante, ai novellieri, ai comici, non di rado usa un lessico sforzato e composito[22]; e lo sforzo si sente anche nelle numerose inversioni.

Anche il Leopardi attinge talvolta al lessico familiare e dialettale, ma con ben altri risultati.

I «generi» in cui fa le sue maggiori prove la prosa classicistica sono la storia, le orazioni, le dissertazioni di carattere generale. Un campo nuovo è quello dell'epigrafia[23], in cui bene si cimentarono il Giordani e il Muzzi.

Ancor più «libreschi» e ligi al principio d'imitazione che i classicisti sono i puristi, i quali se per certo rispetto possono essere considerati

---

[21] Vedi i buoni saggi di G. G. Ferrero, *Prosa illustre dell'Ottocento*, Torino 1939-41 (2ª ed., col titolo *Prosa classica dell'Ottocento*, Torino 1945).

[22] Le edizioni del 1819 e del 1820 della *Storia della guerra d'indipendenza degli Stati Uniti d'America* sono accompagnate da un «Indice alfabetico di alcune parole e frasi italiane meno comuni... colla relativa spiegazione».

[23] In una lettera del 20 aprile 1810 (*Epist.*, Ed. naz., XVI, p. 376), il Foscolo aveva asserito che «le iscrizioni in lingua italiana non possono riuscire se non deboli», e che «non resta che di tentare di non far male, dacché far bene non è possibile che in lingua latina». Ma può anche darsi che egli non avesse voglia di scrivere le iscrizioni richiestegli.

come una varietà più severa dei classicisti, quasi la loro «estrema destra»[24], per altro rispetto ne divergono, in quanto apprezzano l'aurea semplicità del Trecento molto più che la rotondità del Cinquecento[25]. I due principali rappresentanti del purismo, il p. Antonio Cesari, veronese (1760- 1828), e il marchese Basilio Puoti, napoletano (1782-1847), raccolsero intorno a sé parecchi seguaci. Più che per la loro opera di scrittori, povera e arida (si pensi specialmente a quelle *Novelle* in cui il p. Cesari si provò a trattare di cose moderne in stile trecentesco), va ricordata la loro attività di lessicografi, di grammatici, di maestri, su cui avremo occasione di tornare più oltre.

Come esempio dell'imitazione dei vezzi trecenteschi da parte del Cesari ecco un passo d'una lettera al Pederzani del 1813: «Veramente essi ne dicono [di questo dialogo] *tanto di bene*, che non pure superò *a pezza l'espettazion mia*, ma quello *eziandio*, che il mio amor proprio avrebbe potuto desiderare»[26]. Nella lettera del 1827 in cui rompeva le relazioni col suo infedele discepolo Villardi, egli incominciava: «*Fratelmo* carissimo» e concludeva: «*A Dio, Sozio*»[27].

Certo, spetta ai puristi il merito di aver rimesso in onore lo studio attento e diretto dei testi (e di averne pubblicati parecchi), sia pure limitatamente al loro canone trecentesco (alcuni cinquecentisti e Daniello Bartoli erano apprezzati in quanto alla loro volta erano ammiratori del Trecento).

Le loro invocazioni per un radicale mutamento della lingua suscitavano meraviglia, e talora quasi scandalo: si ricordi il dialogo fra il giovanissimo De Sanctis e il Costabile, già allievo del Puoti, che l'invitava a frequentare lo «studio» del marchese: «E credi tu ch'io debba ancora imparare l'italiano?» – «Sicuro, quell'italiano lì è un'altra cosa» (*La Giovinezza*, p. 57 Russo). E molti rifiutavano il giogo che i puristi pretendevano imporre: già nel 1816 il Berchet li considerava «un esercito di scrutina-parole, infinito, inevitabile, sempre all'erta, e prodigo sempre di anatemi»[28]; e ancora nel 1854 il Mamiani osservava: «A leggere per es. il Puoti sono tante le voci barbare usate al dì d'oggi, che in verità io non saprei come fare ad aprir la bocca senza sputare un farfallone, e il povero scrittore italiano è da colui menato alla condizione di chi balla sulle uova»[29].

Le pretese di alcuni puristi andavano talvolta al di là delle loro

[24] Molto essi polemizzarono fra loro: specialmente il Cesari ed il Monti. G. Marchetti nel sonetto *Il Monti e il Cesari*, immaginando che i due s'incontrino «oltra quel varco che al ritorno è chiuso» fa che essi dicano riconciliandosi: «Solo è bello (dicean) quel varco che l'antica – età consente e la moderna intende».

[25] Tanto che il Cardarelli (*La Ronda*, III, p. 130) ha potuto confrontarli con i preraffaelliti.

[26] G. Guidetti, *La questione linguistica e l'amicizia del p. A. Cesari* ecc., Reggio Emilia, 1901, p. 21.

[27] Guidetti, cit., pp. 141-142.

[28] *Lettera semiseria*, in *Opere*, II, p. 11 Bellorini.

[29] Lettera a P. Fanfani, nella *Bibliobiografia* di questo, p. 50.

premesse, già di per sé ostiche: tanto che uno che pur si annoverava nella loro schiera, Luigi Fornaciari, credette di dover pronunziare due discorsi «Del soverchio rigore dei grammatici»[30].

Ma, in complesso, l'opera dei classicisti e dei puristi ha avuto un'indubbia influenza sull'italiano, in primo luogo come antidoto, che è valso a far scomparire alcuni barbarismi e a far sì che altri rimanessero confinati nell'uso non letterario; in secondo luogo nel mantenere e promuovere l'uso di parole di tono alto e nel rimettere in circolazione voci e locuzioni ignote o mal note (v. § 18).

A tutt'altri principii s'inspirano i romantici. Bisogna essere naturali, spontanei, tenersi all'unisono coi contemporanei anziché andar ricercando come scrivevano gli antichi. Si ricordi che i romantici combattono le loro prime battaglie nel *Conciliatore*, cioè un periodico che non vuol essere unicamente letterario, ma persegue apertamente fini sociali. Bisogna esprimersi non per via di termini generali, astratti, ma realisticamente, cogliendo le cose nelle loro caratteristiche concrete, e chiamando senza scrupolo con i loro nomi gli animali, le piante, le cose[31]. Bisogna evitare «quello stile fraseggiato e convenzionale, che ora mai s'introduce nella prosa, come già da gran tempo si è stabilito nella poesia»: niente dunque *dare opera a uno studio, deporre il pugnale di Melpomene, scalzare il coturno*[32]. Perché tanti ricordi classici, tanta vuota mitologi? Se è vero che innanzi tutto bisogna servire alle esigenze della società italiana contemporanea, non è meno vero che non si deve straniare la nazione da quel che si fa e si pensa nel resto del mondo: dunque è necessario conoscere le altre grandi lingue e letterature europee.

Uno dei «generi» in cui meglio si manifesta il romanticismo è il romanzo storico, suggerito dall'esempio di W. Scott e adatto a soddisfare la tendenza al caratteristico, senza tuttavia perdere un certo distacco dalla quotidianità, per mezzo della lontananza dei tempi e dei luoghi.

I temi della prosa non meno che quelli della poesia si rinnovano largamente: vengono di moda, con la voga del Medioevo, trovatori e menestrelli; castelli e monasteri; fate, streghe, geni, folletti, silfi, spettri, larve; pugnali e veleni; carnefici e patiboli; danze macabre, cadaveri, scheletri, teschi; burroni, valanghe, camosci; brezze e rugiade; bufere e uragani...: appaiono così voci in parte nuove, o nuove almeno per la lingua letteraria.

Ma il problema di rinnovamento linguistico implica novità ben più profonde che quella dell'accoglimento o della diffusione di alcuni

---

[30] I discorsi furono tenuti nell'Accademia di Lucca (1835 e 1839) e rist. in *Alcuni discorsi filologici*, Lucca 1847.

[31] «La rivoluzione romantica si può anche definire con una facile metafora l'estensione del diritto di cittadinanza a tutti gli elementi della realtà» (Contini, nel vol. miscellaneo *Studi pascoliani*, Faenza 1958, p. 41).

[32] Borsieri, nel *Conciliatore*, 27 dic. 1818 (I, p. 531 Branca).

vocaboli nuovi: è messa in questione tutta la lingua letteraria tradizionale, troppo esclusivamente libresca e troppo poco popolare.

Naturalmente, le cose non cambiano da un anno all'altro: troviamo ancora parole come *pria* nel *Conciliatore*, *aere* in una lettera del Pellico, *appo Lei* in una lettera del Manzoni: ma l'esigenza è ormai posta, e presto o tardi i *pria*, gli *aere*, gli *appo* dovranno sparire dalla prosa (e poi anche dai versi).

La tendenza generale dei romantici è quella di ravvivare la lingua scritta raccostandola alla lingua parloata[33]. Ma poiché una lingua parlata generalmente diffusa non c'era, ciò volle dire per i Toscani attingere al loro parlato (con vocaboli e costrutti toscani comuni, o fiorentini, o lucchesi, o livornesi, o d'altra città che fossero); e vi fu chi ne usò e chi ne abusò: il Giusti, per esempio, che ai manzoniani piacque tanto, fu rimproverato d'aver abusato dei modi toscani, dando inizio a una «retorica in maniche di camicia». Invece per i non Toscani si aprivano due vie: o ricorrere all'italiano regionale (si pensi, per citar solo un esempio, al Nievo) o rifarsi anch'essi al toscano.

Mentre i più procedevano a tentoni e volta per volta si attenevano con maggiore o minor coerenza all'una o all'altra soluzione, il Manzoni con crescente chiarezza in sede teorica e con sempre maggior risolutezza in sede pratica si decise per il fiorentino, puntando su di esso con i ragionamenti e con l'esempio. Quella norma, cioè quel gusto collettivo che il Manzoni voleva si instaurasse, ancora non esisteva, e la scelta era ancora rimessa al gusto dei singoli. Sorse così in molti non Toscani la moda di attingere al toscano parlato; talvolta con esagerazioni e con errori. Il Cattaneo, in un articolo del *Politecnico*[34], se la prendeva con chi «va ramingo per Toscana a far abbaiare i cani delle cascine, per raggranellare atomi novelli per far lingua», e biasimava il Tommaseo per essersi servito in *Fede e Bellezza* di parole come *daddoli, damo, coso, sgargiante, giucco, tarpano*.

Anche i Fiorentini furono in genere piuttosto scettici di fronte a questi sforzi: nel 1835 il Capponi così si esprimeva, nella sua lezione alla Crusca sulla Storia della lingua italiana: «dove prima rispondeva il ghigno lombardo all'eleganze di Mercatovecchio, oggi è così grande l'amore di quelle eleganze medesime, che veggendole o male scelte o male adoperate, siamo costretti a menomare lo zelo che riconduce a noi i non toscani...»[35]. E in più forme si parafrasava il noto detto di Teofrasto:

[33] «Senza il canone della favella parlata il linguaggio illustre degli scrittori non è più lingua viva... *Gravità, gravità*, ecco l'unico, l'insopportabile pregio di tutti gli scritti» (Tommaseo, «Nuova proposta di correzioni e di giunte al Dizionario italiano», in *Nuovi scritti*, IV, Venezia 1841, p. 108).

[34] Rist. in *Scritti letterari*, I, pp. 114-126.

[35] Vedi l'estratto contenuto nel Diario del Guasti (C. Guasti, *Opere*, III, pp. 217-218).

> lo stile
> troppo toscan lui non Toscano accusa[36];

> dal troppo
> toscaneggiar vegg'io che non sei Tosco[37].

La lotta fra istanze classicistiche e puristiche e istanze romantiche si protrasse a lungo, e tutta quanta la prosa, anche la più umile e priva di pretese letterarie, finì col risentire gli effetti dell'una o dell'altra di queste correnti.

7. *Il linguaggio della poesia*

Una tradizione di quasi cinque secoli dava al linguaggio della lirica e dell'epopea una solidità eccezionale; e i classicisti continuano a servirsene, talora con altissima maestria, conservandone le caratteristiche essenziali. La grammatica mantiene alcune forme tradizionali (*nui, saria, fora*); il lessico è ricco di vocaboli arcaici o latineggianti (*alma, destriero, fiata, ostello; calle, delubro, ulto* «vendicato»; *luna* «mese», *sole* «anno», *polo* «cielo», ecc.), e i poeti rivendicano il diritto di attingere liberamente al latino (cfr. § 19). Ai nomi geografici moderni, troppo realistici, si sostituiscono quelli antichi: così per es. «Vidi il *tartaro* ferro e l'*alemanno* – strugger la speme dell'*ausonie* spiche» (Monti, *Mascheron.*, I).

Ad uno scopo analogo, quello di evitare le parole troppo realistiche, precise, moderne, serve la perifrasi: le rane sono «le rauche di stagno abitatrici» (Monti, *Mascher.*, IV); i colpi dei cannoni e dei fucili sono «il tuon de' cavi – fulminanti metalli» (Monti, *Bardo della Selva Nera*, IV), «il muggir degl'ignivomi tormenti» (G. C. Ceroni, *La presa di Tarragona*), «un tonar di ferree canne» (Leopardi, *Il passero solitario*); la mitraglia è il «folgorato – intorno a te col tuono – nembo di ferro» (G. Scalvini, *La plebe*); il chiostro è per il Mamiani «femineo cenobio», «penitente gineceo», «romito albergo», «devoto ostello», ecc. Spesso presenti sono le favole mitologiche (anziché «morire», *scendere all'Erebo, irrompere nel Tartaro*). Abbondano alcuni costrutti ignoti alla lingua comune (per es. l'accusativo alla greca); l'ordine delle parole è assai libero.

Molto rara invece è l'accettazione di termini speciali, se non in «generi» considerati meno nobili (per es. quando l'Arici nell'*Origine delle fonti*, IV, parla di «*pecci* atri» o di «*baccare* solinga»)[38]. Escluse

---

[36] Niccolini, *Opere*, III, p. 293.

[37] Giorgini, prefazione al *Novo Vocabolario della lingua italiana*, p. LVI.

[38] Tuttavia le parole che hanno un aspetto classico possono essere accolte senza difficoltà: avverte il Mamiani (Pref. alle *Poesie*, p. LVII) che *fibrilla* «fu termine da prima scientifico, poi sotto la penna del Monti divenne grazioso e poetico».

sono anche, di regola, le parole troppo familiari: il Leopardi si giustifica in una «annotazione filologica» per aver adoperato *evviva, evviva* nella canzone *All'Italia*; e fu certo ardito, agli occhi dei classicisti contemporanei, quando descrisse Aspasia che scoccava baci nelle curve labbra dei suoi *bambini* (altrove, nella canzone *All'Italia*, aveva adoperato *parvoli*)[39].

Le scuole instillavano ai giovanetti i principii classicistici: si senta come il Cantù descrive gli insegnamenti del suo maestro di retorica:

> Poesia, mi diceva esso, è favella degli iddii, e tanto miglior è, quanto più dai parlari del profano vulgo si sprolunga. E prima quanto alle parole, tu non dirai *abbrucia, affligge, cava, innalza, è lecito, spada, patria, la morte, la poesia*; ma *adugge, ange, elice, estolle, lice, brando, terra natia, fato, musa*; e così *merto, chieggio, oceàno, imago, virtude, andaro, destriero*. Dalle idee basse, che rammentano cose troppo a noi vicine abborri, figliuol mio. Ai nomi proprj sostituisci una bella circonlocuzione; non dirai *amore* ma il *bendato arciero*; non il vino ma *liquor di Bacco*; non il *leone*, l'*aquila*, ma la *regina de' volanti*, il *biondo imperator della foresta*, e così i *regni buj*, il *tempo edace*, la *stagione de' fiori*, il *liquido cristallo*, l'*astro d'argento*, la *cruda parca*. Vedi il Monti? non disse il *gallo*, ma il *cristato fratel di Meleagro...*[40].

La forza della tradizione è così irresistibile, che quando i romantici si provano a far valere anche in poesia i loro principii fondamentali si trovano imbarazzati; e quando vogliono esprimere cose che si riferiscono alla vita moderna, specie nei suoi aspetti più umili, urtano contro difficoltà gravissime: «la poesia epico-lirica – avvertiva il Berchet nella sua prefazione alle *Fantasie* – è una sciagurata che non vuole piegarsi a usare stile da gazzetta»[41].

È quasi impossibile raggiungere un impasto soddisfacente tra le parole di antica tradizione poetica e quelle moderne, realistiche. Ancora troviamo più o meno abbondanti nei poeti romantici gli arcaismi e i latinismi: leggiamo nel Berchet: «ei *preferse* i tetri abeti», «dal fratello ricevi un'*aita*,», «dalle membra è svanito un *algore*», «e co' baci una lagrima *elice*»; o nel Carrer: «l'*ermo ostello*», «i fulminei *cocchi*», le «*armille* preziose»; nella novella in versi *Pia de' Tolomei* di B. Sestini (1822) si legge che

[39] Il Manzoni ha *pargoli* e *bamboli*; il Borghi *bamboli*; ecc. In prosa, il Giordani raccomanda a Caterina Franceschi Ferrucci: «Non abbia la smania di fare del suo *bamboccio* un Salomoncino prematuro» (lett. 16 gennaio 1832). Il Manzoni, che nella prima edizione dei *Promessi Sposi* (cap. XXXV) aveva scritto «balie con *bamboli* al petto», nella seconda corresse in *bambini*.

[40] Nel *Ricoglitore italiano e straniero*, III, I, p. 309 (rist. in *Alessandro Manzoni*, Milano 1882, I, p. 230).

[41] Sempre vive e luminose le pagine dedicate da Cesare de Lollis ai «conati realistici» dei poeti dell'Ottocento (*Saggi forma poetica*); spunti felici in D. Petrini, *Dal barocco al decadentismo*, Firenze 1957, passim, e in W. Th. Elwert, «La crisi nel linguaggio poetico italiano nell'Ottocento», in *Anales del Instituto de Lingüística*, IV, 1950, pp. 36-81.

> sull'ingiusta *lance*
> fanno alle cose prevaler le ciance,

e il paiuolo diventa un «sospeso *lebete*»; in quelli che si intitolano *Canti per il popolo* del Prati troviamo:

> Ma chi l'ha morta? – Uno stranier soldato
> che il *verginal suo velo*
> tentò rapirle...

Chi legge *La Fuggitiva* del Grossi nella stesura originale milanese (1816) e nella versione italiana dello stesso autore rimane colpito dall'enfatica artificiosità di questa seconda redazione. Si veda, per es., la strofa 29 in milanese:

> I lacrim, el tremôr, l'abbattiment
> m' han strozzaa lì i paroll dent in la gora,
> tant che in quell att ho poduu di nient,
> e gh'hoo avuu temp intant de pensagh sora
> al sproposit che fava in quel moment:
> hoo veduu tutt el precipizi: allora
> m'è cascaa i man, sont dada indree trii pass,
> e son restada lì come de sass

e in italiano:

> I gemiti, le lagrime, il tremore
> si fer sui labbri alle parole inciampo,
> che respinte piombavanmi sul core:
> balenò intanto di ragione un lampo
> a rischiararmi il tenebroso errore
> del precipizio e m'additar lo scampo.
> Atterrite allor caddermi le braccia
> e la vergogna mi velò la faccia.

Scegliendo ambienti medievali o orientali, i poeti si mettono in condizioni di ricorrere a vocaboli che, pur essendo nuovi per la poesia e atti ad essere adoperati anche in prosa, hanno tuttavia una certa distinzione[42].

Come i poeti classicisti, così i romantici hanno come strumento distintivo della loro professione la *cetra* («infrangasi... – questa mia cetra»: Fusinato, «Addio a Venezia»). In un'età in cui le invocazioni guerresche abbondano, anche i poeti romantici per lo più non nominano le armi moderne, ma quelle antiche o medievali: «Su, brandisci la

---

[42] Si legga la lettera in cui il Pellico parla del *Carmagnola* manzoniano: l'argomento ha permesso al poeta di schivare «modi e vocaboli non simili alla prosa», e in tal modo di «scostarsi di poco dal discorso comune di oggidì» (lettera 8 gennaio 1820, in *Carteggio* di A. Manzoni, I, p. 457).

lancia di guerra», «una selva di *lance* si scorse» (Rossetti), «dell'*elmo* di Scipio s'è cinta la testa» (Mameli), «dove il *cimier* del barbaro - sinistramente appar» (Prati); i «cannoni» sono, anche per il Prati, *cavi bronzi* («Noi e gli stranieri», 1846); i proiettili sparati dagli Austriaci su Venezia sono per il Fusinato («Addio a Venezia»), «le ignivome - palle roventi» (in cui *ignivome* è, a dir poco, improprio). E così una carrozza a cavalli è per il Prati (*Edmenegarda*) un «agil *cocchio* tratto da *palafreni*», la «ferrovia» è, per un poeta d'occasione del 1856, un *ferreo calle*, il «treno» è nell'inno del Mercantini un *carro di fuoco*, per il Nievo un *fiammante mostro*, ecc.[43]; i fili telegrafici sono per il Regaldi (1856) *ferrei stami, docili stami, fune elettrica*.

Ma quando, osservava il De Lollis, le cose moderne appaiono chiamate con i loro nomi (come quando il Prati nella lirica «Dopo la battaglia di Goito» parla di *moschetti*, di *mitraglia*, di *barricate*), la giustapposizione di voci tradizionali e voci moderne urta per la sua discordanza. Lo stridente contrasto tra la solennità del primo verso e l'andante familiarità dell'ultimo nella quartina del *Canto d'Igea* del Prati

> Né men chi *si periglia*
> coi flutti e le tempeste
> del nostro fior si veste
> se il mar *non se lo piglia*

non è difetto stilistico d'un singolo passo o d'un singolo poeta, ma sintomo caratteristico della crisi del linguaggio poetico in questa età.

Fa capolino anche qualche voce burocratica latineggiante («Sei delatore»: Prati, «Il delatore») e, anche più infelicemente, qualche voce dell'italiano regionale: il Prati nel 1855 in «Satana e le Grazie» scriveva:

> E gli occhi allo *sferlato* arco d'argento
> paralitica e scempia era Latona[44].

Tuttavia, nel volgere dei decenni la poesia di tono alto tende sempre più a lasciar cadere i vocaboli arcaizzanti (tipo *aita*) e, un po' meno, quelli latineggianti. Dipende, certo, in primo luogo dall'individualità del poeta, ma anche un poco dal volger dei tempi se il Tommaseo ne ha in minor numero e meno spiccati che il Berchet o il Carrer.

Nella poesia di tono minore, per es. quella satirica e giocosa, il

[43] Messeri, in *Lingua nostra*, XVI, 1955, p. 74.
[44] Il Cherubini, *Vocabolario Milanese-ital.*, s. v., spiega il mil. *sferlà* come «squarciare, sdruscire (sic), stracciare, strappare, sbrandellare». E il raccolto nei *Saggi critici*, Napoli 1874, p. 104, annotava: «Non ved'egli che questi due versi cozzano fra loro, e che l'uno è comico, l'altro dell'alta poesia? E se di suono è posta a' servigi d'un arco d'argento sferlato, che sarà, quando mi parlerà d'un divino arco d'argento?».

contrasto è molto meno sensibile: già per tradizione si era più restii ad ammettere gli arcaismi e più inclini ad accettare i popolarismi. E poi che in questo «genere» a Milano, a Venezia, a Roma si preferisce scrivere in dialetto, tengono il campo i Toscani come il Pananti o il Guadagnoli o il Giusti, i quali adoperano volentieri nei loro versi vocaboli dell'uso parlato toscano, anzi talvolta specificamente delle loro città (v. § 17).

8. Discussioni sulla lingua

Alcuni fra i maggiori scrittori e parecchi fra i minori, oltre a realizzare il loro ideale linguistico con lo scrivere, espressero le loro opinioni sulla lingua e polemizzarono intorno ad essa. Poiché una cronistoria sarebbe troppo lunga e tediosa, ci limiteremo agli episodi principali con cui la questione della lingua si manifesta nell'Ottocento: il movimento puristico suscitato dal padre Cesari, la polemica montiana, la teoria manzoniana[45].

Come abbiamo visto, l'antesignano della scuola dei puristi[46] fu Antonio Cesari, veronese, prete dell'Oratorio. Con le sue edizioni di testi ascetici del Trecento, con traduzioni dal latino, con operette religiose e letterarie, ma soprattutto con la sua riedizione della Crusca (1806-1809) e con *Le Grazie* (1813), il padre Cesari sostenne che dal generale inquinamento era possibile salvarsi solo tornando alla lingua dei trecentisti. L'italiano ha avuto allora il suo secolo d'oro: «tutti in quel benedetto tempo del 1300 parlavano e scrivevano bene. I libri delle ragioni de' mercatanti, i maestri delle dogane, gli stratti delle gabelle e d'ogni bottega menavano il medesimo oro. Senza che tutti erano aggiustati e corretti, ci rilucea per entro un certo natural candore, una grazia di schiette maniere e dolci, che nulla più»[47].

Il padre Cesari tornava così sostanzialmente alla tesi del Salviati, ma senza sforzarsi di darne alcuna dimostrazione. «Che è questa bellezza di lingua? Ella è cosa che ben può essere sentita non diffinita, se non così largamente: ché nella fine questa bellezza non torna ad altro, che a un Non so che» (ivi, p. 146).

Anche l'opposizione che egli fa ai barbarismi invalsi nel linguaggio corrente non si fonda su discussioni o confronti: egli si contenta di elencare alla rinfusa parole e locuzioni, pensando forse che ciò basti a scandalizzare i lettori di buon gusto[48].

---

[45] Fra le trattazioni generali sulla questione della lingua, la più importante per l'Ottocento rimane quella del D'Ovidio, *Correzioni*.

[46] Sul Cesari, vedi M. Vitale, «Il purismo di A. Cesari», in *Lettere ital.*, II, 1950, pp. 3-35.

[47] *Dissertazione sopra lo stato presente della lingua italiana*, 1808, rist. in *Opuscoli letterari e linguistici*, ed. Guidetti, Reggio 1907, p. 145.

[48] V. gli elenchi negli *Opuscoli* cit., pp. 179-181, pp. 587-588.

Il Cesari era convinto che chi avesse studiato a fondo la lingua del buon secolo aveva modo di dire tutto ciò che volesse: «S'è durato gran tempo a vituperar questa lingua del '300... Ora, lodato Dio, s'è alla fine toccato con mano la cosa essere tutto altrimenti... Ogni cosa potersi dire che uom voglia, e per avventura meglio»[49].

Egli rinunziava per amore d'ingenuità e di freschezza a quattro secoli di vita italiana, e biasimava il proprio tempo come un «secoletto miterino» (cioè degno di portare in capo per punizione la «mìtera», come quelli che erano condannati alla berlina).

Non strettamente limitata al Trecento, ma pur ferma nel proposito di «côrre il più bel fiore dalle opere degli antichi» è la dottrina del marchese Basilio Puoti[50]. Si sa che la sua opera di maestro fu molto più importante degli scritti; fra questi, più che le sue edizioni di testi, in cui dà prova di ben debole filologia[51], interessano i suoi scritti di avviamento all'arte dello scrivere, le sue *Regole elementari della lingua italiana* (Napoli 1833, più volte rist.), il suo *Vocabolario domestico napoletano-toscano* (Napoli 1841, 2ª ed. 1852), scritto non per documentare le forme dialettali napoletane, ma per far conoscere ai suoi concittadini le voci del toscano letterario, il *Vocabolario de' francesismi e di modi nuovi e guasti* ecc. (Napoli 1845, lettere A-E)[52]. Se nelle letture con i suoi scolari, egli giungeva fino all'Alfieri e al Monti, più severo avrebbe voluto fosse il canone della Crusca: nella sua lettera a L. Ciampolini (1844) egli riteneva non si dovesse andare più oltre del sec. XVII, considerando che il Magalotti «è da allogare tra' primi corruttori della lingua». Se mai dovessero essere inclusi dei moderni, bisognerebbe pensare al Leopardi[53].

Piuttosto numerosi furono i seguaci e gli amici del Cesari e del Puoti nelle varie regioni d'Italia: ricordiamo, fra quelli che più si occuparono di studi sulla lingua, M. Parenti, L. Fornaciari, G. Manuzzi, mons. T. Azzocchi, variamente operosi.

Rispetto alla lingua, fu certo un bene l'aver rinvigorita l'opposizione all'ingresso illimitato di ogni barbarismo; non fu un bene l'aver rimesso il giudizio all'esclusivo beneplacito di un gusto letterario arcaizzante.

Più vasto respiro porta, nella questione, Vincenzo Monti. Il suo vivo interesse per i problemi di lingua lo spinse a prender posizione contro

[49] *Ragionamento sulla vita di Gesù Cristo*, Milano 1841, p. XIII.

[50] Sul Puoti restano sempre fondamentali le testimonianze del De Sanctis (nella *Giovinezza* e nel saggio cit. su «L'ultimo dei puristi»). Vedi N. Caraffa, *B. Puoti e la sua scuola*, Girgenti 1906.

[51] Il Puoti non aveva scrupolo di sostituire una parola con un'altra, di che lo rimproverava il Fornaciari; e il Bonghi ricordava come, per decidere se in un periodo del Serdonati si dovesse stampare *potrebbono* o *potrebbero*, leggeva più e più volte il periodo «procurando che l'orecchio gli deliberasse, se l'una o l'altra terminazione tornasse più sonora» (Prefazione a *Perché la letteratura italiana non sia popolare in Italia*, p. XV).

[52] L. Rosiello, in *Lingua nostra*, XIX, 1958, pp. 110-118.

[53] *Epistolario*, ed. Guidetti, pp. 254-264.

gli sforzi fatti dal Cesari per ridar vigore al culto più rigoroso del Trecento e della Crusca. Nel *Poligrafo* del 1813 egli cominciò a pubblicare anonimamente qualche articolo satirico: per esempio nel dialogo «Il Capro, il Frullone della Crusca e Giambattista Gelli», il *capro* viene a lagnarsi di essere stato escluso dal Vocabolario, mentre il suo nome era stato adoperato dall'Ariosto, dal Guarini, dal Menzini, da altri ancora: la Crusca ha incluso invece la meno nobile voce di *becco*; nel dialogo «Il 31, il 36 e il 46» attacca la Crusca del Cesari per i vecchiumi che ha raccolti (*quaranzei* e simili) e l'incompletezza delle esemplificazioni.

Con più salda lena il Monti si mise all'opera lessicografica quando l'Istituto Lombardo, negli ultimi tempi del regime napoleonico e nei primi di quello austriaco, prese l'iniziativa perché si compilasse, a opera di dotti di tutta l'Italia, un nuovo grande Vocabolario. Il Monti, che preparò una elaborata relazione e la presentò all'Istituto nel 1816, vide che era vano sperare un accordo con la Crusca; ciò nonostante il Governo volle che la proposta fosse fatta (chi si occupava della faccenda negli uffici milanesi era Giuseppe Bernardoni, con l'approvazione del governatore Saurau), e i direttori delle due classi dell'Istituto la fecero, il 6 luglio 1816.

La Crusca rispose il 10 settembre di aver già cominciato per proprio conto il lavoro, e di non essere perciò «più, il tempo di convenire col R. Istituto e assegnare concordemente le massime preliminari, le norme e il metodo da tenersi»[54].

Non questo episodio, che può essere tutt'al più, una causa occasionale, ma tutto l'atteggiamento del Monti in questi anni spiega il tono dell'opera che egli venne pubblicando dal 1817 al 1824, la *Proposta di alcune aggiunte e correzioni al Vocabolario della Crusca*.

Sono quattro volumi divisi in ben sette tomi, che comprendono, oltre alla parte maggiore che è del Monti, e consiste in una serie di postille critiche alla Crusca secondo l'ordine alfabetico delle voci, due trattati di Giulio Perticari (il genero del Monti), *Degli scrittori del Trecento e de' loro imitatori* e *Dell'amor patrio di Dante*[55], e dissertazioni e comunicazioni di vari eruditi (G. Grassi, G. Gherardini, ecc.).

Nelle prefazioni ai diversi volumi il Monti vien precisando il suo atteggiamento in favore dell'italiano illustre, e insistendo sull'importanza di un «vocabolario ordinato co' metodi della filosofia, purgato d'ogni lordura, suggellato dall'universale consenso della nazione» (II[a] parte: dedica a Barnaba Oriani). Del rifiuto della Crusca

---

[54] Cfr. N. Zingarelli, «V. Monti, l'Istituto Lombardo e la lingua italiana», in *Rend. Ist. Lomb.*, LXI, 1928, pp. 591-619 (rist. anche in *Scritti di varia letteratura*, Milano 1935, pp. 496-522).

[55] L'idea comune fra il Monti e il Perticari era quella della *lingua illustre*: ma mentre il Monti difende lo scrivere colto contro lo scrivere incolto, il nobile, il gentile, l'elegante contro il municipale, il plebeo, il casalingo, il Perticari sofistica sui testi danteschi, risuscitando le teorie trissiniane.

molti fecero le meraviglie; ma fu natural conseguenza della vecchia opinione con saldi chiodi fitta nell'animo degli Accademici, che la lingua italiana sia tutta proprietà della sola gente toscana, e che perciò l'Istituto entrando nelle cose del Vocabolario mettea la falce in messe non sua. Il che per onor della patria non era da sofferirsi; dovendosi, per lor sentimento, tener ferma la massima che il parlare di tutta l'Italia, non escluso quello dei dotti, deve prender legge dall'*attico* dialetto camaldolese, né potersi permettere che l'eloquenza italiana si abbeveri ad altri rivi che a quelli dell'Arno... (III, II, p. IX).

Al Monti pare di avere sufficientemente dimostrato

non ragionevole l'ambizioso attentato del Vocabolario della Crusca, l'attentato vo' dire di ridurre il comune idioma italiano alla misera condizione di lingua particolare sotto la tirannia del toscano dialetto, che per quanto si voglia men tristo degli altri, è sempre dialetto, cioè lingua d'alcuni, ma non di tutti; e di più, lingua strabocchevolmente carica di idiotismi e proverbi che a pochi passi di qua e di là della striscia di suolo in cui nacquero non hanno alcun valore perché nessuno gl'intende (III, II, pp. X-XI).

Le critiche contro la Crusca (e contro il Cesari, che rifacendo la Crusca ne aveva aggravati i difetti) trovano la loro radice in questo atteggiamento del Monti, avverso al provincialismo e all'arcaismo rancido, e si configurano in un'analisi minuta e severa di numerosi difetti tecnici.

Bisogna estrarre le voci arcaiche e farne un glossario a sé, «separare il vocabolario de' morti da quello de' vivi», iniziare o perfezionare gli spogli di autori a torto trascurati (l'Ariosto, il Rucellai, l'Alamanni), eliminare le citazioni di scritti sconsideratamente ammessi (il *Pataffio*, il Burchiello, le scene furbesche del *Granchio* del Salviati), cancellare le troppe parole disoneste.

Il Monti a più riprese insiste perché vengano eliminate le «depravazioni degl'ignoranti»: non solo vanno tolti dal vocabolario che deve servir di norma alla nazione *fistiare, frebotomia, paralello, rema* («reuma»), *ritropico* («idropico»), *sanatore* («senatore»), ma egli preferisce decisamente *arena* e *arenare* a *rena* e *arrenare* (I, II, pp. 56-57), *asse* a *sala* (III, II, p. 72), ecc.

Una parte del lessico che la Crusca ha ingiustamente trascurata è «la lingua scientifica, per la quale uscendo dai fioriti campi dell'amena letteratura convien mettersi nei rigorosi sentieri della filosofia e al tutto dividersi dal parlare della moltitudine».

La *Proposta* suscitò larghissima eco di discussioni e, in generale, trovò consenso. Quando il Monti morì (nel 1828), il Mazzini scrisse di lui: «gemiamo caduto l'autore della *Proposta*, che dà l'ultimo crollo alla tirannide in fatto di lingua».

A Firenze l'ab. Giovanni Pagni con lo pseudonimo di Farinello Semoli rimbeccò con acredine parecchie delle accuse mosse dal Monti alla Crusca, nelle *Osservazioni all'opera intitolata Proposta* (1819).

Francesco Torti, nel suo scritto contro il purismo del Cesari (*Il Purismo nemico del gusto*, Perugia 1818) salutava con entusiasmo il

primo volume della *Proposta*; ma più, tardi, ristampando l'opuscolo con
altri scritti (*Antipurismo*, Foligno 1829), obiettava che il Monti «mo-
strando di schiacciare il *purismo Veronese*, o il *trecentismo*, voleva
sostituirvi con egual tirannia il purismo del Cinquecento, escludendo
dal Vocabolario tutti i nuovi vocaboli consacrati dall'uso, e dall'esempio d'illustri scrittori» (p. 30).

Si ricollegano alle idee montiane la teoria e l'opera di alcuni
Milanesi che nei decenni successivi mantennero viva l'opposizione alla
Crusca e in genere al fiorentinismo: il Gherardini (v. p. 662), il Cattaneo,
che a più riprese manifestò la sua opposizione al toscanismo e
specialmente a certe forme plebee accolte dalla Crusca[56], il Tenca, che
nel pubblicare articoli di suoi collaboratori nel *Crepuscolo* ne correggeva la lingua[57].

D'importanza capitale nell'annosa questione della lingua fu l'intervento di Alessandro Manzoni[58].

Se il Monti rappresentava le esigenze del classicismo, il Manzoni
era il portavoce delle istanze romantiche. Ma non solamente delle
esigenze letterarie: la grande innovazione manzoniana consiste nel
trasformare quella che fino allora era stata una disputa di letterati in
un problema civile, che coinvolge tutta la nazione italiana.

L'esigenza che lo moverà per tutta la vita è quella che il giovane non
ancora ventunenne esprimeva in una lettera all'amico Fauriel, il 9 febbraio 1806: «per nostra sventura, lo stato dell'Italia divisa in frammenti,
la pigrizia e l'ignoranza quasi generale hanno posto tanta distanza tra
la lingua scritta e la parlata, che questa può dirsi quasi come lingua
morta», e ciò toglie la possibilità di «erudire la moltitudine».

Nel 1821, nella sua piena maturità (è l'anno del *Marzo 1821* e

---

[56] V. per es. *Scritti letterari*, I, Firenze 1881, pp. 115-116, 257-272.

[57] Si vedano le lagnanze del Camerini, nella sua prefazione agli *Annali* di
Tacito tradotti dal Davanzati.

[58] Sulle concezioni linguistiche del Manzoni c'è una grande quantità di scritti,
di cui menzioneremo solo i principali. Sempre utilissimi il volume del D'Ovidio,
Correzioni, e le pagine da lui premesse alla ripubblicazione del *Proemio* ascolia-
no, Città di Castello, Lapi, 1914 (rist. in *Opere*, VI). A. Momigliano (in *A. Manzoni*,
ristampa della 3ª ed., Messina 1945, pp. 105-135) tratteggia ottimamente la filosofia
manzoniana della lingua, quale risulta dagli scritti inediti (cfr. anche E. Gabbuti,
Il Manzoni e gli ideologi francesi, Firenze 1936). B. Croce saggia il pensiero e
l'opera manzoniana alla luce della propria filosofia (« A. Manzoni e la questione
della lingua», in *Letteratura della nuova Italia*, I, e in *A. Manzoni: saggi e
discussioni*, Bari 1930, pp. 69-84). A. Schiaffini esamina «Le origini dell'italiano
letterario e la soluzione manzoniana del problema della lingua dopo G. I. Ascoli»,
in *Italia dialettale*, V, 1929, pp. 129-171. Per lo svolgimento delle idee manzoniane e
la cronologia degli scritti, v. M. Barbi, «Piano per un'edizione nazionale delle
Opere di A. Manzoni», in *Annali manzoniani*, I, 1939, pp. 23-153; B. Reynolds, *The
Linguistic Writings of A. M.*, Cambridge 1950; F. Forti, «L'eterno lavoro e la
conversione linguistica di A. M.», in *Giorn. stor.*, CXXXI, 1954, pp. 352-385; C.
Baglietto, «Il problema della lingua nella storia del pensiero e della cultura del
Manzoni sino al 1836», in *Ann. Sc. Norm. Pisa*, 2ª s., XXIV, 1955, pp. 1-49, 182-236; G.
Nencioni, «Conversioni dei *P. Sposi*», in *Rassegna lett. it.*, LX, 1956, pp. 53-68.

dell'*Adelchi*, e l'anno d'inizio del romanzo) il Manzoni manifesta la sua idea in versi in cui canta l'Italia

> una d'arme, di lingua, d'altare,
> di memorie, di sangue e di cor,

e in una lettera al Fauriel (3 novembre 1821) pone l'intero problema. Mentre uno scrittore francese usando una certa espressione sa già quale effetto produrrà sul suo pubblico, perché ha «un sentiment presque sûr de la conformité de son style à l'esprit général de sa langue», il fatto che in Italia non si tratti verbalmente in lingua nazionale di grandi questioni, e che le opere concernenti le scienze morali siano così poche fa sì che, se non è toscano, «il manque complètement à ce pauvre écrivain ce sentiment, pour ainsi dire, de communion avec son lecteur, cette certitude de manier un istrument également connu de tous les deux». Come si fa a giudicare se scrive in «italiano», se questo termine è definito in modi tanto diversi? Eppure «dans la rigueur farouche et pédantesque de nos *puristes* il y a, à mon avis, un sentiment général fort raisonnable; c'est le besoin d'une certaine fixité». Se questi sono i pensieri e i sentimenti che il Manzoni ebbe sempre, e che egli viene rimuginando in occasione della stesura di *Fermo e Lucia*, i modi in cui egli si propone di ovviare alle difficoltà sono ancora molto eclettici:

> il faut penser beaucoup à ce qu'on va dire; avoir beaucoup lu les italiens dits classiques, et les écrivains des autres langues, les français surtout; avoir parlé de matières importantes avec ses concitoyens...; avec cela on peut acquérir une certaine promptitude à trouver dans la langue, qu'on appelle bonne, ce qu'elle peut fournir à nos besoins actuels, une certaine aptitude à l'étendre par l'analogie, et un certain tact pour tirer de la langue française ce qui peut être mêlé dans la nôtre, sans choquer par une forte dissonance...

Ma nel lavorare al primo testo edito del romanzo (quello che leggiamo nell'edizione 1825-27) egli viene lentamente abbandonando questo criterio di mettere insieme una lingua composita e si volge all'uso vivo toscano, come i libri glielo possono insegnare. Nelle sue ricerche, egli s'accorge con lieta sorpresa che v'è una concordanza molto maggiore tra i modi fiorentini e quelli dei vari dialetti italiani e in particolare quello che a lui più importa, il milanese. La «lingua toscano-milanese» che egli dice di vagheggiare, in una lettera al Rossari del 1825[59], è quella che si manifesta in tali concordanze: il Manzoni scopre con gioia che *impiparsi dell'Olanda* è modo lombardo-toscano; se si ha in milanese *matt de ligà* e in toscano *matto da legare*, così bisogna dire, anche se il Cherubini traduce *pazzo da catena*[60].

---

[59] *Carteggio*, II, p. 192.
[60] Il De Robertis ha mostrato (*Primi studi manzoniani*, Firenze 1949, pp. 84-98) quale importanza abbia avuto lo studio del *Vocabolario milanese* del Cherubini per le varie stesure del romanzo.

Il viaggio del Manzoni a Firenze nel 1827 fu come una rivelazione; quella lingua tanto faticosamente cercata nei libri, eccola viva, agile, reale, nei Fiorentini cólti con cui venne a contatto. Desiderò d'avere il *Vocabolario milanese* del Cherubini riveduto dal dottor Gaetano Cioni e dal canonico Giuseppe Borghi; dopo aver lavorato in Firenze stessa a raccogliere le osservazioni del Cioni e del Niccolini sulla lingua del romanzo, chiese al Cioni (il 24 novembre 1828) «d'avere quel mio libro ritoccato da voi, in modo che un lettore toscano non abbia a trovarsi fuor di casa nella seconda lettura». Poi man mano venne fermando le riflessioni sul concetto dell'Uso: si veda quel che scrive al Borghi a proposito della parola *orda*: «dove l'Uso si fa intendere, il Vocabolario non conta più nulla per me» (lettera del 25 febbraio 1829), e, a proposito della parola *inneggia*: «voi sapete che il Vocabolario è per me un'autorità in quanto rappresenta il vostro uso di costì: ...tanto le sue testimonianze quanto il suo silenzio... ai Toscani, e ai Fiorentini in ispecie, non mi paiono da opporsi in nessun modo» (lettera del 7 aprile 1829).

Il Manzoni con sempre nuove riflessioni si consolida nella sua idea che come norma dell'italiano letterario debba valere l'uso toscano, anzi (date le varietà che si presentano nell'àmbito della Toscana) l'uso dei Fiorentini colti[61].

Nel decennio 1830-1840 egli lavora a un'opera sulla lingua, che anche nei decenni successivi occuperà molto del suo tempo, ma che egli non arriverà mai a completare: ce ne rimangono numerose notizie e parecchi abbozzi[62].

E attende (sùbito dopo il suo secondo matrimonio, 1837) a riscrivere i *Promessi Sposi*, valendosi, oltre che degli aiuti del Cioni e del Niccolini, di quelli di una Fiorentina, Emilia Luti, dama di compagnia delle due ultime sue figlie.

La revisione dei *Promessi Sposi*, su cui non possiamo qui minutamente soffermarci, ma di cui pure dobbiamo dar cenno per chiarire la posizione manzoniana[63], mirò anzitutto a eliminare quelle espressioni che il Manzoni aveva accettato dalla tradizione letteraria senza che

---

[61] Obiezioni su questo punto gli mosse il Tommaseo nei colloqui che ebbe con lui nel 1855: «'Ma sa Ella quante ce n'è delle lingue fiorentine che vivono?' E lui, con la franchezza degli uomini imbrogliati: 'Io piglio quella de' parlanti meglio'. E io. 'intende quella de' barbieri, o de' marchesi, o di chi?'» (lettera a Gino Capponi, 15 genn. 1858; cfr. anche *Colloquii col Manzoni*, p. 95).

[62] Il Barbi distingue (*Annali Manzoniani*, I, 1939, pp. 123-125) cinque fasi, con cui si va da un capitolo introduttivo (del 1830 circa), attraverso un manoscritto già posseduto dal Giorgini (che rappresenta la fase del 1831-34), e attraverso il *Sentir messa* (che sarebbe la fase del 1835-36), alle due stesure pubblicate dal Bonghi nel volume IV e nel V delle *Opere inedite o rare* (che corrispondono allo stato dell'opera negli anni 1843 e segg., e 1850-58). A conclusioni in parte diverse giungono B. Reynolds, *The linguistic Writings of A. M.*, cit. e F. Forti, art. cit.

[63] Il riscontro fra la redazione del 1825-27 e quella del 1840 si può fare con l'edizione comparativa pubblicata da R. Folli (Milano 1877, molte volte ristampata), o, meglio, con la ristampa mondadoriana delle tre redazioni (*Fermo e Lucia*; 1825-27; 1840).

avessero riscontro nell'uso parlato fiorentino: parole e modi arcaici (o almeno stantii) o dialettali.

In numerosissimi altri casi il Manzoni sostituì parole e locuzioni che potremmo dire di tono letterario con altre di tono familiare: *accidioso · uggioso*; *adesso · ora*; *ambedue, ambo, entrambi · tutt'e due*; *confabulare, chiacchierare*; ecc.

Molte volte si tratta delle varianti fonetiche fiorentine sostituite a varianti letterarie: *dimandare · domandare*; *imagine · immagine*; *lione · leone*; *obbedire · ubbidire*; *publico · pubblico*; *sofferire · soffrire*; ecc. (ma egli sostituisce, anche, si osservi, *angiolo* con *angelo*, *limosina* con *elemosina*).

Il Manzoni accetta inoltre la pronunzia toscana *o* per gran parte dei vocaboli con *uo*; sostituisce gli imperfetti di prima persona in -*a* con gli imperfetti in -*o*. Il pronome *egli* è spesso abolito o sostituito con *lui*: tuttavia in tutto il romanzo *egli* è ancora adoperato 61 volte (in 18 delle quali si riferisce a Dio).

Il mutamento non è solo di stile, ma vuol essere anche di lingua: non soltanto cioè il Manzoni sceglie, tra due varianti ugualmente possibili e di tono diverso, quelle più conformi al toscano familiare, ma si propone anche un fine paradigmatico, e cioè vorrebbe che le forme più stantie venissero colpite d'ostracismo. Insomma egli non si contenta di rimanere nell'àmbito della lingua quale essa è, ma vorrebbe mutarla o almeno contribuire a mutarla nel suo sistema, riformarla quale istituzione sociale.

Fortunatamente le esigenze artistiche hanno quasi sempre il sopravvento sulle esigenze dottrinarie. Per esempio il Manzoni trova un po' letterario *natio*, e alcune volte lo sostituisce con *nativo*; ma nel famoso passo: «Addio, casa *natia*, dove, sedendo, con un pensiero occulto, s'imparò a distinguere dal rumore de' passi comuni il rumore d'un passo aspettato...» (cap. VIII), introdusse addirittura *natio*, mentre nella prima stesura aveva scritto *natale*.

Le intenzioni che egli si proponeva nella revisione (anche se involontariamente un po' travisate per il maturarsi delle concezioni manzoniane attraverso i decenni) e l'accoglienza fatta al testo riveduto (in particolare l'aneddoto della lettura comparativa di un passo nelle due edizioni, fatta dal Giusti) furono narrati con grande brio dal Manzoni al marchese Casanova nella lettera del 30 marzo 1871.

Non sempre il Manzoni riuscì a adeguarsi all'uso fiorentino del 1830-40 in modo perfetto o con sufficiente approssimazione: dubbi furono elevati già allora, e altri più severi sono stati presentati più tardi[64]. Né sempre questa adeguazione fu artisticamente felice (cfr. pp. 583-584). Ma il romanzo raggiunse ugualmente lo scopo che il Manzoni si proponeva: di raccostare lo scritto al parlato, di dare un colpo mortale ai fronzoli retorici che per secoli avevano aduggiato la letteratura italiana.

[64] E. Bianchi, in *Annali manzon.*, III, 1942, pp. 281-312.

Il trattato sulla lingua a cui il Manzoni lavorò per tanto tempo senza giungere a compierlo, per un certo gusto nel soffermarsi sui sempre nuovi dubbi che la meditazione gli presentava, doveva constare anzitutto di un primo libro, di carattere filosofico, sulla natura delle lingue. Un secondo libro doveva esaminare le varie soluzioni proposte per la questione della lingua (ci rimane il frammento in cui il Manzoni esamina «Il sistema del padre Cesari», oltre alla precisa formulazione pubblica del proprio sistema, di cui ora diremo). Infine il terzo libro doveva trattare del modo di diffondere quella forma di lingua che egli riconosceva come veramente tale (e anche di questa parte ci rendiamo conto abbastanza bene attraverso alcuni scritti pubblicati).

Nella parte filosofica, fondata sulla lettura e sulla meditazione di grammatici e pensatori dei più vari indirizzi, ma specialmente dei sensisti e degli ideologi francesi, il Manzoni torna spesso su alcune idee fondamentali: bisogna studiare che cos'è la lingua in generale, e non esclusivamente la bella lingua; ciascuna lingua costituisce un tutto; l'Uso è signore delle lingue, e unico signore, ché qualsiasi altro criterio (analogia, ecc.) deve cedere di fronte a esso.

Mentre il Manzoni andava saggiando con minuzia e circospezione i principii generali di filosofia della lingua, precisava sempre meglio le proprie idee sulla lingua italiana. Dopo varie occasioni di esporre il suo sistema, occasioni che gli si presentarono un momento e che per la sua incontentabilità lasciò cadere, si decise nel 1846 (mentre durava la stampa delle *Opere varie* cominciata nel 1845) a esporre compendiosamente il suo parere sulla questione della lingua, a proposito della pubblicazione della prima parte del *Prontuario... per saggio di un Vocabolario metodico della lingua italiana* di Giacinto Carena[65]. Qui per la prima volta il Manzoni afferma in pubblico di professare «quella scomunicata, derisa, compatita opinione, che la lingua italiana è in Firenze, come la lingua latina era in Roma, come la francese è in Parigi», e perciò ritiene che il beneficio che il Carena ha fatto agli studiosi col suo *Prontuario* sarebbe stato ancora maggiore se egli avesse lasciato da parte quelle locuzioni «che non sono dell'uso vivente di Firenze». «Ciò che costituisce una lingua, non è l'appartenere a un'estensione maggiore o minore di paese, ma l'essere una quantità di vocaboli adeguata agli usi di una società effettivamente vera». L'errore in cui comunemente si cade è quello di «associare al nome di lingua non l'idea universale e perpetua d'un istrumento sociale, ma un concetto indeterminato e confuso d'un non so che letterario». D'altronde, il fatto stesso che si disputi da tanto tempo sulla lingua è una prova «che gl'Italiani non possedano in effetto una lingua comune». Per arrivarci, c'è chi consiglia di ricorrere anzitutto al «dialetto» di Firenze, e poi a quelli delle altre città. Ma «quando si tratta di sostituire l'unità alla molteplicità, se uno dice: questo sia il primo, la logica aggiunge: e

[65] Il testo fu spedito dal Manzoni al Carena il 26 febbraio 1847.

l'ultimo». E siccome «la Toscana ha bensì lingue pochissimo differenti, ma non ha una lingua sola», a Firenze bisognerà fermarsi. E bisognerà che il consenso diventi possesso effettivo e completo in tutta quanta l'Italia; e non solo nella cosiddetta lingua scritta, ché «la formola lingua scritta non è che un vero abuso di parole, che enuncia e propaga un concetto, non metaforico, ma falso» (solo la lingua parlata in una società effettiva e continua ha carattere d'universalità, mentre la lingua scritta non è che un «fortuito e vario mescuglio»).

L'aver tante voci per una nozione sola non è ricchezza, ma miseria: quando il Carena soggiunge alla voce *panna* quattro altre denominazioni, «cosa ci giova d'aver un'abile e esperta guida, se ci conduce a un crocicchio, e ci dice: prendete per dove vi piace?».

Quanto sarebbe bello se i Fiorentini si fossero una buona volta decisi a dare all'Italia un vocabolario della lingua da loro effettivamente usata, simile a quello dell'Accademia francese! Certo, il Manzoni riconosce che le condizioni dell'Italia non sono quelle della Francia, e che non è detto che si possa conseguire per mezzo di questi «aiuti artifiziali» quello che la Francia ha conseguito con l'aiuto delle circostanze. «Ma è il solo mezzo d'accostarsi, più che sia possibile, a un tal resultato. In mancanza del sole, disse il Franklin, accender le candele».

Il Manzoni è arrivato alla formulazione definitiva della sua teoria: le meditazioni filosofiche e la conoscenza delle teorie precedenti lo conducono non a una definizione o a un'analisi storica, ma a un programma politico-civile: egli mira a conseguire un fine, l'unità linguistica, e cerca di giungervi per la via che gli sembra la più logica.

La lettera suscitò alcuni echi, ma non quel vasto movimento che forse il Manzoni sperava. E negli anni successivi egli continuò con maggiore o minore impegno a lavorare, ridiscutendo le sempre nuove obiezioni che gli si presentavano, alla stesura del suo libro sulla lingua («la mia opera eterna, intendi bene, *a parte ante*»: lettera a G. B. Giorgini del 10 dicembre 1856). Nel 1855 discusse a lungo di problemi linguistici col Tommaseo, il quale ce ne lasciò precisa testimonianza (*Colloquii col Manzoni*, ed. T. Lodi, Firenze 1929). Nel 1856 approfittò di due brevi incontri con l'amico Gino Capponi per stendere col suo aiuto alcune voci di saggio di quel vocabolario dell'uso che egli vagheggiava (*Saggio di vocabolario italiano secondo l'uso di Firenze*, ed. G. Macchia, Firenze 1957). Ma solo negli anni decisivi per il compimento dell'unità nazionale il Manzoni scese in lizza per difendere in pubblico la sua teoria (v. cap. XII, § 8). Moltissimi altri, come accennavamo più su, parteciparono a queste dispute sulla norma linguistica: ma basterà aver indicato le principali correnti di idee.

9. Grammatici e lessicografi

Nel campo grammaticale, ferve più che mai la disputa tra i fautori della grammatica logica, ragionata, che dà importanza all'analisi logica e postulerebbe almeno teoricamente la priorità della ragione sull'uso, e quelli che invece la oppugnano, principale fra tutti il De Sanctis[66].

Tra le numerose grammatiche qualcuna s'intitola «filosofica» o «ragionata»; altre si richiamano più o meno apertamente alle premesse del purismo, come quella concisa del Puoti, *Regole elementari della lingua italiana*, Napoli 1833; le più si fondano su passi di classici e solo secondariamente sull'uso. Si continuano, del resto, a usare le grammatiche dei secoli precedenti: L. Lamberti ripubblicava con aggiunte (Milano 1809-13) le *Particelle* del Cinonio, e P. Del Rio, pure con aggiunte, la grammatica del Corticelli (Firenze 1845).

Ricca di spogli originali da autori di vari secoli e tutt'altro che conformista (anche per le teorie ortografiche antitoscane dell'autore) è l'*Appendice alle grammatiche italiane* del Gherardini (Milano 1847).

Non si hanno ancora grammatiche che deliberatamente pensino a descrivere l'uso toscano moderno[67].

Parecchi grammatici si soffermarono a descrivere le forme dei verbi: oltre alla raccolta del Compagnoni, va ricordata quella più ricca di M. Mastrofini, *Teoria e prospetto o sia Dizionario critico de' verbi italiani conjugati*, Roma 1814, 2ª ed. Milano 1830, compilata sul fondamento di ampi spogli. Su letture estesissime ma su discutibili premesse filologiche si fondano i volumi di V. Nannucci: *Analisi critica dei verbi italiani*, Firenze 1843, *Teorica dei nomi della lingua italiana*, Firenze 1847, *Saggio del prospetto generale di tutti i verbi anomali e difettivi*, Firenze 1853.

Più intensa dell'attività dei grammatici è quella dei lessicografi. Il p. Cesari nel 1806 procurava una nuova edizione non ufficiale della Crusca (la cosiddetta «Crusca veronese») inserendo nella 4ª edizione circa 30.000 giunte, sue e di suoi amici, tratte da scrittori del Trecento: ma se la sua intenzione era quella di fornire nuove voci auree, molti fra i materiali sono arcaismi non ravvivabili, varianti dialettali o filologicamente deteriori.

Ristabilita l'Accademia della Crusca con piena autonomia nel 1811, essa ricominciò nel 1813 i lavori per una 5ª edizione, scontrandosi ben presto, come abbiamo detto, con Vincenzo Monti, la cui *Proposta* si rivolge quasi tutta contro l'opera dell'Accademia e quella del suo continuatore veronese.

Nei decenni tra il '20 e il '40 le imprese lessicografiche pullularono: escono il dizionario detto di Bologna (a cura di F. Cardinali e P. Costa, Bologna 1819-28), quello di Livorno (C. A. Vanzon, Livorno 1827), quello di Padova (o «della Minerva», a cura di L. Carrer e F. Federici, Padova 1827-30), e più importante di tutti, quello di Napoli (*Vocabolario*

---

[66] V. i capitoli XV e XVI della *Storia della grammatica* del Trabalza. Sul De Sanctis grammatico, v. Sgroi, in *Discere*, I, 1950, n. 3-4, pp. 9-25.

[67] Ma un purista garbato e intelligente come L. Fornaciari, può portare la testimonianza dell'uso vivo toscano, opponendosi al «soverchio rigore dei grammatici» nel condannare *cosa* interrogativo.

universale italiano, a cura della Società tipografica Tramater e C., Napoli 1829-40), successivamente ripubblicato con parecchie giunte a Mantova, 1845-56. Pur facendo conoscere immediatamente ai consultatori quali sono le voci di Crusca e quali no, il Tramater accoglie moltissime voci nuove: parecchie provenienti da spogli di carattere letterario, molte altre da repertori scientifici e tecnici.

Come un rifacimento della Crusca, migliorato nei particolari ma essenzialmente ligio ai canoni tradizionali, si presenta il *Vocabolario della lingua italiana* di G. Manuzzi, cui il Leopardi fornì un certo numero di schede (1ª ed., Firenze 1833-42; notevolmente migliorata è la 2ª edizione, 1859-67).

La quinta edizione ufficiale della Crusca cominciò a uscire nel 1843 e fino al 1852 ne uscirono sette fascicoli, suscitando critiche severe[68]. Il Puoti biasimava l'eccessiva larghezza del canone (v. p. 545), il Gherardini si lagnava che fossero state plagiate le sue *Voci e maniere di dire*, ecc. L'Accademia infine decise di sospendere la pubblicazione dell'opera per ricominciarla dopo un'ulteriore preparazione.

L'attivissimo Gherardini, che abbiamo ricordato più su come grammatico, aveva cominciato la sua opera di lessicografo già nel 1812, pubblicando anonima a Milano una raccolta di *Voci italiane ammissibili benché proscritte dall'Elenco del sig. Bernardoni*; a lui si devono vasti e buoni spogli di scrittori, i cui risultati sono consegnati a due raccolte: *Voci e maniere di dire addíate ai futuri vocabolaristi*, Milano 1838-40 e *Supplimento ai vocabolari italiani*, Milano 1852-57. La *Lessigrafia italiana* (Milano 1843; 2ª ed. Milano 1849) è rivolta invece a propugnare le sue teorie ortografiche.

Un genere di repertori lessicografici che fiorisce particolarmente in questo periodo è quello degli elenchi di barbarismi. Già l'Alberti aveva promesso, ma poi non compié, un elenco di «modi antiquati e abusivi». G. Bernardoni raccolse, per incitamento del Vaccari, ministro dell'Interno del Regno Italico, un *Elenco di alcune parole oggidì frequentemente in uso*, Milano 1812. Si tratta specialmente di voci amministrative e legali di conio più o meno barbaro: per alcune poche il Bernardoni proponeva una sanatoria, per molte altre suggeriva altre voci in sostituzione. Egli si rendeva conto (e molto più insisté sull'argomento il Gherardini, nel volumetto del 1812 ora citato) che per quanto uno voglia essere purista, non può proscrivere una parola adoperata in una legge o in un codice.

Altri repertori di questo genere, più o meno severi, più o meno assennati, sono i seguenti: A. Lissoni, *Ajuto allo scrivere purgato*, Milano 1831[69]; L. Molossi, *Nuovo elenco di voci e maniere di dire*

[68] G. Volpi, «Il primo tentativo della quinta edizione della Crusca», in *Rassegna nazionale*, 2ª s., XL, 1923, pp. 242-250.

[69] Con uno strascico di polemiche: [Anonimo, prob. G. Gherardini], *Aiuto contro l'aiuto del signor Lissoni*, Como 1831; *Risposta al libercolo «Aiuto contro*

biasimate, Parma 1839-41; M. Parenti, in una serie di strenne continuata per molti anni sotto i titoli di *Catalogo di spropositi*, Modena 1839-43, e poi di *Esercitazioni filologiche*, Modena 1844-58; B. Puoti, *Dizionario de' francesismi e degli altri vocaboli e modi nuovi e guasti*, Napoli 1845 (incompleto; cfr. p. 545); G. Valeriani, *Voci e modi erronei*, Napoli 1846, 2ª ed. col titolo di *Vocabolario di voci e frasi erronee*, Torino 1854; F. Ugolini, *Vocabolario di parole e modi errati*, Urbino 1848, 2ª ed., Firenze 1855. Con seria documentazione mosse alla difesa di parecchi vocaboli condannati P. Viani, *Dizionario di pretesi francesismi*, Firenze 1858-60.

Alcuni repertori mirano a fornire voci «belle» e poco note: così una *Frasologia* del Lissoni, che ebbe due edizioni (Milano 1826 e 1835), il *Vocabolario domestico* del Puoti per i Napoletani (Napoli 1841) e quello dell'Azzocchi per i Romani (Roma 1839, 2ª ed. Roma 1846), le *Bellezze di modi comici e familiari* di S. G. Consolo (Ancona 1858).

Si hanno anche alcuni vocabolari metodici (G. Barbaglia, Venezia 1845, incompleto; G. Rambelli, Bologna 1850; F. Zanotto, Venezia 1852-55) ma specialmente importante è quello di G. Carena (*Vocabolario domestico*, Torino 1846, 2ª ed. 1851; *Vocabolario metodico d'arti e mestieri*, Torino 1853; una terza parte fu pubblicata postuma, Torino 1860), anche perché diede occasione alle critiche del Manzoni (v. pp. 552-553).

Il Tommaseo pubblicava la prima volta a Firenze nel 1830-32 il suo meritamente notissimo *Dizionario dei sinonimi*; esso riapparve nel 1838-40 più che triplicato per opera sua e di un gruppo di amici, e anche poi fu più volte ritoccato dall'autore.

Si hanno ancora parecchi vocabolari speciali tradotti dal francese e qualcuno dall'inglese; non pochi se ne hanno compilati da Italiani, fra cui vanno ricordati almeno alcuni dei più importanti: G. B. Gagliardi, *Vocabolario agronomico*, Milano 1804, 3ª ed. 1822; S. Stratico, *Vocabolario di marina*, Milano 1813; G. Grassi, *Dizionario militare italiano*, Torino 1817, 2ª ed. Milano 1833; L. Bossi, *Spiegazione di alcuni vocaboli geologici, litologici e mineralogici*, Milano 1817; O. Targioni Tozzetti, *Dizionario botanico italiano*, Firenze 1809, 2ª ed. Firenze 1825.

Anche i vocabolari di grecismi (Bonavilla, Milano 1819-21; Marchi, Milano 1828-41) sono sostanzialmente repertori di termini scientifici.

I numerosi vocabolari dialettali (tra cui alcuni rimangono fra i migliori che tuttora abbiamo, come il Cherubini per il milanese, Milano 1814, 2ª ed. Milano 1839-56, il Boerio per il veneziano, Venezia 1829, 2ª ed. Venezia 1856, il Monti per il comasco, Milano 1845) mirano al duplice scopo di documentare le voci dialettali e di fornire le voci corrispondenti italiane a chi non le abbia presenti.

l'aiuto», Milano 1831; *Osservazioni intorno ad un libro intitolato «Ajuto allo scrivere purgato»*, Milano 1832.

10. Rapporti con altre lingue

L'influenza del francese sull'italiano, potentissima nel Settecento, diventa straboccchevole durante l'età napoleonica, perché all'influenza culturale s'aggiungono gli effetti dell'occupazione militare, dell'annessione alla Francia di un buon terzo d'Italia, diviso in dipartimenti; e della supremazia esercitata dalla Francia nel Regno Italico e nel Regno di Napoli. Così, ad esempio, l'atto di nascita di Verdi è rogato in francese nel 1813 a «Busseto, département du Taro». Con decreti del 1809 in Toscana e a Roma l'uso dell'italiano era espressamente equiparato a quello del francese. Il territorio in cui il francese si adoperava più largamente era il Piemonte[70]: non solo sotto l'occupazione francese, quando il Denina addirittura proponeva di adoperare il francese come lingua culturale generale[71], ma anche poi, quando la Restaurazione ristabilì lo stato bilingue a cavaliere delle Alpi, la Savoia fece di nuovo sentire tutto il suo peso, fino al 1860. Si senta come trovava le cose a Torino nel 1831 il De Laugier:

Sulla porta d'ingresso in Torino, e nella via che le succede, attonito leggo: *Porta d'Italia! Via per l'Italia!!* Appena sceso nella locanda, chiedo spiegazione del rebus. Mi viene risposto: *Est-ce que vous ignorez, être en Piémont, et non plus en Italie!!* Nei caffè, passeggiando per la città, non odo che parlar francese, o il vernacolo del paese! Aveva dei conti da regolare col libraio Pomba, per varie copie inviategli dei *Fasti e vicende degli Italiani.* Ei me li mostra tali e quali, suggerendomi riprenderle, impossibile esitare: 'Qui, egli dice, non si legge né si scrive che in francese, cominciando dal re e dai ministri. Anche la truppa è comandata in francese'...[72].

Vicende che portano a vivere più o meno a lungo in Francia, desiderio d'una più vasta circolazione internazionale inducono alcuni dotti italiani a scrivere qualche opera in francese piuttosto che in italiano: specialmente scritti di scienza, ma anche opere storiche, antiquarie ecc.[73].

Di parecchi scrittori fu detto che sapevano meglio il francese che

[70] Si ricordi il fatto che ci racconta C. Lucchesini (*Della illustrazione delle lingue antiche e moderne*, 2ª ed., cit., II, p. 252): «Tornando di Francia nel mese di maggio del 1799 visitai il vecchio signor marchese di Barol in Torino. Parlando a un italiano credei dovergli parlare italiano, ma egli, dopo poche parole reciprocamente dette mi pregò di usare il francese, dicendo, che poca pratica aveva della lingua italiana».

[71] C. Denina, *Dell'uso della lingua francese: discorso in forma di lettera diretto ad un letterato piemontese*, Berlino 1803; e di nuovo in una lettera indirizzata nel 1809 «au citoyen préfet du département du Po».

[72] *Concisi ricordi di un soldato napoleonico*, rist. Ciampini, Torino 1942, p. 113.

[73] Il Leopardi in una lettera dell'8 agosto 1817, biasimava E. Q. Visconti d'essersi «scordato dell'Italia... avendone abbandonato non solo la terra ma la lingua», e diceva che se mai «queste cose che hanno a essere Europee» vanno scritte in latino. Similmente si lamentava nel 1829 il Guerrazzi di Guglielmo Libri.

l'italiano[74]; e il «saper meglio» qualche volta può voler dire semplicemente sapersi servire del francese con quella sicurezza che è facile conseguire data la sua stabilità, e invece esitare di fronte alle molte incertezze dell'uso italiano[75].

La conoscenza del francese che avevano tutti gli Italiani colti spiega l'abbondanza dei francesismi (v. § 20): numerosi nelle traduzioni, repressi per motivi puristici nella letteratura più sostenuta e controllata, abbondanti negli scritti confidenziali (appunti personali, lettere).

Abbiamo già accennato alle conseguenze linguistiche dell'annessione di Nizza alla Francia (1860); dal 1860 diminuisce anche quel po' d'influenza italiana che Torino capitale esercitava sulla Savoia. Quanto alla Corsica, le funzioni dell'italiano come lingua culturale regrediscono di generazione in generazione: ma ancora in questo periodo i libri stampati in Corsica in italiano sono in lieve maggioranza[76], e la predicazione si fa ancora per lo più in italiano.

Senza confronto più scarsa che la conoscenza del francese è quella del tedesco, malgrado la presenza in Italia del dominio austriaco. Non mancano tuttavia le traduzioni, letterarie e non letterarie, dal tedesco, come pure quelle dall'inglese. Un filone di anglofilia (e una qualche conoscenza dell'inglese) è dovuto all'ammirazione per le istituzioni britanniche.

La conoscenza del latino continua ad essere larghissima fra le persone colte; minore, ma pur notevole, quella del greco. E si hanno in questo periodo numerose e importanti traduzioni, naturalmente ad opera di classicisti[77].

Quanto alla conoscenza che fuori d'Italia si ebbe della lingua e della cultura italiana, essa non è vasta: ai più non importa addentrarsi nella letteratura e nella vita italiana, ma parecchi vogliono conoscere quel tanto d'italiano che serve per il canto. Eppure non mancarono i contatti attraverso i molti viaggiatori venuti in Italia da vari paesi d'Europa, e attraverso l'opera dei nostri esuli in Svizzera, in Francia, nel Belgio, in Inghilterra.

Sulle coste orientali dell'Adriatico la posizione dell'italiano è ancora discreta: la Dalmazia dà alla cultura italiana uomini come il Tommaseo e il Paravia, le isole Ionie come il Foscolo e il Mustoxidi. Ma l'affermarsi della lingua e della cultura «illirica», cioè serbo-croata, e il risorgimento della Grecia sminuiscono la funzione dell'italiano come lingua culturale[78].

---

[74] Per es. del Pellico (Ravelli, *Giorn. stor. lett. ital.*, CXV, 1940, p. 45).

[75] È un punto su cui il Manzoni ha molto insistito: basti ricordare la lettera al Fauriel del 1821 (cit. a pp. 609-610).

[76] V. l'elenco di scrittori corsi del sec. XIX dato da P. Arrighi nel volume *Visages de la Corse*, Parigi 1951, pp. 130-132. Sulla tomba di Salvatore Viale, il poeta della *Dionomachia*, sono inscritte le parole: *La Corsica al suo poeta*.

[77] Mazzoni, *L'Ottocento*, 2ª ed., pp. 402-420.

[78] Sulla progressiva decadenza dell'italiano nelle Isole Ionie sotto l'ammini-

Malta, occupata dagli Inglesi nel 1800 e non più restituita all'ordine dei Cavalieri, mantiene l'uso culturale dell'italiano.

Sulle coste del Mediterraneo, specialmente orientale, l'italiano è ancora molto noto nell'uso parlato sotto la forma semplificata di «lingua franca»[79], e nell'uso scritto come lingua diplomatica[80].

Parecchi Romeni, nella fase di crescenza e di occidentalizzazione in cui la loro lingua si trovava, si volgono all'italiano per trarne suggerimenti. Per es. Petru Maior, scrittore della scuola transilvana, conduce una sua traduzione da Fénelon (*Intimplările lui Telemah*, Buda 1818), piuttosto che sul testo francese, su una versione italiana, che gli offriva dei vocaboli più facilmente assimilabili (*faretra, isola, incuda* «incudine», *spesele, străpurtà*, ecc.)[81]; Ion Heliade Rădulescu iniziò la corrente detta «italianista», partendo dalla premessa che italiano e romeno fossero due dialetti della medesima lingua; propose di abbandonare i caratteri cirillici, seguendo una grafia molto aderente all'italiano, e abbondò molto di italianismi nei suoi scritti (*ciarlatanie, contagiu, in darn, scheletru*, ecc.)[82].

11. Oscillazioni nell'uso

Si sa che, quando è più vivo e intenso il ricambio linguistico, si effettua uno spontaneo processo di selezione che porta all'eliminazione o almeno alla riduzione tra più forme o vocaboli equivalenti.

Nell'età di cui ci stiamo occupando questo processo agisce assai meno di quanto ci si potrebbe aspettare. Anzitutto, la sempre forte differenza tra la lingua della prosa e quella della poesia e il desiderio di molti poeti e di qualche prosatore di valersi di varianti più o meno peregrine contribuiscono a mantener vivi numerosi doppioni.

Poi, da un lato i fautori dell'italiano antico ravvivano forme e vocaboli che altrimenti sarebbero scomparsi; da un altro, i cultori dell'uso vivo tendono a mettere in circolazione voci e forme regionali.

strazione inglese (1815-1864) e ancor più dopo l'annessione alla Grecia, v. M. Cortelazzo, «Vicende storiche della lingua italiana a Corfù», in *Lingua nostra*, VIII, 1947, pp. 44-50.

[79] «Tuo console nuovo star buono, non cercare me né buono né male, inscialla tutti li consoli star come isso», diceva nel 1825 il pascià di Tripoli Yusuf Caramanli a un suddito sardo (E. Rossi, in *Rivista delle colonie ital.*, 1928, numero speciale, p. 150). «L'italiano è parlato e inteso agevolmente a Smirne come a Gerusalemme, al Cairo come nelle montagne del Libano» (F. Gabrieli, in *Nuova Antol.*, sett. 1946, pp. 65-71, a proposito delle memorie dell'inglese A. W. Kinglake, che viaggiò verso il 1835).

[80] Sull'importanza dell'italiano in Egitto nel primo Ottocento, v. A. Sammarco, *Gli Italiani in Egitto*, Alessandria 1937. Nel 1859 la convenzione di commercio fra l'Austria e il bey di Tunisi era redatta in italiano (E. Rossi, art. cit., p. 151).

[81] G. Pascu, *Istoria literaturii romine din sec. XVIII*, Iassi 1927, III, pp. 271-274.

[82] Tagliavini, in *L'Europa Orientale*, VI, 1926, pp. 313-359; Rosetti, in: Academia Rep. Pop. Romîne, *Contribuții la istoria limbii rom.*, Bucarest 1956, pp. 56-66.

Inoltre, come sempre, i neologismi e i forestierismi di recente accatto appaiono spesso in forme divergenti; e occorre tempo perché una trionfi sulle altre.

In tutti i paragrafi seguenti – sia trattando dei fenomeni grammaticali, sia di quelli lessicali – avremo agio di renderci conto di questa scarsa compattezza dell'uso.

12. *Grafia*

Nell'alfabeto tradizionale è incerto l'uso di *j*, sia all'iniziale e all'interno della parola per esprimere l'*i* semiconsonantico[83], sia alla finale, come compendio di *ii*: forse quelli che l'adoperano, specialmente alla finale, predominano di poco sugli altri. Il Leopardi, che negli scritti giovanili adoperava *j*, più tardi l'abbandona risolutamente (nelle istruzioni al Brighenti, lett. 5 dic. 1823, per la stampa delle canzoni prescrive: «Non si usino *j* lunghi né minuscoli né maiuscoli, in nessun luogo né dell'italiano né de' passi latini»); tuttavia quando l'editore Stella gli domanda un articolo «per bandire... dalle buone scritture quel barbaro *j*», risponde che egli condanna «quella lettera come inutile, ma che veramente non le manca l'autorità e l'antichità» (lett. 9 febbr. 1827).

Il Manzoni oscillò molto nell'uso dell'*j*: nelle stampe giovanili troviamo il segno, mentre in quelle più tarde esso non appare più; ma nei manoscritti autografi esso persiste anche in anni assai tardi[84]. Avversi alla *j* si dichiarano il Puoti, il Gioberti, il Carena, favorevoli il Peyron e il Lambruschini.

Nell'uso delle doppie vediamo assai forti oscillazioni: e non solo quelle dovute a ossequio puristico per la Crusca (*appostolo*, *paralello*, *proccurare*, ecc.) o quelle dovute a raccostamenti all'ètimo, per principale impulso del Gherardini (*Academia*, *catolico*, *publico*, ecc., e viceversa *commune*, *millione*, ecc.): molti settentrionali a cui la pronunzia natia non permette di distinguer bene le scempie dalle doppie, specialmente negli scritti confidenziali si lasciano andare a frequenti scambi: nelle lettere del Foscolo troviamo *cattarro*, *creppare*, *diriggere*, *piacciuto*, *tacciuto* e un *soqquadro* corretto in *soquadro*, nel Berchet *cerrettani*, *schiffoso*, *piacciuto*, *griggi*, nel Prati *tranguggiare* e *fantasticagini*, nel Rajberti *zuffolare*, ecc. Ma il Leopardi, che scrive *carcioffo* avrà anche pronunziato così; e certo con -*gg*- pronunziava il Puoti che scrive, nelle sue lettere, *faggiolata* e *leggittimo*.

Abbondano anche i falsi raddoppiamenti di scrittori settentrionali nelle parole composte: *anzicché*, *semvreppiù* (*Conciliatore*), *dippiù* (Borsieri); anche al Foscolo e al Manzoni capita di scrivere *stassera*.

---

[83] Eccezionale è l'uso di *ij* all'interno di parola per evitare due *i* consecutivi: *poesijna* (Pananti, *Il Poeta di teatro*, III, st. 6 dell'ed. 1824).
[84] F. Ghisalberti, in *Annali manz.*, IV, 1943, p. 215; A. Manzoni, *Poesie rifiutate*, ed. Sanesi, pp. L-LI.

Invece il Gherardini e i gherardiniani scrivono *adirittura, dacapo*, ecc. Il Muzzi, nelle sue iscrizioni, adopera *aqqua, naqqui*.

Altra fonte d'oscillazione è la grafia delle palatali: *spregievole* (Borsieri), *sciegliete* (Rosmini), *camice* (plur. di *camicia*) (Cantù), *villaggietto* (Nievo), ecc. Il Foscolo scrive, in una lettera, *oglio* per *olio*.

Nelle parole straniere non adattate si applica come si può la pronunzia delle rispettive lingue. E quando si scriveva *guigliottina* e *daguerrotipo* è da presumere che si leggesse (come più tardi si scrisse) *ghigliottina* e *dagherrotipo*.

Non v'è regola certa per l'assimilazione delle enclitiche dopo le forme verbali troncate: il Monti e il Leopardi scrivono *sovviemmi*, il Guerrazzi *gittarommi*, mentre altri preferiscono *tienmi*, ecc.

Palco scenico si scrive ancora in due parole (Pellico, *Concil.*, 25 luglio 1819), e così *Terra Santa* o *Terra-Santa* (Grossi); il Guadagnoli e il Giusti scrivono *pian-forte*; nello stesso passo della traduzione della *Geografia universale* di Malte-Brun (1815) si parla di *alti piani* e di *altipiani*; nel 1851 il Regno di Sardegna emette il primo *franco bollo*, mentre la Toscana emette un *francobollo*. Il trattino nelle parole composte del tipo *italo-greco* e simili acquista voga secondo l'esempio francese[85].

Permane la tradizionale scarsità di accenti tonici. Una nuova funzione è attribuita al circonflesso, quella di indicare le contrazioni (*tôrre*) o le credute contrazioni (*andâr* per *andarono*), con lo scopo, per lo più, di evitare possibili omonimie[86].

Nei testi poetici si indica sempre più spesso la dieresi vocalica: alcuni si servono, come in francese, dei due punti, mentre altri preferiscono un accento (di solito acuto): «La cascata parer di Niagara» (Pananti, *Il poeta di teatro*, XXXIX, st. 27 nell'ed. 1824)[87].

Nell'uso delle maiuscole, danno luogo a oscillazioni particolarmente quelle a scopo onorario: il Manzoni giovane scriveva *re, imperatore* e *papa* con la minuscola, facendo indispettire il p. Soave[88], mentre il Cesari sosteneva: «io fo sempre *Re*, e non *re*; e credo meglio fatto» (lettera 15 febbraio 1815).

---

[85] Ma è combattuto dal Gioberti (*Pensieri e giudizi* a cura di F. Ugolini, Firenze 1859, p. 175).

[86] «Esempj pel nuovo segno *circonflesso* o *doppio acuto* aggiunto modernamente nella poesia italiana: *Fuggir* l'oro e i palagi ogni misura» (G. Donini, *Sillabario italiano teorico-pratico*, Perugia 1831, p. 236).

[87] «a stuolo a stuolo balzano fuori con petulanza apostrofi, accenti e dieresi o treme, come odo alcuni appellarle... Non in una maniera oggi si avvisa il Lettore che due vocali unite non vanno pronunziate in un fiato: chi usa la Dieresi, cioè due punti in capo alla prima vocale, chi l'accento...» (I. Casarotti, *Sopra la natura e l'uso dei dittonghi italiani*, Padova 1813, p. 123, che ritiene inutile l'espediente, fidando sull'intelligenza dei lettori). Vedi Camilli, in *Lingua nostra*, XIX, 1958, pp. 24-26.

[88] Cantù, *A. Manzoni*, cit., I, p. 19. Sull'uso delle maiuscole nelle poesie giovanili, v. Ghisalberti, *Annali manz.*, IV, 1943, pp. 203-206; nei *Promessi Sposi*, v. Barbi, *La nuova filologia*, pp. 222-223.

Quanto all'interpunzione vi sono alcuni che vi badano assai poco, mentre altri vi stanno molto attenti: il Leopardi, conscio «che spesse volte una sola virgola ben messa dà luce a tutto il periodo» (lettera al Giordani, 12 maggio 1820), era «sofistichissimo» al riguardo (lettera a P. Brighenti, 5 dicembre 1823), e anzi si proponeva di scrivere un *Trattatello della punteggiatura*[89]. Spesso, nei testi quali li leggiamo l'interpunzione è stata regolarizzata dagli editori[90].

Nessuna eco ebbero le proposte di riforma del sistema ortografico, come quella di un N. N., *Proposta per la rettificazione dell'alfabeto ad uso della lingua italiana*, Milano 1830, che voleva introdurre *k* e *y*, segnare con un uncino sottoposto la *i* e la *u* semivocale o semiconsonante, distinguere la *z* forte con un accento grave, indicare la *sc* palatale con una lineetta sopra la *c*, la *gl* palatale con due punti sopra la *g*, la *gn* con un punto sopra la *g*. Il Lambruschini avrebbe visto volentieri l'introduzione del *k* nell'alfabeto.

Senza proporsi di riformare il sistema ortografico, il Gherardini, come abbiamo visto, si propose invece di ritoccare la scrizione di numerosissime parole singole, ricorrendo all'etimologia e all'analogia. Egli sviluppava, anzi portava sino alle estreme conseguenze, una tendenza che si può notare attraverso tutti i secoli (*anatomia* che prevale su *notomia*, *Africa* su *Affrica*, ecc.): voleva perciò che si scrivesse non solo *academia*, *alume*, *amazone*, *bubone*, *catolico*, ecc.; e *abbate*, *commodo*, *sabbato* (con le scempie e le doppie secondo l'uso latino), ma anche *adomine* (per *addome*), *asente* (per *assente*), *altretale*, ecc. Qualche seguace non gli mancò: ricordiamo specialmente il Cattaneo, che applicò e propugnò una riforma molto vicina a quella del Gherardini[91]; e applicazioni del metodo gherardiniano vediamo in scrittori più o meno importanti (Giuseppe Ferrari, il Rajberti, il Dossi, e persino, in alcune peculiarità, l'Ascoli); ma in complesso, esso non riuscì a imporsi.

13. Suoni

Settentrionali e Meridionali cominciano a rendersi conto di alcune peculiarità della pronunzia toscana mal rappresentate dall'alfabeto (cfr. p. 535).

Agli ultimi decenni del Settecento (cfr. p. 485) e ai primi dell'Ottocento risale la riduzione di *uo* a *o* nella parlata fiorentina (*bono*, *novo*,

---

[89] Sull'interpunzione leopardiana, specialmente nelle *Operette morali*, v. F. Colagrosso, *Le dottrine stilistiche del Leopardi*, Firenze 1911, pp. 200-230.

[90] In una lettera al Le Monnier (3 agosto 1846), il Giusti si lagna dei segni di punteggiatura troppo abbondantemente aggiunti al suo saggio sul Parini.

[91] V. l'articolo «Della riforma dell'ortografia», in *Scritti letterari*, I, pp. 257-272. Il Cattaneo proponeva anche, molto opportunamente, d'accentare le parole sdrucciole e più che sdrucciole, e applicò tale sistema nelle sue *Notizie naturali e civili su la Lombardia*.

ecc.)[92]. Nell'uso letterario *uo* permane stabile, malgrado la presa di posizione del Manzoni[93]: le oscillazioni che si hanno in alcune coppie risalgono alla tradizione e non a questa novità del toscano: così per es. il Leopardi usa *cuopre* e *scuopre* in prosa, *scopre* nel verso. Quanto al dittongo mobile, la regola è considerata da qualcuno come una pretesa ingiustificata dei puristi[94] ed è largamente ignorata, anche da scrittori toscani (*scuolare* nel Giusti, *Lettere*, passim; *tuonare, suonata* nelle *Memorie* del Montanelli).

La regola che le parole con *s* impura debbono essere precedute da *i* quando siano precedute da consonante comincia a venir meno: il Guadagnoli scrive *non isviluppi, per isgravio*, ma anche *in scuola*, e due grammatici di opinioni così diverse come il Fornaciari (*Alcuni discorsi*, pp. 109-118) e il Gherardini (*Appendice alle grammatiche*, p. 556) si trovano d'accordo nell'attenuare il rigore della regola.

L'assimilazione della *r* dell'infinito alla *l* del pronome enclitico si ha ormai solo nell'uso toscano plebeo: per lo più gli esempi che ne troviamo nei versi non sono che un ricordo letterario: *pagalli* in rima con *cavalli* nel *Poeta di Teatro* del Pananti (c. L, st. 4), e, peggio, *vedelli* in rima con *chiovelli*, in una versione di una romanza spagnola del Berchet (I, p. 261 Bellorini). Invece al toscano plebeo allude il Giusti nel «Delenda Carthago», v. 56: «E non vogliam Tedeschi: *arrivedello*».

In forte regresso è il troncamento sintattico. Leggendo nell'Ugoni *una version di quest'opera* il Foscolo vorrebbe correggere in *versione* (*Epist.*, IV, p. 45), considerando quest'uso un vezzo dei Gesuiti del Settecento, e «un prettissimo barbarismo» (2ª lezione pavese). Anche il Tommaseo (*Memorie poetiche*, p. 18 Salvadori) dice che questo «mal vezzo di troncare le parole» lo perseguitò fino ai venticinque anni[95]. Il Manzoni cercò di attenersi anche in questo all'uso fiorentino, ma vi riuscì solo fino a un certo punto[96].

14. Forme

Nel plurale dei sostantivi, le principali oscillazioni sono quelle dei nomi in *-co* e *-go* (*traffichi*, che è preferito dal Gioberti e dal Manzoni;

---

[92] Goidanich, *Atti Acc. d'Italia*, s. 7ª, II, pp. 167-218.

[93] Sul modo tenuto dal Manzoni nel conservare o togliere il dittongo, v. D'Ovidio, *Correzioni*, 4ª ed., pp. 57-61. In una lettera del 13 aprile 1856 leggiamo «dammi *bone* notizie», ma «Il Signore è *buono* anche quando colpisce»: oscillazione dovuta alla diversità di tono.

[94] «Manfredini scrive da Vienna esser *buonissima*, o *bonissima* come voglio-no i puristi, la salute» (lett. I. Pindemonte, 15 gennaio 1803). Il Tommaseo stesso è piuttosto scettico sulla norma, e accetta non solo *buonissimo* ma anche *suonare*, *tuonare* («Nuova proposta» in *Nuovi scritti*, IV, p. 65).

[95] Ma invece, altrove, si attenne ad alcune elisioni popolari toscane: *du' altri, i' ho dato*.

[96] Bianchi, in *Annali manzoniani*, III, 1942, pp. 288-291.

parrochi, asparaghi)[97]. Per i nomi in -*a* si noti *i camerata* (Foscolo). Nei nomi in -*ello* si ha il plurale *capegli* non solo in poesia ma anche in prosa (D'Azeglio): su questo modello, il Torelli scrive *zampigli* come plurale di *zampillo*.

Tra i plurali dei composti notiamo *sordi-muti*, che prevale nei primi del secolo (*Conciliatore*, passim), mentre più tardi si passa a *sordomuti* (p. Ricci, *Prose letterarie*, ecc.).

Per gli aggettivi, la principale oscillazione al plurale (e al superlativo) è pure quella delle voci in -*co* e -*go*: *aprici* (Clasio), *reciprochi* (Foscolo), *pratichi* (Puoti, Tommaseo), *poetichissimo, sofistichissimo* (Leopardi), *laconichissimo* (Manzoni).

Per formare l'elativo, i puristi hanno esumato il prefisso *tra*- (*trasuperbo*, Cesari, *tragrande*, Gioberti, Giordani, Mamiani, Farini) e ancora gli Amici Pedanti lo difendono[98].

Il superlativo relativo con l'articolo ripetuto è tutt'altro che raro: «lo stato *il più rozzo* dell'uomo» (Pecchio); «l'uomo *il più certo* della malizia degli uomini» (Leopardi, *Zibaldone*), «l'uomo *il più disperato*» (Giusti), «Gratis, e col contegno *il più pudico*» (Guadagnoli), ecc. Di *acerrimo* alcuni hanno perduto la nozione che è un superlativo: «*più acerrimo* che mai» (Giusti, *Cron. fatti Toscana*, p. 110).

I numerali accorciati del tipo *venzei, quaranzette* non sono del tutto scomparsi, almeno in Toscana («Son ventisette lire; ma per lei – Si ha da fare all'agevole, *venzei*»: Pananti, *Il poeta di teatro*, c. LVI; «più di *vensette* anni fa»: Tommaseo, *Colloquii col Manzoni*, p. 31 Lodi), benché il Monti, trovandone esempi nella Crusca del Cesari, se ne prendesse gioco (v. p. 606).

Passando ai pronomi, vediamo frequentemente adoperato *egli* accanto a *ei* (anche in prosa): il Manzoni, trovandolo troppo solenne, nella revisione dei *Promessi Sposi* per lo più lo sostituì con *lui* (cfr. p. 612). *Eglino, elle, elleno* si adoperano talvolta ancora («O che novità sono *elleno* queste?»: Guerrazzi, *Il buco nel muro*).

Piuttosto largo, anche in scrittori non toscani, è l'uso di *gli, la, le* come soggetti («Un re che *gli* era, fin dalla balia – pazzo pel gioco dell'altalena»: Carbone, *Re Tentenna*; «*gli* è un castello di carta»: Farini; «*la* è carriera di delitto e di sangue»: Mazzini; «vaga e quasi mistica formola come *le* son tutte quelle del Mazzini»: Farini) e di *e'* come soggetto impersonale («*e'* v'è»: Mazzini; «queste ferocie non sono credibili, ma *e'* sono avvenute tali e quali»: Giusti).

Li e *gli* come particelle oggettive di terza persona plurale si scambiano molto frequentemente: alcuni scrittori le adoperano in modo promiscuo rimettendosi «al giudizio dell'orecchio» (Parenti, *Esercitazioni filologiche*, n. 2), altri invece (Gioberti, Manzoni) adopera-

---

[97] Un trattato del Casarotti nell'ed. di Padova 1813 porta nel titolo *dittongi*, in quella di Milano 1834 *dittonghi*.

[98] *Giunta alla derrata*, p. 120 della rist. Pellegrini.

no *gli* davanti a vocale, *li* davanti a consonante («laddove l'ingegno *li* trae fuori, *li* fonde, *li* cola, *li* purga, *gli* opera, *gli* aggiusta»: Gioberti, *Rinnovamento*).

Gli per *le* (dativo singol.) non è raro (si ha anche nel Leopardi), mentre *le* per *gli* è un dialettalismo (per es. nelle lettere di Quirina Mocenni). *Gli* per *loro* (dativo plurale) si legge nel Leopardi, nel Tommaseo, nel Manzoni.

In scrittori veneti, si ha qualche volta confusione tra *ci* e *si*: «io e la Pisana facevamo gazzarra, contenti e beati di *vedersi* dimenticati» (Nievo, *Confessioni*). *Ne* è ancora piuttosto frequente per *ci* («noi, a noi»).

In posizione enclitica, la lingua poetica può avere, oltre a *mi, ti, si, ci* anche *me, te*, ecc.: libertà di cui approfittano non solo i classicisti (*deporse*, Monti) ma anche i romantici («Del monte ove Gesù *trasfiguros-se*»: Grossi, *I Lombardi*).

Le coppie di particelle il cui secondo elemento è *lo* o *ne* sono spesso contratte anche in prosa: *mel, tel, cel, vel* (e così anche *nol*). Conforme all'uso toscano, antico e moderno, qualche volta *gliene* vale anche per *glielo*, ecc. (*rimandargliene* per «rimandarglielo», in una lettera del Leopardi, 5 marzo 1836).

Assai numerosi sono ancora i casi di coppie di particelle in cui il dativo segue al complemento oggetto: e non solo in poesia («*lo si* raccolse all'odoroso seno»: Monti); abbiamo per es. «che *se gli* possa fare una camicia»: Leopardi, *Annot. canz.* III; «facendo*segli* il freddo sentir sempre più»: Manzoni, *Prom. Sp.*, XVII; «il cuore *se gli* serrava»: Cantù, *Margh. Pusterla*; «alle domande che *se le* facevano»: Carrer, *Racconti*; «chi *lo si* mise pazientemente in tasca fu lo Sgricciolo»: Nievo, *Il Varmo*; ecc.

Alcuni plurali come *qualche professori* (Berchet), *qualche decine* (Tommaseo), *qualche speranze* (Cantù), *qualche anni* (Carrer) stanno cadendo dall'uso: il Manzoni, che nell'ed. del '27 ne aveva pochi esempi, li abolì nella revisione. Cfr. anche *nessune trattative* (Nievo).

Notiamo qualche scambio nell'uso di *che* e *cui* («la nube di maledizioni, di *che* lo aggravano i secoli»: Mazzini), di *che* e *chi* («la Francia, *a chi* si attribuisce...»: Amari), qualche esempio di *chi* plurale («*chi* proseguettero i ladri» [= quelli che perseguirono]: Giusti).

Cosa? nel senso di «che cosa?» trova dei difensori (L. Fornaciari, Gherardini).

Riguardo all'articolo determinativo, si possono osservare anzitutto queste due peculiarità: sussiste ancora, benché in forte regresso, il plurale *li*[99]; davanti a *s* impura e *z* si adoperano quasi liberamente ambedue le forme. *Li* persiste specialmente nella lingua degli uffici, ma

---

[99] Non più, invece, il singolare *lo* davanti a consonante: lo troviamo, forse come allusione all'uso meridionale (dato il riferimento al re di Napoli) piuttosto che come arcaismo, in uno stornello politico di Dall'Ongaro: «Quando la gente non avea farina – *Lo* re diceva: Mangiate pollame».

se ne servono ancora talvolta, in prosa ed in verso, scrittori classicisti e anche romantici («*li* suoi pseudo-liberali»: Breme, 1818; «se a forza di sproni *li* fianchi t'ho aperti»: Prati). Il Gherardini e il Cattaneo usano pressoché regolarmente *li* davanti a vocale e *s* impura (*li articoli, li uomini*, ecc.). Specialmente *li* persiste davanti a *s* impura (*li strilli*, Bresciani; *Alli spettri del 4 settembre 1847*, Giusti; *su li stinchi*, Carducci) e dopo *per* (v. qui sotto). Davanti a *s* impura si ha grande oscillazione, sia in prosa che in poesia, sia nei Toscani che nei non Toscani: tutt'al più si può osservare che nei settentrionali abbondano gli esempi del tipo con *i*: «ha sepoltura – già vivo, e *i stemmi* unica laude» (Foscolo); *i stenti* (Berchet); *i stupendi marmi* (Carrer); un po' meno frequente è il singolare: «più azzurro *il scintillante* Eupili ondeggia» (Foscolo), *un spergiuro* (Berchet). Anche più libera è l'alternanza fra il tipo *il zio, i zii* e *lo zio, gli zii*[100]: per citar solo un esempio fra mille, nella stessa pagina il Rosini scrive *un zelante* e *degli zelanti* (*Risposta al cav. Monti*, p. 33).

Anche nell'uso delle forme intere o apostrofate la libertà è assai grande, non solo nei versi ma anche in prosa: leggiamo *uno anello* (Leopardi), *della istoria* (Colletta), *la idea, tutta la Italia* (Guerrazzi)[101], e viceversa *l'amicizie* (Foscolo), *le lettere e l'arti* (Mazzini), *l'ore* (Mazzini), *nell'idee* (Niccolini), ecc.

Quanto alle preposizioni articolate, notiamo anzitutto la frequenza delle forme *a', de', ne', co'*: la scelta tra forme intere e apostrofate è spesso governata da ragioni di eufonia (per es. il Mazzini scrive *de' bisogni e dei desideri*, per non ripetere due volte la stessa sillaba). Nell'uso dei poeti, si oscilla fra le preposizioni articolate unite (*dello, allo*) e quelle separate (*da lo, a lo*): per es. il Leopardi passa, dalla *Batracomiomachia* del 1815 a quella del 1821, dal primo metodo al secondo.

Dopo *per* (e anche dopo il raro *ver* «verso») molti usano *lo, li*, conforme alla regola dei grammatici antichi: il Leopardi osserva costantemente la regola in prosa e in verso, e considera «errore di lingua» *per il suo reo delitto* (recensione giovanile al Salterio versificato dal Gazola, in *Scritti letter.*, II, p. 168),[102] e così scrivono spesso non solo il Cesari, il Monti, il Perticari, il Gioberti, ma anche l'Amari (*per lo*

---

[100] Il Pindemonte, in una lettera al Bettinelli (23 novembre 1799) scrive «*il zio* (perché io non dirò mai *lo zio*) scrive le memorie del nipote», e in una lettera al Pieri (18 maggio 1810) «Io poi dico *il zelo* e non *lo zelo*, e prego lei a guardarsi anch'ella da tale affettazione». Anche il Cesari (lettera ad A. Chersa, 25 aprile 1828) se la prende con «certi schifiltosi» che vogliono dire *allo Zoilo, lo zucchero, lo zolfo*, mentre il Boccaccio ha *il Zima* e simili.

[101] Il giornaletto fiorentino *La Zanzara* del 15 maggio 1849 rimproverava «il gran menante Francesco Domenico» di scrivere *la Europa* piuttosto che *l'Europa*, e diceva che per questo il Giusti l'aveva proposto come Accademico della Crusca (Giusti, *Epistol.*, IV. p. 290 Martini).

[102] Così «*per li* patrii lidi» (*All'Italia*), «*per lo* libero ciel fan mille giri», «*per li* campi esulta» (*Il passero solitario*) non hanno per lui alcuna connotazione stilistica, ma sono una semplice applicazione della regola.

momento, in una lettera del 1849) e il Prati (*per lo deserto, per lo mondo*)[103]. Il Carducci del tempo degli «Amici Pedanti» scrive in una lettera al Chiarini (1857) «rispondimi *per lo* procaccia»; ma nella lirica in morte del fratello, che è del medesimo anno, ha ambedue le forme: *per li verdi oliveti* e *per i lieti campi*. I meno rispettosi di queste prescrizioni sono i Toscani (*pel cheto camposanto*, Guerrazzi; *per il suo valore intrinseco, per il malgarbo*, Giusti); e il Fornaciari (*Alcuni discorsi*, pp. 103-104), appellandosi al Bartoli, dichiara che la regola non è assoluta. Il Manzoni che aveva adoperato *pel* (e *pello*, secondo la posizione) nei *Promessi Sposi* del '25-'27, passa a *per il* (*per lo*) nell'edizione del '40.

Per i verbi abbiamo una gamma di varianti assai ampia[104]. Anzitutto, nella lingua poetica, rimangono adoperabili terminazioni e formazioni cadute dall'uso: *avemo* (Manzoni, «Nome di Maria»), *avièno* (Monti, *Mascher.*, III), *ghirlandorno* (Monti, *Mascher.*, III), ecc. Ma anche nella prosa troviamo frequentemente varianti che i grammatici catalogano come antiche o poetiche: *dee* o *debbe; dicea, parea; fia* («quando ella fia giocondata dai figli», ancora in una lettera del Guerrazzi del 1865); *saria*, ecc.; *corre, sciorre, torre* per *cogliere, sciogliere, togliere*.

Né raro è l'affiorare di forme peculiari nei Toscani: «quando me ne *parlavi*», 2ª pers. plurale: Fanny Targioni Tozzetti, lettera 1838; «Voi *eri* amico e compatriotta dell'eroico Giovannetti»: De Laugier, *Concisi ricordi*, p. 200; «in velluto e scarponi com'*eramo*»: Giusti, lettera 1841 a P. Thouar, in *Epistol.*, I, p. 388 Martini; curiose le forme di passato remoto e di condizionale di cui si serve l'elbano generale De Laugier, pochissimo letterato: *raccolsamo, sparsemo, avrebbemo, traverserebbemo*[105]; più fortunato degli altri, anche se non immune da critiche, il costrutto *noi si va*: «*Si par* di carne, e siamo – costole e stinchi ritti» (Giusti, «La terra dei morti»); «tutti *si può* mancare» (Manzoni, *Prom. Sposi*, cap. XIX), ecc.

Fra i non Toscani appaiono qua e là forme regionali, come il solito *-assimo, -essimo, -issimo*, terminazione settentrionale e romanesca per la prima pers. del condizionale («*vedressimo* tanto volentieri»: Giulia Manzoni Beccaria, lettera 1826; «quello che noi *vorressimo*»: Costanza Arconati, lettera 1832)[106].

---

[103] Al *Codice di Napoleone il Grande pel Regno d'Italia* (Milano 1806) fa riscontro il borbonico *Codice per lo Regno delle Due Sicilie* (Napoli 1819).

[104] Moltissime se ne possono rilevare dal repertorio del Mastrofini (*Teoria e prospetto*, cit.), il quale, benché fondato su attestazioni classiche, tuttavia spesso documenta l'uso contemporaneo: per es. al verbo *cuocere* fa vedere che *cuocia* sta sostituendo *cuoca* («l'uso par che voglia inserire un *i*»), tra *valga* e *vaglia* dichiara più comune *vaglia* nella locuzione *e vaglia il vero*, ecc.

[105] *Gli Italiani in Russia*, Italia 1826-27, passim, cit. da R. Ciampini, nella prefazione alla sua ed. dei *Concisi ricordi di un soldato napoleonico*, Torino 1942, p. 14.

[106] Nella 2ª edizione dell'*Imitazione di Cristo* da lui tradotta, il Cesari sostituì un *vorresimo* a un *vorremmo*, ma lo fece per evitare una ripetizione.

Nel presente indicativo, alla prima persona plurale, è frequente davanti alla desinenza un indurimento del tema: *tenghiamo, ponghiamo, distrugghiamo* e anche *conoschiamo*. Le stesse forme si hanno anche per il congiuntivo, che inoltre presenta forme analoghe per la 2ª persona: *accolghiate, dirighiate*.

All'imperfetto la prima persona in *-a* è ancora vivissima, ma accanto ad essa è altrettanto frequente la forma in *-o* (che «si vede al presente scorrere in belle scritture»: così il Mastrofini, parlando del paradigma di *temere*). Anche scrittori toscani di tono familiare usano le forme in *-a* (*era, aspettava, sapeva*: Giusti), talora alternandole, a poche pagine o a poche righe di distanza, con le forme in *-o* (*conchiudeva, doveva,* ma *amavo* nell'*Apologia* del Guerrazzi). Il Manzoni nei *Promessi Sposi* del 1825-27, e nelle lettere anteriori e di qualche anno posteriori, adopera quasi sempre la forma in *-a* (ho segnato solo un *bramavo* del 1829, di contro a moltissime forme in *-a*); nell'edizione del 1840 egli corregge *faceva, non pensava* in *facevo, non pensavo,* e a questa forma si attiene nelle lettere più tarde (*sapevo,* 1850).

Nel passato remoto appaiono non di rado, alla 1ª persona plurale, forme del tipo *ebbimo,* in Toscani (abbiamo ricordato il De Laugier) e non Toscani (*vidimo*: Gargallo; *ebbimo*: Rajberti; *seppimo*: Nievo).

Al congiuntivo è ancora frequente la terminazione *-i* per la seconda persona: *abbi, facci, vadi, vogli*.

Al condizionale le forme in *-ia* appaiono ancora qua e là anche in prosa, e l'uso va esaminato autore per autore: ad es. il Leopardi nelle *Operette morali* preferisce il tipo *saria, dovria* davanti a consonante, ma *sarebbe, dovrebbe* davanti a vocale[107].

Frequentissimo è ancora l'uso di *avere* come ausiliare di verbi costruiti di solito con quel verbo, anche quando siano usati come riflessivi: «quand'anche non *si avesse conseguita* l'indipendenza, *si avrebbe giovato* all'onore italiano»: Foscolo, lettera 1815; «pare che il poeta *si abbia proposto*»: Leopardi, in *Nuovo Ricogl.*, 1825; «un frate *si avea tolto* il carico di farmi venire i vostri volumetti»: Puoti, lettera 1845; «tutto il vino che *si hanno bevuto*»: Guerrazzi, *Apologia*; «quel giorno *avrebbesi dovuto* installare solennemente la Signoria nuova»: Capponi, *Storia Repubbl. di Fir.*, II, p. 439.

Qualche osservazione sulle parole invariabili. Si adoperano talvolta anche in prosa avverbi, congiunzioni, preposizioni che poi cadranno interamente in disuso: *eziandio* (Gioberti, ecc.), *mo* (Manzoni, *Prom. Sposi* 1827), *oggimai* (Mazzini), *avvegnadio* (Guerrazzi), *appo* (Manzoni, lett. 1826; *tenere appo Renzo* dei *Promessi Sposi* del 1827 è sostituito da *tenere presso di Renzo*), *contra* (Breme), *fuora* (Manzoni, lett.; un paio di volte nei *Promessi Sposi* del 1827; in verso, nell'inno di Garibaldi del Mercantini «Va' *fuora* d'Italia...»).

---

[107] E. Bigi, *Dal Petrarca al Leopardi*, Milano-Napoli 1954, p. 134.

15. Costrutti

Nei costrutti più che altrove si rispecchiano le tendenze contrastanti. I classicisti abbondano di costrutti modellati sul latino e il greco e sugli scrittori classici italiani: accusativi con l'infinito (estremamente copiosi, per es. nel Gioberti), accusativi alla greca, ablativi assoluti, infiniti storici. ecc.; i puristi, oltre che servirsene anch'essi, ravvivano costrutti arcaici: per es. il Puoti adopera volentieri l'ellissi del *che* («tutto quello fate per me»: lettera a L. Fornaciari, 1846; «quello mi avete detto»: lettera a S. Betti, 1846). D'altro canto si nota una forte influenza francese; e toscanismi e dialettalismi affiorano in varia misura.

L'articolo con i cognomi spesso si tralascia, specialmente con quelli più illustri (e anche con quelli di stranieri): si veda la discussione del 1817 fra il Leopardi e il Giordani (Epistol., I, pp. 99 e 106) e le fini note del D'Ovidio sull'uso manzoniano[108].

Non è raro il partitivo dopo avverbi di quantità: *più di fedeltà*: Leopardi, 1816; *con più di precisione*: Berchet; *assai di regolarità*: Torelli, *Ettore Santo*, p. 310; cfr. anche *un dieci di volumi*: Giusti, lett. 22 dic. 1846.

Il participio presente con pieno valore verbale è assai raro, e suona letterario («a me giovane annunziante che il Rosmini verrebbe...»: Tommaseo, *Colloquii col Manzoni*, p. 181) ovvero burocratico («i Rappresentanti il Municipio»: in un manifesto, Cesena 1828; «Firmato in calce dell'originale: – Minosse presidente il Tribunale»: Guadagnoli, *Poesie*, p. 521 De Rubertis).

Raro e meramente letterario è anche il costrutto del gerundio con *in*: «ma il cor mi rode acerba – doglia *in pensando*...»: Monti, *Iliade*, XVI; «O sopiti *in aspettando*»: Manzoni, *Resurrezione*; anche in prosa: «*in leggendo* quel tenero vostro Sonetto»: Monti, a Rosini 1818.

Anche raro l'infinito con *in*: «molto mi dolse *in leggere* che eravate...»: Puoti, lettera 1844.

Molto ci sarebbe da annotare sulle reggenze dei verbi, talora influenzate dall'uso dialettale («lo intesi *a* russare»: Torelli; «pensate... che turbamento mi produsse il sentire il Manzoni *a* proporre...»: Bonghi), e sull'uso dei tempi e dei modi (per esprimere un futuro dipendente da un passato è frequente il condizionale semplice: «mi pareva che quell'architettura, trasportata sotto il sole d'Oriente e tra le nebbie britanniche, *armonizzerebbe* del pari»: Tommaseo, «I monumenti di Pisa», in *Bellezza e civiltà*, 1832)[109].

Nell'ordine delle parole, i classicisti mettono ancora talvolta il

---

[108] *Correzioni*, pp. 79-80.
[109] Lo stesso Tommaseo mescola il condizionale passato con quello presente: «non prevedevo che, esule volontario, io *avrei* di là a quindici anni *inviato* in Italia un libro sulle miserie e le speranze della nazione e... lo *intitolerei*...» (*Rivista contempor.*, XXXVIII, 1864, pp. 125-126).

verbo in fine per alzare il tono dei loro scritti («la vita mia che ormai verso l'occaso inchina»: Botta, lettera 20 dic. 1831). Con il medesimo scopo, nei gruppi di sostantivo e aggettivo, gli aggettivi con valore limitativo e gli aggettivi etnici talvolta precedono anziché seguire il sostantivo («in questa occidentale Europa»: Farini, *Lo Stato Romano*, I; «le tracce delle napoleoniche fortune»: ivi; «nel vedersi molto appianata la via nel parlamentare arringo»: Cavour, discorso 5 febbraio 1852).

Nei versi si mantiene un'amplissima facoltà di trasposizioni, anche dai romantici («Ma il periglio d'Ulrico ogni malnata - mitigando pur venne ira scortese»: Grossi, *Ulrico e Lida*, I; «Sento un soave di patir desio»: Tommaseo)[110].

Abbondantissima, anche nella prosa più andante, è l'enclisi pronominale: possiamo pensare a un'intenzione un po' arcaizzante leggendo in una lettera del Botta (20 dic. 1831): «*Tienmi* Parigi e ancora *terrammi*», ma non vi è certo alcuna intenzione simile quando il Borsieri scrive (*Concil.*, n. 70): «Il padre *avevalo* destinato allo stato ecclesiastico; però *recossi* a Gottinga», o quando il Rosmini scrive al Tommaseo (22 sett. 1831): «il Manzoni *scrissemi* una bella lettera», o nei numerosissimi *puossi, diessi, trasportossi, lasciommi*, delle *Mie Prigioni* del Pellico, o quando il De Laugier scrive: «coloro fra i nostri concittadini i quali *nieganvi* questa giustizia» (*La milizia toscana*, p. 38). L'abbondanza di enclitiche nelle lettere del Carducci al Chiarini, negli anni degli «Amici pedanti» («*Mandoti* subito il sonetto», 1856; «Sceglierai questi, *metteraili* da parte», 1857), forse non è senza intenzione.

Quanto alla struttura del periodo, malgrado lo sforzo dedicato dai classicisti a restaurare l'arte degli ampi periodi armoniosamente bilanciati, nell'uso comune resta prevalente l'andamento a periodi brevi impostosi nel Settecento. Tant'è vero che in qualche ristampa di classici gli editori si arbitrano di introdurre delle pause: il Moreni nella prefazione ai *Ricordi* del cinquecentista Domenico Mellini (Firenze 1820, p. 17) lamenta che nella ristampa pisana del Guicciardini «con ardimentoso impegno si mozzano i periodi con pause per facilitarne la lettura, e per non istancare colla loro pretesa soverchia lunghezza i polmoni dei lettori». Il Gioberti difendeva il diritto degli scrittori di svolgere molte idee «con un solo circuito architettato con senno», anziché «con dieci periodetti strangolati, come usano ai nostri giorni»[111]. E il Mamiani osservava[112] che mentre «nel cinquecento i maestri dell'arte adattavano ai varj stili varia foggia di periodo..., oggi d'ogni

---

[110] Al Betti, che in nome della tradizione classica italiana aveva censurato per le troppe inversioni il volgarizzamento di Pindaro del Lucchesini, il Fornaciari rispose allegando numerosissimi esempi di poeti e anche di prosatori trecenteschi con forti trasposizioni (*Alcuni discorsi*, cit., pp. 3-37).

[111] Cit. da Mazzoni, *Ottocento*, 2ª ed., p. 604.

[112] *Della italianità e dell'eleganza*, 2ª lettera (Parigi 1842), in *Prose letterarie*, Firenze 1867, pp. 251-252.

ampiezza di periodo siamo schivi e intolleranti, e vogliamo rotte non che slegate tutte le membra del discorso...». «Potrei citarvi – egli aggiunge – un autore de' nostri che sveglia meritamente gran fama di sé per sapienza e facondia rarissima, il quale non esce in eterno dal suo costrutto regolare del nominativo, verbo e accusativo». Giudizi sommari, certo; ma ho l'impressione che chi allargasse opportunamente la ricerca vedrebbe corroborate le osservazioni del Mamiani.

16. Consistenza del lessico

Non ci lusinghiamo di poter dare altro che una pallida idea del lessico del primo Ottocento e delle sue innovazioni rispetto al lessico dei secoli precedenti.

Anzitutto ricordiamo le ripercussioni della potentissima scossa data alla vita italiana dall'invasione francese e da tutto quello che seguì fino al 1814. Dapprima si erano solo conosciuti gli avvenimenti di Francia e i vocaboli relativi; ora molti di questi vocaboli si applicano alle nuove vicende italiane.

Il modenese Bartolomeo Benincasa, nel *Monitore Cisalpino* del maggio 1798[113], dava un elenco di vocaboli «nuovamente arrivati in Italia, o di nuova significazione, o d'un'antica, ma cambiata e travisata»: *aggiornare, allarmista, aristocrazia, arrestare, attivare, avvocazione, cittadino, civismo, clisciano, corporazione, correzionale, correzione, costituente, costituito, democrazia, eguaglianza, emigrato, emigrazione, ex* (particola preposta), *federalismo, federalista, federativo, federazione, filantropia, libertà, liberticida, massa, menzione onorevole, moderantista, monarchia, mozione, nazione, oligarchia, organizzare, patriota, patriotismo, popolo, provvisorio, rapportare, risolvere, rivoluzionare, rivoluzionario, sanculotto, scioano, teocrazia, teofilantropia, tirannia, vendeista.*

Più tendenzioso l'anonimo che pubblicava a Venezia nel 1799 un *Nuovo Vocabolario filosofico-democratico indispensabile per ognuno che brama intendere la nuova lingua rivoluzionaria.*

Se avessimo una completa rassegna dei neologismi sorti fino al 1814 in séguito alla nuova organizzazione dei dipartimenti annessi alla Francia e dei nuovi stati satelliti, troveremmo innovazioni importanti. Ce ne dà un'idea il citato *Elenco di alcune parole oggidì frequentemente in uso, le quali non sono ne' vocabolarj italiani*, di G. Bernardoni (Milano 1812).

Alcune voci entrarono brevemente nell'uso e poi sparirono (come i nomi dei mesi del calendario repubblicano), altre si radicarono fortemente (come i nomi delle misure: *grammo, metro*, ecc.). Numerosi vocaboli furono introdotti nell'uso dal Codice Napoleone (per es.

[113] V. *Lingua nostra*, II, 1940, p. 58.

immobiliare, licitazione, regime della comunione dei beni, ecc.), e molti di essi persistettero anche oltre. Lo stesso si può dire per parecchie istituzioni giudiziarie, amministrative, militari (*Corte di Cassazione, funzionario, regìa, sotto-ufficiale,* ecc.); e in genere per un gran numero di voci burocratiche (*caseggiato, controllo, processo verbale, suini,* con valore collettivo; *mensile* in luogo di *mensuale, doganale, postale, retroattivo; centralizzare, monopolizzare,* ecc.).

Il nome di *tricolore,* che all'apparire dei Francesi indicava ancora soltanto il tricolore francese (azzurro-bianco-rosso) designò ben presto il nuovo vessillo italiano (verde-bianco-rosso), bandiera della Cispadana e poi della Cisalpina: dopo varie vicende, nel 1848 esso fu da tutti riconosciuto come simbolo dell'Italia costituzionale.

La Restaurazione ristabilì in parte le antiche terminologie. Poi, molti nuovi mutamenti si ebbero nella terminologia ufficiale dei vari stati durante i moti del '48 e poi nel '59 e nel '60. L. C. Farini diceva nel '59: «Ad anno nuovo da Piacenza a Cattolica tutte le leggi, i regolamenti, i nomi ed anche gli spropositi saranno piemontesi». Ma di questo parleremo nel cap. XII.

Le vicende talvolta turbinose a cui andò soggetta la vita politica in questi decenni spiegano il moltiplicarsi di vocaboli riferiti alla vita politica. Il nome di *Risorgimento,* che aveva designato già nel'700 in Piemonte e in Lombardia una più o meno vaga aspirazione a un miglioramento delle sorti d'Italia, prende un senso decisamente politico nel '47-'48 (si ricordi *Il Risorgimento* fondato da Cesare Balbo il 15 dic. 1847)[114].

Le sètte portano nomi svariati: sia quello di *Carbonari* (con i termini connessi di *baracca, vendita*), sia quello antitetico di *Calderari* seguono lo schema semantico di (*Liberi) Muratori;* altri sono coniazioni dotte: *Adelfi, Apofasimeni,* ecc.

Se di partiti veri e propri, nel senso moderno, si può parlare solo a cominciare dal '48, nomi di tendenze e raggruppamenti appaiono ben prima. Se qualcuno di questi nomi è esclusivamente italiano (come *sanfedista, olonista, albertista, muratista*), i più si ricollegano a nomi analoghi francesi oppure inglesi: *destra* e *sinistra, liberale, assolutista, legittimista, conservatore, moderato, radicale, costituzionale, progressista, oscurantista, comunista, socialista* e così via.

Liberale, per es., ha una lunga incubazione, che dal significato latino di «generoso, di animo aperto» porta la parola a un significato politico. Già il Baretti in una lettera del 1766 parla degli Italiani riuniti «sotto il medesimo governo non importa se liberale o dispotico». Due

---

[114] Ma il Ferrari adoperava *risorgimento* alludendo alla ripresa della civiltà italiana, dall'origine dei Comuni al trionfo delle Signorie, mentre lo Spaventa e il Fiorentino se ne servivano nel senso in cui oggi diciamo Rinascimento (Sestan, in *Opere di G. Romagnosi, C. Cattaneo, G. Ferrari,* Milano 1957, p. 1057). Il Gioberti (*Rinnovamento civile d'Italia*) avrebbe voluto distinguere fra *Risorgimento* (fino al '49) e *Rinnovamento* (dopo il '49).

episodi accentuano il significato politico della parola: Mme de Staël che nel 1790 dichiara «je défends les idées libérales», Napoleone, il quale nel proclama del 19 brumaio 1799, il giorno dopo il colpo di stato, proclama che «les idées conservatrices, tutélaires, libérales sont rentrées dans leurs droits». E, infine, nelle Cortes di Cadice, discutendosi di finanza, il gruppo *liberal*, che, dopo aver rinunziato ai propri emolumenti, difendeva le pubbliche libertà, si separò dal gruppo *servil*, fautore degli antichi abusi economici e delle opinioni retrive: con quest'ultimo passo la parola diventò nome di partito.

Fusionista entra in circolazione nel '48, quando si discute se la Lombardia e gli altri che hanno ricuperato la libertà debbono «fondersi» col Piemonte o no; *separatista* nasce a Nizza nel 1859, quando alcuni ormai progettano di «separarsi» dal Piemonte per unirsi con la Francia.

Pullulano i nomi politici affettivi: sia riferiti spregiativamente agli stranieri (gli Austriaci sono chiamati *caiserlicchi, mangiasego* o *segoni, patatucchi, plùfferi, tognini*; dottamente anche *lurchi*), sia a varie tendenze o partiti: *codini* e *parrucconi* (nomi nati nel 1799, dalla parrucca che i conservatori ancora usavano, mentre i rivoluzionari l'avevano smessa), *funari* (soprannome dato a Lucca nel 1848 ai retrogradi, *malva, malvini* (moderati), *cupolini* (a Firenze «campanilisti»), *arruffapopoli* (voce coniata dal Giusti, largamente fortunata). Troviamo spesso anche soprannomi scherzoso-spregiativi dati a varie milizie (*lucernini* «carabinieri», *polpini* «soldati croati» nel 1848, ecc.).

Anche le *fedine* implicano un sottinteso politico: sono le «basette» come le portava Francesco Giuseppe, e perciò implicano una «fede», un «certificato politico» di buon suddito austriaco. Gli *eroi della sesta giornata* alludono alle Cinque Giornate di Milano. *Quarantottata* «fiammata politica senza conseguenze durevoli» esprime le delusioni seguite alle speranze del Quarantotto. Il nome di *barabba* emerse nella rivolta milanese del 6 febbraio 1853. Numerosi poi i motti storici divulgatisi in questa età: la *carne da cannone* (attribuito a Napoleone), il *concerto europeo* (accordo di Chaumont, 1814), i *fatti compiuti* (O. Barrot, 1831), l'*espressione geografica* («l'Italia è un'espressione geografica»: Metternich, 1847), la *lotta di classe* (Marx, 1848), l'*Italia farà da sé* (motto della società segreta dei Raggi, fatto proprio da Carlo Alberto nel 1848, il *governo negazione di Dio* (divulgato da Gladstone, 1851), il *grido di dolore* (nel discorso di Vittorio Emanuele II del 10 gennaio 1859), ecc.[115]. Prima la mistica giacobina, poi quella mazziniana, trasferiscono spesso vocaboli di origine religiosa al campo patriottico (*i martiri della libertà*; «i morti della nostra *Religione nazionale*»: Mazzini, lett. 29 agosto 1855; ecc.).

---

[115] Invece la frase di Pio IX che aveva chiamato *barbacani della Santa Sede* i volontari (Genova di Revel, *Umbria e Aspromonte*, Milano 1894, p. 50) fu volta a dileggio, per l'ignoranza del significato proprio del termine, e la somiglianza con *barba* e *cane*.

Ebbero grande influenza anche nella lingua quotidiana le vicende letterarie: la restaurazione neoclassica, il purismo, l'avvento del romanticismo. Il Monti adopera nell'*Iliade* il latinismo *reduce* (e il Manzoni in un senso un po' diverso nel coro di Ermengarda): poi nel 1848 a Roma si organizza un battaglione di *reduci*.

Per designare nuove invenzioni, si ricorse spesso a moduli classicheggianti: così il *velocifero*, il *celerifero*, il *fiammifero*.

Appare anche in Italia il movimento *romantico*: il termine, dopo una lunga incubazione anglo-francese (ss. XVII-XVIII), acquista valore nettamente letterario nella cerchia di Mme de Staël, in cui si fissa l'opposizione tra *romantico* e *classico*; e si sa quale importanza abbiano assunto in Italia la nozione e la parola[116]. Il romanticismo sommuove largamente il vocabolario, con l'importanza data a tutto ciò che è sentimentale (*idee color di rosa*), con il realismo che spinge a descrivere cose su cui prima si sarebbe sorvolato (ambienti popolari, rustici, ecc.), con l'amore per il fantastico, l'esotico, il medievale (cfr. p. 538). La polemica dei romantici contro la mitologia rende un po' ridicole perifrasi come il *santuario di Temi*, il *regno di Nettuno*, tanto care ai classicisti. Nasce con il romanticismo l'aggettivo *primaverile* (dapprima in concorrenza con *primaveresco*), si diffonde *autunnale*, prima rarissimo. Si conia *medievale* (accanto a *medievitico*, poi scomparso). Entra nell'uso *pomeriggio*. Nuove forme poetiche sono la *ballata* (diversa da quella che così si chiamava nel Medioevo) e la *romanza*. Eufemismo romantico è il nome di *mal sottile*.

Fra gli scrittori v'è chi è più incline a coniare neologismi, chi invece li evita. Il Giusti per es. scrive *arfasatteria*, *arlecchineggiare*, *arruffapopoli*, *articolaio* (v. p. 578), *birrocratico*, *castrapensieri*, *grinzume*, *innaiolo*, *insugherire*, *meritometro*, *nipotame*, *puerpero*, *scalessare*, *sonniloquio*, *vanume*,ecc.; il Gioberti, oltre a rinnovare numerose parole greco-latine e italiane dei primi secoli, conia *contrascossa*, *cronotopo*, *fogliettista*, *scattedrare*, *scriviarticoli*, *torcilegge*, ecc.; il Mamiani conia *bronzeo* (che attecchì) e *quercioso* (che non attecchì).

E numerose parole e locuzioni di singoli scrittori si divulgano con valore allusivo e poi talvolta generico: l'*ombra dei cipressi* e il *lombardo Sardanapalo* del Foscolo, il *procombere* e le *sudate carte* del Leopardi, il *disonor del Golgota* e i *pareri di Perpetua* del Manzoni (e anche *Perpetua* – cfr. p. 580).

Il melodramma agisce in vario modo sulla lingua: con reminiscenze

---

[116] Il primo esempio fin qui additato è in una nota del n. 3 dello *Spettatore Italiano* (1814); nel n. 11-12 della stessa rivista si precisa: «questo moderno gusto che M.me de Staël e i tedeschi chiaman romantico». Per la storia della parola in italiano, si veda C. Apollonio, *Romantico: storia e fortuna di una parola*, Firenze 1958, e l'«Antologia di testimonianze sul romanticismo» raccolte da E. Mazzali in appendice alla sua ristampa del *Discorso di un italiano intorno alla poesia romantica* di G. Leopardi, Bologna 1957; per le altre lingue europee, v. soprattutto F. Baldensperger, in *Harvard Studies and Notes Phil. Liter.*, XIV, 1937, pp. 13-105, R. Wellek, in *Compar. Literature*, I, 1949, pp. 1-23.

divulgatissime di locuzioni, come *il suon dell'arpe angeliche* (dal *Poliuto* di Donizetti, libretto di Cammarano), *una furtiva lacrima* (dall'*Elisir d'amore* di Donizetti, libretto di Romani), *ultimo avanzo - d'una stirpe infelice* (dalla *Lucia di Lammermoor* di Donizetti, libretto di Cammarano), *invenzione prelibata* (dal *Barbiere di Siviglia* di Rossini), *disperato è l'amor mio* (dalla *Francesca da Rimini* di Pellico), *di quella pira l'orrendo fuoco* (dal *Trovatore* di Verdi, libretto di Cammarano), ecc., e inoltre con la voga che ne ricevettero alcuni vocaboli. Le lettere di Byron alla contessa Guiccioli, scritte in un italiano piuttosto approssimativo, sono piene di parole, di movenze, di troncamenti che rivelano come fonte il linguaggio del melodramma: «con quei soavi palpiti», «tutto dipende da te, la mia vita, il mio amor, il mio onor»[117]. *Palpito*, benché esistesse fin dal Quattrocento almeno, e l'avessero adoperato alcuni scrittori del primo Ottocento (Leopardi, Guadagnoli, Rosini) non era registrato dai vocabolari: ma «la famosa cavatina *Di tanti palpiti - di tante pene*[118] ha introdotto in tutti gli orecchi, e impresso in tutti i cuori italiani il suo suono e il suo significato»[119]; *traviata* ha preso valore estensivo per la voga dell'opera di Verdi; e alla conoscenza di personaggi di melodramma si devono antonomasie come *Dulcamara* «farmacista ciarlatano» (dall'*Elisir d'Amore* di Donizetti, 1832) e *Figaro* (che risale al Beaumarchais, ma deve la fortuna italiana a Rossini). Nascono ora le maschere di *Stenterello* (1798) e di *Gianduia* (1808). Da un certo Luigi Anzampamber si trasse, e perdurò a lungo nel linguaggio teatrale dell'Ottocento, il nome di *Anzampàmber* per «guitto» (*Enc. Ital.*, s. v.).

Qualche espressione sorge nel linguaggio dei teatranti e si diffonde più o meno anche fuori: *far fanatismo, far un furore, essere un pezzo da sessanta*[120].

Il giornalismo politico e d'informazione rispecchia, per lo più senza originalità e invece con enfasi a freddo, le tendenze letterarie del tempo, oscillando fra classicismo e romanticismo. Di un artista scomparso si dice che «lascia vedovo un posto nell'arte», di un uomo politico che «riscuote le più frenetiche dimostrazioni»; le questioni sono «palpitanti di attualità».

Nei giornali, e negli scritti dei letterati da strapazzo, si abusa degli astratti. Si lamenta il Tommaseo: «d'un uomo famoso parlando in Francia dicono (e certi Italiani fangosi ripetono) *una sommità, un'illustrazione, una celebrità*: e queste son le figure di noi italiani. Di qui a poco, per dire Ariosto diremo *ariostizzazione* e per Petrarca *petrarchità*»[121]; e il Giusti, nella satira «Gli umanitari», crede che

[117] M. Praz, *Cronache letterarie anglosassoni*, I, Roma 1950, pp. 68-72.
[118] Dal *Tancredi* di Rossini, libretto di G. Rossi.
[119] L. Molossi, *Nuovo elenco di voci e maniere di dire*, Parma 1839-41, s. v.; cfr. Viani, *Dizionario di pretesi francesismi*, s. v.
[120] Pananti *Il poeta di teatro*, c. VI.
[121] «Nuova proposta», cit., p. 19.

...sarà parlata
una lingua mescidata
tutta frasi aeree;
e già già da certi tali
nei poemi e nei giornali
si comincia a scrivere.

Larghissimo è l'uso di vocaboli burocratici e di forestierismi. La reazione contro questi vocaboli, particolarmente tenuta viva dai puristi, fa nascere molti scrupoli. I vari autori di quella tendenza sono or più or meno severi, e non di rado si trovano in contraddizione fra di loro[122]: ma in complesso la loro opera non fu senza effetto. Se non riuscirono a far sparire la maggior parte dei vocaboli contro cui battagliarono (*controllo, deperire, distintivo, funzionare, ispettore, licitazione, massacro, privativa, proclama, protocollare, provvisorio, trasferta, traslocare* e mille altre parole vennero accolte da tutti), altre caddero in disuso (*cadò, mantò, merìa, tirabussòn*, ecc.; *degrado, estremare, reatizzare, renuenza, speranzare*, ecc.); altre ancora rimasero in una specie di limbo: accolte dai più, ma da altri considerate come illegittime o confinate all'uso degli uffici (*bigiotteria, dettaglio, rimarco; miglioria, dilazionare*, ecc.).

Con minori remore di carattere puristico affluiscono invece nel lessico i vocaboli riferiti a oggetti nuovi della vita pratica. Abbiamo così nomi riferiti all'abbigliamento maschile (civile e militare) e a quello femminile: i *pantaloni*[123], la *cravatta*, il *paltò*, il *raglan*, il (*cappello a*) *cilindro* o (*cappello a*) *staio*, la *tuba*, il *gibus*, il *corsè*, il *figaro*, la *crinolina*, la *pellegrina*, il *boa*, ecc. Ricordiamo il *percalle* e il *plaid*, e i nomi di colori *magenta* e *solferino*, coniati in occasione delle due battaglie. Citiamo anche alcuni nomi di danze venute di moda in questi anni: la *mazurka*, la *polka*, il *walzer*.

Si diffonde l'uso dei *sigari* (e, dopo la guerra di Crimea, delle *sigarette*); nel 1832 appaiono i *fiammiferi* fosforati, che sostituiscono gli antichi e poco pratici solfanelli[124].

---

[122] Il Bernardoni (*Elenco*, s. v.) avrebbe voluto per es. che si evitasse *deportare*; e il Gherardini (*Voci italiane ammissibili*) fa notare che «l'usare in sua vece i termini di *bandire, relegare, esiliare* condurrebbe ad alterare il valore di cotesta punizione»: il *Codice dei delitti e delle pene* conta più del parere dei grammatici. Il Lissoni (*Aiuto*, s. v.) biasima *imbarcazione*, e il Gherardini (*Aiuto contro l'aiuto*) obietta che la parola si ha anche in francese e in spagnolo, e si può quindi accettare. Particolarmente severo è l'Azzocchi, che combatte per es. *deputato*. Il Puoti non vorrebbe saperne di *circostanza*; e così via.

[123] La voce francese, come è noto, aveva tratto origine dalla maschera italiana di Pantalone: ma come termine di moda è «voce qui introdottasi e naturalizzata dopo la rivoluzione politica» (Boerio, *Dizionario del dialetto veneziano*, s. v.).

[124] Il nome neoclassico di *fiammiferi* prevalse presto sugli altri che allora apparvero: *accensibili, lumiferi* (cfr. ingl. *lucifer*, 1831); ancor vivo nell'Italia settentrionale è *fulminante*, in quella meridionale *pròspero*, alterazione paretimologica di *fosforo*; altrove sussistono i vecchi nomi (*solfino, z-, solfanello, z-*).

Nel campo del traffico ricordiamo i *celeriferi* e gli *omnibus*; i *velociferi*, le *draisiennes*, i *bicicli*; e una ricca nomenclatura di tipi di carrozze a cavalli: *tilbury*, *padovanelli*, ecc. Con l'introduzione delle *strade ferrate* in Italia (1839) prende inizio tutta una nuova terminologia[125]: *locomotiva*, *vaporiera*[126], *vagone*, *tender*, *raile* (poi sostituito da *rotaia*), *tunnel*, *viadotto*, ecc. *Ferrovia* appare un po' più tardi, nel 1852[127]. Un progetto di *tramway* («ossia strada ferrata a cavalli») si ha nel 1856[128].

Il grande progresso delle scienze porta a un forte ampliamento terminologico pressappoco parallelo in tutte le lingue occidentali d'Europa; le applicazioni delle scienze nella vita pratica e la conoscenza che il pubblico ne acquista fanno sì che molti di questi termini si divulghino largamente.

Così vediamo sorgere in questi decenni innumerevoli termini nuovi di chimica, come per es. *boro*, *cloro*, *alluminio*, *calcio*, *iodio*, *sodio*, *destrina*, *glicerina*, *paraffina*, *stearina*, *morfina*, *acido fenico*, *cloroformio*, ecc.

La medicina identifica la *difterite*, l'*encefalite*, la *flebite*; studia il *tifo*, la *cirrosi*, i *vibrioni*, i *batteri*, ecc. S'adopera l'*auscultazione*; si sviluppa l'*igiene*; sorgono l'*omeopatia* e *frenologia*, acquistando molti seguaci (dalla frenologia dipende la locuzione *avere il bernoccolo* per «avere una spiccata capacità»).

Molti nuovi vocaboli sono foggiati dagli zoologi (per es. *plantigrado*) e dai botanici; alcuni che eran solo adoperati nei trattati scientifici, penetrano nell'uso comune. Per es. *libellula* entra ora dal latino in italiano[129]; e così *medusa*; il termine linneano di *crittogame*, che era noto solo agli specialisti, si divulga verso la metà del secolo, con la diffusione dell'oidio della vite, chiamato usualmente *la crittogama*.

Similmente il *gas*, da termine di fisica qual era, diventa vocabolo usuale quando si propaga l'uso del gas illuminante (nel secondo decennio del secolo).

La geografia fisica comincia a parlare di *alti piani* o *altipiani*; i mineralogi coniano vocaboli come *dolomite*, i geologi studiano la *stratigrafia* delle rocce, coniando numerosi termini nuovi (*alluvionale*, *trias*, *lias*, *eocene*, *pliocene*, *devoniano*, *permiano*, ecc.); nasce la *paleontologia*.

E nascono numerose altre scienze o rami di scienze: per es. la

[125] Veramente già prima si era avuta la traduzione del trattato francese del Biot, *L'architetto delle strade ferrate*, Milano 1837.

[126] *Vaporiera* fu anche adoperato per «battello a vapore» («su le vaporiere del Po e dell'Adriatico, sino al porto di Fiume»: indirizzo di C. Cattaneo «Ai prodi Ungari», 5 aprile 1848).

[127] Messeri, in *Lingua nostra*, XVI, 1955, pp. 73-74.

[128] *Bollettino delle str. ferrate*, 12 marzo 1856 (cit. da Messeri, *Lingua nostra*, XVI, 1955, p. 9).

[129] Carena, *Osservazioni intorno ai vocabolari della lingua italiana*, Torino 1831, p. 76.

linguistica o *glottologia*, l'*antropometria*; nascono tecniche nuove come la *litografia*, la *fotografia* (dapprima *daguerrotipia* o *dagherrotipia*). Grandi e piccini si divertono col *caleidoscopio*; si fanno i primi esperimenti di scrittura a macchina col *tachigrafo* o *tachitipo* o *cembalo scrivano*, mentre il nome di *dattilografo* designa dapprima uno strumento a tasti che serve a mettere in comunicazione ciechi e sordomuti[130].

Bastino questi pochi cenni a dare una minima idea di ciò che ampie indagini metodiche, condotte per vari filoni, potrebbero farci conoscere sul movimento del lessico in questo periodo.

I procedimenti derivativi sono quelli consueti. Fermiamoci soltanto su alcuni moduli più frequenti. Tra i prefissi è molto in voga *in-* negativo: qualche volta le coniazioni riproducono direttamente un modello latino o moderno; più spesso si tratta di formazioni dirette. Ecco per es. *illacrimato* (Foscolo), *illodato* (Perticari), *impoetico* (Leopardi), *imponderabile* (Gioberti, ecc.), *impremiato* (*Conciliatore*), *inaffettato* (Leopardi), *indelibato* (Leopardi), *inesatto* (Foscolo, ecc.), *infilosofico* (Pellico), *inobbedito* (Foscolo), *inoffensivo* (Pananti), *insalutare* (Colletta), ecc.[131]. Tra i prefissi elativi, abbiamo visto che i puristi hanno cercato di rimettere in vigore *tra-*, ma rimane prevalente *stra-* (gli *Straultra*, Giusti, 1848), e non mancano i *supra-* (*supra-romantico*, E. Visconti).

Tra i suffissi, notiamo la fortuna di *-aio* per formare voci scherzose: «vo' siete - *minestraio, lessaio, fritturaio, - pasticciaio, arrostaio, polpettaio*» (Pananti, *Poeta di teatro*, c. 37), *catalogaio* (Di Breme), *articolaio* (Giusti)[132], *gesuitaio* (Cattaneo), *libertaio* (Gargani), ecc. Il suffisso *-ista* ha molta fortuna nel linguaggio politico (cfr. p. 572); ma è altrettanto produttivo come nome di professione: appare ora per es. *pianista*.

Meriterebbe anche studiare la fortuna internazionale di alcuni suffissi nella lingua scientifica: per es. *-oide* in *asteroide, metalloide, antropoide, alcaloide*.

Il suffisso *-izzare* è molto in voga, secondo il modello francese, specialmente nel linguaggio burocratico (*centralizzare, economizzare, mobilizzare, monopolizzare, numerizzare, popolarizzare, quotizzare, utilizzare*, ecc.), ma anche per es. in quello filosofico (Rosmini adopera *individualizzare* e *universalizzazione*)[133]. I puristi[134] l'osteggiarono forte-

---

[130] *Conciliatore*, 3 ott. 1819 (ed. Branca, II, pp. 402-403).

[131] Diceva a proposito di *inlune*, P. Costa (*Opere*, Bologna 1835, p. 9): «Questa parola è latina. Mi prendo la libertà di farla italiana, perché facilmente s'intende, avendo la particella *in-* forza di negare...».

[132] «Gli *articolai* (dacché si fa mestiere di tutto mi vien fatto di lucidare il nome d'ogni razza di mestierante sulla parola *bottegaio*)...»: lett. del 1841 a M. d'Azeglio, *Epist.*, I, p. 405 Martini; altrove «*religionai* non religiosi».

[133] Il Gioberti, invece, per evitare i corrispondenti verbi in *-izzare*, usa *organare* e *utilificare*; ma viceversa ha (sulle orme del Salvini) *unizzare*.

[134] E anche qualche scrittore piuttosto tollerante, come il Cattaneo, che satireggia così la moda del suffisso: «l'italiano *prodigalizza delle frasi per regolarizzare la marcia della civilizzazione e la moralizzazione delle classi*

mente, e ciò spiega come molti verbi in *-izzare*, in voga in questo periodo, siano poi spariti (per es. *mobilizzare* è stato sostituito da *mobilitare*).

La derivazione immediata dà origine a numerosi deverbali nel linguaggio burocratico: *accompagno*, *allargo*, *ammanco*, *sodisfo*, *spreco*; *compensa*, *consegna*, ecc. Avviene ora il passaggio da *agricola* sost. ad *agricolo* agg.[135], sotto l'influenza dell'analogo *regnicolo*[136] e del fr. *agricole* agg.

Frequenti sono le sostantivazioni di aggettivi, sia nel linguaggio scientifico (il *calorico*, l'*elettrico*), sia in quello burocratico (il *consuntivo*, il *preventivo*).

Tra i composti, è sempre in auge il tipo imperativale per indicare persone, come *arruffapopoli* (Giusti), *sciupateste* (id.), *vendilettere* (Foscolo), oppure cose, come *paracadute*, *paragrandine*, *paralume*[137], *tornaconto*, ecc.

I composti con elementi greci e latini abbondano specialmente nel linguaggio scientifico (v. più oltre, § 19); e fra essi non mancano gli ibridi (per es. *neonato*). Molto rari sono invece i composti di altri tipi, quali *cormentale* (Maroncelli), *codafestante* (Nievo). Si ha perfino qualche formazione per mezzo di sigle: il Lampredi per satireggiare la sigla U.F. (Ugo Foscolo) ne aveva tratto un verbo *ufeggiare*[138].

Avvengono anche numerosi mutamenti semantici, in conseguenza di mutamenti di cose o di concetti, avvenuti in Italia o fuori: per citar solo qualche esempio, ecco il nuovo significato politico attribuito a *rosso* o a *destra* e *sinistra*; la predicazione mazziniana trasporta numerosi vocaboli dalla sfera religiosa a quella patriottica (*la nostra Religione nazionale*, ecc.). Ecco *esposizione* che prende valore concreto. *Panificio*, che nel '700 significava «panificazione», prende il significato di «forno» (con qualche pretesa). *Carrozza*, che si riferiva solo al veicolo a cavalli, si applica anche ai carrozzoni ferroviari, e così pure *treno* passa dal significato di «equipaggio signorile o militare» a quello di «complesso di carrozze o carri ferroviari». *Vettura* passa dal significato astratto di «trasporto» a quello di «carrozza».

Anche nella terminologia scientifica abbiamo mutamenti dovuti all'inquadramento in nuovi sistemi concettuali: *fossile*, che prima indicava qualunque corpo facente parte della crosta terrestre, è

---

operaie» (*Scritti letter.*, I, p. 117 Bertani); il D'Azeglio, parla di «quel sistema che nel dizionario vandalo-burocratico porta il nome di *centralizzazione*».

[135] Attraverso la fase di *agricola* aggettivato invariabile (cfr. *carta moschicida*) che si ha ancora nel Romagnosi: «un nocciolo *agricola* e industriale» (*Dell'indole e dei fattori dell'incivilimento*, p. 238 Sestan).

[136] Migliorini, *Saggi Novecento*, pp. 147-149.

[137] Il Leopardi, nelle *Operette morali* («Proposta di premi fatta dall'Accademia dei Sillografi») immagina che «di mano in mano si abbiano a ritrovare, per modo di esempio (e facciasi grazia della novità dei nomi) qualche parainvidia, qualche paracalunnie o paraperfidia o parafrodi...».

[138] Tommaseo, *Dizionario estetico*, 4ª rist., Firenze 1867, col. 380.

limitato al principio dell'Ottocento[139] ai resti di antichi organismi. Parecchi nomi di personaggi noti assumono valore metaforico, come *un Figaro*, *un Dulcamara*, *un Mefistofele*, *un Azzeccagarbugli*, *una Perpetua*[140], *un Carneade* (ignoto a don Abbondio, perciò «persona ignota»), *un Girella*, ecc., ovvero metonimico – come un *napoleone d'oro* –[141]; e non meno numerosi sono i vocaboli provenienti da nomi di luogo (*un marengo*).

Le parole, come è ovvio, vanno esaminate non una per una, ma nel loro campo semantico: così vediamo che il deterioramento e la progrediente sparizione di *servo* e *servitore* vanno considerati insieme con l'uso più esteso di *domestico*. E proprio questo esempio ci mostra come non si debba mai dimenticare la forte influenza esercitata sulla semantica italiana dal modello di altre lingue, e specialmente dal francese.

All'apparizione di un nuovo oggetto, talvolta il nome tarda a fissarsi: quando anziché piegare i fogli delle lettere si comincino a usare le *buste*, per un pezzo il nome oscilla: si ha il francese *enveloppe*, o l'adattamento *inviluppo*, o *sopraccarta*, o *sopraccoperta*, finché *busta* prevale. E così si hanno, accanto a *indirizzo*, i termini *soprascritta*, *soprascritto*, *direzione* o anche talvolta *mansione*, *missione*.

La possibilità d'adoperare due o più parole per esprimere l'identica nozione è, come si sa, cosa frequente in italiano: non c'è differenza concettuale fra *Costituzione* e *Statuto* (nel senso in cui la parola fu adoperata da Carlo Alberto nel 1848); si esita a lungo fra *patata* e *pomo di terra*; fra *grappolo*, *pigna* e *ciocca*; fra *crestaia* e *modista*; fra *balocco* e *giocattolo*; fra *pedignone*, *gelone* e *buganza*; tra *fazzoletto*, *pezzuola* e *moccichino*[142], ecc.: l'uso pratico è oscillante, e i lessicografi consigliano l'una o l'altra forma secondo la loro provenienza e le loro teorie.

Sia queste varianti lessicali, sia le minori varianti formali di un vocabolo medesimo sono assai numerose.

La Crusca, come è noto, registrava, nella sua 4ª edizione e nel rifacimento del Cesari, molte varianti arcaiche; e abbiamo detto come il Monti (seguito dal Gherardini e dal Cattaneo) insistesse perché fossero tolte di mezzo le «depravazioni degli ignoranti»: *paralello*, *sanatore*, ecc. Il Leopardi, annotando una sua canzone (IX, v. 43), avverte, per giustificarsi d'aver usato *fratricida*: «Il Vocabolario dice solamente *fraticida* e *fraticidio*. Ma io, non trovando che Abele si facesse mai frate, chiamo Caino *fratricida* e non *fraticida*».

Ma scrittori più ligi all'autorità della Crusca si attenevano alle forme in essa registrate: per citarne solo uno, il Manno, nel suo trattato

---

[139] Probabilmente per influenza francese: cfr. gli esempi cit. da F. Rodolico, *Lingua nostra*, XVII, 1956, p. 116.

[140] Già in una lettera di G. Giudici al Manzoni, prob. del 1830, si parla della «disinvolta Perpetua» di un vecchio parroco (Manzoni, *Carteggio*, II, p. 639).

[141] Migliorini, *Dal nome proprio*, pp. 197-198 e passim.

[142] Nel *Conciliatore* (29 ott. 1818) il Di Breme scrive *pannolino di tasca*.

Della fortuna delle parole (Torino 1831, più volte rist.), scriveva *cucuzzolo, sustanza, fenestrella, nimico, nissuno, nudrimento, instruzione, sagro,* ecc. Viceversa il Manzoni preferiva, specialmente nella redazione del 1840, le varianti del fiorentino parlato: *lazzeretto, maraviglia, suggezione,* ecc. Un valente antitoscano, il Gherardini, cercava di accreditare con i suoi scritti grammaticali e lessicografici numerose varianti rimodellate sul latino: *vulgo, dubio, febre, atimo, catolico, legitimo, academia, scelerato, contraporre; esaggerare, commune; secreto;* ecc.; si proponeva di generalizzare la distinzione fra *in-* negativo e *inn-* «immissivo» (*innalveare,* ecc.), ecc.

Se avessimo larghi spogli delle singole parole che presentavano varianti, troveremmo insomma una serie di coppie o di terne notevolmente più ampia di quella odierna; e guardando le forme più usate troveremmo ogni tanto che sono diverse dalle nostre. Così *fisonomia* prevale di gran lunga su *fisionomia, tremuoto* è ancora frequente di contro a *terremoto, tuono* s'adopera spesso anche col significato di «tono»[143], *nodrire* (usato per es. da Pindemonte, Borsieri, Pellico, Perticari, G. Torti, Guadagnoli) e *nudrire* (che troviamo in Guerrazzi, Farini, A. Maffei e persino nei *Promessi Sposi,* cap. IX) prevalgono su *nutrire.*

In alcune voci notiamo la lotta tra *-er-* fiorentino e *-ar-* del resto d'Italia: *lazzeretto* (registrato dalla quarta Crusca con un esempio del *Malmantile* e uno di Galileo) alterna con *lazzaretto,* che poi prevarrà; nel medesimo articolo del Pecchio, nel *Conciliatore* del 30 sett. 1819, leggiamo *Ungheria,* ma *ungarese;* Giovanni Torti nello stesso poemetto («Scetticismo e religione») scrive a pochi versi di distanza *vecchierella* e *vaccherella,* na «chiesa *villareccia*»; nel «Cadetto militare» del Guadagnoli il v. 18 suona aretinamente *Scioccarello! Vanarello!;* il Giusti adopera con quasi altrettanta frequenza *-erello* e *-arello.* Il Manzoni sostituì il *santarella* del '27 con *santerella.*

Tra le innumerevoli varietà a cui dà luogo l'adattamento dei latinismi, ricordiamo l'oscillazione tra i suffissi atoni *-olo* e *-ulo,* che è anche più forte di oggi: accanto a *cumulo* si ha *cumolo, immaculato* accanto a *immacolato, formola* è più comune di *formula;* ecc.

Anche l'adattamento dei gruppi consonantici dà luogo a forti oscillazioni: sia che avvenga anche dove poi prevalse la forma non assimilata (il Leopardi scrive *Calisso* per *Calipso,* il Manzoni *annegazione* per *abnegazione,* il Mussafia, 1857, preferisce *circollocuzione*), sia nel caso contrario (il Rosini, 1808, scrive *scepticismo*).

Lo scambio fra *-iere* e *-iero* è larghissimamente ammesso, non solo in poesia (*cavaliero,* Foscolo; *mestiero,* Pananti; *pensiere, forestiere,* Guadagnoli), ma anche in prosa: il Leopardi scrive *passeggere,* il Borsieri *bicchiero,* il Carrer *battelliero.*

---

[143] Il Grassi, *Saggio intorno ai sinonimi,* s. v. *tuono,* propose di distinguere fra *tuono* («rumore della folgore», «fragore») e *tono* (di voce, ecc.) ma solo nel nostro secolo la distinzione arrivò a imporsi.

Pulmonia e polmonèa si trovano accanto a *pneumonia e pneumoni-te. Ossigene e idrogene* cedono lentamente a *ossigeno e idrogeno*.

Talvolta il mantenimento dell'una o dell'altra forma è legato alle consuetudini ufficiali (amministrative, giudiziarie) dei singoli stati: così oscillano *officio, ufficio e uffizio*; officiale e *ufficiale*; *procedura e processura*; *fidecommisso, fideicommisso e fedecommesso*; *garantia, guarentia e guarentigia* (mentre *garanzia* appare molto tardi: nel 1865 secondo il *DEI*).

A molte varietà dà luogo, come già abbiamo accennato, l'accettazione delle parole forestiere. Una fonte di divergenze è intanto il mantenere o no la grafia originale: *burò* o *bureau*; *valz, valtz, walser, walzer*. I nomi del calendario repubblicano francese sono variamente adattati: *fiorile e floreale*; nelle sue lettere il Foscolo scrive *vendemmiese* nell'anno VIII (1799) e *vendemmiatore* l'anno successivo (*Epistolario*, I, p. 73 e p. 87). Nell'accettare il sistema metrico decimale si oscilla fra *gramma e grammo, ara e aro*. *Gendarme* sta accanto a *giandarme* (così scrive, per es., il D'Azeglio). Accanto a *trovatore*, forma già adoperata da secoli, c'è chi preferisce *trobadore* (Romagnosi). Scoppiano le grandi epidemie di *cholera morbus* (dal 1832 in poi), e il nome *colera*, che prima nel linguaggio dei medici era sdrucciolo e significava «colica biliosa», ora è pronunziato *còlera* ora *colèra*, ora è maschile ora femminile[144]. Vengono introdotti i sigari e c'è chi dice *sìgaro*, chi *cìgaro*, chi *zìgaro*, né manca chi preferisce *sigàro*. Accanto a *giaguaro* si ha *giagaro* (Tramater) e *sciaguaro* (Leopardi). Chi scrive *feticcio*, chi *fetisce*, mentre il Gioberti preferisce *fetisso*. E si potrebbe continuare senza difficoltà l'elenco.

17. Voci popolari moderne

Più che nei secoli passati la lingua letteraria (fatta eccezione per quella poetica nei «generi» più illustri) è incline, specialmente dopo la diffusione delle idee romantiche, ad accogliere voci di conio popolare, attinte alla lingua parlata.

Per i Toscani la cosa avviene in modo spontaneo, spesso senza che se ne rendano conto: ce ne accorgiamo specialmente quando ricorrono a vocaboli di area un po' ristretta. Il mugellano Pananti scrive non solo *scagnozzo*, ma *mascagnotta* «ragazza furbacchiona», *far la stummia* «darsi importanza», ecc.

Il Giusti, che aveva attento l'orecchio alla parlata popolare e godeva di incastonarne parole e modi di dire nei suoi scritti in prosa e in poesia, adopera, per es., *altogatto* «pioppo», *balenare* nel senso di

---

[144] Migliorini, *Saggi linguistici*, p. 79. Cfr. anche in un sonetto del Belli (4 agosto 1835): «Bbasta, o sse chiami *còllera* o *ccollèra*...», e la discussione nella *Strenna per il 1885* del Veratti, *s. v. cholera*.

«vacillare», *chiòvina* «fogna», *garga* (*femmina garga* «astuta»), *meggiona* «donna grassa», *rave* «dirupo», *scianto* «spasso», *storgere* («torcere il muso»), *trullaggine* «scioccaggine», ecc., e locuzioni come *trovarsi di balla* («d'accordo»), *montare i fùteri* («la collera»), *aver più debiti della lepre*, ecc.[145], qualche volta affettatamente accumulandole: «scegliere una città così piccola [Lucca] per una adunanza tanto solenne [il congresso dei dotti] è un voler *mettere l'asino a cavallo*; pure quei Lucchesi si arrabattarono tanto da *levarne le gambe* meglio che non si sarebbe immaginato». Il duca *«se la batté* a Dresda... perché *bollendogli a mala pena la pentola* per sé e per i suoi sentiva di non poterne uscire con onore» (lettera 12 ottobre 1843, I, p. 535 Martini); «da un'ora all'altra potevano accaparrarsi altri e *fare la barba di stoppa* a Francesco Domenico, il quale era *sull'undici once* o di doventar dittatore o di *tornare al pane di ghianda*» (*Cronaca dei fatti di Tosc.*, p. 187 Pancrazi)[146].

Il Guadagnoli, aretino, adopera *fitta* nel senso di «gran quantità»[147] *gazzerare* per «ingannare», ecc.

Il Guerrazzi usa alcune voci e locuzioni livornesi: *brameggio* «esca», *caso morto* e *caso vivo* «disgrazia grave, disgrazia lieve», *diligine* «smilzo», *mattarullo* «scimunito», *novitoso*, *sbrizzarsi* «sparpagliarsi», *mettere a picca* «incitare», *a vanvara*, ecc.[148].

Mentre i Toscani non fanno che attingere al loro idioma spontaneo, molti non Toscani cercano d'informarsi come possono: e accade non di rado che ricorrendo ai vocabolari s'illudono di adoprare vocaboli della lingua parlata, mentre si tratta di voci ormai cadute fuor d'uso.

Nella sua ragionata adozione del fiorentino colto come norma dell'italiano scritto, il Manzoni si valse metodicamente, per correggere il testo del 1825-27, dei suggerimenti del Cioni, del Niccolini, del Borghi e poi dell'Emilia Luti: è così che sostituisce *chicche* a *dolci*, *filastrocca* a *lunga enumerazione*, *impiparsene* a *ridersene*, *pezzo d'asino* a *matto minchione*, *pigionale* a *inquilino*, ecc. Non sempre, come si sa, egli seppe evitare le esagerazioni[149] e i malintesi, come l'improprio *tafferia*

[145] Qualche volta il Giusti ha degli scrupoli: dopo aver adoperato nel *Gingillino* «oggi s'insacca – la carne *a macca*» chiese al Francioni, accademico della Crusca, se la locuzione fosse documentata; si difese (*Epist.*, II, p. 484 Martini) per aver adoperato le espressioni *sfilinguellare* e *giubba sversata*; ecc.

[146] Il glossario con la «Spiegazione di alcune voci e locuzioni tratte dalla lingua parlata» che accompagna l'ed. Le Monnier (1852) dei *Versi editi e inediti* e l'analogo glossarietto unito ai *Consigli, giudizi, massime, pensieri tratti dalle opere di G. Giusti* contengono molte centinaia di vocaboli tratti dai versi e dalle prose di lui: ma la grande maggioranza di essi erano già stati adoperati da scrittori.

[147] La parola è usata anche dal Giusti, e registrata (senza esempi) dal Manuzzi.

[148] Beccani, in *Lingua nostra*, IV, 1942, pp. 58-60.

[149] Come quando l'oste della Luna Piena riferendosi a Renzo lo chiama *quel bel cecino*. Sulle sue orme il Grossi (*Marco Visconti*, c. XXV) mise in bocca al Tremacoldo queste parole: «tu hai un cavallo più grosso, cecino mio bello e galante».

nel cap. VI[150] o *accozzare il pentolino* in luogo di *accozzare i pentolini*
«mettere i cibi in comune» nel cap. XXIX[151]. Egli continuò poi sempre a
cogliere ogni occasione per imparare espressioni di lingua viva e
comunicarle agli amici della sua cerchia[152].

Vediamo così che, in parte nella scia del Manzoni, scrittori non
toscani, il Grossi, il Cantù, il Tommaseo[153], il D'Azeglio e tanti altri
attingono (in vario modo e misura e con risultati diversi) parole e
locuzioni dal toscano parlato.

Accade, in definitiva, che parecchi vocaboli prima ignoti o rarissimi,
penetrino nell'uso comune: tanto per citare qualche esempio, *bécero*,
canèa, *figuro*[154], *sbraitare*[155]; il Gelmetti[156] attribuisce al Giusti la divulgazione di *birba, musoneria, vattelappesca, ciurlare nel manico, grattarsi
la pera, sbarcare il lunario*, ecc.; il Nieri[157] gli attribuisce la fortuna di
spadroneggiare.

Ma anche voci dei dialetti o delle lingue regionali emergono
largamente in questo periodo. Anzitutto nell'uso pratico. Affiorano, per
esempio, nell'uso amministrativo del Regno Italico, numerose voci
lombarde che i repertori del Bernardoni e del Gherardini ci fanno
conoscere: e non sono soltanto termini d'ufficio, come *finca* «incolonna-
tura in carta per conti d'ufficio»[158], o *ragionateria* accanto a *ragioneria*,
ma voci riferite a quelle infinite cose di cui l'amministrazione si occupa:
accaparrare[159], *anta, caseggiato, locale* (sostitutivo), *prestinaio, roccolo,
tavolo*, ecc.

Qualche altro di questi idiotismi è registrato alcuni anni più tardi
(1831) dal Lissoni, per es. *mantino*, mentre per l'Emilia possiamo

---

[150] Barbi, *Annali manzoniani*, I, 1939, pp. 178-180, Bianchi, ivi, III, 1942, p. 701.

[151] Il Barbi, *La nuova filologia*, p. 222, tentò di difendere l'espressione
manzoniana; ma cfr. Bianchi, *Ann. manz.*, III, p. 312. Il Giusti, nella *Cronaca dei
fatti di Toscana*, p. 71, ha *riunire i pentoli*.

[152] Il 27 settembre 1852 scrive alla moglie: «*ho attaccata al muro* (così ho
saputo che si dice ora, e Stefano [il figliastro] lo può scrivere a Rossari) anche la
voglia di Pistoia e di Volterra» (*Manzoni intimo*, III, p. 28).

[153] Il Cattaneo protestava contro le parole che il Tommaseo avrebbe «con
tanto studio razzolate lungo i pagliai di Val d'Elsa o dentro gli ossarii della
Crusca» per inserirle in *Fede e bellezza* (*Scritti letter.*, I, pp. 114-126); il Rajberti non
gli sapeva perdonare d'aver adoperato *polenda* nell'elogio del Rosmini, *Il Viaggio
di un ignorante*, Milano 1857, p. 152).

[154] L'adopera il Giusti, e il Tommaseo in una lettera del 1834 al Vieusseux ne
avverte ancora il carattere regionale: «quel che in Toscana si dice *figuri*».

[155] Se ne ha qualche raro esempio toscano dal '500 in poi; l'Alberti lo
registrava come «voce bassa».

[156] *La lingua parlata di Firenze e la lingua letteraria d'Italia*, II, 1864, pp. 308-
309.

[157] Pref. al *Vocabolario lucchese*, § 55.

[158] Dev'essere voce penetrata al tempo della dominazione spagnola, e che
solo ora emerge. Similmente affiora (dai dialetti meridionali) l'antico ispanismo
disguido (cfr. *Lingua nostra*, IX, p. 73).

[159] I vocabolari registravano solo le forme toscane *caparrare* o *incaparrare*:
cfr. il Bernardoni, e il Gherardini che lo contraddice.

conoscerli dal Molossi, per Roma dall'Azzocchi (che biasima, per es., *biocca*, *dindarolo*), per Napoli dal Puoti.

Se si diffondono gli oggetti, naturalmente si divulgano anche i loro nomi, come è il caso dei *grissini* piemontesi, dello *stracchino* lombardo, dei *cotichini* (*cotechini*, *coteghini*) emiliani. Il vocabolo lombardo di *brusone*, nome di una malattia del riso, è ammesso anche dagli scrittori toscani quando parlano di risaie[160]. In alcuni rari casi abbiamo notizie sicure su passaggi da città a città o da regione a regione: per es. il Moroni (nel *Dizionario di erudizione storico-ecclesiastica*, s. v. «Università») ci attesta che a Roma «dal 1860 si sono introdotti legni a un cavallo, volgarmente detti *botte*, ad imitazione di Napoli, dove la corte si era ritirata sul declinar del 1848».

Dialettalismi affiorano anche nella lingua letteraria in misura diversissima secondo gli autori, secondo il «genere» e il tono, più o meno confidenziale, secondo gli argomenti. Essi abbondano specialmente nei carteggi di quelli che si servivano del dialetto con i familiari e gli amici. Il Foscolo, nelle lettere ai familiari, non si fa scrupolo di scrivere venetamente «temo bensì che la *vera* (= «l'anello matrimoniale») non sia troppo stretta per la mamma» (lettera 26 sett. 1814). Il Manzoni nelle lettere confidenziali adopera spesso voci dialettali italianizzate: «mi vien voglia di *giavanare*» («perder tempo in sciocchezze»), lettera del 1822, «*pivelli* rispettosi, ma feroci», lettera 9 marzo 1822, «vite *uccellina*» («vite selvatica»), lettera 9 nov. 1830, «appena sarà arrivata un'altra *gubbia*» («attacco di tre cavalli o muli»), lettera 14 sett. 1852; talvolta, specialmente con l'amico Grossi, ricorre a espressioni dialettali: «tu ci hai *brusàa el pajon*», lettera del 1825. O, per citar solo un altro esempio, leggiamo nel carteggio di Michele Amari: «certe volte *sferru* a scrivere e non la finisco più» (lettera 29 nov. 1848).

Nelle opere letterarie d'impegno bisogna distinguere fra i dialettalismi sfuggiti agli autori in quanto non si rendevano conto che erano tali, e viceversa le voci consciamente adoperate per raggiungere scopi documentari (il color locale o il colore storico di narrazioni ambientate in certi luoghi e certi tempi) o fini stilistici. Valgano alcuni casi fra i molti che si potrebbero citare.

Il Leopardi, che aveva scritto *pesciarello* nella prima edizione del *Dialogo della moda*, nell'edizione del '35 preferì *pesciolino*.

I *Promessi Sposi* del '25-'27 sono pieni di lombardismi, in buona parte involontari[161], e malgrado la rigorosa intenzione dell'autore di eliminarli del tutto, alcuni ne rimasero nell'edizione del '40[162].

Il Romagnosi dice che «la violenta sovversione eseguita da Silla, lungi dal dover affrettare la caduta della repubblica ne avrebbe anzi rinvigorite le *suste*» (cioè «le molle, i meccanismi») (*Dell'indole e dei fattori dell'incivilimento*, 1829, p. 149 Sestan).

---

[160] Canevazzi e Marconi, *Vocabolario di agricoltura*, s. v.
[161] Molto se ne è scritto: basti vedere D'Ovidio, *Correzioni*, pp. 34-46.
[162] Bianchi, *Annali manz.*, III, p. 299.

Nelle *Confessioni di un Italiano* del Nievo i venetismi (involontari e volontari) pullulano: *bagiggi* «arachidi», *coppa* «nuca», *guantiera* «vassoio», *resta* «lisca», *secchiaio* «acquaio», *sfregolare* «stropicciare», ecc. Gli stessi o altri venetismi troviamo anche nelle opere minori (*Il Varmo*, ecc.).

Numerosi dialettalismi appaiono poi, con valore tecnico, in opere documentarie, come descrizioni geografico-etnografiche e simili: il Cattaneo, nelle *Notizie naturali e civili su la Lombardia*, 1844, parla dell'uso di coltivare «a *ronchi* le pendici dei monti», il p. Bresciani, trattando *Dei Costumi dell'isola di Sardegna*, 1850, descrive per es. «una lor danza a suono della *lionedda*», ecc.

Rarissimi sono invece i dialettalismi nella lingua poetica; qualcuno, se mai, ne appare in poesie di tono familiare. Il Monti, nella traduzione di Persio parla della «raschiatura – del rigustato *salarin*» servendosi di una voce ferrarese (e veneta). E il Pananti in un componimento di tono andante come il *Poeta di teatro*, parla «De' buoni maccheroni col *sughillo*» (c. XXXVII), termine di color locale (pseudonapoletano). Il Mamiani adopera *roccolo* «specie di paretaio» nell'idillio *Rispetti d'un Trasteverino*, e lo difende nella prefazione come voce delle Marche e del Lazio (era anche, come s'è visto a p. 584, settentrionale).

Abbiamo detto già (p. 543) quanto spiacesse ai critici lo *sferlato* del Prati.

18. Voci letterarie ed arcaiche

Nella lingua poetica regna sempre il lessico tradizionale, in cui sussistono moltissime voci ormai morte nella lingua parlata e nella prosa corrente, e si continua a ricorrere ai latinismi (dei quali discorreremo fra poco). Come esempio di versi studiatamente ricchi di arcaismi trecenteschi può valere l'*Appressamento della morte* del Leopardi (*atare* «aiutare», *roggio* «rosso», ecc.).

Abbiamo già accennato (§ 7) come la tradizione sia così forte da imporsi non solo ai classicisti, ma anche ai romantici, malgrado i loro sforzi per un rinnovamento in senso realistico.

Ma anche nella prosa abbiamo potenti filoni di conservazione e, in alcuni scrittori, di arcaismo. Anzitutto sussistono centinaia di vocaboli tradizionali che poi spariranno, adoperati non solo dagli scrittori classicisti ma anche non di rado da quelli romantici: per es. *estimazione*, *eziandio*, *guiderdone*, *laudare*, *nomare*, *o(b)blivione*, *permissione*, e tanti altri.

Il ritorno dei classicisti e dei puristi agli scrittori antichi fa sì che in essi troviamo anche molti altri termini volutamente esumati: leggiamo nel Cesari *auspizio*, *capitanio*, *carminare* «esaminare rigorosamente», *orrevole*, *poffare*, *sempremai*, *soprano* e *sottano*[163], *sozio*, *tornagusto*,

---

[163] In una versione dal latino, il Cesari aveva scritto «tutte le genti alpigiane,

ecc.oltre a numerose frasi come *andare in cappa*, ecc.; eppure il Cesari professò di voler evitare arcaismi come *diffalta, dottanza*, ecc., e alle ripetute accuse d'aver scritto *carogna* per «corpo morto»[164], sfidò gli avversari a citare il luogo.

Il Botta scriveva *convento* «adunanza», *girandola* «raggiro», *maestrato* «magistrato», *masserizia* «risparmio», *rivilicare* «frugare», *sospizione* «sospetto», ecc.

Particolarmente notevole è l'uso che fa delle parole antiche il Leopardi: egli ne usa largamente nella sua prosa[165], ma cerca di distinguere le parole ancor ravvivabili dai veri arcaismi:

> Odio gli arcaismi, e quelle parole, ancorché chiarissime, ancorché espressivissime, bellissime, utilissime, riescono sempre affettate, ricercate, stentate, massime nella prosa. Ma i nostri scrittori antichi, ed antichissimi, abbondano di parole e modi oggi disusati, che oltre all'essere di significato apertissimo a chicchessia, cadono così naturalmente, mollemente, facilmente nel discorso, sono così lontani da ogni senso di affettazione o di studio ad usarli, ed insomma così freschi (e al tempo stesso bellissimi ec.) che il lettore il quale non sa da che parte vengano, non si può accorgere che sieno antichi, ma deve stimarli modernissimi e di zecca; parole e modi dove l'antichità si può conoscere, ma per nessun conto sentire... E sebbene dimessi, e ciò da lunghissimo, o nello scrivere, o nel parlare, o in ambedue, non paiono dimenticati, ma come riposti in disparte, e custoditi, per poi ripigliarli[166].

Il Gioberti arcaizza ecletticamente: *animastico, bugiare, celabro, chieresia, miluogo, norte, saporetto* «leccornia», *soprano, sozzopra, tribo*, ecc.; spesso adopera *in barbagrazia* «verbigrazia, per esempio» (attinto ai poeti burleschi).

Un genere in cui gli arcaismi abbondano è l'epigrafia: «Qui dorme - Nunziata di Luigi Fossati - *Fancellina* soavissima e dolcissima» (Giordani).

Abbiamo visto come anche negli scrittori romantici si trovino numerosi vocaboli rari, disusati, arcaici (fra i quali non sono tuttavia da includere i vocaboli storici, riferiti a istituzioni e costumanze dei secoli trascorsi). La presenza di tante di queste parole non dipende da intenzioni arcaicheggianti, ma dal modo libresco di apprendere la lingua. Così troviamo *cocchio, compungimento, doppiere, forese, garzoncello, rangolo, sanie* nei *Promessi Sposi* del '25-'27; *aere, egro, esponimento, garrire, martirare, nomare, trabocchello* nelle *Mie Prigioni* del Pellico;

---

che dal *soprano* mare al *sottano* tenevano», e se ne lodava così col Manuzzi (lettera del 12 marzo 1828): «Torcerassi per avventura il naso da alcuno al *sottano* e *soprano*; ma nol muterei, se sperassi di piacere a Semiramide stessa».

[164] «Al Cristo morto poté dir *carogna*», secondo l'accusa del Villardi (*Varie operette*, Padova 1832).

[165] V., per le *Operette morali*, F. Colagrosso, *Le dottrine stilistiche del Leopardi e la sua prosa*, cit., pp. 100-114, F. Moroncini, *Discorso proemiale* all'edizione delle *Operette*, pp. XLIX-L; E. Bigi, *Dal Petrarca al Leopardi*, cit., pp. 118-121.

[166] *Zibaldone*, 28 maggio 1821, 1098, I, p. 738 Flora.

catollo, forbottare, gavazza, lampaneggio «veglia all'aperto», *torniello* «torneo» nella *Margherita Pusterla* del Cantù; *farsi innanti* nell'Amari, ecc.

Il Capponi, accortosi d'essersi lasciato sfuggire un *testé*, lo considera «come un vaso etrusco nel fondo d'un ipogeo»[167].

Anche nel linguaggio di solito andante di memorialisti e di giornalisti appaiono non di rado forme molto letterarie o arcaiche: per es. nell'opera del Farini *Lo stato romano dall'anno 1814 ai nostri giorni*, Torino 1850-53, leggiamo *chieresia, le peccata, satellizio, scelleranza, sitire*, ecc.; il De Laugier, che di solito usa una lingua scorrevole e spesso sciatta, scrive *a notte avanzata riedo in mia casa, pria di rispondere, il Prence comanda* e simili.

Tutt'altra cosa è l'uso scherzoso o ironico di arcaismi: come l'*unquanco* della conclusione della *Lettera semiseria di Grisostomo*: «E tu, allorché uscirai di collegio, preparati a dichiararti nemico d'ogni novità, o il mio viso non lo vedrai sereno unquanco. *Unquanco*, dico, e questo solo avverbio ti faccia fede che il Vocabolario della Crusca io lo rispetto...»; o come in una lettera del Manzoni al Grossi del 1822: «il cocchio e l'auriga sono ai tuoi comandi» (*Carteggio*, II, p. 42). Una satira degli arcaismi scrive J. Landoni sotto il nome di Maestro Ircone, fingendosi purista:

non v'ha uno membro della nostra Setta, che non conosca la difficultate summa dello avere allo impronto comente uno arzenà di vocaboli li più strani ed ignoti, di frasi ed antifrasi le più viete ed obsolete, di bellissimi modi li più abstrusi e refutati, delli quali novissimi e leggiadrissimi abbellimenti rinfarcita e repleta la orazione d'inesplicabile dolzore tutto lo leggente inonda[168].

Più tardi, la «diceria» di G. T. Gargani *Di Braccio Bracci e degli altri poeti nostri odiernissimi*, la *Giunta alla derrata* degli «Amici Pedanti» e la *Risposta ai giornalisti fiorentini* del Gargai (Firenze 1856)[169] ostentano frequenti arcaismi, conforme alla professione di «pedanti» fatta dagli autori.

È assai difficile dire quante e quali voci siano state restaurate nel primo Ottocento: possiamo averne in qualche modo un'idea nel vedere che nell'elenco di vocaboli e locuzioni che il Borsieri[170] biasima nel Botta come inutilmente esumati (*mai sì, mai no, all'avvenante* «a proporzione», *popoleschi, dar la spogliazza* «predare», *confortarsi cogli aglietti* «con baie», ecc.) ve n'è anche alcuni che oggi adoperiamo senza scrupolo, come *aver alle costole* e *rinfocolare*.

E il De Sanctis, nell'articolo su «L'ultimo dei puristi» (rist. nei *Saggi*

---

[167] *Carteggio Tommaseo-Capponi*, II, p. 186.

[168] Lo Maestro Ircone Ravignano, *Dello pulcro vulgare eloquio della prisca simplicitate, naturalezza e grazia rinnovellato*, Ravenna 1823, pp. 31-32.

[169] Vedi la ristampa dei due opuscoli curata da C. Pellegrini, Napoli 1915.

[170] P. Borsieri, *Avventure letterarie di un giorno*, Milano 1816, p. 42.

critici), elenca tra i modi cari al marchese Puoti anche *andar per la maggiore* e *tener per fermo*, che oggi non ci stupirebbero.

19. Latinismi

È ovvio che si debbano comprendere sotto il nome di latinismi non soltanto i vocaboli attinti per la prima volta al latino durante questo periodo, ma anche quelli che erano tuttora sentiti come appartenenti piuttosto al lessico latino che all'italiano, benché fossero stati qualche volta adoperati nei secoli passati (per certo rispetto, possiamo dunque considerarli come vocaboli di uso letterario raro, come quelli che abbiamo esaminati nel paragrafo precedente). Così *clade* e *procombere*, adoperati dal Leopardi, già si leggevano nell'Ariosto e nel Baretti; *munuscolo* e *trutina* sono nel Monti, ma già prima Lorenzo de' Medici aveva usato *munuscolo*, e Biringuccio e Galileo *trutina*; *precingere* del Foscolo era già nel Cavalca, e così via. Chiedersi se gli autori ottocentisti abbiano attinto agli autori latini o agli italiani antichi può avere un interesse stilistico per i passi singoli; ma quel che più importa è che il lessico latino è considerato come complementare a quello italiano. A proposito dell'*incombe* della prima stanza della canzone *Ad Angelo Mai*, il Leopardi osservava (*Annotazioni filol.*, canzone III):

> Queste ed altre molte parole, e molte significazioni di parole, e molte forme di favellare adoperate in queste Canzoni, furono tratte non dal Vocabolario della Crusca, ma da quell'altro Vocabolario dal quale tutti gli scrittori classici italiani, prosatori o poeti (per non uscir dell'autorità), dal padre Dante fino agli stessi compilatori del Vocabolario della Crusca, incessantemente e liberamente derivarono tutto quello che parve loro convenevole, e che fece ai loro bisogni o comodi; non curandosi che quanto essi pigliavano prudentemente dal latino fosse o non fosse stato usato da' più vecchi di loro[171].

Abbonda di latinismi la poesia dei classicisti. Eccone qualcuno fra i moltissimi che si leggono nel Monti: *acervato*, *annuire*, *cassitèro* «stagno», *cicada*, *cipèro* «pianta del papiro», *comburere*, *crine*, *èpate* «fegato», *larario*[172], *nitente*, *oberato*, *transire*[173], *versuto*, ecc.

---

[171] E, per citare un solo altro esempio, si ricordi quel che il p. Mauro Ricci opponeva a chi biasimava *annuire*: «Dicono che l'ha usato il Monti nell'*Iliade*. Altro che il Monti! l'hanno usato tutti i nostri padri latini; e secondo il mio misero giudizio, la fonte latina è buona fonte» (*L'allegra filologia di Frate Possidonio da Peretola*, Firenze 1861, p. 303).

[172] È evidente che il Monti avrà attinto questa parola non direttamente a Lampridio, ma agli archeologi del proprio tempo.

[173] Veramente, la forma *transe* che il Monti adopera nella *Mascheroniana* (II, v. 163), «Pietà gridammo, ma pietà non *transe* – al cor de' cinque», è un adattamento diretto, eccezionale, del perfetto latino *transiit*, a cui la somiglianza d'altri perfetti forti (la parola è in rima con *franse*, *pianse*) mantiene il valore di perfetto.

Ma anche nei poeti romantici i latinismi non mancano: *callido* (Poerio), *cincinno* (Cantù), *lebete* (il *sospeso lebete* non è altro che un «paiolo» nella novella romantica del Sestini *Pia de' Tolomei*), *pregnante* («una pregnante annosa», Manzoni), *rabula* (Pananti, Giusti), *sonito* (Manzoni), *uliginoso* (Grossi, Prati) e innumerevoli altri, in contesti stilisticamente ora felici ora no.

Tra i prosatori, i latinismi nuovi e men nuovi sono più frequenti nelle opere degli scrittori che mirano a una prosa illustre: per es. nel Foscolo delle lezioni pavesi, nel Botta (che ha per es. *eruscatore*, *impellersi*). Il Leopardi ne ha non solo nelle opere più lavorate, nelle quali abbonda specialmente il latinismo semantico (*ferocia* «superbia», *imbecillità* «debolezza», *sentenza* «opinione», ecc.), ma anche non di rado nello *Zibaldone* (*illecebre*, *obruto*, *oppidano*, *tentame*). Nello stile epigrafico essi spesseggiano: *innubo*, *sospite*, *vivituro*; il Muzzi usò persino i comparativi *celebriore* e *salubriore*.

Nel Gioberti i latinismi e i grecismi addirittura pullulano: *circuminessione*, *perennare*, *pistrino*, *satellizio*, *succedituro*, ecc.; *acroamatico*, *antagonia*, *cosmopolitia*, *steresi*, *zoolatrico*, ecc.

Spinte logiche e spinte affettive inducono singoli autori ad accogliere singoli latinismi o grecismi. Quando il Maroncelli nelle *Addizioni* alle *Mie prigioni* parla del «conte Bolza ed *assecli* suoi», vuol esprimere un ironico disprezzo. Quando il Leopardi scrive nello *Zibaldone* «io amo la μονοφαγία» (7 aprile 1827) per dire «mi piace di mangiar solo», gode nel richiamare eruditamente alla propria memoria Giuseppe Flavio che ha adoperato la parola in questo senso – o i lessici che lo citano.

E a un accumularsi e intrecciarsi di tali spinte si dovrà l'assestarsi nel lessico generale di latinismi di significato generale, come *blaterare* o *commerciale* o *monumentale* o *silenzioso* (ma questi tre ultimi potrebbero anche essere gallolatinismi, giacché appaiono in francese prima che in italiano).

Una vera inondazione di latinismi si ha nel campo della vita pubblica: nel diritto, nella politica, nell'amministrazione. Si pensi ad esempio a *cassazione*, *collaudare*, *coscritto*, *deportare*, *dilapidare*, *eccepire*, *effrazione*, *evadere*, *lasso* (di tempo), *plebiscito*, *redigere*, *refurtiva*, *ripristinare*, *sovventore,tramite*, *utente*, *velite*, *vigile* (sost.), ecc.[174]: anche qui si tratta in piccola parte di vocaboli attinti direttamente al lessico latino, nella maggior parte di franco-latinismi o di anglo-latinismi. I *prefetti* furono istituiti nel 1802, riprendendo il nome antico col nuovo significato francese; la *cassazione* è un istituto napoleonico; i *veliti* sono battaglioni aggiunti da Napoleone alla fanteria della sua guardia (e *veliti* troviamo in Piemonte anche dopo la Restaurazione). Il nome di

---

[174] Non pochi tuttavia sono comparsi e poi sono morti: *egreferenza*, *enisso* (*enixus*), *innutto* (*innuptus*), ecc. Così non attecchì l'*estorre* (da *extorris* «esule dalla propria terra») esumato dal Cattaneo («una delle tribù eslegi ed estorri sembra quella dei Zingari»: «Dell'India antica e moderna»).

centurioni fu dato a una milizia volontaria pontificia, istituita dal card. Bernetti; *vigili* furono chiamati a Roma i «pompieri» nel 1847; un *battaglione dei reduci* fu istituito a Roma nel 1848 sotto Pio IX, mentre poi la Repubblica Romana rinnovò il nome di *triumviri*.

La terminologia politica e parlamentare (*iniziativa, preventivo, consuntivo, commissione, mozione*, ecc., *conservatore, liberale, radicale*, ecc.) consta quasi tutta di vocaboli latini (o di derivati: *costituzionale, assolutismo, comunismo, socialismo, cesarismo*, ecc.) a cui sono stati dati i significati moderni in Inghilterra o in Francia.

Il modo più frequente di designare un'invenzione, un'istituzione nuova o rinnovata è quella di darle un nome latino o greco, attinto all'antichità o coniato nuovamente: abbiamo già ricordato i *fiammiferi*[175], e altri vocaboli classicheggianti. Le *ambulanze* (nel senso di «ospedale ambulante») erano apparse al séguito degli eserciti napoleonici; si fondarono *brefotrofi, orfanotrofi, manicomi* (quello di Aversa si chiamò per un certo tempo *morotrofio*), ecc.; per il gioco del pallone si eressero degli *sferisteri*.

Abbiamo accennato (p. 577) al notevole ampliamento del lessico di varie scienze, parecchie delle quali stanno assumendo proprio in questi decenni la fisionomia che poi serberanno. In alcune di esse (per es. le scienze mediche) la maggior parte dei termini sono attinti al latino o al greco[176] o foggiati secondo quei modelli, e valgono con piccole variazioni ortografiche per tutte le lingue. Si tratta di migliaia di vocaboli, molti dei quali sono arrivati a penetrare non solo nella media cultura, ma addirittura nell'uso quotidiano. Per es. *morfologia* è stato coniato da Goethe (nel senso di «scienza di tutte le forme organiche») e man mano si è divulgato in tutte le lingue occidentali, con varie specificazioni di significato.

Naturalmente quello che più conta è il nuovo concetto che si vuol esprimere: quindi non di rado il significato che si dà alla parola greca o latina non è uguale a quello originario. Il *tifo* descritto dai clinici ottocenteschi è ben diverso dal τῦφος di Ippocrate. Gli scienziati che per primi parlarono di *animali* e *vegetali parassiti* tecnificarono un significato nuovo, assai diverso da quello antico. *Auscultare* prende un significato speciale in quanto esumato dai medici con valore tecnico, di contro al comune *ascoltare*. Il p. Barsanti, facendo brevettare (1854) il *motore* a scoppio, dà alla parola un significato specifico.

Talvolta i termini antichi sono adoperati con disinvolto arbitrio:

---

[175] Il termine appare come sostantivo, nel nuovo significato, nel 1832; come aggettivo l'aveva già attinto al latino il Boccaccio, e più recentemente se n'era servito il Di Breme, che nel *Conciliatore* (I, p. 186 Branca) aveva parlato del «sanbenito non fiammifero».

[176] Il Cattaneo (nell'articolo «Di nuove voci greche», ristampato in *Scritti letterari*, I, pp. 250-257) protestava contro l'abuso del greco, gli stiracchiamenti di significato in confronto con le voci antiche, le difficoltà dell'adattamento fonetico all'italiano.

Gay Lussac (1812) trae dal greco ἰώδης «di color violetto» il francese *iode* per il color violetto dei suoi vapori; e i chimici italiani accettano *iodo* o *iodio*. Né fa meraviglia di vedere talvolta manomesse le regole: in *paraffina* è molto arbitrario il modo di composizione di *parum* e *affinis*; in *miocene* l'unione di μείων «minore» e χαινός «nuovo» è quanto mai barbara. *Telegramma*, se fosse fatto secondo le buone regole, sonerebbe *telegrafema*[177].

Mentre l'adozione o la formazione secondo schemi greci o latini di nuovi termini a opera di un letterato per lo più rimane limitata al suo uso individuale, l'accettazione nel linguaggio giuridico-amministrativo o nella terminologia di una scienza o nella vita pratica gli assicura facilmente un uso stabile. *Moschicida* era stato invano tentato nel '600 dal Lalli; invece attecchisce col divulgarsi della *carta moschicida*. Quando il Gioberti tentò l'uso di *tellurico* («l'infermità *tellurica* [= dei terrestri, degli uomini] non è incurabile»: *Primato*, Brusselle 1843, II, p. 8) non trovò echi, mentre il significato scientifico della parola («che concerne la terra e più precisamente i fenomeni che avvengono nel suo interno»: *movimenti tellurici*, ecc.) attecchì stabilmente.

Accanto a queste adozioni di latinismi e grecismi nel lessico, bisogna tener conto dell'influenza formale esercitata su certe parole dal modello latino: quell'adeguamento che in alcuni autori è un'influenza sporadica (per es. il Monti scrive *destruttore* o *nepote* secondo il modello latino) diventa un programma nel Gherardini, che vorrebbe cancellare quanto più è possibile dell'«idiotismo» toscano dalla lingua, raccostandola all'ortografia latina (cfr. p. 562 e 581).

20. Francesismi

Come si è detto, la potentissima influenza politica e culturale del francese sull'italiano ha ancora aumentato la schiera dei francesismi, già così numerosi nel Settecento. Se, nella lingua letteraria più elevata, alcuni francesismi recedettero in seguito alla reazione puristica, nella lingua più andante, parlata e scritta, essi abbondano. Così ad es. in uno scritto fatto per proprio uso come lo *Zibaldone* del Leopardi ne

---

[177] L'adattamento in italiano di questa terminologia internazionale non sempre è facile: si oscilla fra *septico* e *settico*, mentre si ha solo *sepsi* (e non *sessi*); c'è chi scrive *oftalmia*, chi *ottalmia*; si conserva talvolta il dittongo *ei* anziché trascriverlo alla latina con *i* o con *e* (*caleidoscopio* o addirittura *kaleidoscopio* anziché *calidoscopio*, ecc.); si rende talora con *i* il dittongo *oi* (*omiopatia, dispnia*). In alcuni casi si riconosce il tramite straniero (per lo più francese) per cui molti di questi vocaboli sono giunti: si consideri per es. l'oscillazione nell'accento e nella desinenza di *aeròliti* plur. (Marchi), *aerolìta* (Pananti), *aerolìte* (Tramater), e similmente in altri di questi composti in -*lito*. Sono anche dovuti a influenza straniera i latinismi con desinenze non adattate, come *album, humus, maximum, memorandum, ultimatum* (ma il Foscolo, nel 1810, preferiva *ultimato*; il Pananti, nel 1817, scriveva *memorandi*).

troviamo spesso[178]: «il piacere che noi proviamo... della *raillerie*» (27 luglio 1822); «il suo difetto è di piegare alla *roideur*» (30 giugno 1823); «immaginazione continuamente fresca ed operante si richiede a poter *saisir* i rapporti...» (17 ottobre 1823); «sarebbero *bien fachés* di trovarsi soli» (6 luglio 1826); «una donna di venti, venticinque o trenta anni ha forse più d'*attraits*, più d'illecebre» (30 giugno 1828); «per dare unità, insieme, *liaison* scambievole...» (30 agosto 1828) ecc.[179].

Nei carteggi poi, ne troviamo a bizzeffe: non solo, per es., nelle lettere di Giulia Manzoni Beccaria, ma anche nel Berchet («or che gli amori della patria mi hanno *désenchanté* così infamemente», lettera 3 agosto 1848), nel Manzoni stesso: «facendo *une halte* a Cassolo» (lettera 9 ottobre 1855)[180], «mia moglie esce da una *grippe*» (lettera 11 gennaio 1858), nel De Sanctis: «sa di dover morire, glielo leggo in quegli occhi *égarés*» (lettera 10 giugno 1858), ecc.

Un campo in cui i francesismi abbondano è quello delle cose militari: *affusto, ambulanza, appello, avamposto, buffetteria, casermaggio, marmitta* (estesosi poi anche al di fuori dell'uso militare), *pioniere* «soldato del genio zappatori», ecc.

Molti francesismi politici penetrano dapprima con riferimento alle cose di Francia (*club, comitato, giacobino, assegnato*, ecc.), poi si applicano, in numero sempre crescente, alla vita politica nostrana (*budget, consuntivo, preventivo*, nomi di partito, ecc.).

Per la vita amministrativa, la penetrazione è fortissima: *bureau* o *burò* (in Piemonte si accettò anche il derivato *buralista*), *borderò, controllare* (*controllo, controllore*), *maire* (e *meria* «mairie»), *paraf(f)are, regìa, timbro* («bollo»), ecc. Oltre all'amministrazione della giustizia (*cassazione, giudice di pace, giurì*, ecc.) bisogna tener conto nel periodo napoleonico dell'influenza esercitata dai modelli francesi sui codici e sulla legislazione (*vagabondaggio*, ecc.).

Non va dimenticata la diffusione del nuovo sistema metrico: *metro, litro, grammo*, ecc.; l'abbreviazione *chilo* suona talvolta *chilò* (ancor oggi si pronunzia così a Livorno e a Siena), e per parecchio tempo poté essere adoperata come invariabile.

Qualche termine entra nel lessico marinaresco: *pompa* (da cui poi *pompiere*) è documentato anzitutto come termine di marina; *rullìo*, ecc.

Nella terminologia della casa, troviamo voci indicanti stanze (*boudoir*) e mobili (*cislonga, comò, psyché*[181], *secrétaire*, ecc.), termini di

---

[178] Già negli appunti e ricordi del 1819: «Mie reverie sopra una giovine di piccola condizione...» (*Scritti vari inediti*, p. 277).

[179] Così anche in una lettera dell'8 ottobre 1832: «sono proprio *abîmé* di debolezza», ecc.

[180] Indirizzata a *Madame Thérèse Manzoni née Borri*, Lesa (Lago Maggiore).

[181] «Datosi un'ultima occhiata nella *psyché* [in nota: «Allo specchio impernato»] e irrorato il pannolino di tasca con mille goccie di *millefleurs* o di *mousseline*, Alfonsino...» (Di Breme, *Concil.*, 29 ottobre 1818: I, p. 275 Branca). Più tardi si dirà *psiche*.

cucina (*griglia, casseruola*, ecc.; *entremets, tartina*, ecc.; cfr. anche *trattore, trattoria*); di giardinaggio (*pepiniera, serra*, ecc.).

Molti vocaboli concernono l'abbigliamento (*bretelle, calosce, corsè, paltò, percalle*, ecc.); qualcuno, riferito dapprima alle vesti militari (*pom-pon*), passò poi all'uso comune. Anche i colori seguono la via della moda (*bistro*, ecc.)[182].

Tra i veicoli ricordiamo il *faeton*, il *fiacre*, il *furgone*.

Dalla vita teatrale abbiamo per es. *debutto* e *messa in scena*.

Per le belle arti, ricordiamo *rococò* e la conoscenza delle *danze macabre*[183]. Quanto ai giochi, citiamo la moda delle *sciarade*.

Nella terminologia delle varie scienze, oltre agli innumerevoli latinismi e grecismi suggeriti dalle analoghe voci francesi, si accettano anche molti vocaboli francesi di tipo più o meno popolare: per es. in medicina *crampo, grippe*, ecc., in zoologia *cormorano, pinguino*, ecc., in etnologia *meticcio* (mentre nei secoli precedenti si preferiva *mestizzo* secondo l'esempio spagnolo), ecc., in geologia *morena, picco*, ecc.

L'àmbito in cui meglio si misura la forte penetrazione dei francesismi è quello astratto: si ricordino gli esempi citati all'inizio di questo paragrafo da scritture confidenziali, quasi tutti riferiti a concetti astratti; e si pensi alle non rare lagnanze di scrittori di non poter rendere bene in italiano sfumature possedute dal francese[184].

Mancando i vocaboli che esprimano la nozione generica (agricola, mineraria, industriale) di *exploiter, exploitation*, si adoperano le parole francesi in forma originale oppure adattata (*esploatare*), finché non si estende *sfruttare* a coprire tutto l'àmbito semantico di *exploiter*.

In presenza di un verbo come *entrevoir*, che non aveva un preciso riscontro in un vocabolo unico, ma per cui bisognava ricorrere a perifrasi («vedere un poco, cominciare a vedere»), sorge il desiderio di ricalcarlo. C'è chi tenta un *travedere* (biasimato dal Cesari, *Dissert.*, cap. XI)[185], ma poi prevale *intravedere* (Gioberti, Capponi, Mazzini). Fin dal Cinquecento si usava *saputa*: ora per tradurre *à l'insu* si foggia *all'insaputa*. E similmente nascono e finiscono con l'imporsi, malgrado le proteste dei puristi, vocaboli come *sedicente, controsenso, frattempo*,

[182] Cfr. *rouge* «rossetto», già nella versione foscoliana del *Viaggio sentimentale* di Sterne (cap. X).

[183] Di qui l'agg. *macabro* che però prenderà solo più tardi, con le ultime propaggini del romanticismo, significato generale.

[184] A definire il concetto di *suffisant* «gli italiani mancano forse di vocabolo adattato»: D'Azeglio, *Ettore Fieramosca*, cap. XII; «Neppur essa [la reazione] è stata capace di farmi mai rimpiangere (benedetto *regretter* che non ha equivalente esatto fra noi) Napoleone ed il dominio francese...»: D'Azeglio, *I miei ricordi*, cap. VIII (I, p. 166); «uno spettacolo *féerique*: parola che non si può adeguatamente tradurre, perché fu inventata dai Parigini per la sola Parigi»: Rajberti, *Il viaggio di un ignorante*, Milano 1857, p. 80.

[185] Ma l'adoperarono anche il Leopardi (lett. al Giordani, 30 aprile 1817) e Manzoni (*Prom. Sposi*, princ. del cap. III): «Tutt'e due [Renzo e Agnese] si volsero... lasciando *travedere* ...un cruccio pur diverso» (ed. 1825-1827 e ed. 1840).

malinteso, *rendiconto, sorvegliare*, ecc., e locuzioni come *essere al corrente*, ecc. Molto più rari sono gli astratti in cui la parola francese è adattata anziché ricalcata: *scamotaggio, trantran* e simili.

Non si contano i vocaboli che ora si foggiano secondo il diretto modello francese, ricollegandoli ad altri vocaboli italiani o latini preesistenti: *bonomìa, contabile, floreale, responsabile, mentalità, spessore, tasso* (t. econ.), *versante, vetrina, basare, rivoluzionare*, ecc. L'esistenza di un prefisso italiano *de-* tratto dal latino *de-* fa sì che trovino più agevole strada vocaboli come *debordare*, in cui il prefisso francese ha altra origine (*déborder* da *dis-*). Si moltiplicano le parole in *-aggio* (*cordaggio, drenaggio, lavaggio, vagabondaggio*, ecc.). Non solo si accettano facilmente alcuni vocaboli che contengono il suffisso *-ista* (per es. *modista*); ma poiché in francese il suffisso aveva anche preso, specialmente nel linguaggio politico, il valore di un aggettivo d'inerenza, un uso analogo si diffonde anche in italiano: per es. *la chiesa Sansimonista* (Romagnosi, 1832), *l'analisi materialista* (Mazzini, 1850), *la scuola socialista* (Minghetti, 1858), accanto a *gli ordini comunistici* (Giusti, 1849) ecc.

In parecchi casi è dovuto all'esempio francese il passaggio ad altra categoria grammaticale: l'uso di *commerciante, industriale, domestico* come sostantivi di persona, di *uniforme* come sostantivo di cosa.

E frequente è il mutamento di significato conforme al modello francese: *domestico*, appunto, prende il significato di «servitore», *bruma* di «nebbia»; *giurato*, che aveva avuto vari significati amministrativi e legali, prende il significato di «membro d'un giurì»; *direzione* oltre al significato di «atto, effetto del dirigere» prende quello di «persone che dirigono»; *farmacia*, che voleva dire solo l'«arte di comporre i farmaci», passa a indicare la «bottega dello speziale»; *fase* passa dal significato astronomico a quello generale; *tara* oltre che «peso da dedurre» viene a significare «grave difetto»; *attualità* prende il significato di «cosa modernissima»; di *scuole secondarie* si comincia a parlare secondo il modello francese, ecc.

Nell'esemplificazione che abbiamo data fin qui abbiamo quasi sempre escluso quei francesismi che non hanno attecchito nell'uso: ma chi estenda la ricerca anche a quelli che hanno fatto apparizioni isolate od effimere ne troverà centinaia e centinaia: per es. *abbutire, appuntamenti* nel senso di «stipendio», *attaccato* («addetto»: *attaccato al burò*, Monti, 1798), *in sul campo* («*sur le champ*, subito»), *cifrone* («*chevron*»), *flambò, limiere* («seguigio»), *mortissa* («*mortaise*, incastro»), *revancia, rinvegno* («*revient*»: *prezzo di rinvegno*: Cavour, 1836), *sabretascia, sarrò, vammastro* («*vaguemestre*, quartiermastro») ecc.[186]

Non meno numerosi sono i francesismi che sono stati accolti,

---

[186] Abbondano specialmente i termini militari: basta sfogliare il repertorio del D'Ayala, *Dizionario delle voci guaste o nuove e più de' francesismi introdotti nelle lingue militari d'Italia*, Torino 1853, per trovarne a decine.

effimeramente o saldamente, in aree limitate: *barège* a Lucca e altrove, *boetta, boatta, buetta, buatta* (da *boîte*) in varie zone, *preposeo* (da *préposé*) a Lucca (anche *preposè* a Piacenza); *retrè* («gabinetto», da *retrait*) in varie regioni, *sciarabbà* (da *char-à-bancs*) nei dialetti meridionali (anche *sciabarà* a Pisa) ecc.[187].

Nel modo di adattamento si seguono le solite due vie: nelle parole più colte si mantiene la grafia francese, mentre dove la parola è penetrata nell'uso popolare si tende piuttosto ad adattarla nella scrittura. È questo il più forte motivo di oscillazione nella grafia dei francesismi: *brochure* o *brossura, bureau* o *burò, début* o *debutto, fiacre* o *fiacchere, percale* o *percalle, rendez-vous* o *randevù* (Guadagnoli), ecc. Molti scrivono *bleu*, mentre altri adoperano ancora *blo*; i più ormai *blu*. Accanto a *débauche* e a *deboscia* si ha l'adattamento popolare fiorentino *bisboccia*.

Qualche volta si oscilla fra l'adattamento e il calco: quando entra *porte-monnaie* alcuni lo scrivono alla francese (Fusinato, 1847), poi qualche dialetto l'adatta (milan. *pormonè*), mentre la lingua scritta lo ricalca in *portamonete; coupon* viene adattato in *cupone* o *copone*, ovvero tradotto con *tagliando* o *cedola*.

Non va dimenticato che il francese, oltre ad aver trasmesso all'italiano in questo periodo numerosi vocaboli propri e numerosi latinismi da esso adattati o foggiati, gli ha anche trasmesso parecchi vocaboli d'altre lingue. Abbiamo anzitutto anglicismi (*frac, rosbif, macadam, tender*); qualche volta alterati nella forma o nel significato dal loro passaggio attraverso il francese (l'ingl. *waggon* «carro coperto» prende in Francia l'ortografia *wagon* e il significato ferroviario; *review* viene calcato in Francia con *revue*, e in italiano se ne trae *rivista*; *honeymoon* si traduce con *lune de miel* e poi con *luna di miele*, ecc.). Per il tedesco citiamo *Thalweg*, termine geografico accolto dalla diplomazia, che troviamo dapprima in un decreto di Napoleone del 1811. *Colza* è una parola fiamminga (*kolzaad*) accettata in francese. Il nome del copricapo degli usseri (*sciaccò*) è ungherese (*csakó*), ma ci giunge per tramite napoleonico. E gran parte delle parole orientali penetrate in questo periodo nel nostro lessico sono arrivate passando attraverso viaggiatori, geografi, compilatori francesi: gli scrittori di cose orientali, dal Quattrocento al Seicento, conoscevano il *bazarro* o *bazzarro* per indicare «mercato» (Persia, India): nel secondo decennio dell'Ottocento rientra in Italia *bazar* con l'ortografia francese e nel senso moderno europeo di «emporio» (E. Visconti, *Conciliatore*, 1819). Di *massaggio* (anzi, dapprima, *massagio*) si parla le prime volte con riferimento a usi orientali e già col suffisso francese.

---

[187] «Anche adesso – attesta il Cantù, *Sull'origine della lingua italiana*, Napoli 1865, p. 182 – ma più pochi anni fa, i Piemontesi mescolavano moltissime parole prettamente francesi al loro dialetto; e diceano *cependant, jamais, ce matin, désormais, en attendant, vite, c'est-à-dire, à mon tour, au pis aller, voilà, c'est ça*, ecc. L'aristocrazia non avrebbe mai detto altrimenti».

21. Altri forestierismi

Meno numerosi dei francesismi, eppure piuttosto copiosi, sono gli anglicismi: qualche volta diretti, più spesso, come s'è visto, passati attraverso il francese. Mentre quelli di aspetto anglico stentano ad acclimatarsi, l'accettazione è molto più facile per gli anglolatinismi.

I più abbondanti sono quelli politici. Già un certo numero si era imparato a conoscerne nel Settecento, con riferimento alla vita inglese (*costituzione, comitato, commissione, maggioranza, opposizione, petizione*); ora essi e molti altri penetrano anche in Italia a varie riprese (spesso, come s'è detto, dopo essere penetrati nel lessico politico di Francia).

Nella costituzione siciliana del 1812, concessa sotto le pressioni inglesi e redatta su modelli inglesi, si parla di *bill*. Abbiamo poi *budget, leader, meeting, self government, speech, conservatore, radicale, assenteismo*, ecc. Anche *premio* (d'assicurazione) è modellato sull'inglese *premium*.

Cavalli, carrozze, corse ippiche si modellano sul gusto inglese: abbiamo *poney* (con grafia francese, in luogo di *pony*), *brougham, tilbury, steeple chase, jockey, turf*, ecc. Così anche *bulldog*, ecc.

In gran parte dall'Inghilterra ci giunge la terminologia ferroviaria: *rail*[188], *vagone* (cfr. p. 596), *tender, tunnel, locomotiva, viadotto; railway* o *railroad* fu sùbito sostituito da *strada ferrata, via ferrata*, più tardi da *ferrovia; tramway* durò a lungo.

Osteriggio «riparo a vetri» è un adattamento marinaresco di *steerage*.

Parecchi termini si riferiscono all'abbigliamento: lo *scialle* o *sciallo* («Ma cosa è quello *shall* che gira e vola?»: Pananti, *Poeta di teatro*, c. 99), lo *spencer*, il *raglan* (diffusosi con la guerra di Crimea), ecc. Attenzione e per lo più ammirazione per le cose di moda sono palesate dall'accoglimento di *dandy* e *lion, fashion* e *fashionable, high life*.

Comfort (o anche alla francese *confort* o italianizzato *conforto*) si riferisce agli agi e alle comodità della vita («quella comodità che gl'inglesi con sì bel vocabolo dicono *comforts*, e dond'è venuto che essi chiamano confortevole tutto ciò che nelle suppellettili vi ha di compito per l'uso e di gradevole nello stesso tempo per l'occhio»: Pellico, *Conciliatore*, 2 maggio 1819: II, p. 532 Branca).

Per cibi e bevande, ricordiamo *roastbeef* (*rosbif, rosbiffe*) e *punch* (*ponce*).

Passa anche in Italia, dopo che in Francia, la pratica del *drenaggio*.

Humour e *spleen* sono riconosciute come qualità caratteristiche degli Inglesi. E numerosi sono i termini che appaiono in Italia riferiti

---

[188] La parola durò a lungo, sia nella pratica (adattata in *raile*, plur. *raili*), sia nella legislazione (è per es. nel *Codice penale* sardo del 1859): fu sostituita poi da *guida, verga, rotaia*, finché quest'ultima prevalse.

dapprima a cose inglesi; e alcuni fra essi più tardi si divulgheranno (per es. *plaid*, che appare dapprima in traduzioni da W. Scott; *dock*, ecc.)[189].

Meno numerosi sono i germanismi, malgrado la forte influenza politica austriaca: qualche termine militare (*feld-maresciallo*), qualche nome di moneta (*svànzica*)[190] qualche voce di moda (*walzer*, variamente storpiato: v. p. 582).

La tensione contro gli Austriaci occupanti fece nascere alcune voci di scherno: *caiserlicchi* «Austriaci», *radeschi* «pedata» (una volta il maresciallo Radetzky aveva dato un calcio al figlio, il quale aveva insultato un prete milanese)[191].

Non mancano le voci di stampo greco o latino foggiate nei paesi tedeschi: per es. *morfologia* (v. p. 591), *stilistica*[192].

Nella lingua astratta si hanno alcuni calchi: il *divenire*, il *non-essere*, il *non-io*; il *meismo* del Rosmini ricalca *Ichheit*[193].

Qualche volta, il tedesco è servito di tramite per voci di altre lingue dell'Europa orientale: per es. tosc. *pechèsce*, *peghèsce* «soprabito con lunghe falde», dal ted. *Pekesche* (dal polacco *bekiesza* «mantello di pelliccia»).

Anche dalle lingue scandinave giunge, per lo più indirettamente, qualche vocabolo: *scaldo*, *Valhalla*, *geyser*.

Dallo spagnolo ricordiamo qualche voce concernente la politica (*camarilla*; si ricordi anche *liberale*, p. 572-573) e la tauromachia (*corrida*, *torero*, *matador*).

22. *Italianismi in altre lingue*

L'influenza italiana in questo periodo è relativamente scarsa. Un gruppo notevole di italianismi si ha in Francia in un campo, quello della musica operistica, in cui la genialità italiana si manifesta specialmente con Rossini. Abbiamo così una serie di termini, per parecchi dei quali il mediatore fu Stendhal: *maestro* (Stendhal 1824; in inglese già nel 1797), *libretto* (franc. 1827; ingl. già 1742; ted. 1837), *impresario* (Stendhal 1824; ted. già 1771); *diva* (Gautier 1832; ted. 1867; sved. 1850); *brio* (Stendhal 1824; ingl. 1855); *fioriture* (Stendhal 1824);

---

[189] V. le serie di anglicismi ottocenteschi accuratamente raccolte da A. L. Messeri, *Lingua nostra*, XV, 1954, pp. 47-50; XVI, 1955, pp. 5-10 e 73-74; XVIII, 1957, pp. 100-108.

[190] Si ricordi anche il veneto *schei*, dal nome SCHEI*demünze* che si leggeva sulle monete.

[191] Parecchi austriacismi del dialetto milanese (non tutti ottocenteschi e non tutti sicuri) sono citati dal Cherubini nel *Supplimento* del suo *Vocabolario milanese-italiano*, 2ª ed., V, pp. 257-258.

[192] «I tedeschi, per i primi a coltivarla, la chiamano *stilistica*» (Bonghi, *Perché la letteratura italiana non sia popolare*, 1855, lett. XIV).

[193] Non attecchì *slancio* come calco di *Entwurf* nel senso di «abbozzo»: G. Gautieri, *Slancio sulla geneologia della terra*, Jena 1805.

fiasco (fr. 1841, ted. 1837) e altri ancora. *Dilettante*, che era già stato sporadicamente usato nel Settecento, attecchisce ora saldamente in Francia col significato di «appassionato della musica italiana» e se ne fa il derivato *dilettantisme*[194]. Cfr. anche *piccolo* «flauto piccolo» (ted. 1801 circa, ingl. 1856, fr. 1828). Qualche parola entra in Francia per contatto orale: *flemme* (1821), forse *frisquet* (1827), ecc.

Attraverso la conoscenza che i viaggiatori ebbero dell'Italia si diffonde la conoscenza di peculiarità geografiche, etniche, ecc.: *fata morgana* appare in ted. nel 1796, in ingl. nel 1818 (proprio mentre l'italiano invece accetta come termine scientifico il francesismo *miraggio*), *fumarola* vulcanica (ingl. *fumarole* 1811, franc. *fumerolle* 1829), *bora* (ne parla Stendhal in una lettera da Trieste del 1830; ingl. 1864), *pellagra* (ingl. *pellagra* 1811, franc. *pellagre* 1834), ecc. I *confetti* carnevaleschi sono a lungo considerati come una caratteristica di Roma (Goethe 1789, fr. 1852; in franc. la parola entrerà più tardi nell'uso attraverso il carnevale di Nizza, 1873). La parola *vendetta* si diffonde dalla Corsica (franc. 1803, ingl. 1861). *Fantasia*, nel senso di «danza sfrenata di indigeni» (ingl. 1831, franc. 1842), è probabilmente una voce italiana passata attraverso la «lingua franca».

L'invenzione di Volta divulga in varie lingue il nome di *pila* (*pile*, franc. 1800; ingl. 1800; il tedesco preferisce invece il calco *Säule*).

Qualche voce italiana già precedentemente penetrata nelle grandi lingue occidentali, filtra ora nelle lingue periferiche (spesso per il tramite del tedesco): per es. in svedese entra *soprano* (sotto la forma *soprano*, poi *sopran*), in ungherese *opera*, *casino*, *cupola*, *influenza*, ecc. (*opera*, *kaszinó*, *kupola*, *influenza*), ecc. In romeno, molti italianismi furono accolti, come si è accennato, da Ion Heliade Rădulescu, ma non ebbero fortuna.

---

[194] G. Antoine, *Dilettante-Dilettantisme*, in *Mélanges de linguistique française offerts à M. Charles Bruneau*, Ginevra 1954, pp. 161-176 (da cui ho tratto anche gli esempi stendhaliani ora citati).

CAPITOLO XII
MEZZO SECOLO DI UNITÀ NAZIONALE
(1861-1915)

1. Limiti

In quest'ultimo capitolo della nostra trattazione esamineremo le principali vicende della lingua, cominciando dalla proclamazione del regno d'Italia (1861) e giungendo fino all'entrata dell'Italia nella prima Guerra mondiale (1915). È ovvio che avremmo anche potuto cominciare dal 1870, cioè da quando l'unità nazionale fu quasi interamente raggiunta, e Roma divenne effettiva capitale del regno.

2. Eventi politici

Il primo decennio del regno è caratterizzato da una fremente aspirazione a ricongiungere al nuovo stato Venezia e Roma: mète raggiunte attraverso le note vicende nel 1866 e nel 1870. Gli anni di Firenze capitale (1865-1870) sono una breve, ma importante tappa. Una svolta decisiva è il trasporto della capitale a Roma, col quale si chiude il più che millenario ciclo del potere temporale dei papi (dando luogo a conflitti di coscienza e a scissure politiche). La creazione di strutture civili e militari uniformi per tutto il regno, che già era cominciata nel 1859 e più fortemente dopo il 1861, continua con sempre maggiore intensità. L'inquadramento amministrativo, iniziato dalla onesta, anche se talvolta gretta burocrazia piemontese, parte ormai da Roma.

Il governo del paese è tenuto per pochi anni (fino al 1876) dalla Destra; poi esso passa alla Sinistra: ma talora si tratta più di un cambiamento di uomini che di programmi, specialmente quando il Depretis inaugura quella politica che fu detta del *trasformismo*. Successivi allargamenti del suffragio, specialmente quelli promossi dal Giolitti, portano a una partecipazione sempre più ampia delle classi non abbienti alla cosa pubblica.

Continua vivissima, come nel resto di Europa, la tendenza a far coincidere le nazionalità con gli stati: nasce così l'irredentismo. Più tardi nascerà, con scopi espansivi, il nazionalismo.

Anche la tendenza alle imprese coloniali, che domina in Europa, e in Italia si afferma non senza contrasti, porta alle spedizioni in Abissinia e poi in Libia.

L'emigrazione, specialmente numerosa negli anni di maggiori difficoltà economiche, è talvolta temporanea (partecipazione al traforo del S. Gottardo, ecc.), talvolta stabile (e porta alla formazione di «piccole Italie» specialmente negli Stati Uniti, in Argentina, in Brasile).

In peculiari condizioni politiche si trova l'italiano nel Canton Ticino e nelle valli italiane dei Grigioni. Forti spinte alla snazionalizzazione si svolgono nei territori italiani soggetti all'Austria (Trentino, Trieste, centri italiani dell'Istria e della Dalmazia). Nella Corsica, i dialetti subiscono sempre più l'influenza francese, e la lingua italiana cólta è nota ormai a pochi. A Malta, essa mantiene faticosamente la posizione di parità con l'inglese come lingua culturale.

3. *Vita sociale e culturale*

L'unità politica porta con sé una più intensa circolazione d'idee, di cose, di parole. Dal 1870 Roma (che passa dai 220 mila abitanti del 1871 ai 542 mila del 1911) assume un'importanza sempre maggiore nella vita nazionale; ma le altre grandi città, in particolare Milano (la «capitale morale»), Torino, Bologna, Firenze, Napoli, Palermo, continuano a influire non soltanto sulle regioni tradizionalmente ad esse legate, ma su più ampio raggio. Le ferrovie si moltiplicano; e così pure le strade. Le industrie settentrionali assumono un sempre maggior sviluppo, mentre quelle meridionali languiscono. Entrano in vigore per tutto il regno leggi uniformi: vengono promulgati il Codice civile nel 1865, il Codice penale nel 1889, e man mano tutta la legislazione elaborata dal parlamento. L'apparato amministrativo estende la sua influenza sulla vita quotidiana; e benché si parli molto di decentramento, va sempre crescendo l'accentramento degli uffici nella capitale. Specialmente nei primi tempi dell'unità, è molto forte l'influenza piemontese; più tardi invece si fa sentire la predominanza numerica degli impiegati di origine meridionale.

Anche nell'organizzazione militare, la predominanza piemontese, fortissima agli inizi, presto si attenua; e giova a un sia pur lento conguaglio di idee e di linguaggio il reclutamento su base nazionale.

La distanza fra le classi sociali, che era fortissima, forte rimane: solo lentissimamente, e attraverso conflitti non sempre lievi, le masse contadine e operaie cominciano a diventar conscie della loro appartenenza alla compagine sociale, guidate nelle loro rivendicazioni materiali e morali da un socialismo inizialmente romantico e umanitario. Per ciò che concerne la lingua, le classi inferiori nella vita quotidiana si servono dei dialetti, e sono ancora scarsamente pratiche della lingua nazionale[1].

---

[1] La separazione delle classi è talvolta anche caratterizzata da nomignoli tratti della diversità del vestire o da altre peculiarità: si pensi ad es. alla divisione tra *cappelli* e *berretti* in Sicilia, soprannomi dati rispettivamente ai cittadini delle classi più alte e ai popolani (M. Rosi, *L'Italia odierna*, I, Torino 1918, p. 429).

Fortissime rimangono anche le differenze sociali e culturali fra il Settentrione e il Mezzogiorno: quelli che discutono della «questione meridionale» si rendono conto che solo un'azione a lunghissima scadenza varrà a rendere meno gravi queste differenze.

Notevoli, ma non ancora sufficienti, sono i progressi dell'istruzione elementare: l'obbligo dell'istruzione di tutti i fanciulli di oltre 6 anni è sancito dalla legge Coppino nel 1877 e affidato ai comuni; così gli analfabeti, che nel 1861 erano il 78%, sono ridotti a meno del 50% nel 1910[2].

L'insegnamento medio (statale e privato) è il principale agente di trasmissione della cultura scientifica e letteraria, mentre nelle Università e intorno ad esse si svolge gran parte della più alta attività scientifica, filosofica, filologica. Occupa una posizione preminente tra le accademie quella dei Lincei, nuovamente fondata nel 1875 da Quintino Sella.

La cultura tradizionale, verso il Settanta, è tutta sconvolta: «oggi tutto è rinnovato – esclama il De Sanctis nel 1869 –, da tutto sboccia un nuovo mondo: filosofia, critica, arte, storia, filologia». Si affaccia prepotente il positivismo; le scienze fisiche e naturali reclamano e acquistano un posto sempre maggiore nella cultura e nella vita; ne risentono fortemente e variamente l'influenza anche le scienze morali[3]. Le generazioni del primo Novecento reagiranno a questa tendenza con una nuova ondata di spiritualismo e di idealismo.

La stampa quotidiana e periodica assume un'importanza sempre maggiore. Nei quotidiani, accanto alle informazioni politiche nazionali ed estere, trovano posto notizie varie; spesso un'appendice a piè di pagina contiene la puntata di un romanzo; nel 1901 nasce la «terza pagina», riservata alla letteratura e alla cultura (v. p. 641). Intermedi tra i quotidiani e le riviste di più ampia mole (come la *Nuova Antologia*, dal 1866) vengono a collocarsi i settimanali letterari.

L'amore per il teatro è sempre vivace (e gli attori che, dal 1881 in poi, escono dalla scuola di Luigi Rasi portano per l'Italia, oltre che una dizione espressiva, la pronunzia fiorentina colta).

Anche più larghi consensi di popolo ha l'opera lirica, specialmente quella di Giuseppe Verdi: ed echi dei testi dei libretti continuano a passare nel linguaggio comune.

Penetrano in Italia parecchi sport: alcuni destinati a diventare popolarissimi, come il *ciclismo* (chiamato da principio *velocipedismo*) o il *calcio* (dapprima col nome inglese di *football*); altri limitati a cerchie più ristrette, come l'*alpinismo* o l'*automobilismo*. Il turismo, dapprima limitato a ricchi stranieri, entra man mano anche nelle abitudini degli Italiani.

---

[2] R. Benini, *Demografia*, p. 40 (in *Cinquant'anni di storia italiana* per cura della R. Accademia dei Lincei, I, Milano 1911).

[3] Per citar solo un esempio tipico di questa tendenza, il De Sanctis nel 1883 tiene a Roma una conferenza sul «Darwinismo nell'arte».

4. Principali tendenze nel mutamento linguistico

Il conseguimento dell'unità nazionale, con l'influenza esercitata dalla nuova capitale (per brevi anni Firenze, poi definitivamente Roma), porta a conguagli linguistici attivi. E la nuova partecipazione alla vita civile di ceti sempre più ampi fa sì che l'uso della lingua scritta e parlata estenda man mano il suo àmbito.

Già nel 1860-70 il purismo ha perduto ogni forza di persuasione[4]: si pensi ai molti scrittori che dopo aver fatto il loro tirocinio alla sua scuola escono dalle strettoie: il De Sanctis[5], il Carducci[6], il D'Ancona, Adolfo Bartoli, e tanti altri. Nelle sue *Memorie*, Gaspero Barbèra, trattando del mercato librario nel 1863, avvertiva, a proposito dell'edizione dei *Marmi* del Doni, che «incominciava a venir meno l'amore per quei libri il cui pregio principale fosse la lingua»[7]. E, osservando questo mutamento, lo storico cattolico P. Balan esortava a tenerne conto: «È passato il tempo delle vuote ed eleganti parole non ordinate a forti ragioni: più che i fiori di lingua abbisognano il vigore dell'argomentazione e l'abbondanza delle prove»[8].

I letterati, alla ricerca di una forma bella, espressiva, la perseguono secondo varie tendenze, ma ormai non v'è più alcuno che accetti come modello da imitare pedissequamente gli scrittori del passato (Trecentisti, Cinquecentisti). Presso i non letterati, poi, si fa largo più o meno consapevolmente l'idea che la lingua è una norma sociale, e che si può scrivere correttamente anche senza bisogno di ricorrere a modelli letterari più o meno precisamente prefissati. Praticamente, cioè, essi non obbediscono più all'esempio dei classici tradizionali, ma conformano la loro lingua ai giornali, ai manuali, alle disposizioni di legge, e tutt'al più ai romanzi, magari tradotti.

Il Tabarrini, in un discorso del 1869[9], prospetta l'ampiezza degli effetti che la nuova vita della nazione sta producendo sulla lingua[10], e

---

[4] V., sulle polemiche contro il purismo e contro il lassismo, il § 8.

[5] «Del purismo rimase una confusa ricordanza, come di tempi lontani, e nessuno ne parlò più; nessuno spese il tempo per combattere un morto»: così il De Sanctis nel trentunesimo dei *Saggi critici*, a proposito delle *Lezioni di storia* del Ranalli, «l'ultimo dei puristi», uscite nel 1869.

[6] Si ricordino, ad es., le sue parole contro i «nepotuncoli di Zucchero Bencivenni» che «seguitano a dibattere in così bel modo quelle loro questioni di lingua che non finiscono mai mai mai» (1870): *Opere*, XXVII, p. 52.

[7] *Memorie di un editore*, rist. Firenze 1930, p. 200.

[8] P. Balan, *I precursori del razionalismo moderno fino a Lutero*, Parma 1868-69.

[9] *Relazioni sui lavori della R. Acc. della Crusca (1869-70)*, Firenze 1870, pp. 28-29.

[10] «Le mutate sorti d'Italia gioveranno senza fallo ad estendere l'uso della lingua comune; e questo rimescolarsi d'italiani dalle Alpi all'Etna, che si guardano in viso per la prima volta, e si stringono la mano col sentimento d'appartenenza a una sola nazione, condurrà necessariamente a rendere sempre più ristretto l'uso dei dialetti, che sono marche di separazione, fatte più profonde dai secolari isolamenti. Ma da questo gran fatto, si voglia o non si voglia, la lingua uscirà notabilmente modificata...» (p. 28).

pur rendendosi conto dei pericoli che portano con sé la «barbarie irruente» e l'indiscriminata imitazione della lingua burocratica, ha fiducia che

> quando la nazione riprenda la sua via, sicura di sé, operante più che ciarliera, ritroverà i suoi nobili istinti; e la sua lingua si allargherà senza corrompersi; perché la vita d'un popolo libero, quando si svolge per virtù proprie, trova sempre per esplicarsi nella parola forme non repugnanti al suo genio ed alle sue tradizioni (p. 29).

Tutto permeato di fiducia nell'efficacia che l'«attività operosa» avrebbe esercitato sulla lingua è il famoso Proemio scritto dall'Ascoli nel 1872 per il primo volume dell'*Archivio glottologico italiano* (1873) (v. oltre § 8).

Nelle università cessa l'insegnamento dell'«eloquenza», sostituito dallo studio critico della letteratura. Quanto all'insegnamento medio, perdurano a lungo i canoni classicheggianti; ma v'è chi invece si attiene alle teorie manzoniane; e man mano si fanno strada letture aderenti alla lingua viva (si pensi alle antologie del Martini e del Pascoli)[11] ed esercitazioni più moderne.

Certo, non poteva bastare solo mezzo secolo di vita unitaria a unificare la lingua scritta e tanto meno la lingua parlata. Ma nelle varie regioni del Nord e del Sud, e specialmente nelle città, gruppi sempre più vasti, accanto al loro dialetto sono ormai in grado di adoperare, scrivendo e parlando, la lingua nazionale[12]: non proprio in forme identiche, ma mantenendo ancora qualche peculiarità locale o regionale nell'uso scritto e più ancora nell'uso parlato[13].

I dialetti alla loro volta, specialmente quelli urbani, subiscono una italianizzazione assai forte, non solo per ciò che concerne il lessico, ma anche nella fonetica e nella morfologia.

5. *La lingua parlata*

Come il solito, bisogna distinguere tra la Toscana e zone contermini, dove le differenze tra la lingua spontaneamente parlata e la lingua

---

[11] Le *Prose italiane moderne* del Martini (Firenze 1894) erano composte in gran parte da pagine di moderni, in modo che i ragazzi imparassero a scrivere «con disinvoltura paesana» (lettera di F. Martini a R. Fucini del 14 marzo 1894); larga parte ai moderni italiani e stranieri, fa il Pascoli in *Fior da fiore* e in *Sul limitare*.

[12] Anzi un certo numero di famiglie rifiutano l'uso del dialetto e allevano i figli a parlare solo italiano: e ciò sia per la loro costituzione (matrimoni interregionali), sia per le loro vicende (trasferimento da una regione all'altra), sia per contrarietà verso il dialetto. Acerrimo nemico dei dialetti, considerati come insidiatori dell'unità nazionale, fu P. Mastri, nello scritto «La malerba dialettale», in *Su per l'erta*, Bologna 1903, pp. 303-326.

[13] Mancano ricerche obiettive su queste varietà regionali dell'italiano: possono darne un'idea alcuni capitoli satirici dell'*Idioma gentile* del De Amicis, o i repertori composti con lo scopo di correggere i dialettalismi (cfr. p. 607).

scritta sono molto piccole, e le regioni del Nord e del Sud, dove i dialetti sono tuttora ben vivi: è in questi territori che un numero sempre crescente di persone si allena all'italiano parlato, specialmente gli impiegati dello stato, spesso trasferiti da luogo a luogo, i militari[14], i commercianti, ecc.

Questo estendersi dell'uso parlato della lingua nazionale è maggiore nelle grandi città, e specialmente ampio a Roma, dove convengono da tutte le regioni d'Italia impiegati, uomini politici, uomini d'affari, che debbono di necessità parlare fra loro italiano; se hanno portato con sé le rispettive famiglie, continuano magari a parlare dialetto in casa: ma le giovani generazioni crescono assorbendo dall'ambiente un italiano di colorito romanesco, e lo portano nelle loro famiglie.

Tuttavia i passi compiuti sono in genere assai lenti: fuorché in Toscana e a Roma, la situazione è pressappoco quella descritta dal Finamore per l'Abruzzo nel 1880:

La nostra lingua è educata a pronunziare in un certo modo, e non arriverebbe mai con una ginnastica differente a pronunziare perfettamente secondo un ordine diverso di movimenti. Onde avviene che, anche pe' più colti, parlare a mo' del dialetto è come adoperare la mano destra: parlare secondo le norme del buono italiano, è come adoperare la sinistra, per quanto si voglia educata. Talché, in tutto l'Abruzzo, – non dico anche da un Sindaco, da un Avvocato o da un Deputato; ma, anche da un Professore di Lettere italiane e latine, quando non sta sull'avviso – senti: *Aldo* (= alto), *Calge* (= calce), *Penzjìero*...[15].

Sulla pronunzia di qualche personaggio abbiamo precise testimonianze: si leggano le descrizioni che il D'Ovidio ci dà della pronunzia del De Sanctis e del Bonghi, che possono servire a illustrare due casi opposti: quello più frequente della pronunzia semidialettale, e quello delle confusioni che nascevano in chi voleva adeguarsi alla norma toscana senza troppo faticarvi[16].

---

[14] Il Fanfani narrava nel 1862 non so bene se un aneddoto o un apologo: che in un crocchio di ufficiali toscani e piemontesi questi ultimi parlavano in dialetto, e furono redarguiti da un capitano degli zuavi, che concludeva: «in Francia chi non sa il francese non è ufficiale» (articolo ristampato in *Lingua e nazione*, Milano 1872, pp. 48-49).

[15] *Vocabolario dell'uso abruzzese*, 1ª ed., Lanciano 1880, pp. IV-V.

[16] Sul De Sanctis: «Anche la sua pronunzia non era gran fatto felice. Ben poco s'era liberato dei vezzi fonetici meridionali; e forse per paura di questi sdrucciolava, com'altri della sua regione, nel proferire poi, mettiamo, *incegno* per *ingegno*, o *lempo* per *lembo*. Inoltre, caso pur frequente nella sua regione, pronunziava il *d* o il *t* suppergiù come farebbe un inglese, più simili a linguali che a dentali. Tendeva a pronunziare le parole come *ciò* e *giusto* quasi come *chiò* e *ghiusto*» (F. D'Ovidio, *Rimpianti*, Palermo 1903, p. 110); sul Bonghi: «La pronunzia avrebbe voluto che riuscisse toscana, e in gran parte toscaneggiava difatto, ma dava sistematicamente in certi vezzi che egli s'era imposti perché sedotto da analogie fallaci. Pronunziava, poniamo, *forte* o *corpo*, *negletto* o *petto*, con la vocale chiusa, perché

Quanto al lessico, mentre per i campi più elevati, i dibattiti di idee, l'attività politica, ecc., non vi sono discrepanze notevoli, per ciò che concerne le cose legate alla famiglia, alla casa, alla terra vi sono fortissime differenze tra una regione e l'altra e talvolta fra un luogo e l'altro. I più non se ne preoccupano; ma parecchi ritengono che l'unico modo di uscire da questa situazione sia il divulgare la conoscenza della nomenclatura familiare toscana: si pensi ai dialoghi di E. L. Franceschi e di P. Petrocchi[17] e ai capitoli sulla «lingua che non si sa» e sulla necessità dello studio del vocabolario nell'*Idioma gentile* del De Amicis.

Si moltiplicano in questi anni i vocabolari dialettali, che si propongono, accanto allo scopo documentario, quello di fornire le corrispondenti voci italiane per quelli che le ignorassero[18]; e le raccolte di voci di italiano regionale considerate erronee: piemontesismi, venetismi, abruzzesismi, sardismi ecc.[19].

In complesso l'italiano parlato in questo mezzo secolo si è esteso notevolmente nell'uso a spese dei dialetti, anche se è difficile precisare in modo obiettivo la misura di questa estensione.

6. *Il linguaggio della prosa*

Chi consideri panoramicamente la prosa quale si scriveva correntemente prima dell'unità nazionale e dopo il primo cinquantennio di vita comune, noterà certo un considerevole progresso sia per quello che concerne l'unità (cioè l'esprimere le stesse idee con le stesse parole) sia per quel che concerne la vicinanza con la lingua parlata. Valga un esempio. Nel 1877 usciva l'*Assommoir* di Émile Zola, e poco dopo i traduttori italiani si mettevano all'opera per far conoscere quel tipico prodotto della scuola naturalistica francese. Ecco una mezza paginetta, quale la tradussero il napoletano Emmanuele Rocco, di tendenza tradizionalistica (1879), e il pistoiese Policarpo Petrocchi, di tendenza manzoniana (1880)[20]:

credeva che anche in simili voci fra il toscano e il napoletano vi sia quella differenza che è in *posto* o *fioretto*: e diceva *viaggio* come un toscano direbbe *Biagio*. Se profferiva *soggetto*, cadeva in tutti e due codesti falsi toscanismi. Spesso metteva l'esse dolce fuor di proposito...» (F. D'Ovidio, *Rimpianti*, cit., p. 24).

[17] E. L. Franceschi, *In città e in campagna: dialoghi di lingua parlata*, Torino 1868 e succ. edizioni; P. Petrocchi, *In casa e fuori: racconto dialogico illustrato*, Milano 1893.

[18] Scarsi risultati ebbe un concorso ministeriale bandito nel 1890 per una serie di vocabolari dialettali.

[19] Vedine un ampio elenco in E. Monaci, *Pe' nostri Manualetti*, Roma 1918, pp. 43-50.

[20] Il Petrocchi dice nella prefazione d'aver tradotto il romanzo per dimostrare fallace l'asserzione che in Italia non si sarebbe potuto tradurre il romanzo zoliano per colpa della lingua; e dice d'averlo tradotto «senz'un vocabolo letterario, senz'una parola che non sia popolare in Toscana; e anche senza nessuna perifrasi».

Gervasia, sempre rispondendo con compiacenza, guardava attraverso i vetri, fra i boccali di frutte in acquavite, il movimento ch'era nella strada, ove l'ora della colazione radunava una calca straordinaria. Sui due marciapiedi, nel breve spazio che le case chiudevano in mezzo, vedevansi passi frettolosi, braccia ballonzolanti, un continuo urtar di gomiti. Quelli ch'erano in ritardo, operai trattenuti dal lavoro, col viso stravolto dalla fame, attraversavano la via a gran passi, entravano di rimpetto da un panattiere; e quando riapparivano, con una libbra di pane sotto l'ascella, andavano tre porte più su, al *Vitello a due teste,* a mangiare un pasto di sei soldi. V'era pure, accanto al panattiere, una trecca che vendeva patate fritte e telline al prezzemolo; una fila continua di operaie, in lunghi grembiali, portava via dei cartocci di patate e delle telline nelle tazze; altre fanciulle graziose in capelli, d'un aria delicata, compravano mazzi di ravanelli.

Quando Gervasia s'inchinava da un lato, scorgeva altresì una bottega di pizzicagnolo, piena di gente, d'onde uscivano fanciulli che tenevano in mano, involta in carta ingrassata, una costoletta crostata, un rocchio di salsiccia o un pezzo di sanguinaccio caldo caldo. Intanto, lungo la strada impegolata di una melma nera, anche quand'era bel tempo, in mezzo allo scalpiccio della folla che camminava, alcuni operai abbandonavano già le taverne, scendevano a frotte, andando a zonzo, battendosi le cosce con le mani aperte, rimpinzati di cibo, tranquilli e lenti in mezzo agli spintoni della tumultuosa calca.

Si era formato un gruppo dinanzi alla porta dello Scannatoio.

– Di' su, Bibi la Grillade, domandò una voce rauca, ci paghi una bevuta in giro di vitriolo?*

E. Zola, *L'Assommoir* (Lo Scannatojo). Trad. di Emm. Rocco, Milano 1879, p. 40 segg.

La Gervasa nel tempo che rispondeva con compiacenza, guardava attraverso i vetri, tra i vasi di frutte in guazzo, il movimento della strada, dove l'ora della colazione tirava una gran calca di gente. Sopra i due marciapiedi, nella stretta gola delle case, c'era un affrettar di passi, un dondolar di braccia, un darsi delle gomitate senza fine. Gli operai tardivi, stati trattenuti al lavoro, colla cèra annoiata per la fame, attraversavano il lastricato a lanci, entravano di rimpetto da un fornaio, e quando riapparivano, con una libbra di pane sotto il braccio, andavano tre usci più avanti, al *Vitello dalle due teste,* a mangiare una solita da trenta centesimi. C'era anche, accanto al fornaio, una fruttaiola che vendeva delle patate fritte e delle telline col prezzemolo; una sfilata continua d'operaie con grembialoni, portavan via dei cartocci di patate e telline nelle tazze; dell'altre, graziose ragazze in capelli, con aria delicata, compravano dei mazzi di radici.

Quando la Gervasa si chinava, vedeva pure una bottega di norcino piena di gente, di dov'uscivan dei ragazzi con una braciola panata in mano, avvolta in una carta unta, una salsiccia o un biroldo caldo fumante. Intanto, lungo la strada impeciata d'un fango nero, anche col bel tempo, per lo scalpiccio della folla in movimento, alcuni operai lasciavan di già le bettole, scendevano in crocchi, bighellonando colle mani aperte e ciondoloni che gli battevano nelle cosce, inghebbiati di mangime, tranquilli e lenti in mezz'agli urtoni della folla.

Un crocchio s'era formato all'uscio dell'Assommuàr.

– Dimmi dunque, Bibì-braciola, domandò una voce fioca, lo paghi te un giro di zozza?

E. Zola, *L'Assommuàr*. Trad. in lingua italiana parlata dei prof. Petrocchi e Standaert, Milano 1880, p. 34 segg.

*Spirito di vino.

Prescindiamo per un momento dalla personalità dei due traduttori, e consideriamoli come i rappresentanti di due tendenze che, con innumerevoli sfumature tennero il campo ancora per alcuni decenni dopo l'unità. Nel 1910, due traduzioni così profondamente diverse sarebbero impensabili.

La mediazione era stata preparata da quella che il Carducci chiamava con dispregio la «prosa borghese» (De Amicis, ecc.)[21], di cui invece il Pancrazi riconosce i meriti: «la *prosa borghese* che in quegli anni si venne formando sulla tradizione manzoniana e sugli stampi regionali e sull'esempio del naturalismo francese, rispondeva a un bisogno... vitale: era la prosa della nostra vita media, sarebbe stata la prosa del romanzo e della novella italiana»[22]. Tra i critici, naturalmente, v'è chi tende piuttosto a sottolineare questo progressivo raccostamento, chi a lamentarsi che una sufficiente conformità non sia ancora raggiunta[23].

A operare questo conguagliamento nella lingua scritta quotidiana media valse in primo luogo, come abbiamo accennato, la palestra della vita.

Notevole efficacia mediatrice ebbero le riviste letterarie (va ricordato come primo e più notevole esempio il *Fanfulla della Domenica*, fondato da F. Martini nel 1879; intorno al 1910 conterà soprattutto *La Voce*) e i giornali meglio scritti.

Ma ben s'intende che anche sulla lingua scritta quotidiana fortemente agisce l'esempio degli scrittori d'arte. Delle maggiori correnti basterà qui dare un brevissimo cenno.

Mentre il filone tradizionalistico si viene estenuando in alcuni attardati (come gli scrittori della «scuola romana»), il Carducci crea un nuovo esempio di prosa alta, temperata nella consuetudine con i classici latini e italiani, ma con felici spunti di toscanità nativa. E a lui più o meno fanno capo tutti quelli che propugnano la dignità della lingua letteraria illustre: «una lingua letteraria dotta e aristocratica – dice E. Scarfoglio nella nuova prefazione (1911) al suo *Libro di Don Chisciotte* – non può alimentarsi ai cento torrentelli impetuosi della lingua parlata,

---

[21] Si ricordi come definiva questa prosa borghese la Serao: «Guardate qui a Napoli: abbiamo tre lingue; una letteraria, aulica, sognata non reale; una dialettale, viva, chiara, pittorica, sgrammaticata, asintattica; una media che dirò *borghese*, che è scritta dai giornali che ripulisce il dialetto sperdendone la vivacità e tenta imitare la lingua aulica senza ottenerne la limpidezza» (in Ojetti, *Alla scoperta dei letterati*, p. 275 della rist. Pancrazi).

[22] *Il Ponte*, I, 1945, p. 44.

[23] Nelle interviste ojettiane raccolte nel citato volumetto *Alla scoperta dei letterati*, il Bonghi si lagnava: «oggi, nel fatto, la lingua italiana non esiste nelle opere stampate. Tra la prosa sciatta e frettolosa di certi giornalisti e la prosa preziosa e affettata di Gabriele D'Annunzio, non si sa trovare il giusto mezzo. Uno lo avrebbe trovato, Ferdinando Martini, ma non ha vigore e novità» (p. 250); cfr. analoghe doglianze del De Roberto) («Ci vorranno anni e anni perché quest'istromento sia limato e solido», p. 135).

ma bensì al nobile serbatoio della lingua scritta, la lingua degli oratori, degli storici e dei poeti latini»[24].

Quanto all'influenza manzoniana, bisogna distinguere: mentre generalmente si riconosce l'efficacia dell'esempio dato dai *Promessi Sposi* per insegnare a «scrivere con naturalezza»[25], molte sono le contestazioni sulla sua teoria (cfr. § 8) e gli attacchi contro quelli che l'applicano: parecchi se la prendono con il noto esperimento del Broglio, la *Vita di Federico il Grande*, in cui tanto spesso parole, forme, frasi familiari toscane sonavano false, perché troppo popolari in relazione con l'argomento[26].

Di benaltro tono era la nativa toscanità che risonava nel Collodi o in Yorick, nel Martini o nel Fucini, e più tardi nel Papini o nel Palazzeschi.

Dopo la breve stagione degli Scapigliati, antiretorici, che cantano l'orrido, il macabro, il diabolico, domina per qualche decennio, nelle forme più varie, la tendenza veristica: gli autori si propongono di far rivivere nei loro romanzi gli ambienti popolari, delle città e delle campagne; e ciò ha importanza anche per la storia della lingua, perché se i più si limitano a adoperare, per ottenere il color locale, qualche espressione in dialetto, il Verga riesce nei migliori dei suoi romanzi a riassorbire i costrutti dialettali nel tessuto narrativo. Vero è che il suo stile parve al tempo suo troppo ardito ed ebbe scarsa influenza. Né influenza si può dire che avessero gli impasti assai originali di un Dossi[27], di un Faldella, oppure di un Imbriani.

Sulla generale piattezza della prosa si leva come «voce d'altura» quella di Gabriele d'Annunzio, che fu soprattutto «artefice della parola»[28]. Per esprimere le più varie sensazioni, umane, superumane,

---

[24] Commemorando il Carducci appena scomparso, lo stesso Scarfoglio diceva: «Ci insegnò che la lingua dell'arte italiana non è nata pei trivi dialettali, come pretendevano i corvi e le cornacchie appollaiate sugli ormai nudi alberi del romanticismo, ma è stata foggiata sull'incudine della tradizione latina da una oligarchia di letterati nutriti di midollo plastico» (*Le più belle pagine*, Milano 1932, p. 213).

[25] V., oltre alla prefazione del Giorgini al *Novo vocabolario* di Giorgini e Broglio, p. LVII, le parole dell'Ascoli (cit. a p. 618), e quel che diceva il D'Ancona nel suo *Manuale della letter. italiana*: «quello... che ha la prosa moderna di precisione, di naturalezza, di popolarità, di densità di pensieri in confronto della prosa accademica e compassata, già troppo in onore, si deve per grandissima parte al Manzoni» (V, p. 289).

[26] Cfr. § 17, pp. 648-649. Sul dilagare del fiorentinismo d'accatto, vedi anche F. Martini: «inondò le scuole una colluvie di storie, ove i personaggi di Sallustio e di Livio parlano come i contadini del pian di Lecore o i fruttaioli di via dell'Ariento; né si giurò più che per il Giusti e sul Giusti, lui solo inimitabile, lui maestro unico di ogni eleganza» («Giuseppe Giusti», in *Pagine raccolte*, Firenze 1912, p. 36).

[27] D. Isella, *La lingua e lo stile di C. Dossi*, Milano-Napoli 1958.

[28] Nell'ampia bibliografia, mi limito a rimandare a M. Praz, «D'Annunzio e l'amor sensuale della parola», nel suo volume *La carne, la morte e il diavolo nella letteratura romantica*, Milano-Roma 1930, 2ª ed. Firenze 1948, e a B. Migliorini, «G. d'Annunzio e la lingua italiana», in *Saggi Novecento*, pp. 222-250.

ferine, egli allarga il vocabolario ben oltre i limiti consueti, ricorrendo a voci arcaiche, dialettali, tecniche (tratte, per esempio, dalla *Storia naturale* del Pokorny o dal *Vocabolario marino e militare* del Guglielmotti), attingendo al latino o al greco (direttamente o magari attraverso i simbolisti francesi). «La vita – dice il Bellonci[29] – dalle lettere degli amanti ai proclami della politica, prese le forme dannunziane; e le donne diventarono le *elette* dove gli uomini erano i *despoti*». Questa influenza si fece sentire specialmente nel giornalismo, nel quale si divulgarono numerosi vocaboli e giunture dannunziane: *teoria* nel senso di «processione, fila», *velivolo, irreale, malioso, aromale, liliale*[30], *sinfonia di odori, la declinazione del giorno, una fascinazione di continenti sconosciuti, i dolori di nostra gente, quel volto di giovane iddio, temeva non forse egli avesse*, ecc.

Grande rumore levò il movimento futurista, propugnando innovazioni radicali: «l'irruenza del vapore-emozione farà saltare il tubo del periodo, le valvole della punteggiatura e i bulloni dell'aggettivazione» (Marinetti, *Zang tumb tumb*, Milano 1914, p. 10). Ma l'influenza sulla lingua comune fu insignificante.

Ancor più che i narratori, stentano a trovare un tono garbato e naturale gli autori teatrali, soprattutto perché l'uso parlato è poco sciolto e poco uniforme. Giova fino a un certo punto alla scioltezza, ma non certo alla purezza della lingua, il fatto che la maggioranza dei drammi che si recitano in Italia sono cattivi raffazzonamenti di drammi francesi.

Naturalmente, chi voglia tener conto del linguaggio della prosa nel suo complesso, non solo non potrà trascurare gli scrittori di scienze morali (gli storici, i filosofi, ecc.), ma dovrà anche tener conto degli «scrittori utili ma non artisti» (come li chiamava l'Ascoli): per citar solo un esempio, la terminologia di C. Lombroso e della sua scuola interessa di per sé, e interessa in quanto qualche termine ne filtra nel lessico usuale (per es. *mattoide*).

Hanno molta importanza anche le terminologie scientifiche e tecniche: numerosissimi vocaboli (di medicina, ad es., o di elettricità, per lo più di conio internazionale) arrivano a penetrare nell'uso quotidiano. Importa molto la terminologia giuridica, soprattutto per le precise delimitazioni concettuali che essa pone.

L'influenza del linguaggio amministrativo è più che mai forte, e più che mai osteggiata dai puristi[31]: oltre alle coniazioni di vocaboli singoli

---

[29] *Annali dell'Istr. media*, X, p. 240.

[30] «Di aggettivi *exornanti* e *gabrielici* farete uso moderato: sacrificatene uno ogni tanto per propiziarvi la dea dell'eleganza e della snellezza e della naturalezza»: così il Pascoli in una lettera a A. De Witt del 1896 (T. Rosina, *Saggi dannunziani*, Genova 1952, p. 129).

[31] Si veda, per citare un esempio, il commento del Cerquetti a una relazione della Commissione d'inchiesta sulla scuola secondaria (nel periodico *L'Unità della lingua*, 1 maggio 1873, pp. 129-135): egli biasima *presiedere la Commissione*

come *realizzo*, *periziare* e simili (v. p. 643), oltre a nuove locuzioni (*donna attendente a casa*), è caratteristico della lingua amministrativa l'abuso di formule fisse: *prelodato* può andar bene se si riferisce a un personaggio autorevole, ma può accadere che un burocrate scriva in una relazione «i *prelodati* lupi»; e così si spiega bene «un libello *a base* di calunnie», ma non altrettanto «una rissa *a base* di zoccolate»...

Non meno forte è l'azione esercitata sulla lingua comune scritta dal giornalismo, che anch'esso contribuisce a propagare luoghi comuni e formule fisse (*il fior fiore dei cittadini, sotto l'egida del sindaco, i lieti concenti, ecc.*).

Chi volge l'occhio all'arte dello scrivere ammirerà il classico e pur vivace Carducci, il lussureggiante D'Annunzio, il meditato e composto Croce: ma bisogna (purtroppo) riconoscere che sulla prosa scritta quotidiana (nelle lettere, poniamo, di un tizio qualsiasi) l'azione esercitata dal linguaggio burocratico e da quello giornalistico è più forte che quella di un Carducci, di un D'Annunzio, di un Croce.

7. Il linguaggio della poesia

I decenni che chiudono il secolo XIX conducono ancor più innanzi quella progressiva riduzione della lingua aulica tradizionale che il romanticismo aveva iniziata. Il realismo tende a introdurre nei versi argomenti quotidiani, domestici, borghesi, e quindi a servirsi di voci dell'uso: «Suoni l'ode alla calce e al rettifilo» (Boito, *Case nuove*, 1866); «Si stava assai benino - un tempo a la Regina: - buona cucina, - ottimo vino» (V. Betteloni, «Per una crestaia»); «E davanti a un gelato di crema alla vainiglia» (De Amicis, «Fra cugini»); «al fuoco la salsiccia odora e il vino splende» (S. Ferrari, «Nostalgia»), ecc.

Ma nascono irreparabili dissonanze stilistiche fra questo lessico andante e il molto che ancora persiste del lessico aulico[32]: «col falerno - diamo la baia al verno» (Prati, «Iside»); «gli umidi campi redolenti - di nepitella» (Rapisardi, «Ottobre»), «le iperboree sizze» (Rapisardi, *Giobbe*)[33], ecc.

La consuetudine al lessico aulico è tuttavia ancora tale che anche i poeti che vorrebbero esser letti dal popolo scrivono in modo che gli sarebbe certo inintelligibile. In una lirica di Eliodoro Lombardi, «Scienza e lavoro», parlano gli operai del braccio: «Ci escluser dal santo comune *retaggio* - ci han *colmi* e pasciuti di fiele e di oltraggio...».

(vorrebbe *presedere alla Commissione*), *distinto, verbale* come sost., *attribuzione, certificato*, ecc.

[32] Dobbiamo citare di nuovo i suggestivi articoli di C. De Lollis, rist. nei *Saggi forma poetica*, e il buon saggio di W. Th. Elwert, «La crisi del linguaggio poetico ital. nell'Ottocento», in *Anales del Instituto de Lingüística* (Mendoza), IV, 1950, pp. 36-81.

[33] Severino Ferrari, nel *Mago* (c. VIII) derideva le strofe del Rapisardi «gemmate di lingua aulica e trucina».

In una lirica di Giovanni Raffaelli sugli «Ospizi marini» (1868) il poeta esorta: «Ed or la *salma frale* - d'*inopia* e di fatica, - perché, scarno mortale - non *credi* all'onda amica?». Vittorio Betteloni, da alcuni rimproverato, da altri lodato per aver scritto i suoi versi in lingua parlata, usa *funesti augelli*; *spirto*; *omero mio*; la Morte dice alla Fanciulla di esser la *suprema aita*, e così via. Felice Cavallotti, quegli che fu chiamato il «bardo della democrazia», abbonda di espressioni auliche: «E l'*oste* egizia *fu*» («Marcia di Leonida»); «*prischi evi*», «il caro *fral*» («Lucerna di Parini»).

Le perifrasi care alla tradizione aulica si fanno più rare: ma lo Zanella per parlare del treno nomina «sulle compresse ali del foco - i trasvolanti carri» («Alla Madonna di Monte Berico»); nella stessa lirica il telegrafo è «l'accento - come guizzo di folgore trasmesso»; per la Bonacci Brunamonti i cannocchiali sono «concavi tubi»: «Molti segreti ai concavi - tubi assente l'aerea lontanza» («Stelle nere», II, in *Nuovi canti*).

Molto lessico poetico tradizionale è ancora nel Carducci giovane; ma nella sua miglior stagione egli rinnova il suo lessico specialmente con l'arricchirlo di latinismi, se non nuovi, non consunti dall'uso poetico dei secoli precedenti: *adamante, buccina, cortice, delubro, ilice, vulture; cerulo, flavo, fumido, occiduo, virente*, ecc.: si noterà che abbondano tra questi latinismi le parole sdrucciole, particolarmente adatte ai nuovi metri inaugurati dal poeta. Qualche altra voce egli attinge volentieri ai poeti italiani antichi, senza che sia passata per il tramite della tradizione: *aulente, piovorno*, ecc.

Mosse da lui anche Gabriele d'Annunzio, prima di prendere un suo proprio cammino. Il suo alessandrinismo lo spinge alla ricerca di parole belle e rare, il suo decadentismo fa che egli gusti la parola come una musica o come un sapore. Egli attinge a larga mano latinismi e grecismi, dialettalismi e tecnicismi: allarga insomma quanto forse non era mai stato fatto il lessico poetico. Ma le parole della tradizione aulica sono ormai ridotte a pochissime[34].

Per il Pascoli la tradizione aulica è ormai completamente finita: egli evita non solo vocaboli alieni dall'uso popolare ma anche quelli troppo generici, cari per lunga consuetudine ai poeti dal Petrarca in poi[35]; ama invece la concretezza dei vocaboli rustici, romagnoli o lucchesi, fino a riuscire talvolta inintelligibile:

[34] Già mi sono permesso di rinviare al mio articolo su «D'Annunzio e la lingua italiana». Un bel glossario dei vocaboli della poesia del secondo Ottocento, quali sono adoperati dai postcarducciani e dal D'Annunzio, è nel volume cit. del Garzia, *Il vocabolario dannunziano*, pp. 110-182.

[35] Il Pascoli lamentava che per i poeti italiani «tutti gli alberi si riducono a faggi, tutti i fiori a rose e a viole (anzi rose e viole, unite più spesso nella dolcezza del loro suono che nella soavità del loro profumo) e tutti gli uccelli a usignuoli»: Pascoli, «Il Sabato», in *Miei pensieri di varia umanità*, Messina 1903, p. 70 (= *Prose*, I, Milano 1946, p. 59).

Vogliono dire ch'han la *tiglia* soda
più che *nimo* altri che di mattinata
porti in monte il *cavestro* o la *bardella*
(«Il ciocco», I, in *Canti di Castelvecchio*)[36].

Questa tendenza pascoliana è, in sostanza, un modo di preziosismo; come si vede altrove dalla frequenza di vocaboli tecnici (*meteci, mirmilloni, mistofori, pezeteri, pulte, teda,* ecc. nei *Poemi conviviali*). D'altro canto il Pascoli spesso preferisce decadentisticamente parole vaghe, indeterminate, che con la loro musicalità possono suggerire al lettore una apertura verso mondi ignoti.

Anche per i crepuscolari, anticarducciani e antidannunziani, il lessico poetico tradizionale è ormai morto: se mai, il Gozzano qualche volta se ne vale per evocare il suo vecchio piccolo mondo (si ricordi, nel «Viale delle Statue», l'ava che pellegrinava «lungh'essi · i bussi e i cipressi»).

Nei futuristi lo sforzo di liberarsi da ogni vecchia consuetudine (v. p. 680) si combina con un esasperato metaforismo che fa pensare ai secentisti («O vento crocifisso dai chiodi delle Stelle!»: Marinetti, *Distruzione*, 1911).

Vediamo, insomma, che il verso e la prosa si sono raccostati moltissimo: il verso sta diventando simile alla prosa e la prosa al verso. Abolito, salvo qualche sporadico resto, il lessico poetico tradizionale, i soli espedienti linguistici di cui i poeti dispongono quando vogliono valersi dei versi consueti (e molti inclinano invece al verso libero) sono una certa libertà nei troncamenti e nelle dieresi, e una maggior libertà nell'ordine delle parole («E ancor ne odora la *campestre via*»: Bertacchi).

Anche il linguaggio del teatro in versi (Cossa, Giacosa, Cavallotti) non si scosta di molto dalla prosa. Invece il melodramma conserva di solito «quell'ambiguo gusto linguistico, tra romantico e classico, in nome del quale Francesco Maria Piave, con abuso retorico, avrebbe fatto *ascendere* Alfredo Germont alle *egre soglie* di Violetta, e dichiarava alla medesima di avere *di lacrime d'uopo*, volendo significare che aveva voglia di piangere»[37].

---

[36] Il Mantovani (*Letteratura contemporanea*, Roma 1903), a proposito di versi come questi, parlava di «passi in turco»; più mitemente il Baldini: «le parole più umili, più villerecce, spesso da intendersele solo due birocciai di Barga fra di loro» (*Fine Ottocento*, Firenze 1947, p. 229). Il Contini (nel vol. miscellaneo *Studi pascoliani*, Faenza 1958, p. 47) ha giustamente osservato che i dialettantismi pascoliani sembrano molto determinati: «pure in effetti la precisione è sfuggente, in realtà assistiamo a una forma di evasione impressionistica».

[37] Baldacci, *I poeti minori dell'Ottocento*, I, Milano-Napoli 1958, p. XII.

8. Discussioni sulla lingua

I primi decenni di vita del nuovo regno sono pieni delle dispute ravvivate con giovanile fervore dal Manzoni[38].

Veramente, negli anni in cui si sentiva come imminente il compiersi dell'unità politica con Roma capitale, qualche dubbio era sorto nel Manzoni stesso intorno alla sua tesi che l'italiano dovesse prendere a modello Firenze[39].

Ma la principale manifestazione della tesi fiorentina del Manzoni si ebbe nel breve periodo in cui Firenze fu capitale. Nominato ministro della pubblica istruzione (il 27 ottobre 1867) il milanese Emilio Broglio, grande ammiratore del Manzoni e seguace delle sue idee, pensò bene di romper gli indugi, e di dare la spinta al vagheggiato vocabolario, di cui il Manzoni «doveva essere il maestro di cappella» (Prefaz. al *Novo Vocabolario*, vol. III, p. xiv). Il 14 gennaio 1868 fu nominata una commissione con il compito «di ricercare e proporre tutti i provvedimenti e i modi, coi quali si possa aiutare e rendere più universale in tutti gli ordini del popolo la notizia della buona lingua e della buona pronunzia»: la commissione era suddivisa in due sezioni, una milanese e una fiorentina; presidente generale era il Manzoni, vicepresidente il Lambruschini. Benché quasi ottantenne, il Manzoni si accinse a stendere la relazione «con un'alacrità, quasi direi una furia, davvero prodigiosa in quell'età» (Broglio, 1. c.). Già il 19 febbraio egli mandava il testo autografo al Broglio, accompagnandolo con una lettera in cui si diceva grato d'aver ricevuto «un incarico che m'onora, e che è tanto conforme a una mia vecchia passione».

Nella relazione (intitolata *Dell'Unità della lingua e dei mezzi di diffonderla*) il Manzoni mostra la necessità d'una lingua comune per tutta la nazione, e sostiene «che l'accettazione e l'acquisto dell'idioma fiorentino sia il mezzo che possa dare di fatto all'Italia una lingua comune». Lingua «non è, se non è un tutto; e a volerla prendere un po' di qua e un po' di là, è il modo d'immaginarsi perpetuamente di farla, senza averla fatta mai». Egli risponde, una per una, alle principali

---

[38] Sorvoleremo in questo paragrafo su tanti autori minori; ma non vogliamo lasciare senza menzione l'articolo di P. Valussi, «La lingua nel rinnovamento nazionale italiano», in *Rivista contempor.*, gennaio 1863, pp. 17-33, ricco di osservazioni e di assennate proposte.

[39] Si veda il poscritto confidenziale a una lettera a G. B. Giorgini, del 5 ottobre 1862 (in *Manzoni intimo*, a cura di M. Scherillo, II, Milano 1923, p. 197): «Mi sono anche ben guardato d'addurre un motivo che mi leverebbe una gran parte di coraggio, ... la gran probabilità che la capitale sia per essere altrove che a Firenze. Prima d'ora, se questa non era riconosciuta unanimemente e costantemente per la sede della lingua, non c'era però alcuna altra città che, in questo, le potesse contendere il dominio; e chi avesse riconosciuto che la lingua s'ha da prendere da una città, era costretto a nominar Firenze. Ma una capitale ha, per la natura delle cose, una grande influenza sulla lingua della nazione. Sarebbe credo, un caso unico che il capo della nazione fosse in un luogo e la sua lingua in un altro».

obiezioni che immagina possano essergli fatte intorno alla scelta di Firenze, e intorno all'utilità di un vocabolario dell'uso vivo fiorentino[40]. La relazione conclude col tributar lode al ministro dell'aver «avviata per la vera strada una questione di tanta importanza; giacché dopo l'unità di governo, d'armi e di leggi, l'unità della lingua è quella che serve il più a rendere stretta, sensibile e profittevole l'unità d'una nazione».

Mentre la lettera al Carena, pubblicata nel volume delle *Opere varie* aveva avuto un'eco limitata (pp. 652-653), la *Relazione*, subito pubblicata nella *Nuova Antologia* di Firenze e nella *Perseveranza* di Milano, ebbe grandissima risonanza. Erano passati più di vent'anni e l'Italia si trovava nel periodo decisivo della sua unificazione politica. Inoltre l'iniziativa non si presentava più come una critica privata di un insigne scrittore a un vocabolario troppo composito; ma come una precisa proposta, fatta per incarico ufficiale, la quale in certo modo invitava a un pubblico dibattito.

Molti sorsero a plaudire e ad echeggiare, molti a contraddire con libri, opuscoli, articoli. Luigi Settembrini scrisse al Broglio, il 22 marzo 1868: «Che mi avete fatto, onorevole Signor Ministro! *Confregisti opus quinquaginta annorum*! mi avete guastato l'antica e bella statua di Alessandro Manzoni, che voi Lombardo dovevate più degli altri conoscere, rispettare, e non farlo parlare. Perché sforzare il vecchio e venerando Priamo a riprendere le armi e scagliare *telum sine ictu*?...».

L'animoso vegliardo, ormai in mezzo alla mischia, si batteva con ardore. Eccolo sostenere con una lettera «intorno al libro *De vulgari eloquio*» (*Perseveranza*, 21 marzo 1868) che nel trattato dantesco «non si tratta d'una lingua, né italiana, né altra qualunque». Eccolo rispondere al Tigri, pistoiese (il quale aveva scritto: «Non dubito punto che quando il Manzoni diceva che l'idioma nazionale dovesse essere il *fiorentino*, non volesse intendere il *buon toscano*»), che, date le varietà che si hanno anche in Toscana, intendeva proprio dire *fiorentino*, e che «il concetto di questa unità che è la vita delle lingue» è «anche la condizione per poterle diffondere; giacché per camminare bisogna essere».

Infine, riprendeva la penna, tra la fine del '68 e il principio del '69, per rispondere all'altra relazione presentata al ministro dal Lambruschini (a nome della sottocommissione fiorentina), piena di riguardi per il Manzoni, ma sostanzialmente negativa[41]. Il volumetto di risposta s'intitolò *Appendice alla Relazione intorno all'unità della lingua e ai mezzi per diffonderla* (Milano 1869).

L'*Appendice* è meno organica della Relazione e salta un po' «di palo in frasca», perché il Manzoni vuol chiarire il suo pensiero sui punti in

---

[40] Accanto a questo principale provvedimento, altri la Commissione ne proponeva al ministro (preferenze da accordarsi agli insegnanti toscani, ecc.).
[41] Vedila nella *Nuova Antologia* del maggio 1868.

cui gli sembra che sia stato frainteso. Nega così che esista una serie di vocaboli «riservata a uso particolare delle persone di Lettere»; contesta che la compilazione del dizionario dell'Uso possa esser fatta con un processo di eliminazione. Confrontando alcuni articoli del dizionario dell'Accademia francese con quelli corrispondenti del Vocabolario della Crusca, lamenta che non si sia riconosciuta in Italia l'autorità dell'Uso come si è fatto in Francia, ma nota che ciò è in parte dovuto alle diverse condizioni dei due popoli. Coglie l'occasione per confermare in breve alcune «leggi generali del linguaggio» applicate «alle circostanze particolari dell'Italia», e conferma così la sua definizione del «vero e intero Uso delle lingue; cioè una totalità di segni prodotta da una totalità di relazioni, quale esiste, per effetto naturale, in una popolazione riunita e convivente». Accoglie dalla relazione fiorentina il suggerimento di un prontuario di gallicismi, in quanto siano superflui, purché accanto ad essi vi siano nell'uso fiorentino voci corrispondenti. Nega che la sua proposta conduca «a uno sconvolgimento, a una rivoluzione generale in fatto di lingua».

La trattazione è vivace, ricca di richiami, di citazioni, d'aneddoti, forse un po' chiacchierina; e si chiude con un'esortazione appoggiata a un ricordo patriottico: «Ventun anno fa, tra vari pareri (non erano allora, né potevano esser altro) intorno all'assetto politico che convenisse meglio all'Italia, ce n'era uno che chiamavano utopia, e qualche volta, per condescendenza, una bella utopia. Sia lecito sperare che l'unità della lingua in Italia possa essere un'utopia come è stata quella dell'unità d'Italia».

Il 24 ottobre 1868 il Broglio aveva intanto istituito per decreto «una Giunta incaricata di compilare il Dizionario della lingua dell'uso fiorentino», con quattro membri ordinari e alcuni straordinari; egli aveva nominato anzi sé stesso presidente, per evitare che i lavori si fermassero quando egli non fosse stato più ministro.

Quando si cominciò a pubblicare l'opera, col titolo di *Novo Vocabolario della lingua italiana secondo l'uso di Firenze*, Graziadio Ascoli colse l'occasione per pronunziarsi intorno alla teoria manzoniana, proemiando alla sua nuova·poderosa rivista, l'*Archivio glottologico italiano* (la prefazione, datata 10 settembre 1872, uscì al principio del 1873). Riconoscendo come vero «il male, cioè la mancanza dell'unità di lingua fra gli Italiani», riconoscendo come opera molto meritoria «quella che valga a minorare questo male o a sanarlo», si ferma ad analizzare le differenze tra le condizioni storiche dell'Italia e quelle della Francia e quelle della Germania, e a mostrare quello che sarebbe potuto avvenire se condizioni simili a quelle francesi oppure a quelle tedesche si fossero avute fra noi. Quando un'attività operosa si diffonde per tutta una nazione, il «provvido rimedio» della *selezione naturale* vien presto a eliminare il «lusso di voci o locuzioni equivalenti» (p. XVIII). Ora «si viene a dire agli operai dell'intelligenza che sospendano, tanto o quanto, la propria industria, e non già per rifornire il loro apparecchio mentale col rituffarlo in una nuova serie di libri che ancora alimentino il loro pensiero e i loro studi (che sarebbe cosa tollerabile), ma per farsi a imitare (essi dicono scimieggiare) una conversazione municipale, qual sarà loro offerta da un vocabolario, da una balia, oppur dal maestro elementare che si manderà (da una terra così fertile di analfabeti) a incivilir la loro provincia» (p. xxv).

Purtroppo il motivo per cui l'Italia non ha ancora una lingua «ferma e sicura» sta «nella scarsità del moto complessivo delle menti, che è a un tempo effetto e causa del sapere concentrato nei pochi, e nelle esigenze schifiltose del delicato e instabile e irrequieto sentimento della forma» (p. xxvii). E i rimedi che ora si suggeriscono, nel «nobilissimo intento di rimediare al doloroso effetto», finirebbero col «ribadirne le cause» (ivi). «Le squisite brame di quel Grande, che è riuscito, con l'infinita potenza di una mano che non pare aver nervi, a estirpar dalle lettere italiane, o dal cervello dell'Italia, l'antichissimo cancro della retorica» (p. xxviii) hanno provocato lo «zelo illusorio o nocivo» (p. xxix) dei suoi seguaci. Se l'ideale del classicismo non si attagliava alla vera unità nazionale, le ripugnava ben di più «il nuovo ideale del popolanesimo» fiorentineggiante (p. xxxi).

Insomma, lo scopo a cui si deve mirare è «rinnovare o allargare l'attività mentale della nazione», non procurare, dopo quella antica, una nuova «preoccupazione della forma»[42].

Quando al Manzoni, ormai vicino a spegnersi, giunse notizia del proemio dell'Ascoli, dicono esclamasse celiando: «se l'Ascoli non vuole il fiorentino, pigliamo magari il bergamasco, purché ci teniamo a un linguaggio vivo e intero», e soggiungesse: «l'Ascoli ci può insegnare a tutti come le lingue *si formano*, ma vorrei che egli considerasse che cosa *è* una lingua!». Così Francesco D'Ovidio[43], il quale fin dall'anno della pubblicazione del Proemio[44] e poi in parecchi altri scritti, con molta informazione e sagacia cercò di gettare un ponte fra le due opposte dottrine.

Il purismo metteva alla disperazione il pensatore e lo scrittore che si volgesse a idee e cose nuove, o avesse da richiamar alla svelta le già note; mentre il Manzoni voleva la parola o la frase fiorentina dove questa ci fosse, ma dove mancasse lasciava libero il passo ad ogni novità, ad ogni espediente, sia di ricorrere a voci d'altri dialetti o lingue, sia di cimentarsi a nuove formazioni. In secondo luogo, non strozzava gli studi sui dialetti, anzi li favoriva e promoveva. E finalmente e soprattutto, se il Manzoni deduceva la sua dottrina pratica troppo esclusivamente dal fatto dei primi tre secoli, in cui la Toscana e Firenze ebbero una specie di dittatura linguistica, l'Ascoli guardava con troppa predilezione ai tre secoli successivi, in cui l'attività letteraria e linguistica è stata, bene o male, di

---

[42] Più pacatamente, l'Ascoli tornò sull'argomento nel 1880, per il noto articolo dell'*Encyclopaedia Britannica* (pubblicato in italiano dall'*Arch. glott. it.*, VIII: v. le pp. 125-127).

[43] *Correzioni*, pp. 119-120.

[44] Nell'articolo «Lingua e dialetto» nella *Rivista di filol. classica* (1873), poi ristampato nei *Saggi critici* e nelle *Opere*.

tutta l'Italia. Ma la nostra gloriosa e dolorosa storia abbraccia tutti e sei quei secoli, e la nostra condotta presente e futura deve di necessità discendere da essi tutti! Se negli ultimi tre secoli le condizioni d'Italia sono state rassomiglianti a quelle della Germania, nei primi tre, tanto ancora vivi nella nostra coscienza, rassomigliarono a quelle della Francia. Né si possono saltare dunque a piè pari i tre ultimi secoli, rendendo a Firenze una dittatura già deposta, né d'altro lato dimenticare neppur oggi quella che fu la nostra Parigi, o almeno la nostra Atene. Se in Germania nessuno 'discerne la culla della lingua' né ricerca il 'preciso angolo della patria tedesca' da cui scaturì la prima fonte della lingua di Lutero, di Klopstock e di Kant, in Italia invece tutti sappiamo che la culla o la fonte della lingua nostra fu la patria di Dante e di Machiavelli.

Or come dunque questa differenza così grande non avrebbe a determinarne una altrettanto grande nel modo di provvedere alle sorti della nostra lingua? Il fiorentino odierno si dovrà perciò tener sempre come un vivo specchio d'italianità sincera e fresca, e solo non prenderlo a norma quante volte diverga dall'uso letterario, ove questo è saldamente stabilito; e prenderlo come un consigliero spesso prezioso, non come un'autorità assoluta, dovunque l'uso letterario ondeggi o manchi del tutto[45].

Se oggi possiamo trovarci consenzienti in questa formula di conciliazione, dobbiamo tuttavia renderci conto dell'atteggiamento radicalmente diverso dei due maestri. Il Manzoni, che pure era così alieno da ogni specie di attività politica, si era accinto all'impresa con un preciso fine di politica culturale. Era giunto a porsi il problema sotto la spinta delle proprie necessità artistiche, per crearsi un linguaggio che permettesse un «andamento naturale e scorrevole» (lettera al Casanova); ma poi l'artista s'era fatto da parte, cedendo il posto al cittadino, preoccupato di rimediare a un inconveniente di carattere sociale. Già Dante, già il Varchi, già il Salvini avevano riconosciuto il carattere sociale della lingua; ora il Manzoni addirittura propugna una riforma di essa per giungere a un fine sociale e politico. Egli vuole che gli Italiani «di tutte le classi» giungano in un avvenire non lontano a possedere una lingua veramente comune; e pur di giungere a questo altissimo bene civile non si preoccupa che non rientrino nel programma le sue opere di poesia, come le tragedie e gli inni sacri[46].

---

[45] Prefazione alla ristampa di G. I. Ascoli, *Il Proemio all'Archivio Glottologico*, Città di Castello 1914, pp. 12-13.

[46] Nei colloqui col Tommaseo (1857), il Manzoni aveva ben detto che voleva che «la lingua della prosa fosse tutta del comune uso vivente», e «concedeva poi alla poesia un linguaggio differente» (*Colloquii col Manzoni*, cit., p. 52). E il Giorgini, nella Prefazione al primo volume del *Novo Vocabolario* (p. LVII), al Prati il quale gli aveva dedicato il suo *Armando* scusandosi che

> Il libro non è scritto in fiorentino
> ....
> ché per ridomandar, nato in Italia,
> la lingua a un'altra balia,
> poco mi giova rivagir bambino,

rispondeva così: «La poesia è fuor di questione. Per la poesia (meno i generi che imitan la prosa) è un vantaggio avere una lingua in parte diversa da quella che serve al commercio ordinario degli uomini».

Se l'avere impostato la questione non più come problema letterario ma come problema civile è altissimo merito del Manzoni, non si può disconoscere che il rimedio da lui proposto era piuttosto artificioso. Inoltre, esso misconosceva l'importanza di quell'unificazione che (sia pure in certi casi incompletamente o malamente) già si era venuta facendo attraverso la lingua scritta. E non teneva conto di quei casi (sia pur non molti) nei quali tutta o quasi tutta l'Italia era concorde, talvolta proprio per aver accolto una forma o un vocabolo fiorentino, e soltanto Firenze era discorde perché, in età relativamente prossima, aveva innovato (è il caso di *anello* per *ditale* e, *variatis variandis*, di *bono*, *novo*, per *buono*, *nuovo*).

D'altra parte la coscienza dell'Ascoli era così rigorosamente storica che mal tollerava qualsiasi intervento normativo, «glottotecnico», che in qualche modo mirasse ad accelerare la «selezione naturale».

Nel fermare l'attenzione sui due maggiori protagonisti della disputa e sul più acuto dei mediatori, non abbiamo inteso negare l'importanza delle discussioni condotte da numerosi altri studiosi, dal 1868 in poi[47]. Intervennero a favore del Manzoni, con varia competenza e varia energia, oltre al Giorgini e al Broglio, il Buscaino Campo, il Morandi, il Petrocchi, il De Amicis e alcuni altri; contro il Manzoni, o contro gli abusi della teoria manzoniana, il Fanfani, il Gelmetti, il Settembrini, l'Imbriani, lo Scarabelli, il Caix, lo Scarfoglio, il Dossi e, più autorevole degli altri, il Carducci[48].

Col secolo nuovo, le dispute sono ormai in gran parte placate. Nel fatto, le differenze sono già molto minori; e ci si accorge che continuare a discutere in astratto giova assai poco.

Ma c'è un'altra questione che sempre si rinnova. Abbiamo già visto (§ 4) come il purismo del Cesari e del Puoti non avesse ormai più séguito nella nuova Italia unita. Tuttavia il turbinoso pullulare dei francesismi e delle voci burocratiche, la trascurataggine sintattica e stilistica che domina negli scritti pratici, e non solo in quelli, suscita vive proteste.

Pietro Fanfani, parlando di Firenze capitale dice che essa «dopo il *trasporto* è, per la più parte della gente nuova, poco di meglio che una tana da fiere...: è degna di riso la lingua che vi si parla, o non certo

---

[47] Vedi l'elenco dato da G. Sforza, nell'*Epistolario* del Manzoni, II, pp. 350-353, e i riassunti del Vivaldi, *Le controversie intorno alla nostra lingua*, 1ª ed., III, passim.

[48] Oltre al notissimo verso contro il «manzonismo degli stenterelli» («Davanti San Guido», nelle *Rime nuove:* il Mazzoni e il Picciola giustamente interpretano «lo stenterellismo dei manzoniani»), si ricordi specialmente la pagina delle *Mosche cocchiere*, in cui immagina il «sognaccio d'incubo» del ministro Broglio, che aveva visto «nostra madre Italia puntargli le ginocchia sullo stomaco... Impugnava con l'una mano l'asta quirite e con l'altra lo scudo sabaudo, ma non aveva lingua...» (*Opere*, XXV, pp. 367). Cfr. anche, per citare solo qualche passo più caratteristico, *Opere*, XXIII, pp. 238-239, XXIV, pp. 161-162; *Lettere*, XIII, p. 125; e v. § 17.

degna di scambiarsi co' dialetti dell'altre parti d'Italia»[49]. Brunone Bianchi denuncia «il leppo ostrogotico tra cui siamo avvolti» (lettera al Fanfani, 1867)[50]. Il Mamiani si lamenta: «...il quesito non versa sopra il conoscere se v'abbia una lingua italiana, ma sopra il modo di salvarla, tanto si va ogni dì sciupando ed infranciosando!» (lettera al Fanfani, 18 ottobre 1868)[51].

Il Tommaseo traccia sconsolatamente un quadro della lingua contemporanea: «abbiamo un gergo composto di vocaboli e maniere esotiche, stranamente figurate, ricercate nella ineleganza, ridevoli a chi ne conosce l'origine e gli sformamenti patiti passando a noi... Non solamente negli uffizi pubblici e nelle scuole, nelle botteghe e nelle officine, ne' giornali e nelle assemblee, il contagio di questo gergo si va diffondendo, ma penetra negli scritti più accuratamente studiati, nel consorzio della vita domestica...»[52].

E potremmo continuare a lungo citando lamenti di questo genere, anche nei decenni successivi, e non solo da parte degli epigoni del purismo (Arlìa, R. Fornaciari), ma anche da parte di scrittori di formazione assai diversa (De Amicis, Martini, D'Annunzio, Panzini...): segno, da un lato, della gravità della crisi di crescenza che l'italiano subì con l'allargarsi del suo uso a tante nuove cerchie; segno, d'altro lato, del sempre rinascente culto per l'eleganza della parola e dello stile, di contro all'affermarsi delle convenienze pratiche.

Com'è ovvio, le dispute della lingua spesso sono indissolubilmente consertate con censure alla lingua individuale di singoli scrittori. Quando i *Promessi Sposi* furono inclusi nel 1883 dalla Crusca fra i testi da citare nel Vocabolario, il Tribolati trovò da ridire. Contro il De Sanctis e i suoi «mondi» (*il mondo intellettuale, il mondo morale* e simili) sono numerosi quelli che protestano (Fornaciari ed altri). Avversano la lingua del Verga il Petrocchi, lo Scarfoglio, ecc. E tutti ricordano le numerose critiche e parodie alla lingua e allo stile del D'Annunzio, e la ribellione fra i letterati e il pubblico suscitata dai futuristi.

9. *Grammatici e lessicografi*

Anche fra i grammatici, si sentono le risonanze della disputa manzoniana: mentre il più ricco fra i manuali (quello di R. Fornaciari, *Grammatica italiana dell'uso moderno* e *Sintassi italiana dell'uso moderno*, Firenze 1881) si appella per lo più ad esempi di scrittori classici, e qualche volta ad esempi più recenti (Manzoni, Giusti, Tommaseo), le grammatiche dei manzoniani (Petrocchi, 1887; Morandi-

[49] *Il Borghini*, III, 1865, p. 764.
[50] Cit. da P. Fanfani, *Bibliobiografia*, p. 111.
[51] Ivi, p. 118.
[52] *Aiuto all'unità della lingua. Saggio di modi...*, Firenze 1874, p. I.

Cappuccini, 1894) si richiamano ad esempi senza citazioni d'autore (quella di Morandi e Cappuccini professa di attenersi all'uso civile fiorentino «senza punto occultare, anzi mettendone in rilievo i rari e leggeri dissensi con l'uso vivo generale italiano», p. IX).

L'opera dei lessicografi presenta, accanto a un rifacimento del Tramater a cura di L. Scarabelli (Milano 1878), il più ricco e originale *Dizionario* di N. Tommaseo e B. Bellini, pubblicato a Torino dalla casa Pomba dal 1861 al 1879. La parte migliore è quella compilata direttamente sotto la guida del Tommaseo (fino al vocabolo *Se*). Benché non sempre i materiali siano stati vagliati con rigore e le etimologie siano spessissimo infondate, l'insuperata ricchezza di esempi rende tuttora indispensabile quest'opera.

Nel 1863 uscì il primo volume della 5ª impressione del *Vocabolario degli Accademici della Crusca*, con un'importante prefazione di Brunone Bianchi, e lentamente negli anni successivi gli tennero dietro altri volumi: il X uscì nel 1910 (mentre l'XI, anche a causa della guerra mondiale, uscì solo nel 1923, e dopo di esso l'opera fu interrotta). Gli esempi inclusi nel *Vocabolario* sono scelti entro un canone definito; si tien conto, secondariamente, anche dell'uso parlato toscano; spesso discutibile è l'ordinamento in paragrafi, troppo spezzettati. A un *Glossario* dovevano essere riserbate le voci uscite dall'uso, ma dopo un primo fascicolo, per le lettere A-B (Firenze 1867), non ne uscirono altri.

Pietro Fanfani, che nel 1855 aveva pubblicato la 1ª edizione del suo fortunato *Vocabolario della lingua italiana*, ne fece nel 1865 una nuova edizione (un'altra, postuma, fu curata dal Bruschi nel 1890, e ancora più volte ristampata). Nel 1875 uscì il *Vocabolario della lingua parlata* di G. Rigutini (figura nel titolo anche il nome di P. Fanfani, che però sembra vi contribuisse assai poco); nel 1893 ne usciva una nuova edizione, rimaneggiata dallo stesso Rigutini. L'insistenza sulla *lingua parlata* è indubbiamente un effetto del programma manzoniano.

Diretto rampollo di questo programma era, come s'è accennato, il *Novo vocabolario della lingua italiana secondo l'uso di Firenze* redatto per cura di G. B. Giorgini ed E. Broglio (4 voll., Firenze 1870-1897): importante per l'originale serie d'esempi messi insieme dai compilatori secondo l'uso dei Fiorentini colti.

Non meno notevole è il *Novo dizionario italiano* di P. Petrocchi (2 voll., Milano 1887-1891), per la ricca esemplificazione e per il tentativo di distinzione tra il lessico dell'uso, messo in piena evidenza, e quello arcaico, raro, plebeo, relegato nella parte inferiore di ciascuna pagina. Tra le peculiarità dovute al fiorentinismo programmatico dell'autore, riesce particolarmente ostica l'abolizione del dittongo: si ha non solo *bòno*, *nòvo*, ma anche *cèco*, *còco*. Oltre all'edizione maggiore di questo dizionario, il Petrocchi stesso ne curò un'edizione minore (Milano 1892) e una minima (Milano 1895).

Fra i molti repertori che elencano i vocaboli considerati abusivi, specialmente quelli forestieri e quelli burocratici, e propongono le parole che potrebbero surrogarli, vanno ricordati il *Lessico della corrotta italianità* di P. Fanfani e C. Arlìa, Milano 1877 (poi intitolato *Lessico dell'infima e corrotta italianità* nelle successive edizioni e ristampe, ivi 1881, 1890, 1897, 1907) e *I neologismi buoni e cattivi* di G. Rigutini, Roma 1886. Il *Dizionario moderno* di A. Panzini raccoglieva fin dalla prima edizione (Milano 1905), insieme con molte voci abusive condannate, numerose altre voci dialettali, tecniche, gergali non registrate dai vocabolari; nelle successive edizioni (già cominciando dalla seconda, Milano 1908) la severità del censore di lingua un poco s'attenua, mentre vien prevalendo l'osservatore attento ed ironico del costume.

Vanno ricordati i migliori tra i numerosi vocabolari speciali pubblicati in questo periodo: quello di Canevazzi e Marconi (*Vocabolario di agricoltura* (Rocca S. Casciano 1871-1892)[53], quello del Rezasco (*Dizionario del linguaggio italiano storico ed amministrativo*, Firenze 1881), quello del p. Guglielmotti (*Vocabolario marino e militare*, Roma 1889), tutti e tre impostati più o meno storicamente; si ebbero anche discrete raccolte di termini di arti e mestieri (Gargiolli, Arlìa, Fanfani).

10. Rapporti con altre lingue

Benché la posizione del francese come lingua culturale internazionale sia in questo periodo un po' diminuita per motivi politici e commerciali e quella dell'inglese sia molto cresciuta, la cultura italiana per la vicinanza, per gli stretti rapporti d'ogni genere, per la lunga tradizione, per la maggiore affinità linguistica, è tuttora principalmente rivolta verso la Francia: il francese è la prima lingua straniera che obbligatoriamente s'impara nelle scuole, i giornali e le riviste attingono largamente a quelli transalpini; i maggiori scrittori francesi circolano nella lingua originale, mentre i romanzi più popolari si traducono, magari parecchie volte; così anche si traducono manuali scientifici e tecnici in abbondanza[54].

Le liste non solo dei pranzi di gala, ma anche dei ristoranti di qualche pretesa, sono spesso in francese [55]. E si potrebbero moltiplicare gli esempi che dimostrerebbero come linguisticamente l'apertura verso l'estero è limitata, per lo più, alla conoscenza del francese.

---

[53] Esso è l'unico risultato di una Commissione istituita nel 1870 presso il Ministero di agricoltura, industria e commercio per compilare un «Dizionario italiano della lingua tecnica».

[54] Non di rado le traduzioni erano fatte ad orecchio. Cito un solo esempio fra i tanti: nella traduzione italiana del *Dizionario veterinario* di P. Cagny e H. S. Gobert (I, Torino 1907) figura il lemma *arnesi;* e leggendolo si capisce che il traduttore ha reso così (anziché con *finimenti)* il francese *harnois.*

[55] Nel *Demetrio Pianelli* del De Marchi (1890), a un pranzo d'impiegati per festeggiare un superiore, uno di essi «cercava di nascondere la faccia col cartellino del *menu,* che egli leggeva per la quarta volta senza capir nulla di quel francese stampato in oro...» (p. 321 dell'ed. Firenze 1910).

Molto più ristretta è dunque, in confronto, la conoscenza dell'inglese e del tedesco. Sanno l'inglese gli ufficiali di marina e così pure l'aristocrazia che frequenta la numerosa colonia inglese di Firenze. I professori di filosofia, di filologia, di storia, di economia, di medicina ecc. si tengono al corrente delle pubblicazioni tedesche; gli operai che vanno in Svizzera o in Austria a lavorare alla costruzione di nuove ferrovie imparano a masticare un po' di tedesco; il turismo austriaco e tedesco ha nell'Italia settentrionale alcune manifestazioni così vistose da far sorgere lamentele sulla violata «italianità del *Gardasee*» (1909). Delle altre lingue, come le slave o le scandinave, si contano, si può dire, sulle dita i cultori.

Il moltiplicarsi delle relazioni tra nazione e nazione in numerosi campi della vita pratica e delle scienze applicate (poste, dogane, informazioni meteorologiche, ecc.) porta a conguagli linguistici sempre maggiori, talora addirittura con l'identità di qualche serie di termini (si pensi ai nomi delle unità pratiche di elettricità, *ampere*, *coulomb*, *farad*, *ohm*, *volt*, fissati definitivamente dai congressi internazionali di elettrotecnica di Parigi, 1881, e di Chicago, 1893), talora con precisi parallelismi.

Le condizioni della lingua nelle terre abitate da popolazioni italiane fuori dei confini del Regno meriterebbero non un cenno ma un lungo discorso. Malgrado l'alleanza politica tra l'Italia ufficiale e l'Austria-Ungheria, la posizione della lingua italiana è insidiata dal tedesco nel Trentino, dal tedesco e dallo slavo a Trieste e presso i nuclei italiani dell'Istria e della Dalmazia. L'aspirazione ad avere un'università italiana a Trieste non arrivò mai a realizzarsi. Il linguaggio giudiziario e burocratico (detto per irrisione dai Triestini *austriacàn*) è pieno di voci[56] e costrutti arcaici e barbari[57], e più ancora il linguaggio pubblicitario[58].

Meno sfavorevole è la situazione nel Canton Ticino, benché anche là la pressione del tedesco si faccia sentire in alcuni campi[59].

Nei paesi stranieri la conoscenza che si ha dell'italiano è in fase decrescente; meglio che nell'Europa continentale, esso mantiene una parte del suo antico prestigio nel Levante mediterraneo. Scuole italiane si hanno in Tunisia, in Egitto, in Turchia. Può dare un tenue indizio della vitalità dell'italiano il fatto che i francobolli austriaci per gli uffici del Levante portano leggende in italiano nelle emissioni dal 1867 al 1886; in italiano è anche il testo dei francobolli egiziani del 1872-

---

[56] P. es. *nostrificare*, *stabale* («dello Stato maggiore»), *urbario*.

[57] Ecco qualche frase di un editto di tribunale: «Si notifica che nel giorno... avrà luogo il secondo esperimento d'incanto delle realità riportate nella part. tav. ... Si diffidano soltanto tutti i creditori ipotecari di insinuare le loro pretese fino alla vendita di dette realità» (cit. da G. Caprin, «Lingua di confine», nella *Lettura*, agosto 1909, p. 648).

[58] Caprin, ivi.

[59] V. le lettere di G. Martignoni e C. Salvioni nel *Corriere della Sera*, 1 e 3 febbraio 1909.

75 (mentre più tardi esso sarà in francese, e poi in inglese). A Malta si ebbero, specialmente fra il 1880 e il 1902, disposizioni contro l'uso dell'italiano. Gli stanziamenti coloniali in Eritrea e poi in Somalia e in Libia fanno si che presso gli indigeni maggiormente a contatto con i nostri stanziamenti si formi un «italiano coloniale»[60], mentre gli Italiani imparano qualche vocabolo riferito alle cose e alle usanze dei luoghi.

La massiccia emigrazione italiana negli Stati Uniti porta alla formazione di parlate ibride. Non sono parlate uniformi secondo i luoghi, ma piuttosto secondo gruppi, perché, data la scarsa cultura degli emigrati, essi sono giunti nella nuova terra conoscendo solo (o quasi solo) i loro dialetti: e su questa base s'innestano numerosi vocaboli inglesi (statunitensi), alterati secondo le abitudini fonetiche dialettali. Dalla mancanza d'una comune base italiana nasce la difficoltà di capirsi fra immigrati nello stesso luogo, cosicché essi finiscono col preferire l'inglese per intendersi fra loro[61].

In condizioni analoghe si sono trovati gli emigranti italiani negli stati del Plata, nel Brasile ed altrove[62].

Qualche aiuto alla difesa della lingua italiana fuori dei confini del regno fu portato dall'attività della «Dante Alighieri» (fondata nel 1889).

11. Oscillazioni nell'uso

La scarsa compattezza dell'italiano, su cui ci siamo tante volte intrattenuti, si manifesta ancora in moltissime forme. Ma qui non vogliamo occuparci delle varianti lessicali del tipo *scopa / granata*,

---

[60] Per es. in Eritrea (1892): *Ma tu berché non dato a me bacscisc? Io venuto senza tu chiamato;* in Libia (1911-12): *Arkù, comprare gallina?* («amico vuoi comprare una gallina?»); *Ma- fish!* («no»). *Iu ma- fish poder dormire molte bulci* («pulci»). *Io ghiamato te!* (comun. di A. Menarini).

Non come esempio di «italiano coloniale», ma come esempio di stile di «proclama orale» citiamo il saluto indirizzato da F. Martini il 25 marzo 1907 alle popolazioni eritree prima di lasciare la colonia: «Genti tutte di qua del Mareb e fino al mare, udite: S. M. il Re d'Italia volle che fossi tra voi a governarvi in suo nome, e per dieci anni ho ascoltato le vostre voci e nel nome del Re ho giudicato, ho premiato ed ho punito; e per dieci anni ho visitato i paesi del cristiano e del mussulmano, al piano ed al monte; e nel nome del Re ho detto ai mercanti: commerciate; ho detto agli agricoltori: coltivate, e la pace sia sempre con voi. E le strade furono libere ai commerci e le messi furono sicure nei campi. Genti tutte udite: S. M. il Re d'Italia sa che così la sua volontà fu fatta interamente, per la grazia di Dio, e ha permesso che io ritorni e rimanga nella mia Patria. Do il saluto dell'addio al grande ed al piccolo, al ricco ed al povero. Che Dio aumenti i vostri traffici e mantenga feconde le vostre terre; che Dio vi serbi in pace».

[61] Meglio che in altri precedenti studi, si troverà illustrato il fenomeno in tutta la sua complessità da A. Menarini, *Ai margini della lingua*, Firenze 1947, pp. 144-201.

[62] Ma sul loro linguaggio siamo meno precisamente informati, specie per le fasi meno recenti (cfr. Menarini, ivi, pp. 201-207, e per l'italo-rioplatense la serie di articoli di G. Meo Zilio, in *Lingua nostra*, XVI-XVII, 1955-56).

lesina / *subbia*, *attaccapanni* / *cappellinaio*: ci limiteremo ad accennare ad alcuni doppioni in cui la differenza consisteva in piccole varietà grafiche o morfologiche: doppioni che presentemente si adoperano molto meno o hanno ceduto addirittura il campo a una forma unica.

Si hanno alternanze fra scempie e doppie in parole in cui la forma latina lotta contro quella toscana: *cammino* «camino» (Collodi), *catedra* (Ascoli), *febrile* (D'Annunzio), *obedire* (Dossi), *femina* (Carducci, Praga, Martini, D'Annunzio), *publico*, *republicano* (Panzini), ecc. Molto si discute sulle forme *Africa / Affrica*: Bianco Bianchi si proponeva di scrivere un lavoro intitolato *Africa per Affrica, ossia le più recenti deturpazioni della lingua italiana*[63]; il Martini, fautore di *Affrica*, ne scriveva al Carducci il 30 settembre 1891, e il Carducci rispondeva: «*Affrica*, sempre, almeno in prosa. Altrimenti, francesismo»[64]. Invece a difendere la grafia latineggiante *esaggerare* rimase solo Vittorio Imbriani.

Si appoggiano al latino anche altre varianti: *decembre* (Carducci, Martini), *infirmità* (Carducci), e la serie *conscienza, conspetto, inspirazione, instituzione* (Carducci, D'Annunzio, Scarfoglio); *palimpsesto* alterna col più comune *palinsesto* e con *palimsesto* (Panzini); Minghetti preferiva *ozione* e *ottare* a *opzione*, *optare*, che poi prevalsero; *eucalitto* è vinto da *eucalipto*; l'Ascoli scriveva *ossoleto*; il Carducci preferiva *Apocalipsi* a *Apocalissi*; su *dactilografia* (così ancora il Panzini nella 1ª ed.) prevalse *dattilografia*.

Accanto al più comune *sdrucire*, si ha anche *sdruscire*. I Toscani preferiscono *polenda, bodola, arrenare, zittella* a *polenta, botola, arenare, zitella*. Il Martini a una signora toscana che adoperava *ospedale* invece di *spedale*, domanda: «a proposito, perché scrive *ospedale*?» (lett. 27 genn. 1899). L'analogico *duecento* guadagna terreno sul toscano *dugento*. *Colezione* è usato qua e là accanto a *colazione*; *sbucciare* in luogo di *sbocciare*; *zuccaro* accanto a *zucchero*. Qualcuno scrive *viglietto* per *biglietto*. *Guarantire* (Bonghi) e *guarentire* (Carducci) prevalgono ancora su *garantire*. Il Petrocchi registra senza scegliere *binoccolo, binocolo, binoculo*. Parecchi (Carducci, Martini, Fornaciari, Fogazzaro, Panzini) adoperano ancora *tuono* nel senso in cui oggi useremmo solo *tono* («un tuono quasi di tristezza»). *Coltura* e *cultura* si adoperano indifferentemente[65]. *Ufficio* e *ufficiale*, auspice la burocrazia, vincono la battaglia sulle altre varianti (*officio, uffizio, ufizio; officiale, uffiziale, ufiziale*). Invece è dovuta agli scienziati la prevalen-

---

[63] In esso egli attribuiva l'introduzione della forma *Africa* a un giornalista, e la datava al 1870 circa. Cfr. F. Sarri, «Carteggio inedito Ascoli-Bianchi», in *Mem. Acc. Lincei*, s. 6ª, VIII, 1939, p. 173.

[64] Sarà da dire piuttosto «latinismo comune alle lingue colte d'Europa».

[65] Ma il Fanfani (*Nuovo vocabolario de' sinonimi*, Milano 1879 n. 415), proponeva di limitare *coltura* «a quella de' campi, de' fiori» e *cultura* a «quella metafisica dell'ingegno»; e più tardi la distinzione prevalse.

za di *ghiacciaio* su *ghiacciaia* come termine naturalistico, dopo una lunga esitazione tra le due forme.

Si oscilla molto anche in alcune voci di recente introduzione: *decentramento*, *dicentramento*, *discentramento*; *aeroplano* stenta ad attecchire di contro alla forma plebea *areoplano*. Lo stesso accade non di rado nell'adattamento dei forestierismi: si è incerti tra le forme esotiche *tourist* (angl.) e *touriste* (franc.) e gli adattamenti *turista* e *torista*; per *tramway* si esita se accettare o no l'adattamento toscano *tranvai*[66]; si oscilla tra *vermùt* e *vèrmut*, *vermùtte* e *vèrmutte*.

Esitazioni si hanno anche nella scrittura di voci giustapposte: il Carducci preferisce *da vero*, *né meno*, *più tosto* a *davvero*, *nemmeno*, *piuttosto*, il Martini considera *chissà* uno «sproposito» (lettera a C. Pigorini Beri, 27 giugno 1889).

12. *Grafia*

Nel paragrafo precedente abbiamo visto come si oscillasse nello scrivere (e pronunziare) vocaboli singoli. Qualche cenno va dato anche intorno ad alcuni criteri di applicazione dell'alfabeto e dei segni ortografici.

La *j* è in forte regresso. La Crusca, che l'ha abolita sia all'iniziale che all'interno di parola (*iattura*, *gennaio*), l'adopera invece nei plurali dei nomi in *-io* (*studj*), e un certo numero di studiosi (D'Ancona, Monaci) la seguono. Altri invece si attengono a criteri diversi: il Mestica, per es., scrive *gennajo*, ma *studii*. Gli avversari della *j* non mancano di attaccarla, anche con colpi mancini[67]; qualcuno tuttavia la difende, non senza buoni argomenti[68]; ma in complesso anche quelli che ritengono non ragionevole questa eliminazione accettano l'opinione dei più (così appunto si esprime la *Grammatica italiana* di Morandi e Cappuccini)[69].

Assai incerto è anche l'uso della *i* nei nessi *ce · cie*, *ge ·gie*: frequenti sono i plurali come *angoscie*, *roccie*, *scarpaccie* e i derivati come *braccietto*, *passeggiero*; viceversa non è raro trovare *effige*, *superfice*, e plurali come *camice*. Non è ferma neanche la regola se la *i* vada assorbita o no in forme verbali come *consegn(i)amo*, *sogn(i)amo*.

---

[66] Il Martini ottenne che la Camera dei deputati in una disposizione di legge preferisse *tranvai* (febbr. 1892); ma il D'Ovidio (in un articolo del *Giornale d'Italia* del 15 ottobre 1902, rist. in *Opere*, X, pp. 275-281) fece valere parecchi buoni argomenti contro questa lettura indotta di una voce straniera.

[67] «L'uso dell'*j* cominciò tanto o quanto colla venuta degli stranieri in Italia; coll'uscita degli stranieri pare che vada cessando» (*Petrocchi, Dizion.*, s. v.).

[68] V. per es. L. Gelmetti, *Un ostracismo ingiusto nell'alfabeto italiano*, Milano 1884.

[69] Il Malagoli, nell'eccellente volumetto sull'*Ortoepia e ortografia italiana moderna*, 2ª ed., Milano 1912, pp. 26-27, è incline all'*i*, e solo si lagna della scarsa coerenza di molti.

Non valse a scuotere l'abitudine a favore dell'*h* in *ho, hai, hanno* l'ennesimo tentativo fatto dal Petrocchi per abolirla.

Né, viceversa, ebbe fortuna il tentativo pascoliano di ripristinare le scrizioni etimologiche *h ch ph th y ae oe* nei nomi propri greci e latini: *le Chariti, Phalaride, Myrmidoni, Xantho, Naevio*, ecc.[70].

L'uso delle maiuscole e delle minuscole rimane oscillante in pochi casi (*i Torinesi* o *i torinesi*; *il Re* o *il re*; quasi tutti ormai scrivono invece *febbraio* ecc., *primavera*, ecc.). Ma nell'uso letterario assistiamo a due ondate opposte: quella che porta ad abbondare nelle maiuscole, specie con gli astratti, allo scopo di personificazione e di magnificazione retorica, e qui il corifeo è D'Annunzio: *la lenta ascensione del Giorno* (nel *Piacere*); *l'apparizione della Bellezza consolatrice invocata dalla Preghiera unanime* (nel *Fuoco*); l'altra, antiretorica, che riduce a minuscole persino i nomi propri (Guido Gozzano che vede sé stesso come «quella cosa vivente - detta *guidogozzano*»).

Per gli accenti, malgrado le frequenti invocazioni ad accentare le sdrucciole, tutte quante o almeno quelle dubbie[71], e i tentativi in questo senso che alcuni fecero (per es. il Dossi, che si appellava al Cattaneo) non si giunse ad alcun risultato pratico. Accanto all'uso di gran lunga più comune, che è quello di servirsi solo dell'accento grave nelle parole tronche e in un certo numero di monosillabi, a scopo distintivo, comincia a diffondersi l'uso di segnare la diversa pronunzia di *e* e *o* per mezzo dell'accento acuto e di quello grave; alcuni estendono l'acuto anche all'*i* e all'*u* (*finí, virtú*)[72].

L'uso dell'apostrofo presenta qualche incertezza non solo perché talvolta con gli articoli si fa l'elisione, talvolta no (come vedremo più sotto), ma perché in alcuni casi vi è incertezza se si abbia troncamento o elisione: alludo specialmente a *tal è, qual era*[73].

Per la divisione in sillabe, qualche grammatico e qualche pedagogista sostennero la tesi che le doppie consonanti dovessero essere considerate ambedue come appartenenti alla seconda sillaba (*a-tto-re*), ma, giustamente, non trovarono seguaci.

Progetti teorici, più o meno accuratamente studiati, per riformare i punti più discutibili della grafia italiana, non mancarono mai. Un certo G. B. nell'opuscolo *Di alcune riforme dell'ortografia italiana*, Milano

---

[70] Anche il Carducci ha qualcuna di queste forme (*Cycno, Hermete*, ecc.), molte ne ha il D'Annunzio. L'esempio veniva, come ho accennato (*Lingua contemp.*, pp. 141-142) dai parnassiani francesi e dagli archeologi (cfr. p. 659). Anche più rare sono le applicazioni di questo criterio all'infuori dei nomi propri: per es. R. Gaetani d'Aragona, *Saggio di filosofia scientifica (Pandynamismo)*, Torino 1906.

[71] V. per es. la voce «Accento» nel *Dizionario moderno* del Panzini.

[72] Fra i più autorevoli, ricordiamo il Carducci e il Croce, il cui esempio fu seguito da parecchi. Così il Malagoli nel citato volumetto *Ortoepia e ortografia italiana moderna* (ma non più nel suo trattatello su *L'accentazione italiana*, Firenze 1946, dov'è invece propugnata una regola assai pratica per l'accentazione generale delle sdrucciole).

[73] Malagoli, op. cit., p. 164.

1878, proponeva di adottare due *e*, due *o*, un segno speciale per *sc*, ecc. L. Gelmetti invece propugnava una *Riforma ortografica con tre nuòvi segni alfabètici per la buona pronunzia italiana*, Milano 1886: i segni sarebbero una *j* con la coda a destra per i plurali dei nomi in *-io*, una *s* e una *z* tagliate per le *s* e *z* sonore; egli vorrebbe inoltre che si segnassero con l'accento grave le *e* e le *o* aperte; l'acuto si scriverebbe solo sulle sdrucciole di dubbia pronunzia (*émbrice*). Maggiore interesse destarono le riforme proposte da vari studiosi nel 1909 e negli anni successivi, che condussero a fondare una «Società ortografica italiana» ed ebbero larga eco nelle riviste: ma i due principali sistemi allora proposti, quello del Goidanich e quello del Luciani[74], che prevedevano parecchi nuovi caratteri da aggiungere all'alfabeto, erano troppo macchinosi e troppo poco europei per avere fortuna.

Per ciò che concerne l'interpunzione, va ricordato un vezzo carducciano che ebbe assai largo seguito: quello di sopprimere la virgola nelle serie enumerative: «[i]l Leopardi[ ]abituato a contemplare un esempio di arte lucido eguale sereno», «Dante il Cavalcanti il cronista Giachetto Malespini il padre del Petrarca e la maggior parte degli scrittori e giureconsulti toscani d'allora» (*Rime di Cino da Pistoia*, Firenze 1862, p. IV e X)[75]. L'impiego di una coppia di punti e virgole in luogo d'una coppia di parentesi o di linee è raro, ma non isolato. L'adopera qualche volta il Pascoli, l'adopera il Novati: «a Dante... pervenne un giorno; correvano gli anni estremi della sua vita; un poetico carme» (*Freschi e minii del Dugento*, Milano 1908, p. 3).

Qualcuno, trovando scarse le risorse dell'interpunzione tradizionale, vorrebbe rimediarvi.

Per evitare la confusione tra i punti di sospensione voluti dall'autore e i punti che indicano nelle citazioni le parole omesse, il Guasti si serviva in questo secondo caso d'una serie di virgole.

Il Dossi si lagna che manchi un segno che indichi «un distacco tra l'una e l'altra proposizione, minore di quello della vìrgola accoppiata al punto, maggiore della sèmplice vìrgola»; per es. nel passo «fra quelli onesti legislatori, i quali, sostituita alla privata vendetta la pubblica; non più potendo sfogar nei delitti la loro ferocia, cercàvano legittimarla nelle pene» adopera la doppia virgola[76].

Ma nessuna di queste proposte arrivò a modificare l'uso generale[77].

---

[74] P. G. Goidanich, *Sul perfezionamento dell'ortografia nazionale*, Modena 1910; L. Luciani, «Per la riforma ortografica», in *Atti della Soc. Ital. per il progresso delle Scienze*, IV riunione, Napoli 1910; Id., in *Rivista pedagogica*, 1910, pp. 893-942.

[75] C'è chi ne ha fatto, nella propria scrittura individuale, una regola; chi invece alterna le serie virgolate con quelle senza virgole: «Egli avrebbe voluto che quel leggero verde... avesse gittato rami, foglie, virgulti, spine, viticci e fiori fiori fiori rossi azzurri bianchi gialli, giocondi nuovi fiammeggianti innumerevoli» (Ojetti, *Il gioco dell'amore*, 8ª ed., Milano 1910, p. 94).

[76] L'esempio e la giustificazione che il Dossi ne dà provengono dalla «Nota grammaticale» in appendice a *La colonia felice* (p. 176 della 4ª ed., Roma 1883).

[77] Il Bertoldi, lamentandosi (nella sua edizione delle *Poesie liriche* di A.

13. Suoni

Il tentativo dei manzoniani di abolire il dittongo *uo* sostituendolo dappertutto col monottongo (non *nuovo* ma *novo*)[78] incontra fortissime resistenze, fra cui principale, come si è accennato, quella dell'Ascoli, e finisce con l'esser respinto nell'uso scritto generale, inclusi anche i Fiorentini. Soltanto dopo palatale le forme con monottongo (*orciolo*, *fagiolo*, *figliolo*, *spagnolo*, ecc.) guadagnano terreno, senza tuttavia arrivare a soppiantare del tutto quelle con dittongo.

Quanto al dittongo mobile, le inosservanze sono numerosissime (*ruotare*, *infuocato*, Carducci; *rinnuoverebbe*, Tabarrini; *ruotolarsi*, Dossi; *giuocherei*, *cuoprivano*, Martini; *ricuoprirti*, D'Annunzio; *cuopriva*, Nobili; *scuoprite*, Palazzeschi, ecc.)[79]. Se per l'alternanza fra *o* e *uo* il rispetto è scarso, per *e* - *ie* il cedimento è ancora più grave: anziché *presedere*, con forme come *presedeva* (Imbriani), *presedette* (D'Ovidio), ormai si ha un infinito *presiedere* con forme come *presiedeva* (Carducci, in una recensione del 1869: *Opere*, XXVII, p. 161).

La regola dell'*i* prostetica davanti a *s* impura si fa meno rigorosa: il Martini scrive *per istrozzarlo*, *non ispregevole*, ma nel Carducci si legge *in specie*.

Il troncamento e l'elisione sono soggetti in piccola parte a regole fisse, mentre molti casi sono facoltativi. I manzoniani tentano, ma con scarsi effetti, d'introdurre nell'uso scritto alcuni vezzi del parlato: *du'anni*[80] *essere nel su' elemento*, *lo 'ngrassava*. Gli articoli *lo* e *la* davanti a vocale quasi sempre si apostrofano, ma in qualche caso si hanno le forme intere, quasi per indicare una pronunzia lenta e scandita: *lo antropofago*, *lo Allagherio* (Imbriani), «il Poliziano alle storie de' due Testamenti e alle leggende ha sostituito *la egloga*» (Carducci, *Opere*, XII, p. 226); «consentirvi con *la immaginazione*», «lucevano *sulla umida* gradinata della villa» (Fogazzaro, *Piccolo mondo moderno*, cap. II). Davanti a *i* si apostrofa spesso *gli* (*gl'ingegni*), e davanti a *e* è frequente l'elisione di *le* (*l'erbe*).

Il troncamenti in sequenza sintattica sono un po' in declino nella

---

Manzoni, p. 160) che manchi una pausa minore della virgola, pur si decide a scrivere con la virgola il verso manzoniano: «Tal della mesta, immobile...».

[78] Il Broglio per es., fa che Federico Guglielmo parli di un *omo per bene* nella sua *Vita di Federico il Grande*; il Giorgini-Broglio e il Petrocchi danno l'assoluta prevalenza alle forme con *o*. Si ricordi l'apprezzamento di Marina sul racconto *Un sogno* di Corrado Silla (Fogazzaro, *Malombra*, I, cap. v): «che vi si dicesse *bono* e *bona* invece di quel *buono* e *buona* che bastano a rivelare un povero ingegno, un uomo vergognosamente sfornito di dottrina filologica e di gusto»: si sente che il Fogazzaro ironeggia.

[79] Rimproverato da G. Mazzoni, il Martini gli rispondeva (lettera 1 maggio 1895): «Il *cuoprivano* era uno sproposito ch'io ricommetterò domani, perché in questa faccenda dell'accento io non sono mai (inorridisca) arrivato a capir nulla» (*Lettere*, p. 299).

[80] *Du' anni* anche in traduzioni di tono popolaresco nel *Fior da fiore* pascoliano, pp. 63 e 86.

lingua comune, ma vivissimi ancora nella prosa sostenuta (*la tradizion familiare, quella istintiva esaltazion sessuale, l'azion dell'acido*: D'Annunzio, *Il Piacere*) e in poesia.

L'accento[81] è molto importante, anche socialmente, tanto che lo sbagliare gli accenti è considerato un segno di poca cultura.[82] Ma in molte parole rare sono ammesse due diverse accentazioni: *acònito* (D'Annunzio) e *aconìto* (Carducci), *adamantìno* (D'Annunzio) e *adamàntino* (Carducci), *crisòlito* e *crisolìto* (D'Annunzio), *dirùto* e *dìruto* (Carducci), *esìle* (Corradino) ed *èsile* (passim), ecc. *Chèrubo* (Boito, 1863; Dante aveva usato *Cherùbi*) è dovuto al contraccento di *Cherubino*. Arbitrario è *incùbi* (Praga) e così pure *Leonìda*, che era il modo di pronunziare di Garibaldi[83]. *Macàbro*, che il Malagoli registra come prevalentemente piano[84], tende a ritrarre l'accento secondo l'esempio di *càlabro, cèlebre, fùnebre, lùgubre*[85]. Il plurale *microbi*, che si sarebbe dovuto leggere *micròbi(i)*[86], fu spesso letto *mìcrobi*, e se ne cavò un singolare *mìcrobo*[87]. I repertori (Fanfani, Petrocchi, Malagoli) registrano come prevalente la pronunzia *scòrbuto*, benché essa non abbia alcuna giustificazione. *Cinema* entra dal francese e per alcuni anni l'accento oscilla fra *cìnema, cinèma* e *cinemà* (poi finirà col trionfare *cìnema*).

14. Forme

Cominciamo con qualche noterella per quel che concerne il sostantivo e l'aggettivo.

Per i plurali, abbiamo già accennato alle oscillazioni grafiche dei nomi in *-cia, -gia*. Qualche spostamento si ha nei plurali dei nomi in *-co* e *-go*, e per lo più a vantaggio delle forme in palatale nei nomi sdruccioli: appare *traffici* accanto al tradizionale *traffichi, parroci* guadagna terreno, e così pure *stomaci*; qualcuno scrive *strascici* (Rajna). Notiamo anche, in parole piane: *lombrici* (Rapisardi), *aprici, pudici* (Carducci, in verso). Continua ad apparire, come plurale di *capello*, la forma *capegli*, sia nella lingua popolare (Petrocchi) che in

---

[81] V. specialmente G. Malagoli, *Teorica e pratica dell'accento tonico nelle parole italiane*, Firenze 1899.

[82] Di un personaggio di *Leila*, Massimo, il Fogazzaro dice che «una volta gli era bastato, per guarire dell'amore di una signorina, che ella dicesse *pollìne* in luogo di *pòlline*».

[83] Lo sappiamo da A. G. Barrili, *Elogio funebre di Garibaldi*, Genova 1882.

[84] «Urlo il canto anatemico e macabro»: Boito, «A Giovanni Camerana» (1865).

[85] Accanto a *delùbro* (Zanella, Carducci, Panzacchi, D'Annunzio) qualcuno ha *dèlubro* (D'Annunzio nel *Primo vere*; Cavallotti). C'è chi adopera l'erroneo *sàlubre* (per es. C. Nigra).

[86] «Porta in giro ciascuno dei globi – ... le glorie de' suoi microbi» (Orsini, *Fra Terra ed astri*, 1903).

[87] D'Ovidio, in *Fanfulla della domenica*, 8 gennaio 1888 (rist. in *Opere*, X, pp. 259-260).

quella letteraria (Barrili). Tra i plurali dei maschili in *-a*, si estende, malgrado le proteste dei grammatici, l'uso di considerarli invariabili: i *Belga*, i *comma*, ecc.[88].

Le forme del plurale di *bello* e *quello* seguono ormai le forme corrispondenti dell'articolo: solo persistono con una certa abbondanza le forme *belli*, *quelli* anche davanti a vocale, *s* impura o *z* (*i belli occhi parlanti*: Fogazzaro, *Picc. mondo mod.*, c. VI; *quelli uomini che sanno un po' di tutto*: Martini, *La Marchesa*).

Quanto all'articolo, *il* e *lo* (e così *un* e *uno*) hanno ormai una distribuzione fissa, salvo qualche lieve oscillazione: *lo* davanti a consonante suona meridionale o arcaico («il fato - che *lo* tuo regno segna in terra e in mare» dice una fata nella «Ninna nanna di Carlo V» delle *Rime Nuove*)[89]; non è raro l'impiego di *il* davanti a *z* (*un zinzin*, *il Zanella*, *il Zanardelli*, Carducci; *dal Zambrini*, Carducci, *Op.*, XII, p. 42, ma *lo Zambrini*, ivi, p. 54; *il zenith* ma *lo zibaldone*, Balossardi; *il zulu*, D'Ovidio; *un zuccherino*, Fogazzaro; *dal zeffiretto*, Corradino; *i zefiri*, Capuana, ecc.)[90]; davanti a *ps* si usa ancora spesso *il*, *un* (*il psicologismo*: Carducci, *Op.*, XII, p. 138), benché *lo*, *uno* leggermente prevalgano, e i pochi grammatici che ne parlano consiglino *lo*, *uno*; si oscilla, come del resto ancor oggi, davanti a *j* (*i* semivocale) e davanti ai nomi stranieri con *h*.

Qualche esitazione maggiore presenta il plurale, perché non è ancora scomparsa, quantunque sia diventata ormai rara, la forma *li*. Qualcuno l'adopera davanti a vocale (*li ordini*, *li occhi*: Martini, *La marchese*; *li occhiacci*: Verga; *li emuli*, *li alti fieni*: D'Annunzio; *li umani*, *de li umili*: De Bosis; *li organi*: S. Corazzini), davanti a *s* impura (*li spagnoli*, *li spiriti*, *li scritti*: Carducci; *delli scrittori*, *dalli spogli degli scrittori*: Tabarrini; *delli sciami*: De Bosis; «la procellaria - ch'ama *li scogli*»: Pascoli). Quasi nessuna grammatica ne parla: solo Morandi e Cappuccini giudicano che *li* «è oramai, nella prosa, una spiacevole affettazione». Per la spartizione di *i* e *gli* abbiamo come per *il* e *lo* qualche esempio aberrante (*dai sguardi*: Cossa; *a' zefiri*: Rapisardi; *i zamponi*, *coi zoccoli*: Panzini; *i gnocchi*: Panzini).

Riguardo alle preposizioni articolate, notiamo anzitutto qualche sporadica persistenza di *per lo* in prosa («mi si aggirava la lezione *per lo capo*»: De Sanctis, *Giovinezza*, c. XVI; *per lo passato*: Martini; *per lo contrario*) e in versi («*Per lo nitido* ciel l'ardua montagna»: Rapisardi, *Ottobre*).

---

[88] Migliorini, *Saggi linguistici*, pp. 105-106.

[89] Nell'italiano dell'Emilia si ha qualche volta *lo suocero* (dovuto alla pronunzia quasi consonantica della *u*).

[90] Strano *uno sigaro*, che si legge nella *Partita a scacchi* del Giacosa («È il fumo di uno sigaro, è un'ombra, è tutto, è nulla»: già nella stampa originale della *Nuova Antologia*, marzo 1872, p. 614) e nella *Disfatta* dell'Oriani («Il giovane del macellaio gli chiese uno sigaro», in Pancrazi, *Racconti e novelle dell'Ottocento*, p. 742): si deve trattare di un resto della pronunzia *uno zigaro*.

Nella lunga lotta tra le forme unite e quelle staccate (*dello - de lo*, *alla - a la*, ecc.) quelle unite in complesso prevalgono, benché il Carducci e il D'Annunzio propendano (specie in poesia) per le forme staccate, e non manchino di seguaci. Fortuna un po' maggiore incontrano le forme staccate di *su* (*su la*), e cominciano a esser sentite come arcaiche *pello*, *pella*, *collo*, *colla*. Rarissime le forme unite di *tra* (*tral*: Martini; *tra'l*: Pratesi).

Le forme *a' co' de' pe' su'* sono raccomandate specialmente davanti a parole con altri gruppi con *i* (*de' miei*, *co' suoi*), ma v'è chi ci sente un «certo artificio d'imitazione toscana» (Panzini, *Diz. mod.*, s. v. *qui, qua*).

Quanto ai pronomi, notiamo anzitutto che *ei, eglino, elleno* si sono fatti molto rari; ma *ei* è caro al Verga: «*Ei* non ci pativa» (*Jeli*); «*ei* si pigliava le busse senza protestare» (*Rosso Malpelo*); e quando il Martini scrive (*Di palo in frasca*) « ci è noto il nome dei vostri maggiori parlamentari, ci son note le opinioni ch'*eglino* professano» o «*elleno* tutte pigliavano sul serio i romanzi di Paolo Perret o di Ettore Malot», la solennità confina con l'ironia. *Ella* e *Lei* alternano come pronomi allocutivi con largo margine di scelta: una volta il Carducci si adira contro chi gli scrive «manzonianamente, *Lei*» (*Opere*, XXIV, p. 394), un'altra volta il Martini scrivendo al Fanfani aggiunge tra parentesi a un *Lei* allocutivo: «(dovrei dire *Ella*? non mi ci va)» (*Lettere*, p. 49)[91].

I pronomi soggetti pleonastici, personali o impersonali, frequenti nell'uso toscano, sono accolti volentieri dai toscaneggianti (oltre al più comune «*gli* è quel che avviene»: Betteloni, si ha anche: «*e'* fu in piazza di S. Caterina»: Betteloni; «la verità... *la* può esser crudele ad udirsi»: Martini; «*le* si vedevano spesso»: Martini; «*le* son baie»: Carducci); ma anche un manzoniano come il Morandi ritiene che solo «qualche rara volta possono accogliersi e usarsi lodevolmente» (Morandi-Cappuccini, *Gramm. it.*, § 374). Un po' più letterario è *egli* come soggetto pleonastico: «*Egli* è dunque inutile fare indagini» (Martini), «*Egli* è come se qualche cosa di superiore spirasse un alito di pace» (Gabelli); «*Egli* fu un istante che io avrei voluto risparmiarlo» (Barrili), ecc.

«*Gli* per *le* è comune nell'uso toscano e nell'italiano di molte regioni («oso pregare la signora Sansoni a fare ciò che *gli* sia meglio possibile. Io *le* scriverò quando vegga che sia il caso...»: Carducci, *Lett.*, XIX, p. 133; «come una gatta che *gli* si vogliano rubare i figliuoli»: Verga, *Mastro don Gesualdo*, p. 378); ma per lo più i grammatici non ne vogliono sapere: per es. il Fanfani (*La Unità della lingua*, I, 1869, p. 13), pur riconoscendo che l'uso ammette *gli* e *li*, non vuol accettare questa «sgrammaticatura»; invece il Carducci, in una lettera al Tribolati del 1871, difende apertamente *gli* (*Op.*, XVII pp 53-54)[92].

---

[91] Si ricordino le esitazioni di Scrupolino nell'*Idioma gentile* del De Amicis, p. 209.

[92] Il pronome congiunto *gliene* vale di solito sia per il maschile sia per il femminile: ma c'è chi per il femminile preferisce *le ne* («E s'ella vuol permettermi di *darlene* una prova»: Martini, *Chi sa il gioco non l'insegni*, sc. 13, «*Le ne* disse il

Anch'esso corrente in toscano, e respinto, seppur meno acremente, dai grammatici, è *gli* per «loro».

Diffusissimo nell'italiano di varie regioni, ma rigorosamente proscritto dai grammatici, è il tipo *io ci dico* per «gli dico» o «le dico» o «dico loro»[93].

È ormai piuttosto raro *ne* nel senso di «ci»: sia in poesia («Eccoti il re, Signore, - che *ne* disperse, il re che *ne* percosse»: Carducci, «Piemonte»; «Ma perché mai *ne* piacque - vivere di desio?»: G. A. Costanzo, «Il canto e l'addio»; «pensate all'ombra del destino ignoto - che *ne* circonda»: Pascoli, «I due fanciulli»); sia in prosa (V. Imbriani, nel titolo del romanzo *Dio ne scampi dagli Orsenigo*; «Siamo grati all'Inghilterra di ciò ch'ella *ne* diede»: Graf, *Anglomania*, p. 427).

Venendo a esaminare qualche forma verbale, vediamo anzitutto la voga data dai manzoniani[94] al tipo *noi si dice* per *noi diciamo*. Tali forme, adoperate in qualche libro a tutto spiano, spiacquero ai non Toscani (si ricordino le severe parole dell'Ascoli nel Proemio dell'*Archivio glottol.*) ed ai Toscani stessi («il *si fece*, il *si disse*... posto per regola costante, equivalgono all'andar fuori in maniche di camicia, e senza lavarsi il viso»: Fanfani, *Bibliobiogr.*, p. 213 n.). Anche in séguito quel costrutto si adoperò qualche volta per esprimere un tono familiare («Anche a quei tempi *noi s'avea* paura»: Pascoli, «I due orfani»).

Alla prima persona dell'imperfetto, la forma in -o vien guadagnando terreno, ma non tanto che quella in -a cada del tutto in disuso. Troviamo molti che adoperano le due forme indifferentemente, cioè senza alcuna differenza stilistica, a poche pagine di distanza o addirittura nello stesso periodo: «Ebbi una volta un pendolo a cucù... - e lo *tenevo* in camera... Io, ripigliato sonno, ancora voi, - miei colli *rivedeva*» (Carducci, «Intermezzo», 3); «Io *gustava* l'arcana, indefinita, - voluttà della vita», «Ed io t'*amavo* ed io ti son caduto - pregando innanzi» (Stecchetti, *Postuma*, XV, LX); «tormentato dal desiderio di dirle che le *voleva* bene...», «*Pensavo* se *dovevo* farti una domanda» (Martini, *La Marchesa*); «io, io *era* il tuo natural marito», «Prima *ero* in educandato» (P. Ferrari, *Cause ed effetti*, I, sc. 6); «nelle ore del riposo *mangiava* quel po' di pane in bottega e *disegnavo* alcuno dei gessi» (Dupré, *Ricordi autobiografici*, p. 14); «Ed intanto io *pensava*, e... E quel vasto campo che un istante prima mi parlava di morte, lo *vedevo* ora popolato...» (Fucini, *Veglie di Neri*, p. 5); «Perché *ero* malata,... *aveva* una malattia al cuore... e non *potevo* servire» (Serao, *Suor Giovanna della Croce*, p. 351); «solo solo come *era*...», «io non *aveva* ancora bevuto...», «io *capitavo* a Superga» (Panzini, *La lanterna di Diogene*, p. 17, 18, 19).

perché»: Fogazzaro, *Daniele Cortis*, p. 364).

[93] V. lo scambio di versi scherzosi fra il p. Mauro Ricci e il Fanfani nella *Bibliobiogr.*, pp. 263-265.

[94] Al di là di quel che aveva fatto il Manzoni nella revisione dei *Promessi Sposi*, che «del costrutto toscano *noi si fa* per *noi facciamo* e sim., così scusso scusso, non fece mai uso» (D'Ovidio, *Correzioni*, p. 85).

Forme come *èramo* alla 1ª persona plurale, *eri* alla 2ª pers. plur. sono adoperate solo da qualche scrittore che ostenta il toscano familiare (per es. il Gradi, nella traduzione delle commedie di Terenzio)[95].

Per il passato remoto, forme forti come *conobbimo*, *rimasimo*, suonano come dialettali e pochissimi le adoperano (per es. Verga, *La peccatrice*). Le forme in *-etti*, *-ette* della 2ª e 3ª coniugazione sono meno comuni di quelle in *-ei -é*. Il Carducci adopera anche, in prosa e in poesia, *stiè* per *stette*.

Al congiuntivo, le seconde persone *che tu sii*, *che tu abbi*, *che tu facci* al presente, *che voi fossi* all'imperfetto sono solo del toscano familiare, e di qualche toscaneggiante.

Al condizionale, le forme in *-ia* diventano rare ormai anche nel verso, eccezionali in prosa («le chiese stupende ove *saria* dolce, credendo, pregare»: Carducci, 1888, in *Op.*, XXV, p. 300). Le forme di 1ª plur. in *-assimo*, *-essimo*, *-issimo* sono considerate scorrette, ma ancora sopravvivono nel linguaggio semicolto dell'Italia settentrionale («Senza di questo, chi sa cosa *saressimo* noi!... cosa *avressimo* ora?»: Verdi, lettera 12 febbraio 1878).

All'imperativo, le forme *fa*, *va*, *da*, *sta* tendono ad essere sostituite, e non solo in toscano, da quelle (originariamente indicative) *fai*, *vai*, *dai*, *stai* e dalle corrispondenti apocopate *fa'*, *va'*, ecc.

Nell'uso degli ausiliari con i verbi modali, il costrutto *ho potuto andare* sta acquistando terreno rispetto a quello tradizionale *sono potuto andare* (l'adopera non di rado il D'Annunzio).

Con i verbi riflessivi propri ed impropri troviamo ancora non di rado *avere*: «la sola meraviglia fu che non *s'avesse mangiato* Salandra» (Verdinois, *Profili*); «come non *ci avessimo* mai conosciuto» (Pirandello, *Il fu Mattia Pascal*, c. XVIII); «non ricordava *d'aversi* mai tagliato le unghie» (Deledda, *Colombi e sparvieri*, p. 159).

Nella lingua poetica, la tradizione mantiene ancora, in numero sempre più ristretto, alcune delle forme verbali della poesia tradizionale: *dee*, *ponno*, *vedea*, *finia*, *vanio* «svanì», *avria*, ecc.

Quanto alle parole invariabili, mentre le varianti eufoniche *ad*, *ed*, *od* sussistono[96], *ned* è rarissimo («*ned* è necessario»: Ascoli, *Arch. glott. it.*, I, p. XVI).

---

[95] O nel verso, come «licenza poetica»: «In un avel calati *eram* per gioco» (Tarchetti, «Sognai...»); «Di là del bugigattolo d'ingresso – perfettamente vuoti, *eram* passati» (Riccardi di Lantosca).

[96] Ma il Broglio osserva al Rigutini che «il popolo toscano, propriamente, non direbbe *ad invecchiare*» (Pref. al III vol. del Giorgini-Broglio, p. XXXVII).

15. *Costrutti*

Anche nella sintassi non è difficile notare, accanto allo sparire o al rarefarsi di certi usi tradizionali, qualche influenza dialettale, la presenza del francese, la spinta del linguaggio burocratico.

Tra i vari tipi di sostantivi uniti senza preposizioni, si moltiplicano le sequenze ellittiche del tipo *cassa pensioni*, *dazio consumo*, *tassa bestiame*, *banco lotto*, *scalo merci*, *massa rancio*, nate in campo amministrativo e invano combattute dai puristi. Meno aliene dalla tradizione sono le coppie il cui secondo elemento è un nome proprio (*piazza San Marco*), a cui si ricollegano costrutti come *il ministero Giolitti*, e anche *gli scandali Dessalle*, *le finanze Salvador*, *il mondo Scremin* (Fogazzaro); non attecchì invece il tipo *il monumento Cavour* (Dupré, *Ricordi autobiografici*, passim), che ebbe fortuna in Francia. Le coppie appositive tradizionali (*il Conte duca*, *la serva padrona*), ebbero anch'esse notevole incremento (*coperchio-sedile*: Dossi, ecc.)[97].

Sembra dovuto a influenza francese (benché non ne manchino esempi negli scrittori cinquecenteschi) il partitivo espresso con *di* davanti ad aggettivo seguito da sostantivo: «vendeva *di* piccole focacce che non potevano uccidere una donna» (Scarfoglio, *Il processo di Frine*), «gli procuravano anche *di* solenni scapaccioni» (De Roberto, *I Viceré*), «Papà tuo passa *di* ben tristi giornate» (Martini, lett. 28 luglio 1914).

Tra le molte osservazioni che si potrebbero fare sull'uso dei tempi, citiamo solo un tipico esempio di passato remoto esemplato sul siciliano: «Mastro Cola cadde gridando: - Mamma mia! m'*ammazzarono*» (Verga, *Novelle rusticane*).

Nella sintassi del periodo, notiamo certi casi in cui si ha l'indicativo in luogo del congiuntivo, per influenza dialettale: «Il popolo credeva che il suo gran nemico *era* il Governo» (Settembrini, *Ricordanze*, I, p. 113), «Aspettano che *suonate* mezzogiorno» (Verga, *Mastro don Gesualdo*, p. 144). Invece l'Ascoli adoperava spesso il congiuntivo in proposizioni dipendenti di affermazione limitata, in cui comunemente si sarebbe adoperato piuttosto l'indicativo presente o futuro: «Quanto poi sia conseguito per questa seconda via, se da un lato riconferma la normalità... della continuazione fonetica, è chiaro che *stremi* dall'altro... il campo...» (*Arch. glott. it.*, X, p. 83), «lo Scaramuzza... tocca di certi rioni della sua Grado in cui *perduri* abbastanza nitida la vecchia parlata» (ivi, XIV, p. 335); «l'impressione che su voi *produca* questa mia cosa» (lettera a Bianco Bianchi, 29 nov. 1886)[98].

---

[97] Migliorini, *Saggi Novecento*, p. 127 (e bibl. ivi citata).

[98] È interessante notare come i glottologi dell'ultimo Ottocento talora seguono il vezzo del Maestro: «È il solo caso in tutta la declinazione, in cui *paja* d'avvertire un influsso dell'-*i*» (Pieri, *Arch. glott. it.*, XIII, p. 323); «v'è il filtro del gusto e del criterio nazionale attraverso di cui la vena fiorentina si *purifichi*» (D'Ovidio, *Correzioni*, pp. 175-176).

Nelle reggenze degli infiniti dipendenti si hanno alcune oscillazioni, dovute spesso a influenze dialettali: «mi piaceva *a* vederlo sorridere» (Neera, *Anima sola*), «ho visto il barone *a* confabulare» (Verga, *Mastro don Gesualdo*, p. 87), «De Zerbi, del quale aveva inteso tanto *a* parlare» (Verdinois, *Profili*, p. 211 Le Monnier), «A Modena un tabaccaio si offerse *ad* incollarmi egli stesso i bolli» (Panzini, *La lanterna di Diogene*, p. 30).

Qualche rara volta si ha ancora l'infinito accompagnato da *con* senza articolo: «gli altri tre finirono *con* parlar di lei» (Fogazzaro, *Piccolo mondo ant.*), «chiuse gli arruffati ragionamenti *con* pregare il genero» (Fogazzaro, *Piccolo mondo mod.*), «mi aiutino essi *con* suggerirmi...» (Pascoli, nota alla 2ª ed. di *Fior da fiore*).

Il gerundio è non di rado riferito ad altri membri della proposizione che non al soggetto: «Al far del giorno io avevo davanti a me, in ginocchio, un soldato nemico di cavalleria, *chiedendo*mi la vita» (Garibaldi, *Memorie*, p. 281), «Rosaria... vide la padrona in uno stato spaventevole, *frugando* nei cassetti e negli armadi» (Verga, *Mastro don Gesualdo*, p. 292); «Lodovico scorse Giovanni e Maria in piedi *ciarlando* affabilmente» (Ojetti, *Il gioco dell'amore*, p. 185).

Per ciò che concerne l'ordine delle parole, è da notare il regresso dell'enclisi. Sentiamo quel che dice il Pascoli annotando un brano di Filippo Pananti:

Una delle particolarità, e forse più spiccata, per cui lo scrivere accademico, pretensioso, affettato si distingue dal nativo e svelto e moderno (diciamo Manzoniano) è l'appiccare le enclitiche alle forme di verbo le quali non le comportano. Le forme di verbo che prendono dopo sé tali pronomi e particelle atone sono l'imperativo (seconda persona), il gerundio, il participio e l'infinito: *ditegli, dicendomi, dicentemi* e *dettogli, dirti*. Le altre no: le hanno avanti: *gli dico, gli dica, gli direi*[99].

Ciò non vuol dire che non si abbiano ancora numerosi casi di enclisi, e non solo in formule fisse (*Appigionasi*; *come volevasi dimostrare*). Parecchi ne ha il Dossi: «tutti si rimbarcarono e *distaccaronsi* dalla riva» (*Colonia felice*, p. 36), «*rincamminossi* per le orme segnate il dì prima» (ivi, 78 e passim); parecchi il Verga: «il grosso pilastro rosso, sventrato a colpi di zappa, *contorcevasi* e si piegava in arco» (*Rosso Malpelo*), «Stava zitto, non *lagnavasi* perché non era un minchione» (*Mastro don Ges.*, p. 321). Ma che si tratti di un costrutto che tende a diventar stantio, si vede dall'uso stilistico che ne fa il Faldella, in una sua umoristica descrizione d'una seduta in Arcadia: «Si approssimò qualche poco al mio concetto di Arcadia un vecchietto lindo e ben imbottito d'eleganza, o meglio *approssimossi* la sua tosse» («In Arcadia», nel vol. *Roma borghese*, Roma 1882).

Qualche traccia d'una tendenza a mettere il soggetto all'inizio della

[99] Pascoli, *Fior da fiore*, p. 134 n.

frase, anche dove non s'aspetterebbe («Una dolcezza ci allacciava che non era di questo mondo»: Neera, *Anima sola*, p. 138), sarà dovuta all'esempio francese.

In deciso regresso sono i periodi con il verbo in fine: «viene quel giorno in cui [quei volumi] permettono ad uno di fare una indagine che altrimenti far non potrebbe» (Q. Sella, discorso alla Camera, marzo 1881).

Le scelte fra periodi lunghi e periodi brevi (si pensi, per citare un solo esempio, alle serie di proposizioni brevissime, così frequenti nella *Storia della letteratura italiana* del De Sanctis), fra periodi piuttosto paratattici o piuttosto ipotattici, le novità nella tecnica del dialogo[100], ecc. vanno naturalmente studiate in relazione con i singoli autori.

16. Consistenza del lessico

Cominciamo col dare qualche esempio dei vocaboli che entrano in questo periodo nei vari campi del lessico. Alla concezione positivistica ed evoluzionistica predominante negli ultimi decenni dell'Ottocento si ricollegano i molti derivati di *evoluzione* allora coniati: oltre a *evoluzionista* e *evoluzionistico*, si hanno *evoluzionario*, *evolubilità*, ecc. (ma non ancora *evolversi*). Si oscilla fra *selezione naturale* ed *elezione*: il Tommaseo biasimava *selezione*[101]; G. Canestrini, traduttore di Darwin, non osava sanzionare il neologismo e preferiva tradurre *Sulla origine delle specie per elezione naturale*, Torino 1875; non ne aveva paura invece l'Ascoli, che parlava della *selezione naturale* nelle lingue (*Arch. glott. it.*, I, p. XVIII). Moltissimi parlano anche metaforicamente di *darwinismo* (o *darvinismo*) e di *lotta per la vita*.

Ambiente, che prima era solo termine fisico e biologico, per influenza delle concezioni del Taine, viene a significare anche le circostanze sociali (come il francese *milieu*)[102]. Anche *trasformismo* fu in origine un termine evoluzionistico (coniato dall'antropologo francese Broca nel 1867 riferendosi alle teorie di Lamarck): dopo il discorso di Depretis dell'8 ottobre 1882 (il quale parlava di *trasformazione*), passò a indicare quell'abolizione di nette frontiere tra i partiti che caratterizzò

---

[100] È stato specialmente studiato il «dialogo interiore» o «stile indiretto libero» del Verga (con riferimento al noto libro di M. Lips, *Le style indirect libre*, Parigi 1926; ma già lo Scarfoglio, nel *Libro di Don Chisciotte*, Roma 1885, aveva notato «lo strano abuso del dialogo indiretto»): cfr. V. Lugli, «Lo stile indiretto libero in Flaubert e Verga», in *Mem. Acc. Ist. Bologna, Cl. sc. mor.*, s. 4, vol. V, 1942-43 (rist. in *Dante e Balzac*, Napoli 1952, pp. 221-239), G. Devoto, «I piani del racconto in due capitoli dei Malavoglia», in *Boll. Centro St. fil. ling. Sic.*, II, 1954, pp. 271-279, I. Frangeš, «Su un aspetto dello stile di G. Verga», in *Studia Rom. Zagr.*, I, 2, 1956, pp. 3-44.

[101] Nel suo opuscolo *L'uomo e la scimmia*, Milano 1869, p. 31, e più acremente nel *Dizionario*, come «voce con cui gli scienziati della bestialità e del pantano, per negare la libertà umana, la affermano consentendola a tutte le cose».

[102] Migliorini, *Saggi linguistici*, pp. 242-261.

la politica di quegli anni: «*Trasformismo,* brutta parola a cosa più brutta», lo giudicava il Carducci[103].

Innumerevoli altre voci nascono dalla politica nei vari suoi aspetti. I primi anni dell'unità fanno sorgere proteste contro i *piemontisti* o *piemontesisti,* e quelli che vogliono (*im*)*piemontizzare* l'Italia. Chi è *autoritario, intransigente, forcaiolo,* chi *libertario.* Vi sono *triplicisti* e *antitriplicisti,* per lo più a cagione dell'*irredentismo.* Si parla dei *comunardi* e poi dei *dreyfusisti* o *dreyfusardi,* riferendosi alle condizioni francesi; invece *blocco* (col derivato *bloccardo*) viene presto anche riferito, oltre che alla politica francese, a quella italiana. Lo stesso si può dire di *boicottare* (anzi dapprincipio, *boycottare*), che è considerato alla sua apparizione come neologismo inglese[104], ma è poi subito accolto anche in italiano. Si crea il nuovo titolo di *sottosegretario* (di Stato).

Frequentissime sono pure le locuzioni politiche: la *questione meridionale,* la *capitale morale* (cioè Milano: espressione attribuita a R. Bonghi), il *momento psicologico* (dovuto a Bismarck), le *zone grigie* (con cui Crispi indicò i paesi di confine di nazionalità mista), e via via fino al *sacro egoismo* (da un discorso di A. Salandra).

Le guerre africane portano alla conoscenza di persone, cose, usanze di quei luoghi: *negus, ras, ascari,* ecc.; nascono allora anche *guerrafondaio* e *retrovie.* Con la guerra di Libia si diffonde la parola araba *ghirba* («otre», e figuratamente «pancia»).

Le lotte sociali fanno nascere molte nuove espressioni o danno significato nuovo a parole antiche: *lega operaia, Camera del lavoro, sciopero, serrata* (dapprima, all'inglese, *lock out,* 1875), *sabotare,* ecc. Abbondano le parole affettive, di attaccamento (*compagno* come titolo) o di spregio: *succhioni, crumiri* (operai o contadini che continuano a lavorare mentre gli altri scioperano; dal nome di una piccola tribù di Tunisini alla frontiera con l'Algeria, che con il loro atteggiamento di contrabbandieri diedero occasione alla spedizione francese del 1881) e non mancano i motti (il *Sole dell'avvenire,* dapprima adoperato, sembra, da Mercantini e da Garibaldi, poi divulgato dal *Canto dei lavoratori* di F. Turati, 1886). Ricordiamo anche *lor signori,* epiteto spregiativo dato alle classi dominanti dagli oratori e dai giornali di sinistra[105].

Si formano molti nuovi sostantivi femminili, ora che le donne si dedicano più frequentemente di prima agli studi e a professioni prima riserbate agli uomini. «La terminazione *essa* è preferita a tutte le altre

---

[103] *Don Chisciotte,* 3 genn. 1883. Molte altre citazioni di quegli anni v. ap. De Mattei, *Lingua nostra,* II, 1950, pp. 124-126.

[104] *Illustrazione ital.,* 2 genn. 1881 (cit. da Messeri, in *Lingua nostra,* XVIII, pp. 102-103).

[105] Nel «Canto dei mietitori» del Rapisardi (nella raccolta *Giustizia,* 1888) il ritornello «e falciamo le messi a lor signori» si cambia nella chiusa in «Poi falcerem le teste a lor signori».

nell'uso comune, quando si debba estendere a donna o una professione o una dignità propria principalmente o soltanto de' maschi» (Fornaciari, *Sintassi*, pp. 18-19): *avvocatessa, professoressa, studentessa*. Ma la connotazione per lo più spregiativa dei nomi in *-essa* appare da molte nuove coniazioni: «queste *deputatesse* pettorute» (*Giobbe* di M. Balossardi [O. Guerrini e C. Ricci], p. 60); «le nostre *snobbesse* anglomani» (diario Guiccioli, 19 dic. 1886, in *Nuova Ant.*, 1 dic. 1937, p. 325); «alla *letteratessa* venne in mente di fare...» (Panzini, *Le fiabe della virtù*), ecc. Anche per questo motivo si ricorre talvolta ad altri mezzi: le *signorine studenti*[106], la *donna avvocato*, ecc. Dei nomi in *-tore*, solo *dottoressa* comincia a essere usato senza spregio: *dottrice* è impossibile (lo tentò schernevolmente il Dossi, nella *Desinenza in -a*) e *dottora*, malgrado la difesa dell'Arlia favorevole ai nomi in *-tora*, è considerato anch'esso come spregiativo[107].

Nella vita cittadina il rinnovamento edilizio porta agli *sventramenti* e ai *rettifili*. Milano costruisce il suo *famedio*. E già si parla di *urbanismo*.

Grandi innovazioni si hanno nelle comunicazioni: compare ancora qualche tipo di carrozza a cavalli (*victoria*); ma poi entrano in uso il *tramway* o *tram* o *tranvai* (col *trolley*, ecc.), il *velocipede*, la *bicicletta* (con il verbo *pedalare*, ecc.), l'*automobile* (con lo *chauffeur*, la *capote*, il *démarrage* – poi chiamato *avviamento* – ecc.). Si sviluppa l'aviazione, con gli *aeroplani* (che D'Annunzio preferiva chiamare *velivoli*), e parecchi termini francesi (*hangar, planare*, ecc.) e qualcuno nostrano (*fusoliera*, ecc.). La navigazione subacquea ha i *sottomarini*, poi chiamati *sommergibili* (col *periscopio*, ecc.).

La moda maschile e femminile importa od escogita, come di consueto, decine e decine di nomi nuovi: il *tight*, lo *smoking*, l'*impermeabile*, la *lobbia*, il *pijama* (*pigiama*); il *sellino* (franc. *tournure*), il *bolero*, il l'*entrave*, ecc.

Nelle leggi e nella pratica degli uffici si coniano o si fissano ufficialmente numerosi vocaboli nuovi, specialmente nei primi anni del nuovo Regno. Prevalgono i termini del regno sardo (i *sindaci* sostituiscono i *gonfalonieri* e i *podestà*), ma ne sopravvivono alcuni di altri stati (per es. *incartamento*, che era voce degli uffici napoletani, proveniente dallo spagn. *encartamiento*).

Frequente è la coniazione di vocaboli generici come *attendente a casa, nullatenente*, e naturalmente le designazioni d'impieghi (*tenenza*), di enti (*casellario giudiziale*), ecc.

Nell'economia e nella finanza appaiono vocaboli come *correntista, percentuale, bancabile, contabilizzare* e innumerevoli altri; a *check*

---

[106] Così il Carducci, a proposito di un incidente universitario a Bologna (1891).

[107] C. Arlia, *Passatempi filologici*, Milano 1902, pp. 25-31. Appoggiandosi all'uso familiare toscano, anche il Morandi e il Petrocchi sono piuttosto favorevoli ai femminili in *-tora*. Qualche volta affiorano formazioni dialettali: per es. «quella *pittora* lì», spreg. (Fogazzaro, *Daniele Cortis*, cap. VI).

(*chèque*) si comincia a sostituire *assegno*. La statistica parla di *natalità*, di *nuzialità*, ecc.

Nel campo della letteratura, molti fra i termini che indicano nuove tendenze vengono dalla Francia: *parnassiani, realisti, veristi, simbolisti*. Ma il nome di *scapigliatura* traduce con originalità il francese *bohème*[108]; quello di *crepuscolare*, pur non mancando di precedenti francesi e italiani[109], fu applicato a un determinato gruppo di scrittori dopo un articolo del Borgese. *Bozzetto* come termine letterario è metafora attinta alla scultura e alla pittura.

Anche nel campo delle arti figurative troviamo numerosi nomi europei (*impressionisti, divisionisti*, ecc.) e qualcuno di conio italiano (*macchiaioli*). Per la musica ricordiamo il termine wagneriano di *Leitmotiv*, la modesta *ocarina* inventata a Budrio nel 1867, la *pianola* di origine inglese.

Nell'ambito del giornalismo quotidiano e letterario nascono l'*elzeviro*, il *trafiletto*, la *terza pagina*[110], l'*intervista*, e anche il verbo *cestinare*. Nel 1896, il Carducci domandava a G. Biagi (*Lett.*, XIX, p. 236): «*Editoria* è vocabolo suo o nuovo uso fiorentino?».

Nel campo delle scienze morali, la filosofia risente nella terminologia dell'ondata positivistica, e poi della ripresa della scolastica e della riscossa idealistica: e ciò non solo nei molti nuovi termini (*abulia, afasia, agnostico, autocoscienza, introspezione, neoscolastica, pragmatismo, pseudoconcetto, psicanalisi, psicometria*, ecc.) ma anche nel mutamento di certi usi (i positivisti non vogliono che si parli di *anima*, ma di *psiche*). Si moltiplicano le manifestazioni di *telepatia*. Per la teologia basti ricordare il termine di *modernismo*[111].

Nel campo del diritto penale, appare la nuova *criminologia*. Un nuovo campo di ricerche è quello della *preistoria* e della *paletnologia*: si scoprono le *terramare* e le *palafitte* e si foggia una nuova terminologia (*villanoviano*, ecc.).

[108] Nella sua prima apparizione, tuttavia (lo scritto di C. Arrighi *La scapigliatura e il 6 febbraio*, Milano 1861, già preannunziato alcuni anni prima dal *Pungolo*) *scapigliatura* non si riferiva alla nota scuola letteraria milanese, ma a quei cospiratori patriotti che avevano preparato i moti del 6 febbraio 1853.

[109] F. Coppée, in un articolo del *Journal*, 15 marzo 1894, chiamava Samain «un poète d'automne et de crépuscule», F. Gaeta nel *Libro della giovinezza* (1895) invocava: «Ma a me crepuscolare l'anima resti», G. Camerana in una lettera al Boito (1901) diceva che certe proprie strofe mandavano una «loro luce un po' mortuaria, un po' spettrale, un po' crepuscolare».

[110] Iniziata dal *Giornale d'Italia* nel 1901, in occasione della prima rappresentazione della *Francesca da Rimini* del D'Annunzio (v. A. Bergamini, *Nuova Antol.*, XC, 1955, pp. 347-362).

[111] Apparso già, con significato politico generico, nella *Civiltà cattolica* del 1883, e da altri adoperato con valore anche più vago («l'esagerazione di modernità, o modernismo che dir si voglia»: Mazzoni, *Poeti giovani*, 1888), il vocabolo viene poi usato, con preciso riferimento alle nuove concezioni eterodosse, dalla *Civiltà cattolica* nel 1904, ed è infine teologicamente definito dall'enciclica *Pascendi* (1907).

Le scienze biologiche vantano numerose scoperte nel regno dei *bacilli* e dei *microbi(i)*. La medicina adotta l'*antisepsi* e l'*anestesia*, perfeziona la *parassitologia*, identifica la *difterite* e la *tubercolosi*; nasce (per le ricerche sulla malaria) l'aggettivo *malarico*; e citiamo fra mille e mille. I chimici coniano voci come *cocaina* o *ptomaina*; e l'industria produce *celluloide* e *dinamite*.

Tra le scienze applicate hanno un enorme sviluppo tutte quelle che si riferiscono all'elettricità: *accumulatore, trasformatore, dinamo, volt*, ecc.

Nel campo dei motori ricordiamo voci come *macchinario, montaggio, turbina*.

Lo sviluppo del commercio dà origine alla *merceologia* (o *merciologia*). Si perfeziona l'arte fotografica: *istantanea, viraggio*.

Entrano in uso il *fonografo* e il *cinematografo* (*cine, cinema*), con una ricca terminologia.

Si sviluppano grandemente gli sport (sport ippici, tennis, ciclismo, alpinismo, sci, ecc.) con una affluenza preponderante di voci francesi e inglesi, ma anche con qualche voce di formazione greco-latina o italiana (*alpinismo, stella alpina*, ecc.; il vocabolo *maratona* adoperato come nome di corsa in occasione del rinnovamento dei giochi olimpici del 1896; l'antico *allenare* esumato, ecc.).

Fra le innumerevoli cose nuove di questa età che portano alla coniazione di parole nuove ricordiamo la *grafologia* e la *filatelia*.

Ma, come è ovvio, non abbiamo fatto che piluccare: sarebbero invece desiderabili ampi elenchi per i singoli campi, con precise datazioni. Né basterebbe, naturalmente, considerare le parole di uso generale: bisognerebbe approfondire la storia del lessico di ciascun campo speciale (il lessico della filosofia, poniamo, o quello della fisica, o quello della marina), e poi vedere quali di queste parole si sono diffuse nel pubblico e quando.

Le nuove voci che appaiono nel lessico italiano sono dovute, come di consueto, a nuove coniazioni, a mutamenti di significato, a voci di origine regionale, all'esumazione di voci arcaiche, alla penetrazione di latinismi e grecismi o di voci forestiere.

Le nuove coniazioni sono in minima parte di origine onomatopeica: vi è particolarmente incline il Pascoli, che non solo riprende nomi e verbi raramente usati dagli scrittori (*bombire, chioccolare, zirlare*), ma attinge all'uso popolare o conia voci nuove, grammaticalizzate (*gracilare* delle galline, *sciusciuliare* del mare) oppure no (*tin tin* dei pettirossi, *uuid uid* dell'allodola, ecc.). Pirandello presenta un suo personaggio che rifà il verso al canarino, che «forse coglieva in quel... *pispissìo* care notizie di nidi, di foglie, di libertà» (*Il fu Mattia Pascal*, cap. IX). I futuristi puntano piuttosto sulle onomatopee tratte dai rumori. Ma in complesso poche voci onomatopeiche entrano nell'uso stabile: ricordiamo *ticchettio* (Picciola, *Versi*; D'Annunzio, *Innocente, Trionfo della morte*).

È in auge la semplice sostantivazione riferita a persona (*un* sanitario, *un intellettuale*) o a cose (un *dirigibile, un'istantanea, un'automobile*).

Vi sono molti esempi di derivazione diretta (e con particolare abbondanza nel linguaggio degli uffici): *realizzo, incrocio, rettifica; cestinare, pedalare, ostacolare, periziare, motivazione*, ecc. [112]. In genere i puristi sono ostili a queste forme, e in modo speciale ai verbi derivati da nomi in *-one*, come *lesionare, ustionare*, ecc.

Tra i prefissi, comincia con *superuomo* (nella prefazione al dannunziano *Trionfo della morte*, 1894), la fortuna di *super-* elativo [113].

Si stanno formando parecchi prefissoidi, con la possibilità quasi illimitata di formare nuovi composti: *aeroferetro* (1903), *autocommento* (Carducci, 1882), *autocoscienza, autogoverno* (1890), *automobile, elettroargentatura, elettropuntura, fotoincisione, fotoscultura* [114], *galvanoplastica*, ecc.

Nella formazione suffissale di sostantivi forse i suffissi più fertili sono *-ismo* e *-ista. Ismo* serve soprattutto a formare nomi che indicano dottrine, movimenti, tendenze di vario genere: *nullismo, verismo, futurismo, occultismo*, ecc. In una lettera dell'11 marzo 1881 D'Annunzio scrive ironicamente a un professore: «*Discorso di filosofia*. Oibò! *c'est trop simple*... Ella doveva mettere un titolo più sfolgorante e sonante e schiacciante: una dozzina di *ismi* per lo meno». E il Capuana dedicava un volumetto a *Gli ismi contemporanei* (Catania 1898). Si tratta per lo più di voci internazionali, ora formate in altri paesi, ora in Italia. Ma ce n'è un gruppetto di più evidente derivazione francese: quello che indica un complesso di attività sportive: *velocipedismo* (poi *ciclismo*), *automobilismo*. Anche i nomi in *-ista* si moltiplicano in vari significati (*elettricista, pubblicista, specialista, avvenirista*, ecc.) né sempre piacciono (il Veratti nel 1880 biasimava, per es., *congressista*; il De Lollis nel 1907 trovava *medievista* «brutta, ma necessaria parola»).

La serie già antica dei sostantivi in *-issimo* (*amicissimo*: Villani, ecc.) riceve molti nuovi incrementi: *banchettissimo, giornalissimo, palazzissimo* (Nieri), *pupissima* (Martini), *sorellissima* (Rovetta), *strennissima, veglionissimo*, ecc. I diminutivi in *-erello* e *-arello* (originariamente fiorentino il primo, non fiorentino e specialmente caro ai Romani il secondo) si scambiano ormai senza che più si senta la sfumatura regionale: il Dupré scrive *fatterello* o *fattarello*, il Carducci adopera *attarello, fattarello, bruttarello*, il Mazzoni *scrittarello* ecc. [115].

---

[112] Il Carducci adopera *omaggiare* (sottolineato) in una lettera del 1895 al Biagi («fui ad *omaggiare* la Regina»: *Lett.*, XIX, p. 133) e (senza sottolinearlo, ma sempre con tono scherzoso) in una lettera del 1898 ad Annie Vivanti «Domani, partiti i tuoi inglesi, verrò ad omaggiarti» (*Lett.*, XX, p. 139).

[113] Migliorini, *Saggi Novecento*, p. 67.

[114] La parola è già nel Tommaseo-Bellini, ma a un certo momento fu in gran voga, come si vede dalla satira che ne fece Ferravilla mettendo in bocca a un suo personaggio lo pseudocomposto *bagolamentofotoscultura*.

[115] Nel linguaggio parlamentare entrò nel dicembre 1905 (introdottavi dal

Le formazioni scientifiche abbondano (*psicosi, tubercolosi,* ecc.), e tendono a sconfinare anche nell'uso corrente: sull'esempio di *mattoide,* coniato dal Lombroso e subito diffusosi, si ha *anarcoide, genialoide*; su *-ite, -itide* si fa *spaghite* «paura», *briachitide* («bollendogli la *briachitide* su due bone materasse»: Petrocchi, versione di Zola, *L'Assommoir,* p. 128).

Le scienze, la burocrazia, il giornalismo, la poesia, spingono a coniare nuovi aggettivi: *malarico* (da *malaria*), *maidico* (da *mais*), *luetico* (da *lue*), *medianico* (da *medium*), *velico* (da *vela*); *risorgimentale, decoramentale* (Carducci), *sensazionale; aromale, liliale, sinfoniale* (D'Annunzio), *furiale* (Boito), *gloriale* (Camerana), ecc.

Fra il 1900 e il 1910 gli aggettivi in *-esco* riferiti ai secoli (*trecentesco,* ecc.), prima rarissimi, sostituiscono quelli in *-istico* (o in *-ista* appositivo: *eleganza cinquecentistica, lirica cinquecentista*), fino allora usuali.

Anche con i suffissoidi si coniano molte parole nuove: accanto ai vecchi vocaboli di *lanificio, setificio, panificio,* che dal significato astratto di «arte di lavorare la lana, la seta, di fabbricare il pane» erano passati a quello concreto di «luogo dove si lavora la lana, la seta, si fabbrica il pane», si foggiano numerosi altri nomi, specialmente in Lombardia: *calzaturificio* («goffa e sesquipedale parola creata a Milano, 1902»: Panzini), *canapificio, caseificio, cotonificio,* ecc. I cannoni *grandinifughi* destano verso il 1900 grandi speranze; si creano laboratori *vaccinogeni,* ecc.

Accanto ai composti dei tipi usuali che anch'essi si accrescono (*accalappiacani, pesalettere, schiaccianoci,* ecc.), se ne hanno molti altri di vari tipi, specialmente nelle scienze (*parolibero,* Marinetti; *avifauna,* ecc.).

Oltre alle molte voci nuove che sono arrivate più o meno facilmente, più o meno ampiamente a entrare nell'uso, se ne potrebbero citare migliaia di altre che hanno avuto una vita momentanea o più o meno breve: *scimmietà, scimmiologo* (Tommaseo), *monumentare, manzonicidio* (Carducci), *empicornici* «pittore», *spulciacodici* «erudito» (Dossi), *nientarchia* (Gandolin), *massiccità* (Fogazzaro), *capolavorare, capolavorazione* (D'Annunzio), *prosatoio* (D. Mantovani), *studianaio* (*studio* + *granaio*: così chiamava il Fucini il suo studio), ecc.

Di parecchie parole si conosce l'autore, sia di quelle scientifiche e tecniche che di quelle letterarie o politiche: sappiamo per es. che *ptomaina* è stato coniato da F. Selmi, che *bimetallismo* è dovuto a E. Cernuschi, che *paesanità* è stato foggiato da Carducci; *guerrafondaio* è dovuto a L. A. Vassallo (Gandolin) e *forcaiolo* a L. Bertelli (Vamba). Di altre si conosce chi le ha introdotte: *velivolo* nel senso di «aeroplano» da D'Annunzio, *congeniale* da Croce, ecc.

Innovazioni importanti si hanno anche nella semantica: parole già

presidente del consiglio Fortis) l'espressione *una puntarella di Destra;* il Martini scrive *punterella* (lett. 6 nov. 1909).

esistenti prendono nuova voga o nuovo significato, sia in relazione con le correnti dell'età (filosofiche, scientifiche, politiche, economiche, ecc.), sia per la spinta di qualche accadimento singolo.

Si pensi, ad esempio, all'uso sempre crescente di termini scientifici e tecnici, sia in senso proprio[116], sia in senso figurato.

In tutti i secoli si sono coniate espressioni figurate, ed è difficile credere che in questa età se ne siano foggiate più che in altre: se i puristi se ne lagnano più che mai, ciò dipende probabilmente dalla maggior diffusione del giornalismo, che non va tanto per il sottile nel coniare metafore e ancor più spesso nel divulgare metafore già coniate in Francia. Il Fornaciari nel 1888 lamentava con amare parole l'incontrollata divulgazione delle «metafore di moda»[117]; ma il Torraca ebbe buon gioco nel dimostrare, con una larga documentazione, che le metafore biasimate dal Fornaciari non erano adoperate soltanto da giornalisti da strapazzo, ma che molte di esse erano entrate nel lessico degli scrittori e dei critici più autorevoli[118].

Né si può dire che successivamente quella tendenza sia regredita; tutt'altro.

Si attingeva specialmente – e non fa meraviglia in un'età dominata dallo scientismo positivistico[119] – alle scienze della natura: di qui l'uso larghissimo di *evoluzione, evoluto, svilupparsi*; il nuovo significato di *ambiente* e voci affini (v. p. 638); l'uso estensivo o figurato di *alluvione, permeare*[120]; *condensare, cristallizzare*; *espansione*; *convergenza, divergenza*; *diagramma* («il diagramma delle tese funi»: Graf, *Medusa*, 1880), *apogeo, eclissi, orbita*; *embrione, germe, microbi(i), parassita*[121]; *patologia, diagnosi, sintomo, nostalgia*[122]; *gestazione, superfetazione*; *atrofia, ipertrofia, collasso, pletora, microcefalo*, ecc.

---

[116] Anche i poeti, di solito alieni, nei secoli precedenti, dall'usare termini scientifici» li adoperano con larghezza: lo Zanella parla di *nautili* e di *murici*, di *mastodonti* e di *uranghi;* il Rapisardi di *quarzo* e *felspato*, o dell'«insonne *zoofitico* gregge»; le *attinie*, le *astree* le *madrèpore* fioriscono nel *Canto novo* dannunziano, Gozzano compiange le «disperate *cetonie* capovolte» e ostenta i nomi di innumerevoli farfalle in un suo poemetto incompiuto dedicato ad esse; ecc.

[117] In un articolo della *Nuova Antol.*, 16 ottobre 1888, rist. nel volume *Fra il nuovo e l'antico*, Milano 1909, pp. 323-357.

[118] *Rivista critica della lett. ital.*, V, 1888, rist. nel vol. *Nuove rassegne*, Livorno 1894, pp. 53-88.

[119] Un esempio solo, fra i tanti, del modo di esprimersi non di uno scienziato, ma di un letterato positivista: egli non parla di opere d'arte, ma di «produzioni artistiche del cervello umano» (*Giorn. stor. lett. it.*, XLII, 1903, p. 160).

[120] Al Panzini l'uso estensivo della parola non piaceva: egli notava (*Diz. mod.* 7ª ed., s. v.): «usato dal Carducci in nobile prosa, poi dai moderni, stona come una pezza di raso in un abito da strapazzo».

[121] Non solo «Parassiti del linguaggio» e «Microbi del discorso», titolo di due capitoli di P. Lioy, *Piccolo mondo ignoto*, Firenze 1900, ma *parassita* e *parassitico* riferito a suoni nei *Corsi di glottologia* dell'Ascoli, Milano 1870, passim.

[122] Solo negli ultimi decenni dell'Ottocento il termine di *nostalgia* comincia ad uscire dai trattati di medicina e ad entrare nell'uso comune.

Pure largo è l'uso figurato di nomi di procedimenti e strumenti: *termometro, sismografo* («La seduta di ieri fu burrascosa: ma il *sismografo* politico fin dalla mattina prometteva di più»: Collodi, *Note gaie*, 1876), *fotografia, fonografia* (G. Cepparelli intitola – per consiglio di O. Bacci – *Fonografie valdelsane*, Firenze 1896, una raccolta di scenette trascritte dal vero), *cinematografo* (*Che cinematografo!* «Che scena movimentata!»). A Giulio Orsini sembra d'avere «*di Röntgen i raggi – nell'occhio di scienza malato*».

Chi voglia troverà negli elenchi del Fornaciari e del Torraca molte di queste «metafore di moda» tratte da vari campi concettuali (ma resterà spesso con l'incertezza se siano nate in questa età o non siano già anteriori, perché i lessici, solleciti a notare i significati propri delle parole, trascurano invece non di rado quelli estensivi e figurati).

Accade anche talvolta che una scienza assuma come termine tecnico un vocabolo che già aveva preso in un'altra scienza un significato determinato: così il Canello (*Arch. glott. ital.*, III, 1879) chiamò *allotropi* le parole che si presentano in forma diversa pur avendo la stessa etimologia, attingendo il termine alla chimica e alla fisica.

Mutamenti di significato di varie specie si consolidano nel lessico.

Il nome *siluro*, che prima si riferiva a un genere di pesci teleostei, è trasferito anche (per irradiazione sinonimica di *torpedine*) a una mina acquatica semovente (1866).

Fascio già poco dopo il '70 a Bologna serve come nome di un raggruppamento operaio; e nel 1893 in Sicilia nascono i *Fasci dei lavoratori.*

Di *sventramenti* edilizi si cominciò a parlare dopo che il Depretis ebbe affermato nel 1884: «Bisogna *sventrare* Napoli».

L'epiteto di *bizantino* applicato alla vita politica e sociale della Roma umbertina e al gusto letterario e artistico predominante nella *Cronaca bizantina* del Sommaruga (1881-85), ancora rimane a caratterizzare quegli anni (G. Squarciapino, *Roma bizantina*, Torino 1950).

Il monocolo degli eleganti viene battezzato ironicamente *pasticca* (Fanfani-Arlia, 1881), poi anche *caramella* (Fanfani-Arlia, 1890); e questa seconda parola rimane nell'uso.

Coriandoli si chiamavano i confettini con un seme di coriandolo e poi in genere i confetti carnevaleschi di gesso, ma poi (verso il 1883, a Milano) si misero in commercio allo stesso scopo i minuscoli dischi di carta che avanzavano nel preparare i fogli forati per i bachi da seta, e il nome passò ad essi.

Mosconi «note di cronaca mondana», ha origine dalla rubrica «Api, mosconi e vespe» istituita da Matilde Serao (dapprima nel *Corriere di Roma*).

Pescecane è registrato a cominciare dalla 2ª ed. del Panzini (1908) Per indicare i «grandi, astuti, insaziabili divoratori del lavoro e del danaro altrui»; contribuì a dar voga alla parola la commedia di Dario Niccodemi *I pescicani* (1913).

Numerose sono le antonomasie, dotte e popolari, riferite a nomi propri di persone reali o fittizie. Abbiamo nomi metaforici, come *un Fregoli* (*fregolismo*); *un travet* (dalla commedia piemontese di V. Bersezio, *Le miserie d'monsù Travet*, 1862), *un gigione* «cantante, attore da strapazzo» (da una commedia di E. Ferravilla) ecc., e nomi metonimici come *lobbia* (cappello alla Lobbia), *cavurrino, sigaro Sella* ecc.[123]. Molti di questi vocaboli sono rimasti legati alla notorietà dei rispettivi personaggi, cosicché qualcuno, notissimo a suo tempo, cadde poi dall'uso o rimase confinato in un ambiente speciale[124].

Qualche volta non c'è stato vero e proprio cambiamento di significato, ma di connotazione affettiva. *Santo* è stato adoperato in senso laico[125]. *Retorica* ha preso per molti un valore spregiativo[126]; e così *filosofo* e *filosofia*[127]. Nella polemica dei decadenti contro il sentire «borghese», i poveri *droghieri* (come i loro confratelli francesi, gli *épiciers*) diventano il simbolo dell'incapacità d'intendere l'arte: «i piccoli giardini contigui alle villette dei *droghieri*» (D'Annunzio, *Vergini delle rocce* p. 101)[128]; «frase volgare e *droghiera*» (Martini, Prefazione a *Di palo in frasca*).

Parecchi vocaboli riferiti alle cose e agli uomini di chiesa prendono, in un'età dominata da spiriti antiecclesiastici, una connotazione spregiativa: per es. *paolotto*, nome popolare dei membri di due ordini religiosi, viene a significare «clericale»[129]. La troppa diffusione delle *oleografie* ne rende spregiativo il nome (e l'aggettivo derivato *oleografico*).

Ma accanto alle creazioni di voci nuove e ai mutamenti di

---

[123] Migliorini, *Dal nome proprio*, passim.

[124] In Liguria – attestava G. Baffico nella *Nuova Ant.* (1 ottobre 1908, p. 466) – si chiama *Capitan Dodero* (da un romanzo di A. G. Barrili) un capitano «fatto grigio dal tempo, cotto dal sole, piena l'anima di ricordi marinari». Dimenticato il giornalista Luigi Coppola, collaboratore del *Fanfulla* e il suo pseudonimo di *Pompiere*, si scordarono anche le *pompierate* «giochi di parole» (cfr. Martini, lettera del 26 luglio 1903: *Lettere*, p. 389). Né si adopera più *livragare* «sopprimere in silenzio», tratto dai nome del ten. Livraghi in séguito a un clamoroso episodio di politica coloniale.

[125] Si vedano le briose pagine di A. Baldini, *Fine Ottocento*, Firenze 1947, pp. 25-27 («santa canaglia» in un'ode carducciana del '68; «La carne è santa» nella *Chimera* dannunziana, ecc.).

[126] «oggi certa gente chiama retorica tutto quello che ha il torto di parlare al cuore e alla mente un po' più presto e un po' più efficacemente che non le loro cifre e i resoconti...»: Carducci, *G. Mameli*, 1872 (*Op.*, XVIII, p. 398).

[127] «Il nome di *filosofo*, la parola *filosofia*, secolarmente riveriti anche per il concetto che vi si univa di serenità e superiorità morale, divennero nome e parola di scredito, ora deprecati come segno d'insipidi motti e di lazzi triviali»: Croce, *Storia d'Italia dal 1871 al 1915*, 4ª ed., Bari 1929, p. 137.

[128] Cfr. Passerini, *Il Voc. dannunziano*, s. v. e Garzia, *Il Vocabolario dannunziano*, pp. 184-185.

[129] La Luna è confrontata dal Carducci con una faccia di suora, «celeste paolotta» (*Rime nuove*, LXIX); e gli fa eco R. Zena («alla luna paolotta»: *Intempestive*).

significato, dobbiamo ora considerare, per avere un'idea complessiva degli incrementi del lessico, l'accoglimento di voci dal toscano parlato e dai dialetti, il ravvivamento di voci letterarie e arcaiche, la penetrazione di latinismi e grecismi e di parole forestiere moderne.

17. Voci popolari moderne

La penetrazione nella lingua scritta e parlata usuale di voci toscane e di voci regionali o dialettali è ancora più forte che nelle età precedenti, grazie all'influenza dell'unificazione politica. Negli anni di Firenze capitale, la vampata manzoniana diede un certo incremento all'espansione fiorentina, ma non senza suscitare molte reazioni. Dopo il 1870, l'accentrarsi della vita politica, mondana, culturale, giornalistica nella nuova capitale, fece sì che molte voci dell'uso romano, specialmente borghese, si diffondessero nell'uso generale. Quanto alle altre regioni, la miglior conoscenza che si ha della vita di esse grazie alla moltiplicazione degli scambi e alla divulgazione della letteratura veristica ambientata regionalmente, fa sì che molte parole dialettali o regionali penetrino più o meno largamente nell'uso.

Agli scrittori toscani di vena spontanea (come il Fucini, il Collodi, il Martini) vien fatto ogni tanto di adoperare qualche parola o espressione del toscano parlato, anche se non accolta nell'uso scritto: leggiamo, per citare solo qualche esempio, nei *Ricordi autobiografici* del Dupré (p. 412): «quella stupenda musica, che ricordandola mi ha fatto *andar su pei peri*», o, in un dialogo di Augusto Conti (in D'Ancona e Bacci, *Man. della lett. ital.*, VI, p. 40): «Bisogna imparare, non più guardarsi alla *spera*». Il Carducci in una lettera del 21 agosto 1898 ad Annie Vivanti (*Lett.*, XX, p. 161) scrive «la paura t'ha diminuìta, direi *striminzita*»; poi per paura che la parola riesca ignota ad Annie, perché rara nell'uso scritto, aggiunge tra parentesi: «(vocabolo toscano)». Il Nobili (*Memorie lontane*, p. 139 Pancrazi) scrive: «*Stolzai* come se fossi stato toccato da un bottone di fuoco...»: ed è voce non fiorentina, ma del toscano meridionale.

Ai non Toscani che vogliono toscaneggiare accade invece spesso di esagerare, specialmente adoperando vocaboli e locuzioni popolaresche anche dove il tono non lo consentirebbe. Si legge, nella *Storia di Federico il Grande* di Emilio Broglio (Milano 1874-76): «La Prussia ci guadagnò un tanto, e fece un baratto *co' fiocchi*» (I, p. 105); «*l'era doventata* una strega» (II, p. 131); Federico Guglielmo dice al principe Federico: «ho procurato di far di voi un *omo* per bene» (II, p. 217); Federico Guglielmo «*moriva* dunque... tra il *tocco* e le due a poco meno di *cinquantadu'anni*» (II, p. 372)[130]. Questo toscaneggiare oltre quel

---

[130] Il Martini, *Confessioni e ricordi*, Milano 1928, racconta come gli amici convinsero il Broglio a togliere, e tolse a malincuore, la frase: «Federico arrivò *a buco* a riafferrare la vittoria».

limite che valeva per i Toscani stessi irritava il Carducci[131] e tanti altri[132].

Singoli toscanismi appaiono inoltre sia negli scrittori non toscani che aspirano a un lessico largamente eclettico (un Dossi, un Faldella), sia in quelli che cercando i vocaboli di cui sentono il bisogno, trovano di che soddisfarlo in qualche voce toscana non ancora accolta o non più accolta nell'uso scritto: così quando il Padula scrive *beruzzo* nel senso di «colazione nei campi», o il Verdinois adopera *tornare* nel senso di «andare ad abitare in un'altra casa», o il Verga scrive *sito* per «puzzo». Voci e frasi dialettali o regionali abbondano d'altra parte, ora riprese tali e quali, ora più o meno adattate, obbedendo a esigenze artistiche e magari a intenzioni teoriche varie, in opere letterarie regionalmente ambientate. Il Faldella, il De Marchi, il Fogazzaro, il D'Annunzio, la Serao, il Verga, la Deledda, il Panzini e moltissimi altri se ne valgono in vario modo e misura: ora si tratterà solo di qualche vocabolo di color locale, ora di una prospettiva di frasi e di vocaboli più o meno dialettali distribuita secondo le classi sociali che gli autori vogliono raffigurare, ora di una trasposizione in lingua (più o meno ampia, più o meno riuscita) della maniera dialettale di pensare e di parlare.

Mentre per parecchi autori (in prosa e anche in versi) conosciamo bene la consistenza (e l'utilizzazione artistica) degli elementi dialettali, ben poche ricerche sono state fatte per altri campi: per es. la cronaca locale dei giornali, oppure la diffusione di oggetti di produzione locale (citavamo qui addietro l'*ocarina*, diffusasi da Budrio), ecc.

Malgrado queste lacune, proviamoci a delineare un bilancio provvisorio della penetrazione degli apporti dialettali nella lingua usuale, parlata e scritta.

Ma anzitutto è necessario notare che le diversità fra il toscano parlato e l'italiano usuale si sono venute attenuando. Da un lato voci toscane prima ignote si sono divulgate. Scriveva il Mamiani al Fanfani, a proposito della *Paolina* «novella scritta in lingua fiorentina italiana»: «dirò che la S. V. è stata scrupolosa all'eccesso perché alcune delle frasi, da Lei notate come proprie alla sola Toscana, sono invece nel

---

[131] Oltre ai passi più propriamente antimanzoniani, già citati (p. 620), si ricordino le parole contro l'imitazione del Giusti minore, che aveva dato occasione a una «alluvione di cianciatorelli fiorenteschi» (*Op.*, XVIII, p. 345); altrove, quasi a contrapposto, il Carducci citava l'urbanità del marchese Capponi che «non passeggia in maniche di camicia, non affetta lo scimunito, la donnaccola, il bamberottolo e il ciano» (*Ça ira*, in *Op.*, XXIV, p. 398).

[132] P. es. Matteo Ricci: «non vedemmo, parecchi anni fa, comparire una certa Storia romana, dove Cesare e Pompeo parlavano la lingua di Stenterello? E non abbiamo ora alle mani una certa Storia di Federigo II, ottima per la sostanza, ma di quando in quando ridicola per la forma, in causa appunto dei fiorentinismi messi a sproposito?» (*Rassegna nazionale*, LIII, 1890, p. 36). Appropriatissimi, invece, possono riuscire i fiorentinismi (avverte lo stesso Ricci) nel tono familiare, nella poesia satirica, ecc.

parlare usuale delle persone civili di tutta l'Italia, siccome questa per via d'esempio: *non te la posso menar buona*; e l'altra: *tante moine*; e questa pure: *io sono di casa...*» (lett. 18 ottobre 1868)[133]. Anche più pertinente è la testimonianza del De Amicis sulla diffusione di parole e locuzioni familiari in conseguenza dell'unificazione nazionale: «Sono usati ora anche fra noi (in Piemonte), parlando italiano, sono anzi diventati comunissimi una quantità di vocaboli e di locuzioni che quand'ero ragazzo erano affatto sconosciuti. Quarant'anni fa non le sarebbe mai occorso di sentir dire da un piemontese *schiacciare un sonno, appisolarsi, fare uno spuntino, fare ammodo, uomo di garbo, gente per bene, mi frulla per il capo, andare in visibilio, prendere in tasca*, faticare *parecchio*, e via discorrendo»[134].

Viceversa in altri casi certe forme toscane hanno ceduto (o hanno cominciato a cedere, a sembrar vernacole anche a molti Toscani) di fronte a vocaboli preferiti dal resto d'Italia: *bòdola, limosina, oriolo, polenda, spedale*, di contro a *botola, elemosina, orologio, polenta, ospedale*. A Firenze stessa *cassetta* (di un mobile) comincia a cedere a *cassetto*; *tavolo*, rifiutato pertinacemente dai puristi toscani, arriva a farsi strada; *crestaia* è vinto da *modista*.

Si è già accennato come tra le varianti *officio, ufficio, uffizio, ufizio* (e rispettivi derivati) prevalga, dapprima non senza qualche esitazione, la variante non fiorentina *ufficio*: il Manzoni, leggendo questa forma in un avviso dell'«Ufficio» centrale dei telegrafi, se ne scandalizzava come di un'offesa all'unità quale egli la desiderava: «Oh se i signorini di costì *sua bona norint*!» (lett. 16 novembre 1865)[135]. L'*ammazzatoio* fiorentino (registrato dal Fanfani e dal Petrocchi) cede a *mattatoio* (che è la forma di Siena, di Ancona, di Roma)[136]. Le voci fiorentine *mezzaiolo* e *mezzeria* lottano contro le voci settentrionali *mezzadro* e *mezzadria* e hanno la peggio. Il Codice civile del 1865, all'articolo 1647, diceva, elencando compendiosamente le varie forme regionali: «Colui che coltiva un fondo col patto di dividere i frutti col locatore, si chiama *mezzaiuolo, mezzadro, massaro o colono...*»: da allora *mezzadro* e *mezzadria*[137] guadagnano man mano terreno[138]. Il tosc. *albero* nel senso di «pioppo» si evita perché può dare origine ad equivoci[139].

[133] *Bibliobiogr.*, p. 117.

[134] *L'Idioma gentile*, pp. 72-73. Ciò non toglie che l'altro interlocutore di questo dialogo trovi che le voci *stintignare, striminzire, baluginare* sonerebbero strane e affettate. E il Russo trova fuori posto nel Verga il «toscanissimo» *ruzzare*.

[135] *Manzoni intimo*, II, p. 209.

[136] Invece *abbattitoio* (*Annuario scient. e industriale*, II, 1865, p. 165) non è che un calco, forse momentaneo, del fr. *abattoir*. *Macello* rimane la voce più diffusa nei piccoli centri.

[137] Il Petrocchi cita *mezzadro* come voce lucchese: ma il Nieri (s. v. *Mezzania*) avverte che *mezzadria* è parola di recente importazione.

[138] Il Verga (*Mastro don Gesualdo*, p. 376) parla di *mezzadria*, mentre per lui *mezzeria* significa «senseria» («La mia mezzeria ci sarà sempre?»: ivi, p. 207).

[139] Il Tommaseo, nel discorso del 1868 «Intorno all'unità della lingua italiana»

Si divulgano in questo periodo molte voci dialettali provenienti dalle regioni che più attivamente partecipano alla vita nazionale. Ecco alcune parole di provenienza piemontese, per lo più trasmesse dalla vita militare: *arrangiarsi, cicchetto, grana* (nella locuzione *piantare una grana*), *pelandrone, ramazza.* È piemontese *bocciare*[140]; e anche *gianduia, gianduiotto.*

Dalla Lombardia provengono soprattutto termini gastronomici: *risotto, erborinato, robiola, panettone*; di lì viene anche il nome di *grappa* «acquavite». S'imparano a conoscere le *brughiere* lombarde, e il nome delle *marcite* si divulga, superando quello toscano di *marcitoia* (v. Canevazzi-Marconi, *Voc. di agricoltura,* s. v.). Milanese è *guardina*[141]. Non si può dire invece che siano riuscite a imporsi due voci lombarde, preconizzate come utili perché atte a soddisfare una carenza dell'italiano: *ab(b)iatico* e *gibigianna.* *Abiatico* nel senso di «nipote di nonno» avrebbe servito a rimediare agli inconvenienti del doppio significato di «nipote»[142]. Per *gibigianna* non esiste nell'uso toscano un equivalente[143], e si può dire che la parola appare soltanto in scrittori lombardi: l'ab. Stoppani, C. Bertolazzi (che intitolò una sua commedia *La gibigianna,* 1898), C. Rebora («In gibigianna di diavolerie»: *La Voce,* 6 nov. 1913). *Fare un bacio* è stato a più riprese adoperato, ma sempre respinto come lombardismo.

Dal Veneto vengono il nome di *vestaglia* e il saluto *ciao*; qualche nome di barca come il *bragozzo* e la *fisolera* (termine che, trasmutato in *fusoliera,* fu poi accolto come vocabolo aviatorio); il *felze,* nome veneziano della cabina della gondola, fu fatto largamente conoscere dal *Fuoco* dannunziano. Dalle Alpi venete vengono i nomi della *baita,* della *malga,* della *cengia.* Gli scienziati ricorsero al friul. *foibe* (sotto la forma italianizzata *foiba*), nel senso di «cavità carsica»[144]; mentre lo

---

(*Adun. solenne della R. Acc. della Crusca,* Firenze 1868, p. 83), ricorda che ne nacque anche un processo.

[140] In Toscana la parola si assesta nell'uso come intransitiva (*Il Gorini quest'anno boccia*); altrove come transitiva (*Il professore l'ha bocciato*).

[141] Sono nate a Milano, non tra il popolo, ma negli uffici, *famedio, enopolio, tecnomasio* e tante voci del tipo *calzaturificio*: cfr. p. 644.

[142] Ne prese le difese il Broglio (*Vita di Fed. il Grande,* II, p. 101); l'adoperò qualche scrittore lombardo (Cantoni, *Opere,* p. 672 Bacchelli; anche il Fogazzaro, nel *Piccolo mondo antico,* parlando dei lombardi Maironi).

[143] Il Manzoni s'interessò spesso del problemino (cfr. la lettera di G. B. Giorgini a F. Lampertico, 14 febbr. 1891, in *Manzoni intimo,* II, p. 268), e la tradizione orale ci conservò questa sua quartina: «Del sole il puro raggio - brilla sull'onda impura, - sulle vetuste mura - gibigianando va.» (Petrocchi, *Dizion.,* sotto il rigo). Il Rovani aveva tentato di tradurre con *guizzasole* (Rovani, *Cento anni,* 1. X, II), l'Arlia preconizzò *abbagliocchi* (*Passatempi filologici,* cit., pp. 100-102), altri *luminello* o *illuminello.*

[144] P. es. Omboni, *Geologia dell'Italia,* Milano 1869, p. 191. Nella terminologia scientifica finì poi col prevalere, per influenza della terminologia internazionale (e anche per maggiore facilità strutturale) lo slavo *dolina* (cfr. Rodolico, in *Lingua nostra,* IV, 1942, p. 38, VII, 1946, p. 91).

Stoppani tentò invano di mettere in uso *trovante* nel senso di «masso erratico»[145].

Dal romagnolo proviene, come abbiamo detto, l'*ocarina* e poco altro[146].

Ma la serie più numerosa di dialettalismi è quella proveniente da Roma. Si divulga il nome di *burino* o *burrino* «campagnolo zotico» (v. Prati, *Voc. etim.*, s. v.). Romano solo per la semantica è il termine di *buzzurro*, che a Firenze si dava agli Svizzeri che d'inverno vendevano castagne arrostite e polenta di castagne, ma poi, quando la capitale passò Roma, fu dato spregiativamente ai piemontesi e in genere ai Settentrionali venuti a stabilirsi a Roma. L'adoperarono il Faldella in un bozzetto intitolato *Colonie buzzurre*, il Carducci in una nota all'ode barbara *Dinanzi alle Terme di Caracalla* («Fu chi intese che questi versi augurassero la malaria ai buzzurri»), il D'Annunzio in alcune note mondane e nel *Trionfo della Morte*. È accolto, come sinonimo scherzoso di «guardia municipale», *pizzardone*, che fu applicato alle guardie quando portavano un cappello a feluca che ricordava il becco della *pizzarda* (*Scolopax maior*). Romanesco è il termine di *imbonitore*; nelle feste natalizie scendono dalla montagna i *pifferari*; da Frosinone e dintorni vengono i *ciociari*. Forse da Roma proviene anche *pignolo* nel senso di «minuzioso, pedantesco». Abbondano i nomi delle specialità gastronomiche (*abbacchio*, *saltimbocca*) e delle allegre mangiate (*maccaronata*, *spaghettata*) e gite campestri (*ottobrata*)[147]. C'è chi sa *intrufolarsi* e godere di uno *sbafo*. Le corse nella Campagna Romana fanno conoscere le *staccionate*[148]. Il giornalismo presenta i *fattacci* (di cronaca nera) e i *pupazzetti* di Gandolin. Inoltre, s'imparano a conoscere alcune costumanze specificamente romane, come il *cottìo* («mercato del pesce, l'antivigilia di Natale»).

---

[145] Nel *Bel Paese*, serata XXXIV, e anche come titolo di una sua raccolta d'articoli (*Trovanti*, Milano 1881).

[146] Non ebbero risonanza le poche voci romagnole che il Carducci, Severino Ferrari, il Pascoli in qualche occasione adoperarono. Piene di voci romagnole sono le quartine del Carducci «All'autore del *Mago*» (*Rime nuove*, LXXIV): egli ricorda i *pizzacherini* e le *arzàgole* (tosc. *alzàvola*) e il canto delle *romanelle*. Al Pascoli sarebbe piaciuto che entrasse nell'uso *boschereccia*: «Quando l'uccello canta tra sé e sé, pianin pianino, il toscano dice che *studia*, il romagnolo (non so se anche altri) dice che fa la *boschereccia*. E a me pare che il romagnolo, che parla così male, dica per questo rispetto meglio del toscano, che parla così bene» (nota in *Fior da fiore*, p. 85). Altrove egli difende *schiampa*, *stiampa* «che un buon romagnolo si periterebbe di usare, scrivendo o dicendo per il pubblico» (nota alla 2ª ed. dei *Canti di Castelvecchio*). Sui dialettalismi pascoliani, cfr. pp. 613-614.

[147] D'Annunzio, nel *Piacere*, ricorda «i gridi fiochi delli *acquavitari*» (mentre il Belli nel sonetto italiano «A Barbaruccia», parlava dei «rauchi acquavitai»).

[148] La parola era registrata come dialettale e spiegata da Mons. Azzocchi (2ª ed., 1846) come «steccato, stecconato»; il Barrili l'adopera descrivendo la spedizione garibaldina («Per intanto rompevamo le staccionate dei prati»: *Con Garibaldi alle porte di Roma*, Milano 1895) e Giulio Orsini l'accoglie anche in poesia («Una fila d'uccelli paurosa - dalla staccionata spicca il volo»: *Fra terra e astri*).

Da Napoli si diffondono i nomi di *largo* «piazzetta di forma irregolare»[149], e di *rettifilo*, mentre il *basso* si conosce come caratteristica locale. Una forte connotazione locale mantengono i nomi di *paglietta, cafone, guaglione, scugnizzo* e quelli di *camorra* e *omertà*. *Pastetta* si divulga riferendosi ai brogli elettorali di tutta Italia. Parecchie sono anche qui le parole che si imparano a conoscere con il diffondersi delle specialità gastronomiche napoletane, come la *mozzarella* e le *vongole*. Numerose sono le voci generali accolte per la loro espressività: *mannaggia* (che vince il tosc. *malannaggio*), *scocciare, fesso*.

Della Sicilia s'imparano a conoscere la *zàgara*, i *picciotti*, i *carusi*, e ohimè, la *mafia* e i *mafiosi*[150].

E della Sardegna, le *tanche* e i *nuraghi*, e i panni di *orbace*.

18. Voci letterarie arcaiche

Nell'accennare per sommi capi alle grandi correnti che si possono scorgere nel linguaggio della prosa e in quello della poesia, abbiamo visto come le correnti manzoniane e quelle realistiche portino a lasciar cadere, nella prosa e anche nel verso, quei vocaboli di tradizione letteraria che non erano più vivi nella lingua parlata.

Se nel 1863 la *Rivista contemporanea* descrivendo una «macchina per votare» poteva intitolare la notizia «Di un ordigno per gli *squittinii*», o nel 1865, Vittorio Emanuele II poteva dire (sia pure in un discorso solenne) «le mie parole furono *mai sempre* d'incitamento», o in una lettera del 1868 il Mamiani poteva scrivere «*Laonde* per me il quesito non *versa* sopra il conoscere...» (Fanfani, *Bibliobiogr.*, p. 118): questi e tanti altri vocaboli alle nuove generazioni sonarono intollerabili, e furono abbandonati. Matteo Ricci racconta[151] che Massimo d'Azeglio avendo una volta ricevuta una lettera con un inizio pedantesco, la buttò nel cestino dicendo: «Un uomo che incomincia una lettera *È buona pezza che io desiderava scriverle* non può essere che un imbecille».

Una delle serie che cadono definitivamente in discredito[152] è quella degli *imperocché, imperciocché* e simili. Se ancora il Minghetti cominciava le sue memorie con un solenne *avvegnaché*[153], qualche decennio dopo nessuno avrebbe più scritto così: àuspici non solo i manzoniani, ma anche un antimanzoniano come il Settembrini, di cui uno scolaro

---

[149] Si vedano le tappe della diffusione documentate da P. P. Trompeo, *Lingua nostra*, I, 1939, pp. 131-144.

[150] O, alla siciliana, *mafiusi*.

[151] *Rass. nazionale*, LIII, 1890, p. 234.

[152] Una «dinastia decaduta» la chiamò il D'Ovidio, *Correzioni*, p. 83.

[153] Anzi, con errato raddoppiamento: «*Avvegnacché* al mio tempo siano avvenuti in Italia molti e grandissimi cambiamenti...» (*Miei ricordi*, I, p. 1).

diceva che avrebbe meritato questo epitaffio: «Qui giace il nemico dei Borboni, dei Gesuiti e degli *imperciocché*»[154].

Se mai qualcuno adopera ancora una di queste congiunzioni, è con ironia: «*conciossiaché* secondo il marchese Puoti *oblio* sia parola da usare solo in poesia, e di rado e con molto riserbo in prosa» (De Sanctis, «L'ultimo de' puristi», nei *Saggi critici*); «Levatemivi d'innanzi, figliuoli del padre De Colonia; o vi butto in faccia un *conciossiacosaché*» (Carducci, 1882: *Opere*, XXV, p. 213).

Molto maggiore è la resistenza del lessico poetico antico, legato a nobili secolari tradizioni. Naturalmente la storia dei vari vocaboli andrebbe fatta caso per caso, e non sarebbe cosa facile: si sa che è molto più difficile mettere insieme una tabella di assenze che una tabella di presenze. Ma si può ricordare qualche esempio sintomatico: *calle* per «cammino» è non solo nello Zanella e nel Graf, ma nel Cavallotti («Sorella, non senti pel *calle* – che lungo di frondi stormir?»: «Su in alto!»); ricorre ai *rai* anche Stecchetti («delle tremule stelle ai bianchi *rai*»: *Postuma*, LIV); i *vanni* compaiono (nel senso tradizionale di «ali») non solo nell'Aleardi e nello Zanella, nel Carducci e nel Panzacchi, ma anche nel D'Annunzio del *Primo vere* (e, in prosa, nel *Fuoco*). Usano *fiedere*[155] lo Zanella («le membra – al gran Titano *fiedere* co' nembi»: «Milton e Galileo»), il Carducci («di torbid'ire *fiedere* l'aere»: «Figurine vecchie», in *Odi barbare*), il D'Annunzio («Onde si goda *fieder* Primavera»: *Franc. da Rim.*, III, sc. 4)[156].

È ben difficile distinguere, come occorrerebbe fare, tra persistenza di voci della tradizione poetica e ravvivamento di voci ormai sentite come arcaiche: e la distinzione spesso dipende dalla interpretazione stilistica che si dà a singoli passi[157].

Vanno catalogati fra gli arcaismi, piuttosto che tra le voci tradizionali i non rari ravvivamenti di voci dantesche: come *piovorno*, che il Carducci «rinnovò» in «Miramar»[158], e dopo di lui ebbe un certo uso

---

[154] Martini, *Prose ital. moderne*, p. 548.

[155] Si sa che *fiedere* è un infinito ricostruito abusivamente dai moderni sulle forme rizotoniche (*fiede* ecc.), mentre l'infinito antico era *fedire*.

[156] Naturalmente la *Francesca* abbonda di arcaismi che mirano a dare il colore del tempo (*astronomaco*, *camaglio*, *sorcotto*, *zetani*, ecc.); e similmente le *Canzoni di re Enzio* pascoliane, ecc.

[157] In un passo d'una lirica del Panzacchi, «Visita in villa»: «ch'io dubitai d'averlo *unqua* baciato - quel suo bel volto gentilmente obeso», il Baldacci (*I Poeti minori dell'Ottocento*, cit., I, p. 1053) sente in quell'*unqua* una «stonatura 'classicistica' in una poesia di gusto precrepuscolare» mentre io ci vedo piuttosto un leggero arcaismo intenzionale, che respinge l'atto del bacio in una lontananza remota.

[158] «Mi tengo d'aver rinnovato un bell'aggettivo dal v. 91 del 25 del *Purgatorio*; se non che io invece di *piorno* vorrei poter leggere e senza esitazione scrivo *piovorno* che è la forma integra, come leggono il codice Poggiali e uno dell'Archiginnasio di Bologna, e come parmi d'aver sentito dire alcuna volta in contado non so più se di Toscana o di Romagna» (nota a «Miramar», 1878, in *Op.*, IV, pp. 160-161). Il Giuliani, *Sul vivente linguaggio della Toscana*, 3ª ed., Firenze

(Pascoli, ecc.)[159] o *roggio*, anch'esso ravvivato nel lessico letterario (Carducci, Pascoli, S. Ferrari, Gnoli, D'Annunzio, ecc.). Non supera l'àmbito dell'allusione dantesca l'uso di *non mi tange*: «Amore non mi tanse e non mi tange» (Gozzano, «Convito», nei *Colloqui*).

Qualche arcaismo fu attinto anche agli stilnovisti e ad altri duecentisti (*alena, pascore*, ecc.: D'Ann.), ma solo *aulire* e *aulente* ebbero larga fortuna nella lingua poetica.

Qualche voce che il Carducci si compiacque di attingere a scrittori del Trecento o del Cinquecento (*miluogo, misprendere, popolazzo, rinomo*, ecc.) non ebbe fortuna; *rinascita*, che egli trovò nel Varchi e nel Vasari, fu da lui rimesso in voga. Al gruppo fiorentino che fondò nel 1877 *I nuovi goliardi* (G. Marradi, S. Ferrari, L. Gentile, A. Straccali, G. Biagi) si deve la nuova fortuna del vocabolo nel senso prima di «studioso scapigliato» («il più goliardo della compagnia»: Carducci, *Le risorse di San Miniato*), poi di «studente universitario».

Il verbo *guatare*, che era quasi scomparso dall'uso letterario («voce oggidì rimasta in contado», secondo il Tramater, 1834), riacquista voga, sia in verso («Dal ciel guata la luna»: Graf, «Superstite», in *Medusa*) sia in prosa («Oggi il palazzo reale guatava il viale»: Abba, *Noterelle di uno dei Mille*, 9 novembre).

Abbiamo anche parecchi esempi di voci cadute in disuso che sono state ravvivate nell'uso pratico: così il *magistrato delle acque*, istituito con una legge del 1907, rinnova il nome di una istituzione veneta[160], e *serrata*, antico termine storico (*Serrata del Maggior Consiglio*, Venezia 1296), fu esumato nel nuovo significato di «chiusura di uno stabilimento come mezzo di lotta padronale» (ingl. *lock out*).

Allenare, vocabolo letterario ormai raro (il Petrocchi lo registrava sotto il rigo), venne assunto nel linguaggio sportivo col preciso valore del fr. *entrainer* o dell'ingl. *to train*; per sostituire *bookmaker* Isidoro Del Lungo propose, con discreta fortuna, l'antico *allibratore*.

19. Latinismi e grecismi

I latinismi abbondano nei versi, specialmente nel Carducci e nella sua scuola e nel D'Annunzio. Nella prosa non aspetteremo certo di trovarne nel romanzo naturalistico; tutt'al più nella prosa classicheggiante. Abbondanti sono nelle terminologie delle scienze, sia delle scienze naturali che di quelle morali: ma per lo più, come è ben noto, si tratta piuttosto di latinismi indiretti, non coniati cioè in Italia, ma in altri paesi. Di solito, studiando nei capitoli precedenti i latinismi,

---

1865, p. 177, diceva d'aver sentito *piovorno* in Val di Nievole, e il Boito aveva adoperato *piorno* nella lirica *Ad una mummia*, scritta nel 1862.

[159] Il D'Annunzio (*Forse che sì*, p. 355) preferì *piorno*.

[160] Si noti che *magistrato* riprende in questa locuzione il significato (ormai arcaico) astratto-collettivo, mentre comunemente la parola si riferisce a persone singole.

abbiamo incluso nella trattazione anche i grecismi: faremo lo stesso anche questa volta, ma non senza avvertire che alcune voci che il latino non aveva accolte sono attinte direttamente al greco (per lo più non latinizzandole o latinizzandole parzialmente): in primo luogo nella terminologia storico-archeologica (una *lekythos*, la *tholos*, un *anghelos*, il *logos*) e in quella scientifica (*kinesiterapia*), ma anche negli scritti letterari (Carducci: *àgora*, *sofrosine*;Rapisardi: «volge *Fisi* [la natural la sua macchina eterna»: *Giobbe*, III, III; D'Annunzio: *alalà*, *etaira*, *stephane*, *zoani*; Pascoli: *ananke*; «E tu dà retta alla *dice* [= giustizia] e dimentica al tutto la *bie* [= violenza]»)[161].

Nel linguaggio tradizionale della poesia e della prosa elevata, i latinismi costituivano un elemento essenziale del lessico: e avremmo potuto parlare dei latinismi insieme con le voci letterarie tradizionali se avessimo solo che fare con i latinismi già consueti: «d'*edaci* malori – traspaion l'impronte» (Zanella), «posan gli *àtavi* re dentro gli avelli» (Carducci), «quel prezioso e *pulcro* – rifiuto del *sepulcro* «(Boito), «Pallide larve dalla vita *evulse*» (Panzacchi), «Ed all'enorme *clipeo* fiero s'appoggia e sta» (Cavallotti), ecc. Ma v'è sempre la possibilità di attingere altri latinismi o non adoperati mai, o così raramente da non aver preso radice nella tradizione letteraria.

Il Carducci apre la via a parecchi latinismi nuovi o rari, che sono molto spesso sdruccioli in conformità con le sue innovazioni metriche; il D'Annunzio si mette sulla sua strada[162] e poi adopererà, in versi e in prosa, molti più latinismi di lui; anche il Pascoli partecipa di questa tendenza, con vocaboli comuni agli altri e con vocaboli suoi; quanto ai minori, è facile rilevare l'influenza esercitata dai maggiori[163]. Un elenco per ciascuno degli scrittori maggiori richiederebbe più pagine: bastino pochi esempi per dare un'idea di questa serie di latinismi e del nuovo timbro che essi hanno in confronto con i latinismi tradizionali: *algido*, *alivolo*, *auletride*, *avio*, *cecubo*, *cerulo*[164], *cincinno*, *collabo*, *crotalo*, *efebico*, *erbido*, *estuare*, *fimbria*, *ilice*, *irremeabile*, *longicollo*, *lituo*, *luco*, *meduseo*, *multivolo*. E andrebbero anche registrate le parole prese nel loro significato etimologico, diverso da quello usuale: *erroneo* «vagabondo», *epifania* «apparizione», ecc.[165].

In qualche caso abbiamo l'esplicita testimonianza delle intenzioni

---

[161] Così nella stampa originale (*La Messa d'oro*, Bologna 1905, p. 19); ma in *Pensieri e discorsi* (rist. in *Prose*, I, Milano 1946), si legge *Dike* e *Bie*.

[162] In una lettera al Chiarini del febbraio 1880 confessa che sta «dando la caccia agli sdruccioli»; e anche più tardi all'infuori delle necessità tecniche delle asclepiadee, delle alcaiche, dei pentametri spiranti «in un pispiglio languido di dattili» (*Canto novo*) persisterà la ricerca delle parole sdruccole, che per lo più sono latinismi. Cfr. Migliorini, in *Saggi Novecento*, p. 239.

[163] Per es. il latinismo *redimito* era stato già adoperato da Dante; ma se lo troviamo in Scarfoglio esso non viene dal latino o da Dante: viene dal Carducci e dal D'Annunzio.

[164] Nell'uso letterario si aveva più comunemente *ceruleo*.

[165] Migliorini, *Saggi Novec.*, pp. 230-231.

degli autori: così per il *subsannare* della *Chiesa di Polenta* il Carducci stesso annota: «... osai fare italiano il verbo latino *subsannare*, che s'intende benissimo nella vulgata versione della Bibbia: "Sprevit te et subsannavit te virgo Sion". Altri scrittori ecclesiastici l'usarono», ecc. In alcuni casi il suggerimento ad attingere al latino viene dal francese o da altra lingua straniera: così *captivare* (D'Annunzio) è sì il latino *captivare*, ma probabilmente secondo l'esempio del francese *captiver* (come si vede dal confronto con l'uso precedente, che prescriveva *cattivare*). Anzi un più preciso ricordo dei simbolisti francesi è probabile per alcuni latinismi dannunziani: *flavescente*, *lattescente*, *iemale*, *ialino*[166].

La fortuna di questi vocaboli di rado arrivò a oltrepassare l'ambito letterario. Si diffuse, per motivi eufemistici, *etèra*[167]: il Nencioni, adoperando la parola, aggiunge riferendosi ai vecchi tempi: «una etèra (a quei giorni credo che sapesse cosa vuol dire etera solamente il Burnouf)»[168].

Ricordiamo la storia di *velivolo*: il D'Annunzio aveva adoperato la parola nell'ode «Ai bagni» (1879) del *Primo vere*: «Con tenue murmure l'Adria *velivolo*», attingendola agli scrittori latini (Ennio, Lucrezio, Virgilio, Ovidio) e italiani (Algarotti, Monti) nel suo significato originario (riferito alle navi che quasi volando corrono sul mare con le loro vele, e poi al mare stesso coperto di vele); poi, anticipando nel *Corriere della sera* del 28 novembre 1909 due brani del *Forse che sì*, lo scrittore giustificava l'uso che aveva fatto della parola nel romanzo, con il nuovo significato di «aeroplano», e concludeva: «La parola è leggera, fluida, rapida; non imbroglia la lingua e non allega i denti; di facile pronunzia, avendo una certa somiglianza fonica col comune *veicolo*, può essere adottata dai colti e dagli incolti. Pur essendo classica, esprime con mirabile proprietà l'essenza e il movimento del congegno novissimo». La parola ebbe qualche eco sia nella lingua letteraria (in cui fu adoperata come sinonimo nobile di «aeroplano») sia nella lingua tecnica (in cui fu usata per indicare insieme aeroplani, idrovolanti e anfibi)[169].

Come si può vedere anche da questo esempio, alcuni vocaboli possono avere una duplice storia: nell'àmbito della lingua letteraria e in quello della lingua scientifica.

Così *algido*, *nivale*, *siderale*, che ebbero una loro fortuna nella lingua poetica del secondo Ottocento, sono anche noti agli scienziati,

---

[166] Praz, *La carne, la morte e il diavolo*, cit., p. 489.

[167] Il Carducci, il D'Annunzio e qualche altro (per es. Torraca, *Nuove rassegne*, p. 452) preferirono *etaira*.

[168] «Resurrezioni fiorentine» (1884), in *Impressioni e rimembranze*, Firenze 1923, p. 120.

[169] Migliorini, *Saggi Novecento*, p. 248, Giacomelli, in *Lingua nostra*, XIII, 1952, p. 10.

rispettivamente ai medici (*febbre algida*), ai botanici (*piante nivali*), agli astronomi (*anno siderale*).

Ma prima di passare a dar cenno dei latinismi nella terminologia scientifica, dobbiamo ricordare che mentre nella prosa d'arte ne troviamo un certo numero solo negli scrittori ansiosi di allargare il loro lessico (*ominoso*, Imbriani; *lascivire*, Faldella, ecc.), nella prosa dottrinale non sono rari (*effingere*, Ardigò; *orrepire*, *surrepire*, Giuriati; *inservire*, Flamini; *espilare*, Croce, ecc.).

Nella terminologia scientifica e tecnica i latinismi e i grecismi, e più ancora le parole tratte per derivazione e composizione da vocaboli latini e greci, si moltiplicano a dismisura, e penetrano assai facilmente nell'uso quotidiano, col divulgarsi delle nozioni e degli oggetti a cui si riferiscono. Ecco termini come *tubercolosi*, *bacillo*, *spirillo*, *anestetico*, *anofele*, *elio*, *rubidio*, *ptomaina*, *fonografo*, *grammofono*, *aviazione*, *cinematografo*, *ascensore*, ecc. Si tratta per lo più di vocaboli internazionali, di cui solo qualcuno coniato in Italia e passato alle altre lingue europee, i più foggiati in altre nazioni e accettati in Italia.

Anche nel diritto, nell'amministrazione, ecc. i latinismi e i grecismi abbondano: si istituiscono i *probiviri*, qualcuno ricorre alla *cremazione*, si distinguono gli *alfabeti* dagli *analfabeti*, si divulga *teste* in luogo di *testimone*. Qualche volta si hanno mutamenti semantici più o meno arbitrari: *gestire*, per es., che secondo l'esempio classico voleva solo dire «far gesti, gesticolare», in presenza di *gestore* e *gestione* prende un significato nuovo (e biasimato dai puristi), quello di «amministrare».

Nella vita pratica alcune voci già esistenti prendono significati nuovi: *edicola*, per es., anziché il raro significato di «tempietto», prende quello di «chiosco per i giornali»; *àgape* oltre al significato di «antico convito cristiano» assume quello di «banchetto massonico», ecc.

Persino nella terminologia sportiva, in mezzo agli innumerevoli francesismi e anglicismi si hanno alcune voci pseudoclassiche, del resto anch'esse venute di fuori: *podismo*, *ciclismo*, *criterium*, ecc.

Il giornalismo conia vocaboli e contribuisce a divulgarli: *intellettuale* sostantivato prende valore spregiativo a cominciare dal processo Dreyfus, *amori ancillari* si diffuse al tempo (1905) del processo Murri (ma poi contribuì a diffondere la locuzione l'«Elogio degli amori ancillari» di Gozzano, nei *Colloqui*, 1911).

Nel campo delle scienze molto più che in quello delle lettere i latinismi e i grecismi, come ormai abbiamo visto tante volte, circolano largamente fra paese e paese: qualche volta sono addirittura foggiati parallelamente in più lingue, come fece Enrico Cernuschi, italiano naturalizzatosi francese, che in vari suoi opuscoli in più lingue (1875-76) preconizzò le sue idee sul *bimetallismo*: *La monnaie bimétallique*, *Bimetallische Münze*, ecc.

Ecco alcuni fra i moltissimi franco-latinismi: *acrobazia*, *ascensore* (macchina), *automobile*, *aviazione* (La Landelle e ponton d'Amécourt, 1863), *documentario*, *draconiano*, *filatelia*, *liliale*, *linfatismo*, *lirismo*, *lussuoso*, *mistificare*, *pacifista*, *pedicure*, *questionario*, *redazione* («stesura di uno scritto»)[170] *semantica, societario, teoria* (nel senso di «fila»)[171], *torrenziale,* ecc. Inoltre, come si è accennato, molti tra gli usi estensivi e metaforici, per lo più tratti da voci scientifiche e diffusisi principalmente in questo periodo, malgrado le resistenze dei puristi (per es. *creare, deleterio, fenomeno, formula, superfetazione, traiettoria* ecc.: cfr. p. 645), sono ricalcati sugli analoghi usi francesi.

Anche gli anglo-latinismi sono numerosi: *acquario* (ingl. *aquarium* 1854, ted. 1857, fr. 1863: l'acquario di Napoli risale al 1873), *criterium* (sport.), *idrante, inflazione* (nel significato economico, sorto in America durante la guerra di secessione), *metropolitana* (ferrovia: significato nato a Londra), *selezione, simbiosi,* ecc.

Ecco alcuni germano-latinismi: *agrario* (sost., «proprietario terriero»), *antisemita, banausico* (Croce), *caratteristica* (caratterizzazione»)[172], *determinismo, epos, gipsoteca* (o *ghipsoteca), kinesiterapia, obiettivo*[173], *psicanalisi, recensione*[174], *tassametro,* ecc.

Qualche latinismo sporadico è stato suggerito da altre lingue: *intransigente,* sorto in Ispagna nel 1873 per indicare i repubblicani federalisti, si diffuse subito nelle altre lingue europee.

Ci limiteremo a un paio d'osservazioni sulla fonetica e la morfologia dei latinismi (e grecismi). Già s'è accennato (p. 628) a qualche tentativo di restaurare le grafie con *ch, ph, th, y,* e alla preferenza che alcuni scrittori danno alle forme latineggianti (*imagine, conscienza,* ecc.)[175].

Quando troviamo forme latine o greche con terminazioni non assimilate, si tratta quasi sempre di voci penetrate per via indiretta: *aquarium, criterium, sanatorium, junior, senior,* ecc. provengono, come è noto, all'italiano da altre lingue europee.

Gli schemi consueti di adattamento sono qualche volta turbati da azioni analogiche (*autodidatta, poliglotta, archiatra,* per *autodidatto, poliglotto, archiatro; sillogisma* per *sillogismo,* ecc.), qualche volta da influenze straniere (*autocrate,* ecc.)[176].

---

[170] «questa redazione (ci si perdoni questo mezzo francesismo, divenuto ormai d'uso generale, e spesso, come qui, richiesto dalla brevità e dalla chiarezza)»: D'Ovidio, *Correzioni,* p. 16.

[171] In questo significato la parola greca fu adoperata in francese già da Chateaubriand: in italiano la divulgò soprattutto il D'Annunzio, ma già era stata usata prima di lui dal Guerrini («Sale una bianca teoria di vergini»: «Vita», in *Polemica,* 1878).

[172] «compiere la caratteristica (per parlare di un Tedesco in modo tedesco) del volume di cui diamo conto» (D'Ovidio, 1875, in *Opere,* X, p. 19).

[173] L'epopea è, per usare un vocabolo dell'estetica tedesca troppo abusato ma pur proprio, è altamente, esclusivamente obiettiva» (Carducci, *Opere,* XI, p. 94).

[174] «Il Goethe fece quel che i tedeschi chiamano una *recensione* del *Carmagnola* e dell'*Adelchi*» (Carducci, 1873: *Opere,* XX, p. 360).

[175] Qualche volta la scelta è dovuta al contesto: nel discorso «Per l'inaugurazione di un monumento a Virgilio» il Carducci adopera sempre *Campidoglio;* solo in un punto scrive, per evitare la ripetizione di due sillabe, «dai *campi* al *Capitolio*» (*Op.,* VII, p. 172).

[176] Migliorini, *Saggi ling.,* pp. 58-62.

20. Francesismi

Abbiamo già visto (§ 10) come l'influenza francese sia di gran lunga più forte che quella di tutte le altre. Si séguita, così, non solo a mantenere moltissimi di quei vocaboli francesi che erano stati accolti nel Settecento e nel primo Ottocento, ma ad adottarne altri. Se essi abbondano oltre ogni credere nella letteratura di second'ordine, nei giornali (specialmente in quelli dedicati alle mode), nei carteggi, anche scrittori che sanno tenere la penna in mano ne adoperano in abbondanza. Ecco alcuni esempi di francesismi non adattati, scelti un po' a caso: «quel francesismo barocco e *langoureux* del regno di Luigi XVI» (Carducci, *Op.*, XV, p. 223); «Questa volta vi risparmio il piagnisteo su la perversità del tempo, il *morceau* di colorito sulla città grigia» (D'Annunzio, cronaca nella *Tribuna* del 28 dic. 1884); «le vibrazioni delle *pierreries*, le luminosità dei tessuti *pailletés*» (Id., ibid., 16 genn. 1885); «le osservazioni... potrebbero *blesser* il suo amor proprio» (lett. di G. Verdi a G. Ricordi, novembre 1886); «Sono ancora *ébloui* della casa di Sarah» (lett. F. Martini da Parigi, 17 ottobre 1900); «tutto va *à la dérive* nel nostro paese» (lett. F. Martini, 11 marzo 1908), ecc. Persino nei versi i francesismi non mancano: nella parodia del *Giobbe* rapisardiano il Guerrini e il Ricci satireggiavano Francesco Fontana, il quale «di prolisse - francescherie lardella il verso strano»:

> Voilato di nebbie
> Parigi ho apperçuto
> e la siloetta
> che il domo del Pantheon
> nel cielo progetta.
> Promenasi il popolo
> francese la notte;
> nel fango pietinano
> gommosi e cocotte,
> guardati dai mille
> col sabre nel fodero
> sergenti di ville...

La reazione dei puristi ottiene risultati assai scarsi. Nell'*Appendice alla relazione intorno all'unità della lingua* (Milano 1869) il Manzoni così prospetta la lotta:

Regnano in Italia, o piuttosto pugnano tra di loro, due opinioni intorno alle locuzioni venute di Francia, da un secolo circa, e che continuano a venire: una che dice a tutte: Passi; un'altra che dice a tutte: Via. E qui, come in ogni questione relativa a lingua, la soluzione logica e utile non si può trovar che nell'Uso (§ V).

Ma proprio per parole e locuzioni che «continuano a venire», non esiste un atteggiamento unanime, un uso compatto, nemmeno nell'àmbito di una sola città.

Vediamo rapidamente alcuni tra i francesismi entrati in questo periodo. Qualcuno si riferisce alla politica e all'amministrazione: *comunardo, petroliere, sciovinismo, blocco* (in sign. politico), *bloccardo*. *Dossier* per «incartamento» si è divulgato in Italia al tempo del processo Dreyfus. *Estradare* è un adattamento di *extrader* (che a sua volta è un adattamento del lat. *extradere*). Si organizzano istituti analoghi alla *Morgue* parigina, e si chiamano *morgue*[177]. Nuovi vocaboli si riferiscono ai conflitti del lavoro: *sabotare, sabotaggio*.

A certi aspetti deteriori della vita mondana dobbiamo *garçonnière, cocotte, Alphonse*.

Alla casa e ai suoi adornamenti si riferiscono *pied-à-terre, rideau* (*ridò*), *capitonné*, ecc.

La lingua della moda è particolarmente ricca di francesismi: *décolleté, plastron*, ecc.; e così pure la cosmetica e l'igiene: *brillantina, pedicure*, ecc. Ricordiamo qui anche il color *marron* (subito adattato in *marrone*), e l'uso di *seni* al plurale, nel senso di «mammelle» (in luogo del tradizionale *seno* «petto»)[178].

Per quel che concerne i cibi e l'arte culinaria e dolciaria citiamo *restaurant* (*ristorante*), *menu, couvert* (*coperto*), *glassare*, (*mela*) *renetta, marron glacé, bomboniera*, ecc.

Penetrano in italiano altri vocaboli concernenti le ferrovie (*cantoniere, scartamento* delle rotaie) e i nuovi mezzi di comunicazione (*bicicletta*, ecc.; *automobile, garage, chauffeur, débrayage*, ecc.; *hangar, decollare*, ecc.). Per i termini marittimi, citiamo *oblò, passerella, salvataggio*.

Molti dei termini indicanti scuole e tendenze letterarie ed artistiche (*parnassiani, simbolisti, impressionisti*, ecc.) vengono, come si è già accennato (p. 641), dalla Francia. Ebbero fortuna *bohème* e *bohémien; vernissage*, ecc.

Nel linguaggio giornalistico si ha per es. il calco *trafiletto* (da *entrefilet*); alla pubblicità fatta nei giornali si riferisce originariamente il termine *réclame*.

Hanno origine dalla vita teatrale *matinée, soirée, fumoir, foyer, claque, pochade, caffè concerto, divetta, chanteuse* (*sciantosa*), *soubrette, cancan*. Gli sport sono pieni di vocaboli francesi: *pista* (dal fr. *piste*, che a sua volta era di origine italiana cinquecentesca), *incollatura, bicicletta, velodromo, routier, pistard; boxe, masseur; pattinare; defaillance, guigne;* ecc. Nelle varie scienze, oltre ai molti franco-latinismi, abbiamo termini come *liana; falaise; banchisa;* ecc.

Anche più numerosi sono i francesismi nei vari rami della tecnica: *béton* (*betoniera*); *alesare, biella, bullone, lingotto, putrella, trancia, cliché, ascensore, turbina, volante;* ecc.

E così pure i termini generali: *élite, débâcle* (non nel senso letterale

---

[177] Né servì allora che il periodico *L'Unità della Lingua*, I, 1869-70, pp. 371-372, invitasse a proporre un nome italiano. *Obitorio* attecchì molto più tardi.

[178] Non si tratta solo di un abuso del linguaggio mondano, ma troviamo anche nel Carducci: «Or forte madre palleggia il pargolo - forte; da i nudi *seni* già sazio - palleggialo alto» («La madre», in *Odi barbare*, 1. II).

di «disgelo» ma in quello figurato di «sfacelo»), *surmenage, pioniere* (già adoperato precedentemente nel senso proprio di «soldato zappatore»; ora, per spinta francese e anglo-americana, in quello fig. di «antesignano di progresso»); *banale, mirabolante, macabro* (ormai in senso generale, non più solo nella locuzione *danza macabra); rêver, rêveur, rêverie* (voci che troviamo frequentemente sia nel Carducci che nel De Sanctis), *turlupinare; vis-à-vis* (come locuz. prepositiva e come sost.); ecc.

Non meno abbondanti sono le locuzioni: *tour de force, état d'âme* (e *stato d'animo); battere in breccia, battere in visiera* (usato anche dal Carducci), *dare la dimissione o le dimissioni, incrociare le braccia, mettere i punti sugli i, passarsene* («dispensarsi dal fare qc.»), *volerne* (a qualcuno), e ancora *non essere male* (in luogo dell'aggettivo «brutto» o sim.: «Dicono che non è male la vista qui»: Fogazzaro, *Malombra*, p. 34); ecc.

A questa sommaria esemplificazione vanno poi aggiunte le altre parole non meno numerose che già abbiamo indicate tra i franco-latinismi, e quelle che non abbiamo osato chiamare con questo nome perché ibride (*cablogramma*, ecc.).

La moda dei francesismi è così forte che specialmente nei campi dov'essi più abbondano (moda, gastronomia, ecc.) si sono persino coniati degli pseudofrancesismi (*porte-enfant, zuppa santé* e sim.).

I modi di accettazione sono quelli consueti: l'adozione della parola tal quale (*élite, réclame, coup de tête, escamoter*, ecc.) o l'adattamento (*pattinare, salvataggio, sciantosa*, ecc.) o il calco (*focolare* che assume il senso di «centro onde trae alimento» per es. un'idea, *posare* che prende il significato di «darsi importanza», ecc.). È difficile in molti casi dire perché si è ricorsi piuttosto all'adozione della parola intatta che all'adattamento; ma spesso sono ben riconoscibili i fattori sociali e i fattori strutturali: *chic* è una forma che può essere adoperata da un elegante o da uno che affetta eleganza, mentre *scicche* ha un aspetto plebeo[179]; e analoghe considerazioni si possono fare per *chanteuse* rispetto a *sciantosa*, per *réclame* rispetto a *reclàm*. Invece *ascensore* ha potuto benissimo inquadrarsi nella serie in *-sore*, ed è parso trascurabile il carattere più «distinto» che dapprincipio aveva *ascenseur*. Si nota tuttavia un lento progresso delle forme assimilate o ricalcate in confronto con quelle intatte, dovuto in parte a una tendenza spontanea della lingua, in parte all'azione volonterosa, anche se non sempre oculata e non sempre fortunata, dei puristi.

Infatti parecchi vocaboli che per un certo tempo furono in uso, scomparvero poi: *comptoir*[180], *blaga*[181], *gigotto*[182], *timbro* nel senso di

---

[179] V. il capitolo «Purismo e neopurismo» nella mia *Lingua contemporanea*.

[180] «l'orologio a pendolo del *comptoir*» (Bracco, *Smorfie tristi*, p. 175).

[181] «senza *blaga* (è un francesismo brutto anche in Francia, ma oggigiorno non se ne può fare a meno)»: Carducci, «Mosche cocchiere» (1897), *Op.*, XXV, p. 365.

[182] «Voce francese quanto si vuole ma comune da parecchio... E siccome noi

«campanello»[183], ecc.; vediamo che a *coup de tête* si sostituisce *colpo di testa*, a *restaurant*, per lo più, *ristorante*[184], ecc.[185].

Altri continuarono a vivere nell'uso corrente (*debuttare, dettaglio, rimarcare*, ecc.), evitati o almeno considerati da evitarsi dagli scrittori più accurati[186].

Non va dimenticato che anche in questo periodo molti tra i forestierismi venuti dalle lingue più disparate ci sono giunti per tramite francese: qualche volta lo ricaviamo dalla documentazione, qualche volta dalle tracce che la parola stessa ne porta. Così prima che prevalessero *turismo* e *turista* le due parole si vedono più spesso in forma francese (*tourisme* e *touriste*) che nella forma originale inglese; *boxe* mostra con la sua *-e* finale di essere un adattamento francese; ecc.

21. Altri forestierismi

Dopo i francesismi, il contingente più numeroso di forestierismi penetrati in italiano in questo periodo è quello degli anglicismi. Sono termini di politica (*meeting*), di economia (*trust, stock, check*), di moda (*tight, smoking*); sono voci riferite alla città (*sky-scraper*, tradotto in *grattacielo*), ai mezzi di comunicazione (*ferry-boat, tramway, trolley, brougham*), alla casa (*water-closet*), a usanze sociali (*five o'clock tea*), a cibi e bevande (*gin*); sono termini di marina (*yacht, destroyer, dreadnought*); c'è qualche termine di gioco (*bridge, poker*), ma forse i più numerosi sono i termini di sport (*raid, performance, record, criterium; derby, sulky, turf; football, goal; skating; sprinter; ecc.*). È l'età in cui si sviluppa il *turismo* (e nasce con un nome semiinglese il *Touring Club Italiano*), in cui parecchie famiglie agiate fanno educare i figli da una *nurse* (e il titolo di *miss* prende il valore di «governante»). Delle non poche parole tecniche la più fortunata fu *film* (accolta dapprima come femm., per influenza di *pellicola*). Da notare l'accettazione di alcuni termini generali come *flirt, bluff, snob*. Qualche voce si riferisce a cose o usanze del mondo anglosassone (*pitchpine, bow-window, pickpocket*, ecc.). E abbiamo lasciato da parte, avendone già parlato più su, i numerosi anglolatinismi.

La diversa struttura delle due lingue, e la prevalenza dell'uso scritto su quello parlato, fa sì che gli adattamenti siano pochi e poco fortunati,

---

ne siamo piuttosto ghiotti, così in questo caso non la guardiamo tanto per il sottile e lasciamo correre...»: Fanfani-Arlia, *Lessico*, s. v.

[183] «Anna, senz'altro, suona un timbro»: didascalia in P. Ferrari, *Cause ed effetti*, I, sc. 4.

[184] I puristi preferivano *ristoratore*.

[185] Viceversa, dopo un tentativo di adattare in *baluardi* o *baloardi* il nome dei *boulevards* parigini, la forma francese prevalse.

[186] Il Carducci aveva degli scrupoli nell'adoperare *tappa*: «quella grande arte lombarda che in tre tappe (perdonatemi il barbaro termine) rinnovò la coscienza letteraria e civile di nostra gente».

anche per moventi snobistici: un po' più facili sono se appoggiati a suffissi, come *turista* e *turismo*, *brumista* accanto al milan. *brum* da *brougham*; ma *mitingaio* (da *meeting*), che ebbe qualche fortuna nell'Ottanta, più tardi sparl. Verdi scrive *spice* per *speech* («Avevo preparato il mio spice che pareva un capo d'opera»: lett. 8 febbr. 1865), ma è un caso isolato. Nella lingua tecnica fu accolto l'ibrido *selfindu-zione* (poi, meglio, *autoinduzione*). Meramente grafico è l'adattamento di *folklore* in *folclore*.

Invece non fanno nascere obiezioni i calchi nati immediatamente al momento della penetrazione della parola in italiano: per es. *schiave bianche*. E vi è una certa tendenza a sostituire voci di aspetto anglosassone con calchi o altrimenti: su *interview* presto prevalse il calco *intervista*, *meeting* fu sostituito con *comizio*, *lock out* con *serrata*, *check* con *assegno*, *destroyer* con *cacciatorpediniere*, ecc. Il Pitré cercò di sostituire *folklore* con *demopsicologia*, ma il termine non trovò generale consenso.

Spesso l'inglese è servito come tramite di parola di altre lingue (*iceberg*, ecc.): specialmente di lingue esotiche (*giungla*, ecc.).

Una fisionomia speciale hanno le adozioni di parole inglesi accolte nelle loro parlate dagli Italiani degli Stati Uniti: ricevute sotto la spinta della necessità e attraverso contatti orali, sono quasi tutte adattamenti (e non calchi), con forti alterazioni fonetiche e morfologiche, talvolta dovute ad incroci: *giobba* da *job*, *ghella* da *girl*, *sciabola* da *shovel*[187]. Un certo numero di tali anglicismi sono stati riportati in patria dagli emigranti, penetrando per questa via nei dialetti, specialmente in quelli meridionali, ma anche, per es., nel lucchese.

Un certo numero di germanismi giungono attraverso contatti culturali e contatti pratici con la Germania, la Svizzera, l'Austria. Citiamo alcuni vocaboli concernenti la filosofia: *Weltanschauung*, *Kulturgeschichte* o *storia della cultura*, *Aufklärung*, *Mehrwert* o *plusva-lore* ecc., e calchi come *autocoscienza*, *eticità*[188]. Ebbe grande eco il *krach* della Borsa di Vienna nel maggio 1873, e la parola onomatopeica da allora entrò nel linguaggio finanziario e in quello generale italia-no[189]. Le lotte del lavoro riecheggiano in qualche calco (*datore di lavoro*) e nel titolo di giornale *Avanti!* (1896), che traduce l'analogo *Vorwärts!*

Per ciò che concerne cibi e bevande, ricordiamo il diffondersi dell'uso di birrerie alla tedesca, servite da cameriere (*chellerine*, da

---

[187] Abbiamo già rinviato alla miglior trattazione che abbiamo sull'argomento, quella di A. Menarini, nel volumetto *Ai margini della lingua*. Uno fra i primi ad attirare l'attenzione su questo linguaggio fu il Pascoli, nel poemetto, «Italy» (si veda anche la «nota» relativa, nei *Primi poemetti*).

[188] Dopo il '60, in Calabria gli studenti di filosofia furono ironicamente chiamati *begriffi*, eco del frequente uso di *Begriff* che faceva hegelianamente Bertrando Spaventa dalla sua cattedra di Napoli (F. Nicolini, in *Lingua nostra*, II, 1948, p. 51).

[189] Errera, *Nuova Antol.*, XXV, 1874, p. 416.

Kellnerin)[190], e l'importazione o imitazione di specialità gastronomiche (*Würstel*, ecc.).

L'alpinismo e poi il turismo danno occasione a nuovi germanismi (*edelweiss*, *alpenstock*; *Kursaal*, e persino nomi come *Portofino Kulm* e simili).

Dall'uso delle governanti tedesche (specialmente svizzere) viene il significato di «governante» attribuito a *Fräulein* (come s'è visto ora ora per *miss*).

Per le belle lettere, ricordiamo la voce franco-tedesca *belletterista* («frati e preti belletteristi», scriveva il Carducci nel 1895, nella prefazione alle *Letture del Risorgimento italiano*: *Opere*, XVIII, p. 13) e *minnesinghero* (altra voce carducciana) ecc.; la musica wagneriana porta con sé *Leitmotiv*, poi largamente usato anche fuori dell'uso proprio.

I progressi di parecchie scienze conseguiti in Germania trovano eco in Italia anche nella terminologia: per citar solo un esempio, in linguistica si adotta largamente *Ablaut*, *Umlaut* (anche *umlautizzare*: De Lollis, in *Miscell. Ascoli*, Torino 1901, p. 283), e si ricalcano altri termini (*neogrammatico*, ecc.).

Sui germano-latinismi possiamo sorvolare, avendone già indicati parecchi (p. 659).

Altri germanismi si riferiscono solo alle condizioni dei paesi rispettivi (*Reichstag*, *Kulturkampf*; *Burschenschaft*, *Backfisch*, ecc.).

Come s'è visto dagli esempi citati fin qui, si hanno quasi soltanto adozioni attraverso la lingua scritta ovvero calchi. Le relazioni orali dirette dovute agli emigranti lasciarono sì qualche traccia, ma solo nei dialetti: quelli che parteciparono alle grandi costruzioni ferroviarie (S. Gottardo ecc.) riportarono per es. nei dialetti dell'alto Veneto *isenpón* («ferrovia», da *Eisenbahn*), *sina* («rotaia», da *Schiene*), ecc.

Senza confronto minore è l'influenza di altre lingue. Qualche parola viene dai paesi iberici (*intransigente*, v. p. 659; *tango* dall'Argentina, 1910; *fazenda* dal Brasile). Qualcuna giunse dai paesi scandinavi (*saga*; *ski*, poi *sci*, diffusisi anche in Italia nell'uso sportivo). Dalle lingue slave giunge qualche termine riferito a cose locali (*konak*; *duma*; termini come *mugik*, *isba*, *troika*, ecc. si divulgano attraverso le traduzioni dei romanzi russi; *dolina* piuttosto che direttamente dallo sloveno o dal croato ci giunge come termine scientifico internazionale: v. p. 651 n.).

Un certo numero di voci africane riferite a cose locali si divulgano nell'uso in séguito alle guerre e agli stanziamenti coloniali: *ascari*, *ras*, *negus*, *amba*, *tucul*, *futa*, *ghirba*, ecc. Qualche parola acquista anche usi figurati: «i *ras* della magna letteratura contemporanea» (*Rivista*, 10 genn. 1897, contro Carducci); «i *basci buzuk* del tecnicismo» (Carducci, 1897: *Opere*, VII, p. 462). Il nome della tribù dei *crumiri*, venuto alla ribalta della stampa per i fatti di Tunisia del 1881, fu poi applicato ai non scioperanti (v. p. 639).

---

[190] Nel dialetto bolognese, si adattò in *snit* il ted. *Schnitt* «mezzo bicchiere».

Giungono anche dall'Asia e dall'Oceania voci esotiche, talvolta fatte conoscere da relazioni di viaggi, italiane o straniere, talvolta per altre vie. Abbiamo così *giungla*, *veranda*, *nirvana* (la cui conoscenza è dovuta, più che agli specialisti di filosofia indiana, alla divulgazione di Schopenhauer); *pigiama* (voce persianà, giunta attraverso il diffondersi del nuovo indumento), voci giapponesi come *mikado*, *geisha*, *musmè*, *kimono*, *harakiri* (mal trasformato in *karakiri*, già nel *Piacere* di D'Annunzio), giunte attraverso opere di divulgazione, relazioni di giornalisti durante la guerra russo-giapponese, e magari operette come *La Geisha* (1906)[191], ecc.

22. *Voci italiane in lingue straniere*

Gli italianismi passati in questo periodo ad altre lingue non sono numerosi e si presentano in certo modo isolati, come effetto di singoli eventi.

Eco della gesta garibaldina è in Bulgaria il nome *garibaldejka* dato a una specie di blusa. *Irredentismo* si estende dalle condizioni politiche italiane e quelle di altri paesi (fr. *irrédentisme*, ingl. *irredentism*). Si imparano a conoscere i malanni materiali (*malaria*, fr. 1867; ma ingl. già dal 1740) e quelli morali d'Italia (*maffia*, fr. 1875). Tra le specialità gastronomiche, ha fortuna il *risotto* (ingl. 1884; fr. fine sec. XIX). Le *palafitte* scoperte dai paletnologi danno origine al fr. *palafitte* (1867), mentre il *mattoide* del Lombroso è ripetuto in francese (*mattoïde*) e in inglese (*mattoid*). Interessante è la storia di *ferroviario*, che, coniato in Italia, passa dapprima, sotto la forma *ferroviaire*, nella Svizzera francese, poi in Francia[192].

Naturalmente, si potrebbe mettere insieme un elenco molto più ricco e variopinto se tenessimo conto di singoli scrittori o giornalisti stranieri che parlano di cose italiane: per es. nel romanzo di Anatole France *Le lys rouge* (1894) troviamo numerosissimi italianismi che servono per il color locale (*briscola*, *libeccio*, *loggia*, *palazzo*, ecc.).

[191] A questa operetta è anche dovuta la divulgazione della formula cinese di brindisi *cin-cin*: v. Menarini, *Lingua nostra*, XII, 1951, pp. 97-99.

[192] Migliorini, *Saggi Novecento*, p. 144.

EPILOGO

Il periodo che si apre con la guerra del 1915-18, sia per lo sconvolgimento politico e sociale prodotto dalla guerra stessa e dalle successive vicende (fascismo, seconda guerra mondiale), sia per l'importanza che i nuovi mezzi di comunicazione (e specialmente la radio, il cinema, la televisione) hanno assunto sull'evoluzione della lingua, richiederebbe altro discorso.

Poiché tuttavia già ho avuto occasione a più riprese di discuterne[1] mi faccio lecito di chiudere qui la mia trattazione.

Abbiamo visto, dopo secoli d'incubazione, apparire nel 960 la prima testimonianza di un nuovo volgare, contrapposto a quella che fino allora era stata la lingua scritta per eccellenza del mondo occidentale; poi per due secoli e mezzo abbiamo trovato documenti relativamente scarsi e sporadici. Ma quando nel Duecento la nuova lingua si comincia a adoperare quasi a gara con le due lingue letterarie di Francia, e l'esempio dato dai Siciliani e dai Bolognesi viene accolto a Firenze, essa si manifesta già alta e matura, con quelle che saranno per sempre le sue caratteristiche essenziali: e Dante ne proclamerà in teoria e ne dimostrerà poetando l'attitudine a diventare la lingua di tutta l'Italia.

Altre grandi lingue europee (il francese, lo spagnolo, l'inglese) hanno avuto già anteriormente all'italiano una loro prima fioritura: ma poi quando si spanderà l'ondata dell'umanesimo ne saranno sconvolte e dovranno riassestarsi su altre basi per attingere una nuova classicità. Invece l'italiano già in questa sua fase preumanistica si stabilizza nei suoi caratteri essenziali: sia per la struttura grammaticale sia per il lessico delle nozioni fondamentali, che riceverà nei secoli molti incrementi ma relativamente pochi cambiamenti. Si manifesta in mille modi quel culto della forma che è l'atteggiamento secolare anzi, possiamo dire, perenne degli Italiani rispetto alla loro lingua: e una delle manifestazioni più tipiche è il desiderio di adeguarsi a quei tre grandi trecentisti che avevano fornito così alti modelli letterari.

Dopo un breve periodo in cui pare che il latino arrivi a sommergere il volgare, questo riprende l'àire, e in una forma che avrebbe potuto aprire nuove strade, per quella circolazione fra strati superiori e inferiori della società che nella lingua letteraria della cerchia di Lorenzo il Magnifico è così ben mantenuta.

Ma le cose vanno altrimenti: l'invenzione della stampa spinge a una relativa unificazione della lingua scritta, e il toscano deve pagare un forte prezzo per essere accolto come lingua letteraria di tutta la penisola. La codificazione avviene principalmente sotto gli auspici della grammatica bembesca, e quindi per via retorica e arcaizzante, così che gli scambi con la lingua parlata sono scarsi, e l'uso della lingua letteraria è esteso sì a tutta l'Italia geografica, ma resta limitato alle classi colte.

Le cose non mutano, a questo riguardo, nei secoli seguenti.

Anche la formazione del lessico delle varie scienze, che si viene sviluppando di secolo in secolo, si compie su fondamenti greco-latini, che mantengono bene i contatti fra le varie lingue europee, ma sempre su un livello assai alto e non popolare.

Mentre nel Cinquecento la lingua italiana, usufruendo dell'alto prestigio della cultura del Rinascimento, era largamente nota nell'Europa civile, nel tardo Seicento e nel Settecento la corrente s'inverte, e l'italiano è fortemente influenzato, specialmente dal francese.

All'invasione dei forestierismi cercano di reagire, sempre sul piano letterario, i puristi. Ma il più insigne fra i Romantici, il Manzoni, si rende conto che la lingua non è soltanto strumento letterario, ma è uno strumento sociale nel più ampio senso della parola: mentre come scrittore dà un colpo mortale alla retorica, come linguista vorrebbe che all'unità politica, ardentemente desiderata e infine conseguita, corrispondesse un'unità linguistica.

Infatti dal '61 e più ancora dal '70 in poi, sia pure in modo diverso da quello che il Manzoni preconizzava, i progressi nell'unificazione linguistica in senso orizzontale sono stati assai notevoli, anche se avvenuti in parte non più sotto il controllo del buon gusto dei letterati, ma ad opera della vita pratica nei suoi aspetti più vari (amministrazione, giornalismo, sport, ecc.). In progresso assai lento è invece tuttora la circolazione in senso verticale, per l'ancora scarsa cultura di larghissimi strati della popolazione. Ma una crescente unificazione è probabile: come la divulgazione della stampa in tre o quattro generazioni ha reso sensibilmente uniforme la lingua scritta, così i nuovi mezzi di divulgazione della parola (radio e televisione) stanno dando una maggiore uniformità alla pronunzia.

Quale sia per essere la lingua di domani, non è possibile vaticinare, se non ripetendo quelle parole con cui Gino Capponi concludeva il suo noto saggio della *Nuova Antologia* (1869): «la lingua italiana sarà ciò che sapranno essere gli Italiani».

AGGIUNTE E CORREZIONI
alla quinta edizione postuma

Era abitudine di Migliorini ritornare pazientemente, con scrupolosa diligenza, sopra i suoi lavori, apportando modifiche e aggiunte, dovute a sviluppi di nuove ricerche o a suggerimenti di recensori e lettori, che poi introduceva nelle edizioni successive.

Alla *Storia della lingua italiana* aveva dedicato particolari attenzioni delle quali si può trovar traccia sia nelle edizioni «maggiori», sia nelle varie edizioni economiche.

Qui sono raccolte le aggiunte e le correzioni che Migliorini aveva preparato in vista di una nuova edizione completa e che sono annotate in un suo esemplare della *Storia della lingua italiana* che porta la dicitura «Copia della quarta edizione per la tipografia (5ª ed.)». Si tratta in genere di correzioni formali, di eliminazioni di sviste e refusi; le aggiunte sono limitate a pochi casi e a cenni indispensabili, in modo da non richiedere rielaborazioni sostanziali e di conseguenza sconvolgimenti nell'impaginazione: sono qui riprodotte tali e quali, nella forma stabilita da Migliorini.

Si è tenuto conto anche di un certo numero di schede, parte unite al volume, parte conservate insieme ad altri materiali che riguardano la *Storia della lingua italiana* fra le carte di Migliorini all'Accademia della Crusca, contenenti diverse annotazioni sommarie, che eventualmente avrebbero dovuto essere introdotte. Queste schede tuttavia sono state utilizzate in misura limitata, dato che molte appaiono ancora evidentemente bisognose di una elaborazione da parte dell'autore. Qui di seguito sono indicate con un asterisco; su di esse si è talora proceduto a integrazioni, che però riguardano soltanto il completamento delle indicazioni bibliografiche.

In genere si tenga presente che l'aggiornamento riguarda materiali bibliografici anteriori al giugno del 1975 (data della morte dell'autore) e che, per una nuova edizione, Migliorini avrebbe sicuramente perfezionato e completato il suo lavoro di revisione.

Desideriamo manifestare la nostra gratitudine al professor Ghino Ghinassi che ha rivisto queste aggiunte: alla sua cortesia e alla sua competenza siamo debitori di non poche osservazioni e di consigli preziosi.

Massimo Luca Fanfani

BIBLIOGRAFIA

p. 7: *tra le voci* Castellani *e* Crescini *si aggiunga* Contini, *P. Duec.* G. Contini, *Poeti del Duecento*, Milano-Napoli, 1960.

p. 8, r. 25 dal basso: B. Migliorini, *Lingua contemporanea*, 3ª ed., Firenze, 1943. *si legga* B. Migliorini, *Lingua contemporanea*, 4ª ed., Firenze, 1963.

ibid., r. 19 dal basso: B. Migliorini, *Saggi sulla lingua del Novecento*, 2ª ed., Firenze, 1942. *si legga* B. Migliorini, *Saggi sulla lingua del Novecento*, 3ª ed., Firenze, 1963.

CAPITOLO I

* p. 28, rr. 30-31: *fra* HASTULA *e* ILLINC *si aggiunga* HAURIRE: chiogg., friul., logudor. *orire* (*REW* 4082);

CAPITOLO II

* p. 55, r. 11: *dopo* meridionali *si aggiunga la nota*

²⁰ᵃ Per l'influenza del lessico longobardo nell'Italia meridionale, specialmente nella toponomastica, vedi F. Sabatini, *Riflessi linguistici della dominazione longobarda nell'Italia mediana e meridionale*, Firenze, 1963.

* p. 63, r. 5: *dopo* volgare parlato *si aggiunga la nota*

³⁶ᵃ Sui registri intermedi tra il latino classico e quello parlato: D'Arco S. Avalle, *Latino «circa romançum» e «rustica romana lingua»*, Padova, 1965; e G. B. Pighi, «La vita ritmica di San Zeno», in *Mem. dell'Acc. delle Sc. dell'Istit. di Bologna*, Bologna, 1960; D. S. Avalle, «Alcune particolarità... della "Vita ritmica di San Zeno"», in *Linguistica e filologia. Omaggio a Benvenuto Terracini*, Milano, 1968, pp. 9-38; F. Sabatini, «Dalla 'scripta romana rustica' alle 'scriptae' romanze», in *Studi medievali*, s. 5ª, IX, 1968, pp. 320-358.

* *ibid.*, r. 10: *dopo* autonomo. *si legga* Parole volgari affiorano in qualche breve iscrizione, come in quella della prima metà del sec. IX, graffita nella catacomba di Commodilla dove un religioso richiama, in volgare, un confratello a recitare le *secrita* a bassa voce³⁶ᵇ.

³⁶ᵇ R. Sabatini, in *Studi ling. it.*, VI, 1966, pp. 49-80. Vedi anche l'iscrizione che si legge su un portale (oggi smurato) della cattedrale di Civita Castellana:

> Eneas, gative, aiutame,
> Non possum, quia crepo.

(G. Contini, «Un'antica iscrizione laziale semivolgare?», in *Lingua nostra*, XXVII, 1966, p. 14).

* p. 63, r. 12: *dopo* volgare *si aggiunga la nota*

   ³⁶ᶜ È fra la fine del sec. IX e l'inizio del X il glossario di Monza con 63 lemmi, non più in latino come in altri glossari, ma in italiano padano tradotti in greco: B. Bischoff - H.-G. Beck, «Das italienisch-griechische Glossar der Handschr. e 14 (127) der Biblioteca Capitolare in Monza», in *Medium Aevum Romanicum*, 1963, pp. 49-62; cfr. F. Sabatini, «Il glossario di Monza», in *Atti Accad. Torino*, XCVIII, 1963-64, pp. 51-84 e O. Parlangèli, «Il glossario monzese», in *Atti Accad. Pontaniana*, n.s., XV, 1966, pp. 241-269.

* p. 65, n. 46: *in fondo si aggiunga* Vedi anche F. Parrino, «Se pareba boves», in *Annuario 1966-67 del Liceo scient. «G. Galilei» di Macerata*, pp. 1-41.

p. 66, n. 48: *in fondo si aggiunga* Cfr. anche la recensione di Monteverdi a questo paragrafo in *Cult. neolat.*, XXII, 1962, pp. 219-221.

* p. 68, n. 51: *si aggiunga* (Cfr. ora Id., in *Studi ling. it.*, II, 1961, p. 40, dove si stabilisce che nel testo appare *bona* e non *buona*).

* p. 74, n. 76: *in fondo si aggiunga* Una buona sintesi in G. Bonfante, *Latini e Germani in Italia*, 3ª ed., Brescia, 1965.

p. 79, r. 1: *nastro, si legga* nastro (?),

* *ibid.*, r. 9 dal basso: *si tolga* trogolo *che compare già negli esempi della pagina precedente*

CAPITOLO III

* p. 97, r. 8: *invece di* esige l'enclitica *si legga* proibisce la proclitica

* p. 98, n. 39 (segue p. 99): *in fondo, invece di* mascia «massa» *si legga* mascia «podere».

p. 99, n. 40: *i primi cinque righi sono cancellati*;

   rigo 6: *invece di* Anche i *si legga* I

   dopo il rigo 12, a capo, si legga

   Quanto ai brani in volgare calabrese di una carta di Rossano edita dall'Ughelli, essi sono un'aggiunta di età incerta (forse ancora del sec. XII) alla traduzione di una carta greca del 1114: si veda il testo critico di A. Colonna, in *Rend. Ist. Lomb.*, Lettere, LXXXIX, 1956, pp. 9-26; Id., in *Studi di filol. it.*, XXIII, 1965, pp. 5-17.

p. 101, r. 10: *invece di* Antonio *si legga* Giovanni

* p. 103, n. 55: *in fondo si aggiunga*; V. ora dello stesso, «Storia dell'iscrizione ferrarese del 1135», in *Atti dell'Accad. dei Lincei*, Cl. sc. morali storiche e filol., s. 8ª, XI, 1963, pp. 101-140.

* p. 104, r. 9: *dopo* ultimi anni del sec. XII o del principio del XIII. *si aggiunga la nota*

   [58a] La data viene ora fissata fra il 1151 e il 1157 dal Contini, *P. Duec.*, pp. XVII e 4-5.

CAPITOLO IV

p. 126, rr. 6-7: *invece di* (con quattro piccole e probabilissime correzioni del Debenedetti): *si legga* (con cinque piccole e probabilissime correzioni):

ibid., r. 8 dal basso: allegrari *si legga* alligrari

* p. 126, n. 30: *in fondo si aggiunga* V. ora O. Parlangèli, «La canzone siciliana di Stefano Protonotaro», in *Studi linguistici salentini*, II, 1969, pp. 55-70.

p. 127, r. 18: una *chiacenza si legga* il *chiacenza*

* p. 129, n. 41: *in fondo, a capo, si aggiunga*

   Per la mediazione dalla Sicilia alla Toscana: I. Baldelli, «Rime siculo-umbre del Duecento», in *Studi di filol. it.*, XXIV, 1966, pp. 5-38, ora in *Medioevo volgare da Montecassino all'Umbria*, Bari, 1971, pp. 255-293.

* p. 135, n. 58: *in fondo si aggiunga* Cfr. ora Contini, *P. Duec.*, I, pp. 29-34.

p. 139, r. 22 grand(e) *si legga* grande

* p. 162, n. 139: *si aggiunga in fondo*

   V. ora G. B. Pellegrini, *Gli arabismi nelle lingue neolatine con speciale riguardo all'Italia*, Brescia, 1972.

CAPITOLO V

* p. 170, r. 14: *dopo* avessimo *si aggiunga la nota*

   [1a] Sul volgare curiale: G. Devoto, *Linguaggio d'Italia*, Milano, 1974, p. 249, e la voce «Curiale» di P. V. Mengaldo in *Enciclopedia dantesca*, II, Roma, 1970, p. 288.

* p. 179, r. 13: *dopo* Apocalisse *si aggiunga la nota*

   [10a] *Conservo* si trova anche nel *Vangelo* di Matteo.

* p. 180, r. 1: *si tolga* come *cunta* (*Purg.*, XXXI, v. 4) [che già era (sotto la forma *cuncta*) in Uguccione e Giovanni da Genova].

CAPITOLO VI

* p. 199, n. 56: *in fondo si aggiunga* V. ora Maestro Antonio da Ferrara (Antonio

Beccari), *Rime*, ed. crit. a cura di L. Bellucci, Bologna, 1967 (e 1972) e la recensione di A. Balduino (*Lett. it.*, XX, 1968, pp. 526-542).

* p. 201, n. 62: *si aggiunga in fondo* Per i tre sonetti in veneziano, padovano e trevisano, finora attribuiti a Nicolò de' Rossi: M. Corti, «Una tenzone poetica del sec. XIV in veneziano, padovano e trevisano», in *Dante e la cultura veneta*, Firenze, 1966, pp. 129-142.

* p. 204, n. 73: *si aggiunga* Ma cfr. Contini, *P. Duec.*, I, pp. 883-884 e 890-891.

p. 208, r. 10 dal basso: *invece di* seguito *si legga* accompagnato

p. 210, r. 6 dal basso: *invece di* valentissimi *si legga* finissimi

CAPITOLO VII

p. 224, r. 12 dal basso: *invece di* Firenze *si legga* Livorno

p. 231, r. 22: *invece di* aggiungeva *si legga* diceva

p. 238, n. 54: *in fondo si aggiunga* (nuova ed., 1964).

p. 240, n. 66, r. 2: *Teogenio si legga Theogenius.*

ibid., n. 66, ultimo rigo: *invece di* (*Opere volgari*, III, p. 160). *si legga* (dedica a Lionello d'Este, *Opere volgari*, a cura di C. Grayson, II, Bari, 1966, p. 55).

p. 241, r. 11 dal basso: *invece di* Cicco *si legga* Giovanni

* *ibid.*, n. 70: *in fondo si aggiunga* ; R. Cardini «Cristoforo Landino e l'umanesimo volgare». I, in «*La Rassegna della lett. it.*, LXXII, 1968, pp. 267-296, con una nuova edizione della prolusione landiniana al Petrarca che forse è del 1467 (o 68, o 69); cfr. ora, dello stesso, *La critica del Landino*, Firenze, 1973, pp. 113-232.

p. 245, rr. 2-3 dal basso: *da* l'identificazione *ad* Alberti. *si legga* ma l'identificazione dell'autore con Leon Battista Alberti è ormai sicura.

ibid., n. 80: *invece di* V. il testo in appendice a Trabalza, *Storia gramm. si legga* V. l'edizione di C. Grayson, *La prima grammatica della lingua volgare. La grammatichetta vaticana, cod. Vat. Reg. Lat. 1370*, Bologna, 1964 e in *Opere volgari*, III, Bari, 1973, pp. 175-193.

ibid., n. 81: *si tolga* specialmente *e in fondo si aggiunga* ; C. Colombo, «Leon Battista Alberti e la prima grammatica italiana», *Studi ling. it.*, III, 1962, pp. 176-187; e l'introduzione all'edizione Grayson, pp. V-XLVIII.

p. 251, r. 22: *invece di* (o Pietro Edo) *si legga* (o Cavretto, o Edo)

* p. 252, r. 19: *dopo* cultura *si aggiunga la nota*

   114a V. ora P. V. Mengaldo, *La lingua del Boiardo lirico*, Firenze, 1963.

* p. 255, n. 134 *in fondo si aggiunga*: Cfr. ora S. Gentile, *Postille ad una recente edizione di testi narrativi napoletani del '400*, Napoli, 1961, pp. 18-28.

* p. 259, n. 157, ultimo rigo: *dopo cyfris. si legga* L'attribuzione è ormai sicura (v. C. Colombo, *Studi ling. it.*, III, 1962).

* p. 265, r. 2: *dopo fussi si aggiunga la nota*

[175a] Sull'uso del congiuntivo imperfetto in L. B. Alberti: v. la recensione di Gh. Ghinassi a M. Dardano, «Sintassi e stile nei "Libri della famiglia" di L. B. Alberti» (*Cult. neolatina*, XXIII, 1963) in *Lingua nostra*, XXV, 1964, pp. 59-61, a p. 59.

CAPITOLO VIII

* p. 312, n. 86: *in fondo si aggiunga* V. ora P. V. Mengaldo, «Appunti su V. Calmeta e la teoria cortigiana», in *Rass. lett. it.*, LXIV, 1960, pp. 446-469.

p. 314, r. 9 dal basso: *invece di* premessa all'edizione del 1527 *si legga* scritta nel 1527 e premessa all'edizione del '28,

* p. 320, n. 95: *in fondo si aggiunga* V. ora H. Baron, «Machiavelli on the Eve of the "Discourses": the Date and Place of his "Dialogo intorno alla nostra lingua"», in *Bibliothèque d'Humanisme et Renaissance*, XXIII, 1961 pp. 449-475. Dubbi sull'attribuzione al Machiavelli di questo *Dialogo* ha posto C. Grayson, «Machiavelli e Dante. Sulla data e l'attribuzione del "Dialogo intorno alla nostra lingua"», in *Studi e problemi di critica testuale*, II, 1971, pp. 5-28; l'articolo del Grayson ha suscitato un ampio dibattito, non ancora concluso.

* p. 324, n. 100: *in fondo, a capo, si aggiunga* Sul Gelli si veda ora A. De Gaetano, «G. B. Gelli and the Questione della lingua», in *Italica*, XLIV, 1967, pp. 263-281; Id., «G. B. Gelli and the Rebellion against Latin», in *Studies in the Renaissance*, XIV, 1967, pp. 131-158.

p. 328, r. 12 dal basso: *invece di* di origine dalmata, vissuto a lungo a Pordenone) *si legga* pordenonese, che aveva avuto alti uffici a Trieste)

p. 331, r. 2 dal basso: 1601 *si legga* 1602

p. 340, r. 12 dal basso: *invece di* dal Cian con *si legga* dal Cian e poi dal Ghinassi con

ibid., r. 9 dal basso: *invece di* e del Bembo) *si legga* e del bembiano Giovanni Francesco Valerio)

ibid., n. 145: *in fondo si aggiunga* ; Gh. Ghinassi, «Postille all'elaborazione del "Cortegiano"», in *Studi e problemi di critica testuale*, III, 1971, pp. 171-178.

* p. 344, r. 13: *dopo* consiglio *si aggiunga* ; Michelangelo sottopose alcune sue poesie alla revisione del Giannotti e del Riccio.

* p. 356, n. 205: *in fondo, a capo, si aggiunga* Per le norme stabilite dal Trissino v. M. Vitale, «Di alcune forme verbali nella prima codificazione grammaticale cinquecentesca», in *Acme*, X, 1957, pp. 235-275.

p. 365, rr. 1-2 dal basso: *cateto, lemma*, ecc. *si legga* per esempio *lemma*.

p. 366, r. 6 dal basso: *si cancelli omologare*,

* p. 372, n. 259: *in fondo si aggiunga Per cerasa* v. ora G. Rohlfs, in *Medium Aevum Romanicum*, Monaco, 1963, p. 291.
[L'edizione economica elimina *varola*.]

p. 380, rr. 12-13: *da* importato *a* «borsa, guaina», *si legga* di questa età (come *busta* «involucro», entrato a Venezia dal Levante,

* p. 381, r. 15: *si cancelli zaino*

CAPITOLO IX

* p. 410, n. 64: *in fondo, a capo, si aggiunga* Su queste innovazioni v. ora M. Vitale, «La III edizione del "Vocabolario della Crusca". Tradizione e innovazione nella cultura linguistica fiorentina secentesca», in *Acme*, XVIII 1963, pp. 89-159.

* p. 414, n. 75: *si aggiunga in fondo* : V. ora M. Vitale, «Leonardo di Capua e il capuismo napoletano. Un capitolo della preistoria del purismo linguistico italiano, «in *Acme*, XVIII, 1963, pp. 89-159.

p. 415, r. 5 dal basso: (Venezia 1601) *si legga* (Venezia 1602; prefazione datata 1601)

pp. 438, r. 4: G. Paganino, *si legga* P. Gaudenzio,

p. 447, r. 13: *agrimani* (Lippi) *si legga agrimani,*

CAPITOLO X

p. 461, r. 13 dal basso: attribuita a B. Marcello, *si legga* del p. F. A. Arizzi,

p. 467, r. 5-6: *da* (che *a* opere) *si legga* (dopo la sua morte furono citati molti esempi tratti dalle sue opere)

ibid., rr. 12-13: *invece di* attribuita a B. Marcello *si legga* del p. F. A. Arizzi,

p. 474, r. 9 dal basso: *si cancelli* tra gli Italiani

ibid., r. 6 dal basso: *prima di* i maestri di ballo *si legga* i sarti,

* p. 479, n. 126: *in fondo si aggiunga* Sull'uso dell'italiano in Voltaire, v. ora G. Folena, «Divagazioni sull'italiano di Voltaire», in *Studi in onore di V. Lugli e D. Valeri*, Venezia, 1961, pp. 391-424.

* p. 488, n. 154: *invece di* quadripartizione del Gigli *si legga* quadripartizione suggerita al Gigli da F. O. Tondelli

p. 504, r. 11: *si cancelli* probabilmente da lui stesso fornite,

ibid., r. 21: *si cancelli* (più volentieri con prefissi)

ibid., r. 23: *dopo berlinale, si legga cardinalume,*

CAPITOLO XI

p. 545, r. 19 dal basso: *da Vocabolario a modi si legga Dizionario de' francesismi e degli altri vocaboli e modi*

p. 554, rr. 17-18: *da* oltre *a* di M. *si legga* la raccolta di M.

ibid., r. 20: spogli. Su *si legga* spogli, fu compendiata e riveduta dal Compagnoni. Su

ibid., r. 26: *invece di* nel 1806 *si legga* tra il 1806 e il 1811

ibid., r. 28: tratte da *si legga* tratte in gran parte da

CAPITOLO XII

p. 605, n. 11: *in fondo si aggiunga* Cfr. M. Raicich, «Questione della lingua e scuola (1860-1900)», in *Belfagor*, XXI, 1966, pp. 245-268 e 369-408.

p. 615, r. 19: *invece di* quasi *si legga* più che

p. 623, r. 13: (Rocca S. Casciano 1871-1892) *si legga*, (Rocca San Casciano 1892)

p. 629, r. 5: *invece di* tagliate *si legga* con un taglio

* p. 638, n. 100: *in fondo si aggiunga* ; ora G. Herczeg, *Lo stile indiretto libero*, Firenze, 1963.

* p. 641, n. 109: *si aggiunga in fondo* : Già nel 1835 V. Hugo aveva pubblicato gli *Chants du crépuscule*, nei quali intendeva esprimere «cet étrange état *crépusculaire* de l'âme et de la société dans le siècle où nous vivons». Alcuni precedenti italiani e francesi della parola sono indicati in *Lingua nostra*, XXIII, 1962, p. 113, e XXVIII, 1967, p. 23.

p. 662, r. 12: *invece di* dell'aggettivo «brutto» *si legga* di «non esser brutto»

p. 666, r. 10: *invece di* operette come *La Geisha* (1906) *si legga* opere e operette (*Butterfly*, 1904; *La Geisha*, 1906)

INDICE ALFABETICO

Sono inclusi nello spoglio tutti i vocaboli di cui si tratta nel volume, mentre dei nomi propri e dei fenomeni linguistici si citano solo i più notevoli.

INDICE GENERALE

Saggi Tascabili Bompiani
Periodico quindicinale anno XIII numero 31
Registr. Tribunale di Milano n. 269 del 10/7/1981
Direttore responsabile: Francesco Grassi
Finito di stampare nel novembre 2002 presso
il Nuovo Istituto Italiano d'Arti Grafiche - Bergamo
Printed in Italy

ISBN 88-452-4961-1